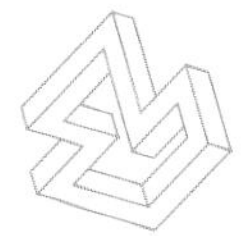
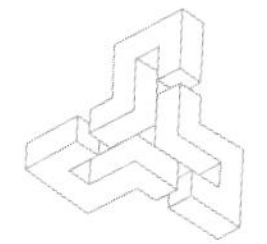
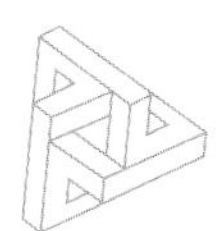

중학수학

2-2

해 법 수 학

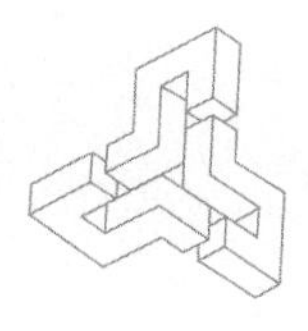

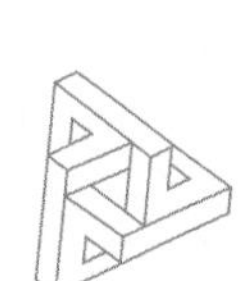

자기주도 학습 *sherpa*

책머리에

수학은 누구나 잘 할 수 있습니다.

셀파 해법수학과 함께하는 여러분은 목표를 꼭 이룰 것입니다.

'어떻게 하면 지긋지긋한 수학을 쉽고 재미있게 공부할 수 있을까?'
하고 고민해 본 경험은 누구에게나 한 번쯤은 있을 것입니다.
수학은 모든 학문의 바탕이 되는 과목입니다.
또한 대학입시에서도 매우 중요한 역할을 합니다.
그러나 안타깝게도 많은 학생들이 수학을 포기하는 것이 우리 현실입니다.

수학을 잘 하기 위해서는 무엇보다 수학과 친해져야 합니다.
그러기 위해서는 쉬운 문제부터 시작하여
기본 원리를 확실하게 터득해야 합니다.

이에 여러분 모두가 수학을 잘 할 수 있기를 바라는 마음으로
셀파 해법수학을 만들었습니다.
수학을 쉽게 익힐 수 있는 셀파 해법수학 개념 기본서는
여러분의 수학 실력을 한 단계 더 높이는 데 도움을 줄 것입니다.

수학을 공부하다 보면
도대체 이 문제를 어떻게 푸는 걸까?
하며 힘들어 할 때가 생길 것입니다.
이렇게 도움이 필요한 순간마다 셀파 해법수학을 펼쳐 보십시오.
셀파 해법수학은 여러분의 수학 공부 도우미가 될 것입니다.

셀파 해법수학과 함께하는 여러분의 성공을 기원합니다.

崔容準

Structure 구성과 특징

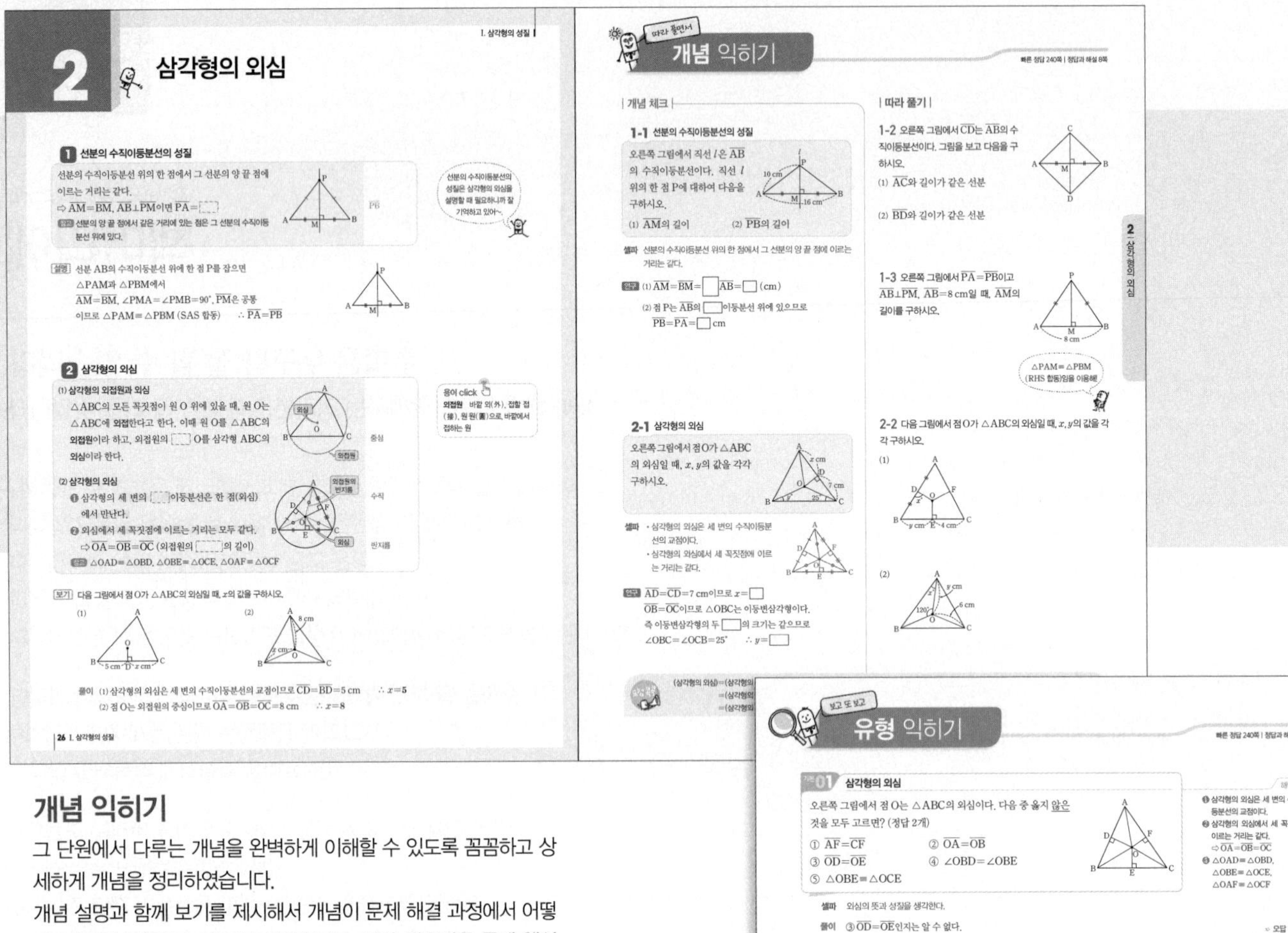

I. 삼각형의 성질

2 삼각형의 외심

1 선분의 수직이등분선의 성질

선분의 수직이등분선 위의 한 점에서 그 선분의 양 끝 점에 이르는 거리는 같다.

⇨ $\overline{AM}=\overline{BM}$, $\overline{AB}\perp\overline{PM}$이면 $\overline{PA}=$ ☐

참고 선분의 양 끝 점에서 같은 거리에 있는 점은 그 선분의 수직이등분선 위에 있다.

설명 선분 AB의 수직이등분선 위에 한 점 P를 잡으면 △PAM과 △PBM에서 $\overline{AM}=\overline{BM}$, ∠PMA=∠PMB=90°, $\overline{PM}$은 공통이므로 △PAM≡△PBM (SAS 합동) ∴ $\overline{PA}=\overline{PB}$

선분의 수직이등분선의 성질은 삼각형의 외심을 설명할 때 필요하니까 잘 기억하고 있어~.

2 삼각형의 외심

(1) 삼각형의 외접원과 외심

△ABC의 모든 꼭짓점이 원 O 위에 있을 때, 원 O는 △ABC에 외접한다고 한다. 이때 원 O를 △ABC의 외접원이라 하고, 외접원의 ☐ O를 삼각형 ABC의 외심이라 한다.

용어 click 외접원 바깥 외(外), 접할 접(接), 원 원(圓)으로, 바깥에서 접하는 원

(2) 삼각형의 외심

① 삼각형의 세 변의 ☐이등분선은 한 점(외심)에서 만난다.

② 외심에서 세 꼭짓점에 이르는 거리는 모두 같다. ⇨ $\overline{OA}=\overline{OB}=\overline{OC}$ (외접원의 ☐의 길이)

참고 △OAD≡△OBD, △OBE≡△OCE, △OAF≡△OCF

보기 다음 그림에서 점 O가 △ABC의 외심일 때, x의 값을 구하시오.

풀이 (1) 삼각형의 외심은 세 변의 수직이등분선의 교점이므로 $\overline{CD}=\overline{BD}=5$ cm ∴ $x=5$
(2) 점 O는 외접원의 중심이므로 $\overline{OA}=\overline{OB}=\overline{OC}=8$ cm ∴ $x=8$

26 I. 삼각형의 성질

따라 풀면서 **개념 익히기**

| 개념 체크 |

1-1 선분의 수직이등분선의 성질

오른쪽 그림에서 직선 l은 $\overline{AB}$의 수직이등분선이다. 직선 l 위의 한 점 P에 대하여 다음을 구하시오.
(1) $\overline{AM}$의 길이 (2) $\overline{PB}$의 길이

2-1 삼각형의 외심

오른쪽 그림에서 점 O가 △ABC의 외심일 때, x, y의 값을 각각 구하시오.

| 따라 풀기 |

1-2 오른쪽 그림에서 $\overline{CD}$는 $\overline{AB}$의 수직이등분선이다. 그림을 보고 다음을 구하시오.
(1) $\overline{AC}$와 길이가 같은 선분
(2) $\overline{BD}$와 길이가 같은 선분

1-3 오른쪽 그림에서 $\overline{PA}=\overline{PB}$이고 $\overline{AB}\perp\overline{PM}$, $\overline{AB}=8$ cm일 때, $\overline{AM}$의 길이를 구하시오.

2-2 다음 그림에서 점 O가 △ABC의 외심일 때, x, y의 값을 각각 구하시오.

보고 또 보고 **유형 익히기**

01 삼각형의 외심

오른쪽 그림에서 점 O는 △ABC의 외심이다. 다음 중 옳지 않은 것을 모두 고르면? (정답 2개)
① $\overline{AF}=\overline{CF}$ ② $\overline{OA}=\overline{OB}$
③ $\overline{OD}=\overline{OE}$ ④ ∠OBD=∠OBE
⑤ △OBE≡△OCE

07 비례식으로 나타내어진 각의 크기 구하기

오른쪽 그림에서 점 O는 ∠A=90°인 직각삼각형 ABC의 빗변 BC의 중점이다. ∠AOB : ∠AOC=4 : 5일 때, ∠B의 크기를 구하시오.

셀파 점 O는 △ABC의 외심이므로 $\angle B=\frac{1}{2}\angle AOC$

풀이 $\angle AOB+\angle AOC=180°$이므로 $\angle AOC=180°\times\frac{5}{4+5}=100°$
$\therefore \angle B=\frac{1}{2}\angle AOC=\frac{1}{2}\times100°=50°$

개념 익히기

그 단원에서 다루는 개념을 완벽하게 이해할 수 있도록 꼼꼼하고 상세하게 개념을 정리하였습니다.

개념 설명과 함께 보기를 제시해서 개념이 문제 해결 과정에서 어떻게 이용되는지 알 수 있도록 하였습니다. 빈칸 채우기를 통해 핵심 개념을 더욱 확실히 알 수 있도록 하였습니다.

따라 풀면서 개념 익히기

새로 배우는 개념을 좀 더 편리하게 학습할 수 있도록 다양한 형식의 가장 쉬운 문제를 제시하였습니다. 이 부분의 문제만 풀더라도 개념 형성이 가능하도록 하였습니다.

따라 풀기를 통해 같은 개념의 다른 문제를 한 번 더 풀어봄으로써 기초를 확실히 다질 수 있도록 하였습니다.

보고 또 보고 유형 익히기

기본 문제 / 발전 문제 꼭 알아야 하는 유형의 기본 문제와 기본 문제를 응용한 발전 문제를 통해 다양한 유형을 학습할 수 있도록 하였습니다. 확인 문제에서 처음 다루는 내용이나 문제 해결에 필요한 내용은 마이 셀파에서 도움말을 제공하여 큰 어려움 없이 문제를 풀 수 있도록 하였습니다.

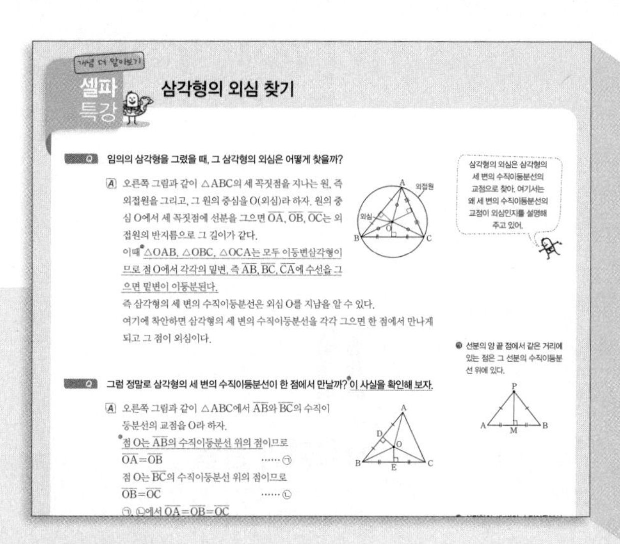

개념 더 알아보기

셀파 특강

삼각형의 외심 찾기

Q 임의의 삼각형을 그렸을 때, 그 삼각형의 외심은 어떻게 찾을까?

A 오른쪽 그림과 같이 $\triangle ABC$의 세 꼭짓점을 지나는 원, 즉 외접원을 그리고, 그 원의 중심을 O(외심)라 하자. 원의 중심 O에서 세 꼭짓점에 선분을 그으면 $\overline{OA}$, $\overline{OB}$, $\overline{OC}$는 외접원의 반지름으로 그 길이가 같다.

이때 $\triangle OAB$, $\triangle OBC$, $\triangle OCA$는 모두 이등변삼각형이므로 점 O에서 각각의 밑변, 즉 $\overline{AB}$, $\overline{BC}$, $\overline{CA}$에 수선을 그으면 밑변이 이등분된다.

즉 삼각형의 세 변의 수직이등분선은 외심 O를 지남을 알 수 있다.

여기에 착안하면 삼각형의 세 변의 수직이등분선을 각각 그으면 한 점에서 만나게 되고 그 점이 외심이다.

삼각형의 외심은 삼각형의 세 변의 수직이등분선의 교점으로 찾아. 여기서는 왜 세 변의 수직이등분선의 교점이 외심인지를 설명해 주고 있어.

● 선분의 양 끝 점에서 같은 거리에 있는 점은 그 선분의 수직이등분선 위에 있다.

Q 그럼 정말로 삼각형의 세 변의 수직이등분선이 한 점에서 만날까? 이 사실을 확인해 보자.

A 오른쪽 그림과 같이 $\triangle ABC$에서 $\overline{AB}$와 $\overline{BC}$의 수직이등분선의 교점을 O라 하자.

점 O는 $\overline{AB}$의 수직이등분선 위의 점이므로

$\overline{OA}=\overline{OB}$ ⋯⋯ ㉠

점 O는 $\overline{BC}$의 수직이등분선 위의 점이므로

$\overline{OB}=\overline{OC}$ ⋯⋯ ㉡

㉠, ㉡에서 $\overline{OA}=\overline{OB}=\overline{OC}$

셀파 특강

중학교 수학에서 꼭 알아야 하지만
본문의 개념 정리에서 조금 부족하게 다룬 내용은
셀파 특강을 통해 충분히 학습할 수 있도록 하였습니다.

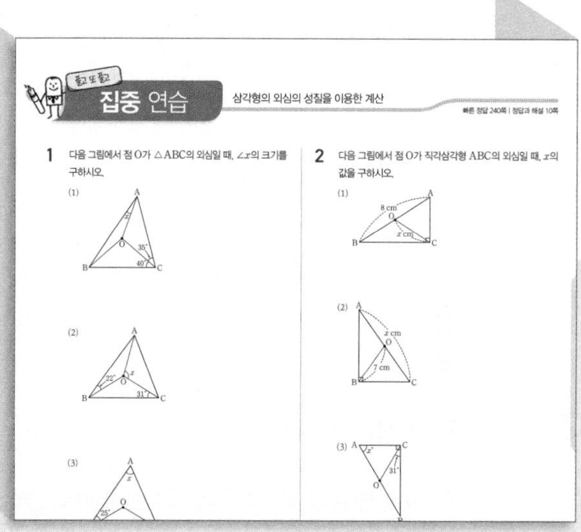

콕콕 콕콕

집중 연습 삼각형의 외심의 성질을 이용한 계산

빠른 정답 240쪽 | 정답과 해설 10쪽

1 다음 그림에서 점 O가 $\triangle ABC$의 외심일 때, $\angle x$의 크기를 구하시오.

(1) (2) (3)

2 다음 그림에서 점 O가 직각삼각형 ABC의 외심일 때, x의 값을 구하시오.

(1) (2) (3)

집중 연습

새로 배우는 개념을 확실하게 익힐 수 있도록
집중 연습 문제를 제시하였습니다.

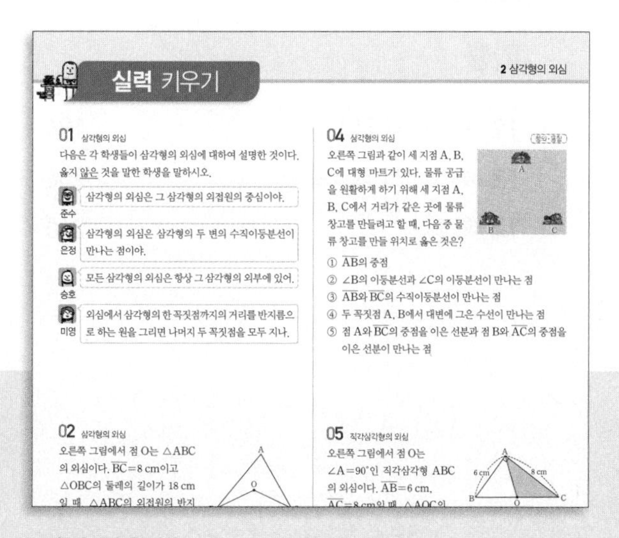

실력 키우기 2 삼각형의 외심

01 삼각형의 외심

다음은 각 학생들이 삼각형의 외심에 대하여 설명한 것이다. 옳지 않은 것을 말한 학생을 말하시오.

준수: 삼각형의 외심은 그 삼각형의 외접원의 중심이야.

은정: 삼각형의 외심은 삼각형의 두 변의 수직이등분선이 만나는 점이야.

승호: 모든 삼각형의 외심은 항상 그 삼각형의 외부에 있어.

미영: 외심에서 삼각형의 한 꼭짓점까지의 거리를 반지름으로 하는 원을 그리면 나머지 두 꼭짓점을 모두 지나.

02 삼각형의 외심

오른쪽 그림에서 점 O는 $\triangle ABC$의 외심이다. $\overline{BC}=8$ cm이고 $\triangle OBC$의 둘레의 길이가 18 cm일 때, $\triangle ABC$의 외접원의 반지...

04 실생활의 외심 (창의·융합)

오른쪽 그림과 같이 세 지점 A, B, C에 대형 마트가 있다. 물류 공급을 원활하게 하기 위해 세 지점 A, B, C에서 거리가 같은 곳에 물류 창고를 만들려고 할 때, 다음 중 물류 창고를 만들 위치로 옳은 것은?

① $\overline{AB}$의 중점
② $\angle B$의 이등분선과 $\angle C$의 이등분선이 만나는 점
③ $\overline{AB}$와 $\overline{BC}$의 수직이등분선이 만나는 점
④ 두 꼭짓점 A, B에서 대변에 그은 수선이 만나는 점
⑤ 점 A와 $\overline{BC}$의 중점을 이은 선분과 점 B와 $\overline{AC}$의 중점을 이은 선분이 만나는 점

05 직각삼각형의 외심

오른쪽 그림에서 점 O는 $\angle A=90°$인 직각삼각형 ABC의 외심이다. $\overline{AB}=6$ cm, $\overline{AC}=8$ cm일 때, $\triangle AOC$의 ...

실력 키우기

실력 키우기에서 제시하는 문제는 앞에서 다룬 내용을 바탕으로 하고 있습니다. 기본을 강화하는 데 도움이 되는 내용과 학교 시험에서 자주 나오는 내용뿐 아니라 실력을 한 단계 높일 수 있는 문제로 알차게 구성하였습니다. 창의력 문제, 여러 개념의 통합형 문제, 서술형 문제를 통해 실력을 한층 높일 수 있도록 하였습니다.

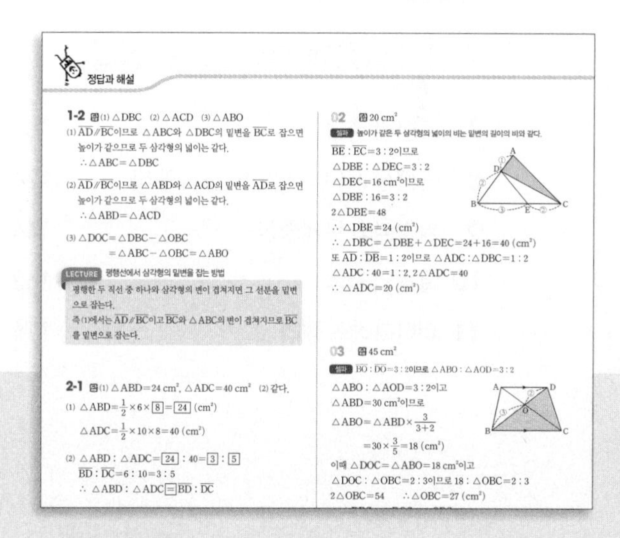

정답과 해설

1-2 답 (1) $\triangle DBC$ (2) $\triangle ACD$ (3) $\triangle ABO$

(1) $\overline{AD} /\!/ \overline{BC}$이므로 $\triangle ABC$와 $\triangle DBC$의 밑변을 $\overline{BC}$로 잡으면 높이가 같으므로 두 삼각형의 넓이는 같다.
$\therefore \triangle ABC=\triangle DBC$

(2) $\overline{AD} /\!/ \overline{BC}$이므로 $\triangle ABD$와 $\triangle ACD$의 밑변을 $\overline{AD}$로 잡으면 높이가 같으므로 두 삼각형의 넓이는 같다.
$\therefore \triangle ABD=\triangle ACD$

(3) $\triangle DOC=\triangle DBC-\triangle OBC$
$=\triangle ABC-\triangle OBC=\triangle ABO$

LECTURE 평행선에서 삼각형의 밑변을 잡는 방법

평행한 두 직선 중 하나와 삼각형의 변이 겹쳐지면 그 선분을 밑변으로 잡는다.
즉 (1)에서는 $\overline{AD} /\!/ \overline{BC}$이고 $\overline{BC}$와 $\triangle ABC$의 변이 겹쳐지므로 $\overline{BC}$를 밑변으로 잡는다.

2-1 답 (1) $\triangle ABD=24\text{ cm}^2$, $\triangle ADC=40\text{ cm}^2$ (2) 같다.

(1) $\triangle ABD=\frac{1}{2}\times6\times\boxed{8}=\boxed{24}\ (\text{cm}^2)$
$\triangle ADC=\frac{1}{2}\times10\times8=40\ (\text{cm}^2)$

(2) $\triangle ABD : \triangle ADC=\boxed{24} : 40=\boxed{3} : \boxed{5}$
$\overline{BD} : \overline{DC}=6 : 10=3 : 5$
$\therefore \triangle ABD : \triangle ADC\boxed{=}\overline{BD} : \overline{DC}$

02 답 20 cm^2

셀파 높이가 같은 두 삼각형의 넓이의 비는 밑변의 길이의 비와 같다.

$\overline{BE} : \overline{EC}=3 : 2$이므로
$\triangle DBE : \triangle DEC=3 : 2$
$\triangle DEC=16\text{ cm}^2$이므로
$\triangle DBE : 16=3 : 2$
$2\triangle DBE=48$
$\therefore \triangle DBE=24\ (\text{cm}^2)$
$\therefore \triangle DBC=\triangle DBE+\triangle DEC=24+16=40\ (\text{cm}^2)$
또 $\overline{AD} : \overline{DB}=1 : 2$이므로 $\triangle ADC : \triangle DBC=1 : 2$
$\triangle ADC : 40=1 : 2$, $2\triangle ADC=40$
$\therefore \triangle ADC=20\ (\text{cm}^2)$

03 답 45 cm^2

셀파 $\overline{BO} : \overline{DO}=3 : 2$이므로 $\triangle ABO : \triangle AOD=3 : 2$

$\triangle ABO : \triangle AOD=3 : 2$이고
$\triangle ABD=30\text{ cm}^2$이므로
$\triangle ABO=\triangle ABD\times\frac{3}{3+2}$
$=30\times\frac{3}{5}=18\ (\text{cm}^2)$
이때 $\triangle DOC=\triangle ABO=18\text{ cm}^2$이고
$\triangle DOC : \triangle OBC=2 : 3$이므로 $18 : \triangle OBC=2 : 3$
$2\triangle OBC=54$ $\therefore \triangle OBC=27\ (\text{cm}^2)$

정답과 해설

이해하기 쉽도록 과정을 자세하게 설명하였습니다. 서술형 문제에서는 설명과 채점 기준을 제시해서 풀이의 핵심을 알 수 있도록 하였고, 개념 다시 보기, 다른 풀이, 오답 피하기 등을 통해 문제를 완벽하게 해결할 수 있도록 하였습니다. 자기주도 학습에 도움이 되도록 깊이 있는 설명이 필요한 부분에 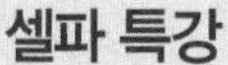 를 제시하였습니다.

Contents 이 책의 차례

I

삼각형의 성질

II

사각형의 성질

도형의 닮음과 피타고라스 정리

IV

확률

셀파 특강·집중 연습 차례

I 삼각형의 성질

II 사각형의 성질

III 도형의 닮음과 피타고라스 정리

IV 확률

각자 좋아하는 주제로
그림을 그립니다.
넵
네

달식이는 오징어를
좋아하나 보네.
사삭
자화상
인대요.

아니지, 아니지.
오징어는 이등변삼각형
이어야 해.
자화상인데…….

이등변삼각형의 성질!
두 밑각의 크기가 같다.
네!

짜잔~

밑각을 같게 하라고
하셨잖아.
아래쪽, 아래쪽.

밑각이라고 해서
꼭 아래쪽(밑)에 있는 건 아니야.
오징어가 이 정도면 됐지.
꼭지각
밑각
밑각
자화상
이라고요.

I | 삼각형의 성질

이등변삼각형의 성질과 직각삼각형의 합동

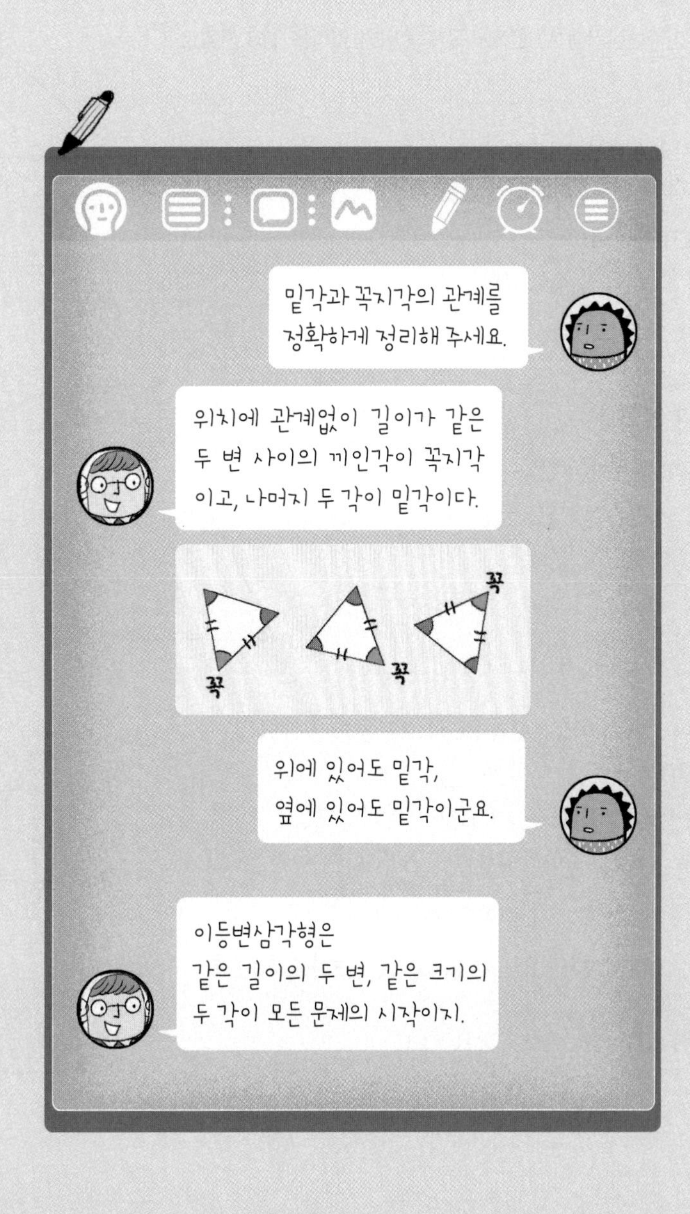

1 1. 이등변삼각형의 성질

1 이등변삼각형

(1) **이등변삼각형** 두 변의 길이가 같은 삼각형

⇨ $\overline{AB}=\overline{AC}$

(2) **이등변삼각형에서 사용하는 용어**

① 꼭지각: 길이가 같은 두 변이 이루는 각 ⇨ ∠A

② 밑변: 꼭지각의 대변 ⇨ $\overline{BC}$

③ 밑각: 밑변의 양 끝 각 ⇨ ∠B, ∠C

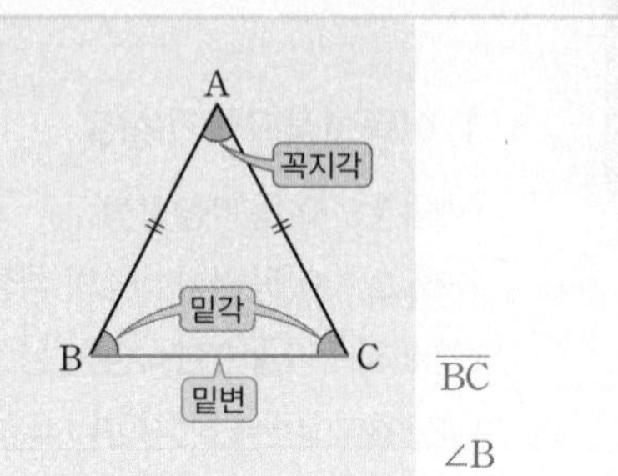

참고 • 꼭지각, 밑각은 이등변삼각형에서만 사용하는 용어이다.
• 정삼각형은 세 변의 길이가 모두 같으므로 이등변삼각형이다.

용어 click
이등변삼각형 이등변은 두 이(二), 같을 등(等), 가장자리 변(邊)으로, 두 변의 길이가 같다는 뜻이다.

보기 오른쪽 그림과 같은 이등변삼각형 ABC에서 꼭지각, 밑변, 밑각을 찾아 기호로 나타내시오.

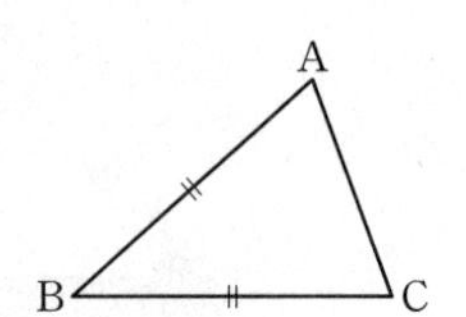

풀이 △ABC에서 $\overline{BA}=\overline{BC}$이므로

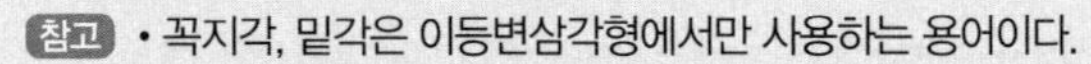

꼭지각: $\overline{BA}$와 $\overline{BC}$가 이루는 각인 **∠B**

밑변: ∠B의 대변인 $\mathbf{\overline{AC}}$

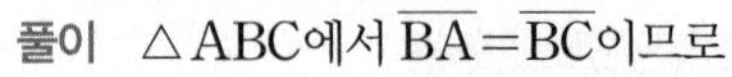

밑각: $\overline{AC}$의 양 끝 각인 **∠A, ∠C**

주의 이등변삼각형이 어떻게 놓여 있더라도 길이가 같은 두 변 사이의 끼인각이 꼭지각이고 나머지 두 각이 밑각이다.

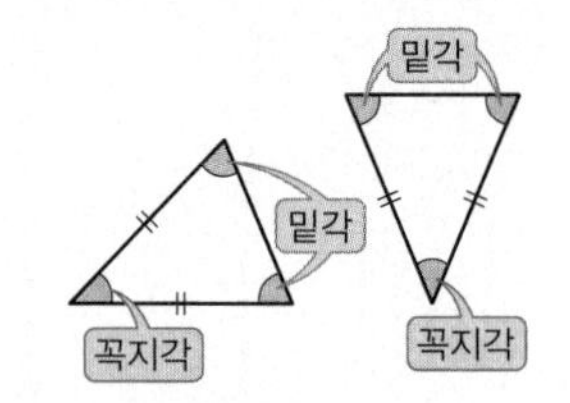

2 이등변삼각형의 성질(1)

이등변삼각형의 두 밑각의 크기는 같다.

⇨ △ABC에서 $\overline{AB}=\overline{AC}$이면 ∠B=∠C

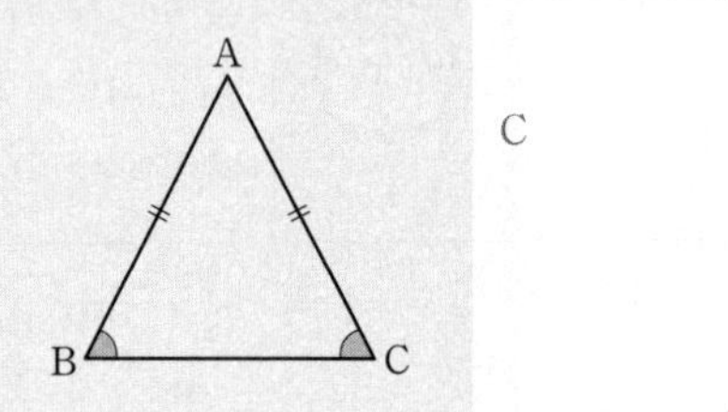

밑각이라고 해서
반드시 아래쪽(밑)에
있는 것은 아니야.

설명 오른쪽 그림과 같이 ∠A의 이등분선과 $\overline{BC}$의 교점을 D라 하면

△ABD와 △ACD에서

$\overline{AB}=\overline{AC}$, $\overline{AD}$는 공통, ∠BAD=∠CAD

이므로 △ABD≡△ACD (SAS 합동)
↳ 대응하는 두 변의 길이가 각각 같고, 그 끼인각의 크기가 같다.

∴ ∠B=∠C

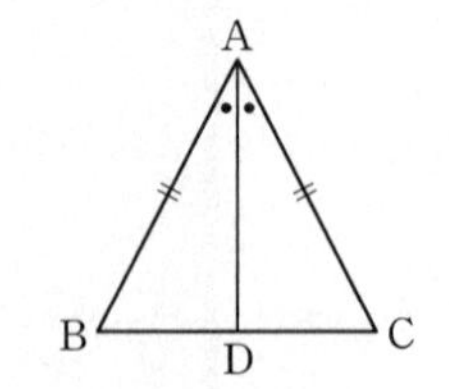

개념 다시 보기
삼각형의 합동 조건
❶ SSS 합동: 대응하는 세 변의 길이가 각각 같을 때
❷ SAS 합동: 대응하는 두 변의 길이와 그 끼인각의 크기가 각각 같을 때
❸ ASA 합동: 대응하는 한 변의 길이와 그 양 끝 각의 크기가 각각 같을 때

보기 오른쪽 그림과 같은 △ABC에서 $\overline{AB}=\overline{AC}$일 때, ∠$x$의 크기를 구하시오.

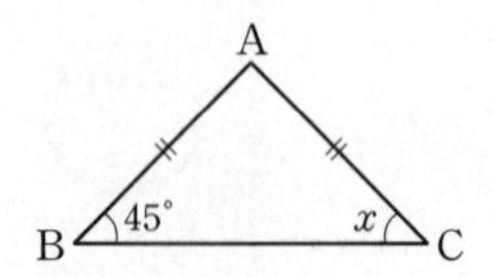

풀이 △ABC에서 $\overline{AB}=\overline{AC}$이므로 ∠B=∠C

∴ $\angle x=\mathbf{45^\circ}$

빠른 정답 240쪽 | 정답과 해설 2쪽

| 개념 체크 |

1-1 이등변삼각형

오른쪽 그림의 $\triangle ABC$는 $\angle B$가 꼭지각인 이등변삼각형이다. 이때 x의 값을 구하시오.

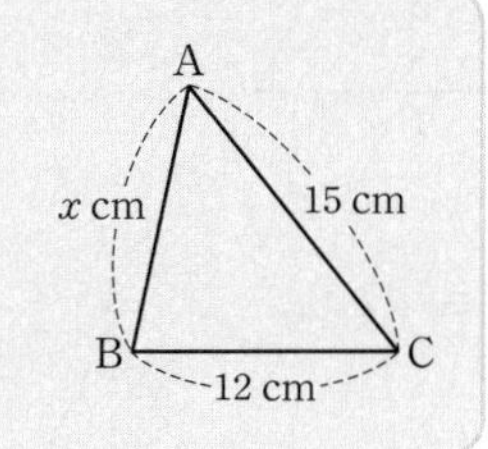

셀파 이등변삼각형에서 꼭지각은 길이가 같은 두 변이 이루는 각이다.

연구 $\angle B$가 꼭지각이므로 $\overline{AB}=\square$

$\therefore x=\square$

| 따라 풀기 |

1-2 오른쪽 그림과 같은 이등변삼각형 ABC에서 다음 용어에 해당하는 것을 찾아 기호로 나타내시오.

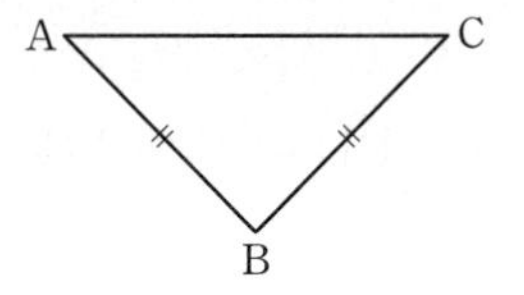

(1) 꼭지각 ⇨ ____________

(2) 밑변 ⇨ ____________

(3) 밑각 ⇨ ____________

1-3 오른쪽 그림의 $\triangle ABC$는 $\angle C$가 꼭지각인 이등변삼각형이다. 이때 x의 값을 구하시오.

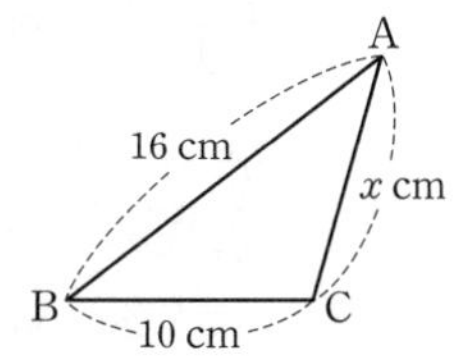

2-1 이등변삼각형의 성질 (1) – 두 밑각의 크기

다음 그림에서 $\triangle ABC$가 $\overline{AB}=\overline{AC}$인 이등변삼각형일 때, $\angle x$의 크기를 구하시오.

(1)

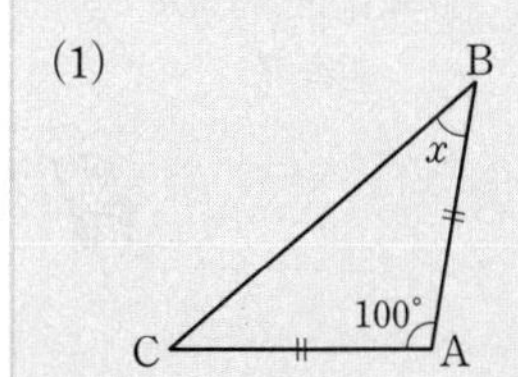

(2)

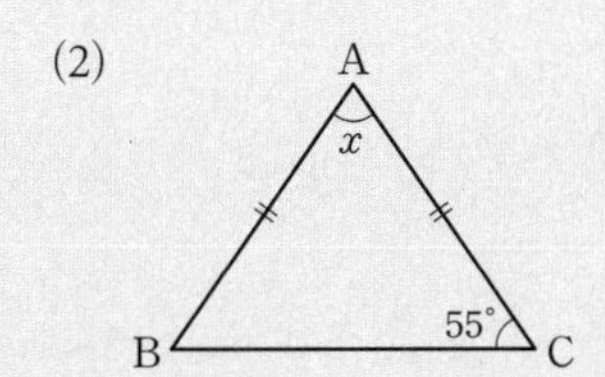

셀파 이등변삼각형의 두 밑각의 크기는 같다.

연구 (1) $\overline{AB}=\overline{AC}$이므로 $\angle B=\angle C$

$\therefore \angle x=\frac{1}{2}\times(\square-100^\circ)=\square$

(2) $\overline{AB}=\overline{AC}$이므로 $\angle B=\angle C=\square$

$\therefore \angle x=180^\circ-2\times\square=\square$

2-2 다음 그림에서 $\triangle ABC$가 $\overline{AB}=\overline{AC}$인 이등변삼각형일 때, $\angle x$의 크기를 구하시오.

(1)

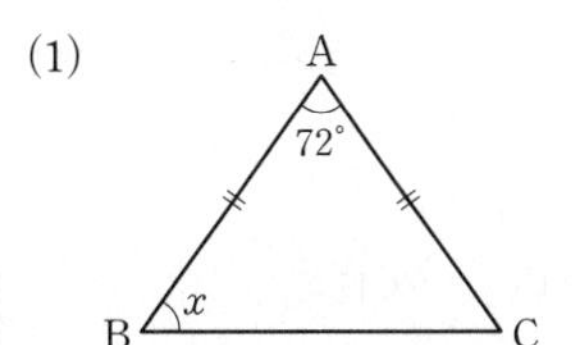

(2)

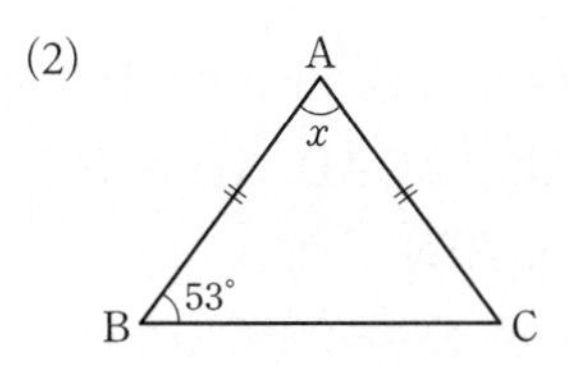

- **이등변삼각형의 뜻** 이등변삼각형은 두 변의 길이가 같은 삼각형이다.
  이때 길이가 같은 두 변 사이의 끼인각을 꼭지각, 꼭지각의 대변을 밑변, 밑변의 양 끝 각을 밑각이라 한다.
- **이등변삼각형의 성질 (1)** 이등변삼각형의 두 밑각의 크기는 같다.

1. 이등변삼각형의 성질

3 이등변삼각형의 성질 (2)

이등변삼각형에서 꼭지각의 이등분선은 밑변을 수직이등분한다.

⇨ △ABC에서 $\overline{AB}=\overline{AC}$, ∠BAD=∠CAD이면
$\overline{BD}=$ ☐, $\overline{AD}\perp\overline{BC}$

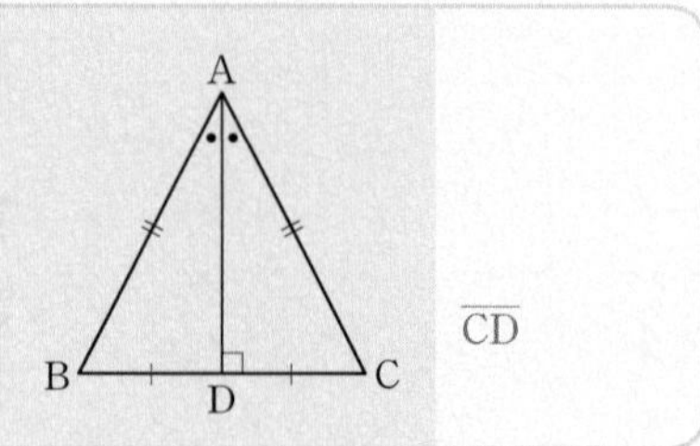

$\overline{CD}$

참고 이등변삼각형에서 다음은 모두 일치한다.
(꼭지각의 이등분선)
=(밑변의 수직이등분선)
=(꼭지각의 꼭짓점에서 밑변에 내린 수선)
=(꼭지각의 꼭짓점과 밑변의 중점을 이은 선분)

설명 이등변삼각형의 성질 (1)에서 △ABD≡△ACD (SAS 합동)이므로
$\overline{BD}=\overline{CD}$
또 ∠ADB=∠ADC이고 ∠ADB+∠ADC=180°이므로
∠ADB=∠ADC=90°, 즉 $\overline{AD}\perp\overline{BC}$

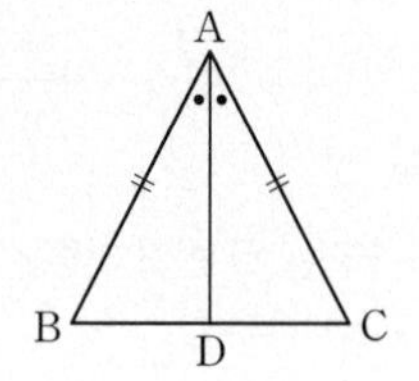

보기 오른쪽 그림과 같이 $\overline{AB}=\overline{AC}$인 이등변삼각형 ABC에서 $\overline{AD}$는 ∠A의 이등분선일 때, x, y의 값을 각각 구하시오.

풀이 이등변삼각형에서 꼭지각의 이등분선은 밑변을 수직이등분하므로
$\overline{BD}=\overline{CD}=4$ cm, $\overline{AD}\perp\overline{BC}$
∴ $\boldsymbol{x=90}$, $\boldsymbol{y=4}$

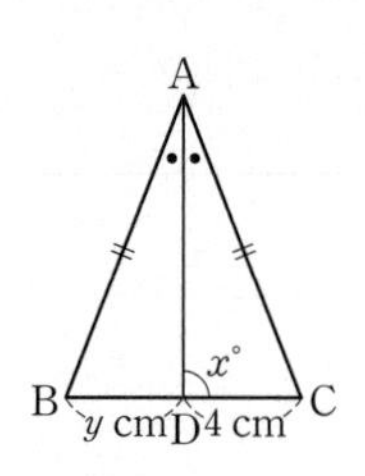

4 이등변삼각형이 되는 조건

두 내각의 크기가 같은 삼각형은 이등변삼각형이다.

⇨ △ABC에서 ∠B=∠C이면
$\overline{AB}=$ ☐

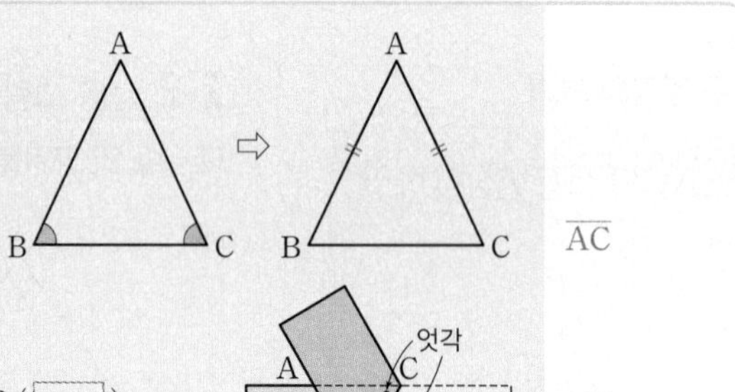

$\overline{AC}$

참고 폭이 일정한 종이접기
오른쪽 그림과 같이 폭이 일정한 종이를 접으면
∠ABC=∠CBD (접은 각), ∠CBD=∠ACB (☐)
이므로 ∠ABC=∠ACB
따라서 △ABC는 $\overline{AB}=\overline{AC}$인 이등변삼각형이다.

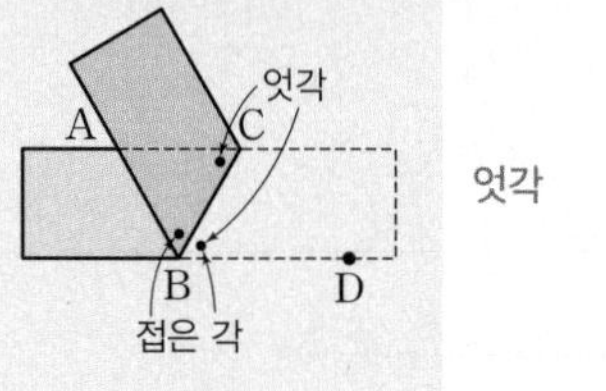

엇각

어떤 삼각형이 이등변삼각형이 되는 경우는 두 가지야.
(i) 두 변의 길이가 같거나
(ii) 두 내각의 크기가 같을 때

설명 오른쪽 그림과 같이 ∠A의 이등분선과 $\overline{BC}$의 교점을 D라 하면
△ABD와 △ACD에서 ∠BAD=∠CAD, $\overline{AD}$는 공통
또 ∠B=∠C이므로[㉠] ∠ADB=∠ADC
따라서 △ABD≡△ACD (ASA 합동)이므로 $\overline{AB}=\overline{AC}$

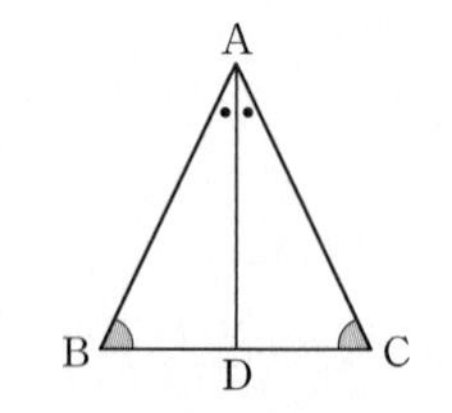

㉠ ∠ADB
=180°−(∠B+∠BAD)
∠ADC
=180°−(∠C+∠CAD)
이때 ∠B=∠C,
∠BAD=∠CAD
이므로 ∠ADB=∠ADC

보기 오른쪽 그림과 같은 △ABC에서 x의 값을 구하시오.

풀이 ∠B=∠C이므로 △ABC는 $\overline{AB}=\overline{AC}=8$ cm인 이등변삼각형이다.
∴ $x=8$

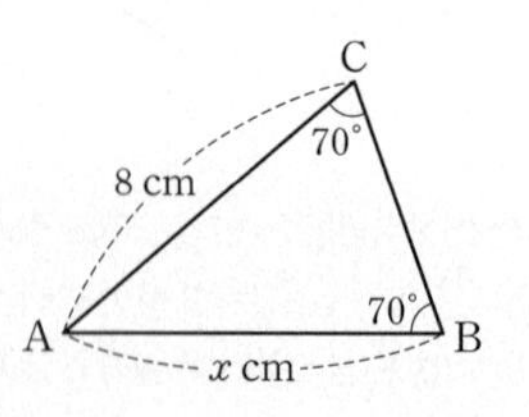

따라 풀면서 개념 익히기

빠른 정답 240쪽 | 정답과 해설 2쪽

| 개념 체크 |

3-1 이등변삼각형의 성질 (2) – 꼭지각의 이등분선

오른쪽 그림과 같이 $\overline{AB}=\overline{AC}$인 이등변삼각형 ABC에서 $\angle BAD=\angle CAD$일 때, 다음을 구하시오.

(1) $\overline{BD}$의 길이

(2) $\angle B$의 크기

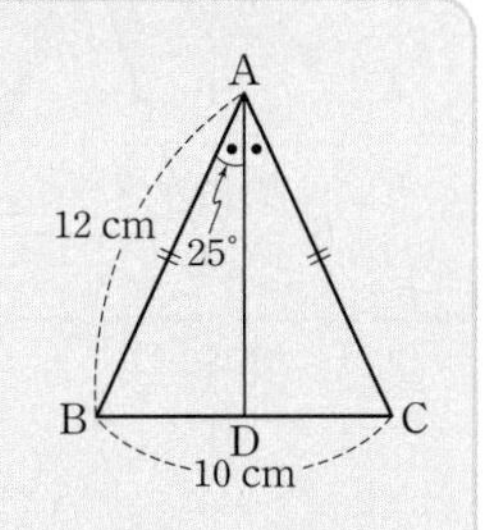

셀파 이등변삼각형에서 꼭지각의 이등분선은 밑변을 수직이등분한다.

연구 
(1) $\overline{BD}=\frac{1}{\square}\overline{BC}=\square$ cm

(2) $\overline{AD}\perp\overline{BC}$이므로 $\angle ADB=\square$

$\therefore \angle B=180°-(\square+25°)$

$=\square$

4-1 이등변삼각형이 되는 조건

다음 그림의 $\triangle ABC$에서 x의 값을 구하시오.

(1)

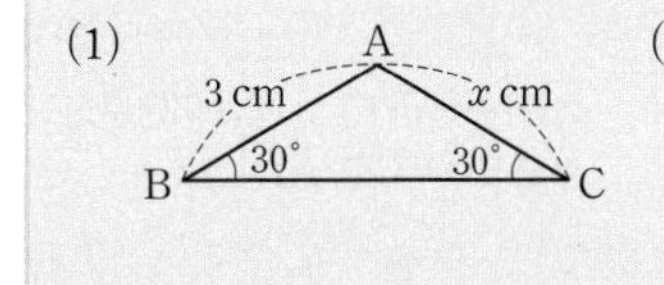

(2)

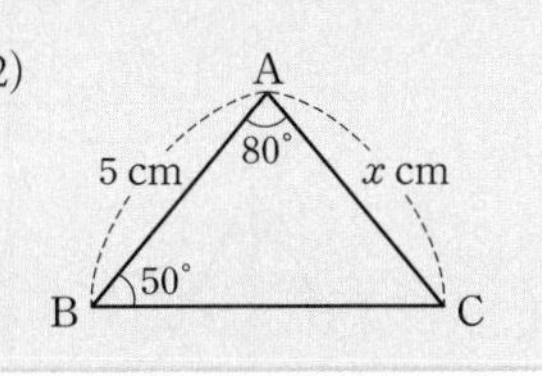

셀파 두 내각의 크기가 같은 삼각형은 이등변삼각형이다.

연구 (1) $\angle B=\angle C=30°$이므로

$\triangle ABC$는 $\overline{AB}=\square$인 이등변삼각형이다.

$\therefore x=\square$

(2) $\angle C=\square-(80°+50°)=\square$

즉 $\angle B=\angle C$이므로

$\triangle ABC$는 $\overline{AB}=\overline{AC}$인 이등변삼각형이다.

$\therefore x=\square$

| 따라 풀기 |

3-2 다음 그림과 같이 $\overline{AB}=\overline{AC}$인 이등변삼각형 ABC에서 $\angle A$의 이등분선과 $\overline{BC}$의 교점을 D라 할 때, x의 값을 구하시오.

(1)

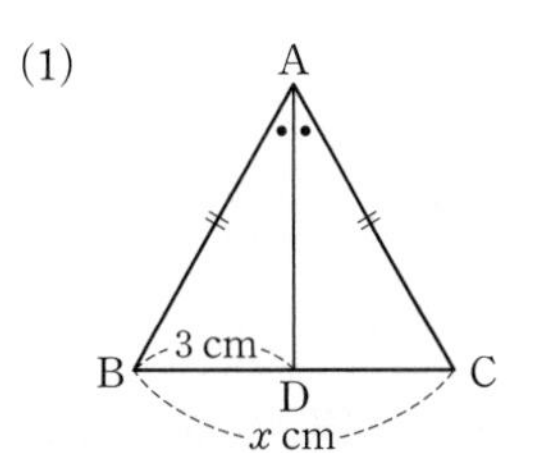

(2)

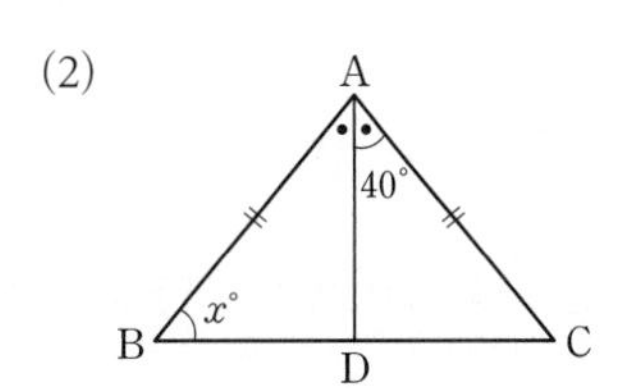

4-2 다음 그림의 $\triangle ABC$에서 x의 값을 구하시오.

(1)

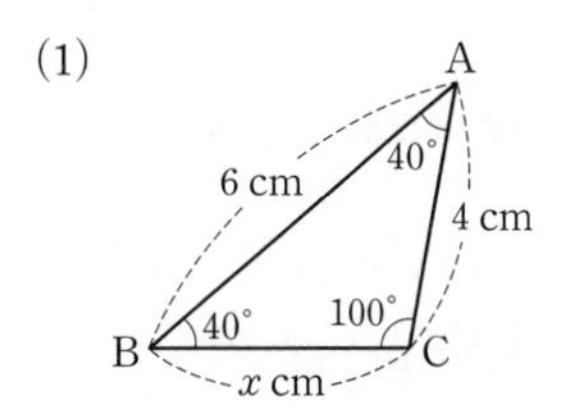

(2)

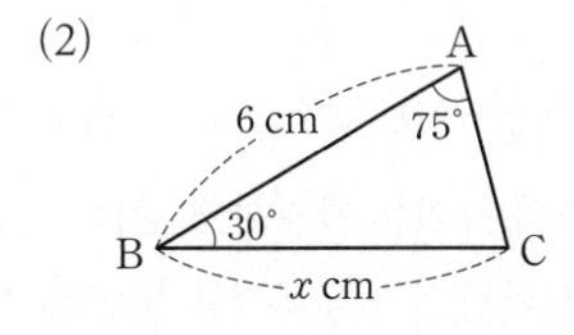

- **이등변삼각형의 성질 (2)** 이등변삼각형에서 꼭지각의 이등분선은 밑변을 수직이등분한다.
- **이등변삼각형이 되는 조건** 두 내각의 크기가 같은 삼각형은 이등변삼각형이다.

빠른 정답 240쪽 | 정답과 해설 2쪽

기본 01 이등변삼각형의 성질 (1) – 두 밑각의 크기

오른쪽 그림에서 $\triangle ABC$는 $\overline{AB}=\overline{AC}$인 이등변삼각형일 때, $\angle x$, $\angle y$의 크기를 각각 구하시오.

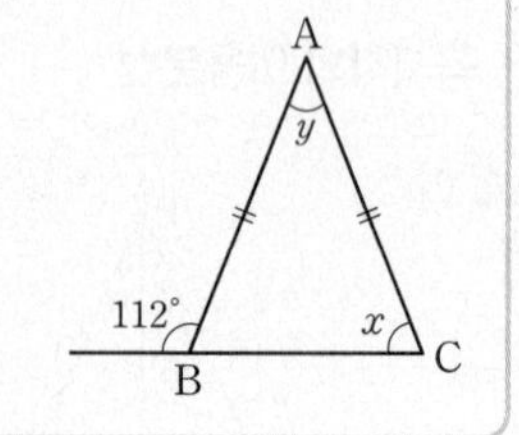

해법코드

다음 세 가지의 성질을 이용한다.

❶ 이등변삼각형에서 두 밑각의 크기는 같다.

❷ 평각의 크기는 180°이다.

❸ 삼각형의 세 내각의 크기의 합은 180°이다.

셀파 $\triangle ABC$에서 $\overline{AB}=\overline{AC}$이므로 $\angle ABC=\angle C$

풀이 $\triangle ABC$에서 $\overline{AB}=\overline{AC}$이므로 $\angle ABC=\angle C=\angle x$

이때 $112^\circ+\angle x=180^\circ$이므로 $\angle \boldsymbol{x}=\mathbf{68^\circ}$

$\triangle ABC$의 세 내각의 크기의 합은 180°이므로

$\angle \boldsymbol{y}=180^\circ-2\times 68^\circ=\mathbf{44^\circ}$

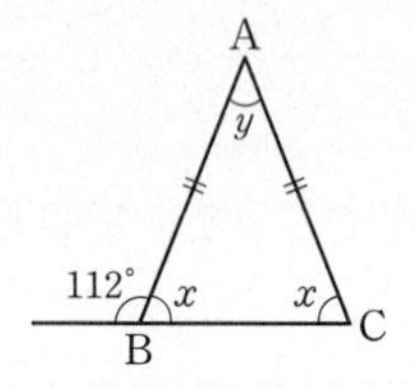

확인 01 다음 그림에서 $\triangle ABC$는 $\overline{AB}=\overline{AC}$인 이등변삼각형일 때, $\angle x$의 크기를 구하시오.

(1)

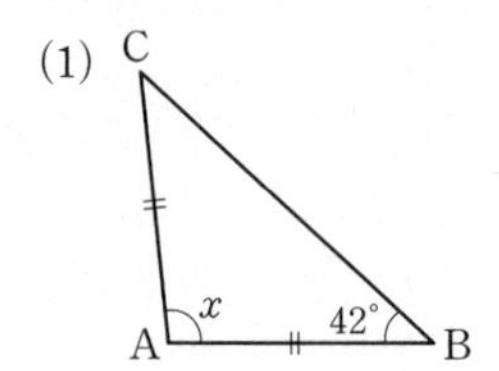

(2)

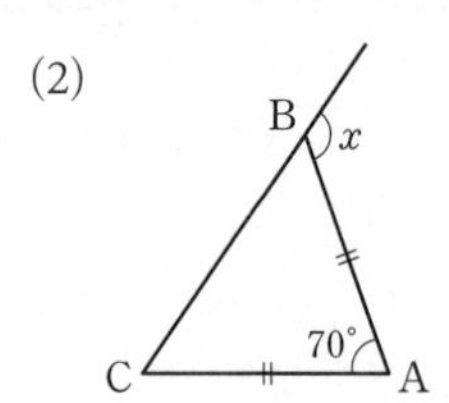

» My 셀파

이등변삼각형의 두 밑각의 크기는 같음을 이용한다.

기본 02 이등변삼각형의 성질 (2) – 꼭지각의 이등분선

오른쪽 그림과 같이 $\overline{AB}=\overline{AC}$인 $\triangle ABC$에서 $\angle A$의 이등분선과 $\overline{BC}$의 교점을 D라 할 때, 다음 중 옳지 않은 것은?

① $\angle B=\angle C$ ② $\overline{BD}=\overline{CD}$ ③ $\overline{AD}\perp\overline{BC}$

④ $\overline{AB}=\overline{BC}$ ⑤ $\triangle ABD\equiv\triangle ACD$

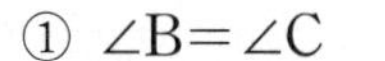

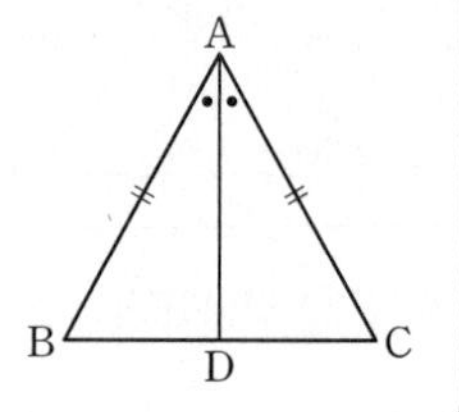

해법코드

$\overline{AD}$는 꼭지각인 $\angle A$의 이등분선이므로 $\overline{BD}=\overline{CD}$, $\overline{AD}\perp\overline{BC}$

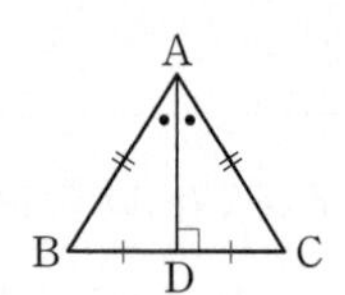

셀파 이등변삼각형에서 꼭지각의 이등분선은 밑변을 수직이등분한다.

풀이 ① 이등변삼각형의 두 밑각의 크기는 같으므로 $\angle B=\angle C$

②, ③ 이등변삼각형에서 꼭지각의 이등분선은 밑변을 수직이등분한다.
($\overline{AD}\perp\overline{BC}$, $\overline{BD}=\overline{CD}$)

⑤ $\triangle ABD\equiv\triangle ACD$ (SAS 합동)

따라서 옳지 않은 것은 ④이다.

❶ $\triangle ABD$와 $\triangle ACD$에서
$\overline{AB}=\overline{AC}$, $\angle BAD=\angle CAD$,
$\overline{AD}$는 공통
$\therefore \triangle ABD\equiv\triangle ACD$
(SAS 합동)

확인 02 오른쪽 그림과 같이 $\overline{AB}=\overline{AC}$인 이등변삼각형 ABC에서 $\overline{BD}=\overline{CD}$이고 $\angle B=34^\circ$일 때, $\angle CAD$의 크기를 구하시오.

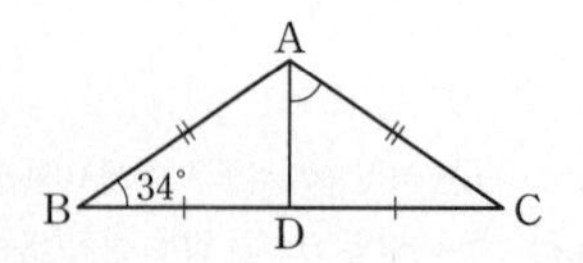

» My 셀파

이등변삼각형의 꼭지각의 꼭짓점과 밑변의 중점을 이은 선분은 꼭지각의 이등분선과 일치한다.

기본 03 이등변삼각형의 성질을 이용하여 각의 크기 구하기 (1)

오른쪽 그림의 $\triangle ABC$는 $\overline{AB}=\overline{AC}$인 이등변삼각형이다. $\overline{CD}=\overline{CB}$이고 $\angle B=64°$일 때, $\angle ACD$의 크기를 구하시오.

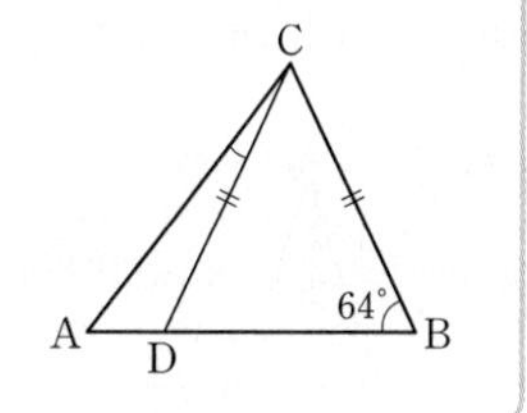

해법코드

❶ 이등변삼각형의 두 밑각의 크기는 같다.

❷ 삼각형의 세 내각의 크기의 합은 180°이다.

셀파
- $\triangle ABC$에서 $\overline{AB}=\overline{AC}$이므로 $\angle B=\angle ACB$
- $\triangle CDB$에서 $\overline{CD}=\overline{CB}$이므로 $\angle CDB=\angle B$

풀이 $\triangle ABC$에서 $\overline{AB}=\overline{AC}$이므로 $\angle ACB=\angle B=64°$

$\triangle CDB$에서 $\overline{CD}=\overline{CB}$이므로 $\angle CDB=\angle B=64°$

$\angle BCD=180°-2\times64°=52°$이므로

$\angle ACD=\angle ACB-\angle BCD=64°-52°=\mathbf{12°}$

확인 03 오른쪽 그림의 $\triangle ABC$는 $\overline{AB}=\overline{AC}$인 이등변삼각형이다. $\overline{AD}=\overline{BD}$이고 $\angle ADB=80°$일 때, $\angle DBC$의 크기를 구하시오.

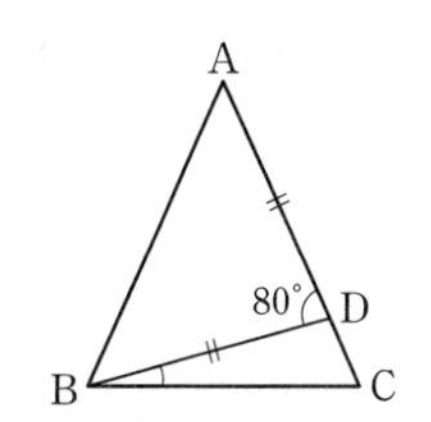

» My 셀파

$\triangle ABC$와 $\triangle ABD$는 이등변삼각형이므로 두 밑각의 크기가 각각 같음을 이용한다.

기본 04 이등변삼각형의 성질을 이용하여 각의 크기 구하기 (2) – 이웃한 삼각형

오른쪽 그림에서 $\overline{AB}=\overline{AC}=\overline{CD}$이고 $\angle DCE=120°$일 때, $\angle x$의 크기를 구하시오.

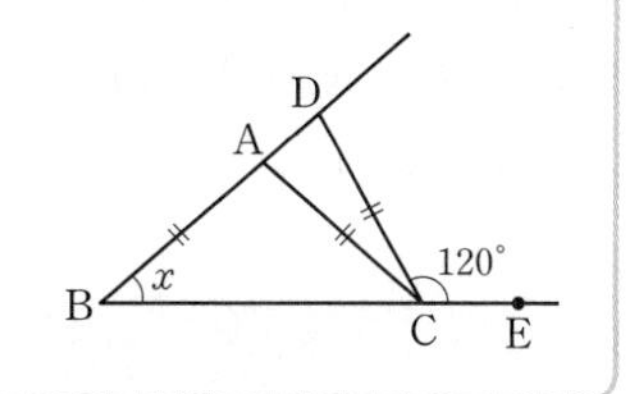

해법코드

❶ 이등변삼각형의 두 밑각의 크기는 같다.

❷ 삼각형에서 한 외각의 크기는 그와 이웃하지 않는 두 내각의 크기의 합과 같다.

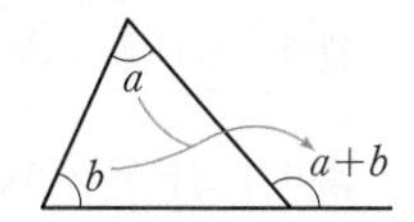

셀파 이등변삼각형의 성질과 삼각형의 외각의 성질을 이용하여 각의 크기를 그림에 나타내어 본다.

풀이 $\triangle ABC$에서 $\overline{AB}=\overline{AC}$이므로 $\angle ACB=\angle B=\angle x$

$\therefore \angle DAC=\angle B+\angle ACB=\angle x+\angle x=2\angle x$

$\triangle ACD$에서 $\overline{CA}=\overline{CD}$이므로 $\angle CDA=\angle CAD=2\angle x$

이때 $\triangle DBC$에서 $\angle DCE=\angle B+\angle BDC$

$120°=\angle x+2\angle x=3\angle x \qquad \therefore \angle x=\mathbf{40°}$

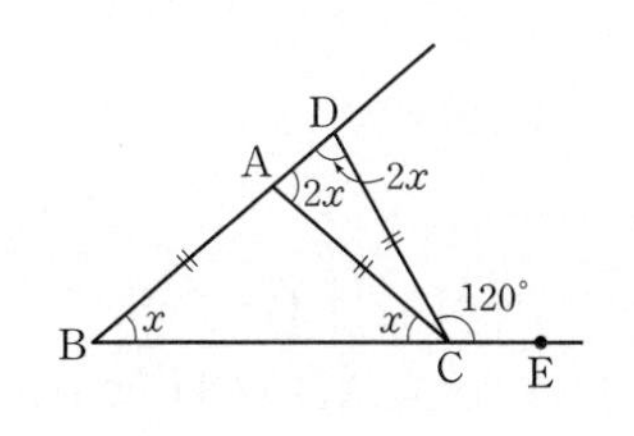

확인 04 오른쪽 그림에서 $\overline{AB}=\overline{AC}=\overline{CD}$이고 $\angle B=32°$일 때, $\angle DCE$의 크기를 구하시오.

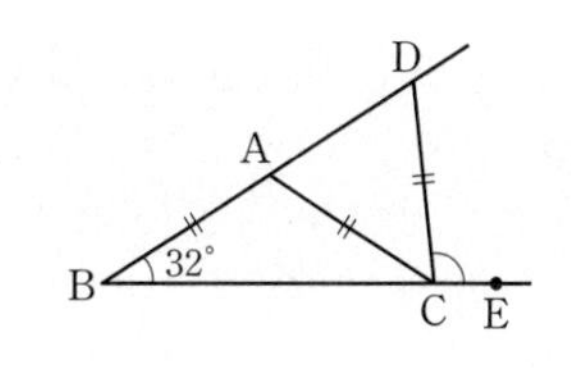

» My 셀파

$\angle DAC$는 $\triangle ABC$의 한 외각이고, $\angle DCE$는 $\triangle DBC$의 한 외각이다.

기본 05 **이등변삼각형이 되는 조건**

해법코드

다음 그림의 $\triangle ABC$가 이등변삼각형이 되는 이유를 말하시오.

(1) (2) (3)

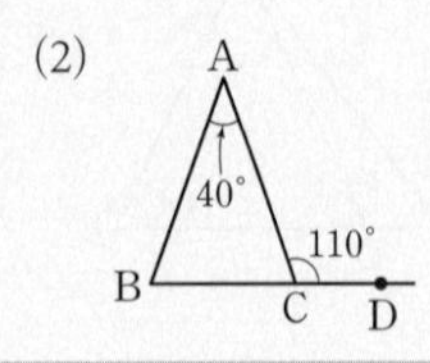

이등변삼각형이 되는 조건

① 두 변의 길이가 같은 삼각형은 이등변삼각형이다.

② 두 내각의 크기가 같은 삼각형은 이등변삼각형이다.

셀파 두 변의 길이가 같은지 또는 두 내각의 크기가 같은지 확인한다.

풀이 (1) $\angle B=180^\circ-(64^\circ+58^\circ)=58^\circ$이므로 $\angle B=\angle C=58^\circ$

따라서 $\triangle ABC$는 $\overline{AB}=\overline{AC}$인 이등변삼각형이다.

(2) ㉠ $\angle B=\angle ACB=70^\circ$이므로 $\triangle ABC$는 $\overline{AB}=\overline{AC}$인 이등변삼각형이다.

(3) $\triangle ABD\equiv\triangle ACD$ (SAS 합동)이므로 $\triangle ABC$는 $\overline{AB}=\overline{AC}$인 이등변삼각형이다.

→ $\overline{BD}=\overline{CD}$, $\angle BDA=\angle CDA$, $\overline{AD}$는 공통

㉠ $\angle ACD$는 $\triangle ABC$의 한 외각이므로

$\angle A+\angle B=\angle ACD$

$40^\circ+\angle B=110^\circ$

$\therefore \angle B=110^\circ-40^\circ=70^\circ$

$\angle ACB=180^\circ-110^\circ=70^\circ$

$\therefore \angle B=\angle ACB=70^\circ$

확인 05 다음 보기에서 $\triangle ABC$가 이등변삼각형이 아닌 것을 고르시오.

» My 셀파

두 내각의 크기가 같은 삼각형은 이등변삼각형이다.

보기

㉠

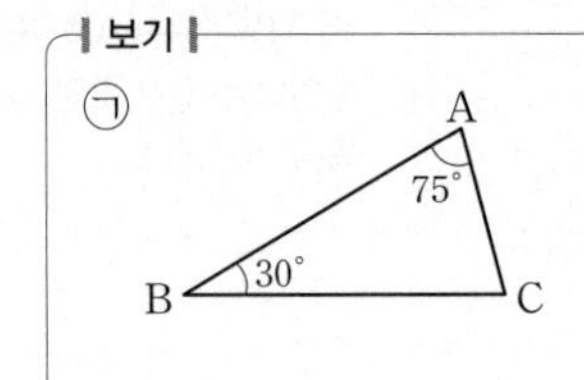

㉡

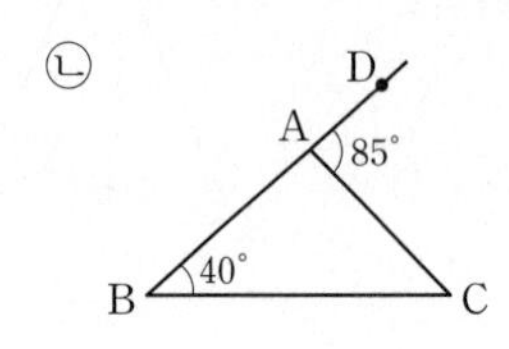

㉢

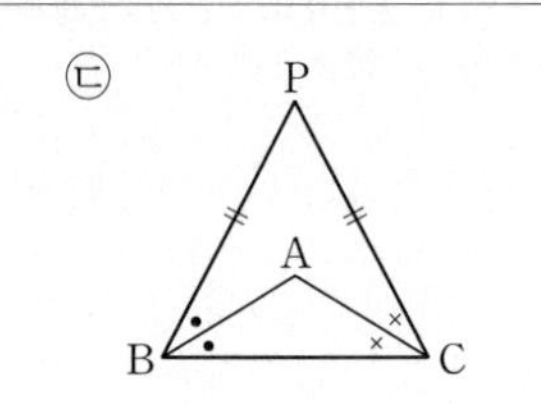

기본 06 **이등변삼각형이 되는 조건 이용하기**

해법코드

오른쪽 그림의 $\triangle ABC$는 $\overline{AB}=\overline{AC}$인 이등변삼각형이다. $\angle C$의 이등분선과 $\overline{AB}$의 교점을 D라 하고, $\angle A=36^\circ$, $\overline{BC}=7\text{ cm}$일 때, $\overline{AD}$의 길이를 구하시오.

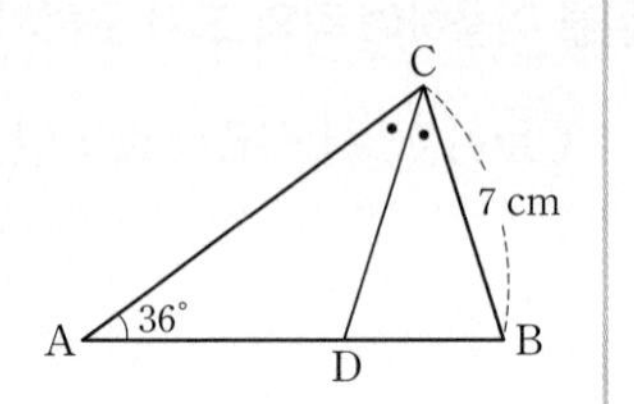

두 내각의 크기가 같은 삼각형은 이등변삼각형이다.

셀파 $\angle B \Rightarrow \angle ACD \Rightarrow \angle CDB$의 순서대로 각의 크기를 구한다.

풀이 $\angle B=\angle ACB=\frac{1}{2}\times(180^\circ-36^\circ)=72^\circ$이므로

$\angle ACD=\frac{1}{2}\angle ACB=\frac{1}{2}\times 72^\circ=36^\circ$

$\therefore$ ㉠ $\angle CDB=36^\circ+36^\circ=72^\circ$

이때 ㉡ $\triangle CDB$는 이등변삼각형이므로 $\overline{CD}=7\text{ cm}$

또 ㉢ $\triangle ADC$도 이등변삼각형이므로 $\overline{AD}=\overline{CD}=$ **7 cm**

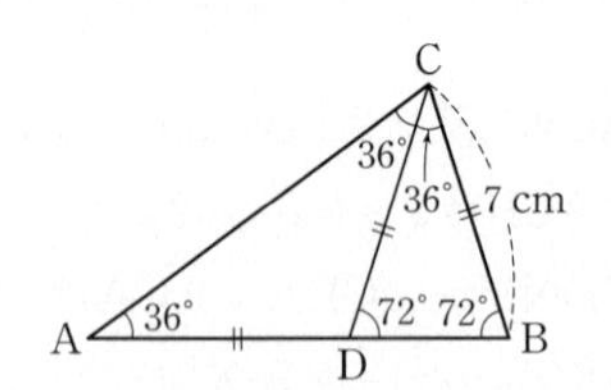

㉠ $\angle CDB$는 $\triangle ADC$의 한 외각이므로 $\angle CDB=\angle A+\angle ACD$

㉡ $\angle CDB=\angle B=72^\circ$이므로 $\overline{CD}=\overline{CB}$인 이등변삼각형이다.

㉢ $\angle A=\angle ACD=36^\circ$이므로 $\overline{AD}=\overline{CD}$인 이등변삼각형이다.

확인 06 오른쪽 그림과 같이 $\angle B=90^\circ$인 직각삼각형 ABC에서 $\overline{AC}$의 길이를 구하시오.

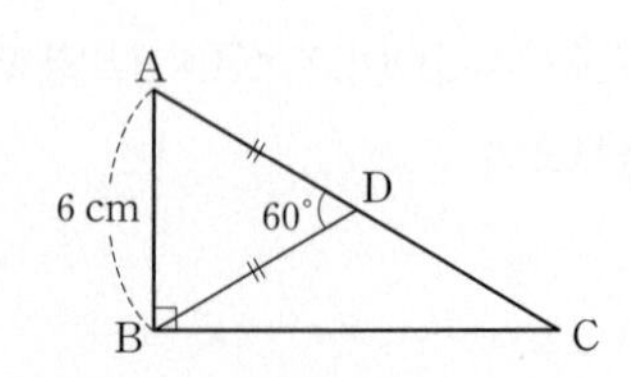

» My 셀파

각의 크기를 구해 $\triangle DBC$가 어떤 삼각형이 되는지 확인한다.

발전 07 이등변삼각형의 성질의 활용 – 각의 이등분선

오른쪽 그림과 같이 $\overline{AB}=\overline{AC}$인 이등변삼각형 ABC의 한 외각 ∠ACE의 이등분선 위에 $\overline{BC}=\overline{CD}$가 되도록 점 D를 잡았다. ∠A=68°일 때, ∠D의 크기를 구하시오.

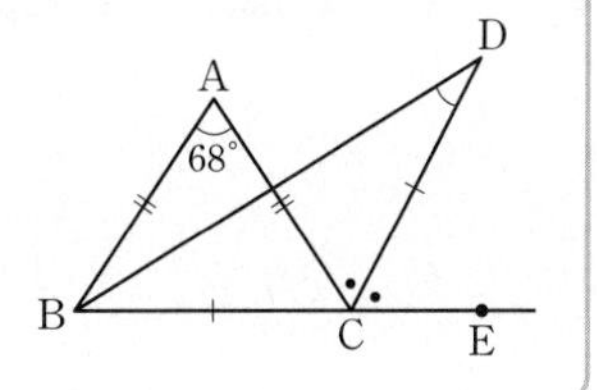

해법코드

1. 이등변삼각형 ABC에서 ∠ABC=∠ACB
2. 이등변삼각형 BCD에서 ∠DBC=∠D
3. ∠DCE는 △BCD의 한 외각이므로 ∠DCE=∠D+∠DBC

셀파 이등변삼각형에서 한 밑각의 크기는 $\frac{1}{2}\times\{180°-(\text{꼭지각의 크기})\}$

풀이 $\angle ACB=\frac{1}{2}\times(180°-68°)=56°$

$\angle DCE=\frac{1}{2}\angle ACE=\frac{1}{2}\times(180°-56°)=62°$

따라서 △BCD에서 ∠DCE=∠DBC+∠D이고

∠DBC=∠D이므로

$\angle D=\frac{1}{2}\angle DCE=\frac{1}{2}\times 62°=\mathbf{31°}$

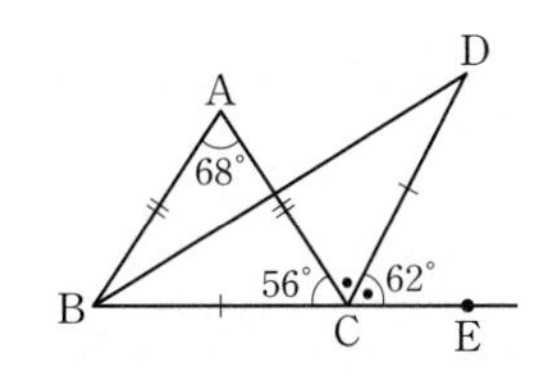

확인 07 오른쪽 그림과 같이 $\overline{AB}=\overline{AC}$인 이등변삼각형 ABC에서 ∠B의 이등분선과 ∠C의 외각의 이등분선의 교점을 D라 하자. ∠A=80°일 때, ∠D의 크기를 구하시오.

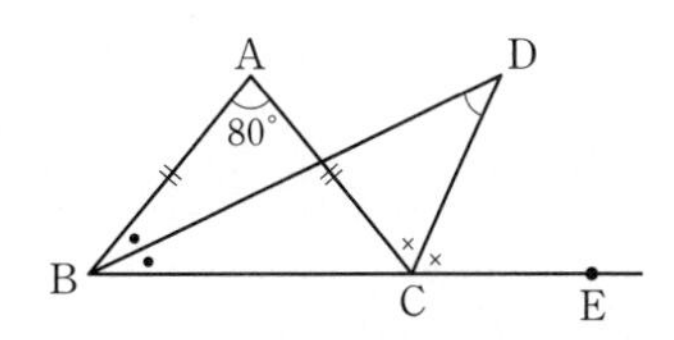

» My 셀파

△BCD에서
∠DCE=∠DBC+∠D

발전 08 직사각형 모양의 종이접기

오른쪽 그림과 같이 직사각형 모양의 종이를 접었다. 다음 **보기**에서 옳지 않은 것을 고르시오.

보기	
㉠ ∠APQ=∠RPQ	㉡ ∠APQ=∠PQR
㉢ $\overline{PQ}=\overline{PR}$	㉣ $\overline{RP}=\overline{RQ}$

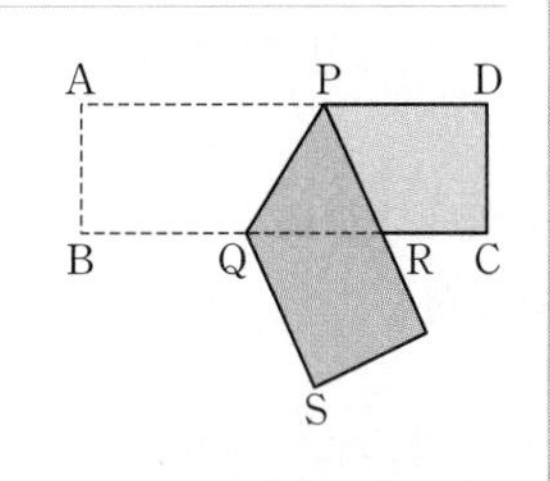

해법코드

접은 각, 엇각의 크기가 같음을 이용한다.

셀파 직사각형 모양의 종이를 접었을 때, 겹친 부분인 △PQR는 이등변삼각형이다.

풀이 오른쪽 그림에서 ∠APQ=∠RPQ (접은 각) (㉠)

$\overline{AD}/\!/\overline{BC}$이므로 ∠APQ=∠PQR (엇각) (㉡)

따라서 ∠RPQ=∠PQR이므로❶ $\overline{RP}=\overline{RQ}$ (㉣)

그러므로 옳지 않은 것은 ㉢이다.

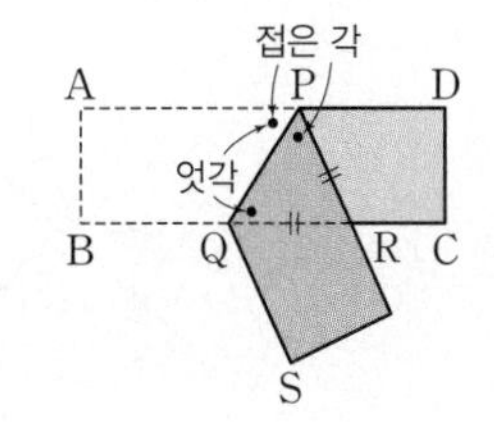

❶ △RPQ는 두 내각의 크기가 같으므로 이등변삼각형이다. 이등변삼각형은 밑변이 아닌 다른 두 변의 길이가 같다.

확인 08 오른쪽 그림과 같이 직사각형 모양의 종이를 접었다. $\overline{AB}$=5 cm일 때, $\overline{AC}$의 길이를 구하시오.

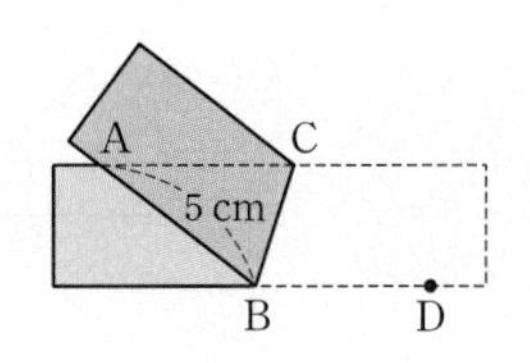

» My 셀파

접은 각의 크기는 같으므로
∠ABC=∠CBD
또 $\overline{AC}/\!/\overline{BD}$이므로
∠ACB=∠CBD (엇각)

1

2. 직각삼각형의 합동

1 직각삼각형의 합동 조건

두 직각삼각형 ABC와 DEF는 다음 각 경우에 합동이다.

(1) 빗변의 길이와 한 ☐의 크기가 각각 같을 때 (RHA 합동)　　　예각

⇨ $\angle C=\angle F=90^\circ$ (Ⓡ),

$\overline{AB}=\overline{DE}$ (Ⓗ), $\angle B=\angle E$ (Ⓐ)이면

$\triangle ABC\equiv\triangle DEF$ (RHA 합동)

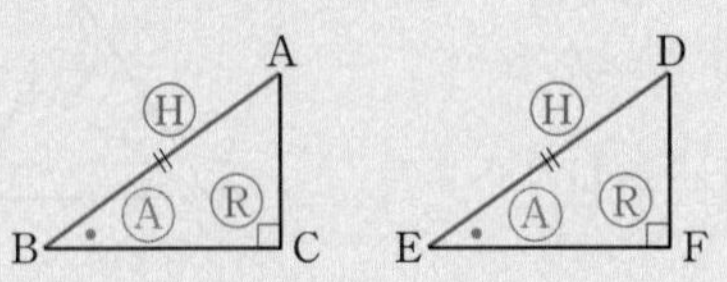

(2) 빗변의 길이와 다른 한 ☐의 길이가 각각 같을 때 (RHS 합동)　　　변

⇨ $\angle C=\angle F=90^\circ$ (Ⓡ),

$\overline{AB}=\overline{DE}$ (Ⓗ), $\overline{AC}=$ ☐ (Ⓢ)　　　$\overline{DF}$

이면

$\triangle ABC\equiv\triangle DEF$ (RHS 합동)

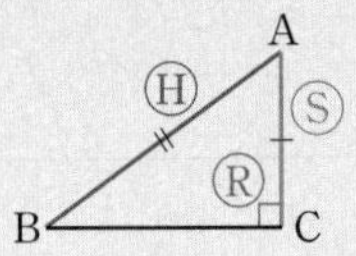

용어 click

R(Right Angle): 직각
H(Hypotenuse): 빗변
A(Angle): 각
S(Side): 변

● 빗변은 직각삼각형에서 직각과 마주 보는 변이다.

설명 (1) $\triangle ABC$와 $\triangle DEF$에서 $\overline{AB}=\overline{DE}$, $\angle B=\angle E$

또 $\angle C=\angle F=90^\circ$이므로 $\angle A=\angle D$

따라서 $\triangle ABC\equiv\triangle DEF$ (ASA 합동)

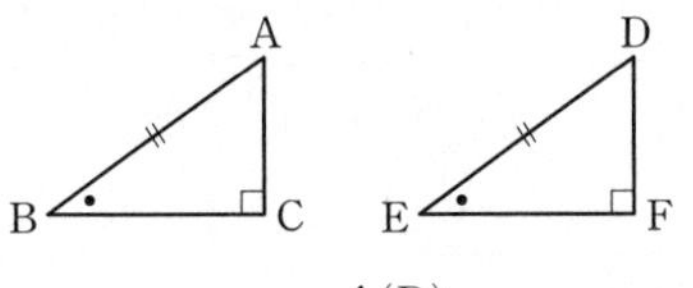

(2) 오른쪽 그림과 같이ⓐ $\overline{AC}$와 $\overline{DF}$를 겹치도록 놓으면

$\overline{AB}=\overline{AE}$이므로 $\triangle ABE$는 이등변삼각형이다.

$\therefore \angle B=\angle E$

또 $\angle C=\angle F=90^\circ$, $\overline{AB}=\overline{DE}$이므로

$\triangle ABC\equiv\triangle DEF$ (RHA 합동)

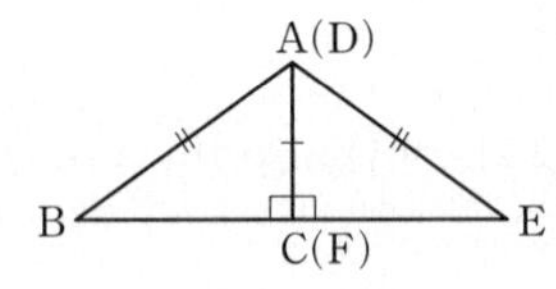

ⓐ $\angle ACB+\angle ACE=180^\circ$이므로 세 점 B, C, E는 한 직선 위에 있다.

ⓑ 한 점이 두 변에서 같은 거리에 있다는 것은 그 점에서 두 변에 내린 수선의 발까지의 거리가 같다는 뜻이다.

2 각의 이등분선의 성질

(1) 각의 이등분선 위의ⓑ 한 점에서 그 각을 이루는 두 변까지의 거리는 같다.

⇨ $\angle XOP=\angle YOP$이면

$\overline{PA}=$ ☐　　　$\overline{PB}$

ⓒ RHA 합동

(2) 각을 이루는 두 변에서 같은 거리에 있는 점은 그 각의 ☐ 위에 있다.　　　이등분선

⇨ $\overline{PA}=\overline{PB}$이면 $\angle XOP=\angle YOP$

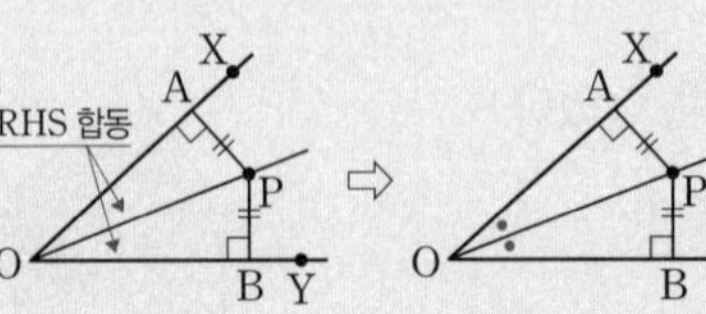

ⓒ $\triangle AOP$와 $\triangle BOP$에서
$\angle OAP=\angle OBP=90^\circ$,
$\overline{OP}$는 공통, $\angle AOP=\angle BOP$
$\therefore \triangle AOP\equiv\triangle BOP$
(RHA 합동)

ⓓ $\triangle AOP$와 $\triangle BOP$에서
$\angle OAP=\angle OBP=90^\circ$,
$\overline{OP}$는 공통, $\overline{PA}=\overline{PB}$
$\therefore \triangle AOP\equiv\triangle BOP$
(RHS 합동)

| 개념 체크 |

1-1 직각삼각형의 합동 조건

다음 그림의 두 직각삼각형 ABC, DFE가 합동임을 설명하시오.

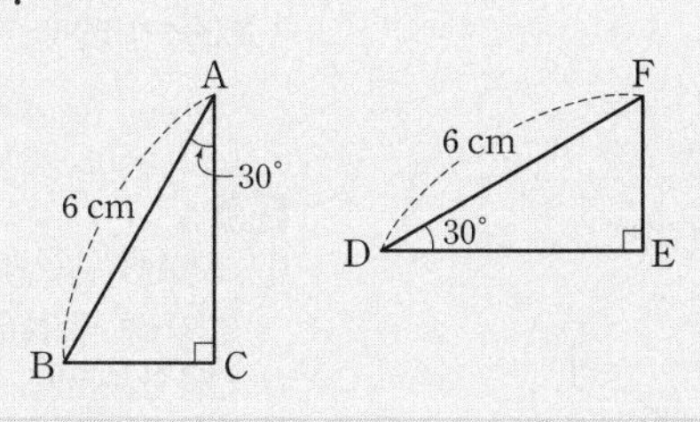

셀파 두 직각삼각형에서 빗변의 길이가 같으면 RHS 합동 또는 RHA 합동임을 이용한다.

연구 $\angle C=\angle E=90^\circ$, $\overline{AB}=\overline{DF}$, $\angle A=$ □

$\therefore \triangle ABC\equiv$ □ (□ 합동)

| 따라 풀기 |

1-2 다음은 두 직각삼각형 ABC, DFE가 합동임을 설명하는 과정이다. □ 안에 알맞은 것을 써넣으시오.

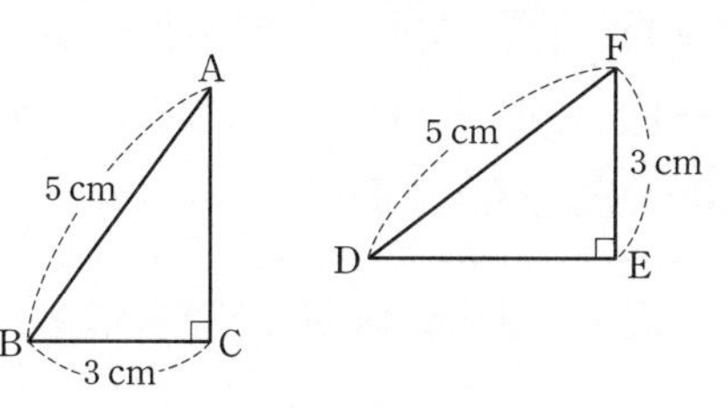

$\angle C=\angle E=90^\circ$, $\overline{AB}=$ □, $\overline{BC}=$ □

$\therefore \triangle ABC\equiv$ □ (□ 합동)

2-1 각의 이등분선의 성질

다음 그림에서 x의 값을 구하시오.

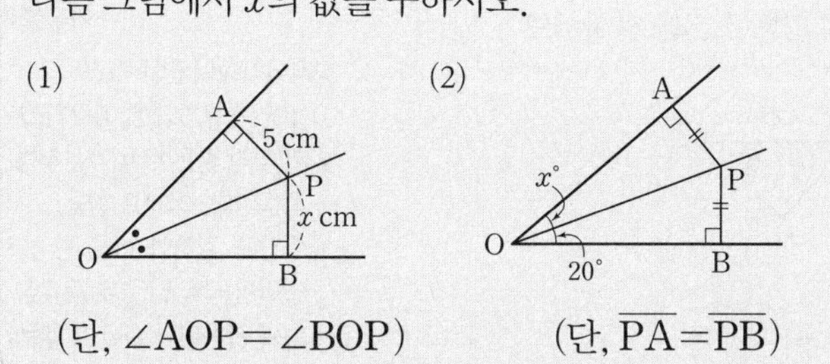

(단, $\angle AOP=\angle BOP$)　　(단, $\overline{PA}=\overline{PB}$)

셀파 • $\angle AOP=\angle BOP$이면 $\overline{PA}=\overline{PB}$
• $\overline{PA}=\overline{PB}$이면 $\angle AOP=\angle BOP$

연구 (1) $\angle AOP=\angle BOP$이면 $\overline{PA}=\overline{PB}$이므로
$x=$ □
(2) $\overline{PA}=\overline{PB}$이면 $\angle AOP=\angle BOP$이므로
$x=$ □

2-2 다음 그림에서 $\angle AOP=\angle BOP$일 때, x의 값을 구하시오.

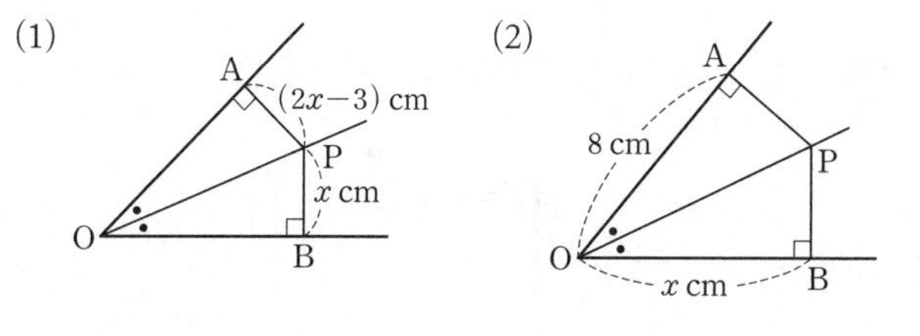

2-3 다음 그림에서 $\overline{PA}=\overline{PB}$일 때, x의 값을 구하시오.

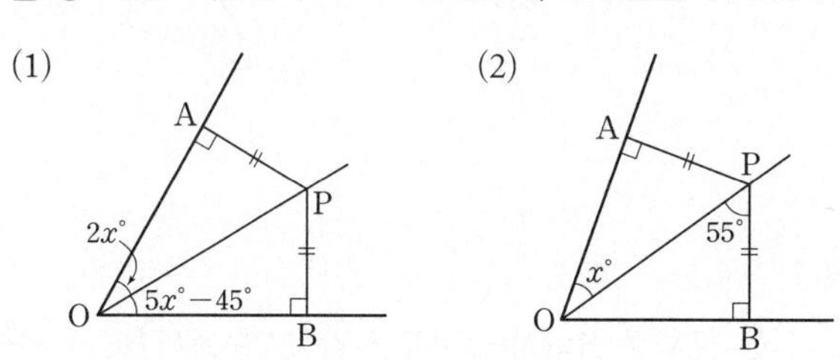

• 직각삼각형의 합동 조건(RHA 합동, RHS 합동)은 두 직각삼각형에서 빗변의 길이가 같을 때만 적용한다.
• 각의 이등분선의 성질
(1) 각의 이등분선 위의 한 점에서 그 각을 이루는 두 변까지의 거리는 같다.
(2) 각을 이루는 두 변에서 같은 거리에 있는 점은 그 각의 이등분선 위에 있다.

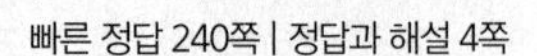

기본 01 직각삼각형의 합동 조건

다음 중 오른쪽 그림의 두 직각삼각형이 서로 합동이 되는 조건이 아닌 것은?

① $\overline{AC}=\overline{DF}$, $\overline{BC}=\overline{EF}$　② $\overline{AB}=\overline{DE}$, $\overline{BC}=\overline{EF}$
③ $\overline{BC}=\overline{EF}$, $\angle B=\angle E$　④ $\angle A=\angle D$, $\angle B=\angle E$
⑤ $\overline{AB}=\overline{DE}$, $\angle A=\angle D$

해법코드

- '빗변의 길이가 같다.'는 조건이 없을 때 ⇨ SSS 합동, SAS 합동, ASA 합동 조건을 생각한다.
- '빗변의 길이가 같다.'는 조건이 있을 때 ⇨ RHA 합동, RHS 합동 조건을 생각한다.

셀파 조건을 그림에 표시해 보고, 삼각형의 합동 조건이나 직각삼각형의 합동 조건을 생각한다.

풀이

①
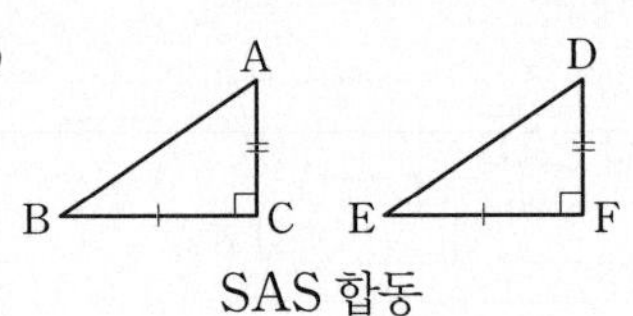
SAS 합동

②
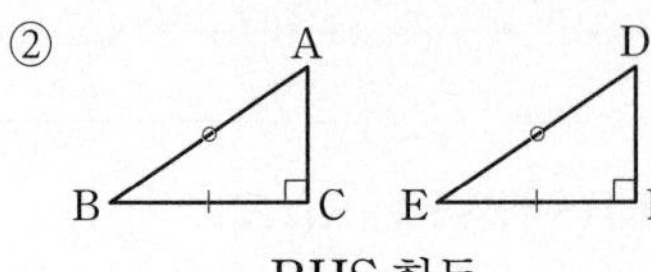

RHS 합동

③
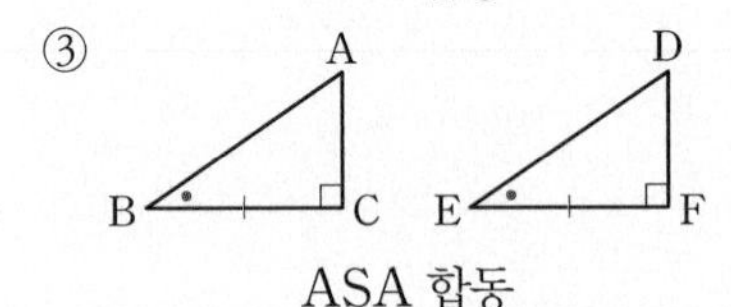
ASA 합동

⑤
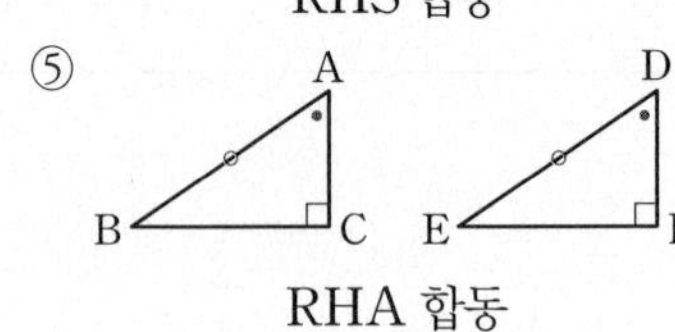
RHA 합동

④ ❶모양은 같아도 크기가 달라질 수 있으므로 합동이 아니다.
따라서 합동이 되는 조건이 아닌 것은 ④이다.

참고
①, ③ 빗변의 길이가 같다는 조건이 없으므로 직각삼각형의 합동 조건을 쓸 수 없다.

❶ 다음 두 직각삼각형에서 두 예각의 크기는 각각 30°, 60°로 같지만 합동이 아니다.

확인 01

1. 다음 직각삼각형 중에서 서로 합동인 것끼리 짝 짓고, 각각의 합동 조건을 말하시오.

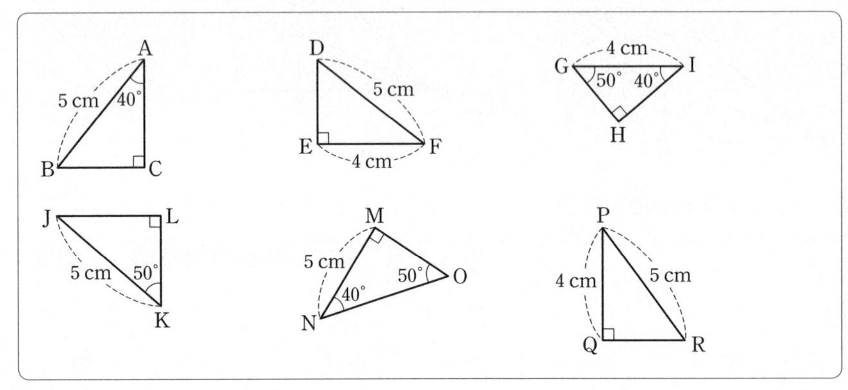

» My 셀파

1. 직각삼각형의 합동 조건
   ① 빗변의 길이와 한 예각의 크기가 각각 같은 두 직각삼각형은 합동이다. (RHA 합동)
   ② 빗변의 길이와 다른 한 변의 길이가 각각 같은 두 직각삼각형은 합동이다. (RHS 합동)

2. 오른쪽 그림과 같은 두 직각삼각형에서 $\overline{BC}=\overline{EF}$일 때, 다음 **보기**에서 두 삼각형이 합동이 되기 위한 조건을 모두 고르시오.

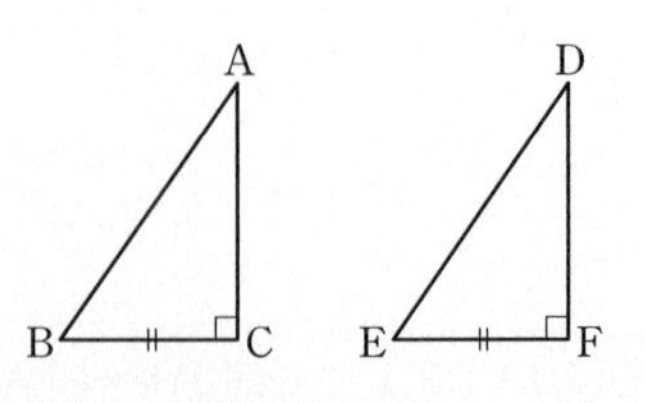

보기
㉠ $\overline{AB}=\overline{DE}$　㉡ $\angle A=\angle D$　㉢ $\overline{AC}=\overline{DF}$　㉣ $\overline{BC}=\overline{DF}$

2. $\angle C=\angle F=90°$, $\overline{BC}=\overline{EF}$에 ㉠~㉣의 조건을 각각 추가해서 합동인지 따져 본다.
이때 직각삼각형의 합동 조건뿐만 아니라 삼각형의 세 가지 합동 조건도 생각한다.

기본 02 직각삼각형의 합동 조건의 활용 – RHA 합동

오른쪽 그림과 같이 $\angle A=90^\circ$이고 $\overline{AB}=\overline{AC}$인 직각이등변 삼각형 ABC의 두 꼭짓점 B, C에서 꼭짓점 A를 지나는 직선 l에 내린 수선의 발을 각각 D, E라 할 때, $\overline{DE}$의 길이를 구하시오.

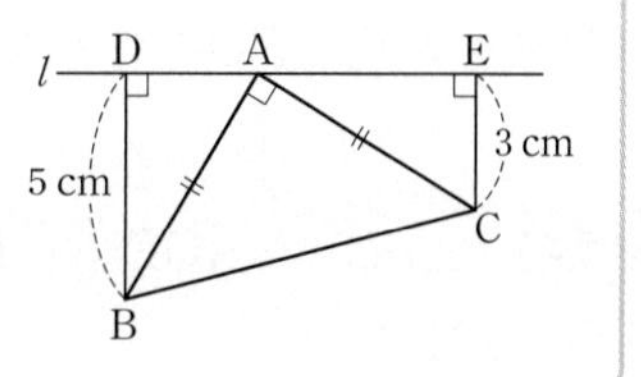

해법코드
두 직각삼각형에서 빗변의 길이가 같고 직각을 제외한 다른 한 각의 크기가 같으면 두 직각삼각형은 합동이다.

셀파 두 직각삼각형 ADB와 CEA가 합동임을 밝힌다.

풀이 오른쪽 그림의 $\triangle ADB$와 $\triangle CEA$에서
$\angle ADB=\angle CEA=90^\circ$, $\overline{AB}=\overline{CA}$,
$\angle DBA=90^\circ-\angle DAB=\angle EAC$ ❶
$\therefore \triangle ADB\equiv\triangle CEA$ (RHA 합동)
따라서 $\overline{DA}=\overline{EC}=3$ cm, $\overline{EA}=\overline{DB}=5$ cm이므로
$\overline{DE}=\overline{DA}+\overline{EA}=3+5=$ **8 (cm)**

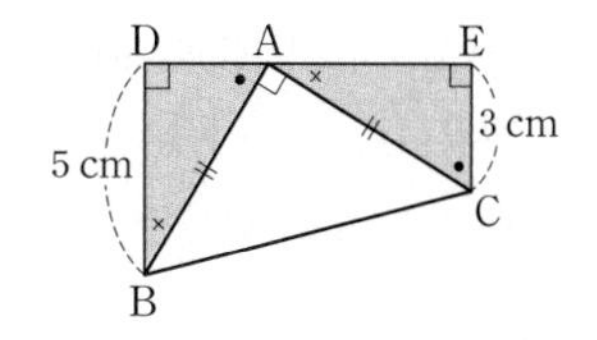

❶ $\angle DAE$(평각)
$=\angle DAB+90^\circ+\angle EAC$
$=180^\circ$
$\therefore \angle DAB+\angle EAC=90^\circ$

확인 02 오른쪽 그림과 같이 $\angle B=\angle C=90^\circ$인 사각형 ABCD에서 $\overline{AB}=6$ cm, $\overline{DC}=4$ cm이다. $\overline{BC}$ 위의 점 E에 대하여 $\overline{AE}=\overline{DE}$, $\angle AED=90^\circ$일 때, 사각형 ABCD의 넓이를 구하시오.

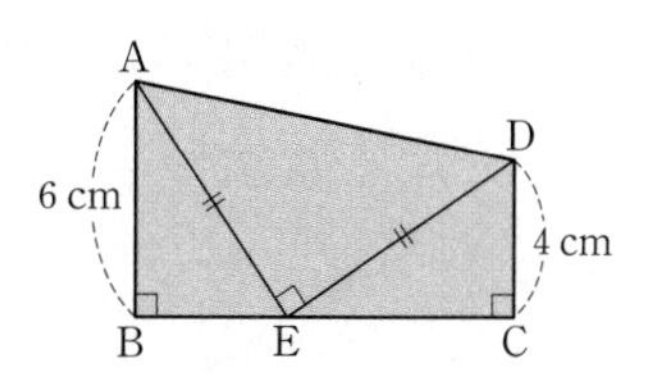

» My 셀파
사각형 ABCD는 사다리꼴이므로 높이인 $\overline{BC}$의 길이를 구한다.

기본 03 직각삼각형의 합동 조건의 활용 – RHS 합동

오른쪽 그림과 같이 $\angle C=90^\circ$인 직각삼각형 ABC에서 $\overline{PC}=\overline{PD}$이고 $\angle PDB=90^\circ$이다. $\angle A=50^\circ$일 때, $\angle PBC$의 크기를 구하시오.

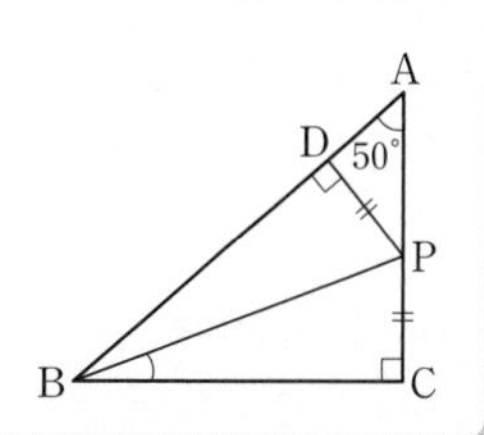

해법코드
두 직각삼각형에서 빗변의 길이가 같고 빗변을 제외한 다른 한 변의 길이가 같으면 두 직각삼각형은 합동이다.

셀파 두 직각삼각형 PDB와 PCB가 합동임을 이용한다.

풀이 ❶ $\triangle PDB\equiv\triangle PCB$ (RHS 합동)이므로 $\angle PBD=\angle PBC$
이때 $\triangle ABC$에서 $\angle ABC=90^\circ-50^\circ=40^\circ$이므로
$\angle PBC=\frac{1}{2}\angle ABC=\frac{1}{2}\times 40^\circ=$ **20°**

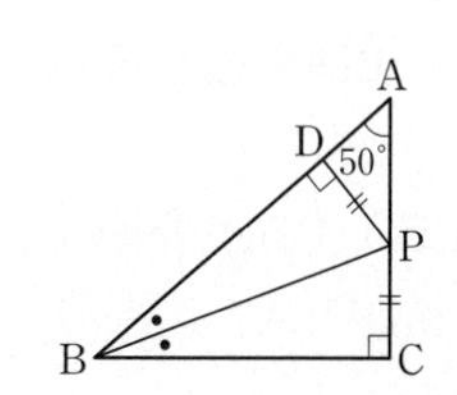

❶ $\triangle PDB$와 $\triangle PCB$에서
$\angle PDB=\angle PCB=90^\circ$,
$\overline{PB}$(빗변)는 공통,
$\overline{PD}=\overline{PC}$
$\therefore \triangle PDB\equiv\triangle PCB$ (RHS 합동)

확인 03 오른쪽 그림과 같이 $\angle B=90^\circ$인 직각삼각형 ABC에서 $\overline{AB}=\overline{AD}$이고 $\angle ADE=90^\circ$이다. $\angle BAE=27^\circ$일 때, $\angle DEC$의 크기를 구하시오.

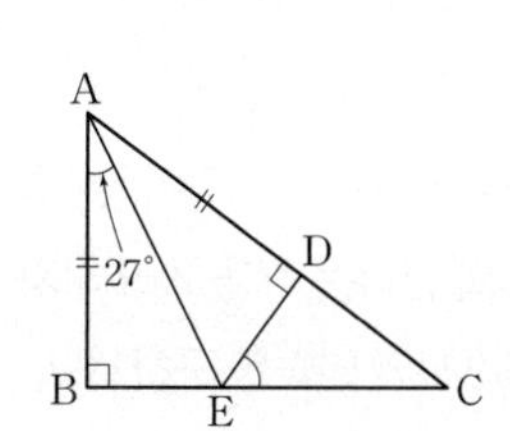

» My 셀파
$\triangle ABE\equiv\triangle ADE$ (RHS 합동)이므로 $\angle AEB=\angle AED$

기본 04 각의 이등분선의 성질

오른쪽 그림에서 $\angle PAO=\angle PBO=90°$, $\angle POA=\angle POB$일 때, 다음 중 옳지 않은 것은?

① $\overline{AP}=\overline{BP}$ ② $\overline{AO}=\overline{BO}$ ③ $\triangle AOP\equiv\triangle BOP$
④ $\overline{BO}=\overline{PO}$ ⑤ $\angle APO=\angle BPO$

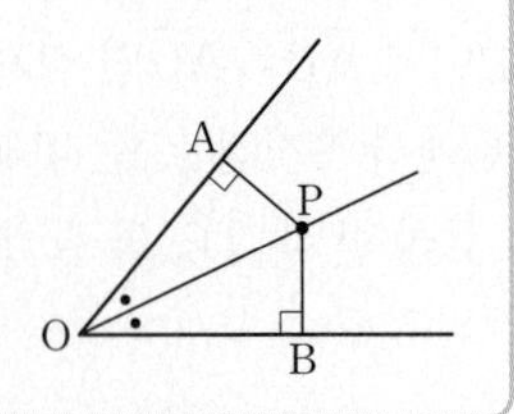

해법코드

(1) $\angle AOP=\angle BOP$이면 $\overline{PC}=\overline{PD}$
(2) $\overline{PC}=\overline{PD}$이면 $\angle AOP=\angle BOP$

셀파 직각삼각형의 합동을 이용한다.

풀이 $\triangle AOP$와 $\triangle BOP$에서 $\angle PAO=\angle PBO=90°$, $\overline{OP}$(빗변)는 공통, $\angle AOP=\angle BOP$
이므로 $\triangle AOP\equiv\triangle BOP$ (RHA 합동) (③)
$\therefore$ $\overline{AP}=\overline{BP}$ (①), $\overline{AO}=\overline{BO}$ (②), $\angle APO=\angle BPO$ (⑤)
따라서 옳지 않은 것은 **④**이다.

확인 04 오른쪽 그림에서 $\angle PAO=\angle PBO=90°$, $\overline{PA}=\overline{PB}$일 때, 다음 중 옳지 않은 것은?

① $\overline{OA}=\overline{OB}$ ② $\angle AOP=\angle BOP$
③ $\angle APO=\angle BPO$ ④ $\angle AOP=\frac{1}{2}\angle APB$
⑤ $\triangle AOP\equiv\triangle BOP$

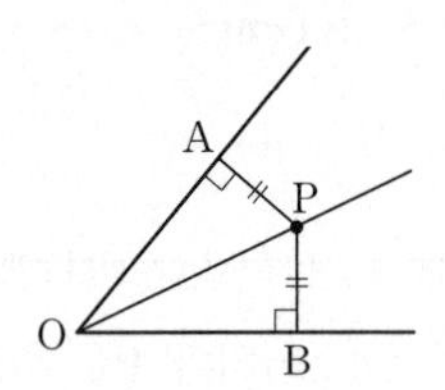

» My 셀파
$\triangle AOP\equiv\triangle BOP$ (RHS 합동)임을 이용한다.

기본 05 각의 이등분선의 성질의 활용

오른쪽 그림과 같이 $\angle A=90°$인 직각삼각형 ABC에서 $\angle B$의 이등분선이 $\overline{AC}$와 만나는 점을 D라 하자. $\overline{AD}=3$ cm, $\overline{BC}=10$ cm일 때, $\triangle BCD$의 넓이를 구하시오

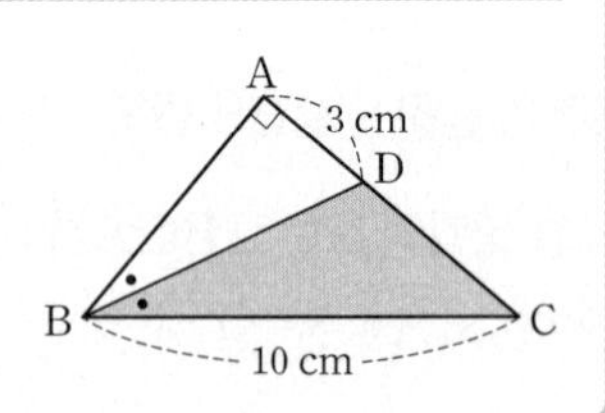

해법코드
점 D에서 $\overline{BC}$에 내린 수선의 발을 E라 하면 $\overline{DA}=\overline{DE}$
이때 $\overline{DE}$가 $\triangle BCD$의 높이이다.

셀파 각의 이등분선 위의 한 점에서 그 각을 이루는 두 변까지의 거리는 같다.

풀이 오른쪽 그림과 같이 ㉠점 D에서 $\overline{BC}$에 내린 수선의 발을 E라 하자. $\triangle ABD$와 $\triangle EBD$에서
$\angle BAD=\angle BED=90°$, $\overline{BD}$(빗변)는 공통,
$\angle ABD=\angle EBD$
이므로 $\triangle ABD\equiv\triangle EBD$ (RHA 합동)
따라서 $\overline{DE}=\overline{DA}=3$ cm이므로
$\triangle BCD=\frac{1}{2}\times\overline{BC}\times\overline{DE}=\frac{1}{2}\times10\times3=\mathbf{15\ (cm^2)}$

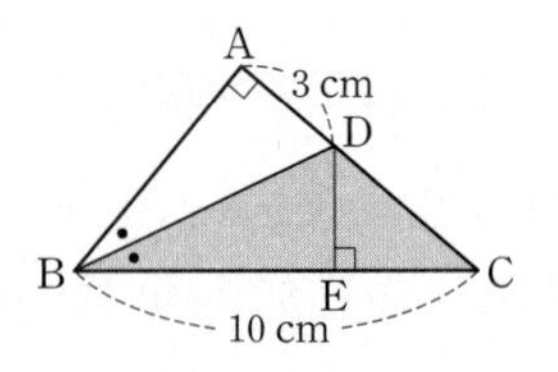

㉠ $\triangle BCD$에서 밑변은 $\overline{BC}$이고 높이는 $\overline{DE}$이다.

확인 05 오른쪽 그림과 같이 $\angle C=90°$인 직각이등변삼각형 ABC에서 $\angle A$의 이등분선이 $\overline{BC}$와 만나는 점을 E라 하자. $\overline{AB}\perp\overline{ED}$이고 $\overline{EC}=6$ cm일 때, $\triangle BED$의 넓이를 구하시오.

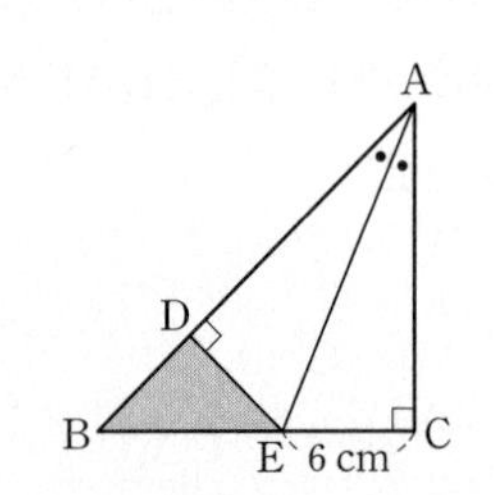

» My 셀파
$\triangle ADE\equiv\triangle ACE$ (RHA 합동)임을 이용하여 $\overline{DE}$의 길이를 구한다.

실력 키우기

빠른 정답 240쪽 | 정답과 해설 5쪽

01 이등변삼각형의 성질 (1)

다음은 정삼각형의 세 내각의 크기가 모두 같음을 설명하는 과정이다. (가), (나), (다)에 알맞은 것을 써넣으시오.

> $\triangle$ABC가 정삼각형일 때,
> $\triangle$ABC는 $\overline{AB}=\overline{AC}$인 이등변삼각형이므로
> $\angle B=$ (가) …… ㉠
> 또 $\triangle$ABC는 $\overline{BA}=$ (나) 인 이등변삼각형이므로
> $\angle A=\angle C$ …… ㉡
> ㉠, ㉡에서 $\angle A=$ (다) $=\angle C$

02 이등변삼각형의 성질 (1)

오른쪽 그림과 같이 $\overline{BA}=\overline{BC}$인 이등변삼각형 BCA에서 $\angle x$의 크기를 구하시오.

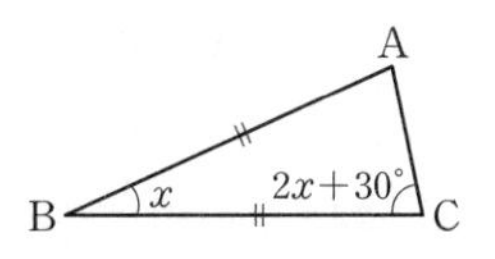

03 이등변삼각형의 성질 (1) 융합형

오른쪽 그림과 같이 $\overline{AB}=\overline{AC}$인 이등변삼각형 ABC에서 점 E는 변 AB의 연장선 위에 있고, 반직선 AD는 변 BC와 평행하다. $\angle EAD=55°$일 때, $\angle x$의 크기를 구하시오.

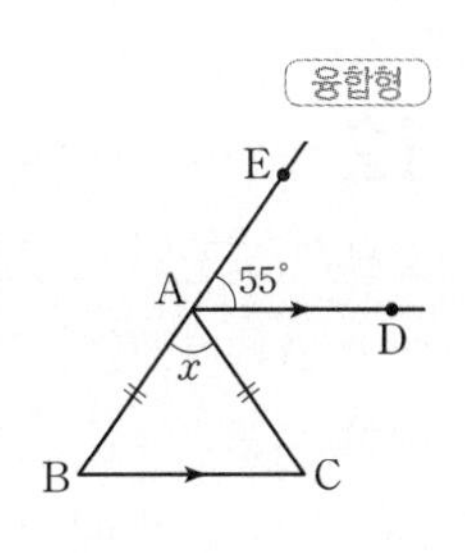

04 이등변삼각형의 성질 (2) 서술형

오른쪽 그림과 같이 $\overline{AB}=\overline{AC}=15$ cm, $\overline{BC}=18$ cm인 이등변삼각형 ABC에서 $\angle A$의 이등분선과 $\overline{BC}$의 교점을 D라 하고, 점 D에서 $\overline{AC}$에 내린 수선의 발을 E라 하자. $\overline{AD}=12$ cm일 때, 다음을 구하시오.

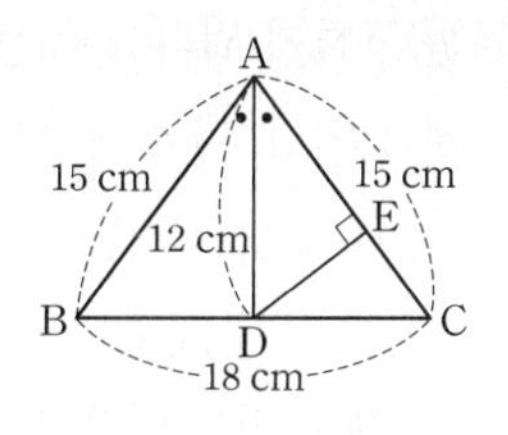

(1) $\overline{DC}$의 길이 (2) $\overline{DE}$의 길이

05 이등변삼각형의 성질 (2)

오른쪽 그림과 같이 $\overline{AB}=\overline{AC}$인 이등변삼각형 ABC에서 $\angle A$의 이등분선과 $\overline{BC}$의 교점을 D라 하고, $\overline{AD}$ 위에 한 점 P를 잡았을 때, $\angle x$의 크기를 구하시오.

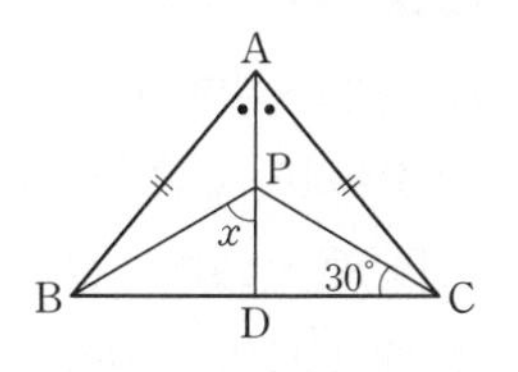

06 이등변삼각형의 성질을 이용하여 각의 크기 구하기

오른쪽 그림의 $\triangle$ABC는 $\overline{AB}=\overline{AC}$인 이등변삼각형이다. $\angle B$의 이등분선과 $\overline{AC}$의 교점을 D라 하고 $\angle A=32°$일 때, $\angle BDC$의 크기를 구하시오.

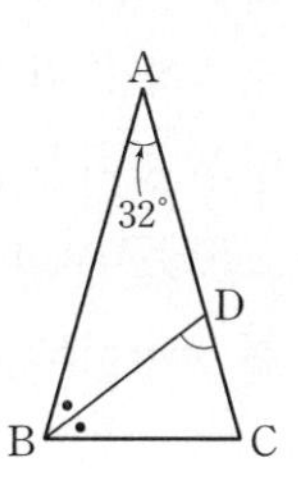

07 이등변삼각형이 되는 조건

창의·융합

오른쪽 그림은 강의 폭 $\overline{AB}$의 길이를 구하기 위하여 측정한 것을 나타낸 것이다. 다음 물음에 답하시오.

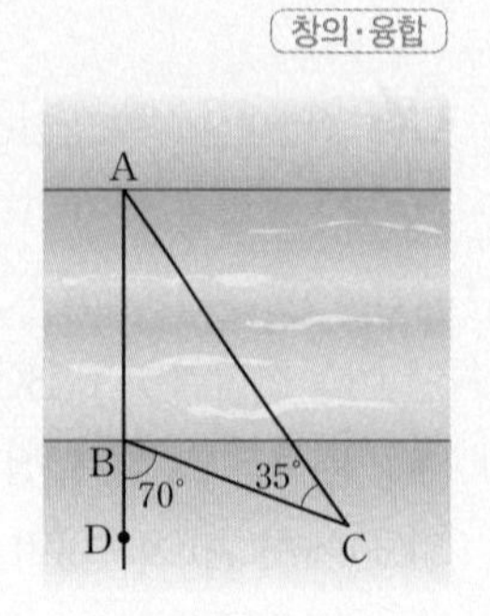

(1) 두 지점 A, B 사이의 거리 대신 두 지점 B, C 사이의 거리를 구해도 되는 이유를 설명하시오.

(2) $\overline{BC}=10$ m일 때, $\overline{AB}$의 길이를 구하시오.

08 이등변삼각형이 되는 조건

오른쪽 그림에서 $\angle B=30°$, $\angle DAC=60°$, $\angle EDC=120°$, $\overline{AB}=7$ cm 일 때, $\overline{CD}$의 길이를 구하시오.

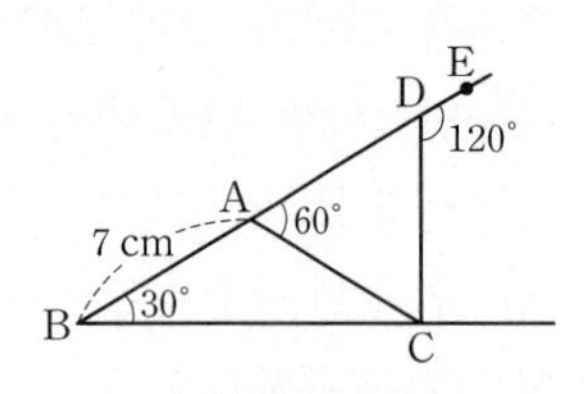

09 직사각형 모양의 종이접기

오른쪽 그림과 같이 직사각형 모양의 종이를 접었다. $\angle EGF=74°$일 때, $\angle x$의 크기를 구하시오.

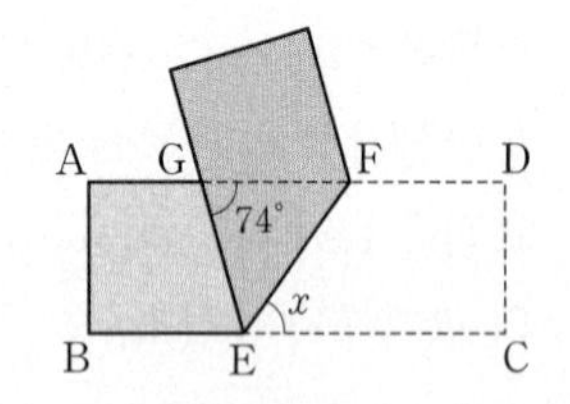

10 직각삼각형의 합동 조건

다음 **보기**의 직각삼각형 중에서 서로 합동인 것끼리 짝 짓고, 각각의 합동 조건을 말하시오.

보기

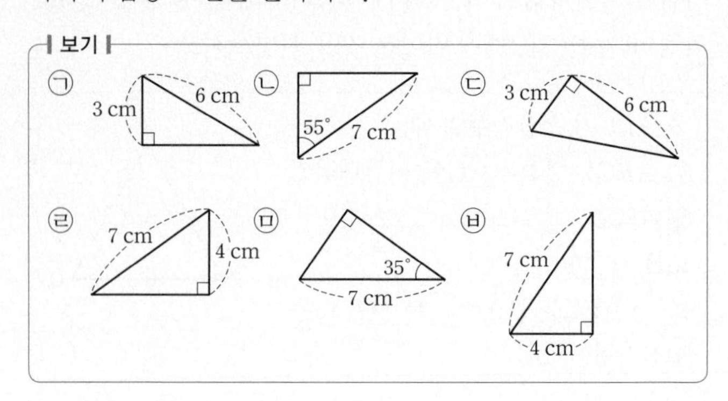

11 직각삼각형의 합동 조건의 활용 – RHA 합동

오른쪽 그림과 같이 $\angle A=90°$이고 $\overline{AB}=\overline{AC}$인 직각이등변삼각형 ABC의 두 꼭짓점 B, C에서 꼭짓점 A를 지나는 직선 l에 내린 수선의 발을 각각 D, E라 하자. $\overline{DB}=7$ cm, $\overline{DE}=12$ cm일 때, $\triangle ABC$의 넓이를 구하시오.

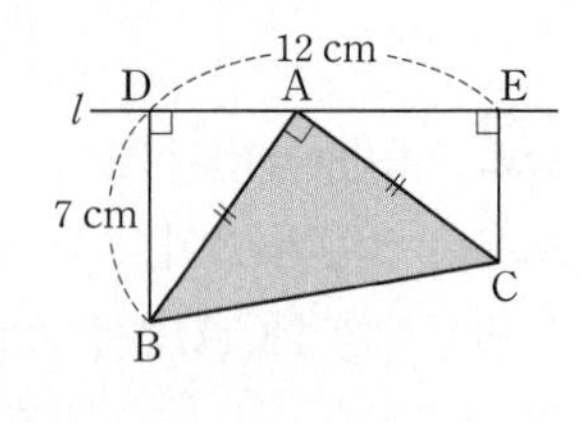

12 직각삼각형의 합동 조건의 활용 – RHS 합동

서술형

오른쪽 그림의 $\triangle ABC$는 $\angle B=90°$이고 $\overline{AB}=\overline{BC}$인 직각이등변삼각형이다. $\overline{AB}=\overline{AE}$, $\overline{AC}\perp\overline{DE}$이고 $\overline{EC}=3$ cm일 때, $x+y$의 값을 구하시오.

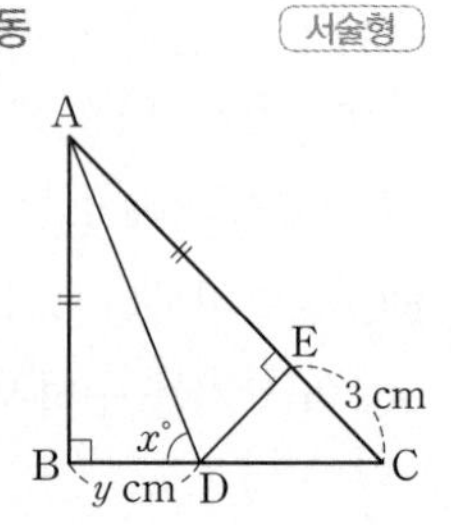

13 직각삼각형의 합동 조건의 활용 – RHS 합동

오른쪽 그림과 같이 $\angle A=80^\circ$인 $\triangle ABC$에서 변 BC의 중점을 D라 하고, 점 D에서 $\overline{AB}$, $\overline{AC}$에 내린 수선의 발을 각각 E, F라 하자. $\overline{DE}=\overline{DF}$일 때, $\angle BDE$의 크기를 구하시오.

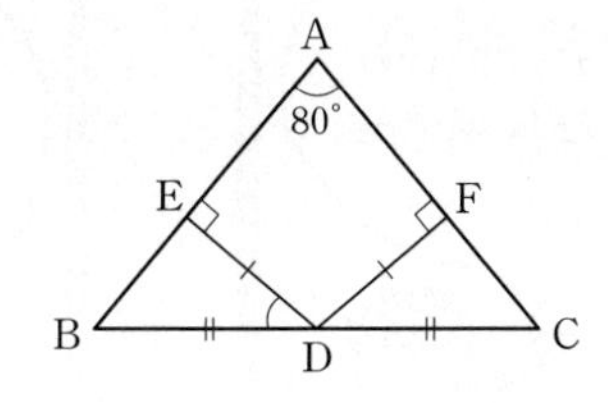

14 각의 이등분선의 성질의 활용

오른쪽 그림과 같이 $\angle C=90^\circ$인 직각삼각형 ABC에서 $\angle A$의 이등분선이 $\overline{BC}$와 만나는 점을 D라 하자. $\overline{AB}=14$ cm이고 $\triangle ABD$의 넓이가 28 cm^{2}일 때, $\overline{CD}$의 길이를 구하시오.

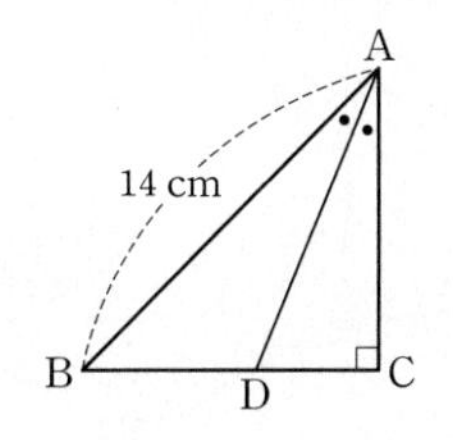

15 이등변삼각형의 성질을 이용하여 각의 크기 구하기 (서술형)

아래 그림의 $\triangle ACB$는 $\overline{AB}=\overline{AC}$인 이등변삼각형이다. $\overline{AD}=\overline{DE}=\overline{EF}=\overline{FC}=\overline{BC}$일 때, 다음 물음에 답하시오.

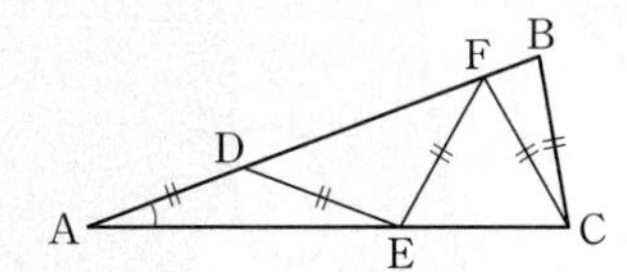

(1) $\angle A=\angle x$라 할 때, $\angle B$의 크기를 $\angle x$를 사용하여 나타내시오.

(2) $\angle FCB$의 크기를 $\angle x$를 사용하여 나타내시오.

(3) $\angle A$의 크기를 구하시오.

16 이등변삼각형이 되는 조건의 활용

오른쪽 그림과 같이 $\angle B=\angle C$인 $\triangle ABC$의 $\overline{BC}$ 위의 점 P에서 $\overline{AB}$, $\overline{AC}$에 내린 수선의 발을 각각 D, E라 하자. $\overline{AB}=10$ cm이고 $\triangle ABC$의 넓이가 40 cm^{2}일 때, $\overline{PD}+\overline{PE}$의 길이를 구하시오.

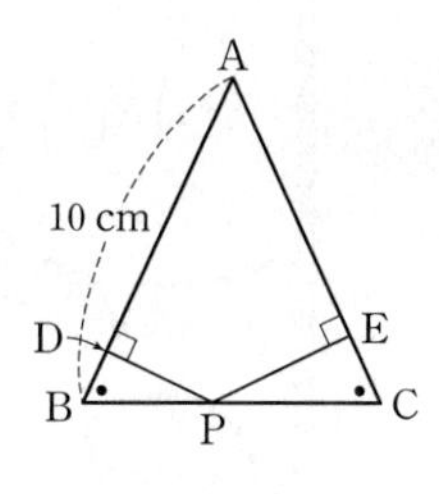

17 이등변삼각형의 성질의 활용 (서술형)

오른쪽 그림의 $\triangle ABC$는 $\overline{AB}=\overline{AC}$인 이등변삼각형이다. $\angle A=68^\circ$이고 $\overline{BF}=\overline{CD}$, $\overline{BD}=\overline{CE}$일 때, 다음 물음에 답하시오.

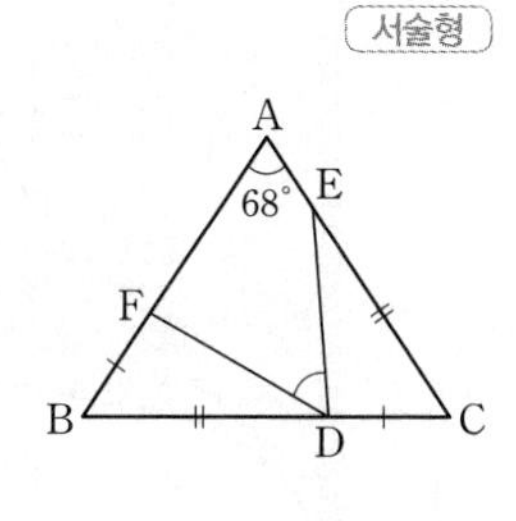

(1) $\triangle BDF \equiv \triangle CED$임을 설명하시오.

(2) $\angle BDF+\angle CDE$의 크기를 구하시오.

(3) $\angle FDE$의 크기를 구하시오.

18 각의 이등분선의 성질의 활용 (창의력)

오른쪽 그림과 같이 $\angle C=90^\circ$인 직각삼각형 ABC에서 $\angle A$의 이등분선이 $\overline{BC}$와 만나는 점을 D라 하고, 점 D에서 $\overline{AB}$에 내린 수선의 발을 E라 하자. 이때 $\triangle BDE$의 둘레의 길이를 구하시오.

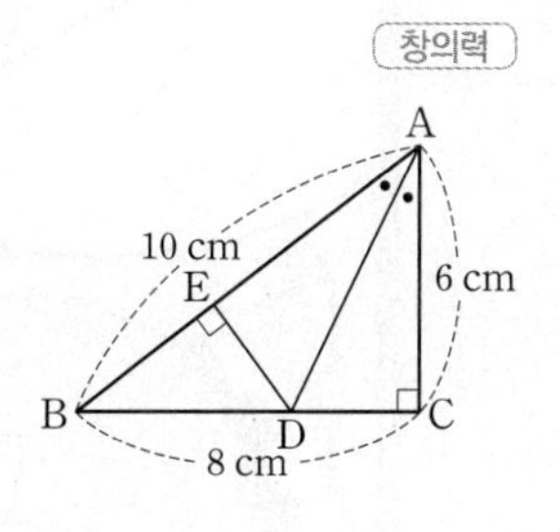

주말에
만나서 같이
놀자.
좋아. 그럼
어디서 만날까?

우리 삼총사는 평등하니까,
각자의 집에서 같은 거리에
있는 곳에서 만나자.

당장
지도 어플을
열어 볼게.
클릭
클릭

철수 A
C 돌이
B 민지
세 집에서
같은 거리에 있는
지점은 어디지?

세 집을 이으면 삼각형이
되니까, 삼각형의 외심이
바로 그 지점이지.
A
C
O
B

바로
이 곳(O)이네.
다들 위치를
확인하고
주말에 보자.
C
B
O
A

헉헉~ 산을 넘어가야 되네.
이러면 같은 거리가 아니잖아.
철수는 도대체
왜 안 오냐?

I | 삼각형의 성질

삼각형의 외심

| 개념 1 | 선분의 수직이등분선의 성질
| 개념 2 | 삼각형의 외심
| 개념 3 | 삼각형의 외심의 위치
| 개념 4 | 삼각형의 외심의 활용

2 삼각형의 외심

1 선분의 수직이등분선의 성질

선분의 수직이등분선 위의 한 점에서 그 선분의 양 끝 점에 이르는 거리는 같다.

⇨ $\overline{AM}=\overline{BM}$, $\overline{AB}\perp\overline{PM}$이면 $\overline{PA}=$ ☐

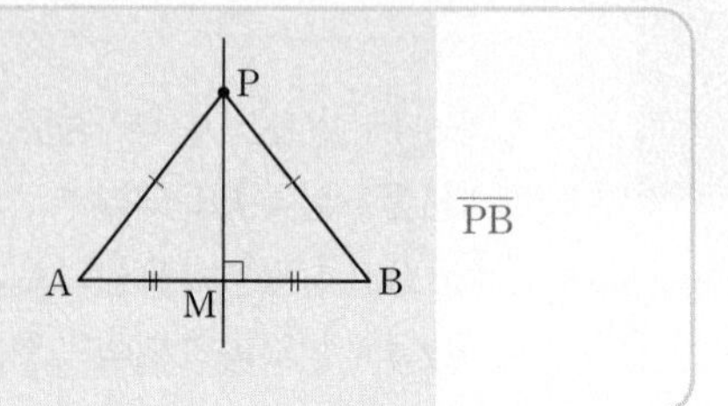

$\overline{PB}$

참고 선분의 양 끝 점에서 같은 거리에 있는 점은 그 선분의 수직이등분선 위에 있다.

선분의 수직이등분선의 성질은 삼각형의 외심을 설명할 때 필요하니까 잘 기억하고 있어~.

설명 선분 AB의 수직이등분선 위에 한 점 P를 잡으면 $\triangle PAM$과 $\triangle PBM$에서
$\overline{AM}=\overline{BM}$, $\angle PMA=\angle PMB=90°$, $\overline{PM}$은 공통
이므로 $\triangle PAM\equiv\triangle PBM$ (SAS 합동) $\quad\therefore \overline{PA}=\overline{PB}$

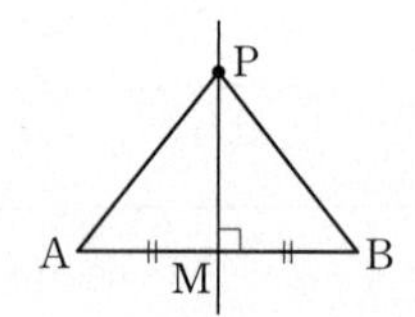

2 삼각형의 외심

(1) 삼각형의 외접원과 외심

$\triangle ABC$의 모든 꼭짓점이 원 O 위에 있을 때, 원 O는 $\triangle ABC$에 **외접**한다고 한다. 이때 원 O를 $\triangle ABC$의 **외접원**이라 하고, 외접원의 ☐ O를 삼각형 ABC의 **외심**이라 한다.

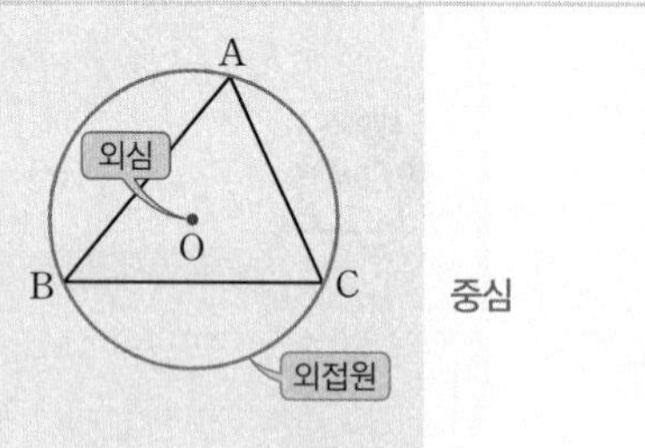

중심

(2) 삼각형의 외심

❶ 삼각형의 세 변의 ☐이등분선은 한 점(외심)에서 만난다.

❷ 외심에서 세 꼭짓점에 이르는 거리는 모두 같다.

⇨ $\overline{OA}=\overline{OB}=\overline{OC}$ (외접원의 ☐의 길이)

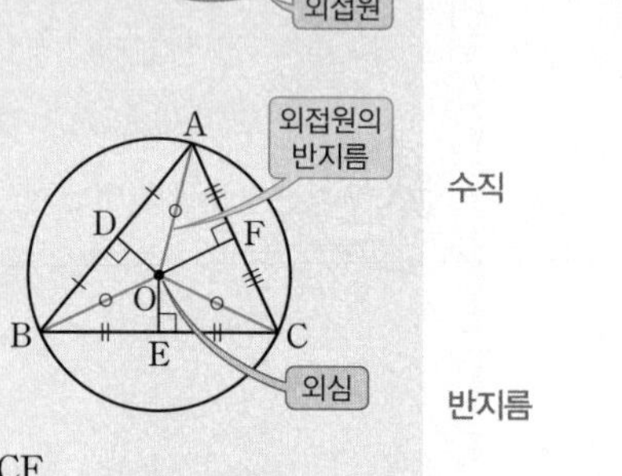

수직

반지름

참고 $\triangle OAD\equiv\triangle OBD$, $\triangle OBE\equiv\triangle OCE$, $\triangle OAF\equiv\triangle OCF$

용어 click
외접원 바깥 외(外), 접할 접(接), 원 원(圓)으로, 바깥에서 접하는 원

보기 다음 그림에서 점 O가 $\triangle ABC$의 외심일 때, x의 값을 구하시오.

(1) A, O, B, C, D, 5 cm, x cm

(2)

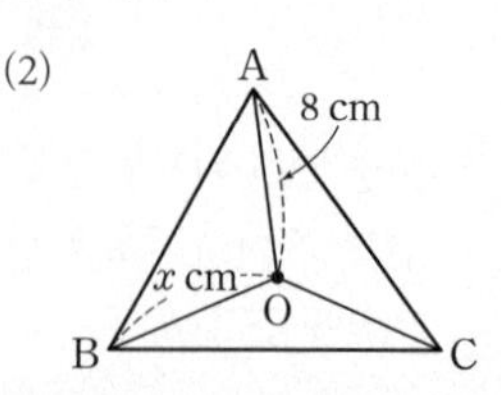

풀이 (1) 삼각형의 외심은 세 변의 수직이등분선의 교점이므로 $\overline{CD}=\overline{BD}=5$ cm $\quad\therefore x=5$

(2) 점 O는 외접원의 중심이므로 $\overline{OA}=\overline{OB}=\overline{OC}=8$ cm $\quad\therefore x=8$

빠른 정답 240쪽 | 정답과 해설 8쪽

| 개념 체크 |

1-1 선분의 수직이등분선의 성질

오른쪽 그림에서 직선 l은 $\overline{AB}$의 수직이등분선이다. 직선 l 위의 한 점 P에 대하여 다음을 구하시오.

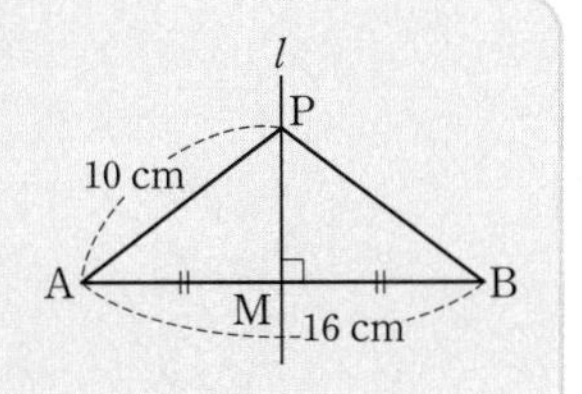

(1) $\overline{AM}$의 길이 (2) $\overline{PB}$의 길이

셀파 선분의 수직이등분선 위의 한 점에서 그 선분의 양 끝 점에 이르는 거리는 같다.

연구 (1) $\overline{AM}=\overline{BM}=\square\overline{AB}=\square$ (cm)

(2) 점 P는 $\overline{AB}$의 $\square$이등분선 위에 있으므로
$\overline{PB}=\overline{PA}=\square$ cm

2-1 삼각형의 외심

오른쪽 그림에서 점 O가 △ABC의 외심일 때, x, y의 값을 각각 구하시오.

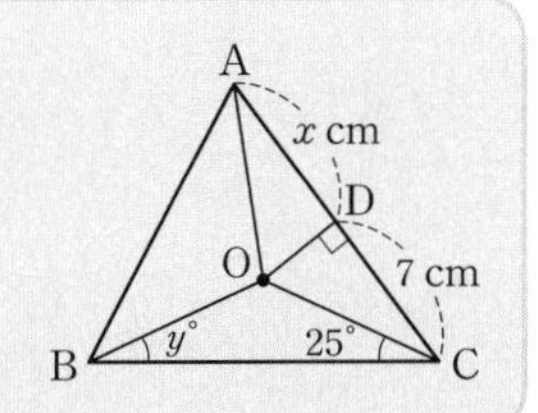

셀파 • 삼각형의 외심은 세 변의 수직이등분선의 교점이다.
• 삼각형의 외심에서 세 꼭짓점에 이르는 거리는 같다.

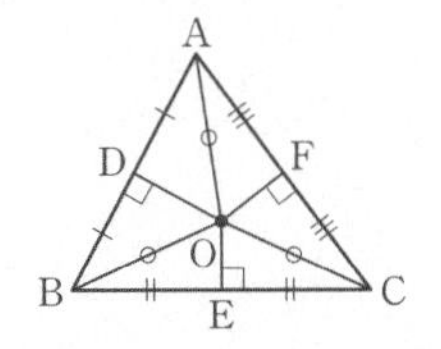

연구 $\overline{AD}=\overline{CD}=7$ cm이므로 $x=\square$
$\overline{OB}=\overline{OC}$이므로 △OBC는 이등변삼각형이다.
즉 이등변삼각형의 두 $\square$의 크기는 같으므로
$\angle OBC=\angle OCB=25°$ $\therefore y=\square$

| 따라 풀기 |

1-2 오른쪽 그림에서 $\overline{CD}$는 $\overline{AB}$의 수직이등분선이다. 그림을 보고 다음을 구하시오.

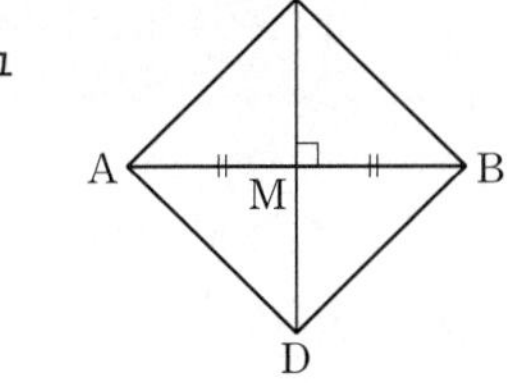

(1) $\overline{AC}$와 길이가 같은 선분

(2) $\overline{BD}$와 길이가 같은 선분

1-3 오른쪽 그림에서 $\overline{PA}=\overline{PB}$이고 $\overline{AB}\perp\overline{PM}$, $\overline{AB}=8$ cm일 때, $\overline{AM}$의 길이를 구하시오.

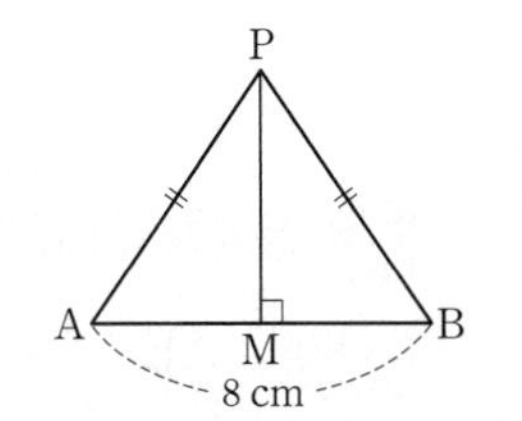

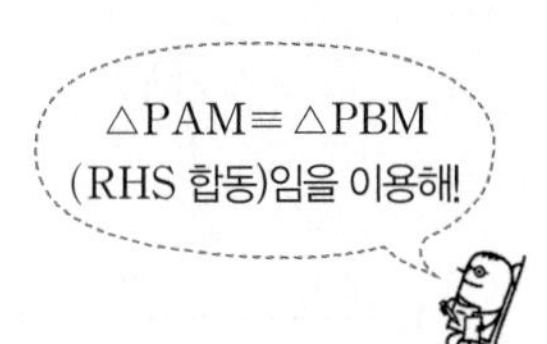

2-2 다음 그림에서 점 O가 △ABC의 외심일 때, x, y의 값을 각각 구하시오.

(1)

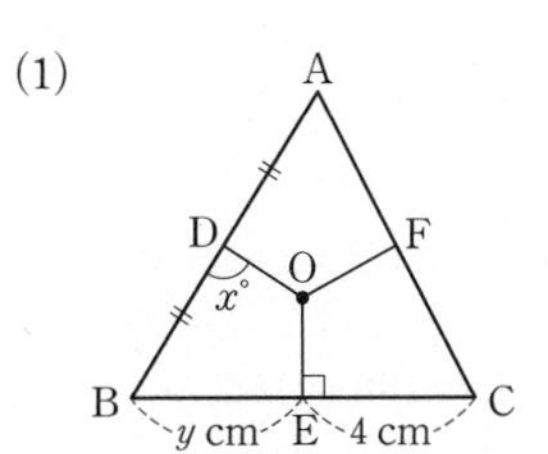

(2)

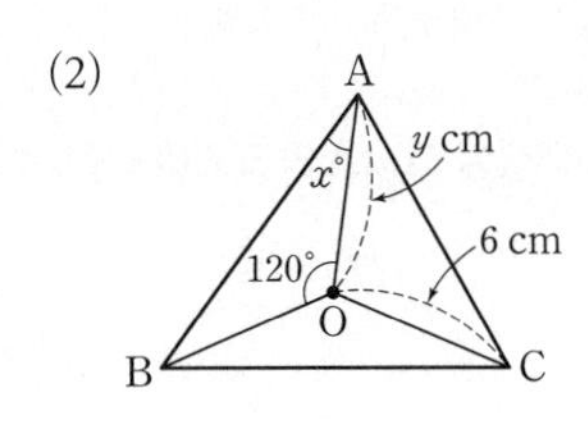

(삼각형의 외심)=(삼각형의 외접원의 중심)
=(삼각형의 세 변의 수직이등분선의 교점)
=(삼각형의 세 꼭짓점에 이르는 거리가 같은 점)

3 삼각형의 외심의 위치

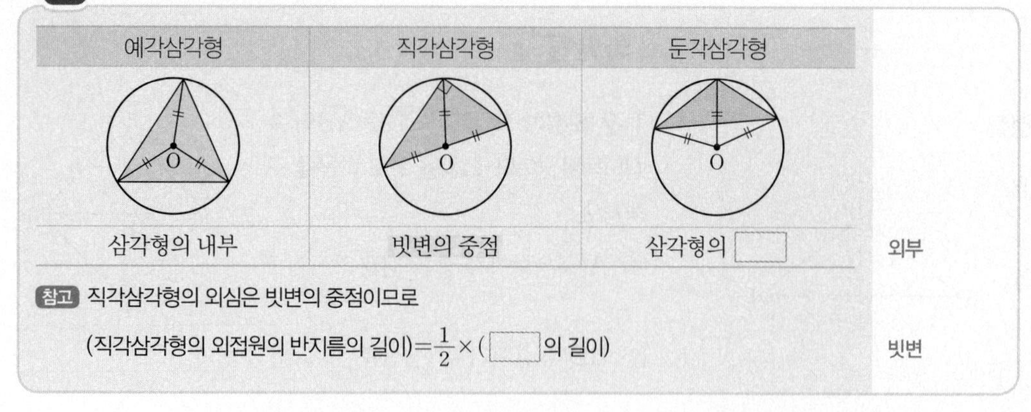

예각삼각형	직각삼각형	둔각삼각형
삼각형의 내부	빗변의 중점	삼각형의 ☐

외부

참고 직각삼각형의 외심은 빗변의 중점이므로

(직각삼각형의 외접원의 반지름의 길이)$=\frac{1}{2}\times$(☐의 길이)

빗변

● 이등변삼각형의 꼭지각의 이등분선은 밑변을 수직이등분하므로 이등변삼각형의 외심은 꼭지각의 이등분선 위에 있다.

주의
외심을 삼각형의 외부에 있는 점으로 착각하지 말자.
외심은 외접원의 중심으로, 삼각형의 모양에 따라 그 위치가 바뀐다.

4 삼각형의 외심의 활용

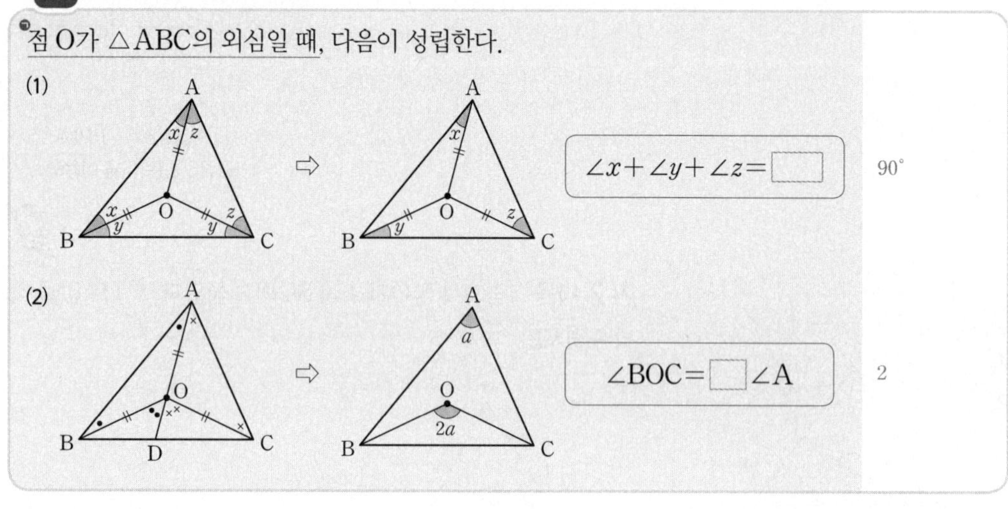

㉠점 O가 △ABC의 외심일 때, 다음이 성립한다.

(1) $\angle x+\angle y+\angle z=$☐

90°

(2) $\angle BOC=$☐$\angle A$

2

㉠ 점 O가 △ABC의 외심일 때
$\overline{OA}=\overline{OB}=\overline{OC}$이므로
△OAB, △OBC, △OCA는 이등변삼각형이다.
$\therefore \angle OAB=\angle OBA$,
$\angle OBC=\angle OCB$,
$\angle OAC=\angle OCA$

설명 (1) △ABC에서 $\angle A+\angle B+\angle C=180°$이므로

$(\angle x+\angle z)+(\angle x+\angle y)+(\angle y+\angle z)=180°$

$2(\angle x+\angle y+\angle z)=180°$ $\quad\therefore \angle x+\angle y+\angle z=90°$

(2) $\angle BOC=$㉡$\angle BOD+\angle COD=2\bullet+2\times=2(\bullet+\times)=2\angle A$

㉡ $\angle BOD=\angle OAB+\angle OBA$
$=\bullet+\bullet=2\bullet$
$\angle COD=\angle OAC+\angle OCA$
$=\times+\times=2\times$

보기 다음 그림에서 점 O가 △ABC의 외심일 때, $\angle x$의 크기를 구하시오.

(1)

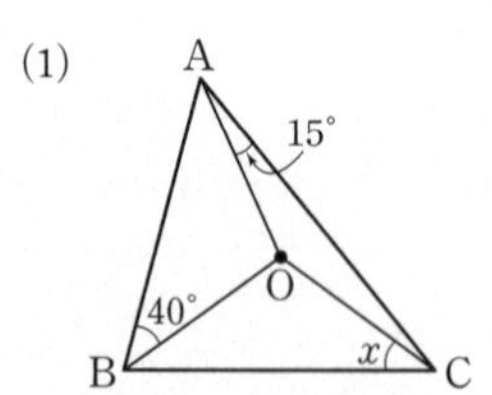

(2)

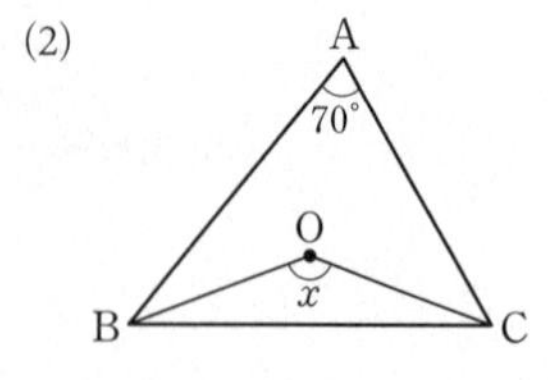

풀이 (1) $40°+\angle x+15°=90°$

$\therefore \angle x=$**35°**

(2) $\angle x=2\angle A=2\times70°=$**140°**

● 삼각형의 한 외각의 크기는 그와 이웃하지 않는 두 내각의 크기의 합과 같다.

| 개념 체크 |

3-1 직각삼각형의 외심의 위치

오른쪽 그림에서 점 M은 직각삼각형 ABC의 빗변의 중점이다. $\overline{AB}=12$ cm일 때, $\overline{MC}$의 길이를 구하시오.

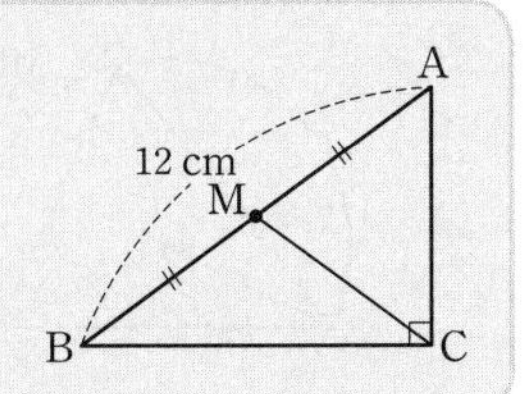

셀파 직각삼각형의 외심은 빗변의 중점이므로 점 M은 외심이다.

연구 직각삼각형에서 빗변의 중점은 ☐이므로

$\overline{MC}=\overline{MA}=\overline{MB}=\frac{1}{2}\overline{AB}=$ ☐ (cm)

4-1 삼각형의 외심의 활용

다음 그림에서 점 O가 △ABC의 외심일 때, ∠x의 크기를 구하시오.

(1)

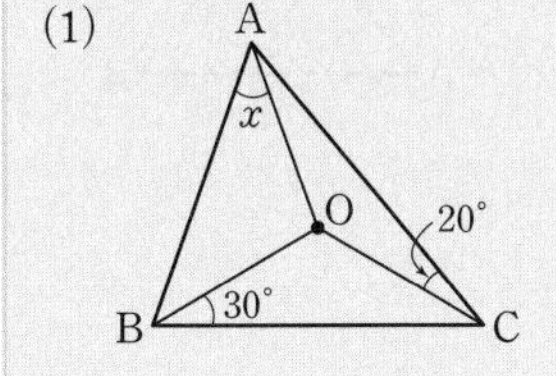

(2)

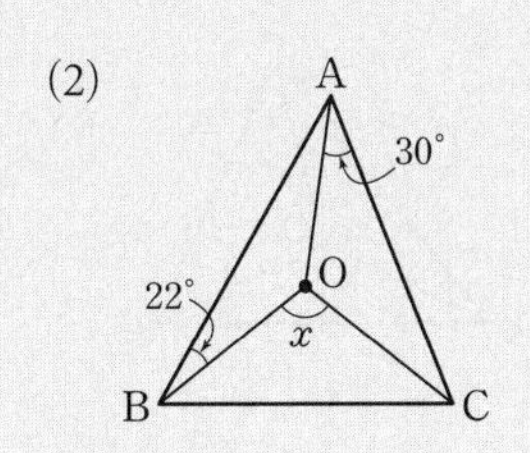

셀파 $\overline{OA}=\overline{OB}=\overline{OC}$이므로 크기가 같은 각을 그림에 표시한다.

연구 (1) $2(\angle x+30°+20°)=180°$

$\angle x+30°+20°=$ ☐

$\therefore \angle x=$ ☐

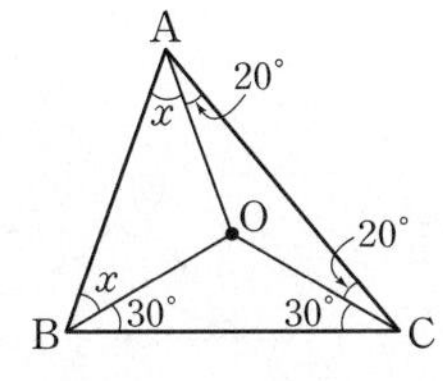

(2) $\overline{AO}$의 연장선과 $\overline{BC}$의 교점을 D라 하면

$\angle x=\angle BOC$

$=\angle BOD+\angle COD$

$=2\angle OAB+2\angle OAC$

$=$ ☐ $\angle BAC=$ ☐

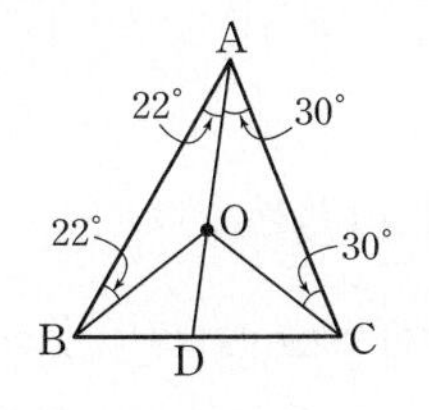

| 따라 풀기 |

3-2 오른쪽 그림에서 점 M은 직각삼각형 ABC의 빗변의 중점이다. $\overline{MA}=3$ cm일 때, $\overline{BC}$의 길이를 구하시오.

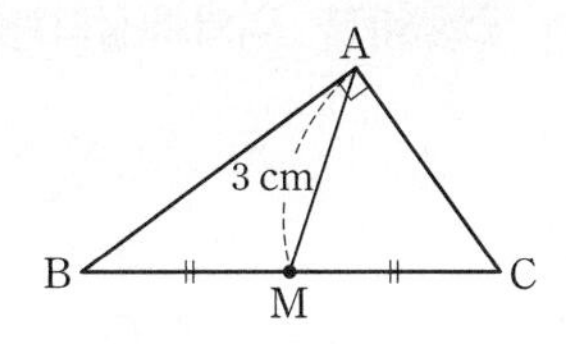

4-2 다음 그림에서 점 O가 △ABC의 외심일 때, ∠x의 크기를 구하시오.

(1)

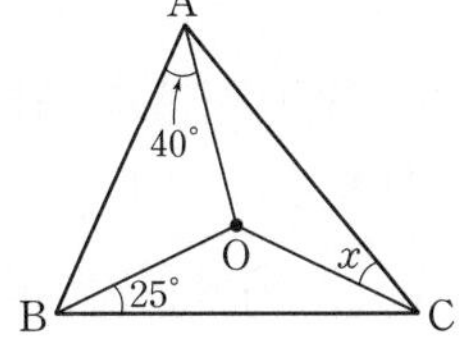

(2)

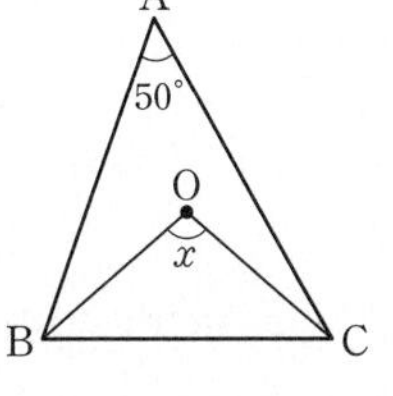

점 O가 △ABC의 외심일 때

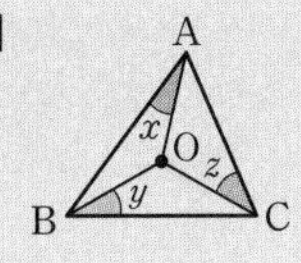

⇨ $\angle x+\angle y+\angle z=90°$

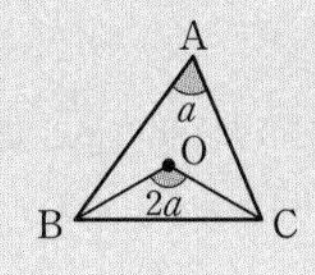

⇨ $\angle BOC=2\angle A$

2 삼각형의 외심

삼각형의 외심 찾기

Q 임의의 삼각형을 그렸을 때, 그 삼각형의 외심은 어떻게 찾을까?

삼각형의 외심은 삼각형의 세 변의 수직이등분선의 교점으로 찾아. 여기서는 왜 세 변의 수직이등분선의 교점이 외심인지를 설명해 주고 있어.

A 오른쪽 그림과 같이 $\triangle ABC$의 세 꼭짓점을 지나는 원, 즉 외접원을 그리고, 그 원의 중심을 O(외심)라 하자. 원의 중심 O에서 세 꼭짓점에 선분을 그으면 $\overline{OA}$, $\overline{OB}$, $\overline{OC}$는 외접원의 반지름으로 그 길이가 같다.

이때 ㉠ $\triangle OAB$, $\triangle OBC$, $\triangle OCA$는 모두 이등변삼각형이므로 점 O에서 각각의 밑변, 즉 $\overline{AB}$, $\overline{BC}$, $\overline{CA}$에 수선을 그으면 밑변이 이등분된다.

즉 삼각형의 세 변의 수직이등분선은 외심 O를 지남을 알 수 있다.

여기에 착안하면 삼각형의 세 변의 수직이등분선을 각각 그으면 한 점에서 만나게 되고 그 점이 외심이다.

㉠ 선분의 양 끝 점에서 같은 거리에 있는 점은 그 선분의 수직이등분선 위에 있다.

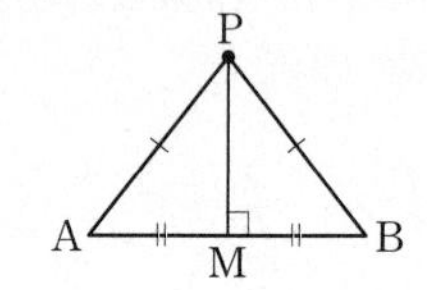

Q 그럼 정말로 삼각형의 세 변의 수직이등분선이 한 점에서 만날까? ㉡ 이 사실을 확인해 보자.

A 오른쪽 그림과 같이 $\triangle ABC$에서 $\overline{AB}$와 $\overline{BC}$의 수직이등분선의 교점을 O라 하자.

㉢ 점 O는 $\overline{AB}$의 수직이등분선 위의 점이므로

$\overline{OA}=\overline{OB}$ ...... ㉠

점 O는 $\overline{BC}$의 수직이등분선 위의 점이므로

$\overline{OB}=\overline{OC}$ ...... ㉡

㉠, ㉡에서 $\overline{OA}=\overline{OB}=\overline{OC}$

이때 점 O에서 $\overline{AC}$에 내린 수선의 발을 F라 하면

$\triangle OAF$와 $\triangle OCF$에서

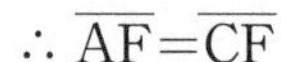

$\angle OFA=\angle OFC=90^\circ$, $\overline{OA}=\overline{OC}$(빗변), $\overline{OF}$는 공통

이므로 $\triangle OAF \equiv \triangle OCF$ (RHS 합동)

$\therefore \overline{AF}=\overline{CF}$

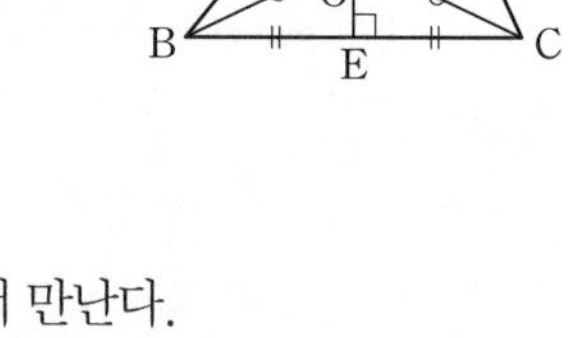

즉 $\overline{OF}$는 $\overline{AC}$의 수직이등분선이고 점 O를 지난다.

따라서 삼각형의 세 변의 수직이등분선은 한 점 O에서 만난다.

㉡ 삼각형의 세 변의 수직이등분선이 한 점에서 만나는지 설명하려면 두 변의 수직이등분선의 교점이 나머지 한 변의 수직이등분선 위에 있음을 보이면 된다.

참고 위의 설명에서 두 변의 수직이등분선의 교점을 나머지 한 변의 수직이등분선도 지난다는 것을 알 수 있으므로 삼각형의 외심을 찾을 때는 두 변의 수직이등분선의 교점만 찾으면 된다.

㉢ 선분의 수직이등분선 위의 한 점에서 그 선분의 양 끝 점에 이르는 거리는 같다.

- 삼각형의 외심을 찾을 때는 두 변의 수직이등분선의 교점을 찾아도 된다.
- 삼각형의 외심에서 세 꼭짓점에 이르는 거리는 같다.

기본 01 삼각형의 외심

오른쪽 그림에서 점 O는 $\triangle ABC$의 외심이다. 다음 중 옳지 않은 것을 모두 고르면? (정답 2개)

① $\overline{AF}=\overline{CF}$ ② $\overline{OA}=\overline{OB}$
③ $\overline{OD}=\overline{OE}$ ④ $\angle OBD=\angle OBE$
⑤ $\triangle OBE\equiv\triangle OCE$

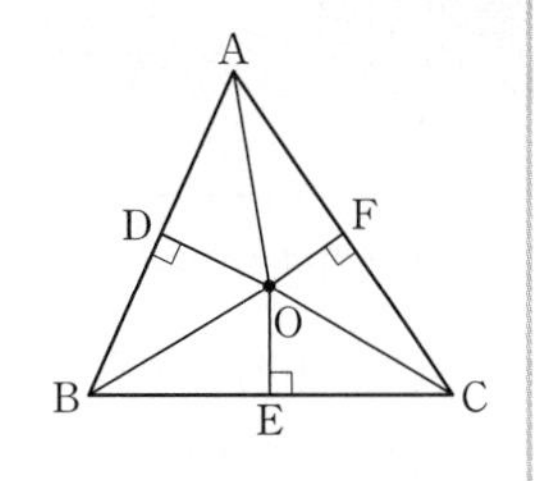

해법코드

❶ 삼각형의 외심은 세 변의 수직이등분선의 교점이다.
❷ 삼각형의 외심에서 세 꼭짓점에 이르는 거리는 같다.
⇨ $\overline{OA}=\overline{OB}=\overline{OC}$
❸ $\triangle OAD\equiv\triangle OBD$, $\triangle OBE\equiv\triangle OCE$, $\triangle OAF\equiv\triangle OCF$

셀파 외심의 뜻과 성질을 생각한다.

풀이 ③ $\overline{OD}=\overline{OE}$인지는 알 수 없다.
④ $\angle OBD=\angle OAD$, $\angle OBE=\angle OCE$이지만 $\angle OBD=\angle OBE$인지는 알 수 없다.
⑤ $\triangle OBE$와 $\triangle OCE$에서 $\overline{BE}=\overline{CE}$, $\angle OEB=\angle OEC=90°$, $\overline{OE}$는 공통이므로
$\triangle OBE\equiv\triangle OCE$ (SAS 합동)
따라서 옳지 않은 것은 ③, ④이다.

» 오답 피하기
삼각형의 외심에서 세 꼭짓점에 이르는 거리는 같다. 그러나 삼각형의 외심에서 세 변에 이르는 거리가 같은지는 알 수 없다.

확인 01 오른쪽 그림에서 점 O는 $\triangle ABC$의 외심이다. $\overline{AD}=5$ cm, $\overline{BE}=6$ cm, $\overline{CF}=7$ cm일 때, $\triangle ABC$의 둘레의 길이를 구하시오.

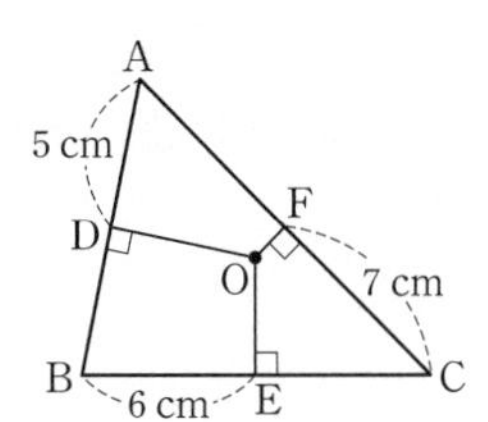

» My 셀파
점 O가 $\triangle ABC$의 외심이므로 $\overline{OD}$, $\overline{OE}$, $\overline{OF}$는 각각 $\overline{AB}$, $\overline{BC}$, $\overline{CA}$의 수직이등분선이다.

기본 02 삼각형의 외심과 각의 크기

오른쪽 그림에서 점 O는 $\triangle ABC$의 외심이다. $\angle A=70°$일 때, $\angle OBA+\angle OCA$의 크기를 구하시오.

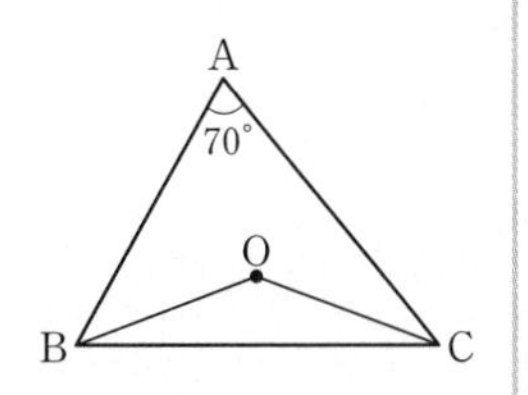

해법코드

$\triangle ABC$의 외심 O가 주어질 때는 $\overline{OA}$, $\overline{OB}$, $\overline{OC}$를 긋고 $\triangle OAB$, $\triangle OBC$, $\triangle OCA$가 모두 이등변삼각형임을 이용한다.

셀파 주어진 삼각형에 $\overline{OA}$를 긋는다.

풀이 $\overline{OA}$를 그으면 $\overline{OA}=\overline{OB}=\overline{OC}$
$\triangle OAB$에서 $\overline{OA}=\overline{OB}$이므로 $\angle OBA=\angle OAB$
$\triangle OCA$에서 $\overline{OC}=\overline{OA}$이므로 $\angle OCA=\angle OAC$
$\therefore \angle OBA+\angle OCA=\angle OAB+\angle OAC=\angle BAC=\mathbf{70°}$

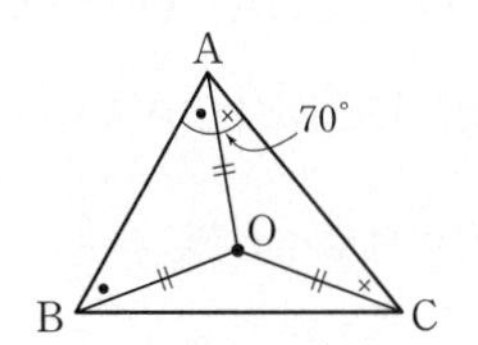

이등변삼각형의 두 밑각의 크기는 같아.

확인 02 오른쪽 그림에서 점 O는 $\triangle ABC$의 외심이다. $\angle OAC=42°$, $\angle OBC=28°$일 때, $\angle C$의 크기를 구하시오.

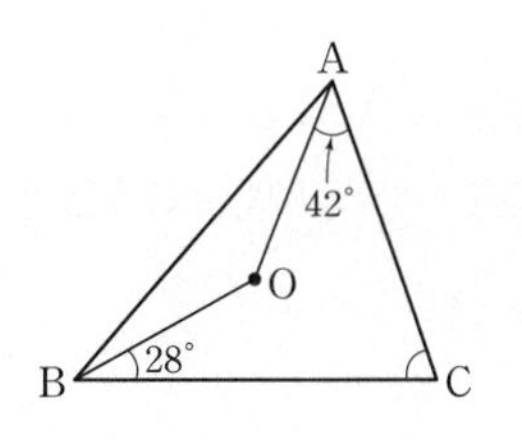

» My 셀파
$\overline{OC}$를 그으면 $\overline{OA}=\overline{OB}=\overline{OC}$이므로 $\triangle OAB$, $\triangle OBC$, $\triangle OCA$는 모두 이등변삼각형이다.

기본 03 **직각삼각형의 외심**

해법코드

오른쪽 그림과 같은 직각삼각형 ABC에서 점 M은 $\overline{AB}$의 중점이다. $\overline{AB}=10$ cm, $\angle A=53^\circ$일 때, 다음을 구하시오.

(1) $\triangle ABC$의 외접원의 반지름의 길이

(2) $\angle BMC$의 크기

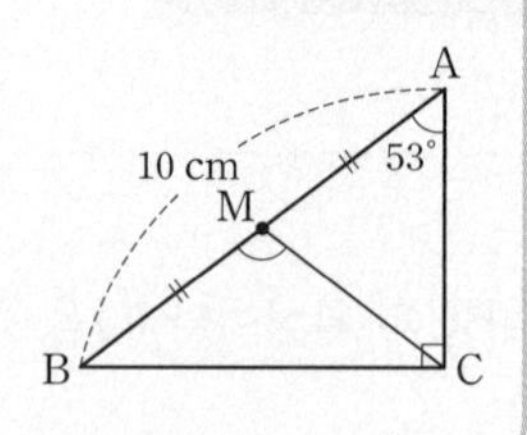

직각삼각형의 외심 O는 빗변의 중점이다.

⇨ (외접원의 반지름의 길이) $=\overline{OA}=\overline{OB}=\overline{OC}$ $=\frac{1}{2}\overline{AB}$

셀파 점 M은 직각삼각형 ABC의 빗변의 중점이므로 $\triangle ABC$의 외심이다.

풀이 (1) 점 M은 직각삼각형 ABC의 빗변의 중점이므로 $\triangle ABC$의 외심이다.

$\therefore$ $\overline{AM}=\overline{BM}=\overline{CM}=$(외접원의 반지름의 길이)

따라서 $\triangle ABC$의 외접원의 반지름의 길이는 $\frac{1}{2}\overline{AB}=\frac{1}{2}\times10=\mathbf{5\ (cm)}$

(2) $\triangle AMC$에서 $\overline{AM}=\overline{CM}$이므로

$\angle MCA=\angle MAC=53^\circ$

❶ $\angle BMC$는 $\triangle AMC$의 한 외각이므로

$\angle BMC=\angle MAC+\angle MCA$

$=53^\circ+53^\circ=\mathbf{106^\circ}$

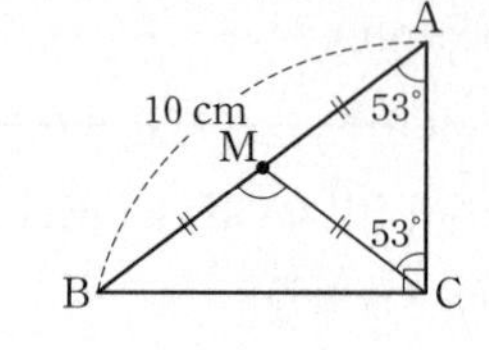

❶ 삼각형의 한 외각의 크기는 그와 이웃하지 않는 두 내각의 크기의 합과 같다.

확인 03 오른쪽 그림에서 점 O는 $\angle B=90^\circ$인 직각삼각형 ABC의 외심이다. $\angle A=60^\circ$일 때, $\overline{AB}$의 길이를 구하시오.

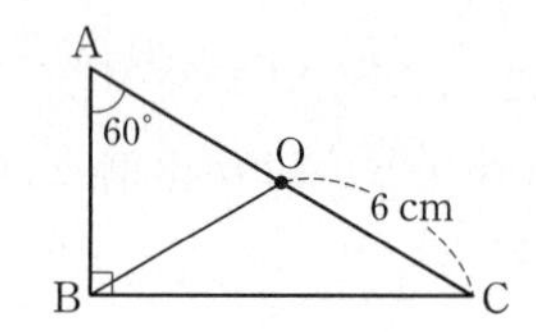

» My 셀파

점 O가 직각삼각형 ABC의 외심이므로 $\overline{OA}=\overline{OB}=\overline{OC}$인 것을 이용한다.

기본 04 **둔각삼각형의 외심**

해법코드

오른쪽 그림에서 점 O는 $\triangle ABC$의 외심이다. $\angle AOB=40^\circ$, $\angle BOC=80^\circ$일 때, $\angle ABC$의 크기를 구하시오.

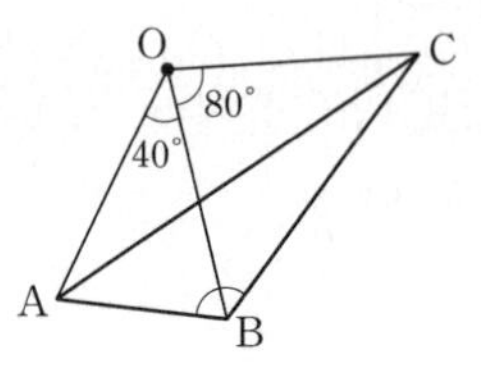

❶ 둔각삼각형의 외심은 삼각형의 외부에 존재한다.

❷ $\triangle OAB$, $\triangle OCB$, $\triangle OCA$는 모두 이등변삼각형이다.

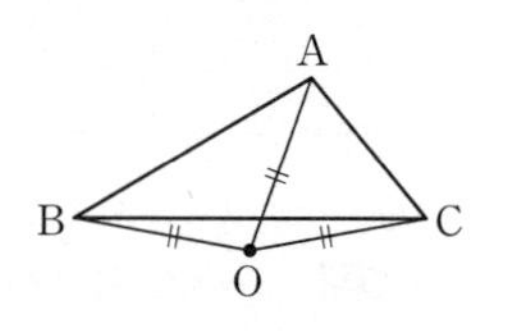

셀파 $\angle ABC=\angle OBA+\angle OBC$이므로 $\angle OBA$, $\angle OBC$의 크기를 각각 구한다.

풀이 점 O가 $\triangle ABC$의 외심이므로 $\overline{OA}=\overline{OB}=\overline{OC}$

❶ $\triangle OAB$에서 $\overline{OA}=\overline{OB}$이므로 $\angle OBA=\frac{1}{2}\times(180^\circ-40^\circ)=70^\circ$

$\triangle OBC$에서 $\overline{OB}=\overline{OC}$이므로 $\angle OBC=\frac{1}{2}\times(180^\circ-80^\circ)=50^\circ$

$\therefore$ $\angle ABC=\angle OBA+\angle OBC=70^\circ+50^\circ=\mathbf{120^\circ}$

❶ $\triangle OAB$는 이등변삼각형이므로 두 밑각의 크기가 같다.
$\therefore$ $\angle OAB=\angle OBA$

확인 04 오른쪽 그림에서 점 O는 $\triangle ABC$의 외심이다. $\angle OBA=48^\circ$, $\angle OCA=32^\circ$일 때, $\angle CAB$의 크기를 구하시오.

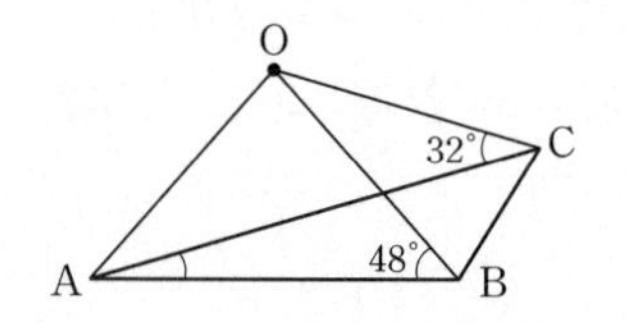

» My 셀파

$\angle CAB=\angle OAB-\angle OAC$이므로 외심의 성질을 이용하여 $\angle OAB$, $\angle OAC$의 크기를 각각 구한다.

기본 05 삼각형의 외심의 활용 (1)

오른쪽 그림에서 점 O는 $\triangle ABC$의 외심이다.
$\angle OBC=30^\circ$일 때, $\angle x+\angle y$의 크기를 구하시오.

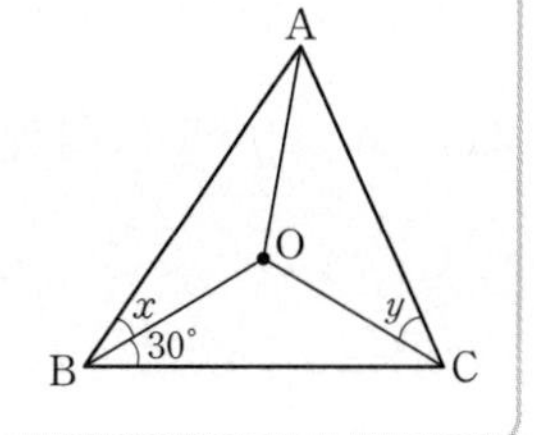

해법코드

점 O가 $\triangle ABC$의 외심일 때

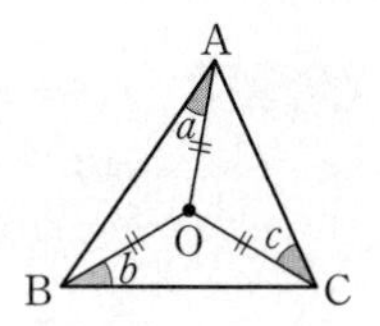

⇨ $\angle a+\angle b+\angle c=90^\circ$

셀파 점 O가 외심이면 $\overline{OA}=\overline{OB}=\overline{OC}$이므로 크기가 같은 각을 그림에 표시한다.

풀이 점 O가 $\triangle ABC$의 외심이므로 $\overline{OA}=\overline{OB}=\overline{OC}$
이때 ❶오른쪽 그림과 같이 각의 크기를 나타내면
$\angle x+30^\circ+\angle y=90^\circ$ $\therefore \angle x+\angle y=\mathbf{60^\circ}$

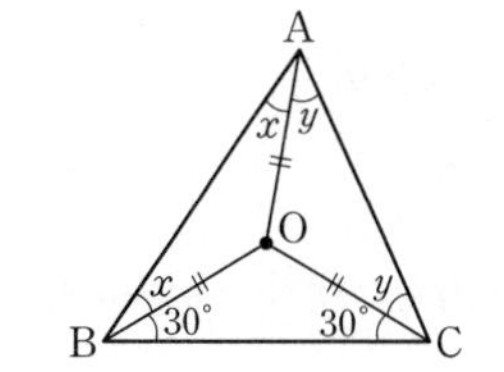

❶ $\triangle OAB$, $\triangle OBC$, $\triangle OCA$는 모두 이등변삼각형이므로 두 밑각의 크기가 각각 같다. 즉
$\angle OAB=\angle OBA$,
$\angle OBC=\angle OCB$,
$\angle OCA=\angle OAC$

확인 05 오른쪽 그림에서 점 O는 $\triangle ABC$의 외심이다.
$\angle OBC=35^\circ$, $\angle OCA=40^\circ$일 때, $\angle BAC$의 크기를 구하시오.

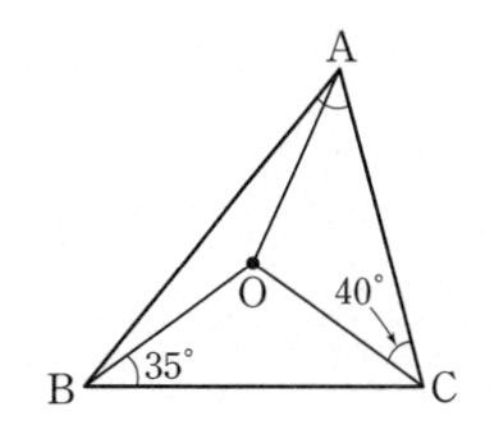

» My 셀파

주어진 그림에서
$\angle OAB+35^\circ+40^\circ=90^\circ$
또 $\triangle OCA$는 $\overline{OC}=\overline{OA}$인 이등변삼각형임을 이용한다.

기본 06 삼각형의 외심의 활용 (2)

오른쪽 그림에서 점 O는 $\triangle ABC$의 외심이다.
$\angle A=50^\circ$일 때, $\angle OCB$의 크기를 구하시오.

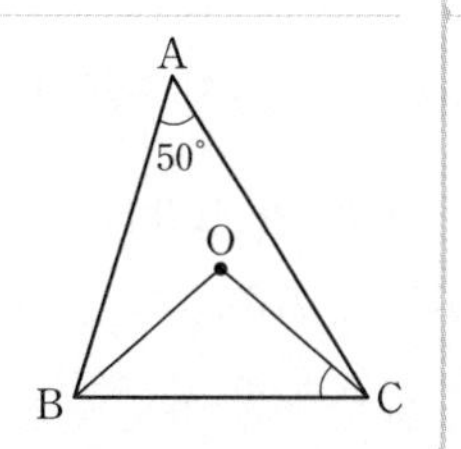

해법코드

점 O가 $\triangle ABC$의 외심일 때

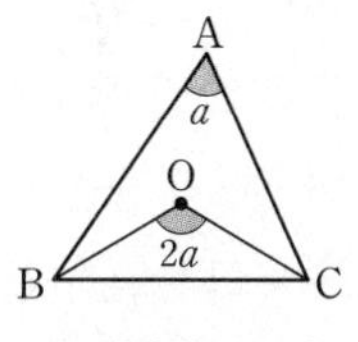

⇨ $\angle BOC=2\angle A$

셀파 $\angle BOC$의 크기를 먼저 구한다.

풀이 $\angle BOC=2\angle A=2\times50^\circ=100^\circ$
❶$\triangle OBC$는 이등변삼각형이므로 $\angle OBC=\angle OCB$
$\therefore \angle OCB=\frac{1}{2}\times(180^\circ-100^\circ)=\mathbf{40^\circ}$

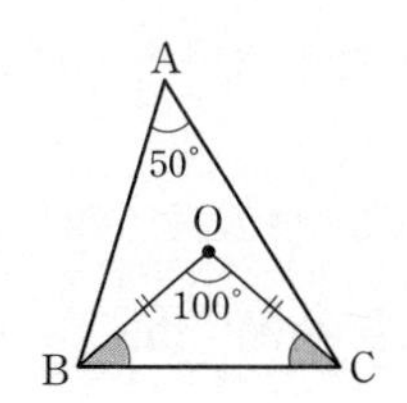

❶ 점 O가 외심이므로 $\overline{OB}=\overline{OC}$
따라서 $\triangle OBC$는 이등변삼각형이다.

확인 06 오른쪽 그림에서 점 O는 $\triangle ABC$의 외심이다.
$\angle OBC=30^\circ$일 때, $\angle A$의 크기를 구하시오.

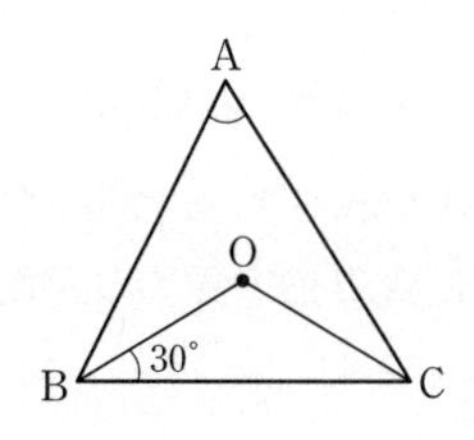

» My 셀파

점 O가 $\triangle ABC$의 외심이므로
$\overline{OB}=\overline{OC}$
즉 $\triangle OBC$는 이등변삼각형이다.
이때 $\angle BOC=2\angle A$

미니 특강 비례식으로 나타내어진 각의 크기는 어떻게 구할까?

Q $\angle x+\angle y=360°$**이고** $\angle x:\angle y=1:2$**일 때,** $\angle x$, $\angle y$**의 크기를 각각 어떻게 구할까?**

A $\angle x:\angle y=1:2$이므로 $\angle x=k$, $\angle y=2k$로 놓으면
$\angle x+\angle y=360°$에서 $3k=360°$ $\therefore k=120°$
따라서 $\angle x=120°$, $\angle y=2\times120°=240°$

Q **좀 더 간단한 방법은 없을까?**

A 물론 답은 yes! ㉠$\angle x:\angle y=1:2$는 $\angle x+\angle y$를 삼등분하였을 때, 그중 1개가 $\angle x$이고, 나머지 2개가 $\angle y$임을 뜻한다.
따라서 ㉡$\angle x$는 $\angle x+\angle y$의 $\frac{1}{3}$이고 $\angle y$는 $\angle x+\angle y$의 $\frac{2}{3}$이다.
즉 $\angle x+\angle y=360°$이므로 $\angle x=360°\times\frac{1}{3}=120°$, $\angle y=360°\times\frac{2}{3}=240°$

> $\angle x+\angle y+\angle z=$●이고 $\angle x:\angle y:\angle z=a:b:c$이면
> $\angle x=$●$\times\frac{a}{a+b+c}$, $\angle y=$●$\times\frac{b}{a+b+c}$, $\angle z=$●$\times\frac{c}{a+b+c}$

㉠ 비례식이 의미하는 것을 그림으로 표현하면 다음과 같다.

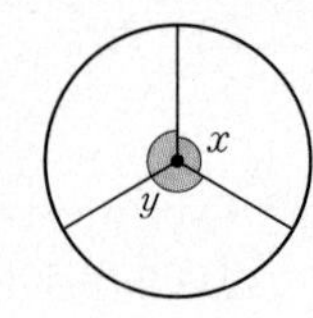

㉡ 식으로 표현하면 다음과 같다.
$\angle x=(\angle x+\angle y)\times\frac{1}{3}$
$\angle y=(\angle x+\angle y)\times\frac{2}{3}$

발전 07 비례식으로 나타내어진 각의 크기 구하기

오른쪽 그림에서 점 O는 $\angle A=90°$인 직각삼각형 ABC의 빗변 BC의 중점이다. $\angle AOB:\angle AOC=4:5$일 때, $\angle B$의 크기를 구하시오.

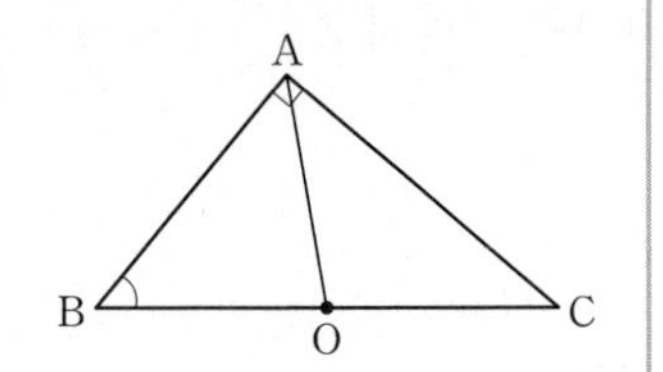

해법코드
$\angle x+\angle y=$●이고
$\angle x:\angle y=a:b$이면
$\angle x=$●$\times\frac{a}{a+b}$,
$\angle y=$●$\times\frac{b}{a+b}$

셀파 점 O는 △ABC의 외심이므로 $\angle B=\frac{1}{2}\angle AOC$

풀이 $\angle AOB+\angle AOC=180°$이므로 $\angle AOC=180°\times\frac{5}{4+5}=100°$
$\therefore$ ㉠$\angle B=\frac{1}{2}\angle AOC=\frac{1}{2}\times100°=\mathbf{50°}$

㉠
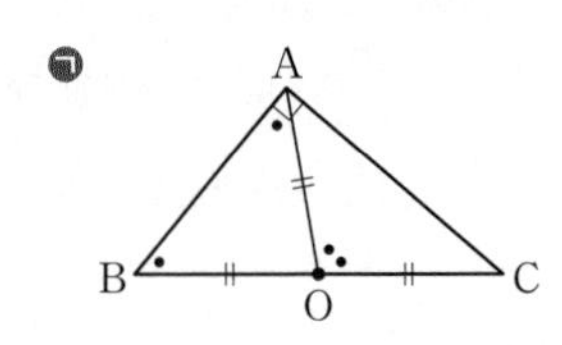

확인 07 오른쪽 그림에서 점 O는 △ABC의 외심이다. $\angle AOB:\angle BOC:\angle COA=2:3:4$일 때, $\angle BAC$, $\angle ABC$, $\angle BCA$의 크기를 각각 구하시오.

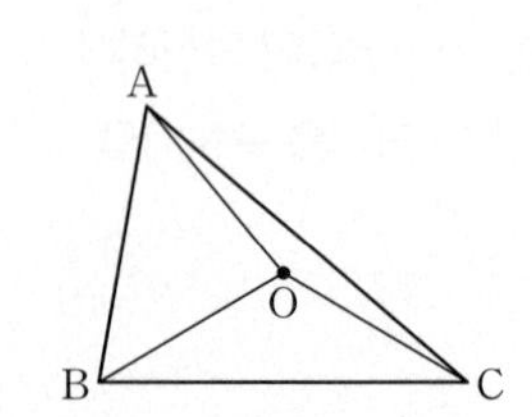

» My 셀파
$\angle AOB+\angle BOC+\angle COA=360°$임을 이용한다.

풀고 또 풀고

집중 연습

삼각형의 외심의 성질을 이용한 계산

빠른 정답 240쪽 | 정답과 해설 10쪽

1 다음 그림에서 점 O가 $\triangle ABC$의 외심일 때, $\angle x$의 크기를 구하시오.

(1)

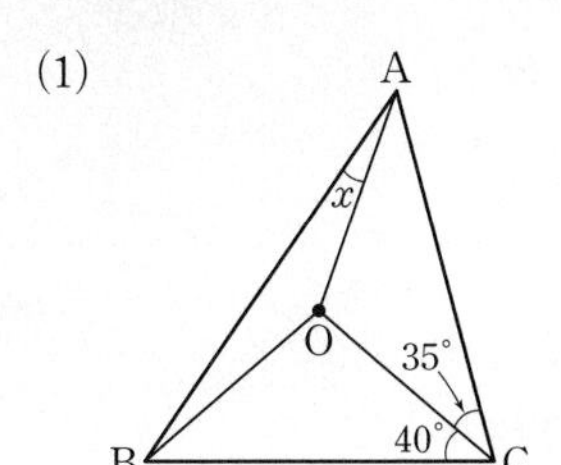

(2)

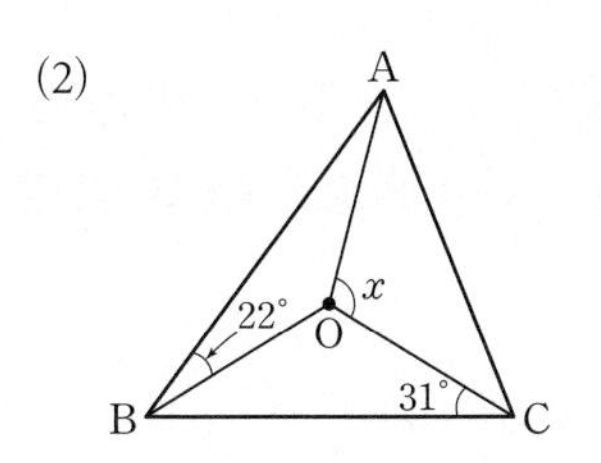

(3)

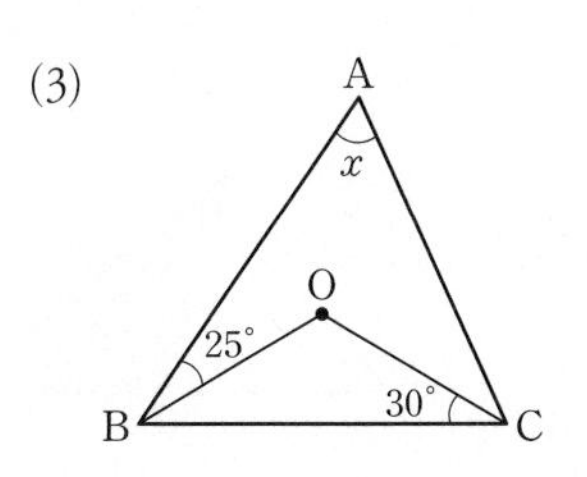

(4)

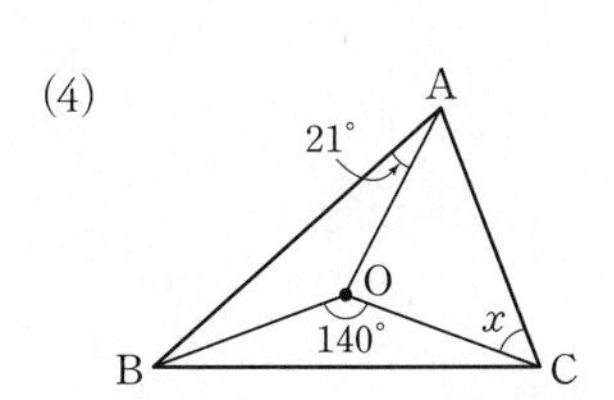

(5)

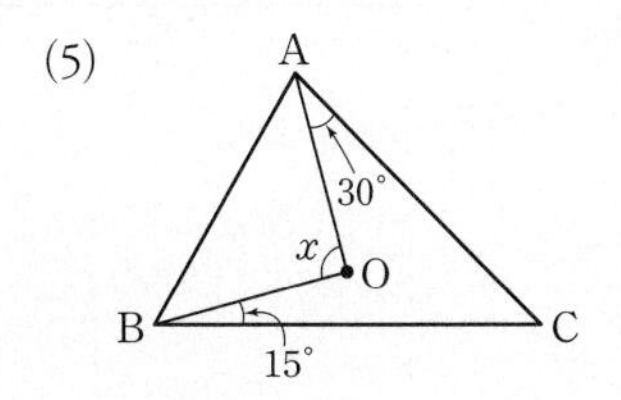

2 다음 그림에서 점 O가 직각삼각형 ABC의 외심일 때, x의 값을 구하시오.

(1)

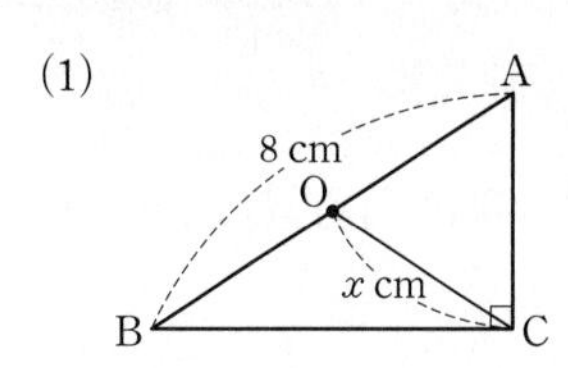

(2)

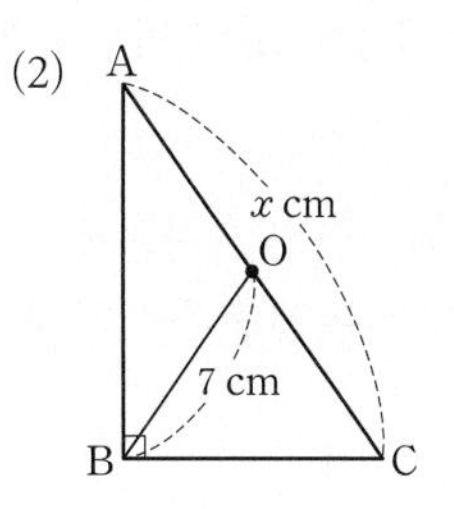

(3)

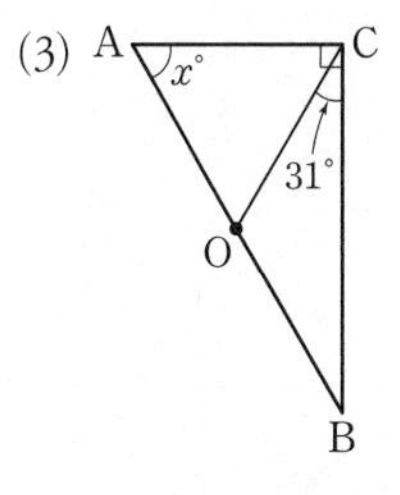

(4)

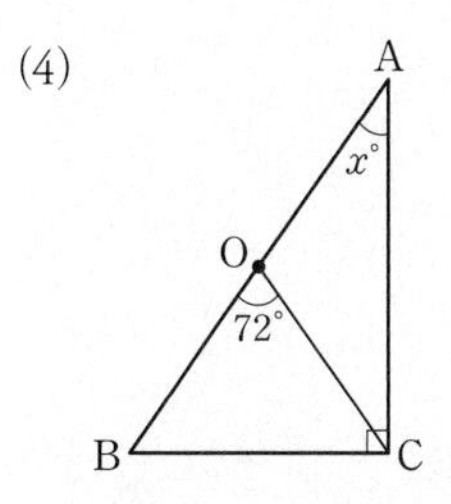

(5)

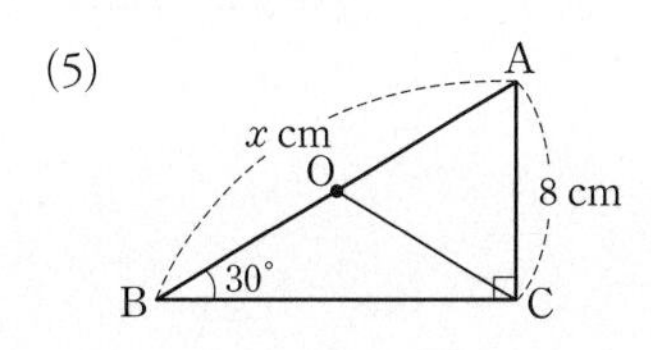

실력 키우기

01 삼각형의 외심

다음은 각 학생들이 삼각형의 외심에 대하여 설명한 것이다. 옳지 않은 것을 말한 학생을 말하시오.

준수: 삼각형의 외심은 그 삼각형의 외접원의 중심이야.

은정: 삼각형의 외심은 삼각형의 두 변의 수직이등분선이 만나는 점이야.

승호: 모든 삼각형의 외심은 항상 그 삼각형의 외부에 있어.

미영: 외심에서 삼각형의 한 꼭짓점까지의 거리를 반지름으로 하는 원을 그리면 나머지 두 꼭짓점을 모두 지나.

02 삼각형의 외심

오른쪽 그림에서 점 O는 $\triangle ABC$의 외심이다. $\overline{BC}=8$ cm이고 $\triangle OBC$의 둘레의 길이가 18 cm일 때, $\triangle ABC$의 외접원의 반지름의 길이를 구하시오.

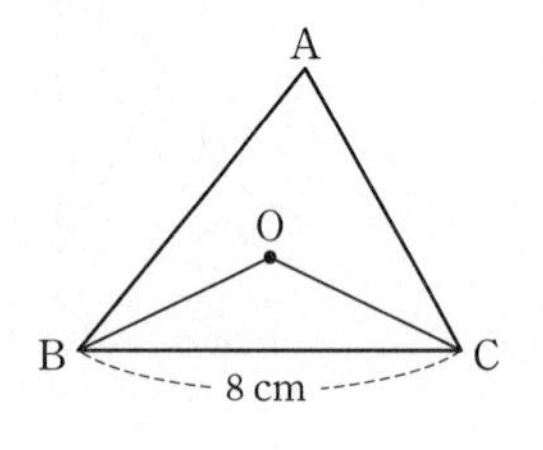

03 삼각형의 외심

오른쪽 그림에서 점 O가 $\triangle ABC$의 외심이다. $\angle ABO=40°$, $\angle AOC=112°$일 때, $\angle x$의 크기를 구하시오.

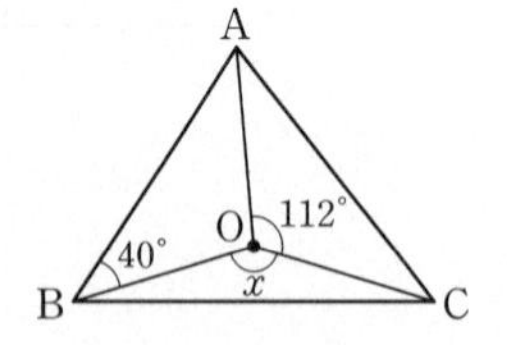

04 삼각형의 외심 (창의·융합)

오른쪽 그림과 같이 세 지점 A, B, C에 대형 마트가 있다. 물류 공급을 원활하게 하기 위해 세 지점 A, B, C에서 거리가 같은 곳에 물류 창고를 만들려고 할 때, 다음 중 물류 창고를 만들 위치로 옳은 것은?

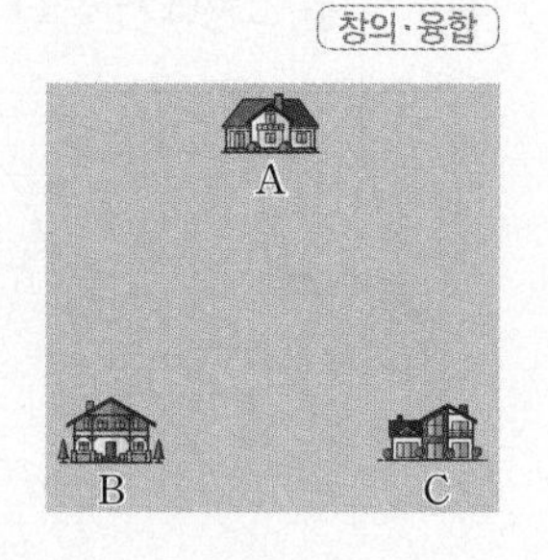

① $\overline{AB}$의 중점
② $\angle B$의 이등분선과 $\angle C$의 이등분선이 만나는 점
③ $\overline{AB}$와 $\overline{BC}$의 수직이등분선이 만나는 점
④ 두 꼭짓점 A, B에서 대변에 그은 수선이 만나는 점
⑤ 점 A와 $\overline{BC}$의 중점을 이은 선분과 점 B와 $\overline{AC}$의 중점을 이은 선분이 만나는 점

05 직각삼각형의 외심

오른쪽 그림에서 점 O는 $\angle A=90°$인 직각삼각형 ABC의 외심이다. $\overline{AB}=6$ cm, $\overline{AC}=8$ cm일 때, $\triangle AOC$의 넓이를 구하시오.

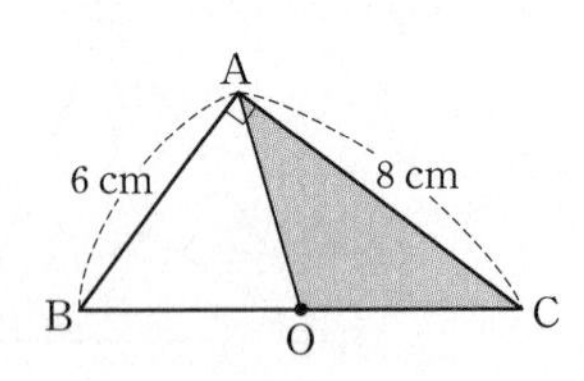

06 직각삼각형의 외심 (서술형)

오른쪽 그림과 같이 $\angle A=90°$인 직각삼각형 ABC에서 $\overline{BC}$의 중점을 M, 꼭짓점 A에서 $\overline{BC}$에 내린 수선의 발을 H라 하자. $\angle B=40°$일 때, $\angle MAH$의 크기를 구하시오.

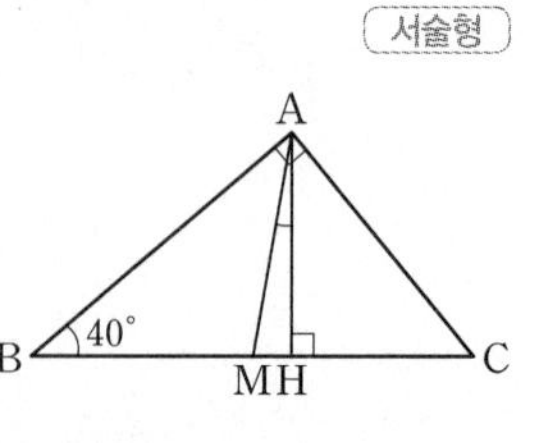

07 둔각삼각형의 외심

오른쪽 그림에서 점 O는 $\triangle ABC$의 외심이다.
$\angle ABC = 35^\circ$, $\angle ACB = 45^\circ$일 때, $\angle x$의 크기를 구하시오.

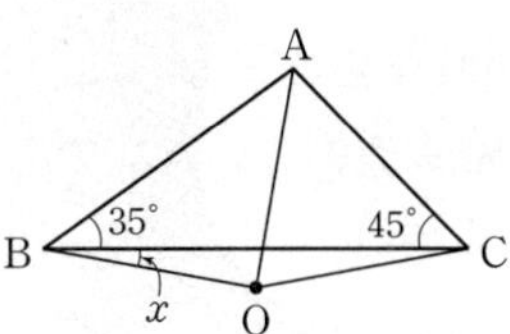

08 삼각형의 외심의 활용

오른쪽 그림에서 점 O는 $\triangle ABC$의 외심이다. $\angle ABO = 35^\circ$, $\angle ACO = 20^\circ$일 때, $\angle x + \angle y$의 크기를 구하시오.

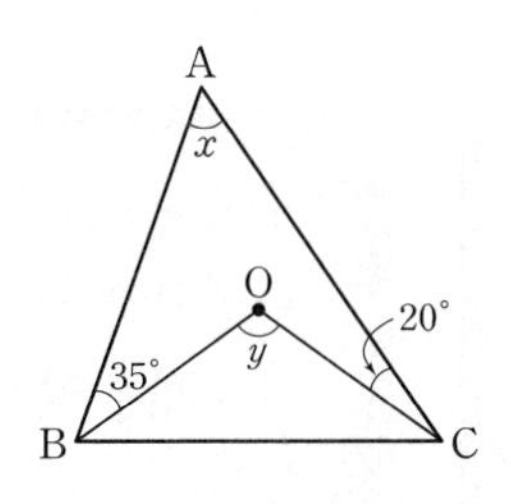

09 삼각형의 외심의 활용 (창의력)

오른쪽 그림의 $\triangle ABC$에서 $\overline{AB}$와 $\overline{BC}$의 수직이등분선의 교점을 O라 하자. $\angle A = 64^\circ$일 때, $\angle OBE$의 크기를 구하시오.

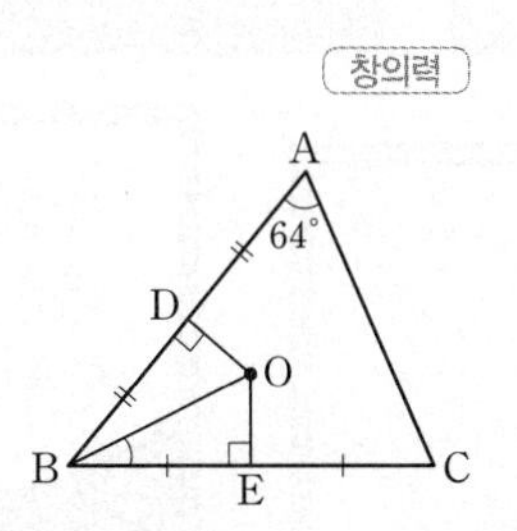

10 비례식으로 나타내어진 각의 크기 (서술형)

오른쪽 그림과 같이 $\angle B = 90^\circ$인 직각삼각형 ABC에서 점 M이 $\overline{AC}$의 중점이다.
$\angle ABM : \angle MBC = 3 : 2$일 때, $\angle BMC$의 크기를 구하시오.

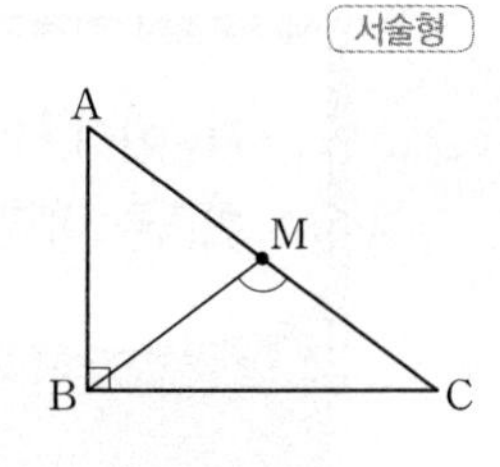

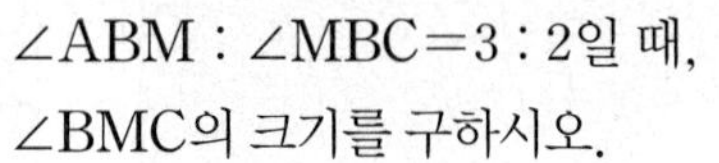

11 삼각형의 외심의 활용

오른쪽 그림과 같이 세 점 A, B, C는 원 O 위에 있다.
$\angle ABO = 25^\circ$, $\angle ACO = 35^\circ$이고, $\overline{AO} = 4$ cm일 때, 부채꼴 BOC의 넓이를 구하시오.

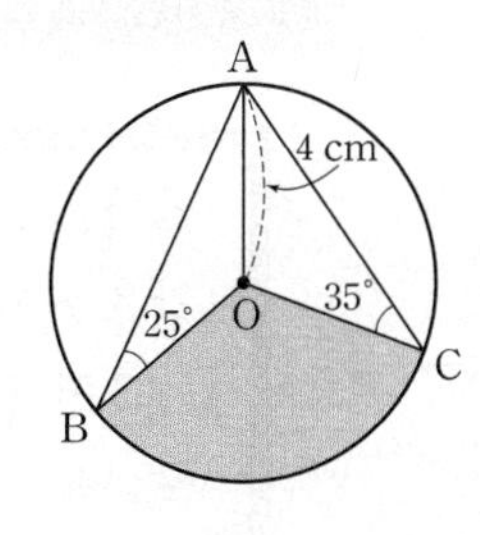

12 직각삼각형의 외심 (서술형) (창의력)

오른쪽 그림에서 $\overline{BC}$ 위의 점 O는 $\triangle ABC$의 외심이고, 점 O′는 $\triangle AOC$의 외심이다. 다음 물음에 답하시오.

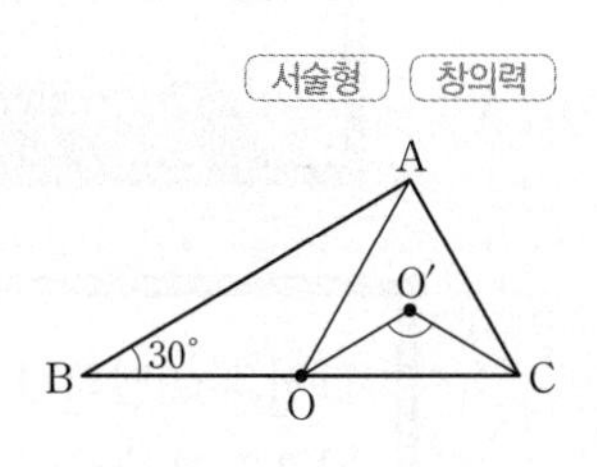

(1) $\angle BAC$의 크기를 구하시오.

(2) $\angle B = 30^\circ$일 때, $\angle OO'C$의 크기를 구하시오.

자, 여러분에게
퀴즈를 내겠다.
와~~~
재밌겠다.

세 개의 도로가
둘러싸고 있는
공터가 있다.
이 공터에 광고판을
세우려고 한다.
어디가 좋을까?

각각의 도로에서
같은 거리에 있는 곳에
세우면 좋을 것
같아요.
그렇게 하면 어떤 도로
에서든 잘 보이겠네.
위치를 어떻게
결정하지?

삼각형이니까
내접원의 중심,
즉 내심을 찾으면
되지.

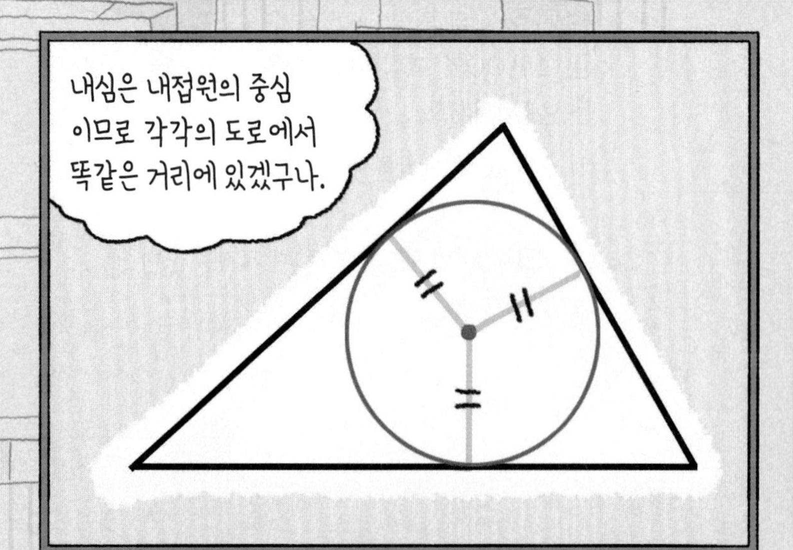
내심은 내접원의 중심
이므로 각각의 도로에서
똑같은 거리에 있겠구나.

사실은 지금부터가 문제다.
내심을 어떻게 찾을 것인가?
단톡방에서 상의해 보도록!

I | 삼각형의 성질

3 삼각형의 내심

| 개념 1 | 원의 접선과 접점
| 개념 2 | 삼각형의 내심
| 개념 3 | 삼각형의 내심의 활용 (1)
| 개념 4 | 삼각형의 내심의 활용 (2)

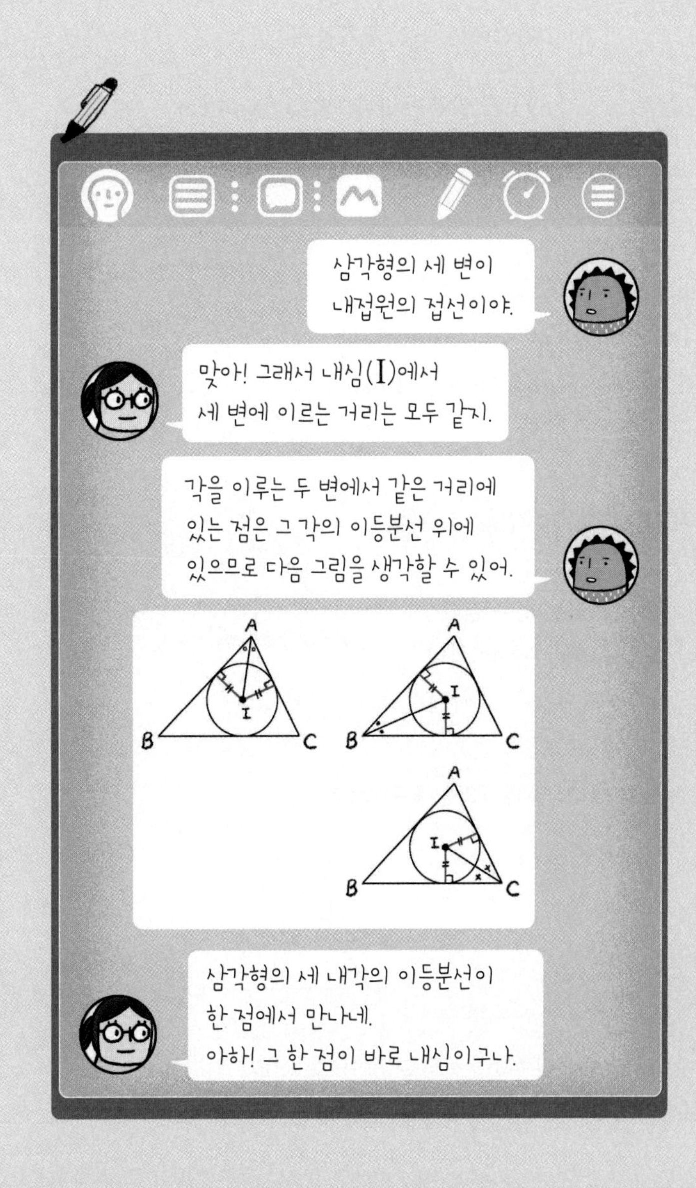

3 삼각형의 내심

1 원의 접선과 접점

(1) 원 O와 직선 l이 한 점 T에서 만날 때, 직선 l은 원 O에 **접한다**고 한다. 이때 원과 한 점에서 만나는 직선 l을 **접선**, 원과 [ ]이 만나는 점 T를 **접점**이라 한다.

(2) **원의 접선의 성질** 원의 접선은 그 접점을 지나는 반지름과 [ ]이다. ⇨ $\overline{OT} \perp l$

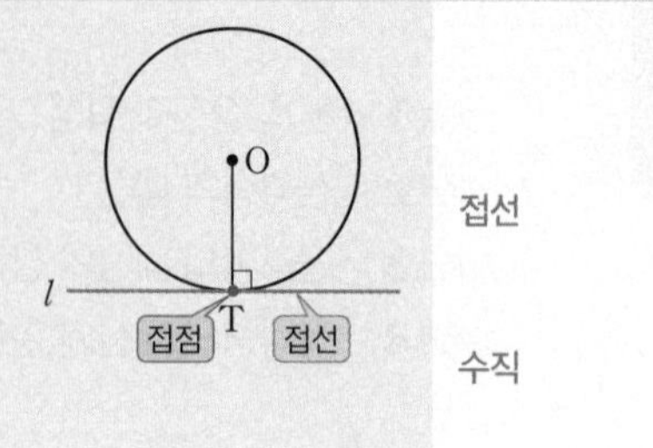

참고 ㉠점 O에서 직선 l까지의 거리는 원 O의 반지름의 길이와 같다.

접선
수직

㉠ 점 O에서 직선 l까지의 거리는 점 O에서 직선 l에 내린 수선의 발 T까지의 거리이다.
즉 $\overline{OT}$의 길이이고 $\overline{OT}$의 길이는 원 O의 반지름의 길이와 같다.

보기 오른쪽 그림에서 원 O는 반지름의 길이가 5 cm인 원이다.
㉡원 O와 직선 l이 점 T에서 접할 때, 다음을 구하시오.

(1) ∠OTP의 크기　　(2) 점 O에서 직선 l까지의 거리

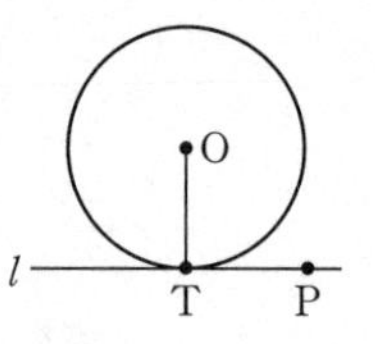

풀이 (1) ∠OTP=**90°**　　(2) $\overline{OT}$=(원 O의 반지름의 길이)=**5 cm**

㉡ 직선 l이 접선이고 점 T가 접점이다.
∴ $\overline{OT} \perp l$

2 삼각형의 내심

(1) **삼각형의 내접원과 내심** 원 I가 △ABC의 모든 [ ]에 접할 때, 원 I는 △ABC에 **내접한다**고 한다. 이때 원 I를 △ABC의 **내접원**, 내접원의 [ ] I를 삼각형 ABC의 **내심**이라 한다.

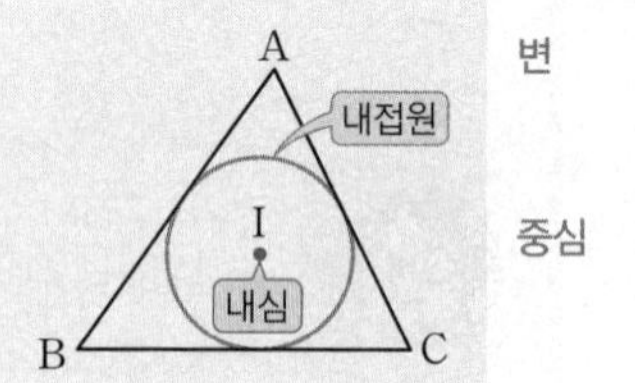

(2) **삼각형의 내심**

❶ 삼각형의 세 내각의 이등분선은 한 점([ ])에서 만난다.

❷ 내심에서 세 변에 이르는 거리는 모두 같다.
⇨ $\overline{ID}=\overline{IE}=\overline{IF}$=(내접원의 반지름의 길이)

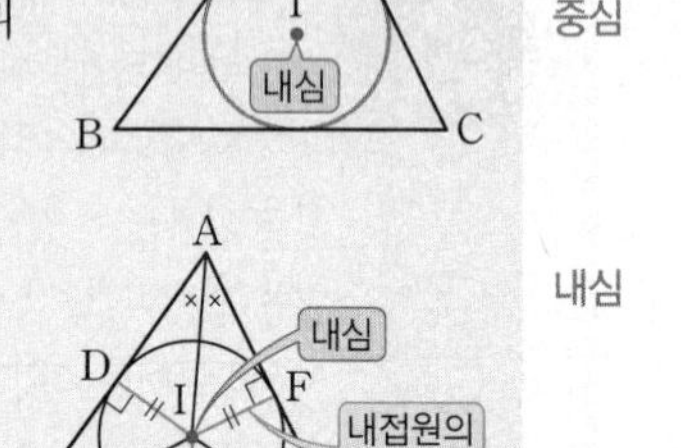

(3) **삼각형의 내심의 위치** 삼각형의 내심은 모두 삼각형의 ㉢내부에 있다.

변
중심
내심

용어 click
내접원 안 내(內), 접할 접(接), 원 원(圓)으로, 안에서 접하는 원

참고
△IAD≡△IAF,
△IBD≡△IBE,
△ICE≡△ICF

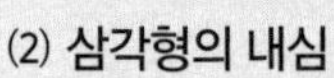

보기 다음 그림에서 점 I가 △ABC의 내심일 때, x의 값을 구하시오.

(1)

(2)
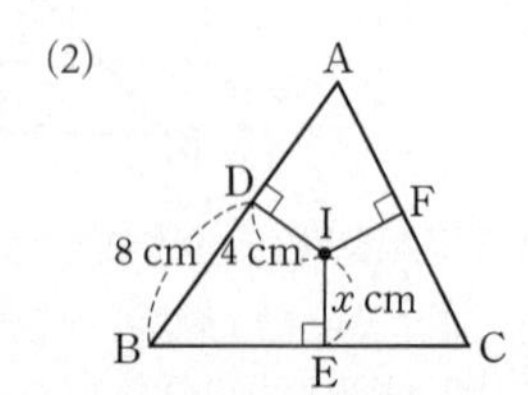

풀이 (1) 삼각형의 내심은 세 내각의 이등분선의 교점이므로 ∠IBC=∠IBA=23°　　∴ x=**23**
(2) 점 I는 내접원의 중심이므로 $\overline{ID}=\overline{IE}=\overline{IF}$=4 cm　　∴ x=**4**

㉢ 내접원은 삼각형 안에 있는 원이므로 그 중심이 삼각형 안에 있음은 너무나 당연하다.

● 이등변삼각형의 내심은 꼭지각의 이등분선 위에 있다.

| 개념 체크 |

1-1 원의 접선과 접점

오른쪽 그림에서 $\overrightarrow{PA}$는 원 O의 접선이고 점 A는 접점이다. $\angle POA=60^\circ$일 때, $\angle x$의 크기를 구하시오.

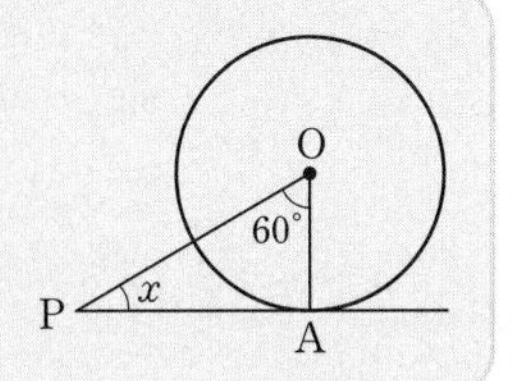

셀파 원의 접선은 그 접점을 지나는 반지름과 수직이다.

연구 $\angle PAO=$ ☐ 이므로
$60^\circ+\angle x+$ ☐ $=180^\circ$
$\therefore \angle x=$ ☐

2-1 삼각형의 내심

오른쪽 그림에서 점 I가 $\triangle ABC$의 내심일 때, x, y의 값을 각각 구하시오.

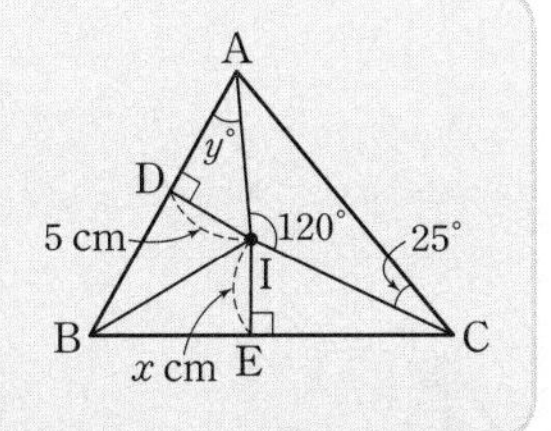

셀파 • 삼각형의 내심은 세 내각의 이등분선의 교점이다.
• 내심에서 세 변에 이르는 거리는 모두 같다.

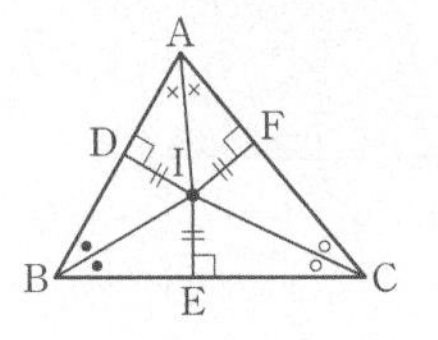

연구 $\overline{ID}=\overline{IE}=5$ cm이므로 $x=$ ☐
$\angle IAC=\angle IAD=y^\circ$이므로
$\triangle AIC$에서 $y^\circ+120^\circ+25^\circ=$ ☐
$\therefore y=$ ☐

| 따라 풀기 |

1-2 다음 그림에서 $\overrightarrow{PA}$는 원 O의 접선이고 점 A는 접점이다. $\angle x$의 크기를 구하시오.

(1)

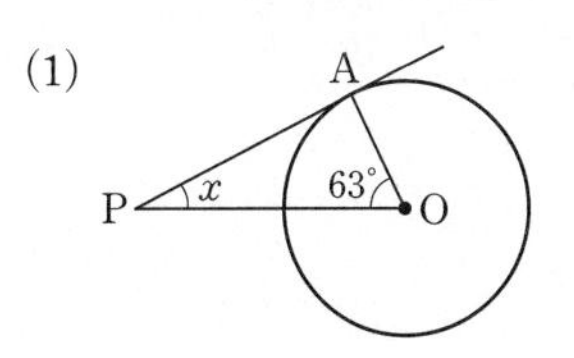

(2)

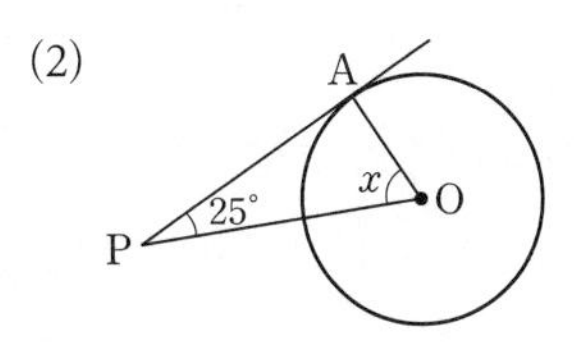

2-2 다음 그림에서 점 I가 $\triangle ABC$의 내심일 때, x의 값을 구하시오.

(1)

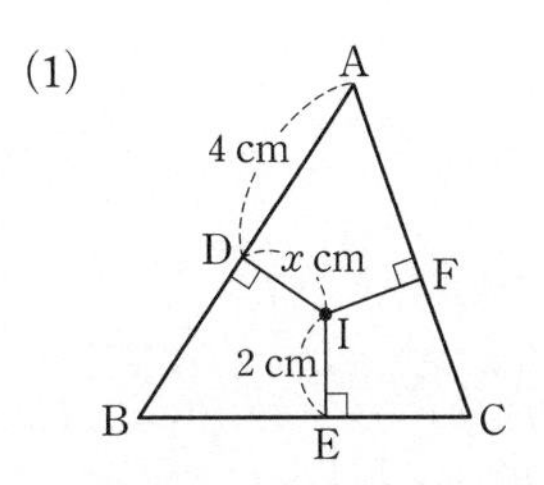

(2)

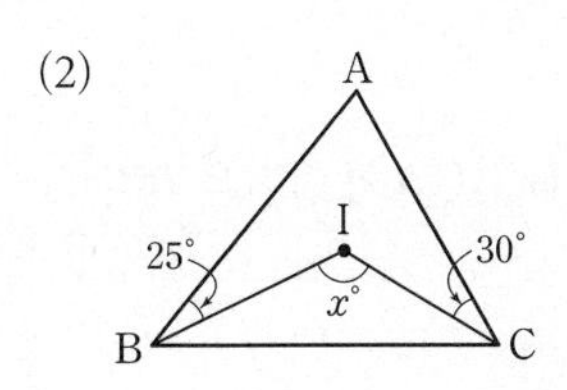

(삼각형의 내심)=(삼각형의 내접원의 중심)=(삼각형의 세 내각의 이등분선의 교점)
=(삼각형의 세 변에 이르는 거리가 같은 점)

3 삼각형의 내심의 활용 (1)

ⓐ점 I가 △ABC의 내심일 때, 다음이 성립한다.

(1)

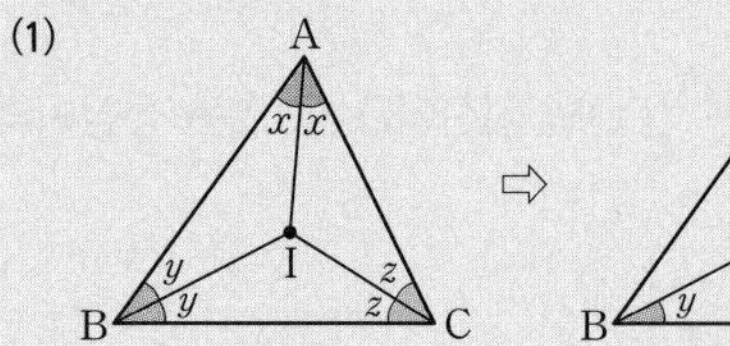

⇨

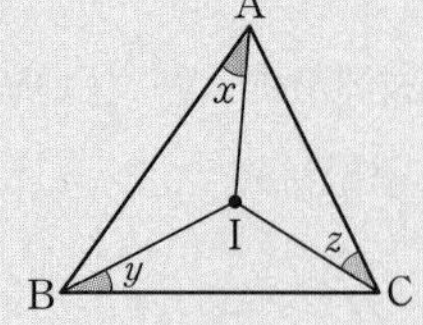

$\angle x+\angle y+\angle z=$ □ 　 90°

(2)

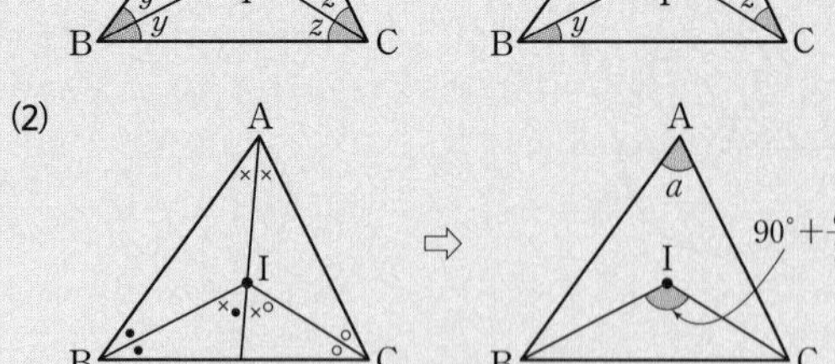

⇨

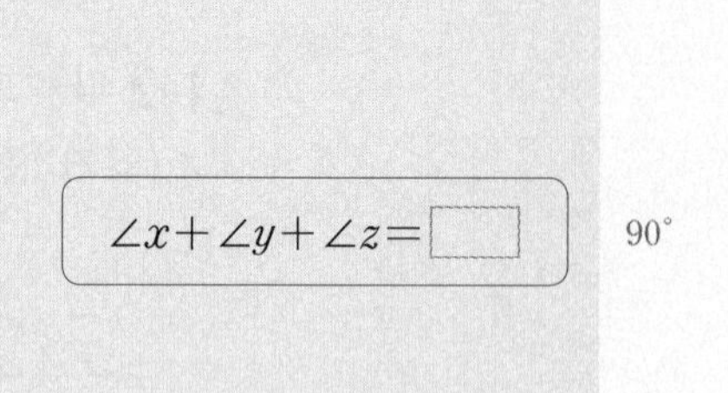

$\angle BIC=90°+$ □ $\angle A$ 　 $\frac{1}{2}$

설명
(1) △ABC의 세 내각의 크기의 합은 180°이므로
$2\angle x+2\angle y+2\angle z=180°$
$\therefore \angle x+\angle y+\angle z=90°$
(2) $\overline{AI}$의 연장선과 $\overline{BC}$의 교점을 D라 하면
$\angle BIC=\angle BID+\angle CID$
$=(\times+\bullet)+(\times+\circ)$
$=(\times+\bullet+\circ)+\times$
$=90°+\frac{1}{2}\angle A$

보기 다음 그림에서 점 I가 △ABC의 내심일 때, $\angle x$의 크기를 구하시오.

(1)

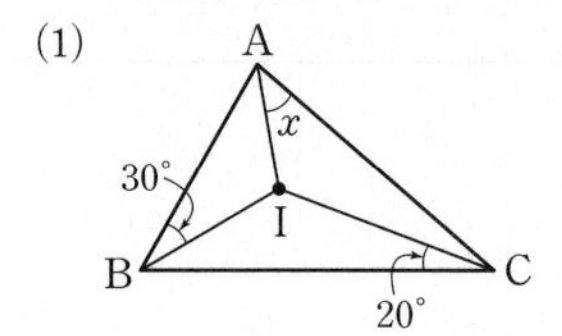

(2)

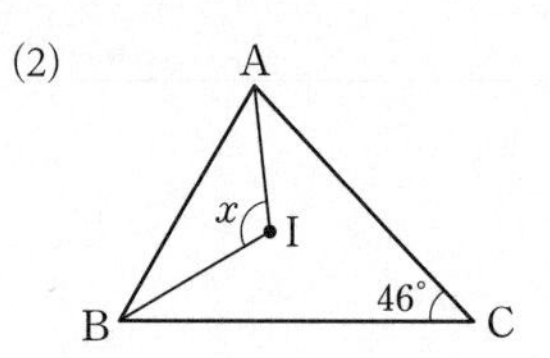

풀이 (1) $\angle x+30°+20°=90°$
$\therefore \angle x=\mathbf{40°}$

(2) $\angle x=90°+\frac{1}{2}\times 46°=\mathbf{113°}$

ⓐ 점 I는 △ABC의 내심이므로 $\overline{IA}$, $\overline{IB}$, $\overline{IC}$는 각각 ∠A, ∠B, ∠C의 이등분선이다.
$\therefore \angle IAB=\angle IAC$,
$\angle IBA=\angle IBC$,
$\angle ICB=\angle ICA$

4 삼각형의 내심의 활용 (2)

(1) 삼각형의 내접원의 반지름의 길이

△ABC의 내접원의 반지름의 길이를 r라 하면

ⓑ$\triangle ABC=\triangle IAB+\triangle IBC+\triangle ICA$
$=\frac{1}{2}\times\overline{AB}\times r+\frac{1}{2}\times\overline{BC}\times r+\frac{1}{2}\times\overline{CA}\times r$
$=\frac{1}{2}$ □ $(\overline{AB}+\overline{BC}+\overline{CA})$ 　 r

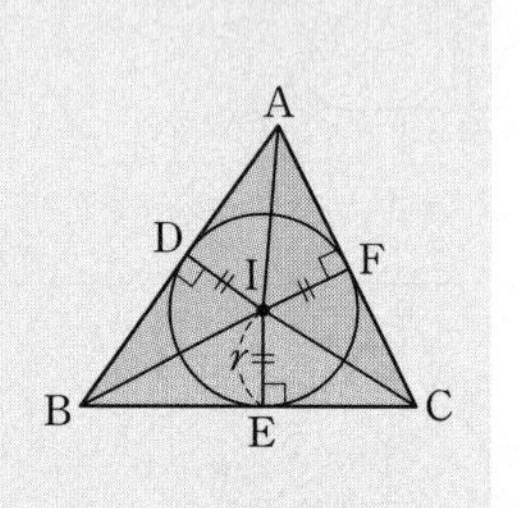

(2) 삼각형의 내접원과 접선의 길이

△ABC의 내접원과 세 변 AB, BC, CA의 접점을 각각 D, E, F라 하면
$\overline{AD}=\overline{AF}$, $\overline{BD}=$ □, $\overline{CE}=\overline{CF}$ 　 $\overline{BE}$

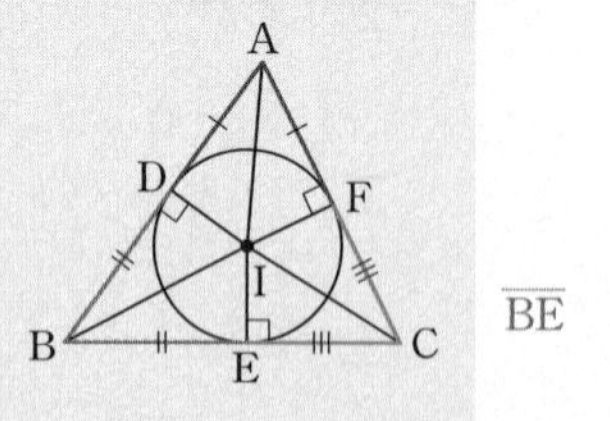

ⓑ △ABC의 넓이는 △ABC의 내접원의 반지름의 길이와 △ABC의 둘레의 길이를 알면 구할 수 있다.

ⓒ △IAD와 △IAF에서
$\angle IDA=\angle IFA=90°$,
$\overline{AI}$는 공통, $\angle IAD=\angle IAF$
$\therefore \triangle IAD\equiv\triangle IAF$
(RHA 합동)

설명 (2) ⓒ△IAD≡△IAF (RHA 합동)이므로 $\overline{AD}=\overline{AF}$
△IBD≡△IBE (RHA 합동)이므로 $\overline{BD}=\overline{BE}$
△ICE≡△ICF (RHA 합동)이므로 $\overline{CE}=\overline{CF}$

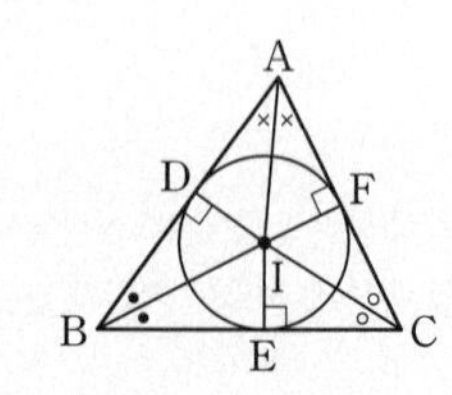

개념 익히기

빠른 정답 241쪽 | 정답과 해설 13쪽

| 개념 체크 |

3-1 삼각형의 내심의 활용 (1)

다음 그림에서 점 I가 $\triangle ABC$의 내심일 때, $\angle x$의 크기를 구하시오.

(1)

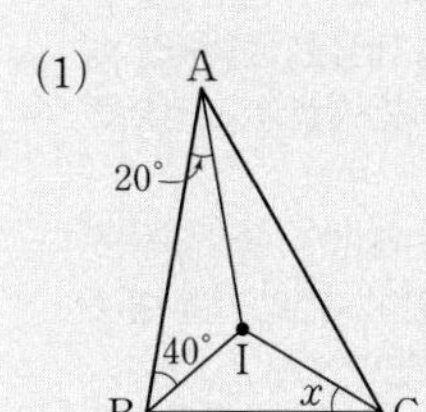

(2)

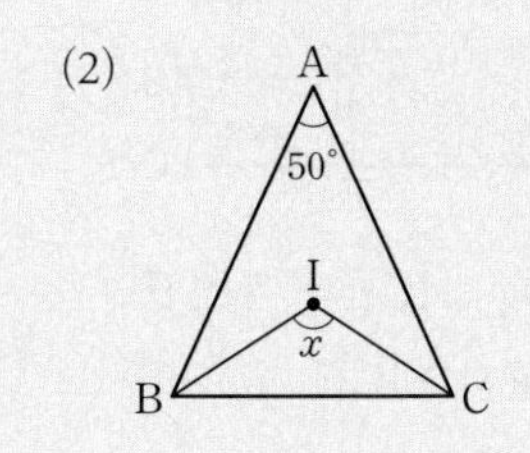

셀파 $\overline{IA}, \overline{IB}, \overline{IC}$는 각각 $\angle A$, $\angle B$, $\angle C$의 이등분선이므로 크기가 같은 각을 그림에 표시한다.

연구 (1) $2(20° + 40° + \angle x) = 180°$

$20° + 40° + \angle x = \square$

$\therefore \angle x = \square$

(2) $\overline{AI}$의 연장선과 $\overline{BC}$의 교점을 D라 하면

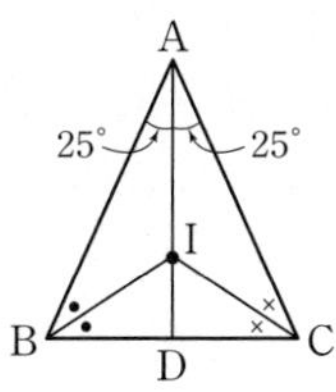

$\angle x = \angle BIC = \angle BID + \angle CID$

$= 25° + (\bullet + 25° + \times)$

$= 25° + \square = \square$

| 따라 풀기 |

3-2 다음 그림에서 점 I가 $\triangle ABC$의 내심일 때, $\angle x$의 크기를 구하시오.

(1)

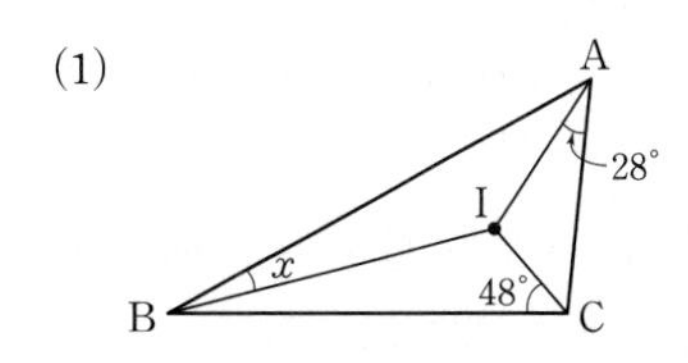

(2)

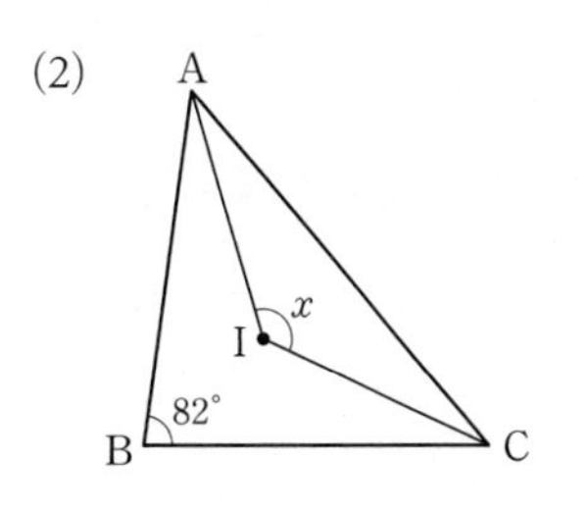

4-1 삼각형의 내심의 활용 (2)

오른쪽 그림에서 점 I는 $\triangle ABC$의 내심이다. $\triangle ABC$의 넓이가 54일 때, 내접원의 반지름의 길이 r의 값을 구하시오.

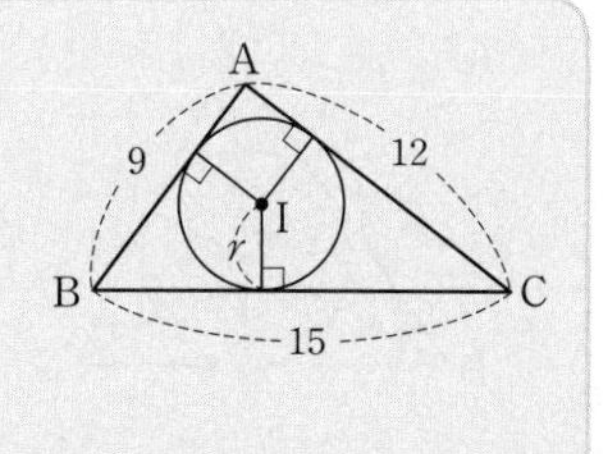

셀파 $\triangle IAB$, $\triangle IBC$, $\triangle ICA$의 높이는 모두 r이다.

연구 $\triangle ABC = \triangle IAB + \triangle IBC + \triangle ICA$이므로

$\square = \frac{1}{2} \times r \times (9 + 15 + 12) \qquad \therefore r = \square$

4-2 다음은 오른쪽 그림과 같은 $\triangle ABC$의 넓이가 48일 때, 내접원의 반지름의 길이 r의 값을 구하는 과정이다. $\square$ 안에 알맞은 수를 써넣으시오.

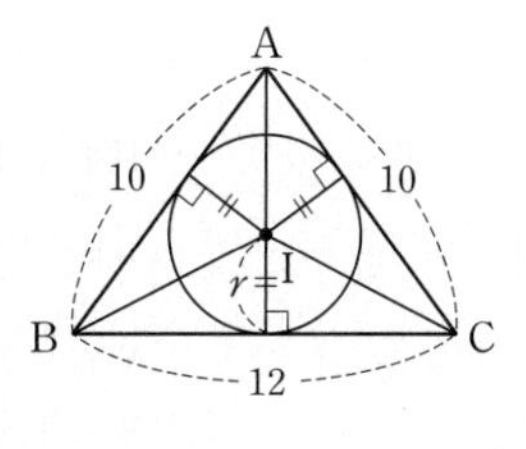

$\triangle ABC = \triangle IAB + \triangle IBC + \triangle ICA$이므로

$\square = \frac{1}{2} \times r \times (10 + 12 + \square) \qquad \therefore r = \square$

점 I가 $\triangle ABC$의 내심일 때

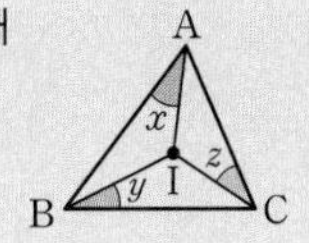

$\Rightarrow \angle x + \angle y + \angle z = 90°$

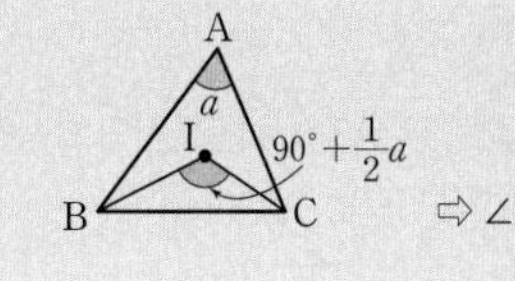

$\Rightarrow \angle BIC = 90° + \frac{1}{2}\angle A$

개념 한눈에 보기

삼각형의 내심 찾기

Q 임의의 삼각형을 그렸을 때, 그 삼각형의 내심은 어떻게 찾을까?

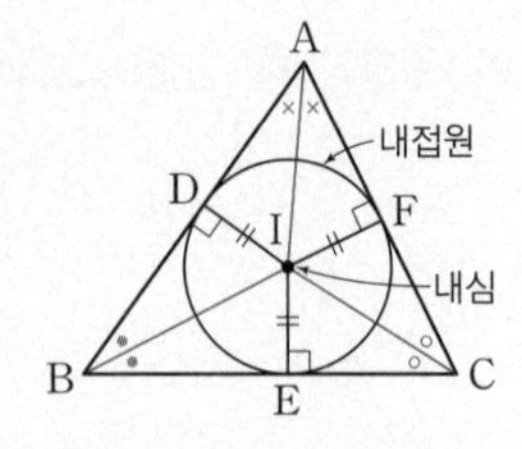

A 오른쪽 그림과 같이 $\triangle ABC$의 세 변에 접하는 원, 즉 내접원을 그리고, 그 원의 중심을 I(내심)라 하자. 원의 중심 I에서 접점까지 선분을 그으면 그 선분은 접선과 수직이고 세 접점을 각각 D, E, F라 할 때, $\overline{ID}$, $\overline{IE}$, $\overline{IF}$는 내접원의 반지름으로 그 길이가 모두 같다.

이때 $\overline{IA}$, $\overline{IB}$, $\overline{IC}$를 그으면 $\triangle IAD \equiv \triangle IAF$, $\triangle IBD \equiv \triangle IBE$, $\triangle ICE \equiv \triangle ICF$ (RHS 합동)이므로 $\angle IAD = \angle IAF$, $\angle IBD = \angle IBE$, $\angle ICE = \angle ICF$

즉 삼각형의 세 내각의 이등분선은 모두 내심 I를 지남을 알 수 있다.

여기에 착안하면 삼각형의 세 내각의 이등분선을 각각 그으면 한 점에서 만나게 되고 그 점이 내심이다.

삼각형의 내심은 삼각형의 세 내각의 이등분선의 교점으로 찾아.
여기서는 왜 세 내각의 이등분선의 교점이 내심인지를 설명해 주고 있어.

Q 그럼 정말로 삼각형의 세 내각의 이등분선이 한 점에서 만날까?㉠ 이 사실을 확인해 보자.

A 오른쪽 그림과 같이 $\triangle ABC$에서 $\angle A$, $\angle B$의 이등분선의 교점을 I라 하고, 점 I에서 세 변 AB, BC, CA에 내린 수선의 발을 각각 D, E, F라 하자.

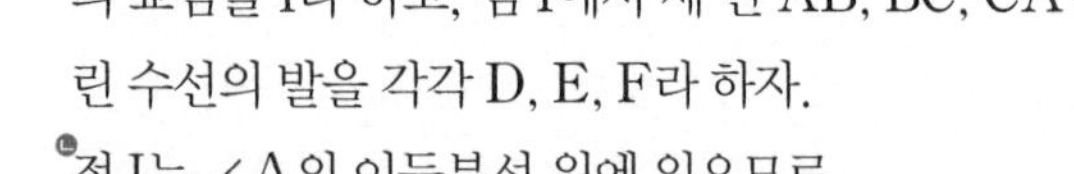

㉡점 I는 $\angle A$의 이등분선 위에 있으므로

$\overline{ID} = \overline{IF}$ ······ ㉠

점 I는 $\angle B$의 이등분선 위에 있으므로

$\overline{ID} = \overline{IE}$ ······ ㉡

㉠, ㉡에서 $\overline{ID} = \overline{IE} = \overline{IF}$

이때 $\overline{IC}$를 그으면 $\triangle ICE$와 $\triangle ICF$에서

$\angle IEC = \angle IFC = 90°$, $\overline{IC}$는 공통, $\overline{IE} = \overline{IF}$

이므로 $\triangle ICE \equiv \triangle ICF$ (RHS 합동)

즉 $\angle ICE = \angle ICF$이므로 $\overline{IC}$는 $\angle C$의 이등분선이다.

따라서 $\triangle ABC$의 세 내각의 이등분선은 한 점 I에서 만난다.

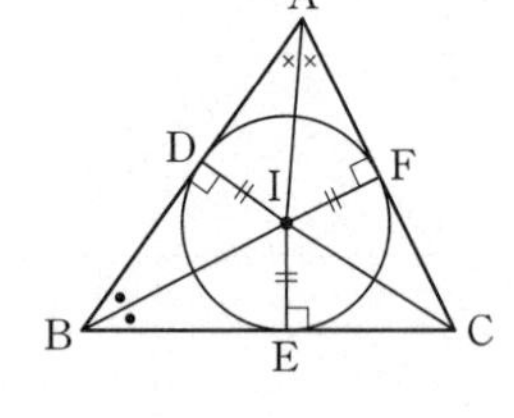

㉠ $\overline{IC}$가 $\angle C$의 이등분선임을 보이면 된다.

㉡ 각의 이등분선 위의 한 점에서 각을 이루는 두 변에 이르는 거리는 같다.

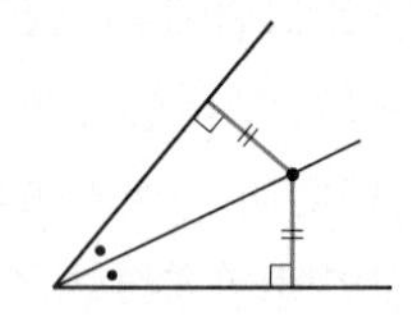

참고 위의 설명에서 두 내각의 이등분선의 교점을 나머지 한 내각의 이등분선도 지난다는 것을 알 수 있으므로 삼각형의 내심을 찾을 때는 두 내각의 이등분선의 교점만 찾으면 된다.

- 삼각형의 내심을 찾을 때는 두 내각의 이등분선의 교점을 찾아도 된다.
- 삼각형의 내심에서 세 변에 이르는 거리는 같다.

유형 익히기

빠른 정답 241쪽 | 정답과 해설 14쪽

기본 01 삼각형의 내심

오른쪽 그림에서 점 I는 △ABC의 내심이다. 다음 중 옳지 않은 것을 모두 고르면? (정답 2개)

① $\overline{ID}=\overline{IE}=\overline{IF}$ ② $\overline{IA}=\overline{IB}=\overline{IC}$
③ ∠IBD=∠IBE ④ ∠IAF=∠ICF
⑤ △IBD≡△IBE

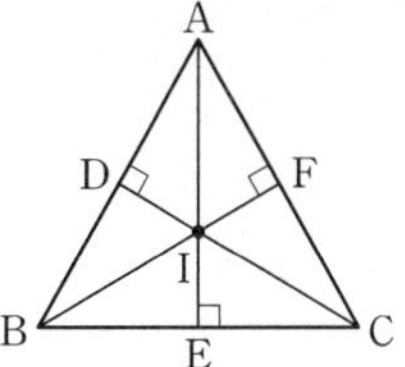
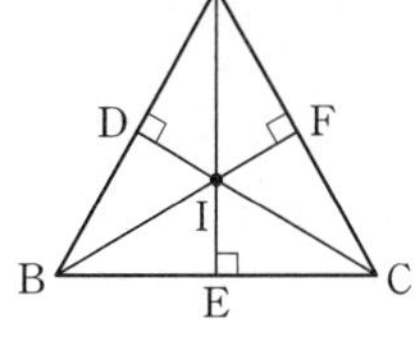

셀파 내심의 뜻과 성질을 확인한다.

풀이 ② $\overline{ID}=\overline{IE}=\overline{IF}$이지만 $\overline{IA}=\overline{IB}=\overline{IC}$인지는 알 수 없다.
④ ∠IAD=∠IAF, ∠ICE=∠ICF이지만 ∠IAF=∠ICF인지는 알 수 없다.
⑤ △IBD와 △IBE에서 ∠IDB=∠IEB=90°, $\overline{IB}$는 공통, ∠IBD=∠IBE이므로
△IBD≡△IBE (RHA 합동)
따라서 옳지 않은 것은 ②, ④이다.

해법코드

❶ 삼각형의 내심 I는 세 내각의 이등분선의 교점이다.
❷ 삼각형의 내심 I에서 세 변에 이르는 거리는 모두 같다.

» 오답 피하기

삼각형의 내심에서 세 변에 이르는 거리는 모두 같다. 그러나 삼각형의 내심에서 각 꼭짓점에 이르는 거리는 같은지 알 수 없다.

확인 01 오른쪽 그림에서 점 I는 △ABC의 내심이다. 다음 중 옳은 것은?

① $\overline{AD}=\overline{BD}$ ② $\overline{AI}=\overline{BI}$
③ ∠BIE=∠CIE ④ $\overline{CE}=\overline{CF}$
⑤ △IAD≡△IBD

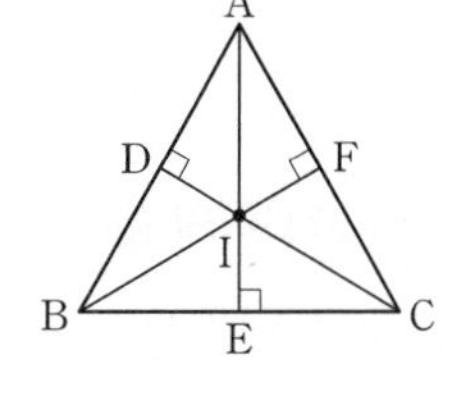

» My 셀파

점 I가 △ABC의 내심임을 이용하여 크기가 같은 각과 길이가 같은 선분을 그림에 표시한다.

기본 02 삼각형의 내심의 활용 (1)

오른쪽 그림에서 점 I는 △ABC의 내심이고 ∠A=70°, ∠ICA=20°일 때, ∠x의 크기를 구하시오.

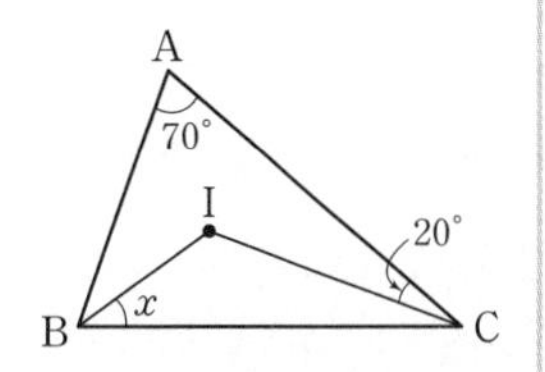

셀파 $\overline{AI}$를 그으면 ∠IAB+∠IBC+∠ICA=90°

풀이 오른쪽 그림과 같이 $\overline{AI}$를 그으면 점 I는 내심이므로
$\angle IAB=\frac{1}{2}\angle A=\frac{1}{2}\times 70°=35°$
따라서 35°+∠x+20°=90°이므로 **∠x=35°**

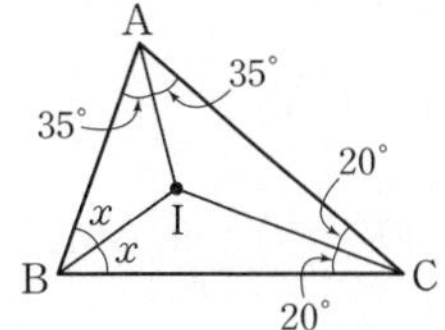
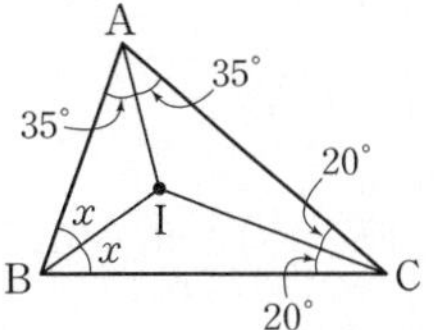

해법코드

점 I가 △ABC의 내심일 때

⇨ ∠x+∠y+∠z=90°

● 점 I는 △ABC의 내심이므로 $\overline{IA}$, $\overline{IB}$, $\overline{IC}$는 각각 ∠A, ∠B, ∠C의 이등분선이다.

확인 02 다음 그림에서 점 I가 △ABC의 내심일 때, ∠x의 크기를 구하시오.

(1)

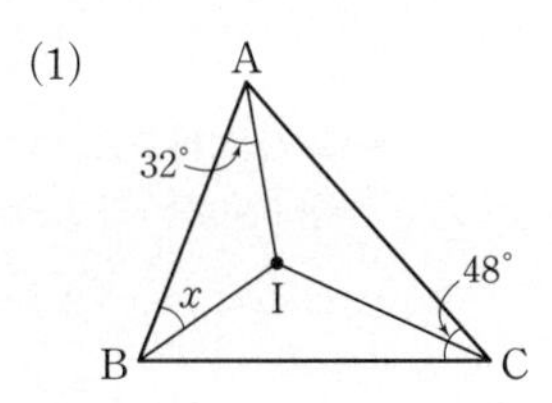

(2)

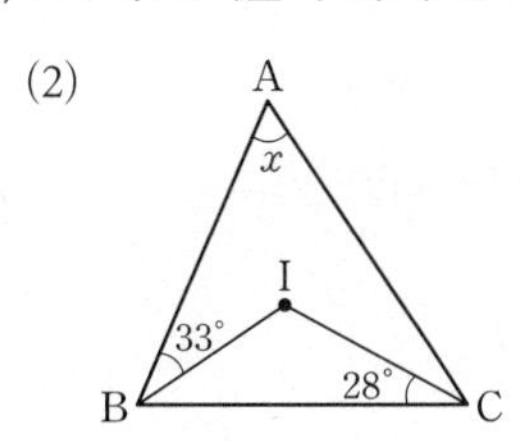

» My 셀파

점 I가 △ABC의 내심이므로
∠IAB+∠IBC+∠ICA=90°

기본 03 삼각형의 내심의 활용 (2)

오른쪽 그림에서 점 I는 $\triangle ABC$의 내심이다.
$\angle BAI=23^\circ$일 때, $\angle x$의 크기를 구하시오.

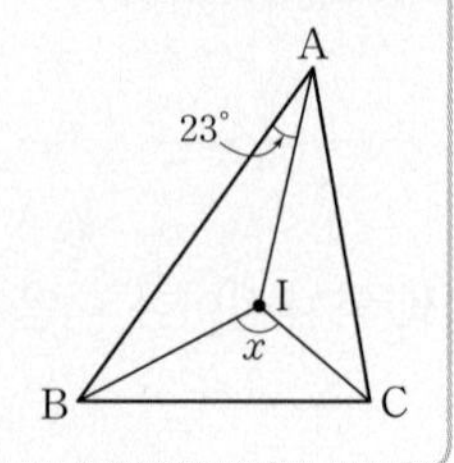

해법코드

점 I가 $\triangle ABC$의 내심일 때

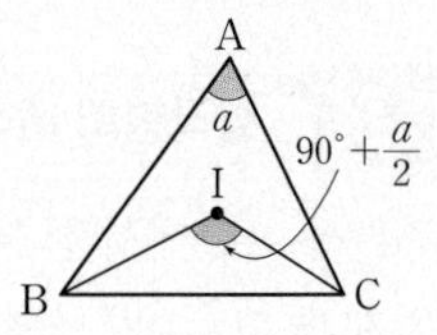

⇨ $\angle BIC=90^\circ+\frac{1}{2}\angle A$

셀파 점 I는 $\triangle ABC$의 내심이므로 $\angle IAB=\angle IAC$

풀이 점 I가 $\triangle ABC$의 내심이므로 $\angle BAC=2\angle BAI$

$\therefore\ \angle BIC=90^\circ+\frac{1}{2}\angle BAC=90^\circ+\angle BAI=90^\circ+23^\circ=\mathbf{113^\circ}$

확인 03 다음 그림에서 점 I가 $\triangle ABC$의 내심일 때, $\angle x$의 크기를 구하시오.

(1)

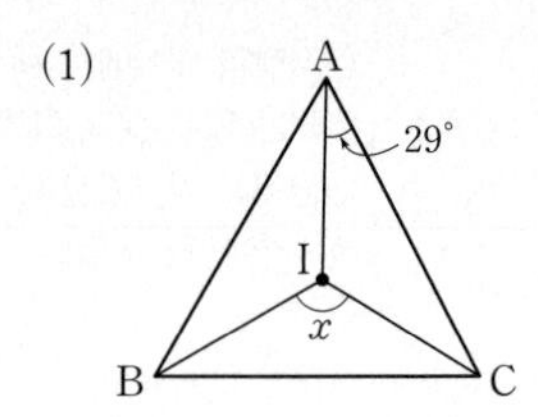

(2)

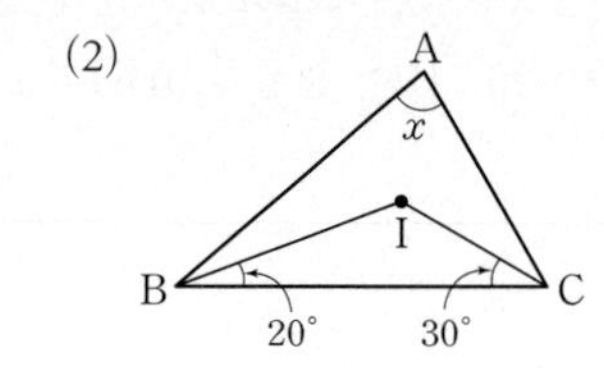

» My 셀파

점 I가 $\triangle ABC$의 내심일 때
$\angle BIC=90^\circ+\frac{1}{2}\angle BAC$

기본 04 삼각형의 넓이와 내접원의 반지름의 길이

오른쪽 그림에서 점 I는 $\triangle ABC$의 내심이고 $\triangle ABC$의 넓이는 60 cm^2이다. $\overline{AB}=8$ cm, $\overline{BC}=17$ cm, $\overline{AC}=15$ cm일 때, $\triangle ABC$의 내접원의 반지름의 길이를 구하시오.

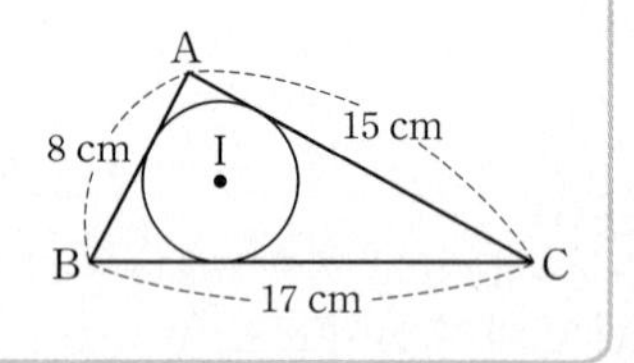

해법코드

$\triangle ABC$의 내접원 I의 반지름의 길이가 r일 때

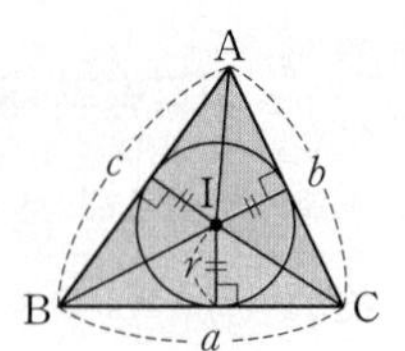

⇨ $\triangle ABC=\frac{1}{2}r(a+b+c)$

셀파 내심 I와 각 꼭짓점을 연결하여 $\triangle ABC$를 3개의 삼각형으로 나눈다.

풀이 내접원 I의 반지름의 길이를 r라 하면

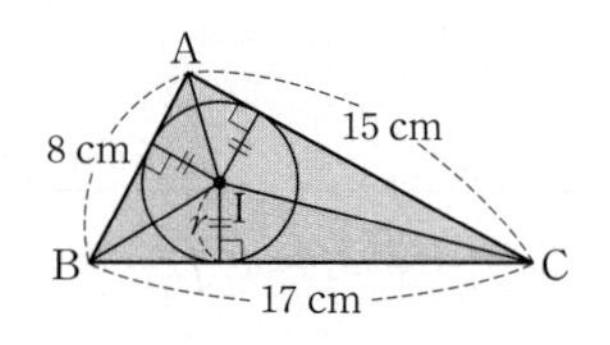

$$\begin{aligned}\triangle ABC&=\triangle IAB+\triangle IBC+\triangle ICA\\&=\frac{1}{2}\times\overline{AB}\times r+\frac{1}{2}\times\overline{BC}\times r+\frac{1}{2}\times\overline{CA}\times r\\&=\frac{1}{2}r(\overline{AB}+\overline{BC}+\overline{CA})\\&=\frac{1}{2}\times r\times(8+17+15)=60\ (cm^2)\end{aligned}$$

$20r=60\qquad\therefore\ r=3\ (cm)$

따라서 $\triangle ABC$의 내접원의 반지름의 길이는 **3 cm**이다.

확인 04 오른쪽 그림에서 점 I는 직각삼각형 ABC의 내심이다. $\overline{AB}=10$ cm, $\overline{BC}=8$ cm, $\overline{AC}=6$ cm일 때, 내접원의 넓이를 구하시오.

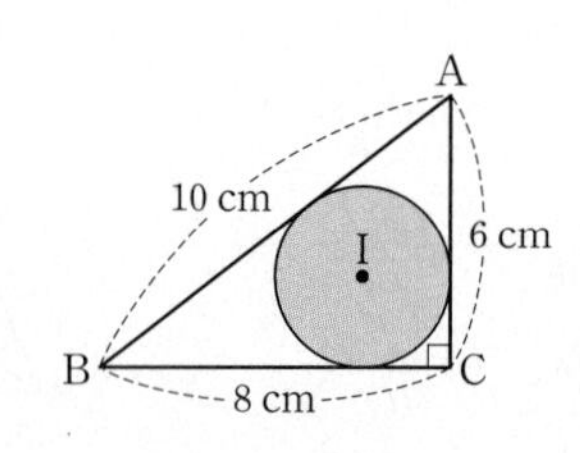

» My 셀파

직각삼각형 ABC의 내접원의 반지름의 길이를 r라 하면

$\triangle ABC=\frac{1}{2}r(\overline{AB}+\overline{BC}+\overline{CA})$
$=\frac{1}{2}\times\overline{BC}\times\overline{AC}$

기본 05 삼각형의 내접원과 접선의 길이

오른쪽 그림에서 점 I는 △ABC의 내심이고, 세 점 D, E, F는 각각 내접원과 세 변 AB, BC, CA의 접점이다.
$\overline{AB}=13$ cm, $\overline{BC}=14$ cm, $\overline{CA}=15$ cm일 때, $\overline{AD}$의 길이를 구하시오.

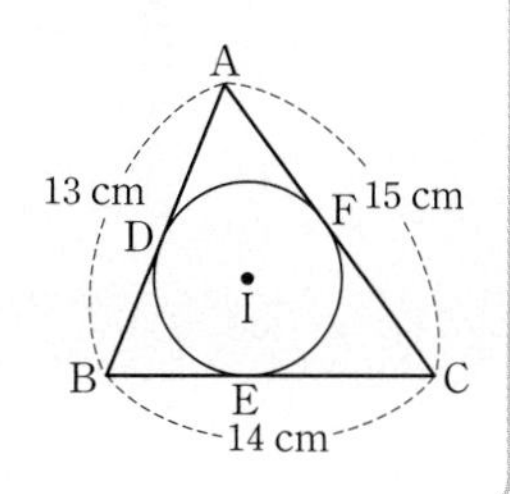

해법코드

원 I가 △ABC의 내접원일 때

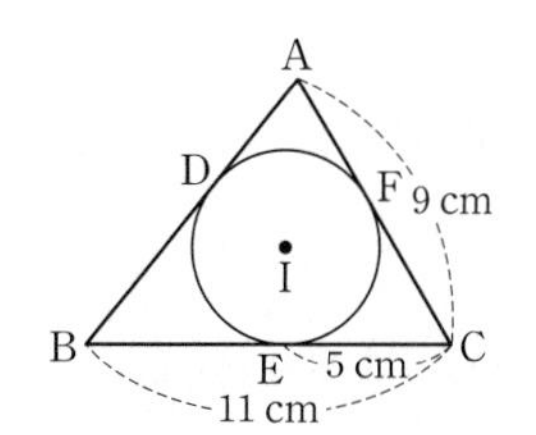

⇨ $\overline{AD}=\overline{AF}$, $\overline{BD}=\overline{BE}$, $\overline{CE}=\overline{CF}$

셀파 $\overline{AD}=x$ cm라 하고 $\overline{AF}$, $\overline{BD}$, $\overline{BE}$, $\overline{CE}$, $\overline{CF}$를 x를 사용하여 나타낸다.

풀이 $\overline{AD}=\overline{AF}$, $\overline{BD}=\overline{BE}$, $\overline{CE}=\overline{CF}$이므로
$\overline{AD}=x$ cm라 하면 나머지 변의 길이는 오른쪽 그림과 같다.
이때 $\overline{BC}=14$ cm이므로 $(13-x)+(15-x)=14$
$2x=14$ $\quad\therefore x=7$
$\therefore \overline{AD}=$ **7 cm**

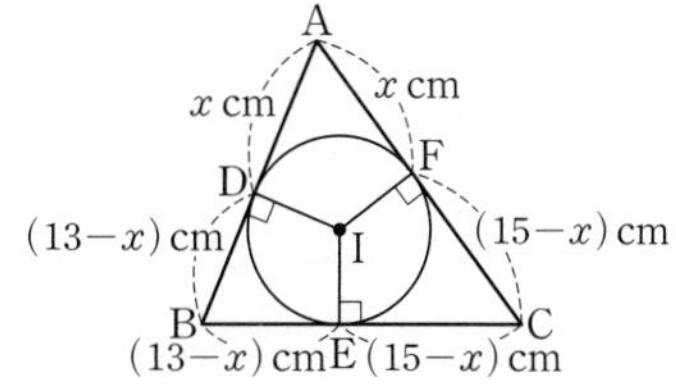
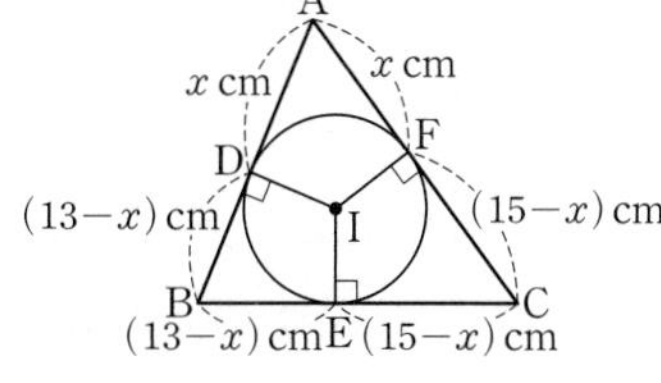

● x의 값을 구해야 하므로 x에 대한 방정식을 세워야 한다. 이때 x항이 없어지지 않는 변의 길이를 이용한다.
● $\overline{AB}=x+(13-x)=13$ (cm), $\overline{AC}=x+(15-x)=15$ (cm)이므로 x항이 없어진다.

확인 05 오른쪽 그림에서 원 I는 △ABC의 내접원이고, 세 점 D, E, F는 각각 내접원과 세 변 AB, BC, CA의 접점이다.
$\overline{BC}=11$ cm, $\overline{AC}=9$ cm, $\overline{EC}=5$ cm일 때, $\overline{AB}$의 길이를 구하시오.

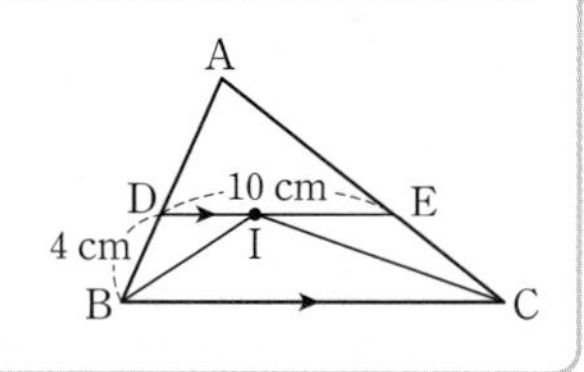

» My 셀파
$\overline{AB}=\overline{AD}+\overline{BD}$이므로 $\overline{AD}=\overline{AF}$, $\overline{BD}=\overline{BE}$, $\overline{CE}=\overline{CF}$임을 이용하여 $\overline{AD}$, $\overline{BD}$의 길이를 구한다.

기본 06 삼각형의 내심과 평행선의 성질

오른쪽 그림에서 점 I는 △ABC의 내심이고 $\overline{DE}\,/\!/\,\overline{BC}$이다.
$\overline{DB}=4$ cm, $\overline{DE}=10$ cm일 때, $\overline{EC}$의 길이를 구하시오.

해법코드

점 I는 △ABC의 내심이고 $\overline{DE}\,/\!/\,\overline{BC}$일 때

⇨ △DBI, △EIC는 이등변삼각형이다.

셀파 평행한 두 직선이 한 직선과 만날 때, 엇각의 크기가 같음을 이용한다.

풀이 점 I가 △ABC의 내심이므로
$\angle DBI=\angle IBC$, $\angle ECI=\angle ICB$
$\overline{DE}\,/\!/\,\overline{BC}$이므로 $\angle DIB=\angle IBC$, $\angle EIC=\angle ICB$
$\therefore \angle DBI=\angle DIB$, $\angle ECI=\angle EIC$
따라서 $\overline{DI}=\overline{DB}$, $\overline{EI}=\overline{EC}$이므로
$\overline{EC}=\overline{EI}=\overline{DE}-\overline{DI}=\overline{DE}-\overline{DB}=10-4=$ **6 (cm)**

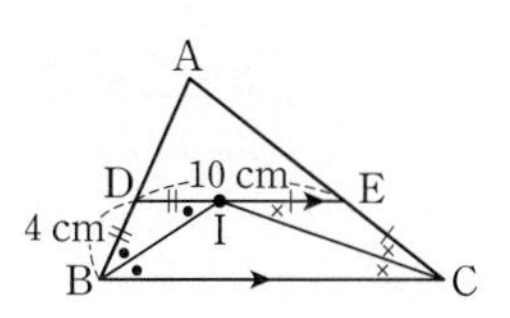

● △DBI와 △EIC는 각각 두 밑각의 크기가 같으므로 이등변삼각형이다.

확인 06 오른쪽 그림에서 점 I는 △ABC의 내심이고 $\overline{DE}\,/\!/\,\overline{BC}$이다.
$\overline{AB}=12$ cm, $\overline{AC}=8$ cm일 때, △ADE의 둘레의 길이를 구하시오.

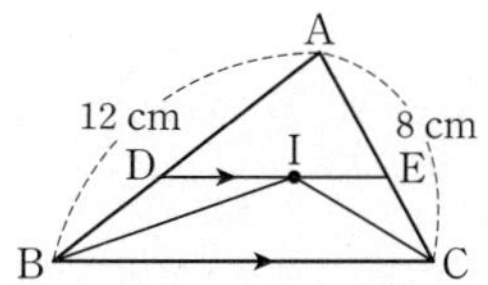
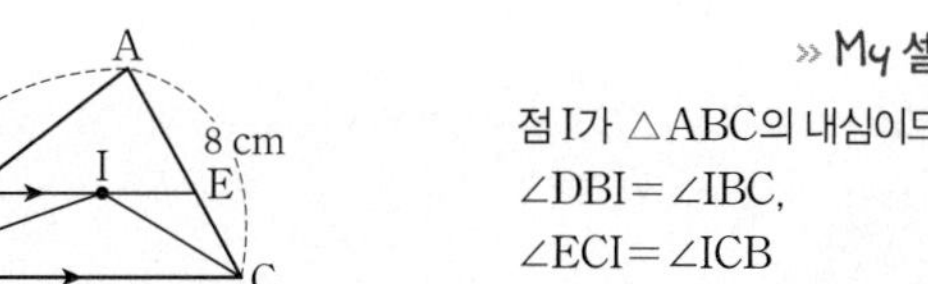

» My 셀파
점 I가 △ABC의 내심이므로
$\angle DBI=\angle IBC$,
$\angle ECI=\angle ICB$

삼각형의 외심과 내심의 비교

	외심(O): 외접원의 중심	내심(I): 내접원의 중심
작도	세 변의 수직이등분선의 교점	세 내각의 이등분선의 교점
성질	외심에서 세 꼭짓점에 이르는 거리는 같다. ⇨ $\overline{OA}=\overline{OB}=\overline{OC}$ =(외접원의 반지름의 길이)	내심에서 세 변에 이르는 거리는 같다. ⇨ $\overline{ID}=\overline{IE}=\overline{IF}$ =(내접원의 반지름의 길이)
합동인 삼각형	△OAD≡△OBD (SAS 합동) △OBE≡△OCE (SAS 합동) △OAF≡△OCF (SAS 합동)	△IAD≡△IAF (RHA 합동) △IBD≡△IBE (RHA 합동) △ICE≡△ICF (RHA 합동)
위치	외심은 삼각형의 종류에 따라 위치가 다르다. (1) 예각삼각형: 삼각형의 내부 (2) 직각삼각형: 빗변의 중점 (3) 둔각삼각형: 삼각형의 외부	모든 삼각형의 내심은 삼각형의 내부에 위치한다. 참고 이등변삼각형과 정삼각형의 외심과 내심의 위치 • 이등변삼각형: 외심과 내심이 꼭지각의 이등분선 위에 있다. • 정삼각형: 외심과 내심이 일치한다. 이등변삼각형 / 정삼각형 (O=I)
각의 크기	(1) $\angle x+\angle y+\angle z=90°$ (2) $\angle BOC=2\angle A$	(1) $\angle x+\angle y+\angle z=90°$ (2) $\angle BIC=90°+\frac{1}{2}\angle A$
넓이		세 변의 길이가 a, b, c이고 내접원의 반지름의 길이가 r일 때 (삼각형의 넓이)$=\frac{1}{2}r(a+b+c)$

삼각형의 외심과 내심의 성질을 비교하여 잘 알아둔다.

발전 07 외심과 내심을 이용한 각의 크기 구하기

해법코드

오른쪽 그림과 같은 $\overline{AB}=\overline{AC}$인 이등변삼각형 ABC에서 두 점 O, I가 각각 △ABC의 외심, 내심이다. $\angle A=80^\circ$일 때, $\angle IBO$의 크기를 구하시오.

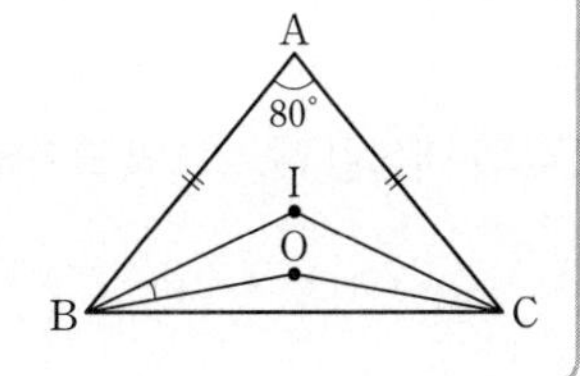

1 $\overline{AB}=\overline{AC}$이므로 $\angle ABC=\angle ACB$

2 점 I가 내심이므로 $\angle IBA=\angle IBC$, $\angle ICA=\angle ICB$

3 점 O가 외심이므로 $\angle OBC=\angle OCB$

셀파 $\angle IBO=\angle IBC-\angle OBC$

풀이

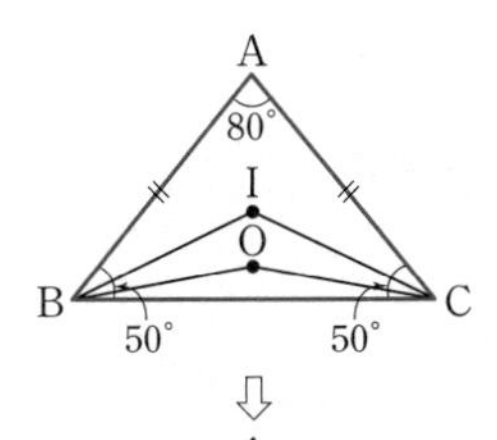

△ABC에서 $\overline{AB}=\overline{AC}$이므로

ㄱ $\angle ABC=\angle ACB=\frac{1}{2}\times(180^\circ-80^\circ)=50^\circ$

점 I가 △ABC의 내심이므로

ㄴ $\angle IBA=\angle IBC=\frac{1}{2}\times 50^\circ=25^\circ$

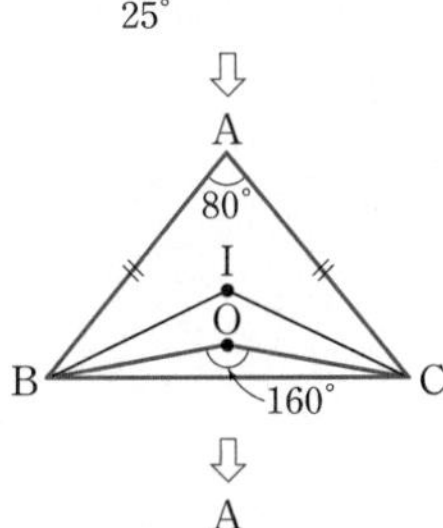

점 O가 △ABC의 외심이므로

$\angle BOC=2\angle A=2\times 80^\circ=160^\circ$

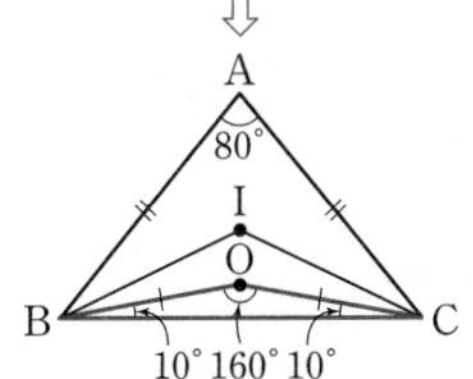

△OBC에서 $\overline{OB}=\overline{OC}$이므로

$\angle OBC=\angle OCB=\frac{1}{2}\times(180^\circ-160^\circ)=10^\circ$

$\therefore\ \angle IBO=\angle IBC-\angle OBC=25^\circ-10^\circ=\mathbf{15^\circ}$

ㄱ 이등변삼각형의 두 밑각의 크기는 같다.

ㄴ 점 I가 △ABC의 내심이므로 $\overline{BI}$는 $\angle B$의 이등분선이다.

3 | 삼각형의 내심

확인 07

1. 오른쪽 그림에서 두 점 O, I는 각각 △ABC의 외심, 내심이다. $\angle BOC=88^\circ$일 때, $\angle BIC$의 크기를 구하시오.

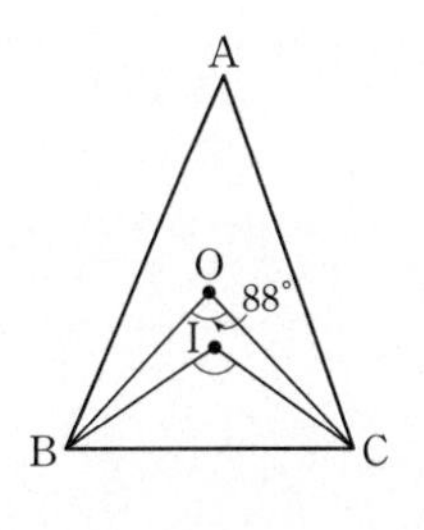

» My 셀파

1. 점 O는 △ABC의 외심이고 점 I는 △ABC의 내심이므로 $\angle BOC=2\angle A$, $\angle BIC=90^\circ+\frac{1}{2}\angle A$

2. 오른쪽 그림의 △ABC는 $\overline{AB}=\overline{AC}$인 이등변삼각형이다. 두 점 O, I가 각각 △ABC의 외심, 내심이고 $\angle A=40^\circ$일 때, $\angle OCI$의 크기를 구하시오.

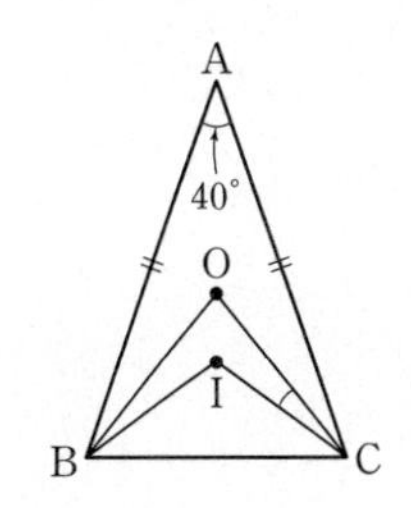

2. $\angle OCI=\angle OCB-\angle ICB$이므로 $\angle OCB$와 $\angle ICB$의 크기를 구한다.

삼각형의 내심의 성질을 이용한 계산

빠른 정답 241쪽 | 정답과 해설 16쪽

1 다음 그림에서 점 I가 $\triangle ABC$의 내심일 때, $\angle x$의 크기를 구하시오.

(1)

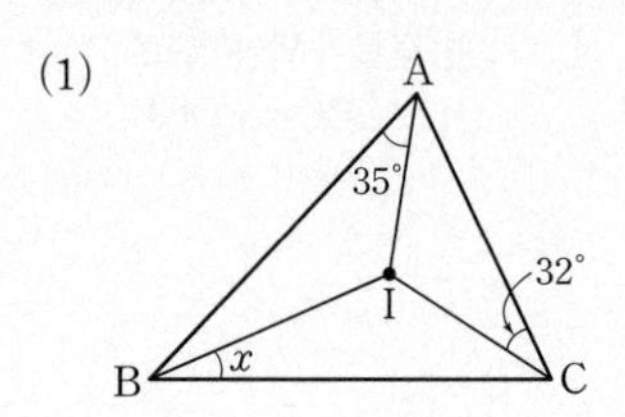

(2)

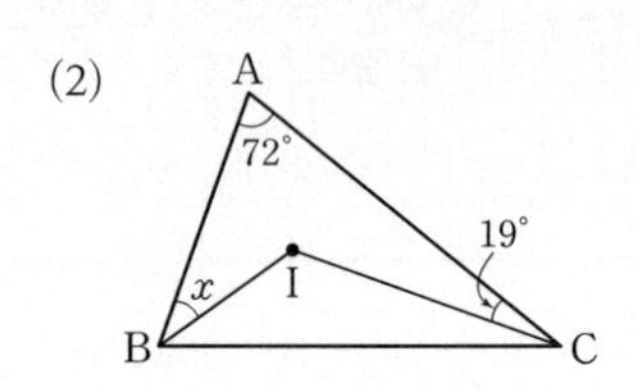

(3)

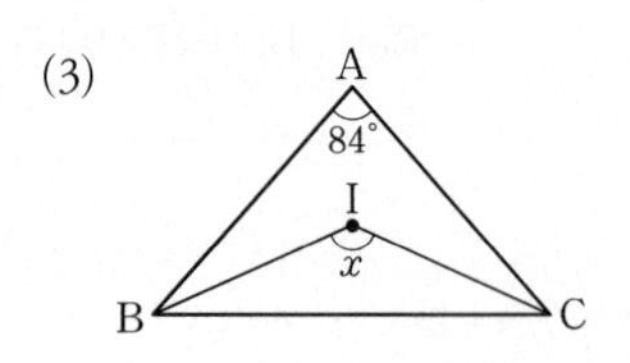

(4)

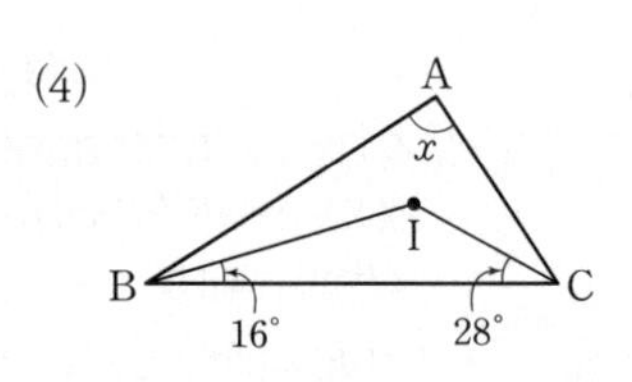

(5)

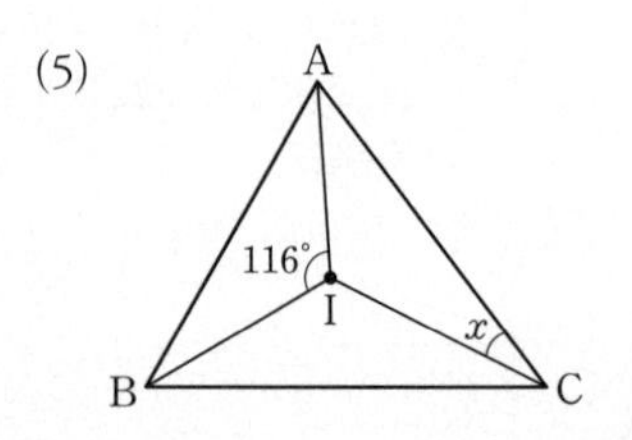

2 다음 그림에서 점 I는 $\triangle ABC$의 내심이고 세 점 D, E, F는 각각 내접원과 세 변 AB, BC, CA의 접점일 때, x의 값을 구하시오.

(1)

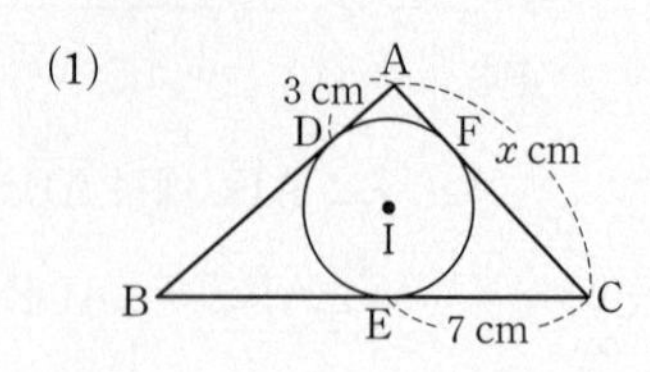

(2)

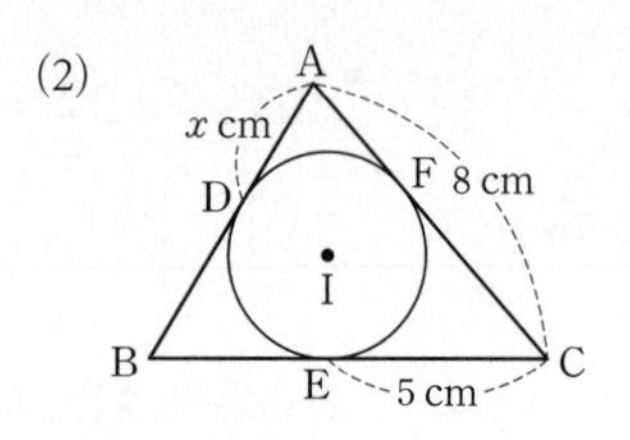

(3)

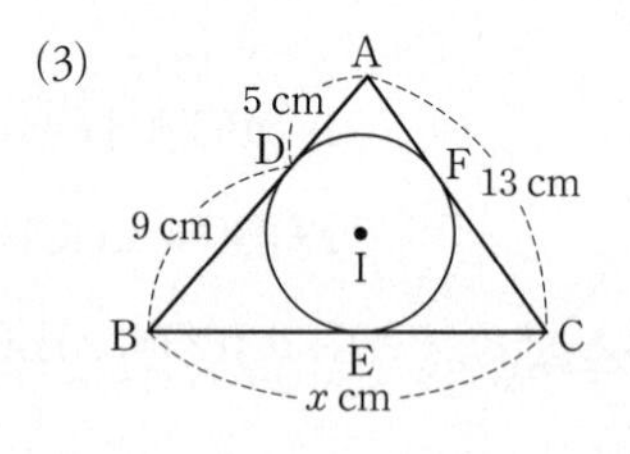

(4)

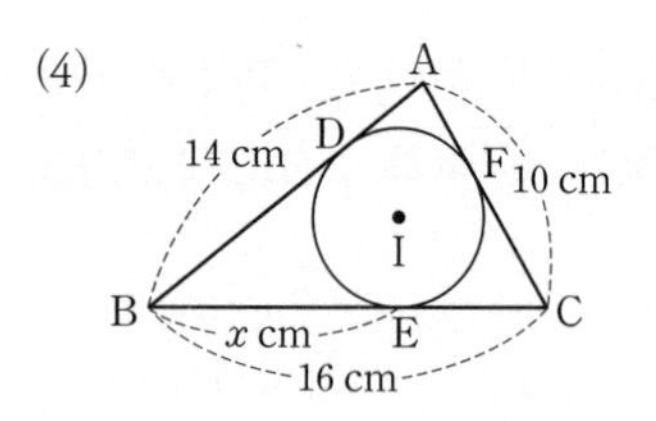

(5)

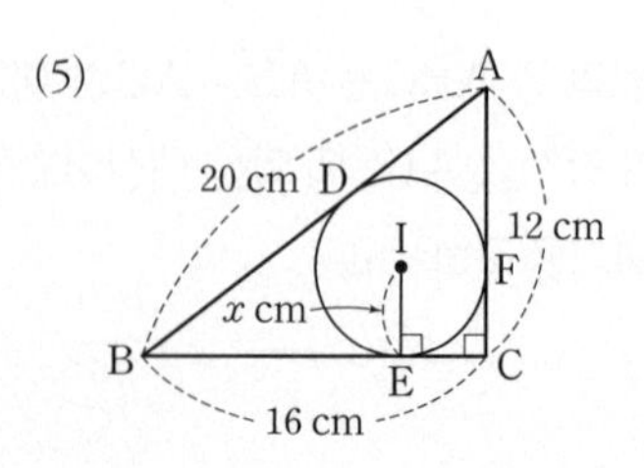

실력 키우기

빠른 정답 241쪽 | 정답과 해설 16쪽

01 삼각형의 내심

다음 중 점 I가 △ABC의 내심을 나타내는 것을 모두 고르면? (정답 2개)

① 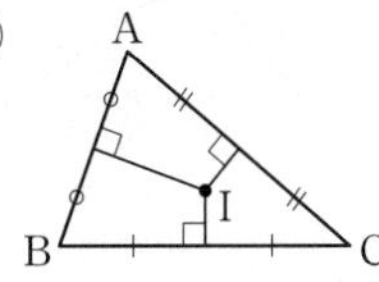

②
A
B
C
I

③ 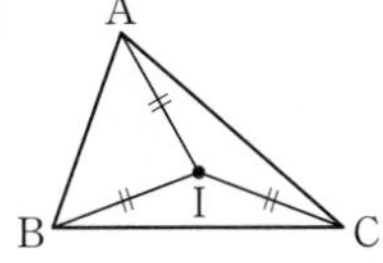

④ 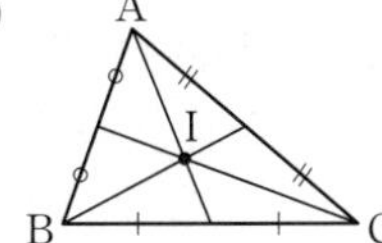

⑤ 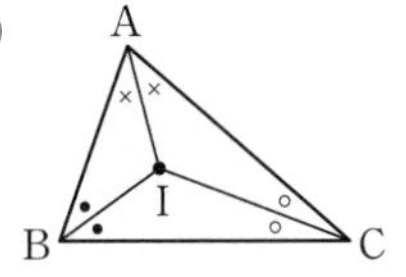

02 삼각형의 내심 (서술형)

오른쪽 그림에서 점 I는 △ABC의 내심이다. $\overline{AB}=7$ cm, $\overline{AF}=3$ cm일 때, 다음을 구하시오.

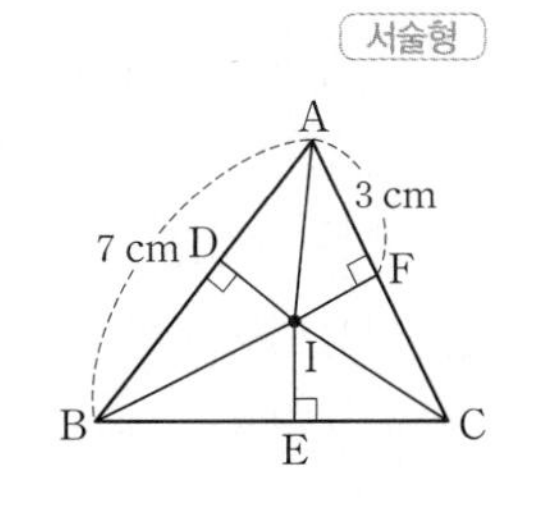

(1) △ADI와 합동인 삼각형을 말하시오.

(2) $\overline{BD}$의 길이를 구하시오.

03 삼각형의 내심의 활용 (1)

오른쪽 그림에서 점 I는 △ABC의 내심이다. ∠IAB=27°, ∠C=98°일 때, ∠IBC의 크기를 구하시오.

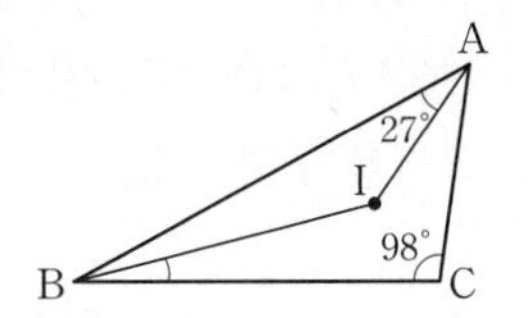

04 삼각형의 내심의 활용 (2)

오른쪽 그림에서 점 I는 △ABC의 내심이다. ∠ICA=30°, ∠BIC=122°일 때, $\angle x+\angle y$의 크기를 구하시오.

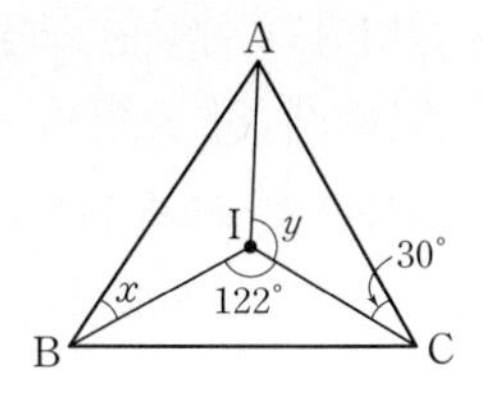

05 삼각형의 내심의 활용 (2)

오른쪽 그림에서 점 I는 △ABC의 내심이다.
∠AIB : ∠BIC : ∠CIA=7 : 8 : 9일 때, ∠ACB의 크기를 구하시오.

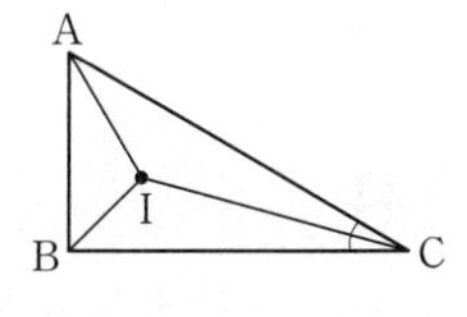

06 삼각형의 내심의 위치 (창의력)

오른쪽 그림의 △ABC에서 외심 O와 내심 I가 일치할 때, 다음 물음에 답하시오.

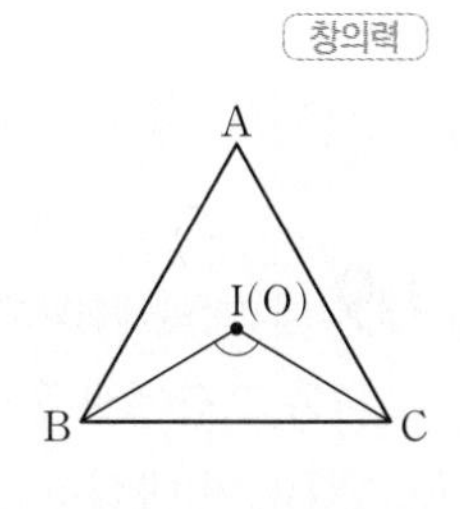

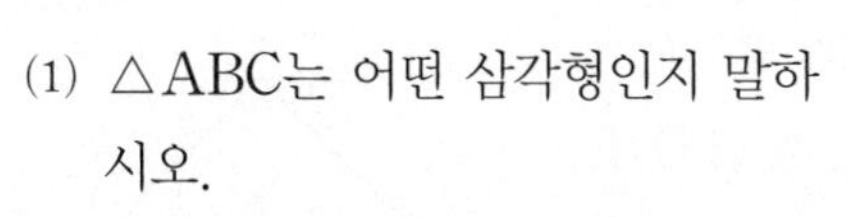

(1) △ABC는 어떤 삼각형인지 말하시오.

(2) ∠BIC의 크기를 구하시오.

07 삼각형의 넓이와 내접원의 반지름의 길이 (융합형)

오른쪽 그림과 같이 도로로 둘러싸인 삼각형 모양의 땅 ABC에 원 모양의 꽃밭을 가능한 한 크게 만들려고 한다. 다음 물음에 답하시오.

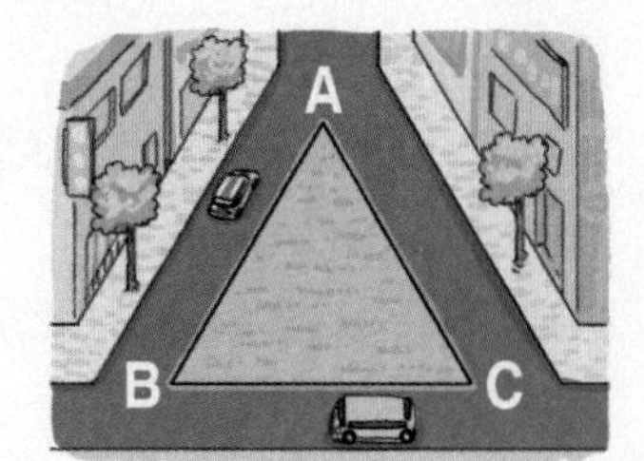

(1) 꽃밭의 중심을 찾으시오.

(2) 삼각형 모양의 땅 ABC의 둘레의 길이가 36 m이고 넓이가 72 m^2일 때, 만들어지는 원 모양의 꽃밭의 넓이를 구하시오.

08 삼각형의 내접원과 접선의 길이

오른쪽 그림에서 원 I는 $\angle C=90°$인 직각삼각형 ABC의 내접원이고 세 점 D, E, F는 접점이다. 원 I의 반지름의 길이가 3 cm이고 $\overline{BC}=15$ cm, $\overline{AC}=8$ cm일 때, △ABC의 둘레의 길이를 구하시오.

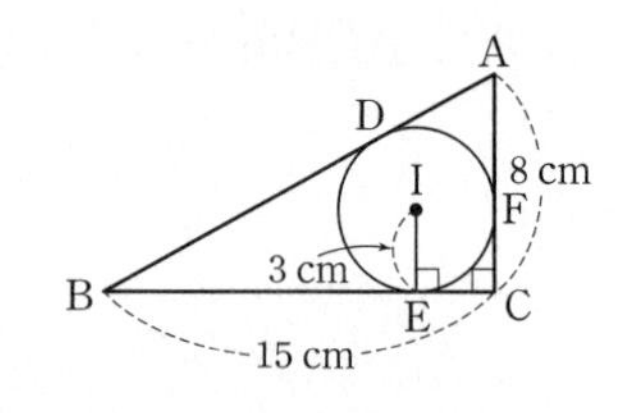

09 삼각형의 내접원과 접선의 길이

오른쪽 그림에서 점 I는 △ABC의 내심이고, 세 점 D, E, F는 각각 내접원과 세 변 AB, BC, CA의 접점이다. $\overline{AD}=2$ cm, $\overline{BC}=10$ cm일 때, △ABC의 둘레의 길이를 구하시오.

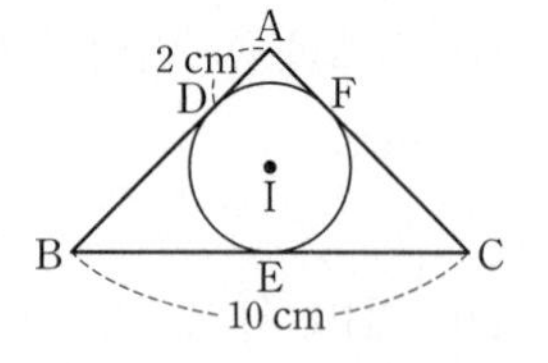

10 삼각형의 내심과 평행선

오른쪽 그림에서 점 I는 △ABC의 내심이다. $\overline{DE} /\!/ \overline{BC}$일 때, 다음 중 옳은 것은?

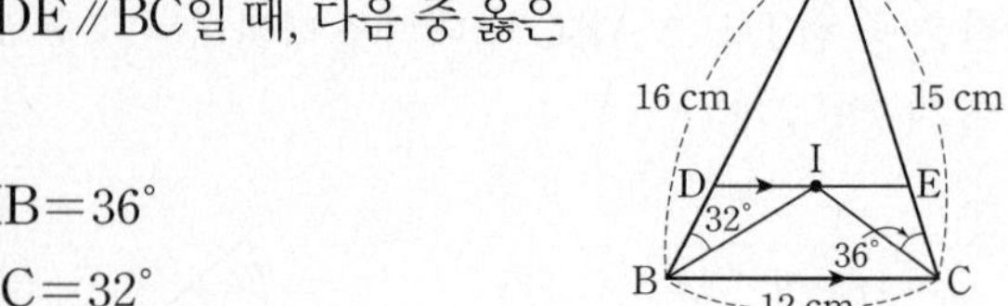

① $\angle DIB=36°$
② $\angle EIC=32°$
③ $\overline{DI}=\overline{IE}$
④ △ADE의 둘레의 길이는 28 cm이다.
⑤ △DBI는 이등변삼각형이다.

11 삼각형의 외심과 내심

다음 설명 중 옳지 않은 것은?

① 삼각형의 내심에서 세 변에 이르는 거리는 모두 같다.
② 둔각삼각형의 외심은 삼각형의 외부에 있다.
③ 직각삼각형의 빗변의 중점에서 세 꼭짓점에 이르는 거리는 같다.
④ 모든 삼각형의 내심은 삼각형의 내부에 있다.
⑤ 이등변삼각형의 외심과 내심은 일치한다.

12 삼각형의 외심과 내심 (서술형)

오른쪽 그림의 △ABC는 $\overline{AB}=\overline{AC}$인 이등변삼각형이고 두 점 O, I는 각각 △ABC의 외심, 내심이다. $\angle A=72°$일 때, $\angle DEC$의 크기를 구하시오.

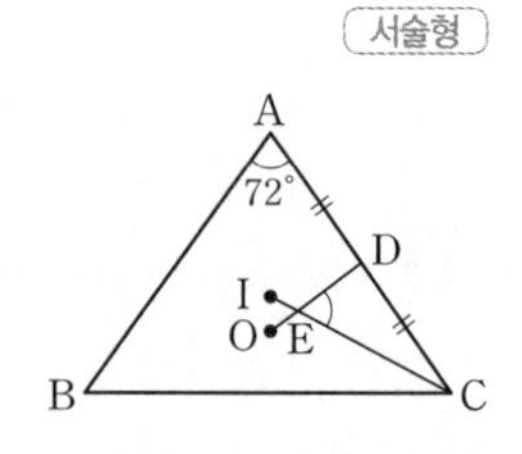

13 삼각형의 외심과 내심

오른쪽 그림에서 두 점 O, I는 각각 $\triangle ABC$의 외심, 내심이다. $\angle BIC=110°$일 때, $\angle BOC$의 크기를 구하시오.

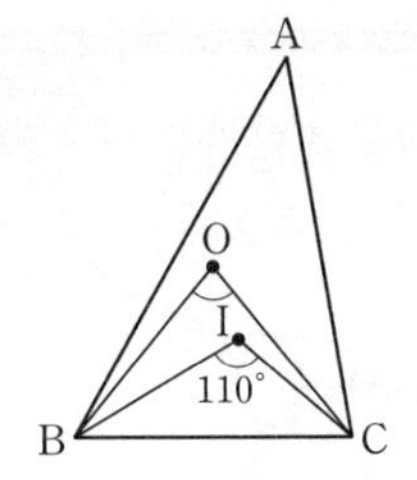

14 직각삼각형의 외접원과 내접원

오른쪽 그림에서 $\triangle ABC$는 $\angle A=90°$인 직각삼각형이고, $\overline{AB}=9$ cm, $\overline{BC}=15$ cm, $\overline{CA}=12$ cm이다. 원 O가 $\triangle ABC$의 외접원이고 원 I가 $\triangle ABC$의 내접원일 때, 색칠한 부분의 넓이를 구하시오.

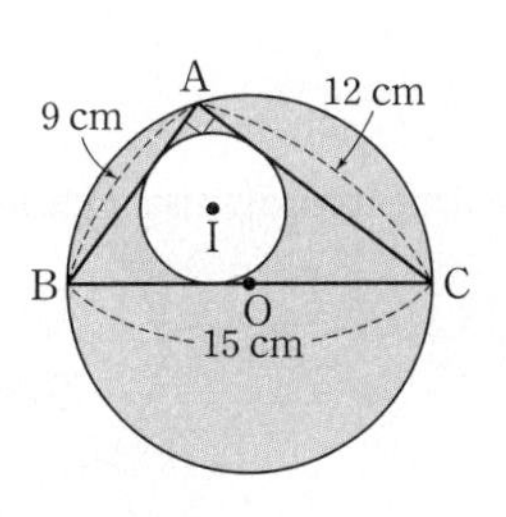

15 삼각형의 내심의 활용

서술형

오른쪽 그림에서 점 I는 $\triangle ABC$의 내심이고 $\overline{AI}$, $\overline{BI}$의 연장선이 $\overline{BC}$, $\overline{CA}$와 만나는 점을 각각 D, E라 하자. $\angle C=80°$일 때, 다음 물음에 답하시오.

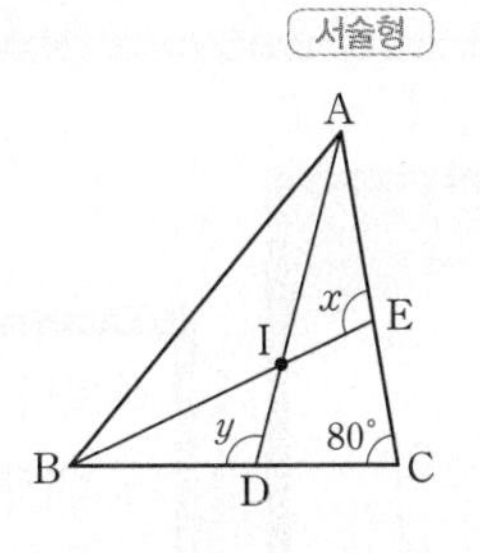

(1) $\angle IAB=\angle a$, $\angle IBC=\angle b$라 할 때, $\angle a+\angle b$의 크기를 구하시오.

(2) $\angle x+\angle y$의 크기를 구하시오.

16 삼각형의 내심과 평행선

창의력

오른쪽 그림에서 점 I는 정삼각형 ABC의 내심이고 $\overline{AB}$ // $\overline{ID}$, $\overline{AC}$ // $\overline{IE}$이다. $\overline{AB}=6$ cm일 때, $\overline{DE}$의 길이를 구하시오.

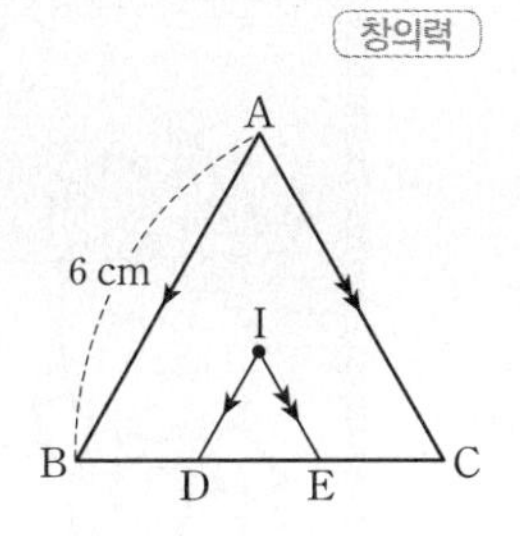

17 삼각형의 넓이와 내접원의 반지름의 길이

창의·융합

다음 그림은 우주네 집에 있는 계단 밑 공간과 공의 크기를 나타낸 것이다. 계단 밑 공간에 축구공, 농구공, 배구공 중 어떤 공을 넣을 수 있는지 모두 말하시오.

(단, 계단의 폭은 충분히 넓다.)

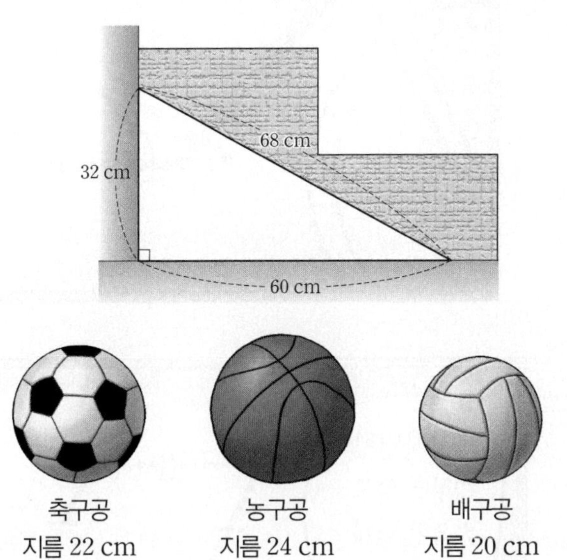

내 취미는
자전거 조립이야.
와, 대단해.
네가 직접
조립한 거라고?

자전거를 조립하는 데
뭐가 가장 중요해?
나는 자전거를 지탱
하는 프레임이 가장
중요하다고 생각해.

완벽한 평행사변형 모양의
프레임을 찾고 있지.

평행사변형의
성질을 알고
있으면 쉽게
찾을 수 있어.
두 쌍의 대변의
길이가 각각 같고
두 쌍의 대각의
크기가 각각 같고

마지막으로
두 대각선은……,
대각선은…….
두 대각선이
어쨌다고?

Ⅱ | 사각형의 성질

평행사변형

1. 평행사변형의 성질

| 개념 1 | 평행사변형의 뜻

| 개념 2 | 평행사변형의 성질

2. 평행사변형이 되는 조건

| 개념 1 | 평행사변형이 되는 조건

| 개념 2 | 평행사변형과 넓이

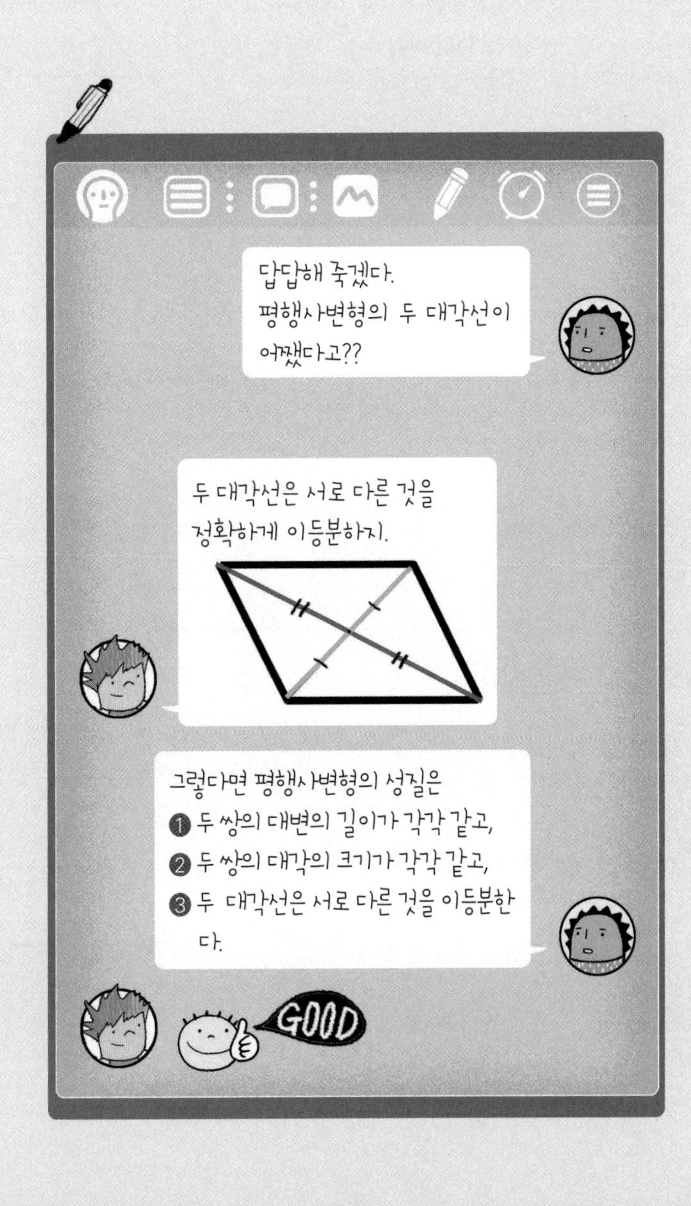

4 1. 평행사변형의 성질

1 평행사변형의 뜻

(1) **사각형의 기호** 사각형 ABCD를 기호로 □ABCD와 같이 나타낸다.

(2) **평행사변형의 뜻** 두 쌍의 대변이 각각 평행한 사각형

⇨ □ABCD에서 $\overline{AB} /\!/$ [ ], $\overline{AD} /\!/ \overline{BC}$

참고 평행사변형은 두 쌍의 대변이 각각 평행하므로 이웃하는 두 내각의 크기의 합은 180°이다.

⇨ ∠A+∠B=∠B+∠C=∠C+∠D=∠D+∠A=[ ]

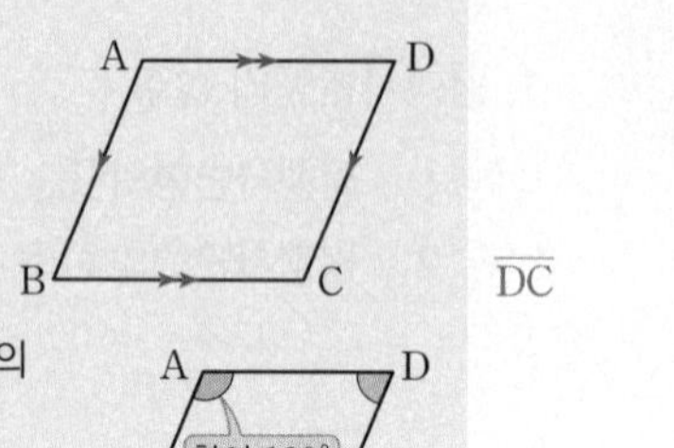

$\overline{DC}$

180°

용어 click

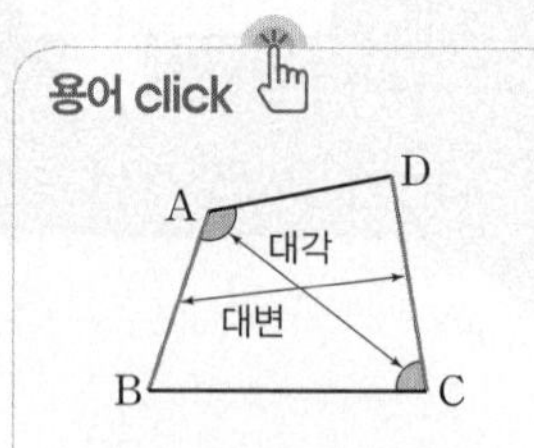

- **대변** 서로 마주 보는 변 ⇨ $\overline{AB}$와 $\overline{DC}$, $\overline{AD}$와 $\overline{BC}$
- **대각** 서로 마주 보는 각 ⇨ ∠A와 ∠C, ∠B와 ∠D

보기 오른쪽 그림과 같은 ㉠□ABCD가 평행사변형일 때, 다음을 구하시오.

(1) $\overline{AB}$의 대변 (2) ∠D의 대각

(3) $\overline{AD}$와 평행한 변 (4) $\overline{DC}$와 평행한 변

A D B C

풀이 (1) $\overline{\mathbf{DC}}$ (2) **∠B** (3) $\overline{\mathbf{BC}}$ (4) $\overline{\mathbf{AB}}$

㉠ □ABCD가 평행사변형이므로 마주 보는 변끼리 서로 평행하다. 즉 $\overline{AB} /\!/ \overline{DC}$, $\overline{AD} /\!/ \overline{BC}$

2 평행사변형의 성질 ← 자세한 설명은 58쪽 셀파 특강에 있습니다.

❶ 두 쌍의 대변의 길이가 각각 같다.

⇨ $\overline{AB}=\overline{DC}$, [ ]$=\overline{BC}$

❷ 두 쌍의 대각의 크기가 각각 같다.

⇨ ∠A=[ ], ∠B=∠D

❸ ㉡두 대각선은 서로 다른 것을 이등분한다.

⇨ $\overline{AO}=\overline{CO}$, $\overline{BO}=$[ ]

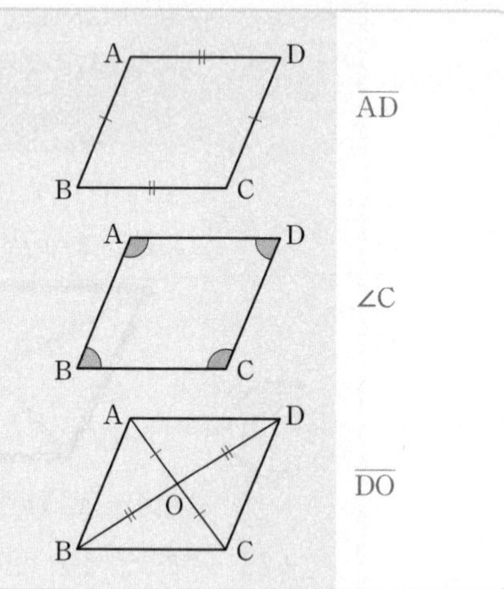

$\overline{AD}$

∠C

$\overline{DO}$

㉡ 평행사변형의 두 대각선은 대각선의 중점에서 만난다.

㉢ □ABCD가 평행사변형이므로 두 쌍의 대변의 길이가 각각 같고, 두 쌍의 대각의 크기가 각각 같다.

보기 오른쪽 그림과 같은 ㉢평행사변형 ABCD에서 다음을 구하시오.

(1) $\overline{AB}$의 길이 (2) $\overline{AD}$의 길이

(3) ∠A의 크기 (4) ∠B의 크기

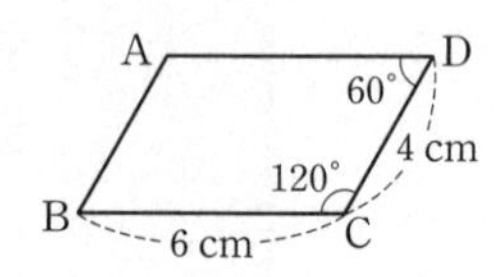

풀이 (1) $\overline{AB}=\overline{DC}=$**4 cm** (2) $\overline{AD}=\overline{BC}=$**6 cm**

(3) ∠A=∠C=**120°** (4) ∠B=∠D=**60°**

| 개념 체크 |

1-1 평행사변형의 뜻

오른쪽 그림과 같은 평행사변형 ABCD에서 $\angle x$, $\angle y$의 크기를 각각 구하시오.

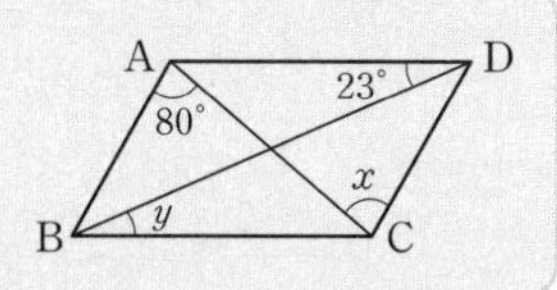

셀파 □ABCD가 평행사변형이므로 두 쌍의 대변이 각각 평행하다.
⇨ $\overline{AB}/\!/\overline{DC}$, $\overline{AD}/\!/\overline{BC}$

연구 $\overline{AB}/\!/$☐이므로 $\angle x=$☐ (엇각)
$\overline{AD}/\!/$☐이므로 $\angle y=$☐ (엇각)

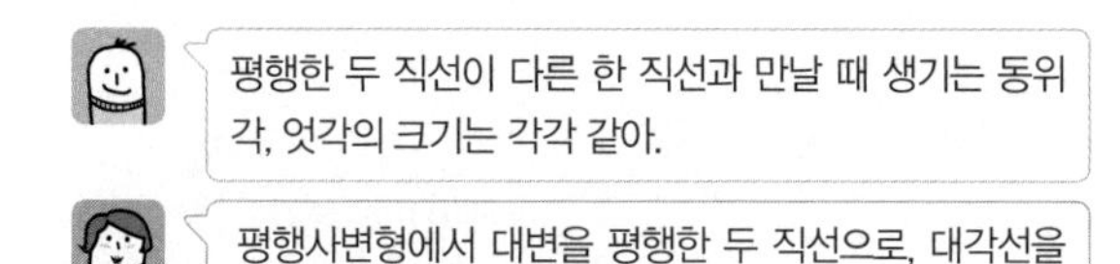

2-1 평행사변형의 성질

다음 그림과 같은 평행사변형 ABCD에서 x, y의 값을 각각 구하시오. (단, 점 O는 두 대각선의 교점이다.)

(1)
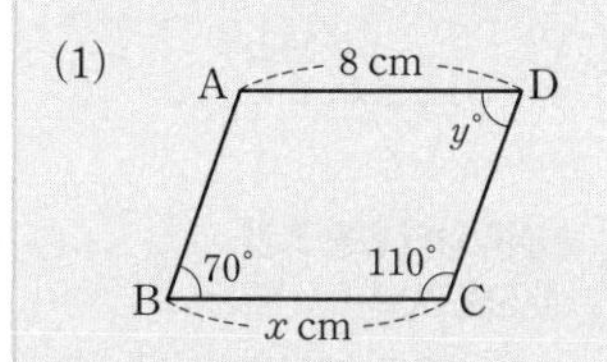

(2)
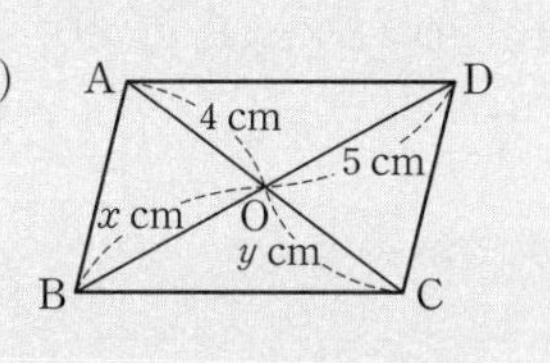

셀파 □ABCD가 평행사변형이면 ❶ $\overline{AB}=\overline{DC}$, $\overline{AD}=\overline{BC}$
❷ $\angle A=\angle C$, $\angle B=\angle D$
❸ $\overline{OA}=\overline{OC}$, $\overline{OB}=\overline{OD}$

연구 (1) $\overline{AD}=\overline{BC}$이므로 $x=$☐
$\angle B=\angle D$이므로 $y=$☐
(2) $\overline{OB}=\overline{OD}$이므로 $x=$☐
$\overline{OA}=\overline{OC}$이므로 $y=$☐

| 따라 풀기 |

1-2 다음 그림과 같은 평행사변형 ABCD에서 $\angle x$, $\angle y$의 크기를 각각 구하시오.

(1)
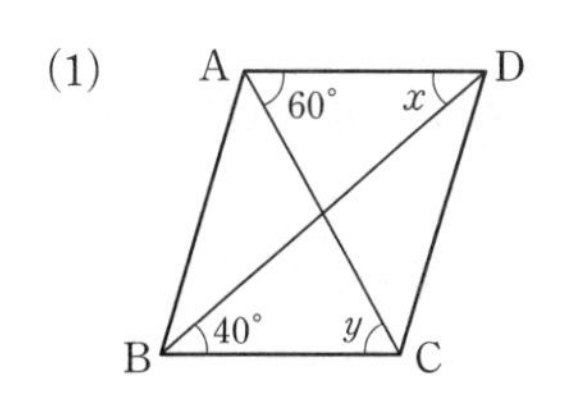

(2)
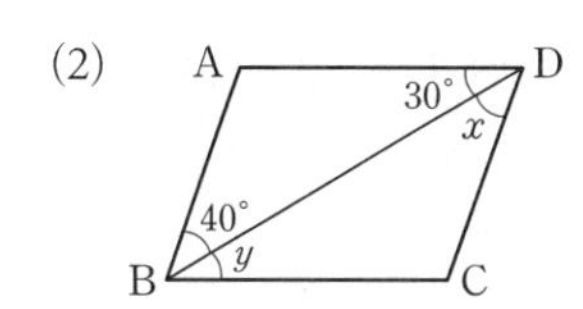

2-2 다음 그림과 같은 평행사변형 ABCD에서 x, y의 값을 각각 구하시오.

(1)
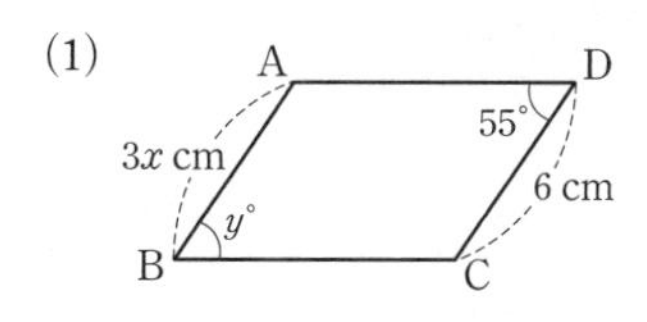

(2)
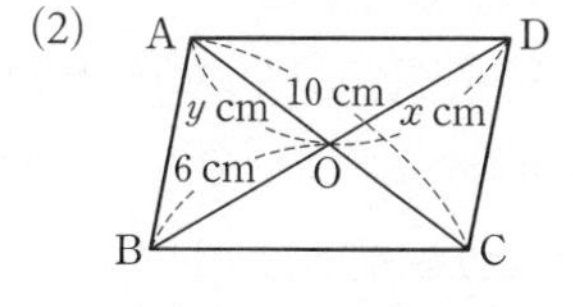

• 평행사변형의 뜻 $\overline{AB}/\!/\overline{DC}$, $\overline{AD}/\!/\overline{BC}$
• 평행사변형의 성질 ❶ $\overline{AB}=\overline{DC}$, $\overline{AD}=\overline{BC}$ ❷ $\angle BAD=\angle BCD$, $\angle ABC=\angle ADC$
❸ $\overline{OA}=\overline{OC}$, $\overline{OB}=\overline{OD}$ (단, 점 O는 두 대각선의 교점이다.)

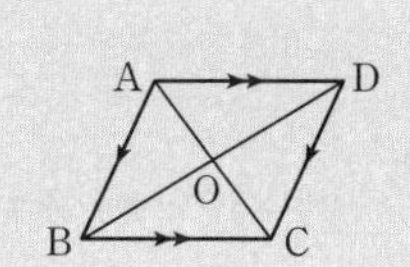

개념 더 알아보기

셀파 특강

평행사변형의 성질 설명하기

□ABCD가 평행사변형이면 3가지 성질이 성립한다고 배웠다. 이 성질들은 ㉠평행사변형의 뜻과 삼각형의 합동을 이용하여 확인할 수 있는데, 그 과정은 어렵지 않다. 다음 빈칸을 채워 가면서 함께 이해해 보자.

㉠ **평행사변형**: 두 쌍의 대변이 각각 평행한 사각형
즉 $\overline{AB} /\!/ \overline{DC}$, $\overline{AD} /\!/ \overline{BC}$

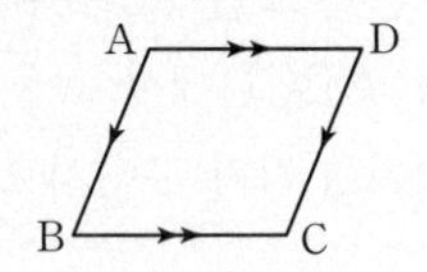

(1) 두 쌍의 대변의 길이가 각각 같다. ⇨ $\overline{AB}=\overline{DC}$, $\overline{AD}=\overline{BC}$ ← 평행사변형의 성질 ❶

평행사변형 ABCD에서 대각선 AC를 그으면
△ABC와 △CDA에서
$\overline{AB} /\!/ \overline{DC}$이므로 ∠BAC= ① (엇각)
$\overline{AD} /\!/ \overline{BC}$이므로 ∠ACB=∠CAD (엇각)
② 는 공통이므로 △ABC≡△CDA (ASA 합동)
∴ $\overline{AB}$= ③ , $\overline{AD}$= ④

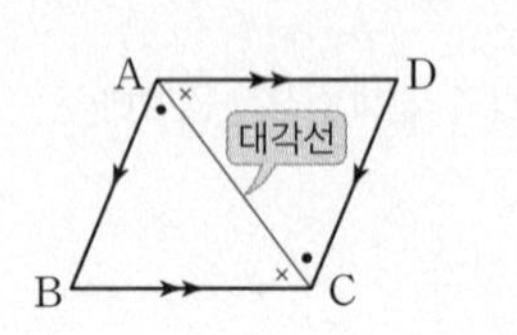

답 ① ∠DCA ② $\overline{AC}$ ③ $\overline{DC}$ ④ $\overline{BC}$

(2) 두 쌍의 대각의 크기가 각각 같다. ⇨ ㉡∠A=∠C, ∠B=∠D ← 평행사변형의 성질 ❷

위의 (1)에서 △ABC≡△CDA이므로
∠B= ① …… ㉠
또 ∠A=∠BAC+∠CAD=∠DCA+ ② =∠C …… ㉡
㉠, ㉡에서 ∠A=∠C, ∠B= ③

답 ① ∠D ② ∠ACB ③ ∠D

(3) 두 대각선은 서로 다른 것을 이등분한다. ⇨ $\overline{AO}=\overline{CO}$, $\overline{BO}=\overline{DO}$ ← 평행사변형의 성질 ❸

△ABO와 △CDO에서 ① $/\!/ \overline{DC}$이므로
∠BAO=∠DCO (엇각), …… ㉠
∠ABO=∠CDO (엇각) …… ㉡
평행사변형에서 대변의 길이는 같으므로
$\overline{AB}$= ② …… ㉢
㉠, ㉡, ㉢에서 △ABO≡△CDO (③ 합동)
∴ $\overline{AO}=\overline{CO}$, $\overline{BO}=\overline{DO}$

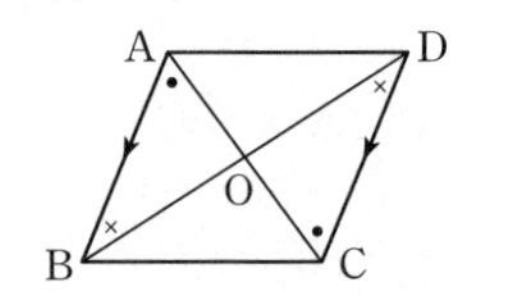

답 ① $\overline{AB}$ ② $\overline{DC}$ ③ ASA

개념 다시 보기

• 평행선의 성질
❶ 동위각의 크기가 같다.

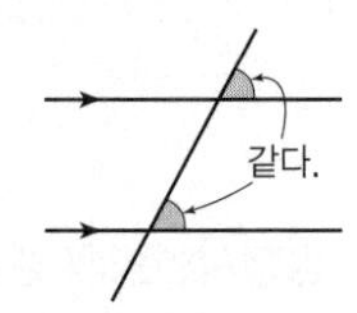

❷ 엇각의 크기가 같다.

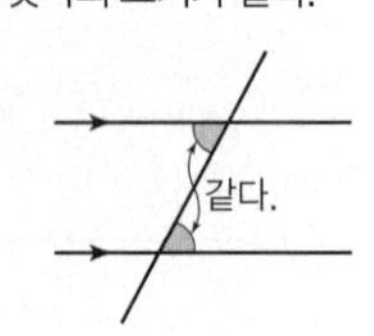

• 삼각형의 합동 조건
① SSS 합동
대응하는 세 변의 길이가 각각 같다.
② SAS 합동
대응하는 두 변의 길이가 각각 같고, 그 끼인각의 크기가 같다.
③ ASA 합동
대응하는 한 변의 길이가 같고, 그 양 끝 각의 크기가 각각 같다.

평행사변형의 성질을 설명하는 것은 서술형 문제로 나오는 경우가 있으니 설명 과정을 꼭 기억하도록 한다.

유형 익히기

빠른 정답 241쪽 | 정답과 해설 20쪽

기본 01 평행사변형의 뜻

오른쪽 그림과 같은 평행사변형 ABCD에서 두 대각선의 교점을 O라 하자. $\angle BAO=54^\circ$, $\angle ODC=32^\circ$일 때, $\angle AOD$의 크기를 구하시오.

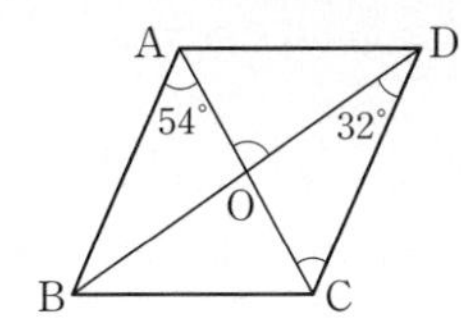

셀파 □ABCD가 평행사변형이므로 $\overline{AB}/\!/\overline{DC}$, $\overline{AD}/\!/\overline{BC}$

풀이 $\overline{AB}/\!/\overline{DC}$이므로 $\angle ACD=\angle BAC=54^\circ$ (엇각)

따라서 △OCD에서

$\angle AOD=\angle OCD+\angle ODC=54^\circ+32^\circ=\mathbf{86^\circ}$

→ 삼각형의 한 외각의 크기는 그와 이웃하지 않는 두 내각의 크기의 합과 같다.

해법코드

평행사변형 ABCD에서

(1) $\overline{AB}/\!/\overline{DC}$이므로
$\angle ABD=\angle CDB$,
$\angle BAC=\angle DCA$

(2) $\overline{AD}/\!/\overline{BC}$이므로
$\angle ADB=\angle CBD$,
$\angle DAC=\angle BCA$

확인 01 다음 그림과 같은 평행사변형 ABCD에서 $\angle x$의 크기를 구하시오.

(단, 점 O는 두 대각선의 교점이다.)

(1)

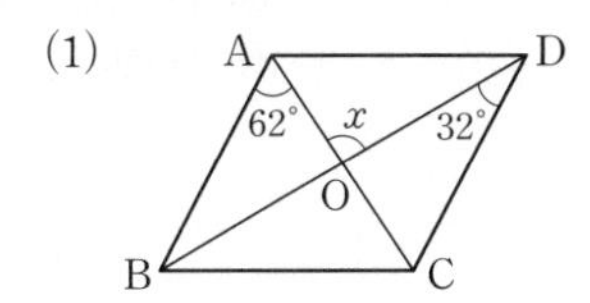

(2)

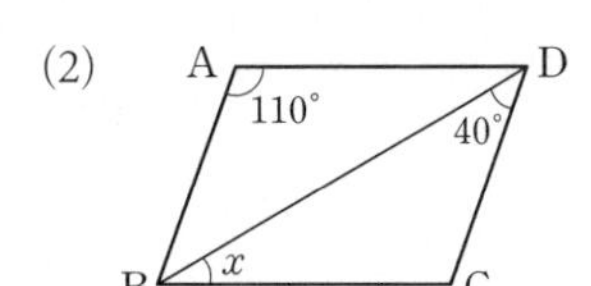

» My 셀파

평행한 두 직선과 다른 한 직선이 만날 때, 엇각의 크기는 같음을 이용한다.

기본 02 평행사변형의 성질

다음 그림과 같은 평행사변형 ABCD에서 x, y의 값을 각각 구하시오.

(단, 점 O는 두 대각선의 교점이다.)

(1)

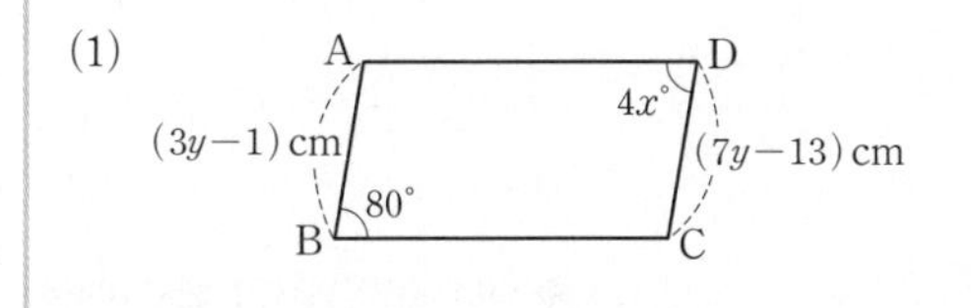

(2)

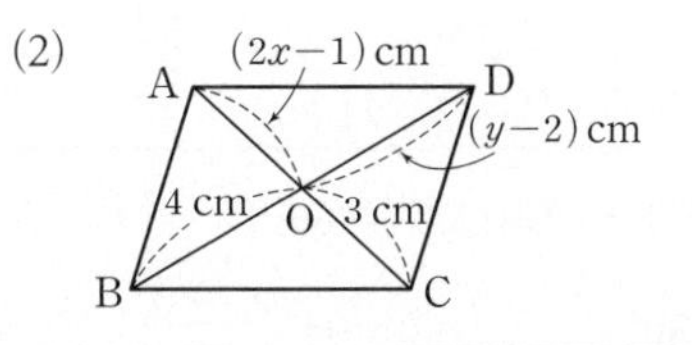

셀파 평행사변형에서 어느 변끼리 그 길이가 같은지, 어느 각끼리 그 크기가 같은지 알아둔다.

풀이 (1) 평행사변형의 대각의 크기는 같으므로 $4x^\circ=80^\circ$ $\quad\therefore \boldsymbol{x=20}$

평행사변형의 대변의 길이는 같으므로 $3y-1=7y-13$, $4y=12$ $\quad\therefore \boldsymbol{y=3}$

(2) 평행사변형의 두 대각선은 서로 다른 것을 이등분하므로

$2x-1=3$, $y-2=4$ $\quad\therefore \boldsymbol{x=2,\ y=6}$

해법코드

평행사변형 ABCD에서

❶ $\overline{AB}=\overline{DC}$, $\overline{AD}=\overline{BC}$

❷ $\angle A=\angle C$, $\angle B=\angle D$

❸ $\overline{AO}=\overline{CO}$, $\overline{BO}=\overline{DO}$

(단, 점 O는 두 대각선의 교점)

확인 02 오른쪽 그림과 같은 평행사변형 ABCD에서 다음을 구하시오.

(1) $\overline{AB}$의 길이 (2) $\angle B$의 크기

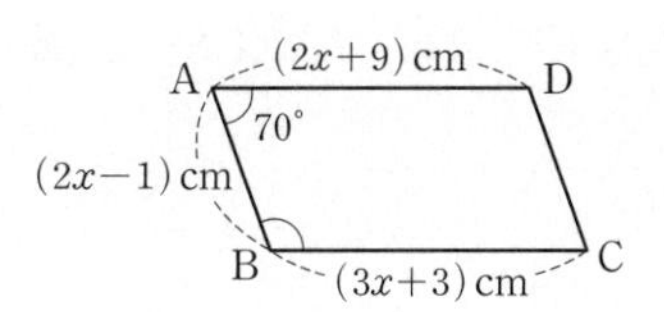

» My 셀파

(1) 평행사변형의 성질에서 $\overline{AD}=\overline{BC}$임을 이용하여 x의 값을 구한다.

4 평행사변형

기본 03 평행사변형의 성질의 활용 (1) – 변의 길이

해법코드

오른쪽 그림과 같은 평행사변형 ABCD에서 ∠A의 이등분선이 $\overline{BC}$와 만나는 점을 E라 하고, $\overline{AE}$의 연장선이 $\overline{DC}$의 연장선과 만나는 점을 F라 하자. $\overline{AB}=8$ cm, $\overline{AD}=12$ cm일 때, $\overline{CF}$의 길이를 구하시오.

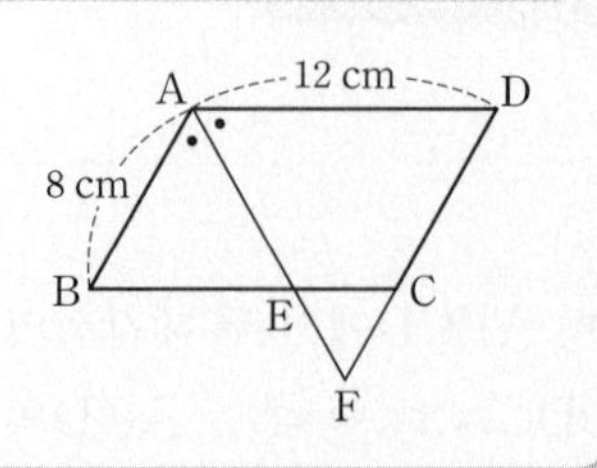

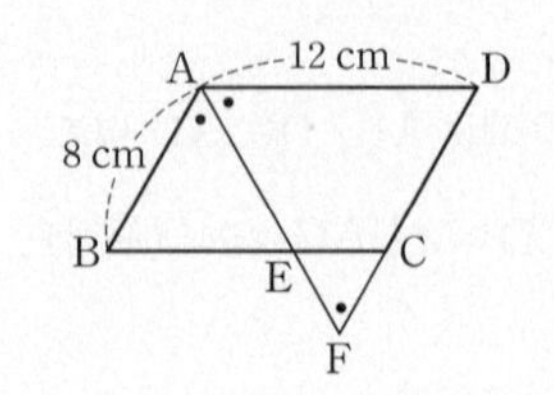

△BEA, △CEF, △DAF는 모두 이등변삼각형이므로
$\overline{BA}=\overline{BE}$, $\overline{CE}=\overline{CF}$, $\overline{DA}=\overline{DF}$

셀파 $\overline{AD}/\!/\overline{BC}$, $\overline{AB}/\!/\overline{DF}$임을 이용하여 크기가 같은 각을 그림에 나타낸다.

풀이 $\overline{AB}/\!/\overline{DF}$이므로 ∠BAF=∠DFA (엇각)

∴ ∠DAF=∠DFA

따라서 △DAF는 $\overline{DA}=\overline{DF}$인 이등변삼각형이므로

$\overline{DF}=\overline{DA}=12$ cm

이때 $\overline{DC}=\overline{AB}=8$ cm이므로

$\overline{CF}=\overline{DF}-\overline{DC}=12-8=$**4 (cm)**

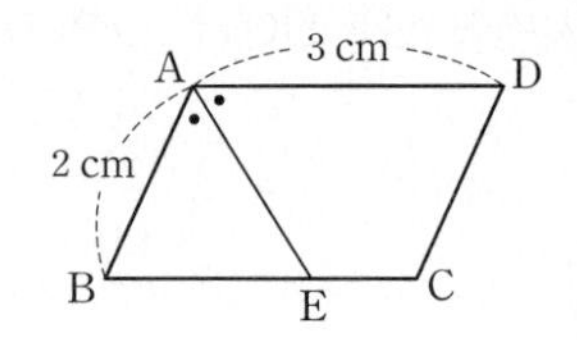

● 평행사변형에서 두 쌍의 대변의 길이는 각각 같으므로
$\overline{AB}=\overline{DC}$, $\overline{AD}=\overline{BC}$

확인 03 오른쪽 그림과 같은 평행사변형 ABCD에서 ∠A의 이등분선이 $\overline{BC}$와 만나는 점을 E라 할 때, $\overline{CE}$의 길이를 구하시오.

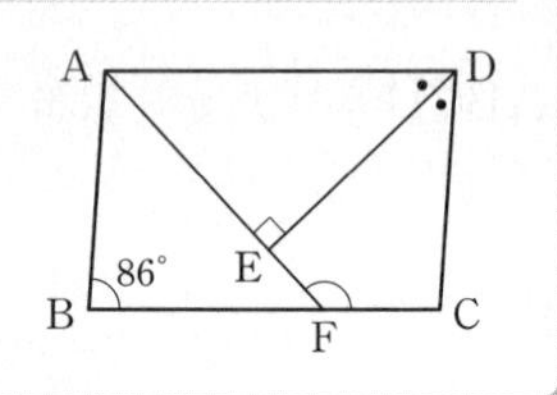

» My 셀파
□ABCD가 평행사변형이므로
$\overline{AD}/\!/\overline{BC}$, $\overline{AD}=\overline{BC}$
임을 이용한다.

기본 04 평행사변형의 성질의 활용 (2) – 각의 크기

해법코드

오른쪽 그림과 같은 평행사변형 ABCD에서 $\overline{DE}$는 ∠D의 이등분선이고 $\overline{AF}\perp\overline{DE}$이다. ∠B=86°일 때, ∠AFC의 크기를 구하시오.

A
D
86°
E
B
F
C

① 평행사변형에서 두 쌍의 대각의 크기는 각각 같다.
② 평행사변형에서 이웃하는 두 내각의 크기의 합은 180°이다.

셀파 □ABCD가 평행사변형이므로 ∠B=∠D이고 ∠B+∠C=180°

풀이 ∠B+∠C=180°이므로 86°+∠C=180° ∴ ∠C=94°

∠D=∠B=86°이므로 ∠CDE=$\frac{1}{2}$×86°=43°

□DEFC의 내각의 크기의 합은 360°이므로

43°+90°+∠AFC+94°=360° ∴ ∠AFC=**133°**

● 평행사변형 ABCD에서 이웃한 두 내각의 크기의 합은 180°이다.
즉 ∠A+∠B=180°,
∠B+∠C=180°

확인 04 오른쪽 그림과 같은 평행사변형 ABCD에서 ∠A의 이등분선이 $\overline{BC}$와 만나는 점을 E라 할 때, ∠AEC의 크기를 구하시오.

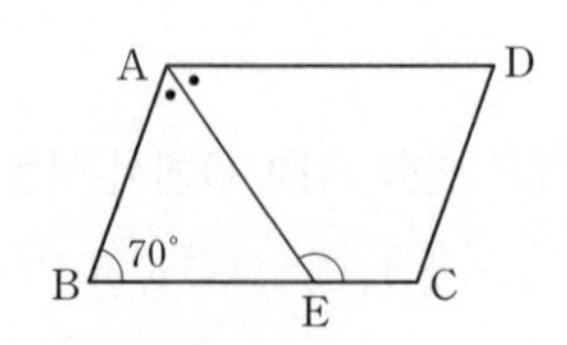

» My 셀파
∠AEC는 △ABE의 한 외각이므로 ∠AEC=70°+●
이때 □ABCD는 평행사변형이므로 ∠A+∠B=180°

기본 05 평행사변형의 성질의 활용 (3) – 각의 크기의 비가 주어질 때

오른쪽 그림과 같은 평행사변형 ABCD에서 $\angle A : \angle B = 5 : 4$일 때, $\angle C$의 크기를 구하시오.

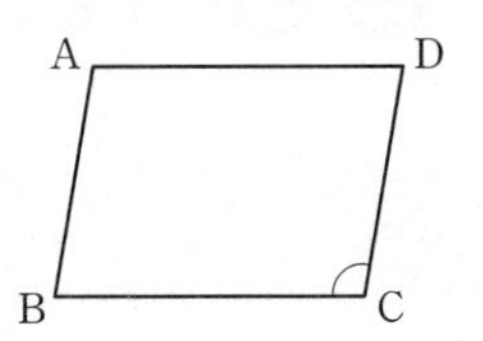

해법코드

□ABCD가 평행사변형이면
① $\angle A = \angle C$, $\angle B = \angle D$
② $\angle A + \angle B = \angle C + \angle D = 180^\circ$

셀파 평행사변형에서 이웃하는 두 내각의 크기의 합은 180°이다.

풀이 $\overline{AD} /\!/ \overline{BC}$이므로 $\angle A + \angle B = 180^\circ$이고 $\angle A : \angle B = 5 : 4$이므로

$\angle A = 180^\circ \times \frac{5}{5+4} = 100^\circ$

따라서 평행사변형의 대각의 크기는 같으므로 $\angle C = \angle A = \mathbf{100^\circ}$

확인 05 오른쪽 그림과 같은 평행사변형 ABCD에서 $\angle B : \angle C = 3 : 2$일 때, $\angle A$의 크기를 구하시오.

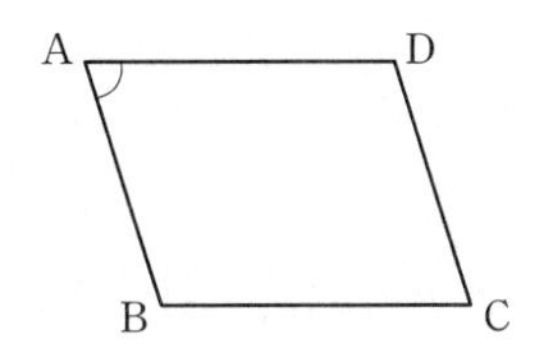

» My 셀파

$\angle B + \angle C = 180^\circ$이고
$\angle B : \angle C = 3 : 2$임을 이용하여
$\angle C$의 크기를 구한다.

기본 06 평행사변형의 성질의 활용 (4) – 대각선

오른쪽 그림과 같은 평행사변형 ABCD에서 두 대각선의 교점을 O라 하자. $\overline{AC} = 6$ cm, $\overline{BC} = 6$ cm, $\overline{BD} = 10$ cm일 때, $\triangle AOD$의 둘레의 길이를 구하시오.

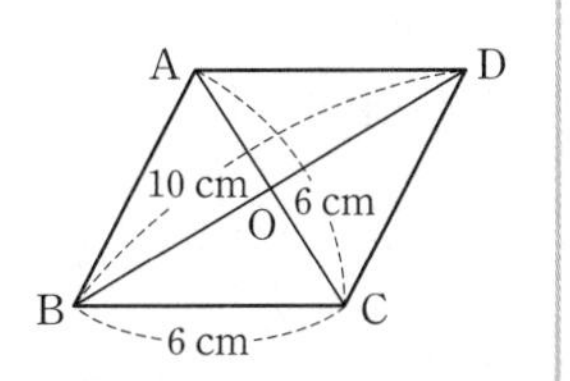

해법코드

□ABCD가 평행사변형일 때, 두 대각선의 교점을 O라 하면
$\overline{OA} = \overline{OC} = \frac{1}{2}\overline{AC}$,
$\overline{OB} = \overline{OD} = \frac{1}{2}\overline{BD}$

셀파 평행사변형의 두 대각선은 서로 다른 것을 이등분함을 이용한다.

풀이 평행사변형의 대변의 길이는 같으므로

$\overline{AD} = \overline{BC} = 6$ cm

평행사변형의 두 대각선은 서로 다른 것을 이등분하므로

$\overline{OA} = \frac{1}{2}\overline{AC} = \frac{1}{2} \times 6 = 3$ (cm), $\overline{OD} = \frac{1}{2}\overline{BD} = \frac{1}{2} \times 10 = 5$ (cm)

$\therefore$ ($\triangle AOD$의 둘레의 길이) $= \overline{AD} + \overline{OA} + \overline{OD} = 6 + 3 + 5 = \mathbf{14}$ **(cm)**

확인 06 오른쪽 그림과 같은 평행사변형 ABCD에서 두 대각선의 교점을 O라 하자. $\overline{AB} = 6$ cm이고 두 대각선의 길이의 합이 24 cm일 때, $\triangle OAB$의 둘레의 길이를 구하시오.

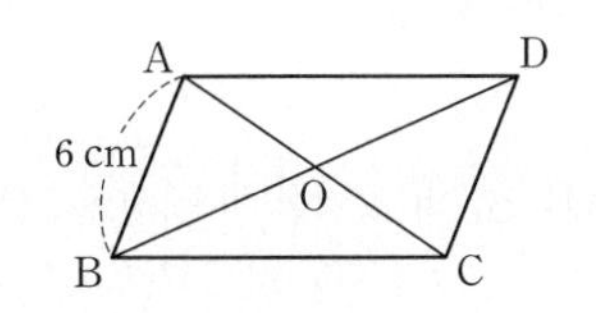

» My 셀파

($\triangle OAB$의 둘레의 길이)
$= \overline{AB} + \overline{AO} + \overline{BO}$
이므로 $\overline{AO} + \overline{BO}$의 길이를 구한다.

4 평행사변형

4

2. 평행사변형이 되는 조건

1 평행사변형이 되는 조건

← 자세한 설명은 64쪽 셀파 특강에 있습니다.

□ABCD가 다음 조건 중 어느 하나를 만족하면 평행사변형이 된다.

(1) 두 쌍의 대변이 각각 평행하다. (평행사변형의 뜻)
⇨ $\overline{AB}/\!/\overline{DC}$, $\overline{AD}/\!/\overline{BC}$

평행사변형의 성질

(2) 두 쌍의 대변의 길이가 각각 같다.
⇨ $\overline{AB}=$ ☐, $\overline{AD}=\overline{BC}$ — $\overline{DC}$

(3) 두 쌍의 대각의 크기가 각각 같다. ⇨ $\angle A=\angle C$, ☐ $=\angle D$ — $\angle B$

(4) 두 대각선이 서로 다른 것을 이등분한다. ⇨ $\overline{OA}=\overline{OC}$, $\overline{OB}=$ ☐ — $\overline{OD}$

(5)㉠ 한 쌍의 대변이 평행하고 그 길이가 같다.
⇨ $\overline{AD}/\!/\overline{BC}$, $\overline{AD}=$ ☐ (또는 $\overline{AB}/\!/\overline{DC}$, $\overline{AB}=\overline{DC}$) — $\overline{BC}$

㉠ (5)를 이용할 때는 평행한 대변의 길이가 같은지를 반드시 확인한다.

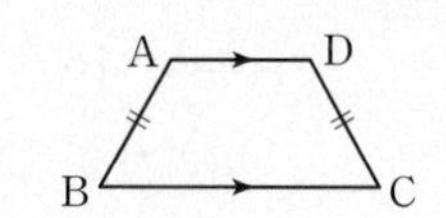

⇨ $\overline{AD}/\!/\overline{BC}$, $\overline{AB}=\overline{DC}$이지만 평행사변형이 아니다.

보기 다음 그림과 같은 □ABCD가 평행사변형이 되는 조건을 말하시오.

(1)
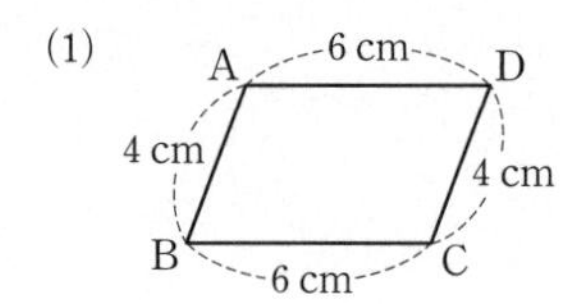

(2)
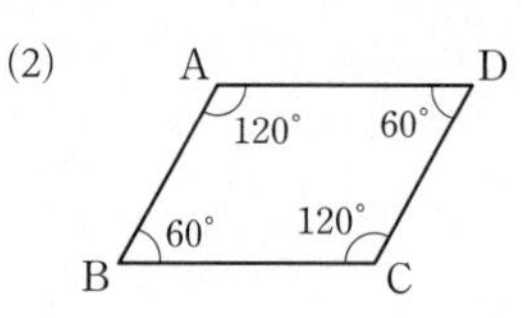

(3)
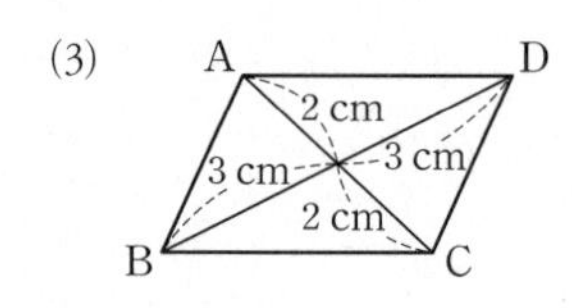

풀이 (1) 두 쌍의 대변의 길이가 각각 같다. (2) 두 쌍의 대각의 크기가 각각 같다.
(3) 두 대각선이 서로 다른 것을 이등분한다.

2 평행사변형과 넓이

(1) 평행사변형의 넓이는㉡ 한 대각선에 의하여 이등분된다.
⇨ $\triangle ABC=$ ☐ $=\triangle BCD=\triangle DAB$
$=\frac{1}{2}$□ABCD — $\triangle CDA$

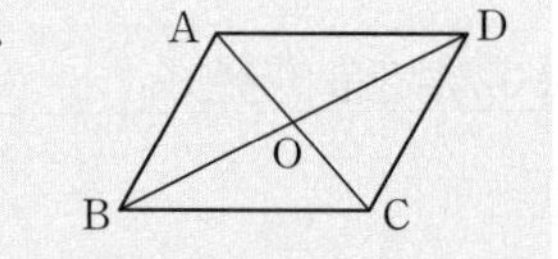

㉡ $\triangle ABC\equiv\triangle CDA$이므로
$\triangle ABC=\triangle CDA$
$=\frac{1}{2}$□ABCD
$\triangle ABD\equiv\triangle CDB$이므로
$\triangle ABD=\triangle CDB$
$=\frac{1}{2}$□ABCD

(2) 평행사변형의 넓이는㉢ 두 대각선에 의하여 사등분된다.
⇨ $\triangle ABO=\triangle BCO=\triangle CDO=\triangle DAO=$ ☐ □ABCD — $\frac{1}{4}$

(3) 평행사변형 ABCD의 내부의 한 점 P에 대하여
$\triangle PAB+\triangle PCD=\triangle PDA+$ ☐
$=\frac{1}{2}$□ABCD — $\triangle PBC$

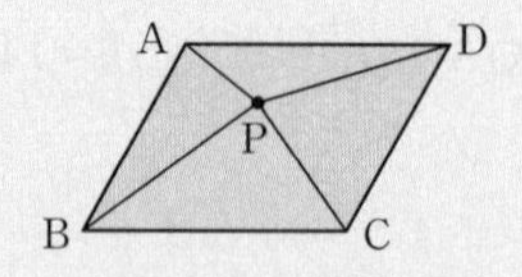

㉢ 밑변의 길이가 같고 높이가 같은 두 삼각형은 넓이가 같으므로
$\triangle ABO=\triangle BCO$

설명 (3) 점 P를 지나면서 두 변 AB, BC와 평행한 두 직선을 그으면
$\triangle PAB+\triangle PCD=(㉠+㉡)+(㉢+㉣)=(㉠+㉣)+(㉡+㉢)$
$=\triangle PDA+\triangle PBC=\frac{1}{2}$□ABCD

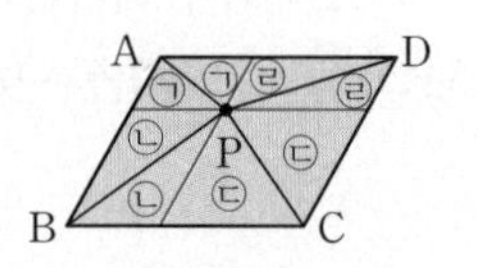

빠른 정답 242쪽 | 정답과 해설 20쪽

| 개념 체크 |

1-1 평행사변형이 되는 조건

다음 그림과 같은 □ABCD가 평행사변형이 되도록 하는 x, y의 값을 각각 구하시오.

(단, 점 O는 두 대각선의 교점이다.)

(1) 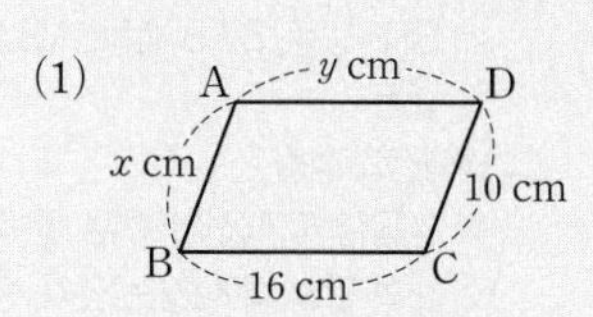

(2) 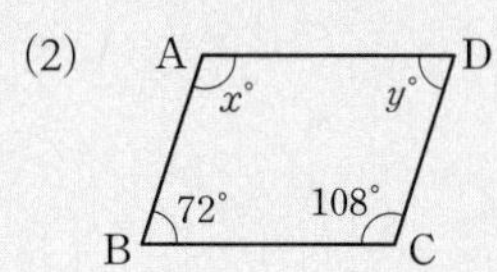

(3) 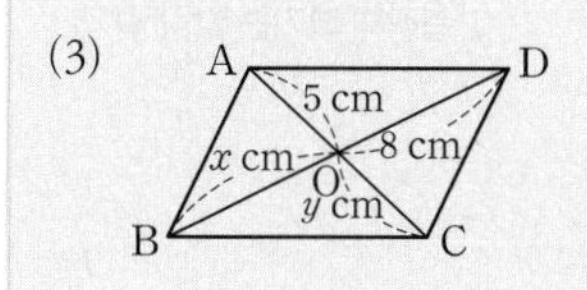

(4) 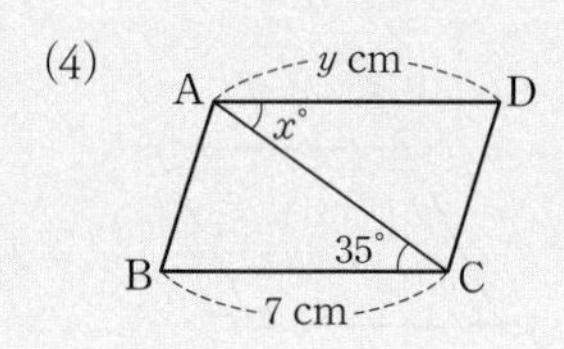

셀파 평행사변형이 되는 조건 (1)~(5)를 생각한다.

연구 (1) 두 쌍의 대변의 길이가 각각 같아야 하므로
$x=10$, $y=16$

(2) 두 쌍의 ☐의 크기가 각각 같아야 하므로
$x=108$, $y=$☐

(3) 두 대각선이 서로 다른 것을 ☐해야 하므로
$x=$☐, $y=5$

(4) 한 쌍의 대변이 평행하고 그 길이가 같아야 하므로
$x=35$, $y=$☐

2-1 평행사변형과 넓이

오른쪽 그림과 같은 평행사변형 ABCD의 넓이가 48 cm^2일 때, △OAB와 △OCD의 넓이의 합을 구하시오.

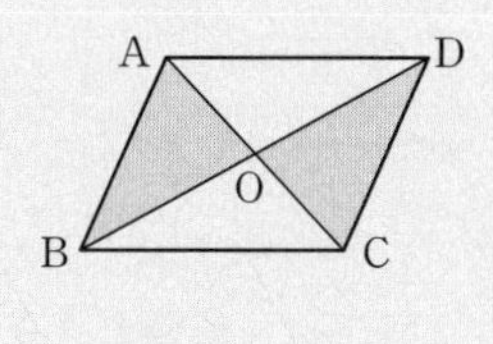

셀파 평행사변형의 넓이는 두 대각선에 의해 사등분된다.

연구 $\triangle OAB+\triangle OCD=\frac{1}{4}\square ABCD+$☐$\square ABCD$

$=$☐$\square ABCD=$☐ (cm^2)

| 따라 풀기 |

1-2 오른쪽 그림과 같은 □ABCD가 평행사변형이 되는 조건을 ☐ 안에 써넣으시오. (단, 점 O는 두 대각선의 교점이다.)

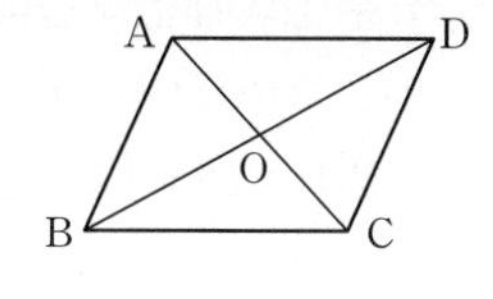

(1) $\overline{AB}$∥☐, $\overline{AD}$∥☐

(2) $\overline{AB}=$☐, $\overline{AD}=$☐

(3) $\angle BAD=$☐, $\angle ABC=$☐

(4) $\overline{AO}=$☐, $\overline{BO}=$☐

(5) $\overline{AD}$∥☐, $\overline{AD}=$☐

(6) $\overline{AB}$∥☐, $\overline{AB}=$☐

2-2 오른쪽 그림과 같은 평행사변형 ABCD에서 △ABO의 넓이가 5 cm^2일 때, 다음을 구하시오.

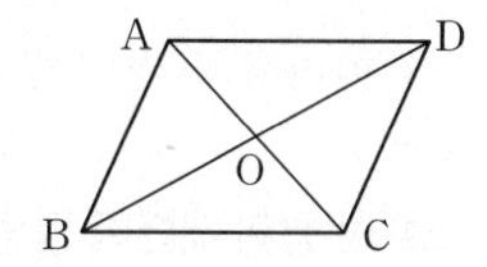

(1) △ABC의 넓이

(2) □ABCD의 넓이

- 평행사변형이 되는 조건에는 5가지가 있고, 그 5가지 안에는 평행사변형의 뜻과 성질이 포함된다.
- 평행사변형의 넓이는 한 대각선에 의하여 이등분되고, 두 대각선에 의하여 사등분된다.

개념 더 알아보기

셀파 특강 평행사변형이 되는 조건 설명하기

(1) 두 쌍의 대변의 길이가 각각 같은 사각형은 평행사변형이다. ← 평행사변형이 되는 조건 (2)

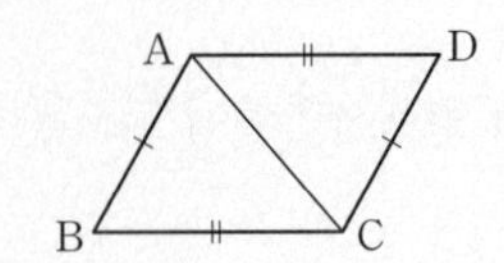

□ABCD에서 대각선 AC를 그으면 △ABC와 △CDA에서

$\overline{AB}=\overline{CD}$, $\overline{BC}=\overline{DA}$, $\overline{AC}$는 공통

이므로 △ABC≡△CDA (SSS 합동)

$\therefore \angle BAC=\angle DCA$, $\angle ACB=\angle CAD$

즉 엇각의 크기가 같으므로 $\overline{AB}/\!/\overline{DC}$, $\overline{AD}/\!/\overline{BC}$

따라서 두 쌍의 대변이 각각 평행하므로 □ABCD는 평행사변형이다.

(2) 두 쌍의 대각의 크기가 각각 같은 사각형은 평행사변형이다. ← 평행사변형이 되는 조건 (3)

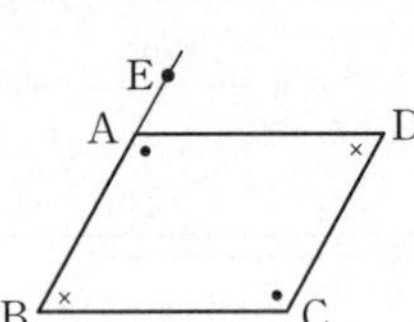

□ABCD에서 $\angle A+\angle B+\angle C+\angle D=360°$이고

$\angle A=\angle C$, $\angle B=\angle D$이므로 $\angle A+\angle B=180°$ ⋯⋯ ㉠

$\overline{AB}$의 연장선 위에 한 점 E를 잡으면

$\angle EAD+\angle BAD=180°$ ⋯⋯ ㉡

㉠, ㉡에서 $\angle B=\angle EAD$, 즉 동위각의 크기가 같으므로 $\overline{AD}/\!/\overline{BC}$

또 $\angle EAD=\angle D$, 즉 엇각의 크기가 같으므로 $\overline{AB}/\!/\overline{DC}$

따라서 두 쌍의 대변이 각각 평행하므로 □ABCD는 평행사변형이다.

(3) 두 대각선이 서로 다른 것을 이등분하는 사각형은 평행사변형이다. ← 평행사변형이 되는 조건 (4)

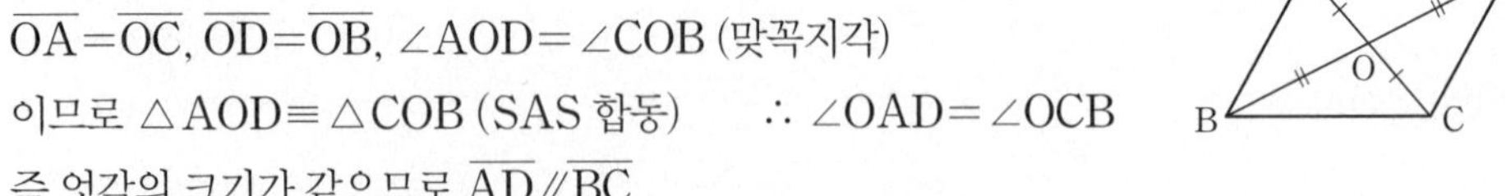

△AOD와 △COB에서

$\overline{OA}=\overline{OC}$, $\overline{OD}=\overline{OB}$, $\angle AOD=\angle COB$ (맞꼭지각)

이므로 △AOD≡△COB (SAS 합동) $\therefore \angle OAD=\angle OCB$

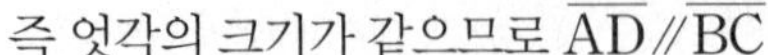

즉 엇각의 크기가 같으므로 $\overline{AD}/\!/\overline{BC}$

같은 방법으로 하면 △AOB≡△COD (SAS 합동)이므로

$\angle OAB=\angle OCD$, 즉 엇각의 크기가 같으므로 $\overline{AB}/\!/\overline{DC}$

따라서 두 쌍의 대변이 각각 평행하므로 □ABCD는 평행사변형이다.

(4) 한 쌍의 대변이 평행하고 그 길이가 같은 사각형은 평행사변형이다. ← 평행사변형이 되는 조건 (5)

□ABCD에서 대각선 AC를 그으면 △ABC와 △CDA에서

$\overline{BC}=\overline{DA}$, $\overline{AC}$는 공통, $\angle BCA=\angle DAC$ (엇각)

이므로 △ABC≡△CDA (SAS 합동)

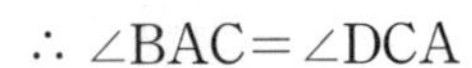

$\therefore \angle BAC=\angle DCA$

즉 엇각의 크기가 같으므로 $\overline{AB}/\!/\overline{DC}$

따라서 두 쌍의 대변이 각각 평행하므로 □ABCD는 평행사변형이다.

참고 평행사변형이 되는 조건을 설명할 때는 다음이 이용된다.

① 평행사변형의 뜻
⇨ 평행사변형은 두 쌍의 대변이 각각 평행한 사각형이다.

② 삼각형의 합동 조건
⇨ SSS 합동, SAS 합동, ASA 합동

③ 평행선의 성질
⇨ 평행한 두 직선이 다른 한 직선과 만날 때 생기는 엇각, 동위각의 크기는 각각 같다.

주어진 조건을 만족하는 사각형이 평행사변형임을 보이기 위해서는 두 쌍의 대변이 각각 평행함을 보이면 된다.

빠른 정답 242쪽 | 정답과 해설 21쪽

기본 01 평행사변형이 되는 조건

다음 **보기**에서 □ABCD가 평행사변형인 것을 고르시오.

(단, 점 O는 두 대각선의 교점이다.)

보기

㉠ $\angle A=135^\circ$, $\angle B=45^\circ$, $\angle C=135^\circ$　　㉡ $\overline{AD}/\!/\overline{BC}$, $\overline{AB}=5$ cm, $\overline{DC}=5$ cm

㉢ $\overline{OA}=\overline{OB}=4$ cm, $\overline{OC}=\overline{OD}=7$ cm　　㉣ $\angle A+\angle B=180^\circ$, $\angle C+\angle D=180^\circ$

해법코드

다음 ①~⑤ 중 어느 하나를 만족하는 사각형은 평행사변형이다.

① 두 쌍의 대변이 각각 평행하다.
② 두 쌍의 대변의 길이가 각각 같다.
③ 두 쌍의 대각의 크기가 각각 같다.
④ 두 대각선이 서로 다른 것을 이등분한다.
⑤ 한 쌍의 대변이 평행하고 그 길이가 같다.

셀파 그림을 그려서 평행사변형이 되는 5가지 조건 중 어느 하나에 해당하는지 조사한다.

풀이 ㉠ $\angle D=360^\circ-(135^\circ+45^\circ+135^\circ)=45^\circ$

즉 $\angle A=\angle C=135^\circ$, $\angle B=\angle D=45^\circ$에서 두 쌍의 대각의 크기가 각각 같으므로 □ABCD는 평행사변형이다.

㉡ 오른쪽 그림의 □ABCD는 $\overline{AD}/\!/\overline{BC}$, $\overline{AB}=\overline{DC}=5$ cm이지만 평행사변형이 아니다.

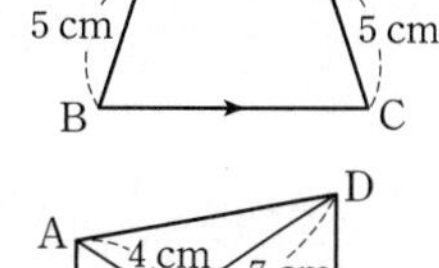

㉢ $\overline{OA}\neq\overline{OC}$, $\overline{OB}\neq\overline{OD}$이므로 □ABCD는 평행사변형이 아니다.

㉣ $\angle A=130^\circ$, $\angle B=50^\circ$, $\angle C=120^\circ$, $\angle D=60^\circ$이면 $\angle A+\angle B=180^\circ$, $\angle C+\angle D=180^\circ$이지만 □ABCD는 평행사변형이 아니다.

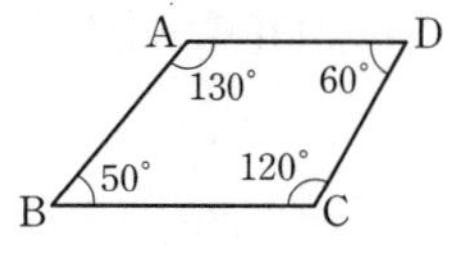

따라서 □ABCD가 평행사변형인 것은 ㉠이다.

확인 01

1. 다음 그림에서 □ABCD가 평행사변형이 되도록 하는 x, y의 값을 각각 구하시오.

(1)

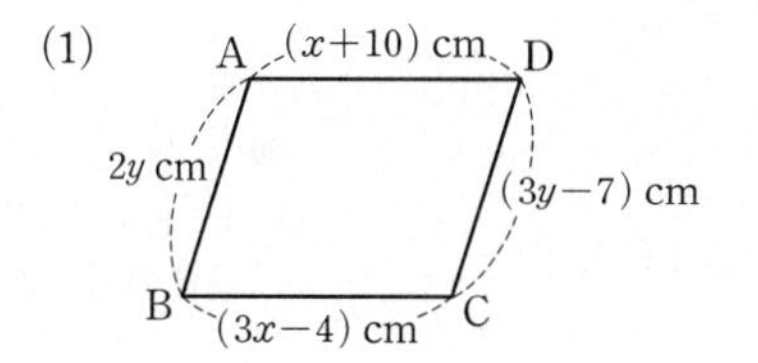

(2)

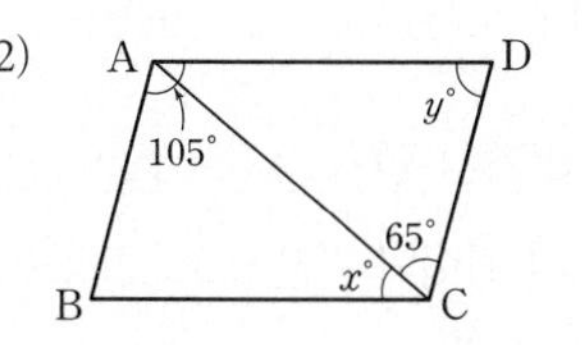

» My 셀파

1. (1) □ABCD가 평행사변형이려면 $\overline{AD}=\overline{BC}$, $\overline{AB}=\overline{DC}$이어야 한다.
(2) □ABCD가 평행사변형이려면 $\angle BAD=\angle BCD$, $\angle B=\angle D$이어야 한다.

2. 다음 사각형 중 평행사변형이 아닌 것을 모두 고르면? (정답 2개)

①

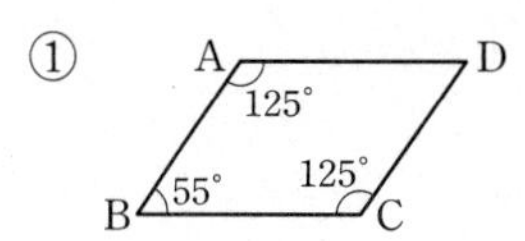

② A, D, B, C, 3 cm, 2 cm, 2 cm, 3 cm

③

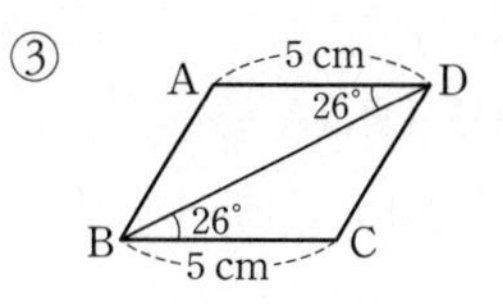

④

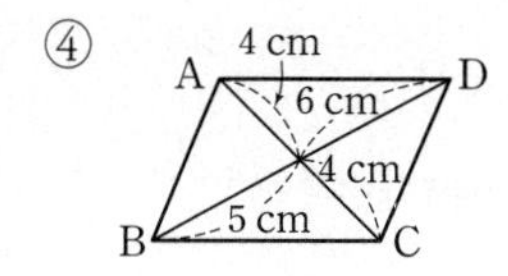

⑤

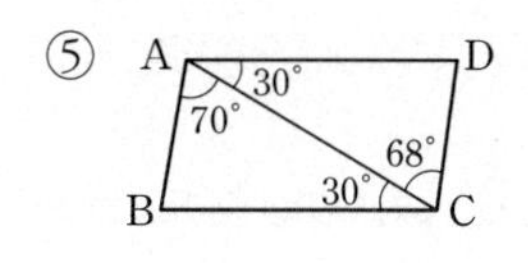

2. ① $\angle D$의 크기를 구해 두 쌍의 대각의 크기가 각각 같은지 알아본다.
③ $\overline{AD}/\!/\overline{BC}$인지 알아본다.
⑤ $\overline{AB}/\!/\overline{DC}$, $\overline{AD}/\!/\overline{BC}$인지 알아본다.

평행사변형 안의 또 다른 평행사변형

다음은 평행사변형 안의 사각형이 평행사변형이 되는 대표적인 경우이다. □ABCD가 평행사변형일 때, □EBFD가 평행사변형임을 평행사변형이 되는 조건을 이용하여 확인해 보자.

개념 다시 보기

평행사변형이 되는 조건

① 두 쌍의 대변이 각각 평행하다.
② 두 쌍의 대변의 길이가 각각 같다.
③ 두 쌍의 대각의 크기가 각각 같다.
④ 두 대각선이 서로 다른 것을 이등분한다.
⑤ 한 쌍의 대변이 평행하고 그 길이가 같다.

(1)

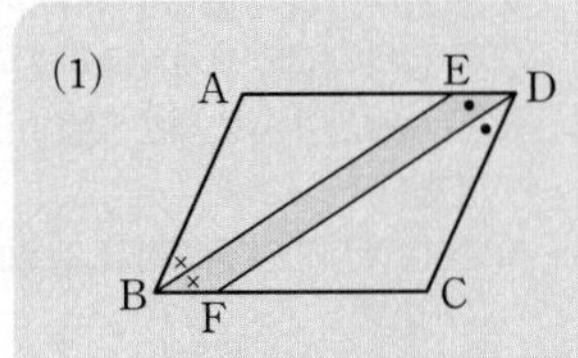

$\angle ABE = \angle EBF$, $\angle EDF = \angle FDC$

(2)

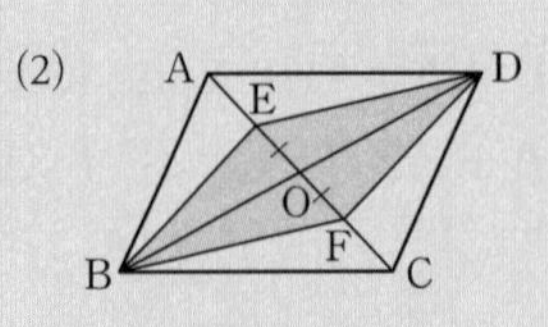

$\overline{OE} = \overline{OF}$ (또는 $\overline{AE} = \overline{CF}$)

(3)

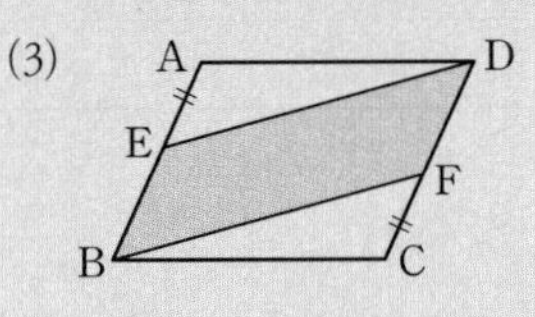

$\overline{AE} = \overline{CF}$ (또는 $\overline{EB} = \overline{DF}$)

(4)

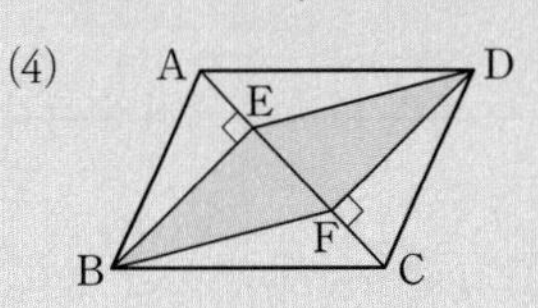

$\angle AEB = \angle CFD = 90^\circ$

확인

(1) $\angle ABC = \angle ADC$에서 $\frac{1}{2}\angle ABC = \frac{1}{2}\angle ADC$이므로

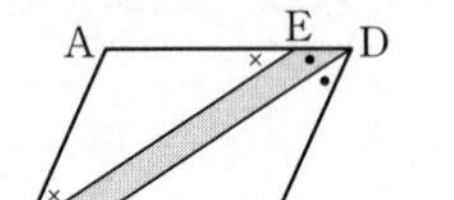

$\angle EBF = \angle EDF$, 즉 × = ●

$\overline{AD} /\!/ \overline{BC}$이므로

$\angle AEB = \angle EBF$ (엇각), $\angle DFC = \angle EDF$ (엇각)

$\therefore \angle AEB = \angle DFC$

$\therefore \angle DEB = 180^\circ - \angle AEB = 180^\circ - \angle DFC = \angle BFD$

따라서 두 쌍의 대각의 크기가 각각 같으므로 □EBFD는 평행사변형이다.

다른 설명 (1)
$\overline{AD} /\!/ \overline{BC}$이므로 $\overline{ED} /\!/ \overline{BF}$
$\angle EBF = \angle DFC$ (동위각)이므로
$\overline{EB} /\!/ \overline{DF}$
즉 두 쌍의 대변이 각각 평행하므로
□EBFD는 평행사변형이다.

(2) □ABCD가 평행사변형이므로 $\overline{OB} = \overline{OD}$이고, 조건에 의하여 $\overline{OE} = \overline{OF}$

따라서 두 대각선이 서로 다른 것을 이등분하므로 □EBFD는 평행사변형이다.

(3) $\overline{AB} /\!/ \overline{DC}$이므로 $\overline{EB} /\!/ \overline{DF}$이고, $\overline{EB} = \overline{AB} - \overline{AE} = \overline{DC} - \overline{CF} = \overline{DF}$

따라서 한 쌍의 대변이 평행하고 그 길이가 같으므로 □EBFD는 평행사변형이다.

● $\overline{EB}$는 $\overline{AB}$의 일부이고 $\overline{DF}$는 $\overline{DC}$의 일부이므로 $\overline{AB} /\!/ \overline{DC}$이면 $\overline{EB} /\!/ \overline{DF}$이다.

(4) $\angle BEF = \angle DFE = 90^\circ$ (엇각)이므로 $\overline{EB} /\!/ \overline{DF}$

△ABE와 △CDF에서

$\angle AEB = \angle CFD = 90^\circ$, $\overline{AB} = \overline{CD}$,

$\angle BAE = \angle DCF$ (엇각)

이므로 $\triangle ABE \equiv \triangle CDF$ (RHA 합동) $\quad \therefore \overline{BE} = \overline{DF}$

따라서 한 쌍의 대변이 평행하고 그 길이가 같으므로 □EBFD는 평행사변형이다.

어떤 사각형이 평행사변형임을 보이기 위해서는 평행사변형이 되는 5가지 조건 중 어느 하나에 해당됨을 보이면 된다.

기본 02 평행사변형이 되는 조건의 활용

다음은 평행사변형 ABCD에서 각 변 위에 $\overline{AE}=\overline{BF}=\overline{CG}=\overline{DH}$가 되도록 네 점 E, F, G, H를 잡았을 때, □EFGH가 평행사변형임을 설명하는 과정이다. 물음에 답하시오.

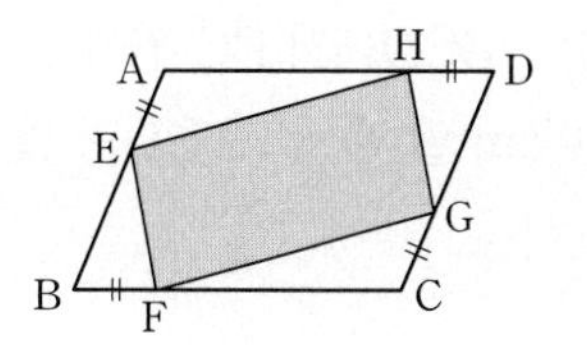

> △AEH와 △CGF에서
> $\overline{AE}=\overline{CG}$, $\angle A=$ (가), $\overline{AH}=\overline{AD}-\overline{HD}=\overline{BC}-\overline{BF}=\overline{CF}$
> 이므로 △AEH≡△CGF ((나) 합동)
> ∴ $\overline{EH}=$ (다) ⋯⋯ ㉠
> △EBF와 △GDH에서
> $\overline{BF}=\overline{DH}$, $\angle B=\angle D$, $\overline{EB}=\overline{AB}-\overline{AE}=\overline{DC}-\overline{CG}=$ (라)
> 이므로 △EBF≡△GDH ((나) 합동)
> ∴ $\overline{EF}=$ (마) ⋯⋯ ㉡
> ㉠, ㉡에서 □EFGH는 평행사변형이다.

(1) (가)~(마)에 알맞은 것을 구하시오.

(2) 위의 과정에서 □EFGH가 평행사변형이 되는 조건을 말하시오.

해법코드

□ABCD가 평행사변형이므로
① $\overline{AB}/\!/\overline{DC}$, $\overline{AD}/\!/\overline{BC}$
② $\overline{AB}=\overline{DC}$, $\overline{AD}=\overline{BC}$
③ $\angle A=\angle C$, $\angle B=\angle D$

셀파 주어진 평행사변형의 성질과 평행사변형이 되는 조건을 이용하여 새로운 사각형이 평행사변형임을 설명한다.

풀이 (1) (가) $\angle$**C** (나) **SAS** (다) $\overline{\mathbf{GF}}$ (라) $\overline{\mathbf{GD}}$ (마) $\overline{\mathbf{GH}}$

(2) □EFGH에서 $\overline{EH}=\overline{GF}$, $\overline{EF}=\overline{GH}$이므로 두 쌍의 대변의 길이가 각각 같다.
따라서 □EFGH는 평행사변형이다.

확인 02

1. 오른쪽 그림에서 □ABCD는 평행사변형이고 대각선 AC 위에 $\overline{AE}=\overline{CF}$가 되도록 두 점 E, F를 잡았다. $\overline{BE}=7$ cm, $\overline{ED}=8$ cm일 때, □EBFD의 둘레의 길이를 구하시오.

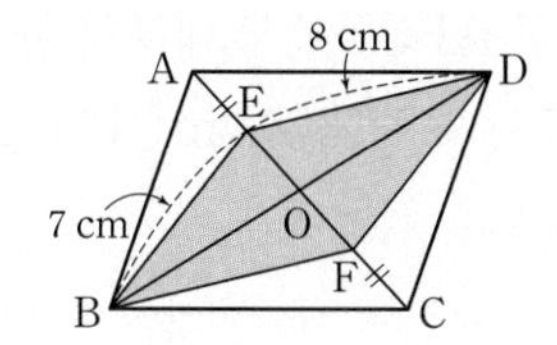

2. 오른쪽 그림과 같은 평행사변형 ABCD에서 두 대각선의 교점을 O라 하고, $\overline{OB}$, $\overline{OD}$의 중점을 각각 E, F라 하자. 다음 보기에서 옳은 것을 모두 고르시오.

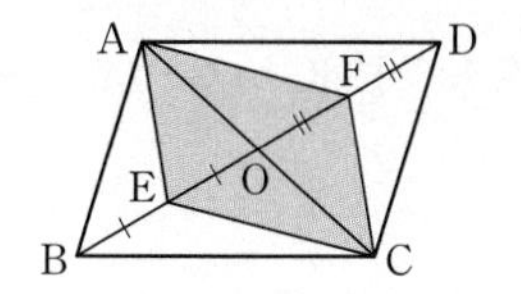

보기		
㉠ $\overline{OA}=\overline{OC}$	㉡ $\overline{OE}=\overline{OF}$	㉢ $\overline{AE}=\overline{AF}$
㉣ $\angle AEO=\angle CFO$	㉤ $\angle AEO=\angle AFO$	㉥ $\angle AEC=\angle AFC$

» My 셀파

1. □EBFD가 평행사변형임을 이용한다.

2. □ABCD와 □AECF가 평행사변형임을 이용한다.

기본 03 평행사변형과 넓이 (1) – 대각선에 의해 나누어지는 삼각형의 넓이

오른쪽 그림과 같은 평행사변형 ABCD에서 $\overline{BC}$ 위에 점 E를 잡았다. □ABCD의 넓이가 70 cm^2일 때, △AED의 넓이를 구하시오.

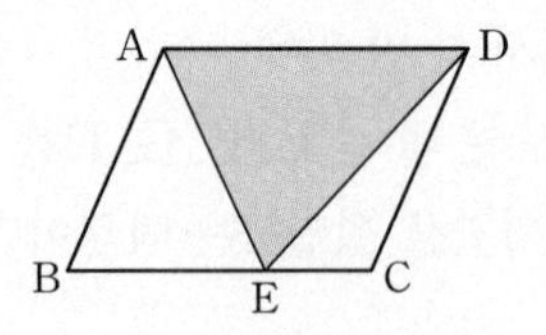

셀파 점 E를 지나면서 $\overline{AB}$와 평행한 선분을 긋고 2개의 평행사변형으로 나누어 생각한다.

풀이 오른쪽 그림과 같이 점 E를 지나면서 $\overline{AB}$와 평행한 직선이 $\overline{AD}$와 만나는 점을 F라 하자.

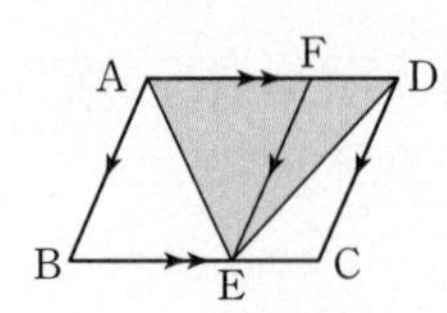

□ABEF와 □FECD는 평행사변형이므로

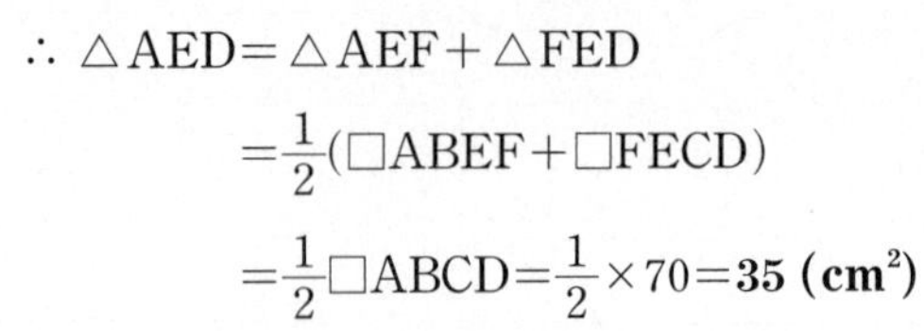

$\triangle AEF=\frac{1}{2}\square ABEF$, $\triangle FED=\frac{1}{2}\square FECD$

$\therefore\ \triangle AED=\triangle AEF+\triangle FED$

$=\frac{1}{2}(\square ABEF+\square FECD)$

$=\frac{1}{2}\square ABCD=\frac{1}{2}\times 70=$ **35 (cm^2)**

해법코드

평행사변형 ABCD의 두 대각선의 교점을 O라 할 때

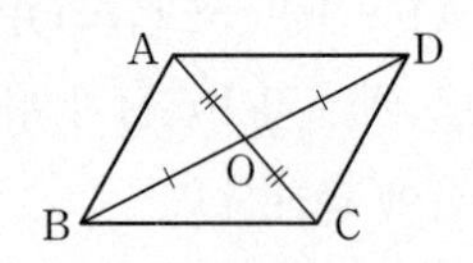

① $\triangle ABC=\triangle CDA=\triangle BCD$
$=\triangle DAB=\frac{1}{2}\square ABCD$

② $\triangle ABO=\triangle BCO=\triangle CDO$
$=\triangle DAO=\frac{1}{4}\square ABCD$

$\overline{AB}/\!/\overline{FE}$, $\overline{AF}/\!/\overline{BE}$이므로 □ABEF는 평행사변형이다.
$\overline{FE}/\!/\overline{DC}$, $\overline{FD}/\!/\overline{EC}$이므로 □FECD는 평행사변형이다.

확인 03 오른쪽 그림과 같은 평행사변형 ABCD에서 두 점 M, N은 각각 $\overline{AD}$, $\overline{BC}$의 중점이다. □ABCD의 넓이가 60 cm^2일 때, □MPNQ의 넓이를 구하시오.

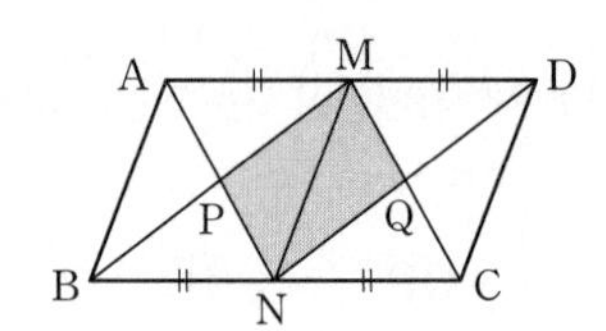

» My 셀파

□ABNM과 □MNCD가 평행사변형임을 이용한다.

기본 04 평행사변형과 넓이 (2) – 내부에 점 P가 있을 때

오른쪽 그림과 같은 평행사변형 ABCD에서 내부의 한 점 P에 대하여 △PDA, △PBC의 넓이가 각각 24 cm^2, 16 cm^2일 때, □ABCD의 넓이를 구하시오.

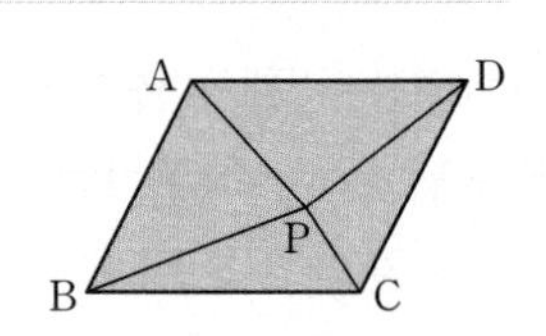

셀파 점 P가 평행사변형 ABCD의 내부에 있으므로 $\triangle PAB+\triangle PCD=\triangle PDA+\triangle PBC$

풀이 $\triangle PAB+\triangle PCD=\triangle PDA+\triangle PBC=\frac{1}{2}\square ABCD$에서

$\square ABCD=2(\triangle PDA+\triangle PBC)=2\times(24+16)=$ **80 (cm^2)**

해법코드

평행사변형 ABCD의 내부의 한 점 P에 대하여

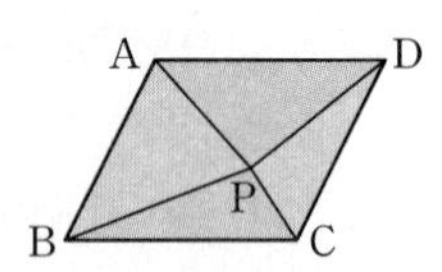

$\triangle PAB+\triangle PCD$
$=\triangle PDA+\triangle PBC$
$=\frac{1}{2}\square ABCD$

확인 04 오른쪽 그림과 같은 평행사변형 ABCD에서 내부의 한 점 P에 대하여 $\triangle PAB=12\ cm^2$, $\triangle PBC=14\ cm^2$, $\triangle PCD=9\ cm^2$일 때, △PDA의 넓이를 구하시오.

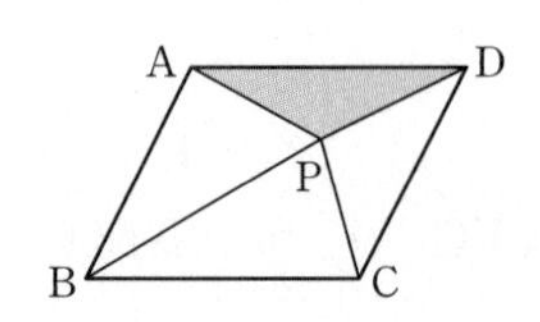

» My 셀파

점 P가 평행사변형 ABCD의 내부에 있으므로
$\triangle PAB+\triangle PCD$
$=\triangle PDA+\triangle PBC$

실력 키우기

빠른 정답 242쪽 | 정답과 해설 22쪽

01 평행사변형의 뜻

오른쪽 그림과 같은 평행사변형 ABCD에서 $\angle x$의 크기를 구하시오.

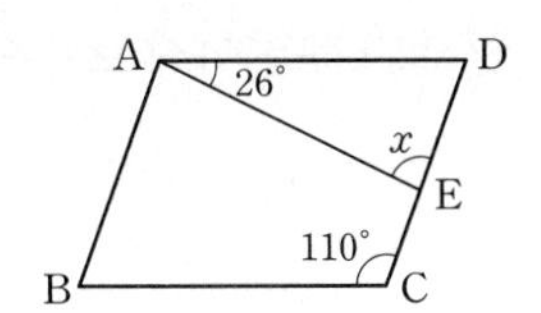

02 평행사변형의 성질

오른쪽 그림과 같은 평행사변형 ABCD의 둘레의 길이가 60 cm이고 $\overline{AD}:\overline{AB}=3:2$일 때, $\overline{DC}$의 길이를 구하시오.

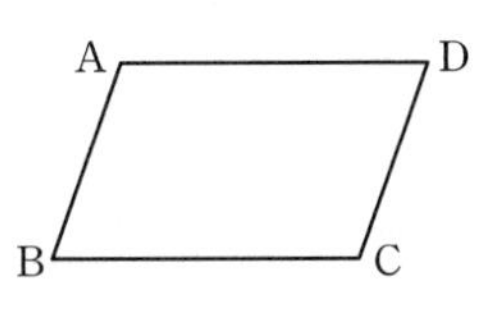

03 평행사변형의 뜻과 성질

오른쪽 그림과 같은 평행사변형 ABCD에 대하여 다음 중 옳지 <u>않은</u> 것은? (단, 점 O는 두 대각선 AC, BD의 교점이다.)

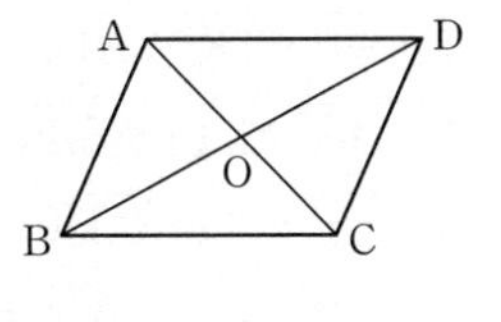

① $\overline{AD}/\!/\overline{BC}$ ② $\overline{OB}=\overline{OD}$
③ $\angle ABC=\angle ADC$ ④ $\overline{AB}=\overline{BC}$
⑤ $\angle ABC+\angle BCD=180°$

04 평행사변형의 성질

오른쪽 그림의 $\triangle ABC$는 $\overline{AB}=\overline{AC}$인 이등변삼각형이다. □DECF가 평행사변형일 때, 다음 중 $\angle C$와 크기가 다른 각은? (단, $\triangle ABC$는 정삼각형이 아니다.)

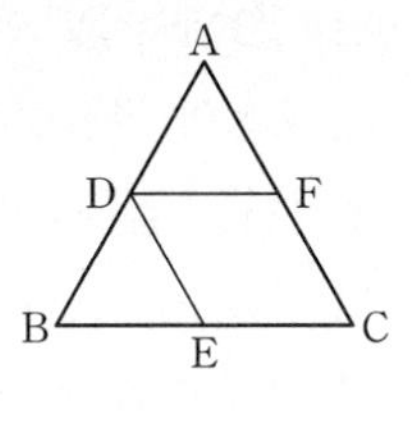

① $\angle AFD$ ② $\angle BDE$ ③ $\angle DBE$
④ $\angle DEB$ ⑤ $\angle FDE$

05 평행사변형의 성질의 활용 – 대변의 길이와 대각의 크기 (서술형)

오른쪽 그림과 같은 평행사변형 ABCD에서 $\angle A$의 이등분선이 $\overline{BC}$와 만나는 점을 E라 하자. 다음 물음에 답하시오.

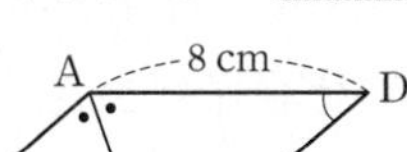
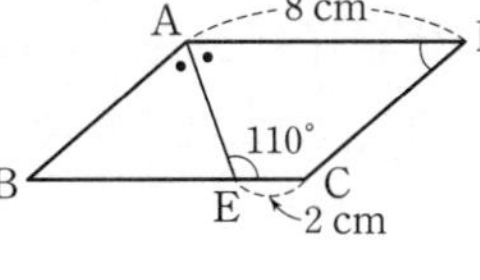

(1) $\triangle ABE$가 무슨 삼각형인지 말하시오.

(2) $\angle D$의 크기를 구하시오.

06 평행사변형의 성질의 활용 – 변의 길이

오른쪽 그림과 같은 평행사변형 ABCD에서 $\angle A$, $\angle D$의 이등분선이 $\overline{BC}$와 만나는 점을 각각 E, F라 하자. $\overline{EF}$의 길이를 구하시오.

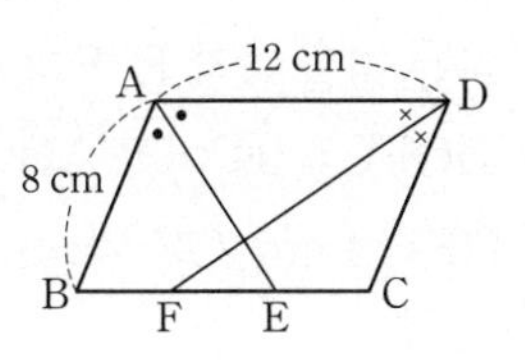

07 평행사변형의 성질의 활용 – 변의 길이

서술형

오른쪽 그림과 같은 평행사변형 ABCD에서 $\overline{BC}$의 중점을 E라 하고, $\overline{AE}$의 연장선이 $\overline{DC}$의 연장선과 만나는 점을 F라 하자.
$\overline{AB}=6\text{ cm}$, $\overline{AD}=10\text{ cm}$일 때, $\overline{DF}$의 길이를 구하시오.

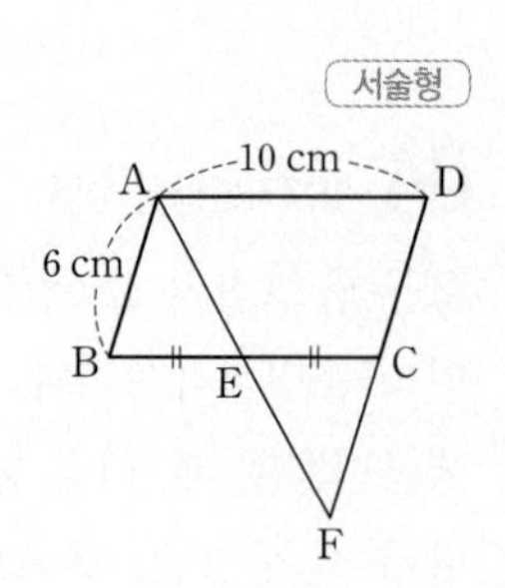

08 평행사변형의 성질의 활용 – 각의 크기의 비가 주어질 때

오른쪽 그림과 같은 평행사변형 ABCD에서 $\angle A : \angle B = 3 : 1$일 때, $\angle C$의 크기를 구하시오.

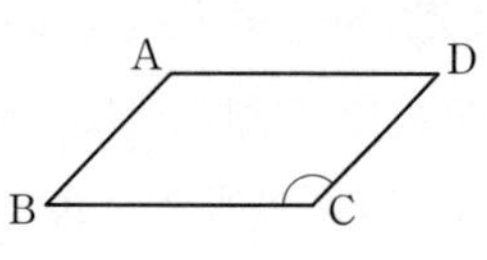

09 평행사변형의 성질의 활용 – 대각선

창의력

오른쪽 그림과 같은 평행사변형 ABCD에서 두 대각선의 교점 O를 지나는 직선이 $\overline{AB}$, $\overline{DC}$와 만나는 점을 각각 E, F라 하자.
$\angle OFC=90°$이고 $\overline{AB}=6\text{ cm}$, $\overline{OF}=4\text{ cm}$, $\overline{CF}=2\text{ cm}$일 때, $\triangle OEB$의 넓이를 구하시오.

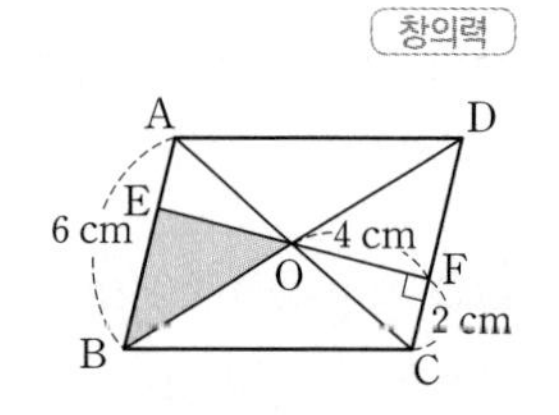

10 평행사변형이 되는 조건

융합형

다음 두 사각형이 나누는 대화의 □ 안에 들어갈 내용으로 알맞은 것을 아래 **보기**에서 모두 고르시오.

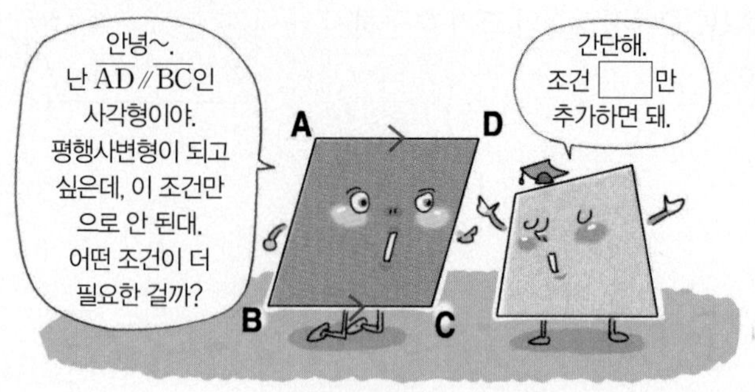

보기

ㄱ. $\overline{AD}=\overline{BC}$　ㄴ. $\overline{AB}=\overline{DC}$　ㄷ. $\overline{AB}/\!/\overline{DC}$

11 평행사변형이 되는 조건

다음 중 □ABCD가 평행사변형인 것은?
(단, 점 O는 두 대각선 AC와 BD의 교점이다.)

① $\angle A=40°$, $\angle B=140°$, $\angle C=40°$
② $\overline{AB}/\!/\overline{DC}$, $\overline{AB}=10\text{ cm}$, $\overline{AD}=10\text{ cm}$
③ $\overline{OA}=5\text{ cm}$, $\overline{OB}=5\text{ cm}$, $\overline{OC}=7\text{ cm}$, $\overline{OD}=7\text{ cm}$
④ $\overline{AB}=3\text{ cm}$, $\overline{DC}=3\text{ cm}$, $\overline{AD}/\!/\overline{BC}$
⑤ $\angle B=\angle C$, $\overline{AB}=6\text{ cm}$, $\overline{BC}=6\text{ cm}$

12 평행사변형이 되는 조건의 활용

오른쪽 그림과 같은 평행사변형 ABCD에서 $\overline{AD}$, $\overline{BC}$의 중점을 각각 M, N이라 할 때, 다음 중 □MBND가 평행사변형이 되는 조건으로 가장 알맞은 것은?

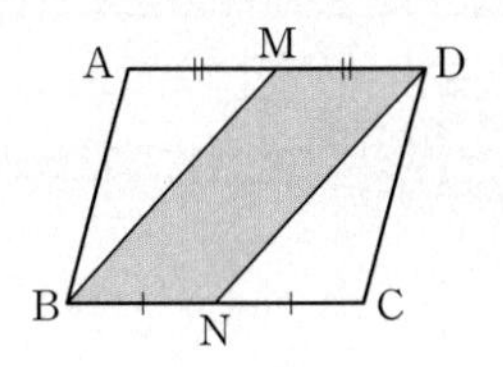

① 두 쌍의 대변이 각각 평행하다.
② 두 쌍의 대변의 길이가 각각 같다.
③ 두 쌍의 대각의 크기가 각각 같다.
④ 두 대각선이 서로 다른 것을 이등분한다.
⑤ 한 쌍의 대변이 평행하고 그 길이가 같다.

13 평행사변형이 되는 조건의 활용

오른쪽 그림과 같은 평행사변형 ABCD에서 두 꼭짓점 A, C에서 대각선 BD에 내린 수선의 발을 각각 E, F라 하자. $\angle CEF=50°$일 때, $\angle EAF$의 크기를 구하시오.

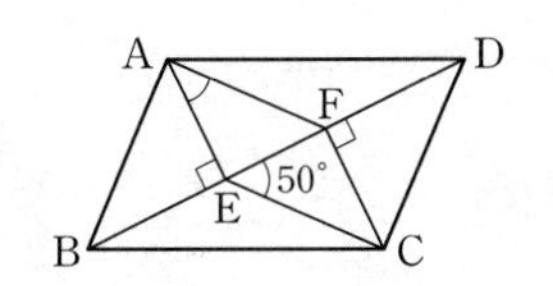

14 평행사변형이 되는 조건의 활용

아프리카 대륙의 중서부, 대서양 연안에 있는 나라인 '콩고공화국'의 국기는 오른쪽 그림과 같이 3색으로 나뉜다. □ABCD는 직사각형이고 $\angle B$, $\angle D$의 이등분선이 $\overline{AD}$, $\overline{BC}$와 만나는 점을 각각 E, F라 할 때, 노란색 부분인 □EBFD의 넓이를 구하시오.

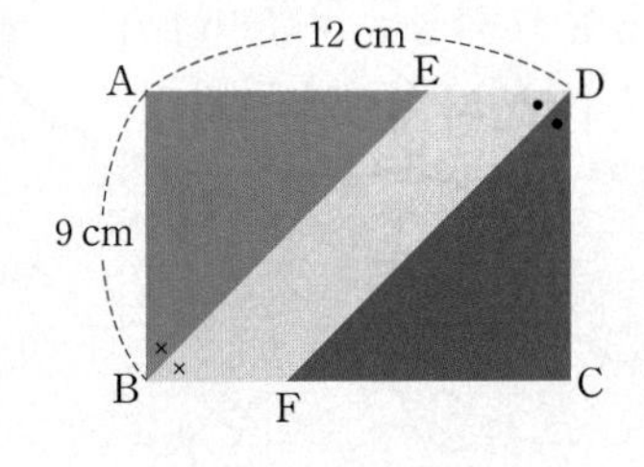

15 평행사변형과 넓이 (서술형)

오른쪽 그림과 같은 평행사변형 ABCD에서 두 대각선의 교점 O를 지나는 직선과 $\overline{AB}$, $\overline{CD}$의 교점을 각각 E, F라 하자. □ABCD의 넓이가 64 cm^2일 때, 다음 물음에 답하시오.

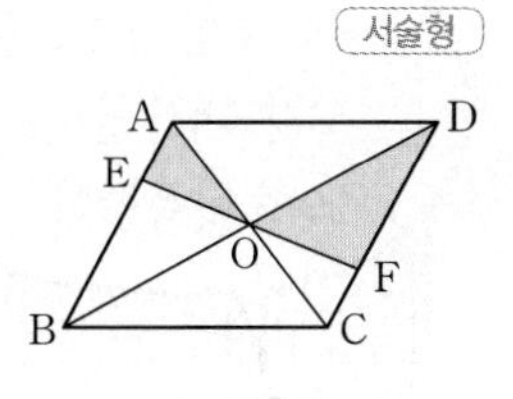

(1) △AEO와 합동인 삼각형을 찾고, 삼각형의 합동 조건을 말하시오.

(2) 색칠한 부분의 넓이를 구하시오.

16 평행사변형과 넓이 – 내부에 점 P가 있을 때 (서술형)

오른쪽 그림과 같은 평행사변형 ABCD의 내부에 점 P를 잡았다. 다음 물음에 답하시오.

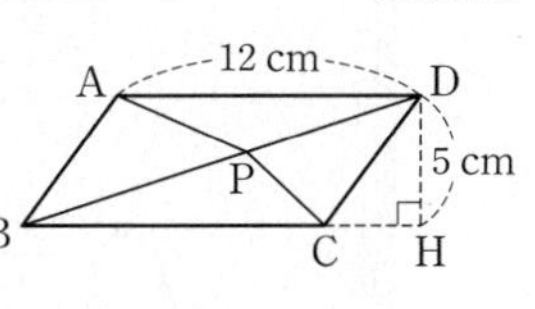

(1) 평행사변형 ABCD의 넓이를 구하시오.

(2) △PBC의 넓이가 18 cm^2일 때, △PDA의 넓이를 구하시오.

17 평행사변형과 넓이 (융합형)

오른쪽 그림과 같은 평행사변형 ABCD에서 $\overline{BC}$, $\overline{DC}$의 연장선 위에 $\overline{BC}=\overline{CE}$, $\overline{DC}=\overline{CF}$가 되도록 두 점 E, F를 잡았다. △ABC의 넓이가 12 cm^2일 때, □BFED의 넓이를 구하시오.

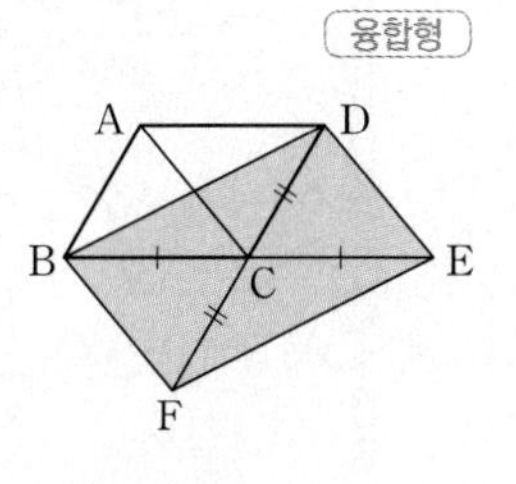

a팀, b팀 운동장을
각각 대각선으로
10번 왕복한다.
a팀
b팀
호르륵
네!

와~
와~

이건 너무 불공평해.
헉헉
헉헉

a팀, b팀 모두
대각선으로 뛰는 건데
뭐가 불만이야?
보고도 몰라?

안~녕
하하
우리가 한 번 갈 때
쟤들은 왕복한다니까.

운동장이 마름모 모양이라서
두 대각선의 길이가 달라.

5

II | 사각형의 성질

여러 가지 사각형

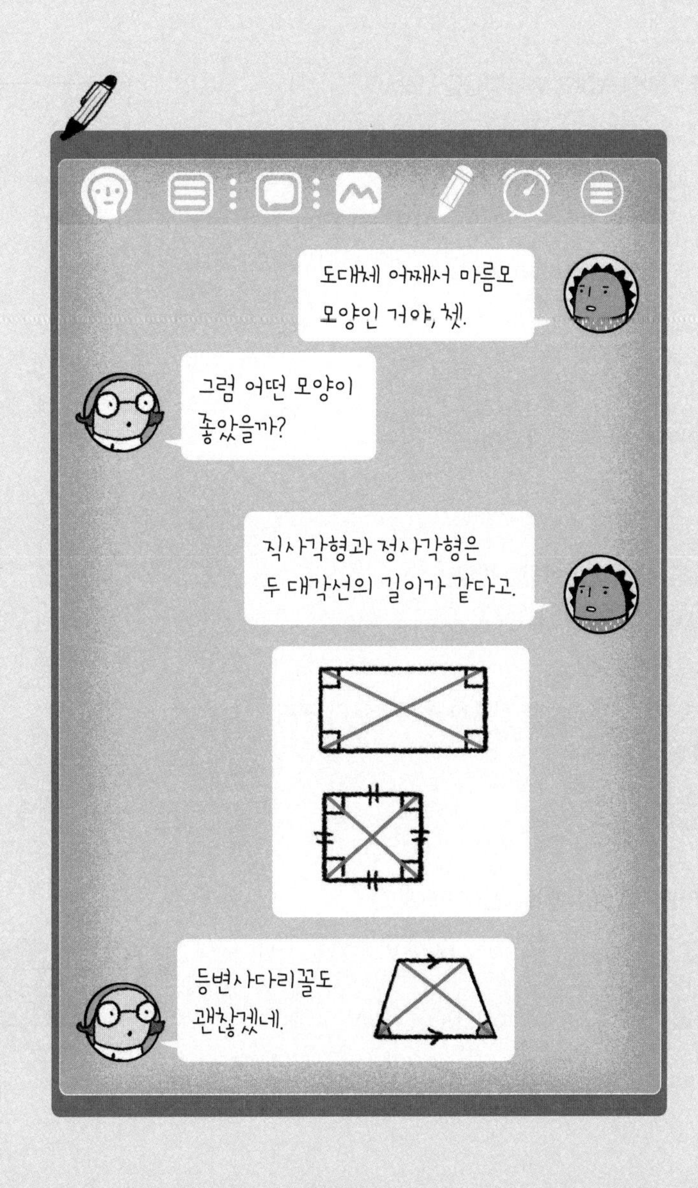

5 여러 가지 사각형

1 직사각형

(1) **직사각형** ㉠네 내각의 크기가 모두 같은 사각형

⇨ $\angle A = \angle B = \angle C = \angle D = \square$

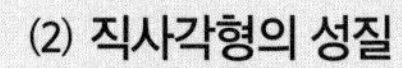

(2) **직사각형의 성질**

두 대각선은 길이가 같고 서로 다른 것을 이등분한다.

⇨ $\overline{AC} = \square$, ㉡$\overline{AO} = \overline{BO} = \overline{CO} = \overline{DO}$

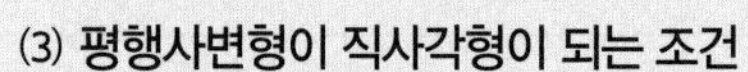

(3) **평행사변형이 직사각형이 되는 조건**

평행사변형이 다음 중 어느 한 조건을 만족하면 직사각형이 된다.

① 한 내각이 직각이다.

② 두 대각선의 $\square$가 같다.

90° / $\overline{BD}$ / 길이

개념 다시 보기

평행사변형의 성질

❶ 두 쌍의 대변의 길이가 각각 같다.

❷ 두 쌍의 대각의 크기가 각각 같다.

❸ 두 대각선은 서로 다른 것을 이등분한다.

보기 오른쪽 그림과 같은 직사각형 ABCD에서 다음을 구하시오.

(1) $\angle BAD$의 크기 (2) $\overline{AC}$의 길이

풀이 (1) $\angle BAD = \dfrac{360^\circ}{4} = \mathbf{90^\circ}$ (2) $\overline{AC} = \overline{BD} = \mathbf{10\ cm}$

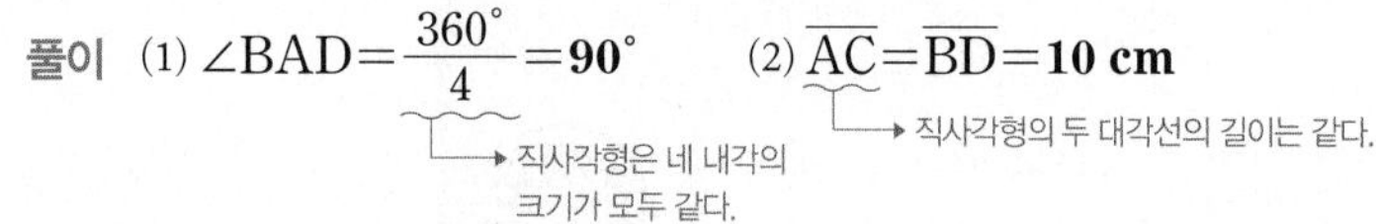

직사각형은 네 내각의 크기가 모두 같다.
직사각형의 두 대각선의 길이는 같다.

㉠ 직사각형은 두 쌍의 대각의 크기가 각각 같으므로 평행사변형이다. 따라서 직사각형은 평행사변형의 성질을 모두 만족한다.

㉡ 직사각형은 평행사변형이므로 $\overline{AO} = \overline{CO} = \frac{1}{2}\overline{AC}$, $\overline{BO} = \overline{DO} = \frac{1}{2}\overline{BD}$ 이때 $\overline{AC} = \overline{BD}$이므로 $\overline{AO} = \overline{BO} = \overline{CO} = \overline{DO}$

2 마름모

(1) **마름모** ㉢네 변의 길이가 모두 같은 사각형

⇨ $\overline{AB} = \overline{BC} = \overline{CD} = \overline{DA}$

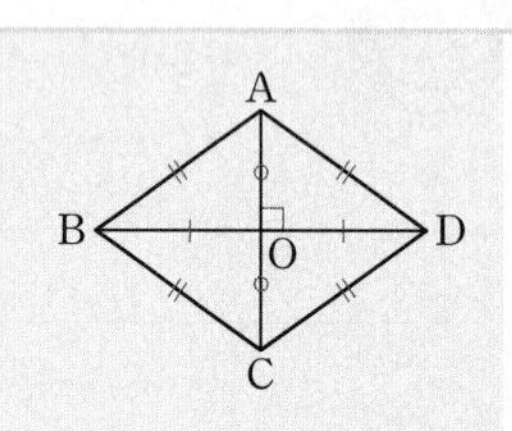

(2) **마름모의 성질**

두 대각선은 서로 다른 것을 수직이등분한다.

⇨ $\overline{AC}\ \square\ \overline{BD}$, $\overline{AO} = \overline{CO}$, $\overline{BO} = \overline{DO}$

(3) **평행사변형이 마름모가 되는 조건**

평행사변형이 다음 중 어느 한 조건을 만족하면 마름모가 된다.

① 이웃하는 두 변의 길이가 같다.

② 두 $\square$이 서로 수직이다.

⊥ / 대각선

㉢ 마름모는 두 쌍의 대변의 길이가 각각 같으므로 평행사변형이다. 따라서 마름모는 평행사변형의 성질을 모두 만족한다.

보기 오른쪽 그림과 같은 마름모 ABCD에서 다음을 구하시오.

(1) $\overline{AB}$의 길이 (2) $\angle BOA$의 크기

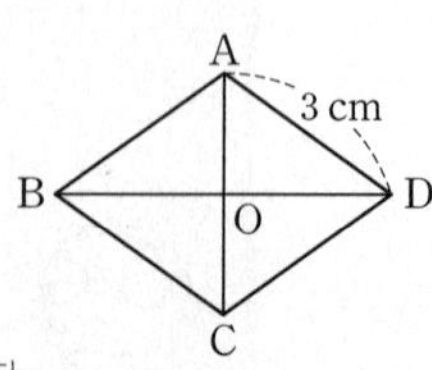

풀이 (1) $\overline{AB} = \mathbf{3\ cm}$ (2) $\angle BOA = \mathbf{90^\circ}$

→ 마름모는 네 변의 길이가 모두 같다.

→ 마름모의 두 대각선은 서로 수직이다. 즉 $\overline{AC} \perp \overline{BD}$

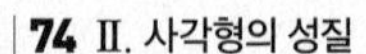

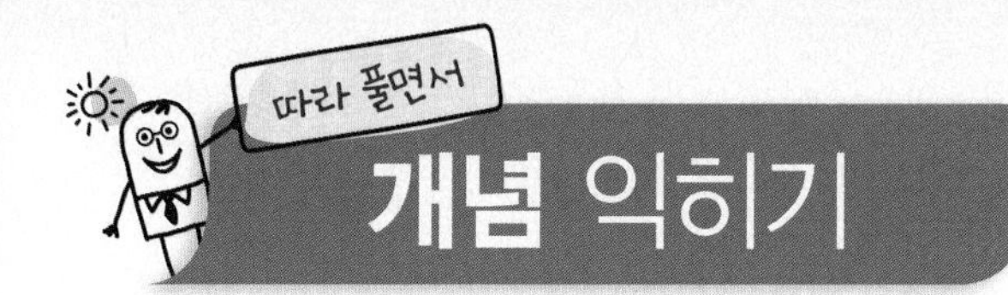

| 개념 체크 |

1-1 직사각형의 뜻과 성질

오른쪽 그림과 같은 직사각형 ABCD에서 점 O가 두 대각선의 교점일 때, 다음을 구하시오.

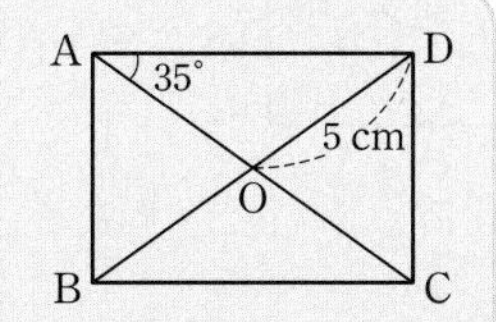

(1) $\angle$OCD의 크기

(2) $\overline{AC}$의 길이

셀파 • 직사각형의 뜻: 네 내각의 크기가 모두 같은 사각형
• 직사각형의 성질: 두 대각선은 길이가 같고 서로 다른 것을 이등분한다.

연구 (1) $\triangle$ACD에서 $\angle$ADC=☐이므로
$\angle$OCD$=180^\circ-($☐$+35^\circ)=$☐

(2) $\overline{BO}=\overline{DO}$이므로

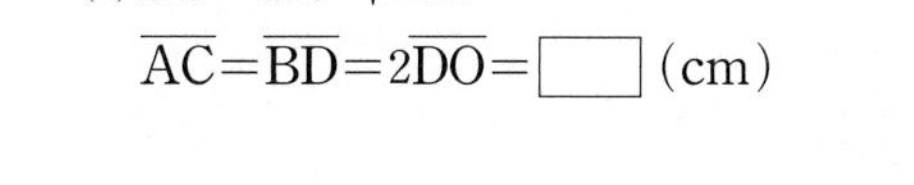
$\overline{AC}=\overline{BD}=2\overline{DO}=$☐ (cm)

2-1 마름모의 뜻과 성질

오른쪽 그림과 같은 마름모 ABCD에서 점 O가 두 대각선의 교점일 때, 다음을 구하시오.

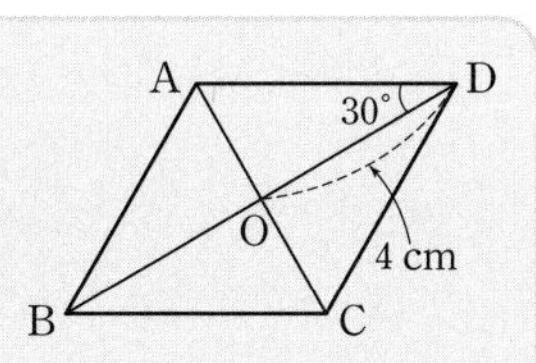

(1) $\overline{BD}$의 길이

(2) $\angle$OAD의 크기

셀파 • 마름모의 뜻: 네 변의 길이가 모두 같은 사각형
• 마름모의 성질: 두 대각선은 서로 다른 것을 수직이등분한다.

연구 (1) $\overline{BD}=2\overline{DO}=$☐ (cm)

(2) $\overline{AC}\perp\overline{BD}$이므로 $\angle$AOD=☐
$\triangle$AOD에서
$\angle$OAD$=180^\circ-($☐$+30^\circ)=$☐

| 따라 풀기 |

1-2 다음 그림과 같은 직사각형 ABCD에서 x, y의 값을 각각 구하시오. (단, 점 O는 두 대각선의 교점이다.)

(1)

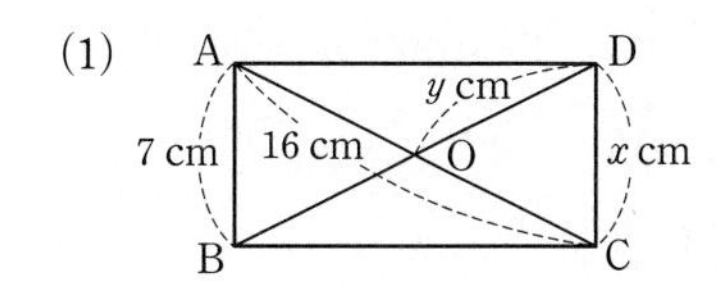

(2)

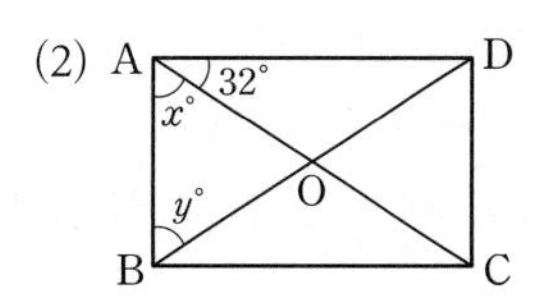

2-2 다음 그림과 같은 마름모 ABCD에서 x, y의 값을 각각 구하시오. (단, 점 O는 두 대각선의 교점이다.)

(1)

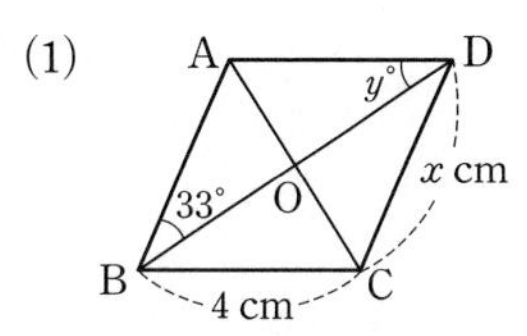

(2)

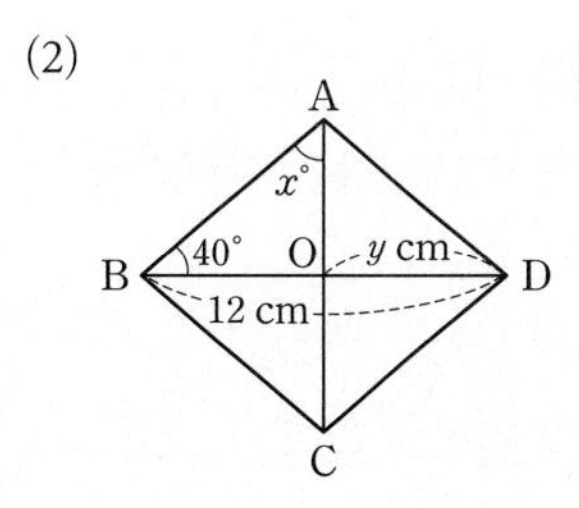

• 직사각형
❶ $\angle A=\angle B=\angle C=\angle D=90^\circ$
❷ $\overline{AC}=\overline{BD}$
$\overline{AO}=\overline{BO}=\overline{CO}=\overline{DO}$

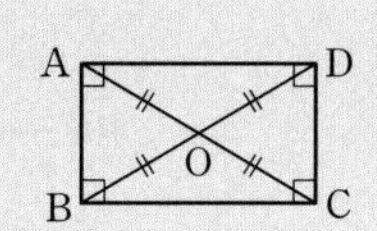

• 마름모
❶ $\overline{AB}=\overline{BC}=\overline{CD}=\overline{DA}$
❷ $\overline{AC}\perp\overline{BD}$
$\overline{AO}=\overline{CO}$, $\overline{BO}=\overline{DO}$

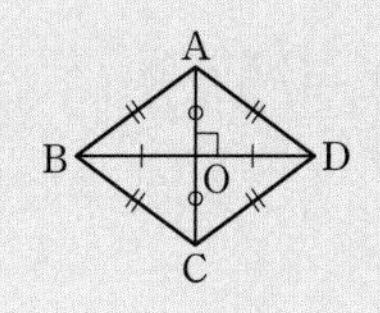

3 정사각형

(1) **정사각형** ㉠네 내각의 크기가 모두 같고 네 변의 길이가 모두 같은 사각형

⇨ $\angle A=\angle B=\angle C=\angle D=$ ☐ 90°

$\overline{AB}=\overline{BC}=\overline{CD}=\overline{DA}$

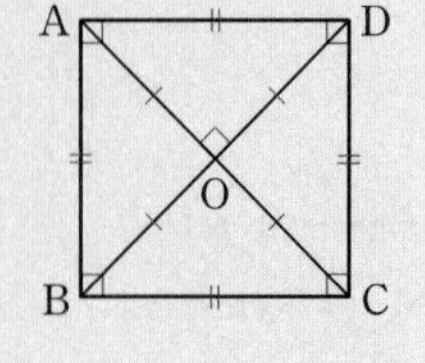

(2) **정사각형의 성질**

두 대각선은 길이가 같고 서로 다른 것을 수직이등분한다.

⇨ $\overline{AC}=$ ☐, $\overline{AC}\perp\overline{BD}$, $\overline{AO}=\overline{BO}=\overline{CO}=\overline{DO}$ $\overline{BD}$

(3) ㉡**직사각형이 정사각형이 되는 조건**

직사각형이 다음 중 어느 한 조건을 만족하면 정사각형이 된다.

① ☐하는 두 변의 길이가 같다. ← 마름모의 뜻 이웃

② 두 대각선이 서로 수직이다. ← 마름모의 성질

(4) ㉢**마름모가 정사각형이 되는 조건**

마름모가 다음 중 어느 한 조건을 만족하면 정사각형이 된다.

① 한 내각이 ☐이다. ← 직사각형의 뜻 직각

② 두 대각선의 길이가 같다. ← 직사각형의 성질

㉠ 정사각형은 네 내각의 크기가 모두 같으므로 직사각형이고, 네 변의 길이가 모두 같으므로 마름모이다.
따라서 정사각형은 직사각형과 마름모의 성질을 모두 만족한다.

㉡ 직사각형에 마름모만의 특징을 추가하면 정사각형이 된다.

㉢ 마름모에 직사각형만의 특징을 추가하면 정사각형이 된다.

보기 오른쪽 그림과 같은 정사각형 ABCD에서 다음을 구하시오.

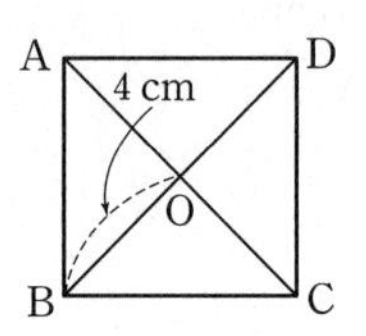

(1) $\overline{AC}$의 길이 (2) $\angle AOD$의 크기

풀이

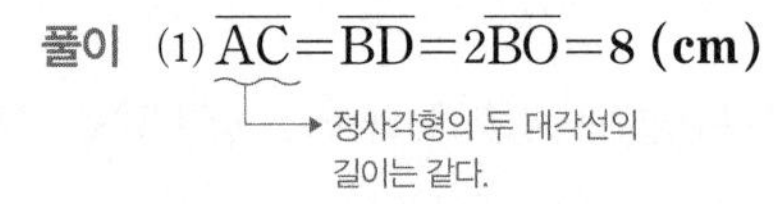

(1) $\overline{AC}=\overline{BD}=2\overline{BO}=$ **8 (cm)**

→ 정사각형의 두 대각선의 길이는 같다.

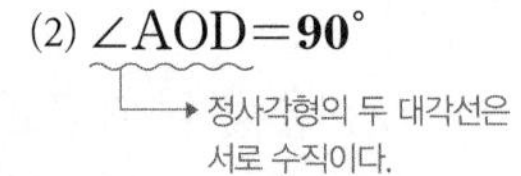

(2) $\angle AOD=$ **90°**

→ 정사각형의 두 대각선은 서로 수직이다.

4 등변사다리꼴

(1) **사다리꼴** 한 쌍의 대변이 평행한 사각형

(2) **등변사다리꼴** ㉣밑변의 양 끝 각의 크기가 같은 사다리꼴

⇨ $\overline{AD}/\!/\overline{BC}$, $\angle B=$ ☐ $\angle C$

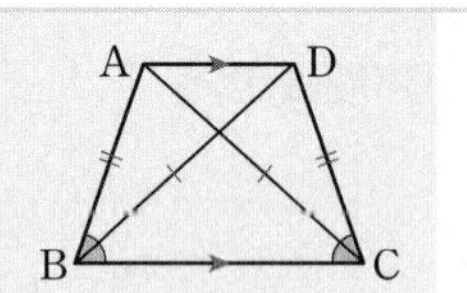

(3) **등변사다리꼴의 성질**

❶ 평행하지 않은 한 쌍의 대변의 길이는 같다. ⇨ $\overline{AB}=$ ☐ $\overline{DC}$

❷ 두 대각선의 길이가 같다. ⇨ $\overline{AC}=\overline{BD}$

㉣ 사다리꼴에서 밑변은 평행한 두 변이므로 $\overline{AD}$와 $\overline{BC}$이다. 이때 한 밑변 AD에서는 양 끝 각이 $\angle A$, $\angle D$이고 $\angle A=\angle D$이다.

보기 오른쪽 그림과 같은 등변사다리꼴 ABCD에서 다음을 구하시오.

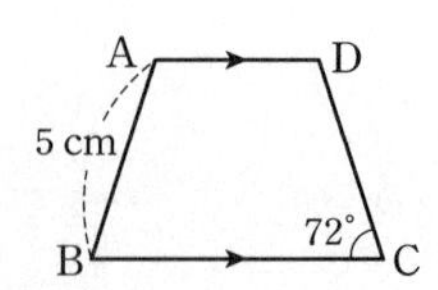

(1) $\angle B$의 크기 (2) $\overline{DC}$의 길이

풀이 (1) $\angle B=\angle C=$ **72°** (2) $\overline{DC}=\overline{AB}=$ **5 cm**

| 개념 체크 |

3-1 정사각형의 뜻과 성질

오른쪽 그림과 같은 정사각형 ABCD에서 점 O가 두 대각선의 교점일 때, 다음을 구하시오.

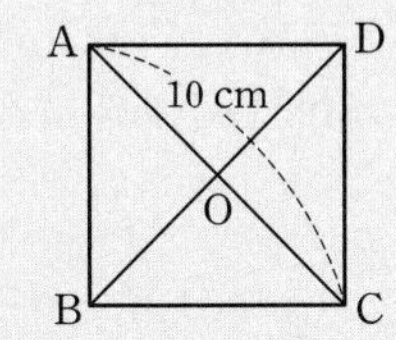

(1) $\overline{BO}$의 길이

(2) $\angle OAB$의 크기

셀파 • 정사각형의 뜻: 네 내각의 크기가 모두 같고, 네 변의 길이가 모두 같은 사각형
• 정사각형의 성질: 두 대각선은 길이가 같고 서로 다른 것을 수직이등분한다.

연구 (1) $\overline{BO}=\frac{1}{2}\overline{BD}=\frac{1}{2}\overline{AC}=\square$ (cm)

(2) $\triangle OAB$에서 $\overline{OA}=\overline{OB}$이고 $\angle AOB=\square$이므로

$\angle OAB=\frac{1}{2}\times(180^\circ-\square)=\square$

| 따라 풀기 |

3-2 다음 그림과 같은 정사각형 ABCD에서 점 O가 두 대각선의 교점일 때, x, y의 값을 각각 구하시오.

(1)

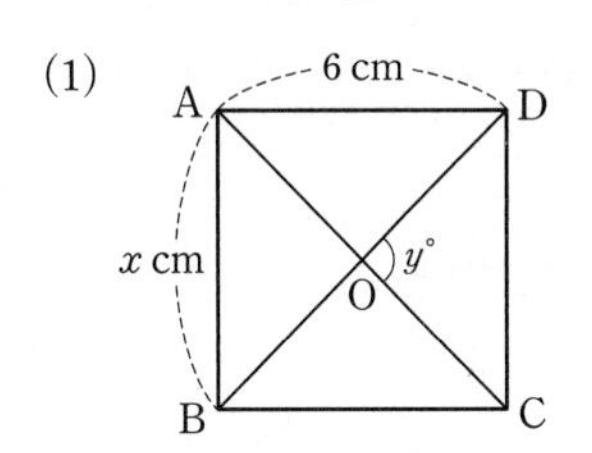

(2)

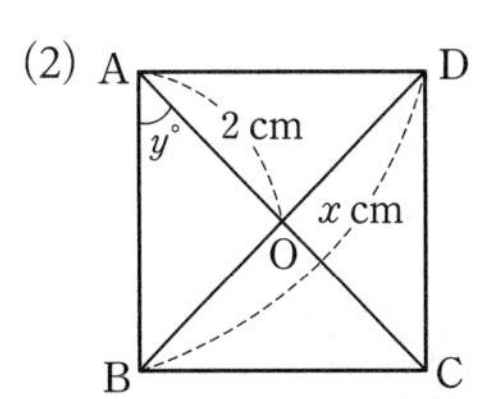

4-1 등변사다리꼴의 뜻과 성질

오른쪽 그림과 같은 □ABCD가 $\overline{AD}/\!/\overline{BC}$인 등변사다리꼴일 때, 다음을 구하시오.

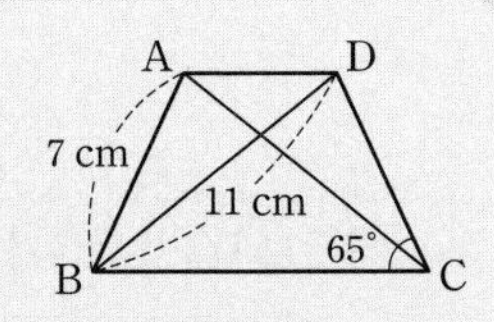

(1) $\overline{DC}$의 길이

(2) $\overline{AC}$의 길이

(3) $\angle BAD$의 크기

셀파 • 등변사다리꼴의 뜻: 밑변의 양 끝 각의 크기가 같은 사다리꼴
• 등변사다리꼴의 성질: 평행하지 않은 한 쌍의 대변의 길이는 같고, 두 대각선의 길이가 같다.

연구 (1) $\overline{DC}=\overline{AB}=\square$ cm

(2) $\overline{AC}=\overline{DB}=\square$ cm

(3) $\angle ABC=\angle DCB=\square$

$\angle BAD+\angle ABC=180^\circ$이므로 $\angle BAD=\square$

4-2 오른쪽 그림과 같은 □ABCD가 $\overline{AD}/\!/\overline{BC}$인 등변사다리꼴일 때, 다음을 구하시오.

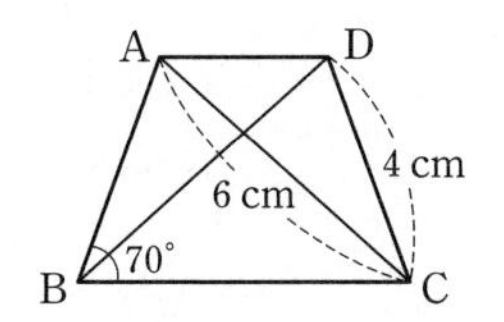

(1) $\overline{AB}$의 길이

(2) $\overline{BD}$의 길이

(3) $\angle BCD$의 크기

• 정사각형

❶ $\angle A=\angle B=\angle C=\angle D=90^\circ$
$\overline{AB}=\overline{BC}=\overline{CD}=\overline{DA}$

❷ $\overline{AC}=\overline{BD}$
$\overline{AO}=\overline{BO}=\overline{CO}=\overline{DO}$

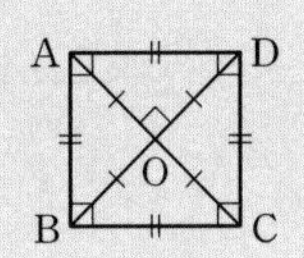

• 등변사다리꼴

❶ $\angle B=\angle C$ (또는 $\angle A=\angle D$)

❷ $\overline{AB}=\overline{DC}$, $\overline{AC}=\overline{DB}$

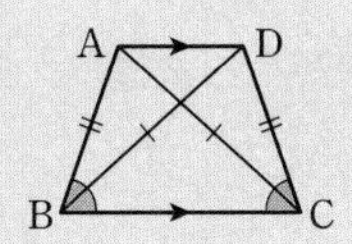

사각형의 성질과 어떤 사각형이 되는 조건 설명하기

Q 앞에서 직사각형, 마름모, 정사각형, 등변사다리꼴의 성질을 배웠는데, '정말 그럴까?'라는 의문이 자꾸 들어요.

A 그래? 그럼 의문을 풀고 가야지. 다음 빈칸을 함께 채워 가면서 이해해 보자.

직사각형, 마름모, 정사각형은 모두 평행사변형이므로 두 대각선은 서로 다른 것을 이등분해. 알고 있지?

1 직사각형에서 두 대각선의 길이는 같다.

(직사각형: 네 내각의 크기가 모두 같은 사각형)

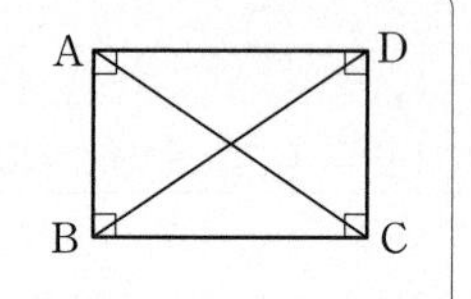

△ABC와 △DCB에서
ⓐ $\overline{AB}$= ① , ∠ABC= ② =90°, $\overline{BC}$는 공통
이므로 △ABC≡△DCB (③ 합동)
∴ $\overline{AC}=\overline{BD}$

답 ① $\overline{DC}$ ② ∠DCB ③ SAS

ⓐ 직사각형은 평행사변형이므로 두 쌍의 대변의 길이가 각각 같다. 즉 $\overline{AB}=\overline{DC}$, $\overline{AD}=\overline{BC}$

2 마름모에서 두 대각선은 서로 수직이다.

(마름모: 네 변의 길이가 모두 같은 사각형)

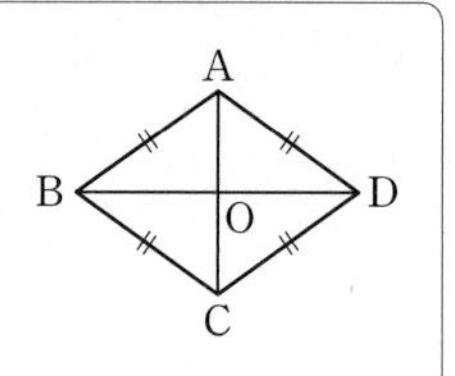

△ABO와 △ADO에서
$\overline{AB}=\overline{AD}$, $\overline{AO}$는 공통, ⓑ $\overline{BO}$= ①
이므로 △ABO≡△ADO (② 합동)
∴ ∠AOB=∠AOD
∠AOB+∠AOD= ③ 이므로 ∠AOB=∠AOD=90°

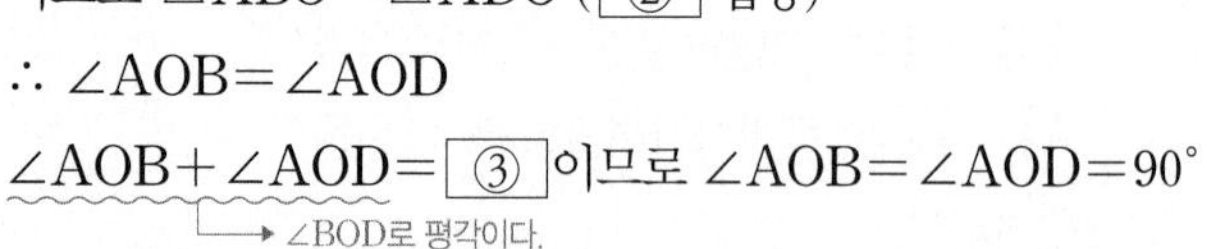

답 ① $\overline{DO}$ ② SSS ③ 180°

ⓑ 마름모는 평행사변형이므로 두 대각선은 서로 다른 것을 이등분한다.
즉 $\overline{AO}=\overline{CO}$, $\overline{BO}=\overline{DO}$

3 정사각형에서 두 대각선의 길이는 같고 서로 다른 것을 수직이등분한다.

(정사각형: 네 내각의 크기가 모두 같고 네 변의 길이가 모두 같은 사각형)

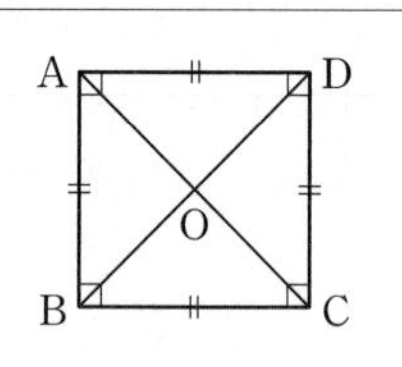

정사각형 ABCD는 직사각형이므로
$\overline{AC}$= ① , $\overline{AO}=\overline{BO}=\overline{CO}$= ②
또 정사각형 ABCD는 마름모이므로
$\overline{AC}\perp$ ③

답 ① $\overline{BD}$ ② $\overline{DO}$ ③ $\overline{BD}$

4 등변사다리꼴에서 두 대각선의 길이는 같다.

(등변사다리꼴: 밑변의 양 끝 각의 크기가 같은 사다리꼴)

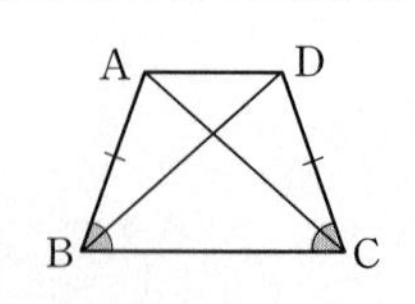

△ABC와 △DCB에서
$\overline{BC}$는 공통, ∠B= ① , ⓒ $\overline{AB}=\overline{DC}$
이므로 △ABC≡△DCB (② 합동)
∴ $\overline{AC}$= ③

답 ① ∠C ② SAS ③ $\overline{DB}$

ⓒ 다음 그림과 같이 점 D를 지나고 $\overline{AB}$와 평행한 직선이 $\overline{BC}$와 만나는 점을 E라 하면

□ABED는 평행사변형이므로
$\overline{AB}=\overline{DE}$ …… ㉠
∠B=∠DEC (동위각),
∠B=∠C (등변사다리꼴의 뜻)
이므로 ∠DEC=∠C
따라서 △DEC는 이등변삼각형
이므로 $\overline{DE}=\overline{DC}$ …… ㉡
㉠, ㉡에서 $\overline{AB}=\overline{DC}$

● ⓒ은 등변사다리꼴에서 평행하지 않은 한 쌍의 대변의 길이가 같음을 설명한 것이다.

Q 어때? 이젠 확실해졌지? 결과는 꼭 알아두고 과정은 이해할 수 있도록 하자.
그럼 이번엔 어떤 사각형이 되는 조건을 확인해 볼까?

1 평행사변형이 직사각형이 되는 조건 ← 네 내각의 크기가 모두 같음을 보인다.

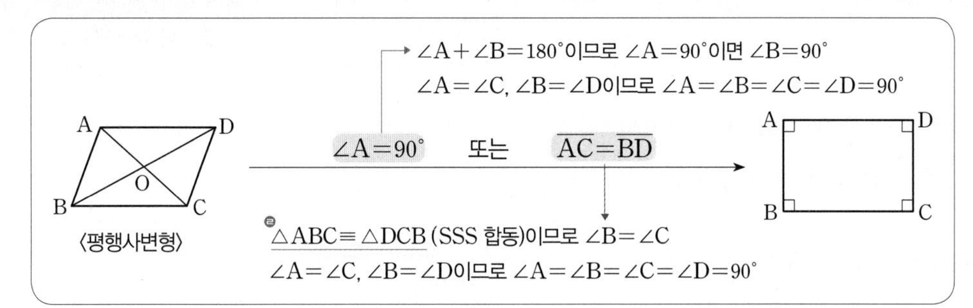

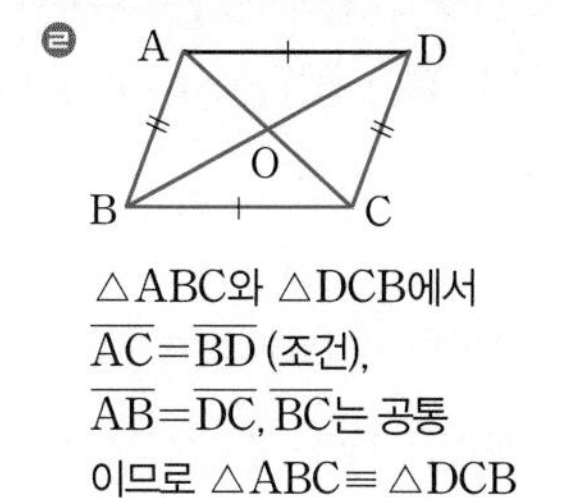

ㄹ $\triangle ABC$와 $\triangle DCB$에서
$\overline{AC}=\overline{BD}$ (조건),
$\overline{AB}=\overline{DC}$, $\overline{BC}$는 공통
이므로 $\triangle ABC\equiv\triangle DCB$
(SSS 합동)

2 평행사변형이 마름모가 되는 조건 ← 네 변의 길이가 모두 같음을 보인다.

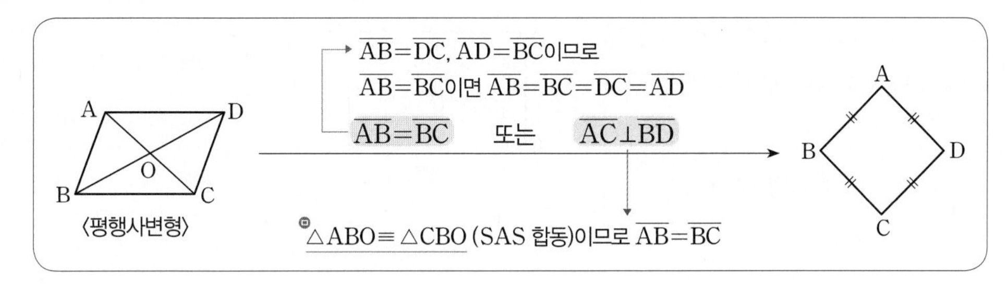

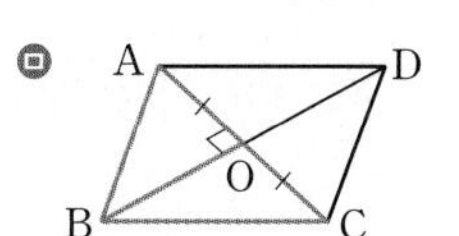

ㅁ $\triangle ABO$와 $\triangle CBO$에서
$\overline{AO}=\overline{CO}$, $\overline{BO}$는 공통,
$\angle AOB=\angle COB=90^\circ$ (조건)
이므로 $\triangle ABO\equiv\triangle CBO$
(SAS 합동)

3 직사각형이 정사각형이 되는 조건 ← 네 변의 길이가 모두 같음을 보인다.

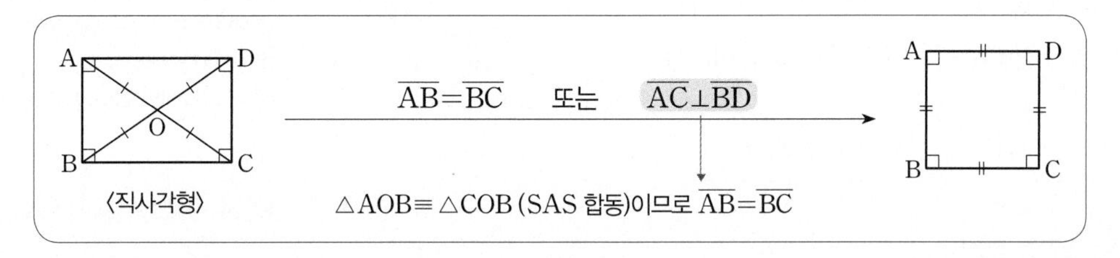

4 마름모가 정사각형이 되는 조건 ← 네 내각의 크기가 모두 같음을 보인다.

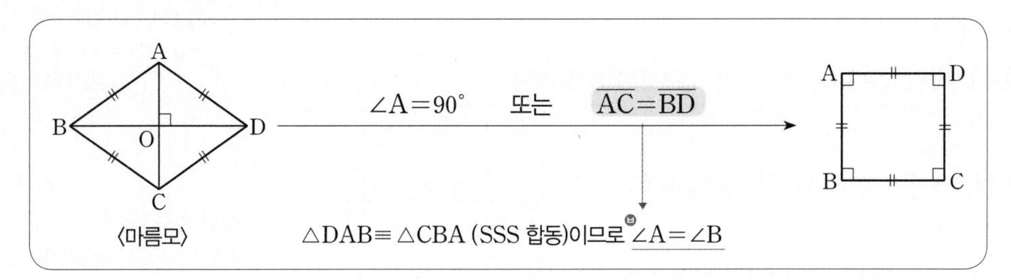

ㅂ 마름모는 평행사변형이므로
$\angle A=\angle B$이면
$\angle A=\angle B=\angle C=\angle D$
$=90^\circ$

Note 직사각형, 마름모, 정사각형은 평행사변형이므로 평행사변형의 성질을 모두 만족한다.

빠른 정답 242쪽 | 정답과 해설 25쪽

기본 01 직사각형의 뜻과 성질

오른쪽 그림과 같은 직사각형 ABCD에서 두 대각선의 교점을 O라 하자. $\overline{BO}=5$ cm이고 $\angle OAB=56°$일 때, x, y의 값을 각각 구하시오.

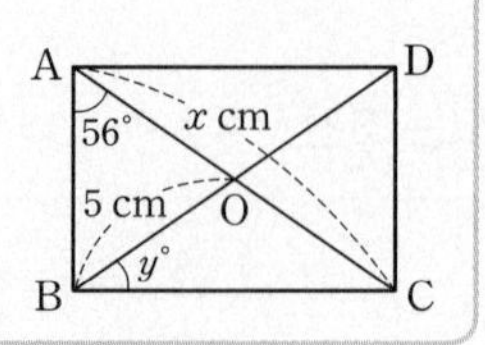

해법코드

직사각형
❶ 네 내각의 크기가 모두 같다.
❷ 두 대각선은 길이가 같고 서로 다른 것을 이등분한다.
● 직사각형은 평행사변형이다.

셀파 □ABCD는 직사각형이므로 $\angle ABC=90°$이고 $\overline{AC}=\overline{BD}$이다.

풀이 $\overline{BO}=\overline{DO}$이므로 $\overline{AC}=\overline{BD}=2\overline{BO}=2\times5=10$ (cm)

$\therefore$ $\boldsymbol{x=10}$

△OAB에서 $\overline{OA}=\overline{OB}$이므로 $\angle OBA=\angle OAB=56°$

이때 $\angle ABC=90°$이므로 $\angle OBC=90°-56°=34°$

$\therefore$ $\boldsymbol{y=34}$

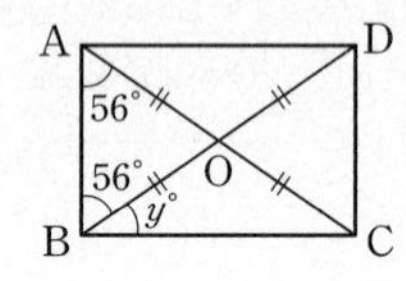

확인 01 오른쪽 그림과 같은 직사각형 ABCD에서 두 대각선의 교점을 O라 하자. $\overline{BD}=14$ cm이고 $\angle OAB=58°$일 때, 다음을 구하시오.

(1) $\overline{OC}$의 길이 (2) $\angle DOC$의 크기

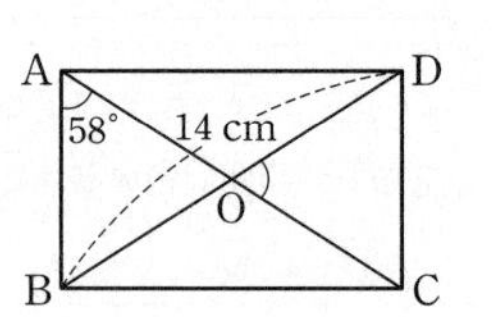

» My 셀파
직사각형의 대각선의 성질을 생각한다.

기본 02 평행사변형이 직사각형이 되는 조건

오른쪽 그림과 같은 평행사변형 ABCD가 직사각형이 되는 조건이 아닌 것을 **보기**에서 고르시오. (단, 점 O는 두 대각선의 교점이다.)

보기
㉠ $\overline{BO}=\overline{CO}$ ㉡ $\angle BAD=\angle ABC$ ㉢ $\overline{AB}=\overline{AD}$

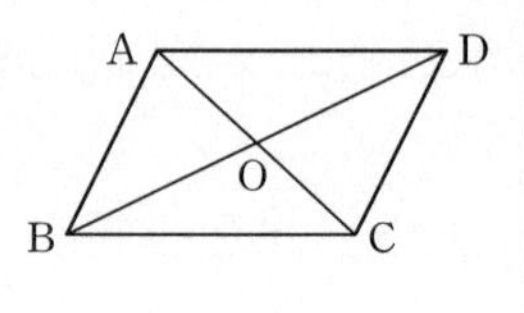

해법코드

평행사변형이 다음 중 어느 한 조건을 만족하면 직사각형이 된다.
① 한 내각이 직각이다.
② 두 대각선의 길이가 같다.

셀파 직사각형일 때만 성립하는 조건을 찾는다.

풀이 ㉠ $\overline{BO}=\overline{CO}$이면 ❶ $\overline{BD}=\overline{AC}$이므로 직사각형이다.

㉡ ❷ $\angle BAD=\angle ABC$이면 네 내각의 크기가 모두 90°이므로 직사각형이다.

㉢ $\overline{AB}=\overline{AD}$이면 마름모이다.

따라서 평행사변형 ABCD가 직사각형이 되는 조건이 아닌 것은 ㉢이다.

❶ $\overline{BD}=2\overline{BO}=2\overline{CO}=\overline{AC}$

❷ $\angle BAD+\angle ABC=180°$이므로 $\angle BAD=\angle ABC$이면 $\angle BAD=\angle ABC=90°$
$\therefore \angle BAD=\angle ABC=\angle BCD=\angle CDA=90°$

확인 02 다음 중 오른쪽 그림과 같은 평행사변형 ABCD가 직사각형이 되는 조건을 모두 고르면? (단, 점 O는 두 대각선의 교점이다.) (정답 2개)

① $\overline{CD}=8$ cm ② $\overline{AC}=10$ cm
③ $\angle ABC=90°$ ④ $\angle AOB=90°$
⑤ $\angle BAD+\angle ABC=180°$

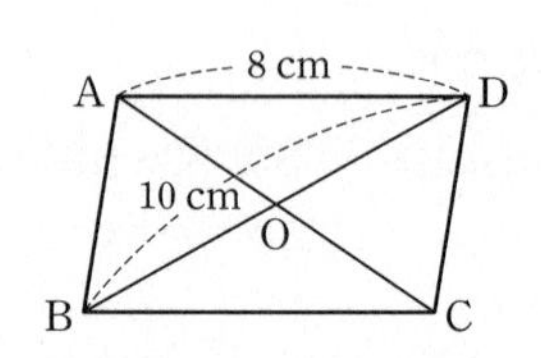

» My 셀파
평행사변형에서 한 내각이 직각이거나 두 대각선의 길이가 같으면 직사각형이 된다.

기본 03 마름모의 뜻과 성질

해법코드

오른쪽 그림과 같은 마름모 ABCD에서 두 대각선의 교점을 O라 하자. $\angle OBC=30^\circ$일 때, $\angle OCD$의 크기를 구하시오.

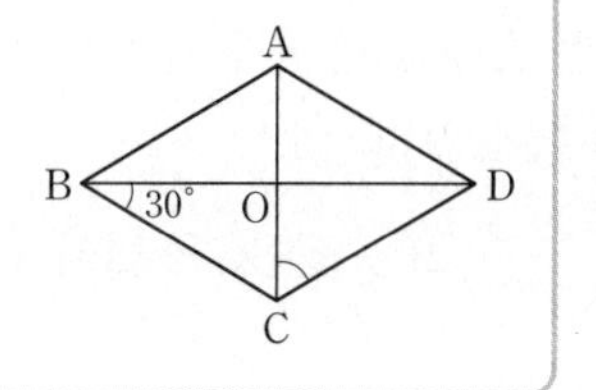

마름모
❶ 네 변의 길이가 모두 같다.
❷ 두 대각선은 서로 다른 것을 수직이등분한다.
● 마름모는 평행사변형이다.

셀파 □ABCD는 마름모이므로 $\overline{BC}=\overline{CD}$이고 $\overline{AC}\perp\overline{BD}$이다.

풀이 $\triangle BCD$에서 $\overline{BC}=\overline{CD}$이므로 $\angle CDB=\angle CBD=30^\circ$
$\triangle OCD$에서 $\angle DOC=90^\circ$이므로
$\angle OCD=180^\circ-(90^\circ+30^\circ)=$ **60°**

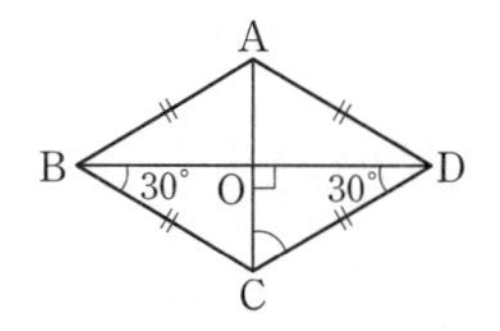

확인 03 오른쪽 그림과 같은 마름모 ABCD에서 두 대각선의 교점을 O라 하자. $\overline{AO}=2x$ cm, $\overline{CO}=(3x-2)$ cm이고 $\angle OAB=42^\circ$일 때, 다음을 구하시오.

(1) x의 값　　　(2) $\angle ABO$의 크기

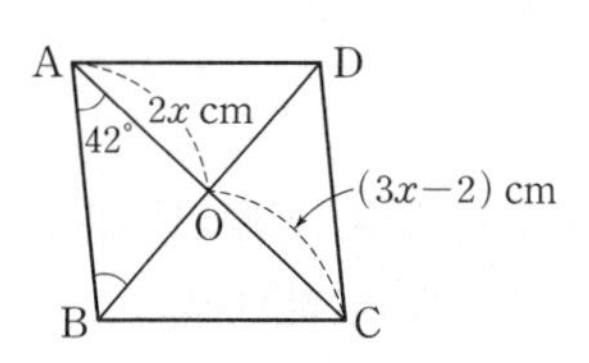

» My 셀파
$\overline{AC}\perp\overline{BD}$이므로 $\angle AOB=90^\circ$

기본 04 평행사변형이 마름모가 되는 조건

해법코드

오른쪽 그림과 같은 평행사변형 ABCD가 마름모가 되는 조건을 **보기**에서 모두 고르시오. (단, 점 O는 두 대각선의 교점이다.)

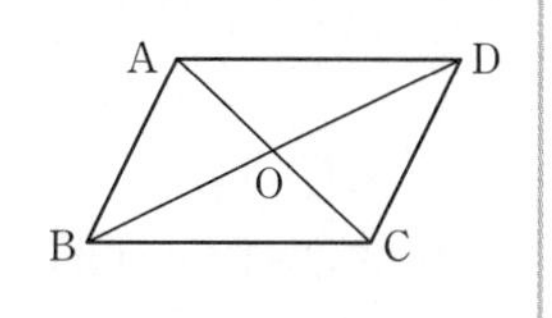

보기
ㄱ $\overline{AO}=\overline{CO}$　　ㄴ $\angle AOB=90^\circ$
ㄷ $\angle ABO=\angle CDO$　　ㄹ $\angle CBO=\angle CDO$

평행사변형이 다음 중 어느 한 조건을 만족하면 마름모가 된다.
① 이웃하는 두 변의 길이가 같다.
② 두 대각선이 서로 수직이다.

셀파 마름모일때만 성립하는 조건을 찾는다.

풀이 ㄴ $\angle AOB=90^\circ$이면 두 대각선은 서로 수직이므로 마름모가 된다.
ㄹ $\angle CBO=\angle CDO$이면 $\triangle BCD$는 이등변삼각형이므로 $\overline{CB}=\overline{CD}$
즉 □ABCD는 이웃하는 두 변의 길이가 같으므로 마름모이다.
따라서 평행사변형 ABCD가 마름모가 되는 조건은 ㄴ, ㄹ이다.

ㄱ, ㄷ □ABCD가 평행사변형이라는 것에서 나오는 성질이다.
ㄷ $\overline{AB}/\!/\overline{DC}$이므로
$\angle ABO=\angle CDO$ (엇각)

확인 04 다음 중 오른쪽 그림과 같은 평행사변형 ABCD가 마름모가 되는 조건이 아닌 것을 모두 고르면?
(단, 점 O는 두 대각선의 교점이다.) (정답 2개)

① $\angle ABO=50^\circ$　　② $\angle BDC=40^\circ$
③ $\angle DAC=50^\circ$　　④ $\overline{AB}=10$ cm
⑤ $\overline{AO}=\overline{BO}$

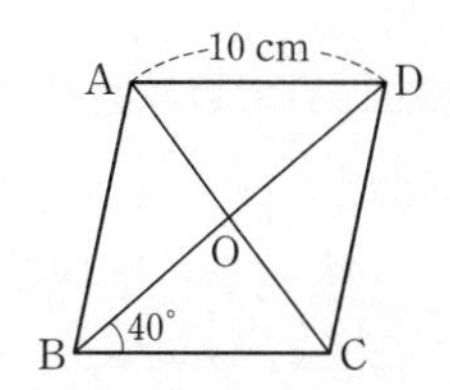

» My 셀파
평행사변형에서 이웃하는 두 변의 길이가 같거나 두 대각선이 서로 수직이면 마름모가 된다.

기본 05 정사각형의 뜻과 성질

오른쪽 그림과 같은 정사각형 ABCD에서 두 대각선의 교점을 O라 하자. $\overline{BD}=16$ cm일 때, 다음을 구하시오.

(1) $\angle$OBC의 크기　　　(2) $\triangle$OBC의 넓이

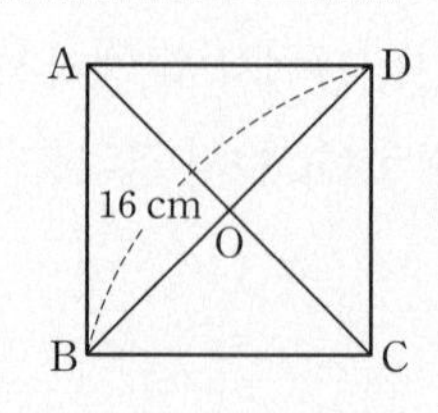

해법코드

정사각형
❶ 네 내각의 크기가 모두 같고 네 변의 길이가 모두 같다.
❷ 두 대각선은 길이가 같고 서로 다른 것을 수직이등분한다.
● 정사각형은 직사각형과 마름모의 성질을 모두 만족한다.

셀파 □ABCD는 정사각형이므로 $\overline{OB}=\overline{OC}$이고 $\angle BOC=90°$이다.

풀이 (1) $\triangle$OBC에서 $\overline{OB}=\overline{OC}$이고 $\angle BOC=90°$이므로

$\angle OBC=\angle OCB=\frac{1}{2}\times 90°=\mathbf{45°}$

(2) $\overline{OB}=\overline{OC}=\frac{1}{2}\overline{BD}=\frac{1}{2}\times 16=8$ (cm)

$\therefore$ $\triangle OBC=\frac{1}{2}\times 8\times 8=\mathbf{32\ (cm^2)}$

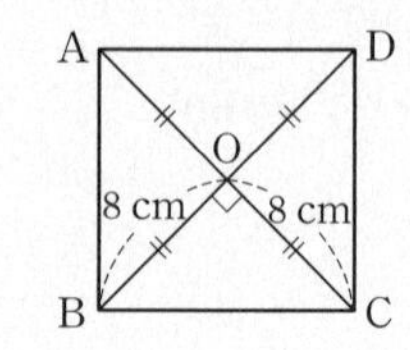

참고
$\triangle$OAB, $\triangle$OBC, $\triangle$OCD, $\triangle$ODA는 모두 합동인 직각이등변 삼각형이다.

확인 05 오른쪽 그림과 같은 정사각형 ABCD에서 두 대각선의 교점을 O라 하자. $\overline{BD}=8$ cm일 때, 다음을 구하시오.

(1) $\triangle$OCD의 넓이　　　(2) □ABCD의 넓이

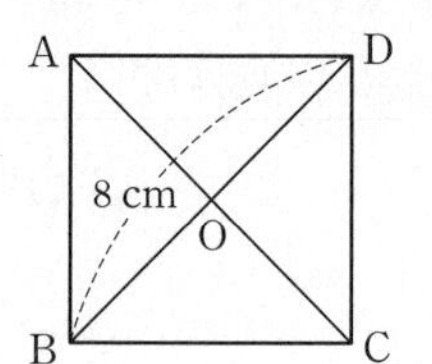

» My 셀파
정사각형의 대각선의 성질을 생각한다.

기본 06 정사각형이 되는 조건

오른쪽 그림과 같은 직사각형 ABCD가 정사각형이 되는 조건이 아닌 것을 **보기**에서 고르시오. (단, 점 O는 두 대각선의 교점이다.)

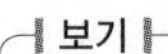

보기
㉠ $\angle BOC=90°$　　　㉡ $\overline{AB}=\overline{BC}$
㉢ $\overline{OA}=\overline{OD}$　　　㉣ $\angle OAB=\angle OBC$

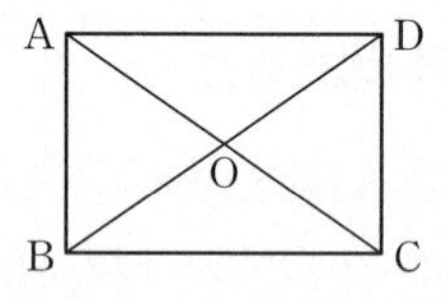
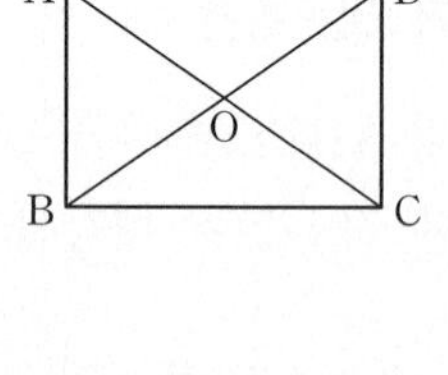

해법코드

직사각형이 다음 중 어느 한 조건을 만족하면 정사각형이 된다.
① 이웃하는 두 변의 길이가 같다.
② 두 대각선이 서로 수직이다.

셀파 정사각형일 때만 성립하는 조건을 찾는다.

풀이 ㉠ $\angle BOC=90°$이면 $\overline{AC}\perp\overline{BD}$이므로 직사각형 ABCD는 정사각형이 된다.
㉡ $\overline{AB}=\overline{BC}$이면 네 변의 길이가 같아지므로 직사각형 ABCD는 정사각형이 된다.
㉣ $\angle OBA+\angle OBC=90°$이므로 $\angle OAB=\angle OBC$이면

$\angle OBA+\angle OAB=90°$　　$\therefore$ $\angle AOB=90°$

즉 $\overline{AC}\perp\overline{BD}$이므로 직사각형 ABCD는 정사각형이 된다.
따라서 정사각형이 되는 조건이 아닌 것은 ㉢이다.

참고
㉢ $\overline{OA}=\overline{OD}$는 직사각형의 성질이다.

확인 06 오른쪽 그림과 같은 마름모 ABCD가 정사각형이 되는 조건을 **보기**에서 모두 고르시오.

(단, 점 O는 두 대각선의 교점이다.)

보기
㉠ $\overline{AB}=\overline{AD}$　　　㉡ $\overline{AC}\perp\overline{BD}$
㉢ $\overline{OB}=\overline{OC}$　　　㉣ $\angle ABC=\angle BCD$

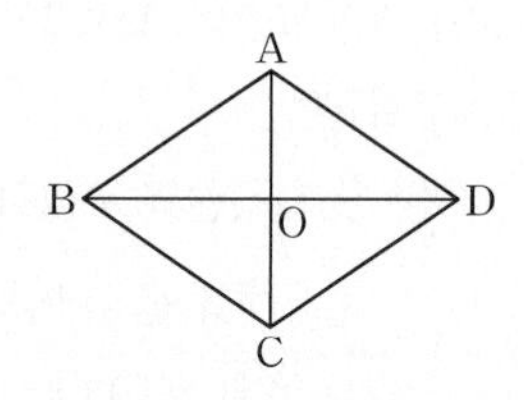

» My 셀파
마름모가 다음 중 어느 한 조건을 만족하면 정사각형이 된다.
① 한 내각이 직각이다.
② 두 대각선의 길이가 같다.

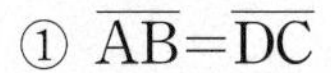

기본 07 등변사다리꼴의 뜻과 성질

오른쪽 그림의 □ABCD는 $\overline{AD}/\!/\overline{BC}$인 등변사다리꼴이다. 다음 중 옳지 않은 것은? (단, 점 O는 두 대각선의 교점이다.)

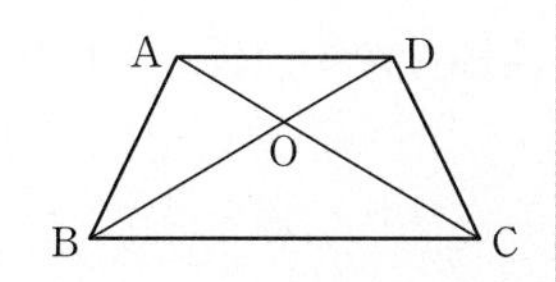

① $\overline{AB}=\overline{DC}$　② $\overline{AC}=\overline{DB}$　③ $\overline{OA}=\overline{OD}$
④ $\overline{AC}\perp\overline{BD}$　⑤ $\angle ABC=\angle DCB$

해법코드

등변사다리꼴
❶ 밑변의 양 끝 각의 크기가 같다.
❷ 평행하지 않은 한 쌍의 대변의 길이가 같다.
❸ 두 대각선의 길이가 같다.

셀파 등변사다리꼴의 성질을 이용하여 합동인 삼각형을 찾는다.

풀이 ①, ⑤ □ABCD가 등변사다리꼴이므로 $\overline{AB}=\overline{DC}$, $\angle ABC=\angle DCB$
②, ③ △ABC와 △DCB에서
$\overline{AB}=\overline{DC}$, $\overline{BC}$는 공통, $\angle ABC=\angle DCB$
이므로 △ABC≡△DCB (SAS 합동)
$\therefore \angle ACB=\angle DBC$, $\overline{AC}=\overline{DB}$
이때 △OBC는 $\overline{OB}=\overline{OC}$인 이등변삼각형이고 $\overline{AC}=\overline{DB}$이므로
$\overline{OA}=\overline{AC}-\overline{OC}=\overline{DB}-\overline{OB}=\overline{OD}$
따라서 옳지 않은 것은 ④이다.

확인 07 오른쪽 그림과 같이 $\overline{AD}/\!/\overline{BC}$인 등변사다리꼴 ABCD에서 $\overline{AD}=\overline{CD}$이고 $\angle ACB=35^\circ$일 때, ∠B의 크기를 구하시오.

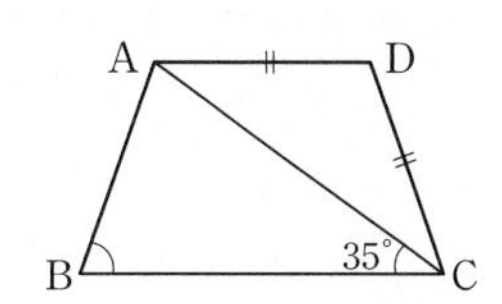

» My 셀파
$\overline{AD}/\!/\overline{BC}$이므로
$\angle DAC=\angle ACB$ (엇각)
△DAC는 이등변삼각형이므로
$\angle DAC=\angle DCA$

기본 08 등변사다리꼴의 성질의 활용

오른쪽 그림의 □ABCD는 $\overline{AD}/\!/\overline{BC}$이고 $\overline{AB}=\overline{AD}=\overline{DC}$인 등변사다리꼴이다. $\overline{AD}=8$ cm이고 $\angle B=60^\circ$일 때, $\overline{BC}$의 길이를 구하시오.

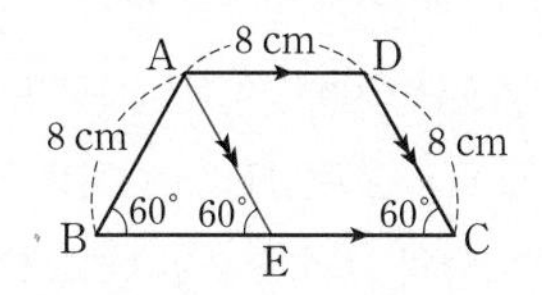

해법코드

꼭짓점 A에서 $\overline{DC}$에 평행한 선분을 그어 평행사변형의 성질을 이용한다.

셀파 $\overline{DC}/\!/\overline{AE}$가 되도록 $\overline{BC}$ 위에 점 E를 잡는다.

풀이 꼭짓점 A를 지나고 $\overline{DC}/\!/\overline{AE}$가 되도록 $\overline{BC}$ 위에 점 E를 잡으면 □AECD는 평행사변형이다.
→ 두 쌍의 대변이 각각 평행하다.
$\therefore \overline{EC}=\overline{AD}=8$ cm
□ABCD는 등변사다리꼴이므로 $\angle C=\angle B=60^\circ$
또 $\overline{AE}/\!/\overline{DC}$이므로 $\angle AEB=\angle C=60^\circ$ (동위각)
이때 ❶ △ABE는 정삼각형이므로 $\overline{BE}=\overline{AB}=8$ cm
$\therefore \overline{BC}=\overline{BE}+\overline{EC}=8+8=$ **16 (cm)**

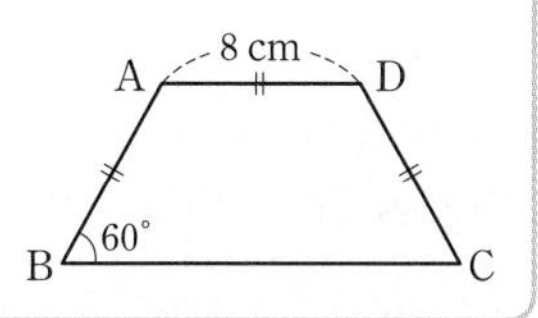

❶ △ABE에서 세 내각의 크기의 합이 180°이므로
$\angle BAE=60^\circ$
따라서 △ABE는 정삼각형이다.

확인 08 오른쪽 그림과 같이 $\overline{AD}/\!/\overline{BC}$인 등변사다리꼴 ABCD의 꼭짓점 A에서 $\overline{BC}$에 내린 수선의 발을 E라 하자. $\overline{AD}=4$ cm, $\overline{BE}=2$ cm일 때, $\overline{BC}$의 길이를 구하시오.

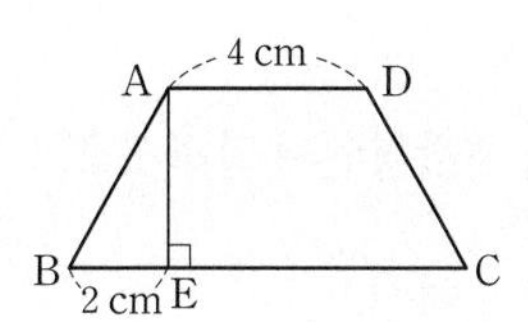

» My 셀파
꼭짓점 D에서 $\overline{BC}$에 수선의 발을 내려 합동인 두 삼각형을 찾는다.

발전 09 정사각형의 성질의 활용

오른쪽 그림과 같은 정사각형 ABCD에서 $\overline{BE}=\overline{CF}$일 때, $\angle x$의 크기를 구하시오.

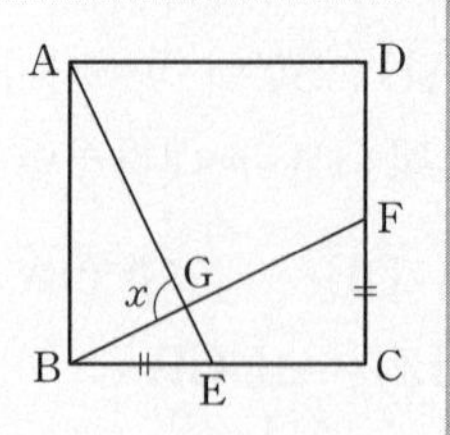

해법코드

정사각형의 한 내각의 크기는 90°이다.

셀파 정사각형의 성질을 이용하여 합동인 삼각형을 찾고, 각의 크기를 구한다.

풀이 $\triangle ABE$와 $\triangle BCF$에서

$\overline{AB}=\overline{BC}$, $\angle ABE=\angle BCF=90^\circ$, $\overline{BE}=\overline{CF}$

이므로 $\triangle ABE\equiv\triangle BCF$ (SAS 합동)

$\therefore \angle BAE=\angle CBF$, $\angle BEA=\angle CFB$

이때 $\triangle BCF$에서 $\angle CBF+\angle CFB=90^\circ$이므로

$\triangle GBE$에서 $\angle x=\angle GBE+\angle GEB=\angle GBE+\angle CFB=$ **90°**

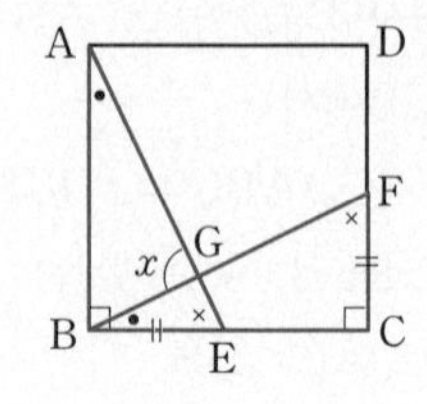

확인 09 오른쪽 그림에서 □ABCD는 정사각형이고 $\overline{DC}=\overline{DE}$이다. $\angle DAE=25^\circ$일 때, $\angle DCE$의 크기를 구하시오.

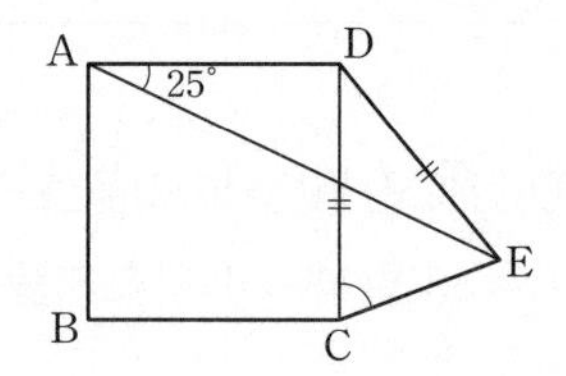

» My 셀파

□ABCD가 정사각형이므로 $\overline{AB}=\overline{BC}=\overline{CD}=\overline{DA}$

또 $\overline{DC}=\overline{DE}$이므로 $\triangle DAE$는 $\overline{DA}=\overline{DE}$인 이등변삼각형이다.

발전 10 여러 가지 사각형의 판별

오른쪽 그림과 같은 평행사변형 ABCD에서 네 내각의 이등분선의 교점을 각각 E, F, G, H라 할 때, □EFGH가 어떤 사각형인지 말하시오.

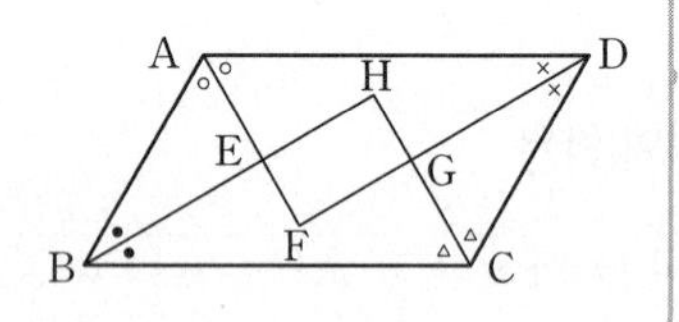

해법코드

평행사변형에서

① 이웃하는 두 내각의 크기의 합은 180°이다.

② 두 쌍의 대각의 크기는 각각 같다.

를 이용하여 □EFGH가 어떤 사각형인지 판별한다.

셀파 □EFGH의 한 내각의 크기가 90°임을 보인다.

풀이 $\angle EAB=\frac{1}{2}\angle BAD$, $\angle ABE=\frac{1}{2}\angle ABC$이고 $\angle BAD+\angle ABC=180^\circ$이므로

$\angle EAB+\angle ABE=\frac{1}{2}\times(\angle BAD+\angle ABC)=\frac{1}{2}\times180^\circ=90^\circ$

따라서 $\triangle ABE$에서 $\angle AEB=90^\circ$ $\therefore \angle HEF=\angle AEB=90^\circ$ (맞꼭지각)

같은 방법으로 하면 ㉠ $\angle EFG=\angle FGH=\angle GHE=90^\circ$

따라서 □EFGH는 네 내각의 크기가 모두 같으므로 **직사각형**이다.

㉠ $\angle BAD+\angle CDA=180^\circ$이므로

$2(\circ+\times)=180^\circ$

$\therefore \circ+\times=90^\circ$

$\triangle AFD$에서

$\angle EFG=180^\circ-(\circ+\times)$

$=90^\circ$

확인 10 오른쪽 그림과 같은 평행사변형 ABCD에서 $\angle A$와 $\angle B$의 이등분선이 $\overline{BC}$, $\overline{AD}$와 만나는 점을 각각 E, F라 하고 $\overline{AE}$와 $\overline{BF}$가 만나는 점을 O라 할 때, 다음 물음에 답하시오.

(1) □ABEF가 어떤 사각형인지 말하시오.

(2) $\angle BOE$의 크기를 구하시오.

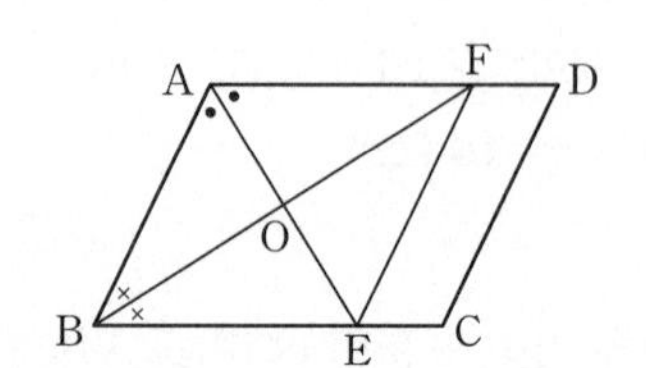

» My 셀파

$\overline{AD}/\!/\overline{BC}$이므로 크기가 같은 각을 그림에 나타내면 다음과 같다.

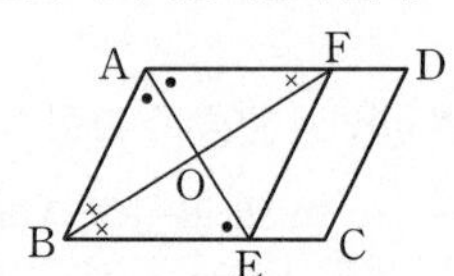

실력 키우기

빠른 정답 242쪽 | 정답과 해설 26쪽

01 여러 가지 사각형의 뜻과 성질

다음 설명 중 옳은 것은?

① 두 대각선의 길이가 같은 사각형은 평행사변형이다.
② 한 내각의 크기가 90°인 평행사변형은 정사각형이다.
③ 이웃하는 두 변의 길이가 같은 평행사변형은 마름모이다.
④ 이웃하는 두 내각의 크기가 같은 평행사변형은 마름모이다.
⑤ 한 쌍의 대각의 크기의 합이 180°인 평행사변형은 마름모이다.

02 직사각형의 뜻과 성질

오른쪽 그림과 같은 직사각형 ABCD에서 점 O는 두 대각선의 교점이고 $\angle OBC=35^\circ$일 때, $y-x$의 값을 구하시오.

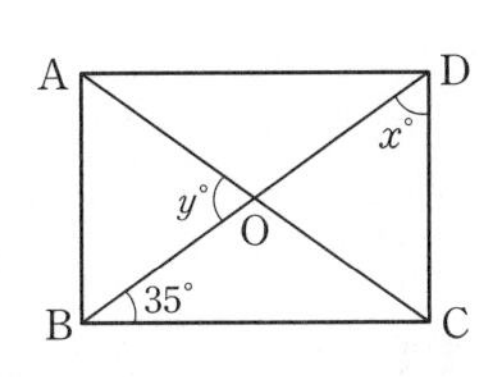

03 평행사변형이 직사각형이 되는 조건 (창의·융합)

아프리카 크펠레 족은 나무 막대 2개만을 사용하여 직사각형 모양의 집터를 그린다고 한다. 오른쪽 그림처럼 두 개의 막대를 각각의 중점이 되는 부분이 겹치도록 비스듬히 놓은 후, 막대의 네 끝을 꼭짓점으로 하는 사각형을 그린다고 할 때, 직사각형 모양의 집터를 그리기 위해 크펠레 족이 준비해야 하는 막대 2개를 다음 **보기**에서 고르시오.

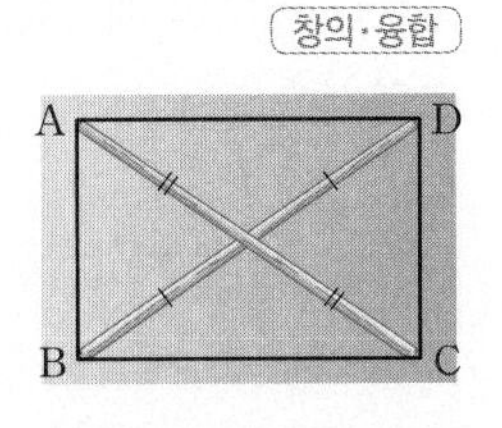

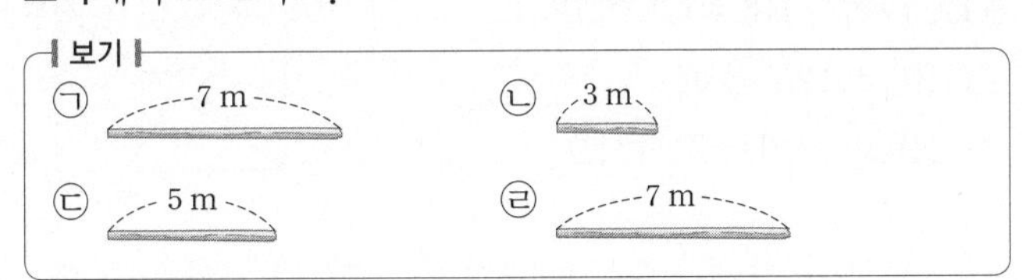

04 마름모의 뜻과 성질

오른쪽 그림과 같은 마름모 ABCD에서 $\angle DAC=50^\circ$일 때, $\angle DBC$의 크기를 구하시오. (단, 점 O는 두 대각선의 교점이다.)

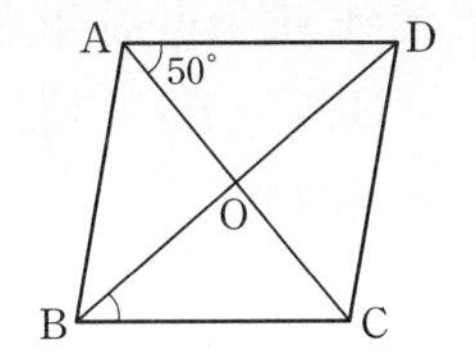

05 마름모의 뜻과 성질

오른쪽 그림과 같은 마름모 ABCD에서 $\overline{AE}\perp\overline{CD}$이고 $\angle ACD=60^\circ$일 때, $\angle AFO$의 크기를 구하시오. (단, 점 O는 두 대각선의 교점이다.)

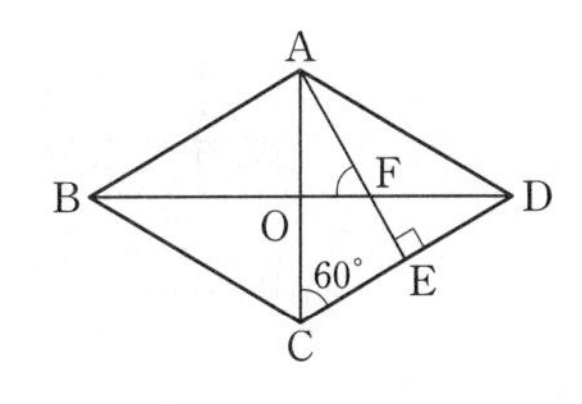

06 평행사변형이 마름모가 되는 조건 (서술형)

오른쪽 그림과 같은 평행사변형 ABCD에서 점 O는 두 대각선의 교점이다. $\angle BAO=62^\circ$, $\angle ODC=28^\circ$이고 $\overline{DC}=7$ cm일 때, $\overline{BC}$의 길이를 구하시오.

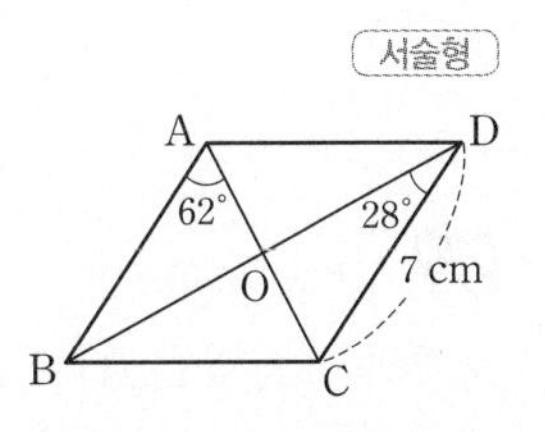

07 정사각형의 뜻과 성질

오른쪽 그림과 같은 정사각형 ABCD에서 대각선 위의 한 점 P에 대하여 ∠BPC=70°일 때, ∠ABP의 크기를 구하시오.

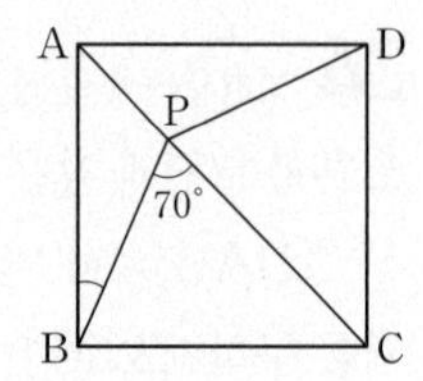

08 정사각형이 되는 조건

다음 그림과 같은 사각형 ㈎, ㈏가 정사각형이 되기 위한 조건으로 알맞은 것을 **보기**에서 각각 모두 고르시오.

(단, 점 O는 두 대각선의 교점이다.)

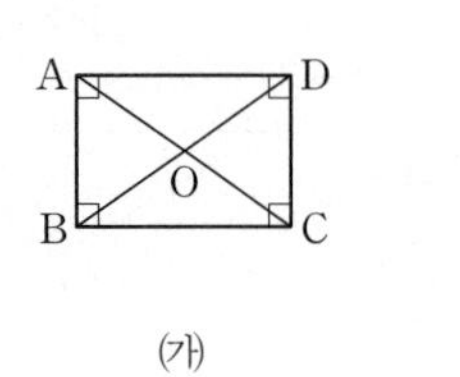

㈎

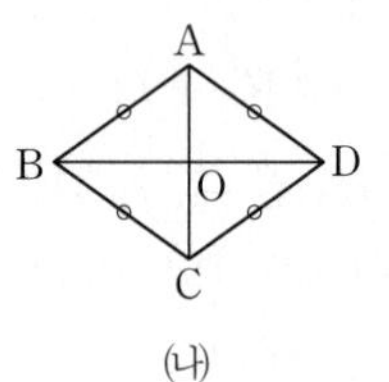

㈏

보기

ㄱ $\overline{AC}=\overline{BD}$	ㄴ $\overline{OA}=\overline{OB}$
ㄷ ∠B=90°	ㄹ $\overline{AC}\perp\overline{BD}$
ㅁ $\overline{BC}=\overline{CD}$	ㅂ ∠BAD=∠ABC

09 등변사다리꼴의 뜻

오른쪽 그림의 □ABCD는 $\overline{AD}/\!/\overline{BC}$인 등변사다리꼴이다. ∠ADB=40°, ∠C=65°일 때, ∠ABD의 크기를 구하시오.

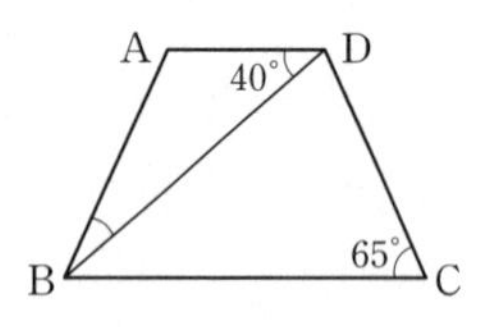

10 등변사다리꼴의 성질

다음은 등변사다리꼴에서 평행하지 않은 한 쌍의 대변의 길이가 같음을 설명하는 과정이다. ㈎~㈒에 알맞은 것을 써넣으시오.

$\overline{AD}/\!/\overline{BC}$인 등변사다리꼴 ABCD에서 점 D를 지나고 $\overline{AB}$에 평행한 직선과 $\overline{BC}$가 만나는 점을 E라 하면 □ABED는 평행사변형이다.

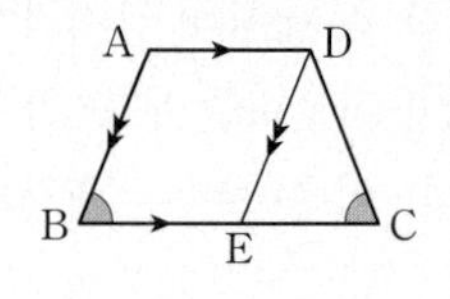

∴ $\overline{AB}$= ㈎

$\overline{AB}/\!/\overline{DE}$이므로 ∠B= ㈏ (동위각)

이때 ∠B=∠C이므로 ∠DEC= ㈐

따라서 △DEC는 $\overline{DE}$= ㈑ 인 이등변삼각형이다.

∴ ㈒ $=\overline{DC}$

11 등변사다리꼴의 성질의 활용

오른쪽 그림의 □ABCD는 $\overline{AD}/\!/\overline{BC}$인 등변사다리꼴이다. $\overline{AB}$=6 cm, $\overline{AD}$=4 cm이고 ∠A=120°일 때, $\overline{BC}$의 길이를 구하시오.

A 4 cm D, 120°, 6 cm, B, C

12 정사각형의 성질의 활용

오른쪽 그림과 같은 정사각형 ABCD에서 $\overline{BE}=\overline{CF}$이고 ∠GEC=125°일 때, ∠GBE의 크기를 구하시오.

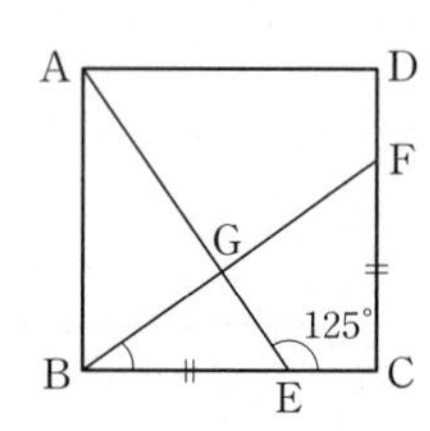

13 여러 가지 사각형의 판별

오른쪽 그림과 같은 직사각형 ABCD에서 대각선 AC의 수직이등분선이 $\overline{AD}$, $\overline{BC}$와 만나는 점을 각각 E, F라 하고 $\overline{AC}$와 $\overline{EF}$가 만나는 점을 O라 할 때, 다음 물음에 답하시오.

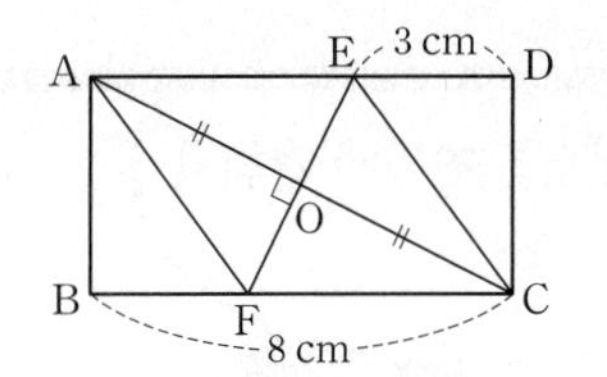

(1) 다음은 □AFCE가 어떤 사각형인지 설명한 것이다. (가)~(다)에 알맞은 것을 써넣으시오.

> △AOE와 △COF에서 ∠AOE=∠COF=90°,
> $\overline{AO}=\overline{CO}$, ∠EAO=∠FCO (엇각)이므로
> △AOE≡△COF ((가) 합동)
> ∴ $\overline{AE}$= (나)
> 또 $\overline{AE}$ // $\overline{CF}$이므로 □AFCE는 평행사변형이다.
> 이때 □AFCE의 두 대각선이 서로 수직이므로
> □AFCE는 (다) 이다.

(2) $\overline{BC}$=8 cm, $\overline{ED}$=3 cm일 때, $\overline{AF}$의 길이를 구하시오.

14 직사각형의 성질의 활용 (서술형)

오른쪽 그림과 같이 직사각형 모양의 종이 ABCD를 꼭짓점 C가 점 A에 오도록 접었다.
∠EAF=20°일 때, 다음 물음에 답하시오.

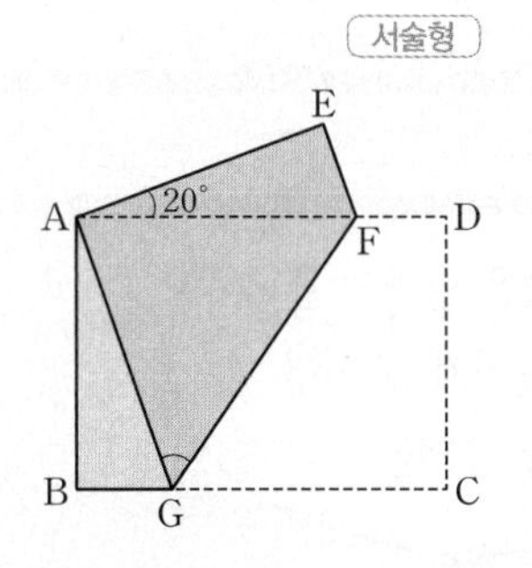

(1) △AGF가 어떤 삼각형인지 말하시오.

(2) ∠AGF의 크기를 구하시오.

15 정사각형의 성질의 활용 (서술형)

오른쪽 그림과 같이 정사각형 ABCD의 내부에 △PBC가 정삼각형이 되도록 점 P를 잡을 때, ∠ADP의 크기를 구하려고 한다. 다음 물음에 답하시오.

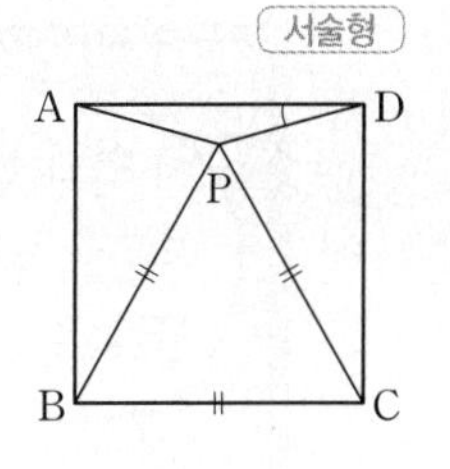

(1) ∠DCP의 크기를 구하시오.

(2) ∠PDC의 크기를 구하시오.

(3) ∠ADP의 크기를 구하시오.

16 마름모의 성질의 활용 (서술형)

오른쪽 그림과 같은 마름모 ABCD에서 점 O는 두 대각선의 교점이고 $\overline{BC}$=10 cm, $\overline{BE}=\overline{BF}$=6 cm, $\overline{AO}$=6 cm일 때, 다음 물음에 답하시오.

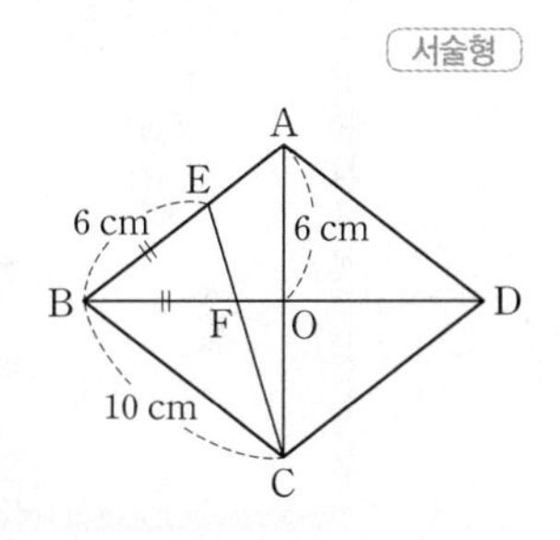

(1) △DFC가 어떤 삼각형인지 말하시오.

(2) $\overline{BD}$의 길이를 구하시오.

(3) 마름모 ABCD의 넓이를 구하시오.

이 벽의 삼각형 부분을 노란색으로 칠하래.
나머지 부분은 녹색으로 칠하고.

페인트를 면적에 맞춰서 준비했어.
노란색은 내가 칠할게.

얘들아, 잠깐~~

삼각형 도안을 이렇게 바꾸래.
뭐야? 이미 면적을 계산해서 페인트도 준비했는데.

걱정할 것 없어. 벽은 직사각형 모양이잖아. 마주 보는 두 변이 평행해.
그래서?

삼각형은 밑변의 길이가 같고 높이가 같으면 넓이가 같거든.
페인트의 양은 변화가 없겠네.

Ⅱ | 사각형의 성질

6 여러 가지 사각형 사이의 관계

1. 여러 가지 사각형 사이의 관계

| 개념 1 | 여러 가지 사각형 사이의 관계

| 개념 2 | 사각형의 각 변의 중점을 연결하여 만든 사각형

2. 평행선과 넓이

| 개념 1 | 평행선과 삼각형의 넓이

| 개념 2 | 높이가 같은 두 삼각형의 넓이의 비

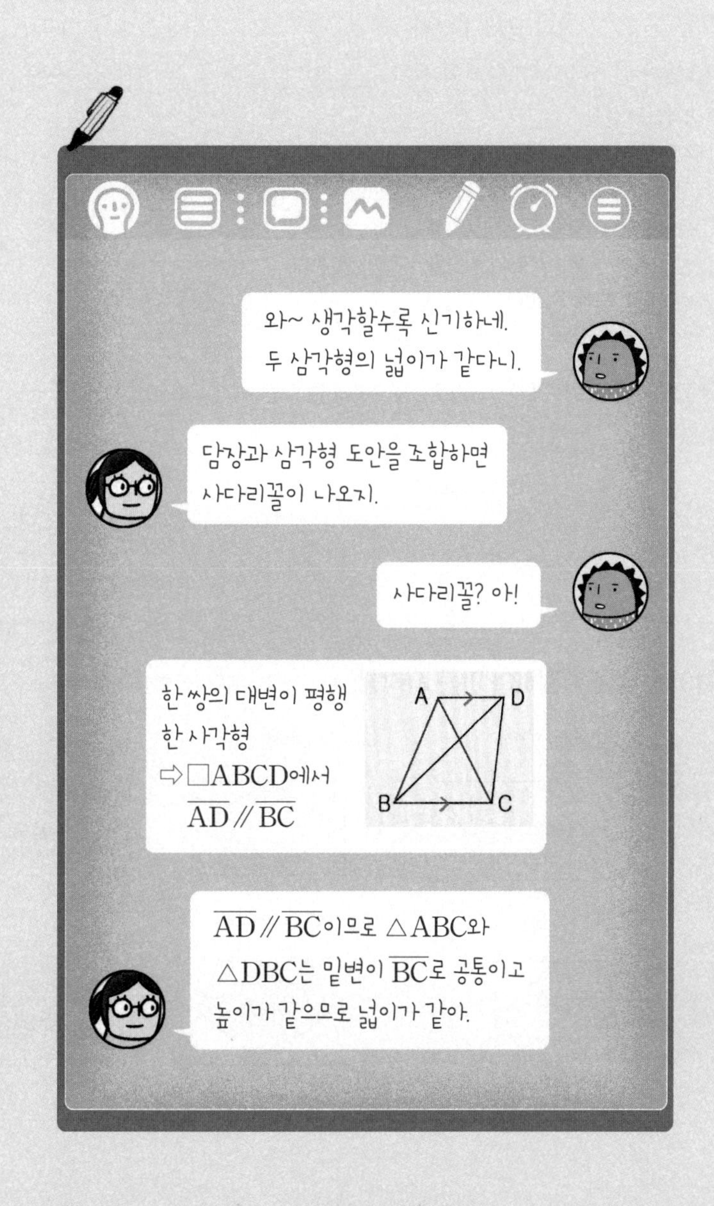

6 1. 여러 가지 사각형 사이의 관계

1 여러 가지 사각형 사이의 관계

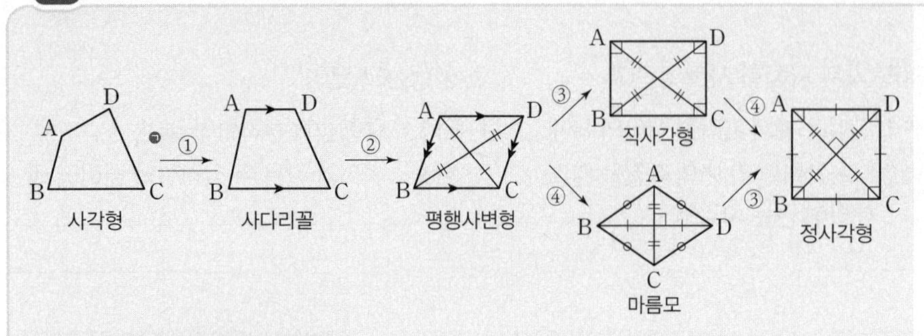

① 한 쌍의 대변이 ☐하다. — 평행

② 다른 한 쌍의 대변이 평행하다.

③ 한 내각이 직각이거나 두 ☐의 길이가 같다. — 대각선

④ 이웃하는 두 변의 길이가 같거나 두 대각선이 서로 ☐이다. — 수직

참고 여러 가지 사각형의 대각선의 성질

① 평행사변형: 두 대각선은 서로 다른 것을 이등분한다.

② 직사각형: 두 대각선은 길이가 같고 서로 다른 것을 이등분한다.

③ 마름모: 두 대각선은 서로 다른 것을 수직이등분한다.

④ 정사각형: 두 대각선은 길이가 같고 서로 다른 것을 수직이등분한다.

⑤ 등변사다리꼴: 두 대각선의 길이가 같다.

개념 다시 보기

- **사다리꼴** 한 쌍의 대변이 평행한 사각형
- **평행사변형** 두 쌍의 대변이 각각 평행한 사각형
- **직사각형** 네 내각의 크기가 모두 같은 사각형
- **마름모** 네 변의 길이가 모두 같은 사각형
- **정사각형** 네 내각의 크기가 모두 같고, 네 변의 길이가 모두 같은 사각형

㉠ 화살표 왼쪽의 사각형에 각 조건을 추가하면 화살표 오른쪽의 사각형이 된다는 의미이다.

보기 오른쪽 그림과 같은 평행사변형 ABCD에 다음 조건을 추가하면 어떤 사각형이 되는지 말하시오.

(1) $\overline{AC}=\overline{BD}$ (2) $\overline{AC}\perp\overline{BD}$

풀이 (1) 직사각형 (2) 마름모

Q 여러 가지 사각형 사이의 관계를 그림으로 나타낼 수 있나요?

A 네, 다음 그림과 같은 포함 관계가 성립합니다.

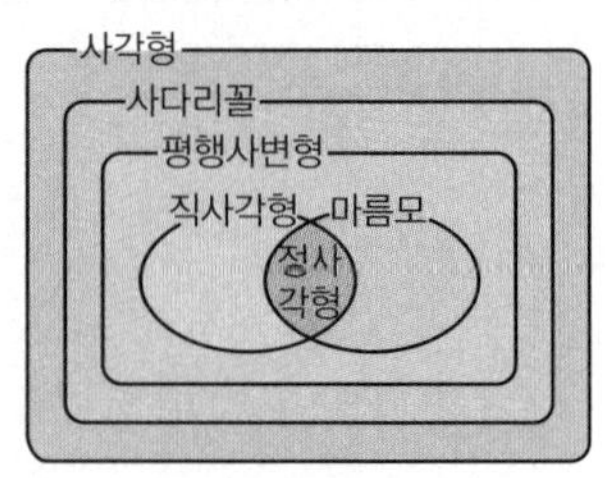

① 정사각형은 직사각형이면서 마름모이다.

② 직사각형은 평행사변형이다.

③ 마름모는 평행사변형이다.

④ 평행사변형은 사다리꼴이다.

2 사각형의 각 변의 중점을 연결하여 만든 사각형

← 자세한 설명은 95쪽 셀파 특강에 있습니다.

(1) 사각형 — 평행사변형

(2) 평행사변형 — 평행사변형

(3) 직사각형 — ☐ — 마름모

(4) 마름모 — 직사각형

(5) 정사각형 — ☐ — 정사각형

(6) 등변사다리꼴 — 마름모

빠른 정답 243쪽 | 정답과 해설 29쪽

| 개념 체크 |

1-1 여러 가지 사각형

다음에 알맞은 사각형을 **보기**에서 모두 고르시오.

| 보기 |
ㄱ 평행사변형　　ㄴ 직사각형
ㄷ 마름모　　ㄹ 정사각형

(1) 두 쌍의 대변의 길이가 각각 같다.
(2) 네 내각의 크기가 모두 같다.

셀파 각 사각형의 성질을 알아둔다.

연구 (1) 두 쌍의 대변의 길이가 각각 같은 것은 평행사변형의 성질이므로 ☐의 성질을 갖고 있는 것을 모두 고른다.
(2) 네 내각의 크기가 모두 같으면 ☐이므로 ☐이 될 수 있는 것을 모두 고른다.

2-1 여러 가지 사각형 사이의 관계

다음 그림에서 □ABCD는 평행사변형이다. ㄱ, ㄴ에 알맞은 사각형의 이름을 말하시오.

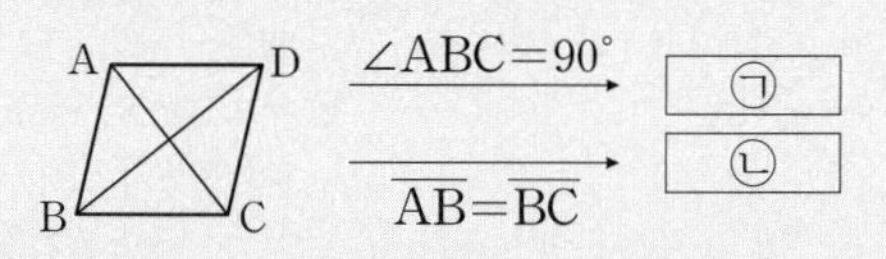

셀파 평행사변형 ABCD에 주어진 조건을 표시해 본다.

연구 ㄱ $\angle ABC=90^\circ$이면 네 내각의 크기가 모두 90°로 같으므로 □ABCD는 ☐이다.
ㄴ $\overline{AB}=\overline{BC}$이면 네 변의 길이가 모두 같으므로 □ABCD는 ☐이다.

| 따라 풀기 |

1-2 다음에 알맞은 사각형을 **보기**에서 모두 고르시오.

| 보기 |
ㄱ 평행사변형　　ㄴ 직사각형
ㄷ 마름모　　ㄹ 정사각형

(1) 두 쌍의 대각의 크기가 각각 같다.

(2) 네 변의 길이가 모두 같다.

(3) 두 대각선의 길이가 같다.

(4) 두 대각선이 서로 수직이다.

2-2 다음 그림에서 왼쪽의 사각형이 오른쪽의 사각형이 되기 위한 조건을 아래 **보기**에서 모두 고르시오.

(1)

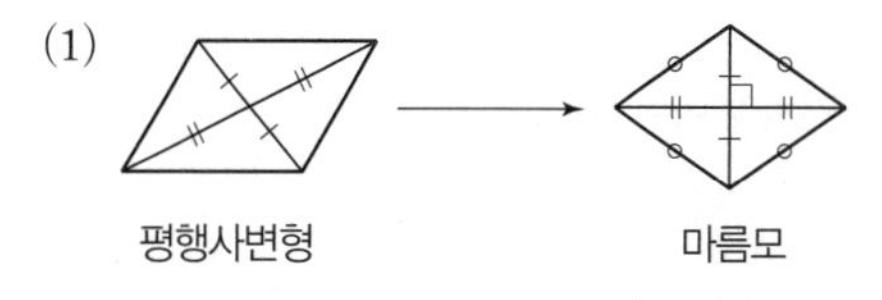

평행사변형　　마름모

(2)

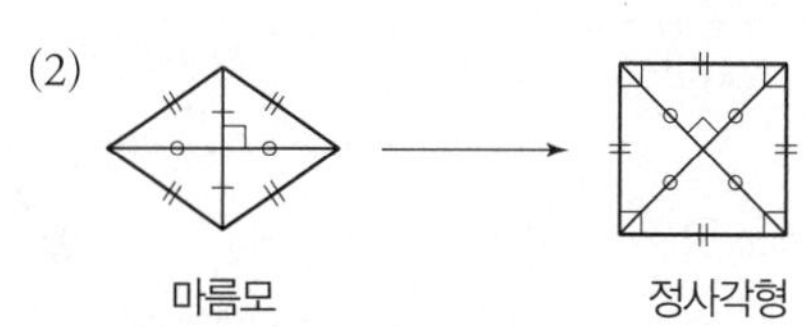

마름모　　정사각형

| 보기 |
ㄱ 한 내각의 크기가 90°이다.
ㄴ 두 대각선이 서로 수직이다.
ㄷ 두 대각선의 길이가 같다.
ㄹ 이웃하는 두 변의 길이가 같다.

사다리꼴 ⟶ 평행사변형 ⟶ 직사각형 / 마름모 ⟶ 정사각형

에서 화살표 오른쪽의 사각형은 화살표 왼쪽의 사각형의 성질을 모두 만족한다.

예 직사각형은 평행사변형이므로 평행사변형의 성질을 모두 만족한다.

개념 한눈에 보기

셀파 특강

여러 가지 사각형 사이의 관계

여러 가지 사각형 사이의 관계를 다음과 같이 그림으로 나타내면 한 사각형이 다른 사각형이 되는 조건을 한눈에 파악할 수 있다.

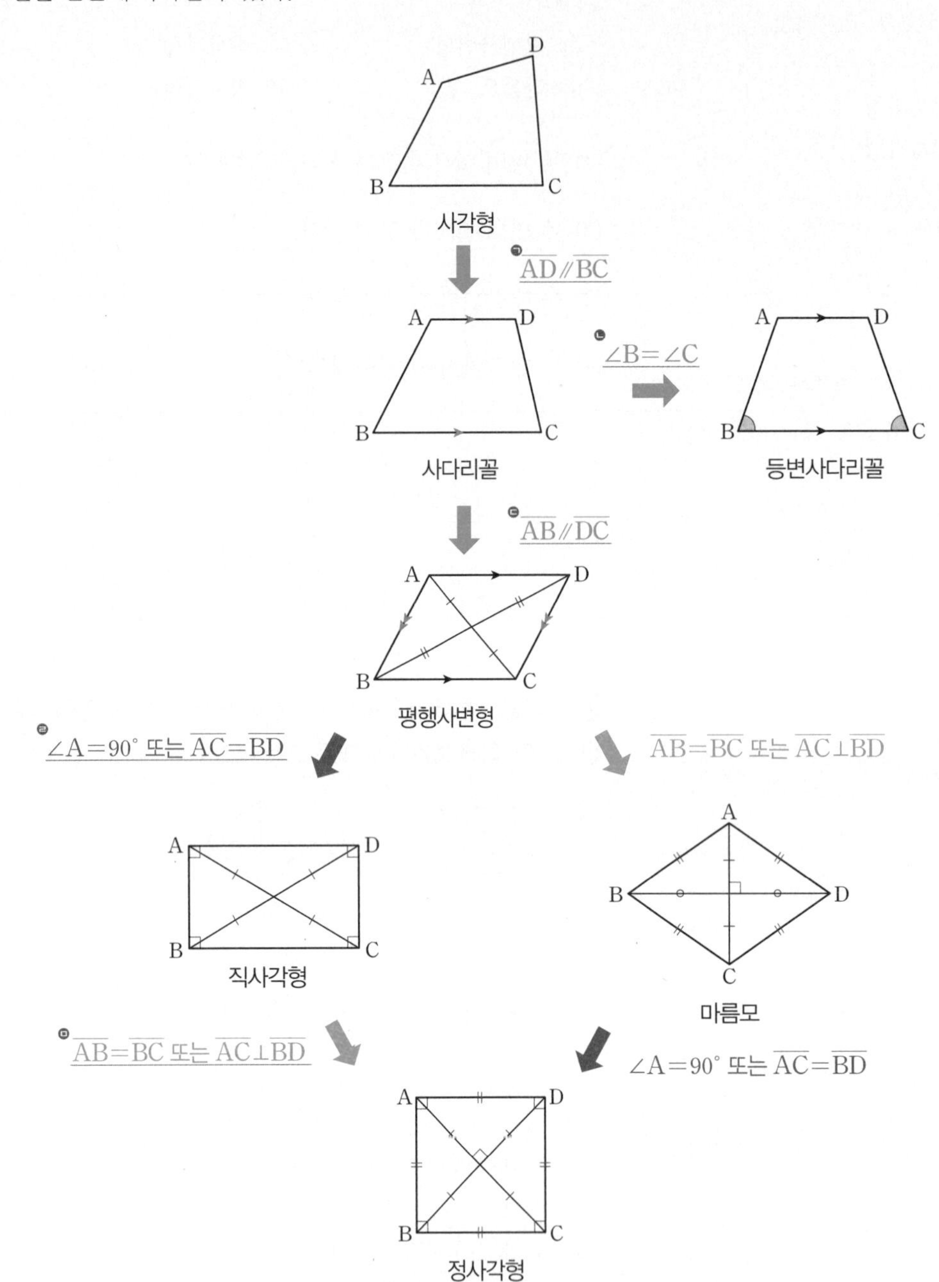

㉠ 사각형에서 한 쌍의 대변이 평행하다는 조건이다.
$\angle A + \angle B = 180^\circ$인 조건도 같이 알아둔다.

● 동측내각의 크기의 합이 180°이면 두 직선은 평행하다.

㉡ 사다리꼴에서 밑변의 양 끝 각의 크기가 같으면 등변사다리꼴이다.
이때 등변사다리꼴의 성질은 다음과 같다.
❶ 평행하지 않은 한 쌍의 대변의 길이가 같다.
❷ 두 대각선의 길이가 같다.

㉢ 사다리꼴에서 나머지 한 쌍의 대변도 평행하면 평행사변형이다.
이때 평행사변형의 성질은 다음과 같다.
❶ 두 쌍의 대변의 길이가 각각 같다.
❷ 두 쌍의 대각의 크기가 각각 같다.
❸ 두 대각선이 서로 다른 것을 이등분한다.

㉣ 평행사변형에서 한 내각의 크기가 90°이거나 두 대각선의 길이가 같으면 직사각형이다.

㉤ 직사각형에서 이웃하는 두 변의 길이가 같거나 두 대각선이 서로 수직이면 정사각형이다.

한 사각형이 다른 사각형이 되는 조건을 이용하여 여러 가지 사각형 사이의 관계를 생각한다.

기본 01 여러 가지 사각형 사이의 관계

다음 그림에서 화살표 왼쪽의 사각형이 화살표 오른쪽의 사각형이 되기 위한 조건이 아닌 것을 모두 고르면? (정답 2개)

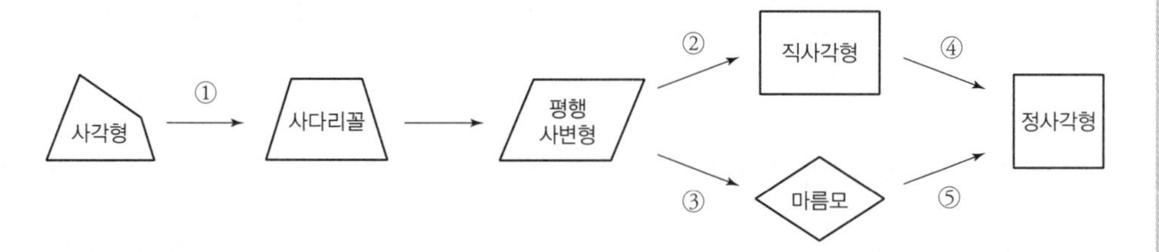

① 한 쌍의 대변이 평행하다.
② 한 내각의 크기가 90°이다.
③ 두 대각선의 길이가 같다.
④ 이웃하는 두 변의 길이가 같다.
⑤ 두 대각선이 서로 수직이다.

해법코드
- 사다리꼴: 한 쌍의 대변이 평행한 사각형
- 평행사변형: 두 쌍의 대변이 각각 평행한 사각형
- 직사각형: 네 내각의 크기가 모두 같은 사각형
- 마름모: 네 변의 길이가 모두 같은 사각형
- 정사각형: 네 내각의 크기가 모두 같고, 네 변의 길이가 모두 같은 사각형

셀파 한 사각형에 조건을 붙여 다른 사각형이 되는 것을 그림으로 생각한다.

풀이 ③ 마름모에서 두 대각선의 길이는 다를 수 있으므로 평행사변형이 마름모가 되기 위한 조건이 아니다.
평행사변형이 마름모가 되려면 이웃하는 두 변의 길이가 같거나 두 대각선이 서로 수직이어야 한다.
⑤ 마름모에서 두 대각선은 이미 수직이므로 정사각형이 되기 위한 조건이라 할 수 없다.
마름모가 정사각형이 되려면 두 대각선의 길이가 같거나 한 내각의 크기가 90°이어야 한다.
따라서 조건이 아닌 것은 ③, ⑤이다.

» 오답 피하기
A사각형이 B사각형이 되기 위한 조건으로 다음 두 가지는 될 수 없다.
① A사각형이 이미 갖고 있는 성질
② B사각형의 성질이 아닌 것

확인 01

1. 다음 중 옳지 않은 것을 모두 고르면? (정답 2개)

① 직사각형은 평행사변형이다.
② 마름모는 정사각형이다.
③ 정사각형은 직사각형이다.
④ 평행사변형은 사다리꼴이다.
⑤ 등변사다리꼴은 직사각형이다.

» My 셀파
1. 여러 가지 사각형 사이의 포함 관계를 나타낸 그림을 생각한다.

2. 오른쪽 그림과 같은 평행사변형 ABCD에 대하여 다음 중 옳지 않은 것은? (단, 점 O는 두 대각선의 교점이다.)

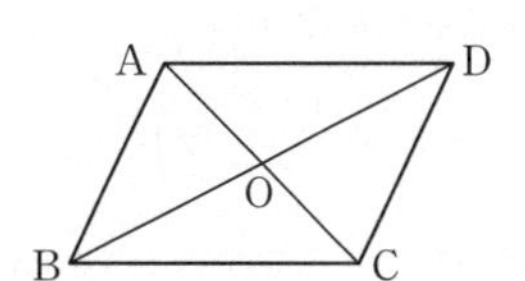

① $\overline{AC}\perp\overline{BD}$이면 □ABCD는 마름모이다.
② $\overline{AB}=\overline{BC}$이면 □ABCD는 마름모이다.
③ $\angle BAD=90°$이면 □ABCD는 직사각형이다.
④ $\overline{AC}=\overline{BD}$이면 □ABCD는 직사각형이다.
⑤ $\overline{OA}=\overline{OB}=\overline{OC}=\overline{OD}$이면 □ABCD는 정사각형이다.

2. 어떤 사각형이 다른 사각형이 되기 위해 필요한 조건을 생각한다.

기본 02 여러 가지 사각형의 대각선의 성질

해법코드

다음 중 두 대각선이 서로 수직인 사각형을 모두 고르면? (정답 2개)

① 평행사변형 ② 직사각형 ③ 마름모
④ 정사각형 ⑤ 등변사다리꼴

사각형 \ 대각선	이등분한다.	길이가 같다.	수직이다.
평행사변형	○	×	×
직사각형	○	○	×
마름모	○	×	○
정사각형	○	○	○
등변사다리꼴	×	○	×

셀파 두 대각선이 서로 수직인 사각형은 마름모의 성질을 갖는 사각형이다.

풀이 두 대각선이 서로 수직인 것은 마름모의 성질을 갖는 ③ 마름모, ④ 정사각형이다.

확인 02 다음 **보기**에서 두 대각선의 길이가 같은 사각형은 모두 몇 개인지 구하시오.

보기
㉠ 사다리꼴 ㉡ 등변사다리꼴 ㉢ 평행사변형
㉣ 직사각형 ㉤ 마름모 ㉥ 정사각형

» My 셀파
두 대각선의 길이가 같은 사각형은 직사각형의 성질을 갖는 사각형과 등변사다리꼴이다.

기본 03 사각형의 각 변의 중점을 연결하여 만든 사각형

해법코드

오른쪽 그림과 같은 직사각형 ABCD에서 네 점 E, F, G, H는 각 변의 중점이다. 다음 **보기**에서 □EFGH에 대한 설명으로 옳은 것을 모두 고르시오.

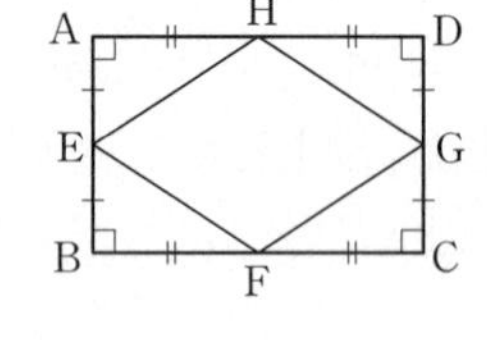

보기
㉠ 네 변의 길이가 모두 같다. ㉡ 네 내각의 크기가 모두 같다.
㉢ 두 대각선이 서로 수직이다. ㉣ 두 대각선의 길이가 같다.

사각형의 각 변의 중점을 연결하여 만든 사각형은 다음과 같다.
- 사각형, 사다리꼴, 평행사변형 ⇨ 평행사변형
- 직사각형, 등변사다리꼴 ⇨ 마름모
- 마름모 ⇨ 직사각형
- 정사각형 ⇨ 정사각형

셀파 직사각형의 각 변의 중점을 연결하여 만든 사각형은 마름모이다.

풀이 ❶ $\triangle AEH \equiv \triangle BEF \equiv \triangle CGF \equiv \triangle DGH$ (SAS 합동)이므로
$\overline{EH}=\overline{EF}=\overline{GF}=\overline{GH}$
즉 □EFGH는 네 변의 길이가 모두 같으므로 마름모이다.
따라서 마름모의 성질인 것은 ㉠, ㉢이다.

❶ $\triangle AEH$와 $\triangle BEF$에서
$\overline{AH}=\overline{BF}$, $\overline{AE}=\overline{BE}$,
$\angle A=\angle B=90^\circ$
$\therefore \triangle AEH \equiv \triangle BEF$ (SAS 합동)
같은 방법으로 하면
$\triangle BEF \equiv \triangle CGF \equiv \triangle DGH$
임을 알 수 있다.

확인 03 오른쪽 그림과 같이 평행사변형 ABCD의 네 변의 중점을 각각 P, Q, R, S라 할 때, 다음 중 옳지 않은 것은?

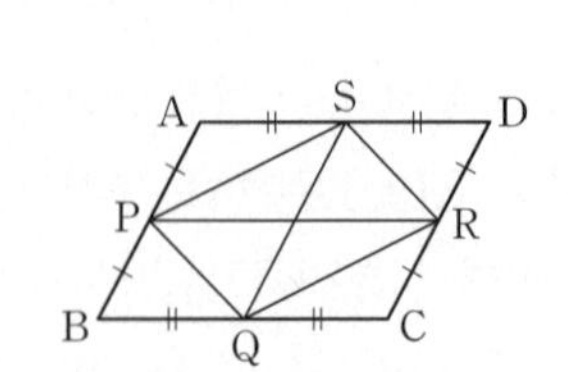

① $\overline{PS}=\overline{QR}$ ② $\overline{PQ}=\overline{SR}$
③ $\angle SPQ=\angle SRQ$ ④ $\overline{PR}=\overline{SQ}$
⑤ $\angle SPQ+\angle PQR=180^\circ$

» My 셀파
평행사변형의 각 변의 중점을 연결하여 만든 사각형은 평행사변형이다.

사각형의 각 변의 중점을 연결하여 만든 사각형

Q 사각형의 각 변의 중점을 연결하여 만든 사각형은 어떤 사각형이 될까?

A 사각형의 각 변의 중점을 연결하여 만든 사각형은 다음과 같다.

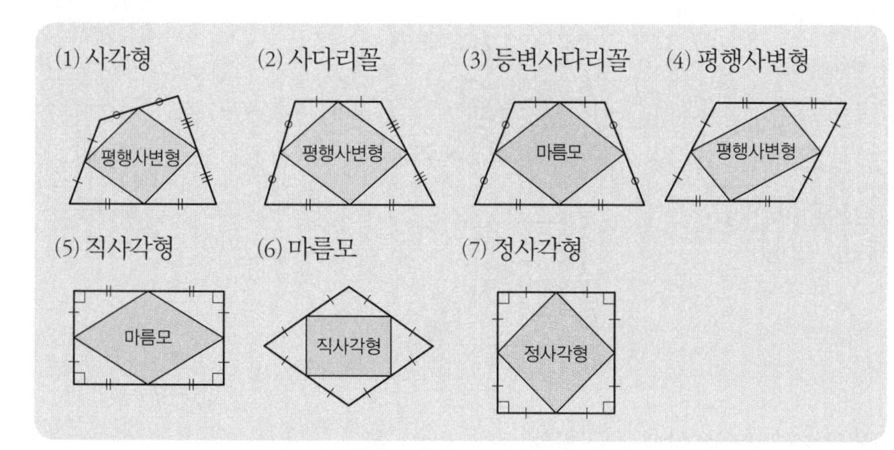

(1) 사각형, (2) 사다리꼴, (3) 등변사다리꼴에 대한 설명은 대단원 Ⅲ에서 도형의 닮음을 배워야 이해할 수 있으므로 지금은 알아만 둔다.

사각형의 성질과 삼각형의 합동 조건을 이용하여 마름모와 정사각형의 각 변의 중점을 연결하여 만든 사각형은 각각 직사각형과 정사각형임을 확인해 보자.

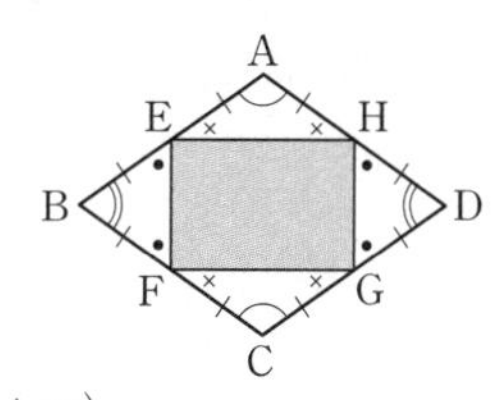

(6) $\triangle AEH \equiv \triangle CGF$ (SAS 합동)이므로
$\angle AEH = \angle AHE = \angle CFG = \angle CGF$
$\triangle BFE \equiv \triangle DHG$ (SAS 합동)이므로
$\angle BEF = \angle BFE = \angle DHG = \angle DGH$
$\therefore \angle HEF = \angle EFG = \angle FGH = \angle GHE = 180^\circ - (\bullet + \times)$ ㉠
즉 □EFGH는 네 내각의 크기가 모두 같으므로 직사각형이다.

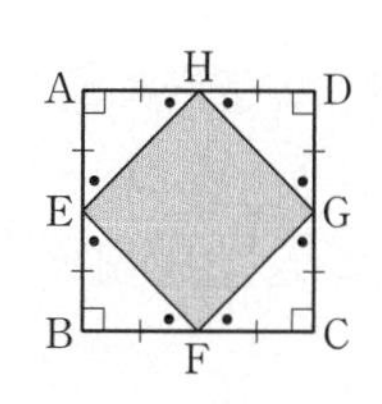

(7) $\triangle AEH \equiv \triangle BFE \equiv \triangle CGF \equiv \triangle DHG$ (SAS 합동)이므로
$\angle AEH = \angle AHE = \angle BEF = \angle BFE = \angle CFG = \angle CGF$
$= \angle DGH = \angle DHG$
$\therefore$ ㉡ $\angle HEF = \angle EFG = \angle FGH = \angle GHE = 90^\circ$,
$\overline{EF} = \overline{FG} = \overline{GH} = \overline{HE}$
따라서 □EFGH는 네 내각의 크기가 모두 같고, 네 변의 길이가 모두 같으므로 정사각형이다.

㉠ $\triangle AEH$에서 $\angle A$의 외각의 크기는 $2\times$
$\overleftrightarrow{AD} /\!/ \overleftrightarrow{BC}$이므로
$\angle B = 2\times$ (엇각)
이때 $\triangle BFE$에서
$2\bullet + 2\times = 180^\circ$
$\therefore \bullet + \times = 90^\circ$

㉡ $2\bullet = 90^\circ$이므로
$\angle HEF = \angle EFG$
$= \angle FGH$
$= \angle GHE$
$= 180^\circ - 2\bullet$
$= 180^\circ - 90^\circ$
$= 90^\circ$

사각형의 각 변의 중점을 연결하여 만든 사각형
- 사각형, 사다리꼴, 평행사변형 ⇨ 평행사변형
- 등변사다리꼴, 직사각형 ⇨ 마름모
- 마름모 ⇨ 직사각형
- 정사각형 ⇨ 정사각형

2. 평행선과 넓이

1 평행선과 삼각형의 넓이

오른쪽 그림에서 두 직선 l, m이 평행할 때, $\triangle$ABC와 $\triangle$DBC는 밑변 BC가 공통이고 [　　]가 h로 같으므로 넓이가 같다.

⇨ $l /\!/ m$이면 $\triangle ABC = \triangle DBC = \frac{1}{2}ah$

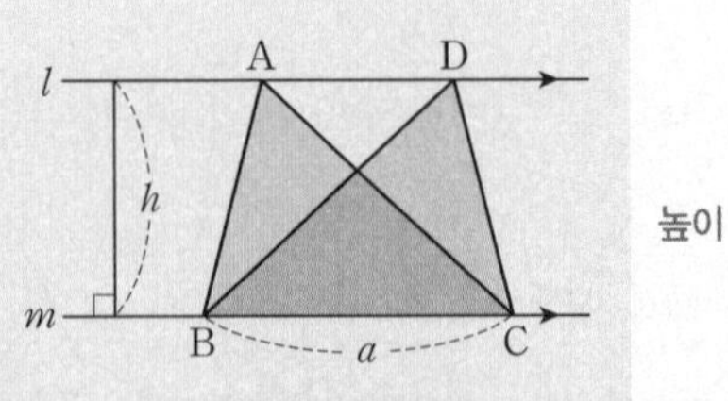

높이

참고 오른쪽 그림과 같이 $\overline{AD} /\!/ \overline{BC}$인 사다리꼴 ABCD에서 두 대각선의 교점을 O라 하면 $\triangle ABC = \triangle DBC$

$\therefore \triangle ABO = \triangle ABC - \triangle OBC$

$= \triangle DBC - \triangle OBC =$ [　　]

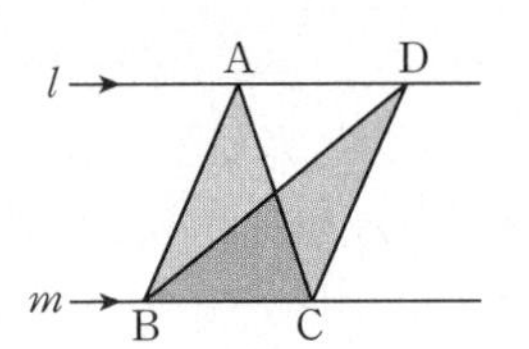

$\triangle$DOC

● 평행한 두 직선 사이의 거리는 항상 일정하다.
$l /\!/ m$ ⇨ $h = h' = h''$

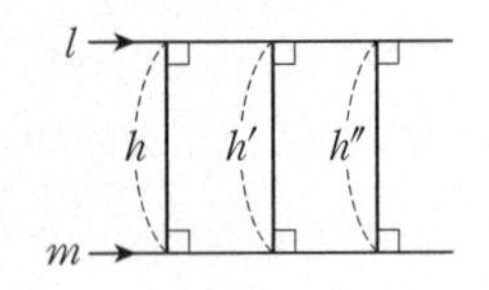

보기 오른쪽 그림에서 $l /\!/ m$이고 $\triangle$ABC의 넓이가 10 cm²일 때, $\triangle$DBC의 넓이를 구하시오.

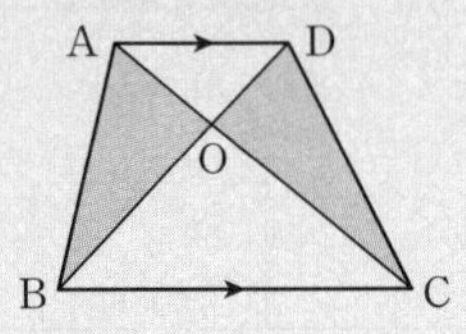

풀이 $l /\!/ m$이면 $\triangle$ABC와 $\triangle$DBC의 밑변이 $\overline{BC}$로 공통이고 높이가 같다. 따라서 두 삼각형의 넓이는 같다.
즉 $\triangle DBC = \triangle ABC =$ **10 cm²**

$\triangle DBC = \triangle ABC$ 에서 '='는 합동이 아니라 넓이가 같다는 뜻이야. 기호 '='와 '≡'을 혼동하지 않도록 하자~.

2 높이가 같은 두 삼각형의 넓이의 비

높이가 같은 두 삼각형의 넓이의 비는 밑변의 길이의 비와 같다.

⇨ 오른쪽 그림과 같은 $\triangle$ABC와 $\triangle$ACD에서
$\overline{BC} : \overline{CD} = m : n$이면
$\triangle ABC : \triangle ACD =$ [　　]

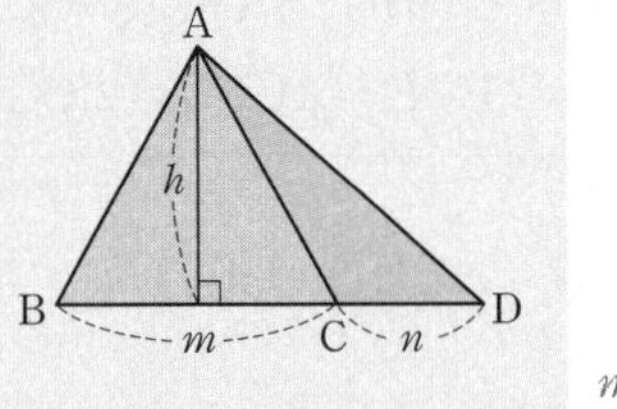

$m : n$

참고 ① 점 C가 $\overline{BD}$의 중점이면 $\triangle ABC = \triangle ACD$

② $\overline{BC} : \overline{CD} = m : n$이면 $\triangle ABC = \frac{m}{m+n}\triangle ABD$, $\triangle ACD = \frac{[\quad]}{m+n}\triangle ABD$

n

설명
$\triangle ABC : \triangle ACD$
$= \left(\frac{1}{2} \times \overline{BC} \times h\right) : \left(\frac{1}{2} \times \overline{CD} \times h\right)$
$= \overline{BC} : \overline{CD}$
$= m : n$

보기 오른쪽 그림에서 $l /\!/ m$이고 $\overline{BC} = 8$ cm, $\overline{CD} = 6$ cm일 때, $\triangle ABC : \triangle ACD$를 가장 간단한 자연수의 비로 나타내시오.

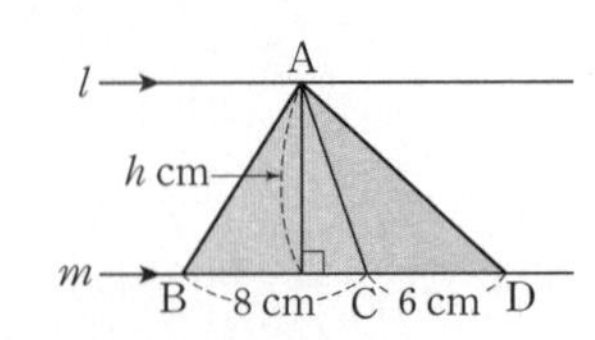

풀이 $\triangle$ABC와 $\triangle$ACD는 높이가 h cm로 같으므로 넓이의 비는 밑변의 길이의 비와 같다.
$\therefore \triangle ABC : \triangle ACD = \overline{BC} : \overline{CD} = 8 : 6 =$ **4 : 3**

빠른 정답 243쪽 | 정답과 해설 29쪽

| 개념 체크 |

1-1 평행선과 삼각형의 넓이

오른쪽 그림에서 $l /\!/ m$이고 $\overline{AH}\perp\overline{BC}$이다. $\overline{AH}=5\text{ cm}$, $\overline{BC}=10\text{ cm}$일 때, △DBC의 넓이를 구하시오.

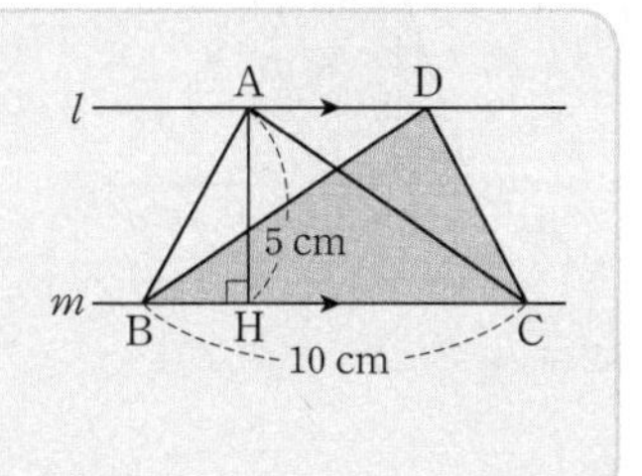

셀파 (삼각형의 넓이)$=\frac{1}{2}\times$(밑변의 길이)$\times$(높이)

연구 $l /\!/ m$이므로

$\triangle DBC=\square=\frac{1}{2}\times 10\times\square=25\ (\text{cm}^2)$

2-1 높이가 같은 두 삼각형의 넓이의 비

오른쪽 그림과 같은 △ABC에서 $\overline{AE}\perp\overline{BC}$이고 $\overline{AE}=8\text{ cm}$, $\overline{BD}=6\text{ cm}$, $\overline{DC}=10\text{ cm}$일 때, 다음 물음에 답하시오.

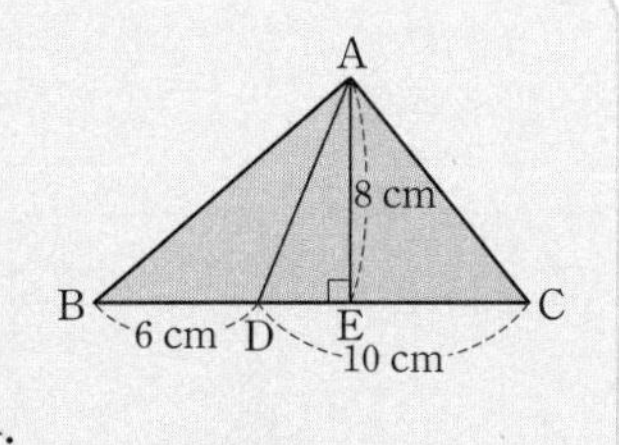

(1) △ABD의 넓이와 △ADC의 넓이를 각각 구하시오.
(2) △ABD : △ADC와 $\overline{BD}:\overline{DC}$를 비교하시오.

셀파 (삼각형의 넓이)$=\frac{1}{2}\times$(밑변의 길이)$\times$(높이)

연구 (1) $\triangle ABD=\frac{1}{2}\times 6\times\square=\square\ (\text{cm}^2)$

$\triangle ADC=\frac{1}{2}\times 10\times 8=40\ (\text{cm}^2)$

(2) $\triangle ABD:\triangle ADC=\square:40=\square:\square$

$\overline{BD}:\overline{DC}=6:10=3:5$

$\therefore\ \triangle ABD:\triangle ADC\ \square\ \overline{BD}:\overline{DC}$

| 따라 풀기 |

1-2 오른쪽 그림과 같이 $\overline{AD}/\!/\overline{BC}$인 사다리꼴 ABCD에서 다음 삼각형과 넓이가 같은 삼각형을 찾으시오.

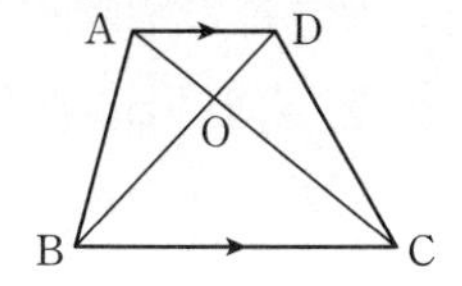

(1) △ABC

(2) △ABD

(3) △DOC

2-2 오른쪽 그림과 같은 △ABC에서 $\overline{BD}:\overline{DC}=1:2$이고 △ABC의 넓이가 18 cm^2일 때, △ADC의 넓이를 구하시오.

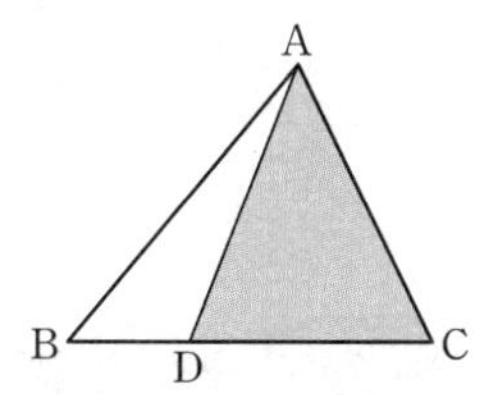

(삼각형의 넓이)$=\frac{1}{2}\times$(밑변의 길이)$\times$(높이)이고, 평행선 사이에 있는 두 삼각형은 높이가 같으므로 밑변의 길이가 같으면 넓이도 같다.

빠른 정답 243쪽 | 정답과 해설 30쪽

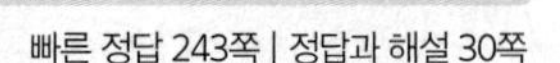

기본 01 평행선과 삼각형의 넓이

오른쪽 그림과 같이 □ABCD의 꼭짓점 D를 지나고 $\overline{AC}$에 평행한 직선이 $\overline{BC}$의 연장선과 만나는 점을 E라 할 때, □ABCD의 넓이를 구하시오.

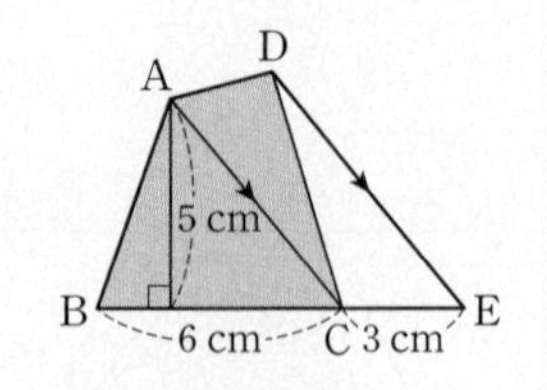

해법코드

다음 그림에서 $\overline{AC} /\!/ \overline{DE}$일 때

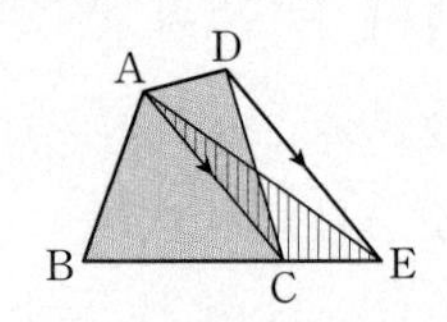

① △ACD=△ACE
② □ABCD=△ABC+△ACD
=△ABC+△ACE
=△ABE

셀파 $\overline{AE}$를 그어 두 평행선 AC, DE 사이에서 넓이가 같은 삼각형을 찾는다.

풀이 오른쪽 그림과 같이 $\overline{AE}$를 그으면
$\overline{AC} /\!/ \overline{DE}$이므로 ❶ △ACD=△ACE
∴ □ABCD=△ABC+△ACD
=△ABC+△ACE=△ABE
$=\frac{1}{2}\times(6+3)\times5=\mathbf{\frac{45}{2}}$ **(cm²)**

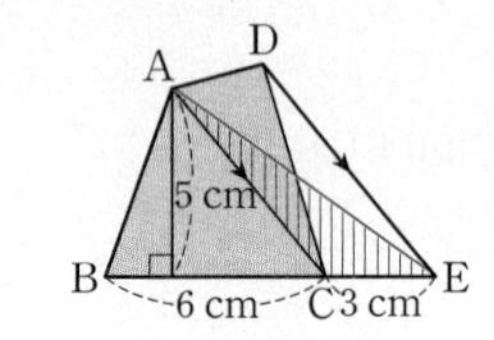

❶ △ACD와 △ACE의 밑변을 $\overline{AC}$로 잡으면 두 평행선 사이에서 높이가 같으므로
△ACD=△ACE
$\overline{AC}$가 밑변

확인 01 오른쪽 그림과 같이 □ABCD의 꼭짓점 A를 지나면서 $\overline{DB}$에 평행한 직선이 $\overline{BC}$의 연장선과 만나는 점을 E라 할 때, 다음 물음에 답하시오.

(1) △DEB와 넓이가 같은 삼각형을 찾으시오.
(2) △DEC$=45$ cm²일 때, □ABCD의 넓이를 구하시오.

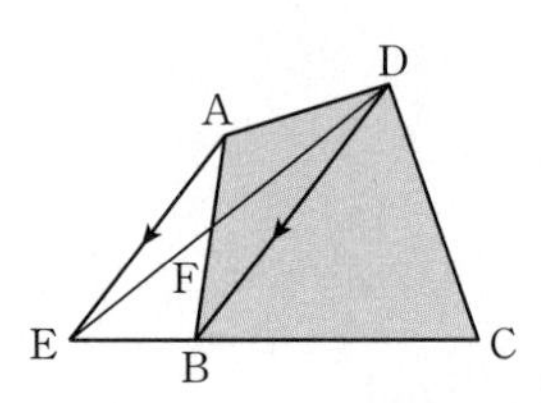

» My 셀파
두 평행선 AE, DB 사이에서 넓이가 같은 삼각형을 찾는다.

기본 02 높이가 같은 두 삼각형의 넓이의 비

오른쪽 그림과 같은 △ABC에서 $\overline{BD}:\overline{DC}=1:2$, $\overline{AE}:\overline{EC}=3:2$이다. △ADE$=18$ cm²일 때, △ABC의 넓이를 구하시오.

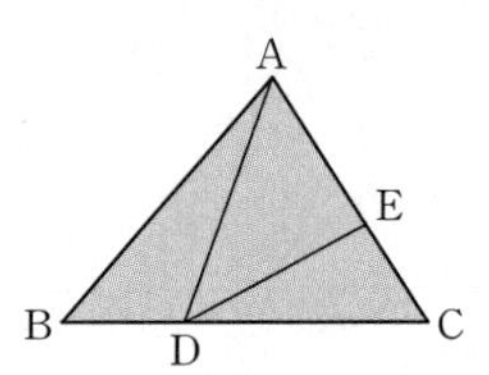

해법코드

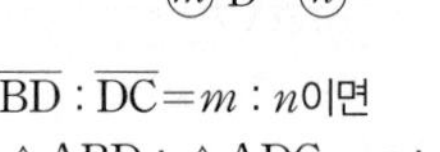

$\overline{BD}:\overline{DC}=m:n$이면
△ABD : △ADC$=m:n$

셀파 높이가 같은 두 삼각형의 넓이의 비는 밑변의 길이의 비와 같다.

풀이 △ADE : △EDC$=\overline{AE}:\overline{EC}$이므로 18 : △EDC$=3:2$ ∴ △EDC$=12$ (cm²)
∴ △ADC=△ADE+△EDC$=18+12=30$ (cm²)
△ABD : △ADC$=\overline{BD}:\overline{DC}$이므로 △ABD : $30=1:2$ ∴ △ABD$=15$ (cm²)
∴ △ABC=△ABD+△ADC$=15+30=$**45 (cm²)**

확인 02 오른쪽 그림과 같은 △ABC에서 $\overline{AD}:\overline{DB}=1:2$, $\overline{BE}:\overline{EC}=3:2$이다. △DEC의 넓이가 16 cm²일 때, △ADC의 넓이를 구하시오.

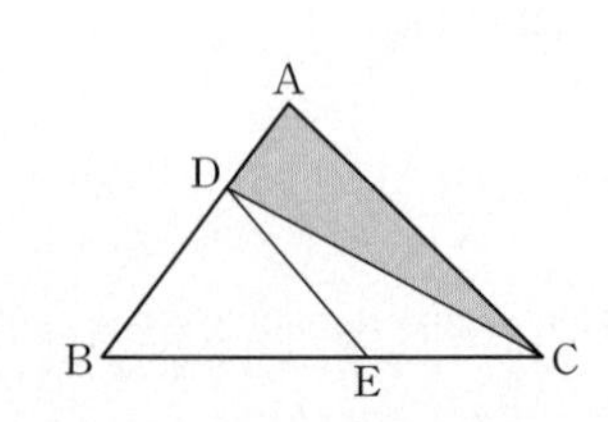

» My 셀파
△DBE : △DEC$=\overline{BE}:\overline{EC}$,
△CAD : △CDB$=\overline{AD}:\overline{DB}$
임을 이용한다.

발전 03 사다리꼴에서 높이가 같은 삼각형의 넓이

오른쪽 그림과 같이 $\overline{AD} /\!/ \overline{BC}$인 사다리꼴 ABCD에서 두 대각선의 교점을 O라 하면 $\overline{AO}:\overline{OC}=1:3$이다. $\triangle AOD=7\ cm^2$일 때, □ABCD의 넓이를 구하시오.

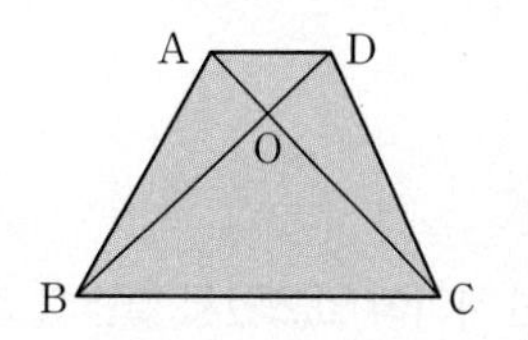

해법코드

$\overline{AD} /\!/ \overline{BC}$인 사다리꼴 ABCD에서

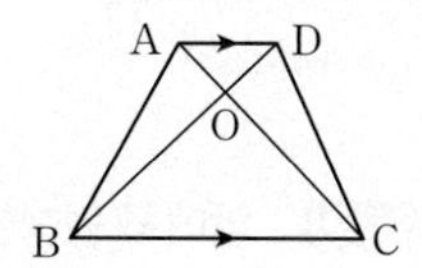

① $\triangle ABO=\triangle DOC$
② $\triangle ABO:\triangle OBC$
$=\triangle DAO:\triangle DOC$
$=\overline{AO}:\overline{OC}$

셀파 $\overline{AD} /\!/ \overline{BC}$이므로 $\overline{AD}$를 밑변으로 하는 $\triangle ABD$와 $\triangle ACD$의 넓이는 같다.

풀이 $\triangle AOD:\triangle DOC=1:3$이므로 $7:\triangle DOC=1:3$
$\therefore \triangle DOC=21\ (cm^2)$
이때 $\triangle ABO=\triangle DOC=21\ cm^2$이고
㉠ $\triangle ABO:\triangle OBC=1:3$이므로 $\triangle OBC=63\ (cm^2)$
$\therefore$ □ABCD$=\triangle AOD+\triangle ABO+\triangle DOC+\triangle OBC$
$=7+21+21+63=$**112 (cm²)**

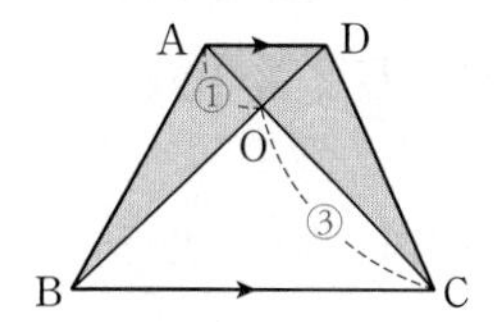

㉠ $\triangle ABO:\triangle OBC=1:3$이므로
$\triangle OBC=3\triangle ABO$
$=3\times 21=63\ (cm^2)$

확인 03 오른쪽 그림의 □ABCD는 $\overline{AD} /\!/ \overline{BC}$인 사다리꼴이다. $\overline{BO}:\overline{DO}=3:2$이고 $\triangle ABD=30\ cm^2$일 때, $\triangle DBC$의 넓이를 구하시오.

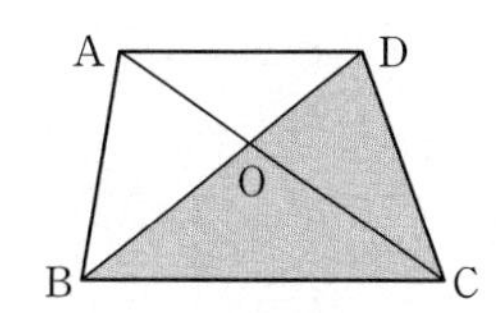

» My 셀파
$\triangle ABO:\triangle AOD=3:2$이므로
$\triangle ABO=\triangle ABD\times\frac{3}{3+2}$
$\triangle AOD=\triangle ABD\times\frac{2}{3+2}$

발전 04 평행사변형에서 높이가 같은 삼각형의 넓이

오른쪽 그림과 같은 평행사변형 ABCD에서 $\overline{BP}:\overline{PC}=2:1$이고 $\overline{AP}$, $\overline{BD}$의 교점을 Q라 하자. $\overline{AQ}:\overline{QP}=3:2$이고 □ABCD의 넓이가 $60\ cm^2$일 때, $\triangle AQO$의 넓이를 구하시오.
(단, 점 O는 두 대각선의 교점이다.)

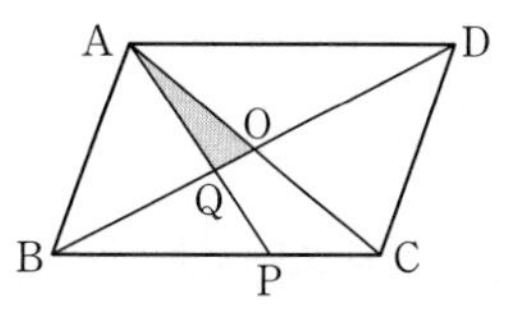

해법코드

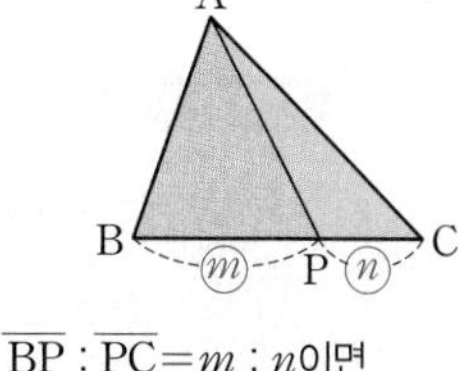

$\overline{BP}:\overline{PC}=m:n$이면
$\triangle ABP:\triangle APC=m:n$
이때
$\triangle ABP=\triangle ABC\times\frac{m}{m+n}$
$\triangle APC=\triangle ABC\times\frac{n}{m+n}$

셀파 평행사변형의 한 대각선은 평행사변형의 넓이를 이등분한다.

풀이 $\triangle ABC=\frac{1}{2}$□ABCD$=\frac{1}{2}\times 60=30\ (cm^2)$
$\overline{BP}:\overline{PC}=2:1$이므로
$\triangle APC=\triangle ABC\times\frac{1}{2+1}=30\times\frac{1}{3}=10\ (cm^2)$
$\overline{QC}$를 그으면 $\overline{AQ}:\overline{QP}=3:2$이므로
$\triangle AQC=\triangle APC\times\frac{3}{3+2}=10\times\frac{3}{5}=6\ (cm^2)$
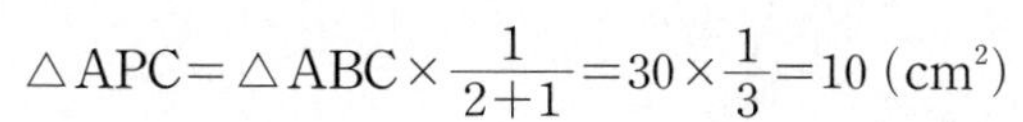
따라서 $\overline{AO}=\overline{OC}$이므로 $\triangle AQO=\frac{1}{2}\triangle AQC=\frac{1}{2}\times 6=$**3 (cm²)**

확인 04 오른쪽 그림과 같은 평행사변형 □ABCD에서 $\overline{BE}:\overline{EC}=5:2$가 되도록 $\overline{BC}$ 위에 점 E를 잡고, $\overline{DC}$의 연장선과 $\overline{AE}$의 연장선이 만나는 점을 F라 하자. □ABCD의 넓이가 $28\ cm^2$일 때, $\triangle BFE$의 넓이를 구하시오.

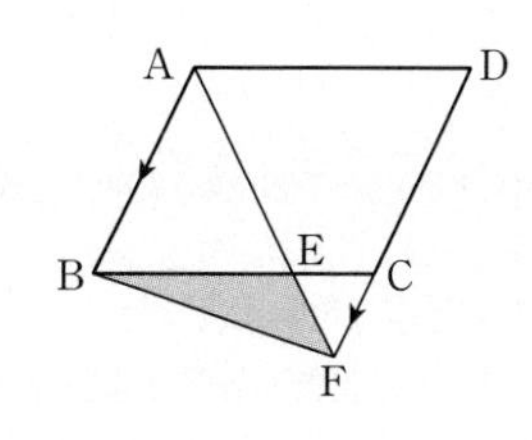

» My 셀파
대각선 AC를 그으면
$\overline{BE}:\overline{EC}=5:2$이므로
$\triangle ABE:\triangle AEC=5:2$
또 $\triangle BFC=\triangle AFC$

복잡한 도형에서 넓이가 같은 삼각형 찾기

Q 앞에서 평행한 두 직선 사이에 있으면서 밑변의 길이가 같은 두 삼각형은 그 넓이가 같다는 것을 배웠다. 그렇다면 오른쪽 그림과 같이 평행사변형 ABCD에 복잡하게 선이 그어져 있을 때는 △ABE와 넓이가 같은 삼각형을 어떻게 찾을까?

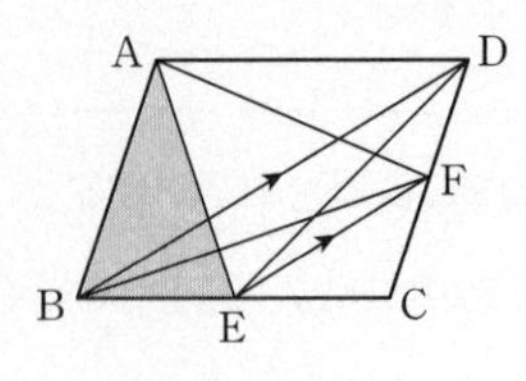

A 해결 포인트는 평행선!! 그림에 평행선이 있으면 평행선을 기준으로 넓이가 같은 삼각형들을 찾으면 된다. 그럼 위의 그림을 살펴볼까?

㉠평행사변형 ABCD에 다음과 같이 세 가지의 평행선이 그어져 있으므로 각각의 경우에서 넓이가 같은 삼각형을 찾을 수 있다.

㉠ 평행사변형 ABCD에는 두 쌍의 평행선이 있다.
⇨ $\overline{AD}/\!/\overline{BC}$, $\overline{AB}/\!/\overline{DC}$

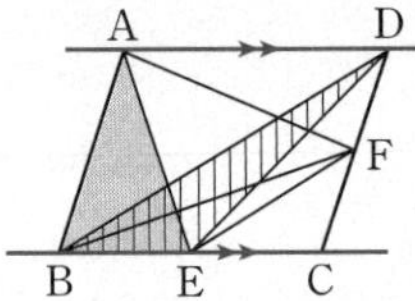

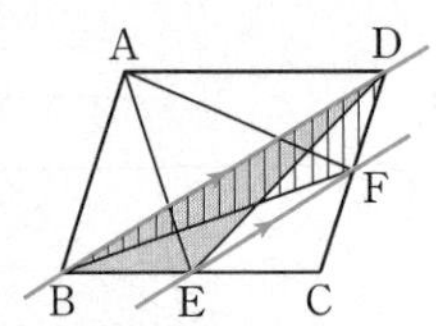

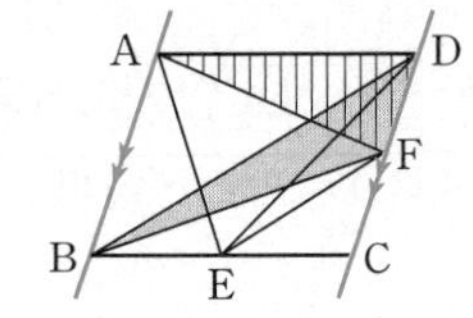

$\overline{AD}/\!/\overline{BC}$이므로
△ABE = △DBE ($\overline{BE}$가 밑변)

$\overline{BD}/\!/\overline{EF}$이므로
△DBE = △DBF ($\overline{DB}$가 밑변)

$\overline{AB}/\!/\overline{DC}$이므로
△BDF = △ADF ($\overline{DF}$가 밑변)

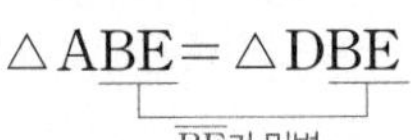

∴ △ABE = △DBE = △DBF = △ADF

보기

오른쪽 그림과 같은 평행사변형 ABCD에서 $\overline{AC}/\!/\overline{EF}$이고 △BCF의 넓이가 15 cm^{2}일 때, △ACE의 넓이를 구하시오.

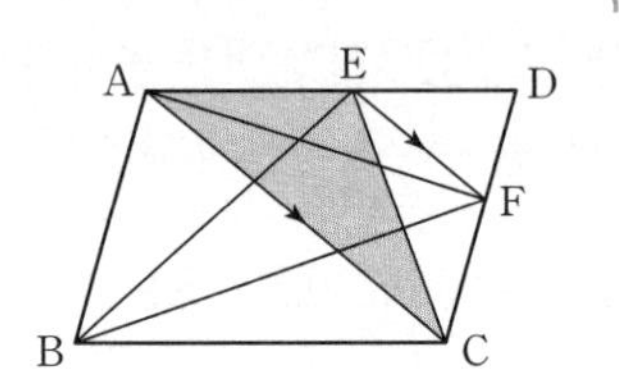

● 3쌍의 평행선을 기준으로 넓이가 같은 삼각형을 찾는다.

풀이 (i) $\overline{AC}/\!/\overline{EF}$이므로
△ACE = △ACF ($\overline{AC}$가 밑변)

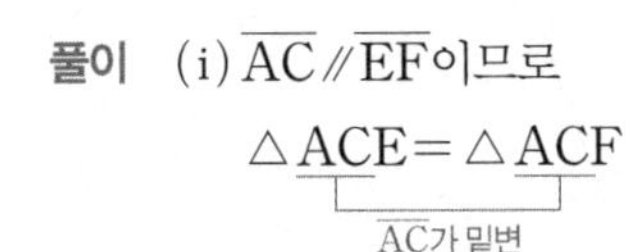

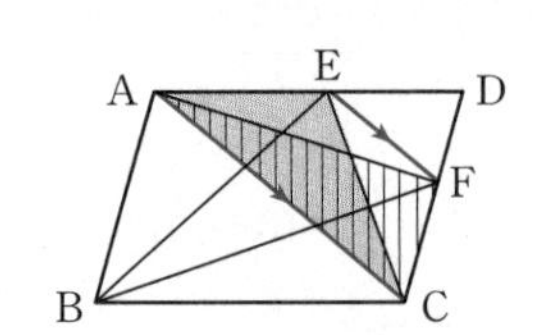

(ii) $\overline{AB}/\!/\overline{DC}$이므로
△ACF = △BCF ($\overline{CF}$가 밑변)

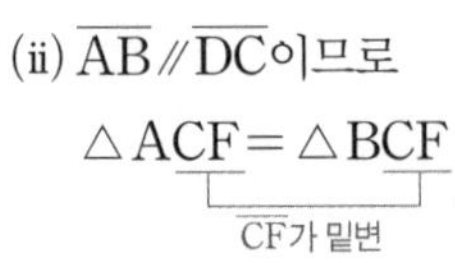

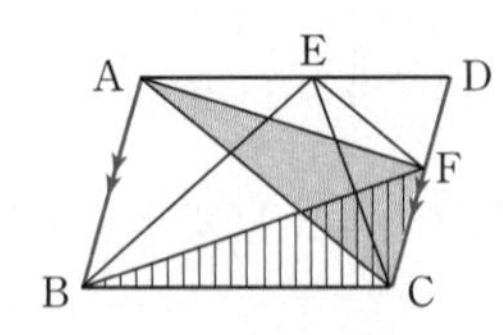

따라서 (i), (ii)에서 △ACE = △BCF = **15 cm^2**

복잡한 도형에서 넓이가 같은 삼각형을 찾을 때는
[1] 평행한 두 직선을 찾고 [2] 밑변과 높이가 같은 두 삼각형을 찾는다.

실력 키우기

01 여러 가지 사각형 사이의 관계

다음 그림은 여러 가지 사각형 사이의 관계를 나타낸 것이다. ①~⑤에 들어갈 조건으로 옳은 것을 모두 고르면? (정답 2개)

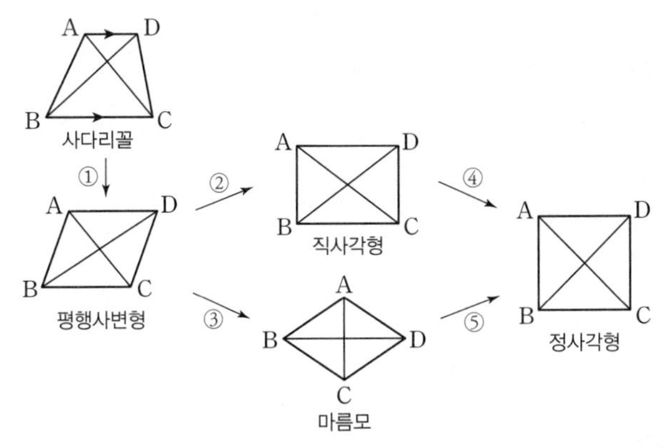

① $\overline{AB} /\!/ \overline{DC}$　② $\overline{AC} \perp \overline{BD}$　③ $\overline{AB} = \overline{CD}$
④ $\overline{AC} = \overline{BD}$　⑤ $\angle BAD = 90^\circ$

02 여러 가지 사각형 사이의 관계

오른쪽 직사각형을 보고 4명의 학생들은 다음과 같이 말하였다. 옳게 말한 학생을 모두 말하시오.

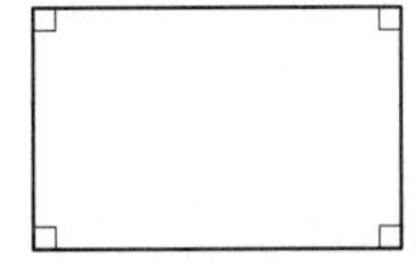

준서: 사다리꼴이라고도 할 수 있어.

고은: 평행사변형도 되지.

민수: 정사각형도 돼.

성하: 마름모라고도 할 수 있어.

03 여러 가지 사각형의 대각선의 성질

다음 **보기**에서 두 대각선이 서로 다른 것을 이등분하는 사각형의 개수를 a, 두 대각선의 길이가 같은 사각형의 개수를 b, 두 대각선이 서로 수직인 사각형의 개수를 c라 할 때, $a+b+c$의 값을 구하시오.

보기
㉠ 사다리꼴　㉡ 등변사다리꼴　㉢ 평행사변형
㉣ 직사각형　㉤ 마름모　㉥ 정사각형

04 사각형의 각 변의 중점을 연결하여 만든 사각형

오른쪽 그림과 같이 $\overline{AD} /\!/ \overline{BC}$인 등변사다리꼴 ABCD에서 각 변의 중점을 E, F, G, H라 하자. $\overline{EH} = 6$ cm일 때, □EFGH의 둘레의 길이를 구하시오.

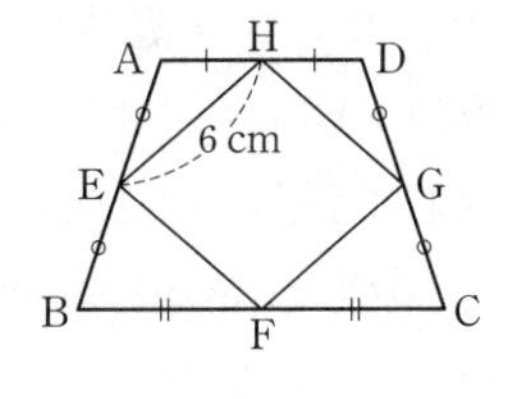

05 사각형의 각 변의 중점을 연결하여 만든 사각형

오른쪽 그림과 같이 마름모 ABCD의 각 변의 중점을 각각 E, F, G, H라 할 때, 다음 중 □EFGH에 대한 설명으로 옳지 않은 것은?

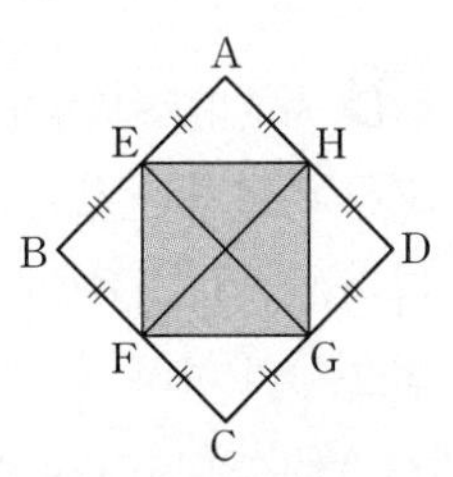

① $\overline{EG} = \overline{HF}$
② $\overline{EG} \perp \overline{HF}$
③ $\overline{EF} = \overline{HG}$, $\overline{EH} = \overline{FG}$
④ $\overline{EH} /\!/ \overline{FG}$, $\overline{EH} = \overline{FG}$
⑤ $\angle HEF = \angle FGH = 90^\circ$

06 평행선과 삼각형의 넓이 (서술형)

오른쪽 그림과 같은 $\triangle ABC$에서 $\overline{DE} /\!/ \overline{AC}$이고 점 M은 $\overline{BC}$의 중점이다.
$\triangle DBM = 50\ cm^2$일 때, $\square ADME$의 넓이를 구하시오.

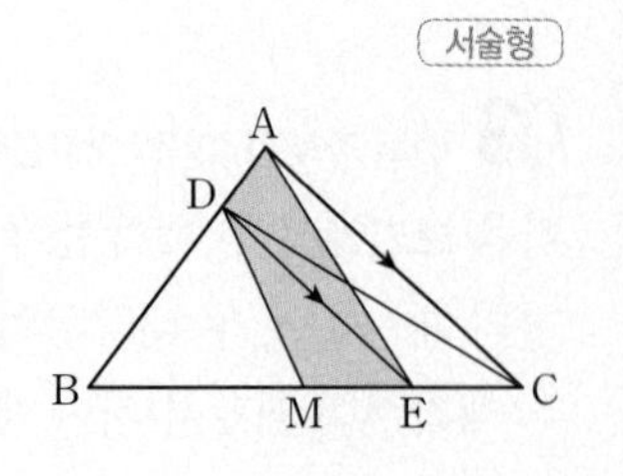

07 높이가 같은 두 삼각형의 넓이의 비

오른쪽 그림과 같은 $\triangle ABC$에서 $\overline{BD} : \overline{DC} = 3 : 1$, $\overline{AE} : \overline{EC} = 3 : 2$이다.
$\triangle ABC = 40\ cm^2$일 때, $\triangle DCE$의 넓이를 구하시오.

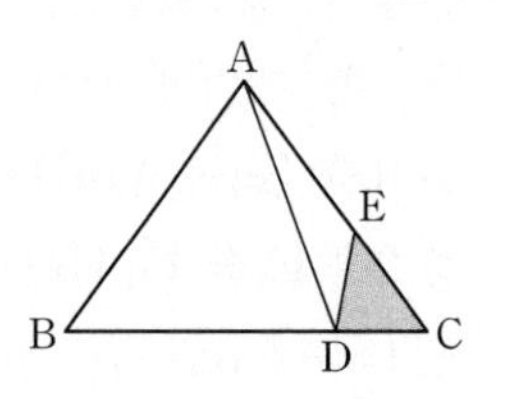

08 사다리꼴에서 높이가 같은 삼각형의 넓이

오른쪽 그림과 같이 $\overline{AD} /\!/ \overline{BC}$인 사다리꼴 ABCD에서 두 대각선의 교점을 O라 하자.
$\triangle ABC$의 넓이가 $28\ cm^2$, $\triangle OBC$의 넓이가 $16\ cm^2$일 때, $\triangle OCD$의 넓이를 구하시오.

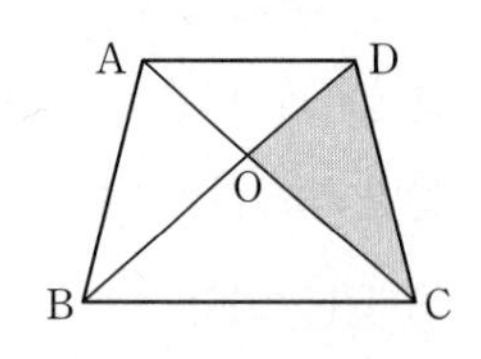

09 사다리꼴에서 높이가 같은 삼각형의 넓이

오른쪽 그림과 같이 $\overline{AD} /\!/ \overline{BC}$인 사다리꼴 ABCD에서 두 대각선의 교점을 O라 하자.
$\overline{BO} : \overline{DO} = 3 : 1$이고, $\triangle ABC$의 넓이가 $24\ cm^2$일 때, $\triangle DOC$의 넓이를 구하시오.

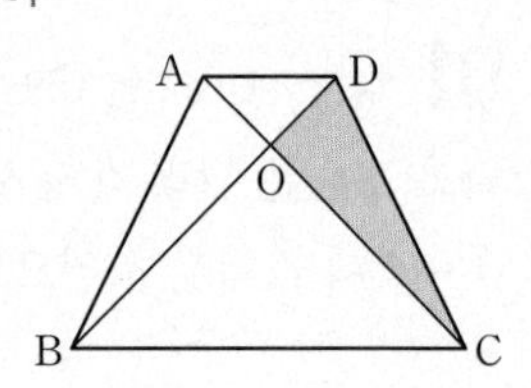

10 평행사변형에서 높이가 같은 삼각형의 넓이 (서술형)

오른쪽 그림과 같은 평행사변형 ABCD에서 $\overline{BQ} : \overline{QC} = 4 : 3$이고 $\square ABCD$의 넓이가 $28\ cm^2$일 때, $\triangle PBQ$의 넓이를 구하시오.

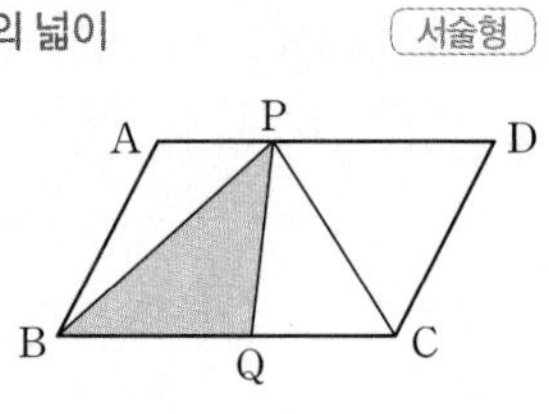

11 평행사변형에서 높이가 같은 삼각형의 넓이

오른쪽 그림과 같이 평행사변형 ABCD의 대각선 BD의 삼등분점을 차례로 P, Q라 하자. 평행사변형 ABCD의 넓이가 $54\ cm^2$일 때, $\square APCQ$의 넓이를 구하시오.

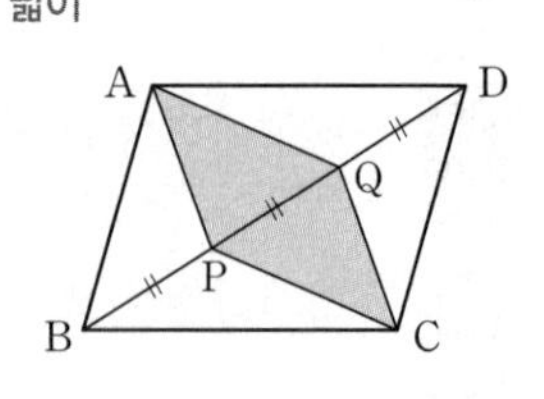

12 복잡한 도형에서 넓이가 같은 삼각형 찾기

오른쪽 그림과 같은 평행사변형 ABCD에서 $\overline{BD} /\!/ \overline{EF}$일 때, 다음 중 나머지 넷과 넓이가 항상 같다고 할 수 없는 것은?

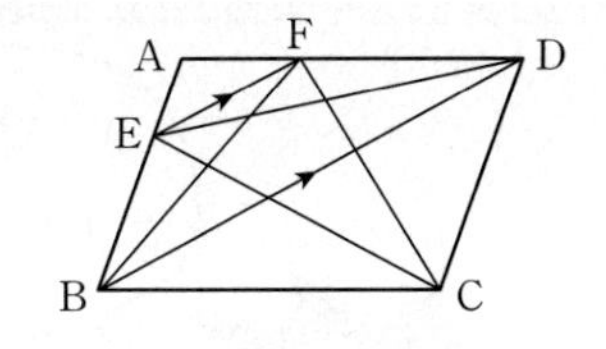

① △BCE ② △BDE ③ △BDF
④ △CDF ⑤ △EBF

13 여러 가지 사각형 사이의 관계 (창의·융합)

오른쪽 그림과 같은 □ABCD를 다음과 같이 3단계의 작업 과정을 거치는 기계에 넣었을 때 나오는 사각형의 이름을 말하시오.

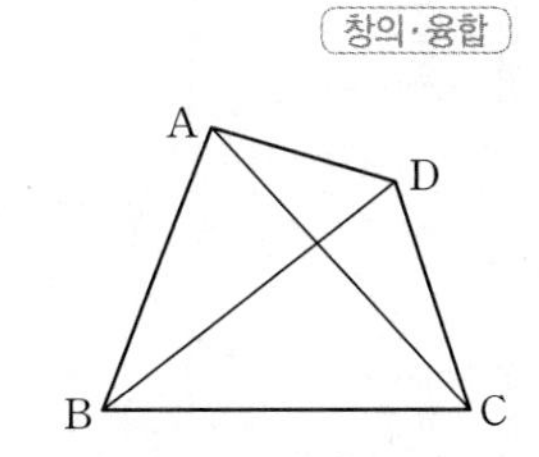

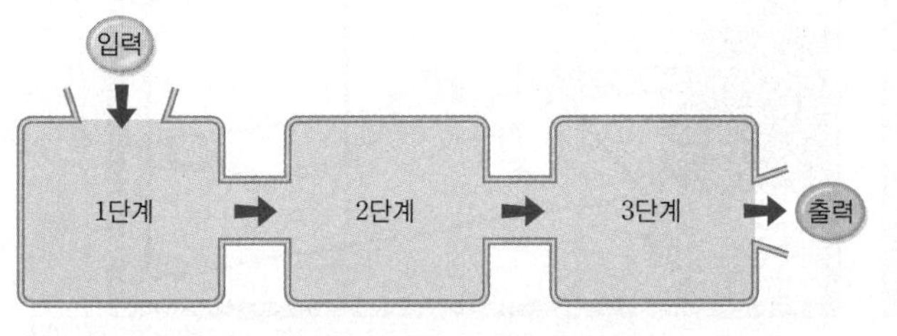

1단계: 입력된 도형을 $\overline{AB}=\overline{DC}$, $\overline{AD}=\overline{BC}$가 되도록 만든다.
2단계: 입력된 도형을 $\overline{AC}=\overline{BD}$가 되도록 만든다.
3단계: 입력된 도형을 $\overline{AC}\perp\overline{BD}$가 되도록 만든다.

14 평행선과 넓이 (창의·융합)

아래 [그림 1]과 같이 꺾은선 ABC를 경계로 하는 두 밭이 있다. 두 밭의 넓이가 변하지 않도록 점 A를 지나는 직선으로 새 경계선([그림 2])을 다음과 같은 순서로 작도하였다.

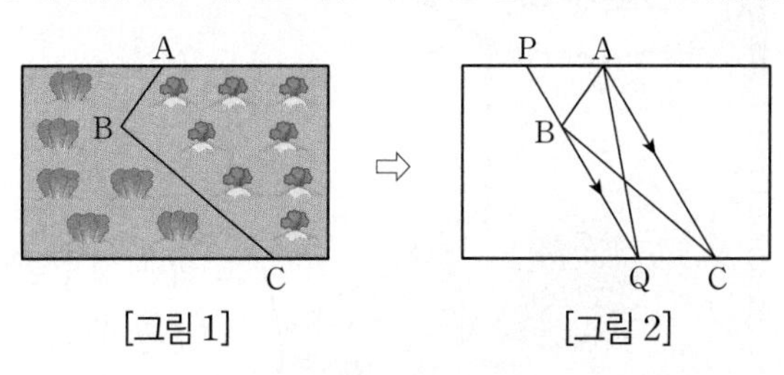

[그림 1] [그림 2]

1 $\overline{AC}$를 긋는다.
2 점 B를 지나면서 $\overline{AC}$에 평행한 $\overline{PQ}$를 긋는다.
3 $\overline{AQ}$를 그으면 $\overline{AQ}$가 새 경계선이 된다.

다음 물음에 답하시오.

(1) △ABC와 넓이가 같은 삼각형을 찾으시오.

(2) △ABC와 (1)에서 찾은 삼각형의 넓이가 같은 이유를 설명하시오.

15 평행선과 넓이 (서술형) (창의력)

오른쪽 그림에서 $\overline{AC} /\!/ \overleftrightarrow{BF}$, $\overline{AD} /\!/ \overleftrightarrow{EG}$일 때, 오각형 ABCDE의 넓이를 다음 순서대로 구하시오.

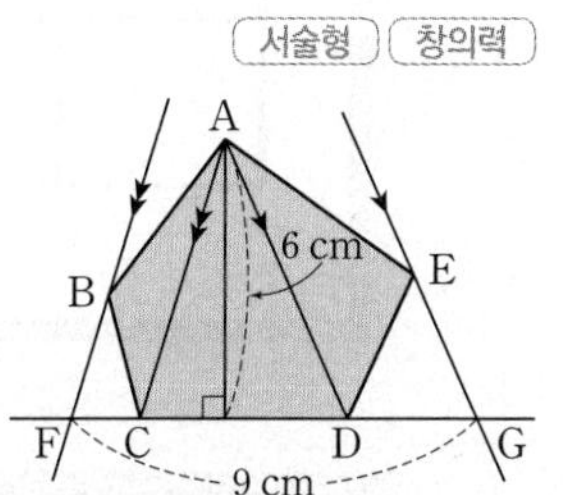

(1) 보조선을 그어 △ABC와 넓이가 같은 삼각형을 찾으시오.

(2) 보조선을 그어 △ADE와 넓이가 같은 삼각형을 찾으시오.

(3) 오각형 ABCDE와 넓이가 같은 삼각형을 찾으시오.

(4) 오각형 ABCDE의 넓이를 구하시오.

이 그림을
이 벽에 비율 맞게
그려야 돼.
그 작은 그림을
이 큰 벽에
어떻게 똑같이
그려?
다 방법이 있지.
종이에 모눈을 그리고
벽에도 모눈을
그리는 거지.
대응하는 모눈 칸의
그림을 그려 넣으면
되지.
어느 세월에 완성해?
그냥 이렇게 하면 되지.
그림자 외곽선을
따라 그려.

7

Ⅲ | 도형의 닮음과 피타고라스 정리

도형의 닮음

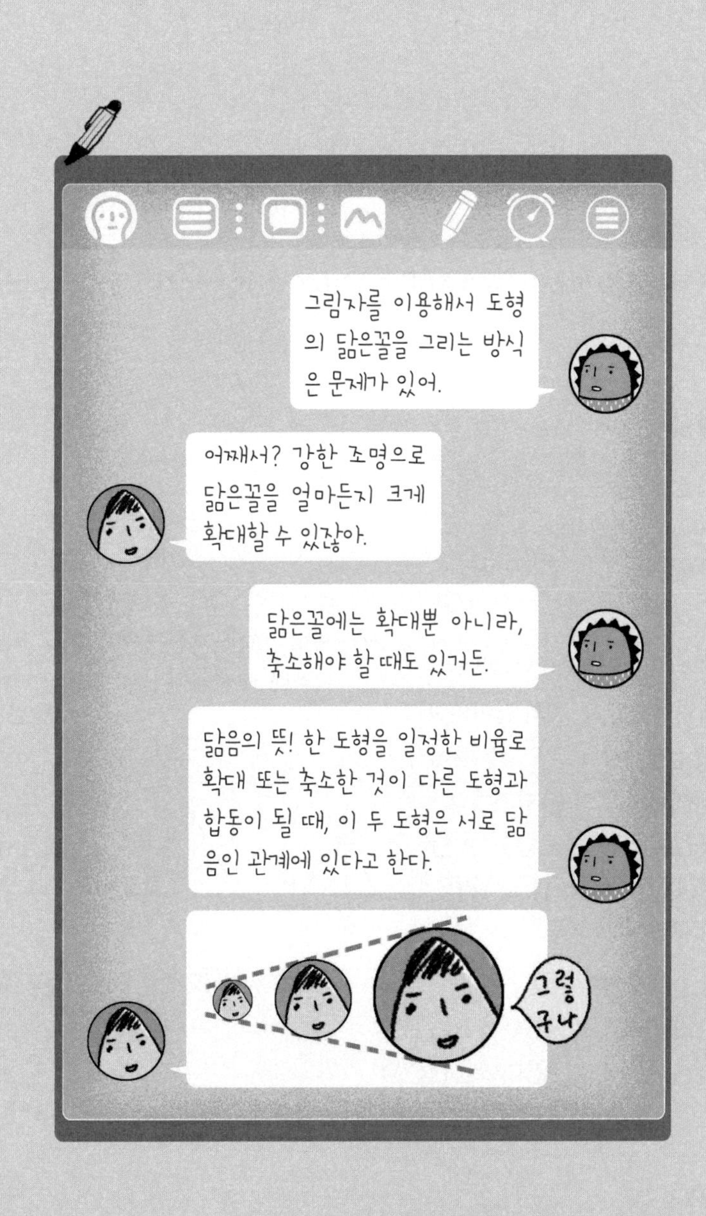

7 1. 도형의 닮음

1 닮은 도형

(1) **닮음** 한 도형을 일정한 비율로 ㉠확대 또는 축소한 것이 다른 도형과 합동일 때, 이 두 도형은 서로 닮음인 관계에 있다고 한다.

(2) **닮은 도형** 서로 [ ]인 관계에 있는 두 도형을 닮은 도형이라 한다. 닮음

(3) **닮음의 기호** △ABC와 △DEF가 닮은 도형일 때, 기호 ∽를 사용하여 ㉡△ABC∽△DEF와 같이 나타낸다.

① 대응점: 점 A와 점 D, 점 B와 점 [ ], 점 C와 점 F　E

② 대응변: $\overline{AB}$와 $\overline{DE}$, $\overline{BC}$와 $\overline{EF}$, $\overline{AC}$와 $\overline{DF}$

③ 대응각: ∠A와 ∠D, ∠B와 ∠E, ∠C와 [ ]　∠F

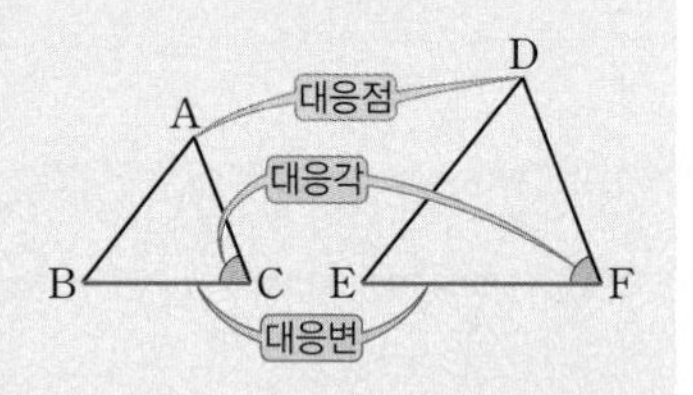

㉠ 확대: 어떤 도형의 크기를 크게 하는 것
축소: 어떤 도형의 크기를 작게 하는 것

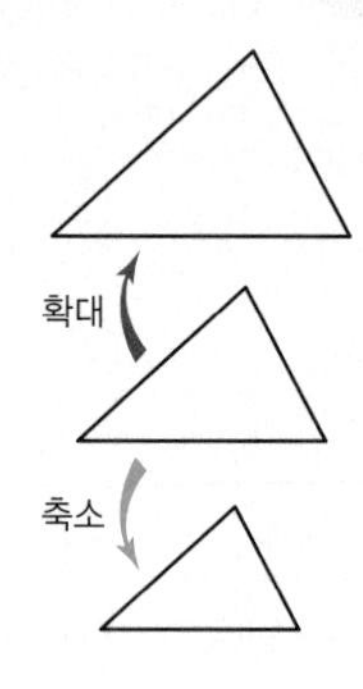

보기 오른쪽 그림에서 닮은 도형을 기호 ∽를 사용하여 나타내시오.

풀이 △ABC를 2배로 확대하면 △DEF와 합동이므로 두 삼각형은 닮은 도형이다. ∴ **△ABC∽△DEF**

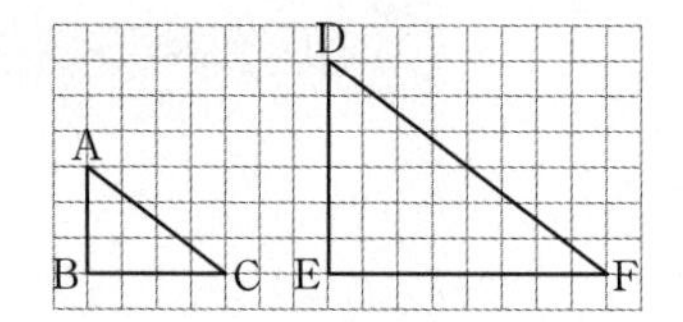

㉡ 닮은 도형을 기호로 나타낼 때, 두 도형의 꼭짓점은 대응하는 순서대로 쓴다.
△ABC∽△DEF

2 닮은 도형의 성질

(1) **평면도형에서 닮음의 성질** 닮은 두 평면도형에서

❶ 대응변의 길이의 비는 일정하다.
⇨ $\overline{AB}:\overline{DE}=\overline{BC}:$ [ ] $=\overline{CA}:\overline{FD}$　$\overline{EF}$

❷ 대응각의 크기는 각각 같다.
⇨ ∠A=∠D, ∠B=∠E, ∠C=∠F

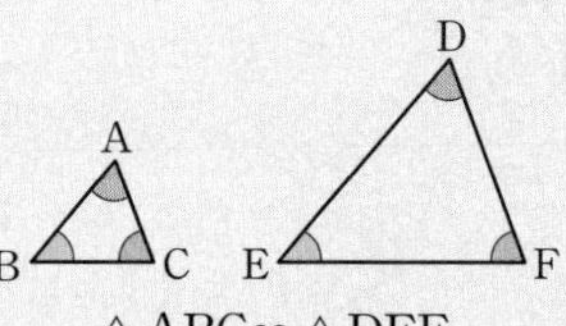

△ABC∽△DEF

(2) ㉢**닮음비** 닮은 두 도형에서 [ ]의 길이의 비　대응변

(3) **입체도형에서 닮음의 성질** 닮은 두 입체도형에서

❶ 대응하는 모서리의 길이의 비는 일정하다.
⇨ $\overline{AB}:\overline{A'B'}=\overline{AC}:\overline{A'C'}=\overline{AD}:\overline{A'D'}$
$=\overline{BC}:\overline{B'C'}=\overline{BD}:\overline{B'D'}$
$=\overline{CD}:\overline{C'D'}$

❷ 대응하는 면은 [ ] 도형이다.　닮은
⇨ △ABC∽△A′B′C′, △ABD∽△A′B′D′, △ACD∽△A′C′D′, △BCD∽△B′C′D′

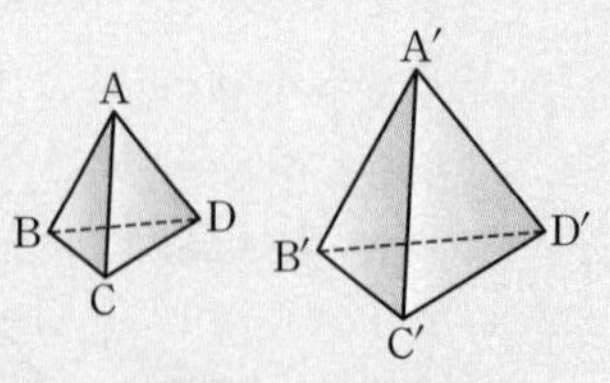

닮은 두 삼각뿔

㉢ 닮음비는 가장 간단한 자연수의 비로 나타낸다.

● 닮음비가 1 : 1인 두 도형은 서로 합동이다.

참고 기호 구별하기
△ABC와 △DEF에서
① 닮음일 때
△ABC∽△DEF
② 합동일 때
△ABC≡△DEF
③ 넓이가 같을 때
△ABC=△DEF

| 개념 체크 |

1-1 닮은 도형

아래 그림에서 △ABC∽△DEF일 때, 다음을 구하시오.

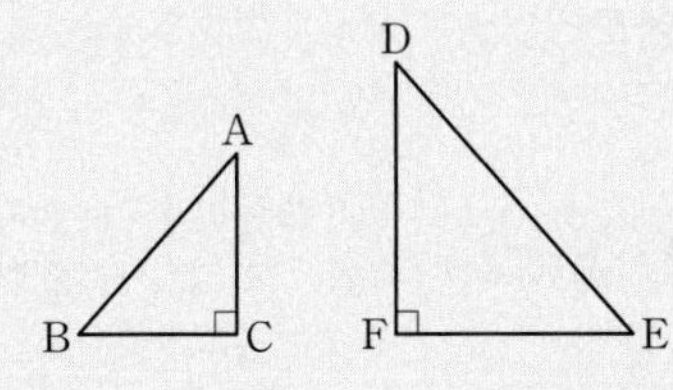

(1) $\overline{DE}$의 대응변　　(2) ∠B의 대응각

셀파 △ABC∽△DEF이므로 세 꼭짓점 A, B, C의 대응점은 각각 D, E, F이다.

연구 (1) $\overline{DE}$에 대응하는 변은 ☐이다.
(2) ∠B에 대응하는 각은 ☐이다.

2-1 닮은 도형의 성질

아래 그림에서 □ABCD∽□EFGH일 때, 다음을 구하시오.

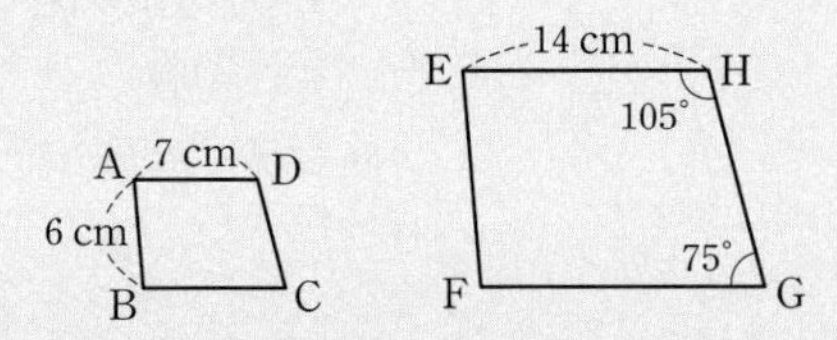

(1) □ABCD와 □EFGH의 닮음비
(2) $\overline{EF}$의 길이　　(3) ∠D의 크기

셀파 닮은 두 평면도형에서 대응변의 길이의 비는 일정하고, 대응각의 크기는 각각 같다.

연구 (1) $\overline{AD}$의 대응변은 ☐이므로 닮음비는
$\overline{AD}$: ☐ = 1 : ☐
(2) $\overline{AB}$: $\overline{EF}$ = 1 : 2이므로 $\overline{EF}$ = ☐ (cm)
(3) ∠D의 대응각은 ∠H이므로 ∠D = ∠H = ☐

| 따라 풀기 |

1-2 아래 그림에서 □ABCD∽□GHEF일 때, 다음을 구하시오.

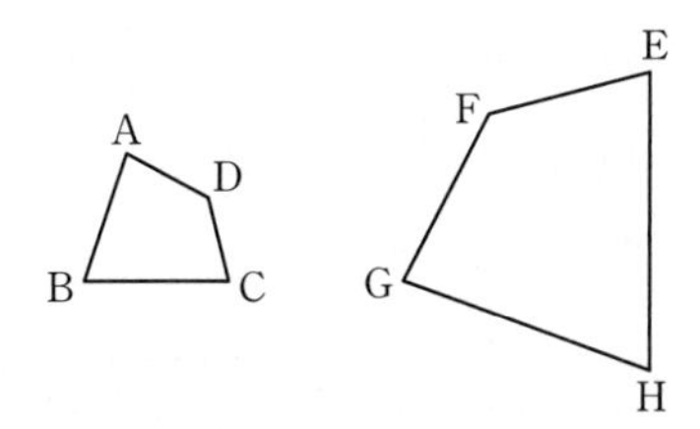

(1) 점 B의 대응점

(2) $\overline{CD}$의 대응변

(3) ∠F의 대응각

2-2 아래 그림에서 △ABC∽△DEF일 때, 다음을 구하시오.

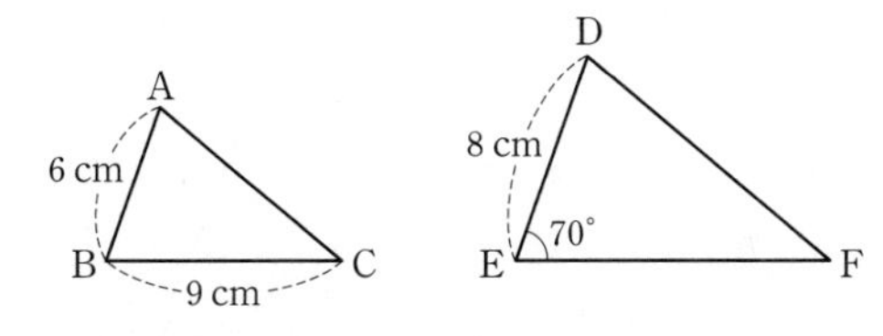

(1) △ABC와 △DEF의 닮음비

(2) $\overline{EF}$의 길이

(3) ∠B의 크기

• 두 도형이 서로 닮음임을 기호로 나타낼 때는 대응점끼리 순서가 같도록 적어야 한다.
즉 오른쪽 그림에서 △ABC∽△DFE
• 닮은 두 평면도형에서 대응변의 길이의 비는 일정하고, 대응각의 크기는 각각 같다.
⇨ ❶ $\overline{AB}$: $\overline{DF}$ = $\overline{BC}$: $\overline{FE}$ = $\overline{AC}$: $\overline{DE}$　❷ ∠A = ∠D, ∠B = ∠F, ∠C = ∠E

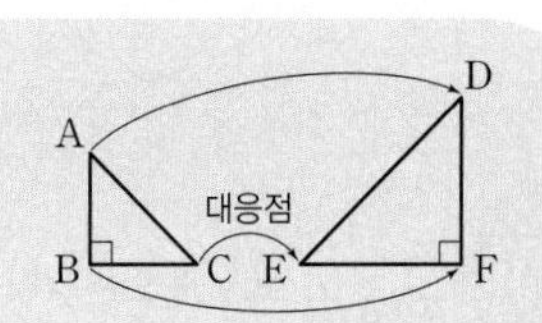

항상 닮은 도형

Q 도형 중에는 대응하는 선분의 길이의 비를 따져 볼 필요도 없이 ㉠항상 닮음인 도형이 있다. 어떤 도형이 있을까?

A 모양은 모두 같고 크기를 결정하는 요소가 하나뿐인 도형은 항상 닮은 도형이다. 대표적으로 ㉡'모든 원'과 '모든 구'가 있다. 이 밖에도 다음과 같은 도형들도 있으니 익혀 두도록 하자.

항상 닮은 평면도형	항상 닮은 입체도형
모든 원 ⇨ (닮음비)=(반지름의 길이의 비)	모든 구 ⇨ (닮음비)=(반지름의 길이의 비)
변의 개수가 같은 모든 ㉢정다각형 ⇨ (닮음비)=(한 변의 길이의 비)	면의 개수가 같은 모든 ㉣정다면체 ⇨ (닮음비)=(한 모서리의 길이의 비)
㉤꼭지각의 크기가 같은 모든 이등변삼각형 ⇨ (닮음비)=(대응변의 길이의 비)	
중심각의 크기가 같은 모든 부채꼴 ⇨ (닮음비)=(반지름의 길이의 비)	

여기에 또 한 가지! 항상 닮음이 되는 도형이 있다. 바로 '합동인 두 도형'이다.
합동인 두 도형은 확대 또는 축소할 필요 없이 항상 서로 포개지므로 서로 닮음인 관계에 있고, 닮음비는 1 : 1이 된다.

㉠ 확대 또는 축소했을 때, 서로 포개지는 두 도형이 서로 닮음이므로 크기는 달라도 모양은 항상 똑같아야 한다.

㉡ 원이나 구는 반지름의 길이에 따라 크기가 다를 뿐 모양은 항상 똑같다.
- 반지름의 길이가 결정 요소이다.

㉢ 모든 정삼각형, 모든 정사각형, 모든 정오각형, …은 각각 항상 닮은 도형이다.
- 한 변의 길이가 결정 요소이다.

㉣ 모든 정사면체, 모든 정육면체, 모든 정팔면체, 모든 정십이면체, 모든 정이십면체는 각각 항상 닮은 도형이다.
- 한 모서리의 길이가 결정 요소이다.

㉤ 직각이등변삼각형은 꼭지각의 크기가 90°인 이등변삼각형이므로 모든 직각이등변삼각형은 항상 닮은 도형이다.

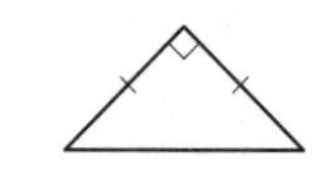
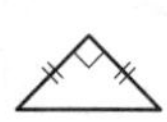

- 변의 길이가 결정 요소이다.

모든 원, 모든 정다각형, 모든 직각이등변삼각형, 모든 구, 모든 정다면체는 항상 닮은 도형이다.

유형 익히기

빠른 정답 243쪽 | 정답과 해설 33쪽

기본 01 항상 닮은 도형

다음 **보기**에서 항상 닮은 도형인 것을 모두 고르시오.

보기
㉠ 두 이등변삼각형　　㉡ 두 정육면체　　㉢ 두 원기둥　　㉣ 두 구

셀파 확대하거나 축소하여 항상 서로 포개질 수 있는 것을 찾는다.

풀이 ㉠ 두 이등변삼각형은 꼭지각의 크기가 다르면 닮은 도형이 아니다.

㉢ 두 원기둥은 밑면인 원의 반지름의 길이의 비와 높이의 비가 다르면 닮은 도형이 아니다.

따라서 항상 닮은 도형인 것은 ㉡, ㉣이다.

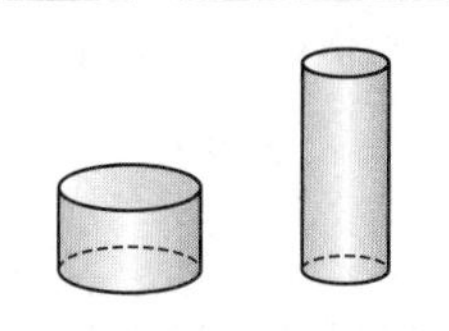

해법코드

(1) 항상 닮은 두 평면도형
① 두 원
② 변의 개수가 같은 모든 정다각형
③ 중심각의 크기가 같은 모든 부채꼴
④ 꼭지각의 크기가 같은 모든 이등변삼각형

(2) 항상 닮은 두 입체도형
① 모든 구
② 면의 개수가 같은 모든 정다면체

확인 01 다음 중 항상 닮은 도형이 아닌 것은?

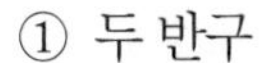

① 두 반구　　② 두 정오각형　　③ 두 마름모
④ 두 원　　⑤ 두 직각이등변삼각형

» My 셀파
주어진 도형 중 모양이 다른 예가 있는 것을 찾는다.

기본 02 평면도형에서 닮음의 성질

오른쪽 그림에서 □ABCD∽□EFGH일 때, 다음을 구하시오.

(1) □ABCD와 □EFGH의 닮음비
(2) $\overline{EF}$의 길이　　(3) ∠E의 크기

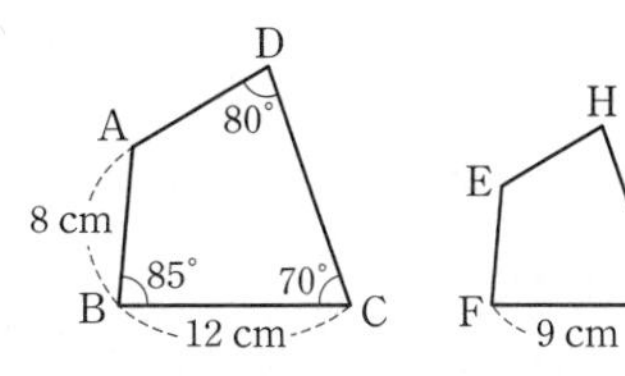

셀파 닮은 두 평면도형에서 닮음비는 대응변의 길이의 비이다.

풀이 (1) $\overline{BC}$의 대응변이 $\overline{FG}$이므로 닮음비는 $\overline{BC}:\overline{FG}=12:9=\mathbf{4:3}$

(2) $\overline{AB}:\overline{EF}=4:3$이므로 $8:\overline{EF}=4:3$
$4\overline{EF}=24$　　$\therefore \overline{EF}=\mathbf{6\ (cm)}$

(3) ∠E의 대응각은 ∠A이므로
$\angle E=\angle A=360^\circ-(85^\circ+70^\circ+80^\circ)=\mathbf{125^\circ}$

해법코드

• 두 평면도형이 서로 닮음이면
❶ 대응변의 길이의 비가 일정하다.
❷ 대응각의 크기가 각각 같다.

• □ABCD∽□EFGH이므로 대응점은 점 A와 점 E, 점 B와 점 F, 점 C와 점 G, 점 D와 점 H이다.

㉠ 사각형에서 네 내각의 크기의 합은 360°이다.

확인 02 오른쪽 그림에서 △ABC∽△DEF일 때, 다음을 구하시오.

(1) △ABC와 △DEF의 닮음비

(2) $\overline{AB}$의 길이　　(3) ∠E의 크기

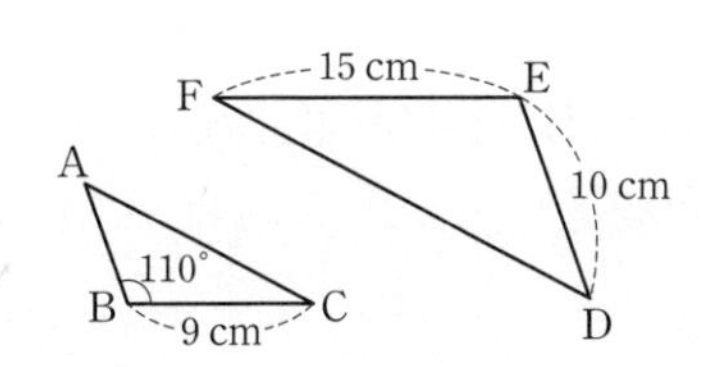

» My 셀파
그림에서 대응점을 찾기 쉽지 않을 때는 기호 △ABC∽△DEF를 이용한다. 이때 점 A와 점 D, 점 B와 점 E, 점 C와 점 F가 각각 대응점임을 알 수 있다.

기본 03 입체도형에서 닮음의 성질

오른쪽 그림에서 두 삼각뿔대는 닮은 도형이다. $\overline{AD}$에 대응하는 모서리가 $\overline{A'D'}$일 때, 다음을 구하시오.

(1) 두 삼각뿔대의 닮음비

(2) x, y의 값

해법코드

두 입체도형이 서로 닮음이면

❶ 대응하는 모서리의 길이의 비가 일정하다.

❷ 대응하는 면은 닮은 도형이다.

셀파 닮은 두 입체도형에서 닮음비는 대응하는 모서리의 길이의 비이다.

풀이 (1) 두 삼각뿔대의 닮음비는 $\overline{AD} : \overline{A'D'} = 18 : 12 = \mathbf{3 : 2}$

(2) $\overline{DE}$에 대응하는 모서리가 $\overline{D'E'}$이므로 $\overline{DE} : \overline{D'E'} = 3 : 2$

$x : 18 = 3 : 2$, $2x = 54$ $\quad \therefore \boldsymbol{x = 27}$

$\overline{EF}$에 대응하는 모서리가 $\overline{E'F'}$이므로 $\overline{EF} : \overline{E'F'} = 3 : 2$

$12 : y = 3 : 2$, $3y = 24$ $\quad \therefore \boldsymbol{y = 8}$

참고 닮음비를 구할 경우 길이가 주어진 대응하는 두 선분을 찾아 두 선분의 길이의 비를 구한다.

확인 03 오른쪽 그림에서 두 사각뿔은 닮은 도형이다. $\overline{BC}$에 대응하는 모서리가 $\overline{B'C'}$일 때, 다음을 구하시오.

(1) 두 사각뿔의 닮음비

(2) $\overline{AB}$의 길이

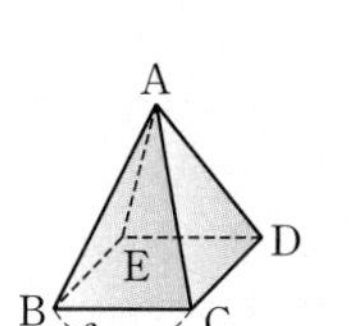

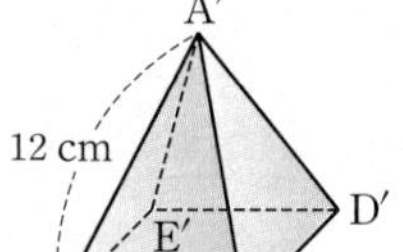

» My 셀파

(두 사각뿔의 닮음비)$=\overline{BC} : \overline{B'C'}$

기본 04 원뿔 또는 원기둥의 닮음

오른쪽 그림의 두 원뿔 A, B가 닮은 도형일 때, 원뿔 B의 밑면의 둘레의 길이를 구하시오.

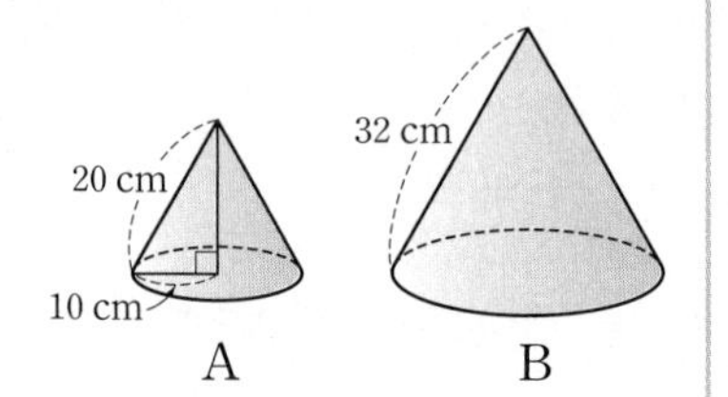

해법코드

닮은 두 원뿔의 닮음비

⇨ 높이의 비

⇨ 모선의 길이의 비

⇨ 밑면의 반지름의 길이의 비

셀파 모선의 길이의 비에서 두 원뿔의 닮음비를 구한다.

풀이 두 원뿔 A, B의 닮음비는 $20 : 32 = 5 : 8$

원뿔 B의 밑면의 반지름의 길이를 r cm라 하면

$10 : r = 5 : 8$, $5r = 80$ $\quad \therefore r = 16$

따라서 원뿔 B의 밑면의 둘레의 길이는 $2\pi \times 16 = \mathbf{32\pi\ (cm)}$

ⓖ 원뿔의 밑면은 원이다. 반지름의 길이가 r인 원의 둘레의 길이는 $2\pi r$이다.

확인 04 오른쪽 그림의 두 원기둥 A, B가 닮은 도형일 때, 원기둥 B의 부피를 구하시오.

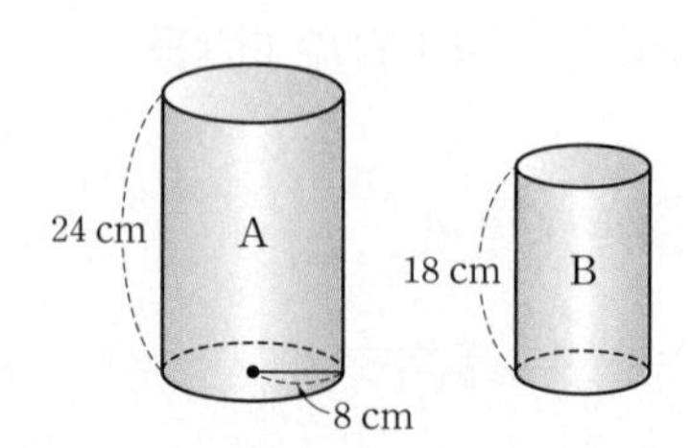

» My 셀파

닮은 두 원기둥의 닮음비

⇨ 높이의 비

⇨ 밑면의 반지름의 길이의 비

해결 원리 알아보기

셀파 특강

닮은 두 평면도형에서 둘레의 길이의 비

Q **닮은 두 평면도형에서 두 도형의 둘레의 길이의 비는 두 도형의 닮음비와 어떤 관계가 있을까? 예를 들어 오른쪽 그림에서 △ABC∽△DEF이고 두 두형의 닮음비가 1 : k일 때, 두 도형의 둘레의 길이의 비를 구해 보자.**

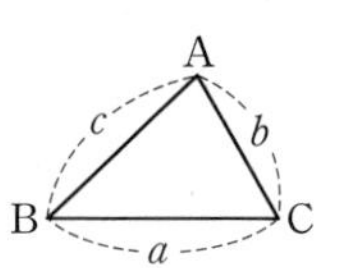

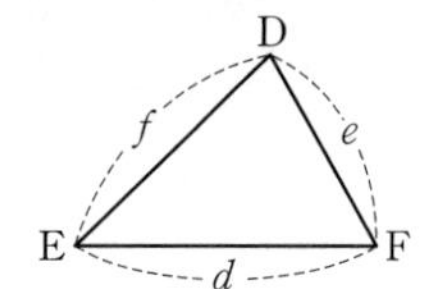

A (△ABC의 둘레의 길이)$=a+b+c$

닮음비가 1 : k이면 ㉠ $d=ka$, $e=kb$, $f=kc$이므로

(△DEF의 둘레의 길이)$=ka+kb+kc=k(a+b+c)$

따라서 △ABC와 △DEF의 둘레의 길이의 비는

$(a+b+c) : k(a+b+c)=1 : k$

즉 △ABC와 △DEF의 둘레의 길이의 비는 두 도형의 닮음비와 같다.

이것은 닮은 두 삼각형뿐만 아니라 다른 닮은 두 평면도형에서도 항상 성립한다.

㉠ △ABC∽△DEF이므로 $\overline{AB}$와 $\overline{DE}$, $\overline{BC}$와 $\overline{EF}$, $\overline{CA}$와 $\overline{FD}$는 각각 대응변이다.
따라서
$a : d=1 : k$에서 $d=ka$
$b : e=1 : k$에서 $e=kb$
$c : f=1 : k$에서 $f=kc$

닮은 두 평면도형의 둘레의 길이의 비

닮은 두 평면도형에서 두 도형의 둘레의 길이의 비는 두 도형의 닮음비와 같다.
즉 (닮음비)$=m : n$이면 (둘레의 길이의 비)$=m : n$

보기

오른쪽 그림에서 △ABC∽△DEF이고 닮음비가 3 : 5일 때, △ABC의 둘레의 길이를 구하시오.

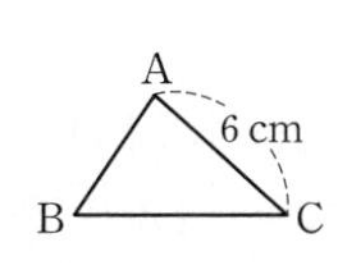

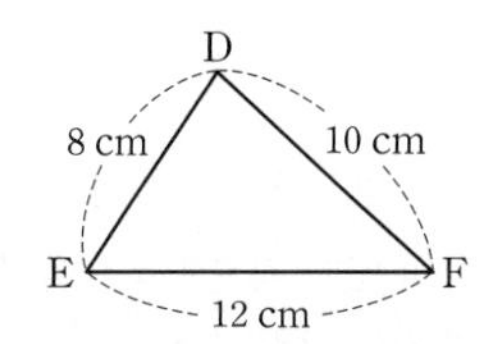

풀이 △ABC와 △DEF의 닮음비가 3 : 5이므로 △ABC와 △DEF의 둘레의 길이의 비도 3 : 5이다.

(△DEF의 둘레의 길이)$=8+12+10=30$ (cm)이므로

(△ABC의 둘레의 길이) : $30=3 : 5$

$5\times$(△ABC의 둘레의 길이)$=90$

∴ (△ABC의 둘레의 길이)$=$**18 (cm)**

다른 풀이

닮음비를 이용하여 △ABC의 변의 길이를 구하여 둘레의 길이를 구해도 된다.
닮음비가 3 : 5이므로
$\overline{AB} : 8=3 : 5$
$\therefore \overline{AB}=\frac{24}{5}$ (cm)
$\overline{BC} : 12=3 : 5$
$\therefore \overline{BC}=\frac{36}{5}$ (cm)
∴ (△ABC의 둘레의 길이)
$=\overline{AB}+\overline{BC}+\overline{CA}$
$=\frac{24}{5}+\frac{36}{5}+6=18$ (cm)

닮은 두 평면도형에서 두 도형의 닮음비가 $m : n$이면
❶ 대응변의 길이의 비는 $m : n$이다. ❷ 두 도형의 둘레의 길이의 비는 $m : n$이다.

7

2. 삼각형의 닮음 조건

1 삼각형의 닮음 조건

두 삼각형은 다음의 각 경우에 서로 닮음이다.

❶ 세 쌍의 대응변의 길이의 ☐가 같다. (SSS 닮음)

⇨ $a : a' = b : b' = c : c'$

❷ 두 쌍의 대응변의 길이의 비가 같고, 그 ☐의 크기가 같다. (SAS 닮음)

⇨ $a : a' = c : c'$, $\angle B = \angle B'$

❸ 두 쌍의 대응각의 크기가 각각 같다. (AA 닮음)

⇨ $\angle B = \angle B'$, $\angle C =$ ☐

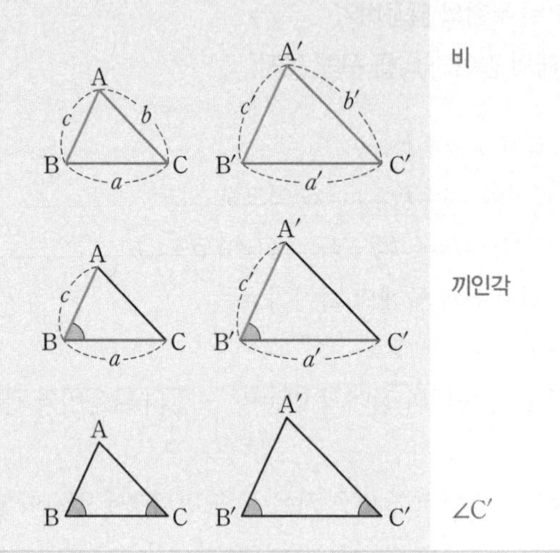

비

끼인각

∠C′

개념 다시 보기

삼각형의 합동 조건

❶ SSS 합동 세 쌍의 대응변의 길이가 각각 같을 때

❷ SAS 합동 두 쌍의 대응변의 길이와 그 끼인각의 크기가 각각 같을 때

❸ ASA 합동 한 변의 길이와 그 양 끝 각의 크기가 각각 같을 때

● **합동 조건과 닮음 조건의 차이**

- 합동 조건: 대응변의 길이가 각각 같다. (SSS 합동)
- 닮음 조건: 대응변의 길이의 비가 같다. (SSS 닮음)

보기 다음 두 삼각형이 닮은 도형일 때, 닮음 조건을 말하시오.

(1)

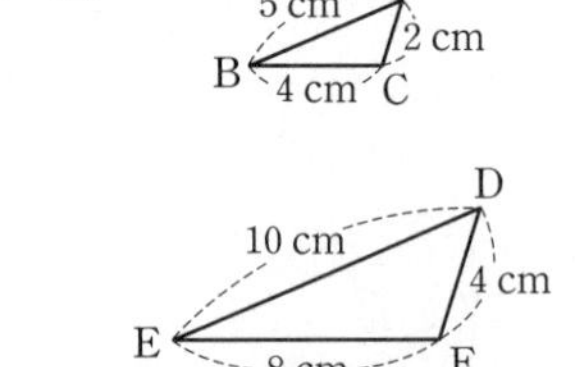

(2)

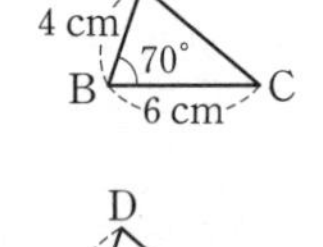

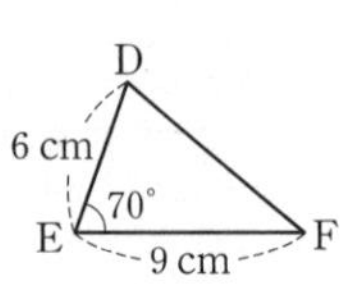

(3)

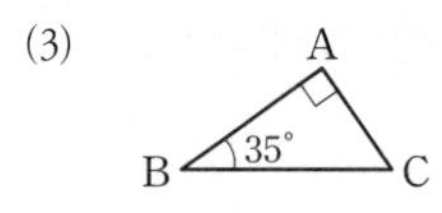

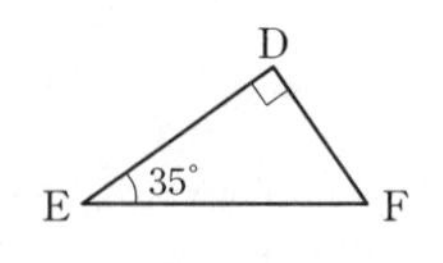

풀이 (1) $\overline{AB} : \overline{DE} = 5 : 10 = 1 : 2$, $\overline{BC} : \overline{EF} = 4 : 8 = 1 : 2$, $\overline{CA} : \overline{FD} = 2 : 4 = 1 : 2$

즉 세 쌍의 대응변의 길이의 비가 같으므로 $\triangle ABC \backsim \triangle DEF$ (**SSS 닮음**)

(2) $\overline{AB} : \overline{DE} = 4 : 6 = 2 : 3$, $\overline{BC} : \overline{EF} = 6 : 9 = 2 : 3$, $\angle B = \angle E = 70°$

즉 두 쌍의 대응변의 길이의 비가 같고, 그 끼인각의 크기가 같으므로

$\triangle ABC \backsim \triangle DEF$ (**SAS 닮음**)

(3) $\angle A = \angle D = 90°$, $\angle B = \angle E = 35°$

즉 두 쌍의 대응각의 크기가 각각 같으므로 $\triangle ABC \backsim \triangle DEF$ (**AA 닮음**)

Q ASA 닮음이 아니고 AA 닮음인 이유는 무엇일까?

A 두 삼각형에서 두 쌍의 대응각의 크기가 각각 같으면 삼각형의 세 내각의 크기의 합이 180°이므로 나머지 한 각의 크기도 당연히 같아진다. 즉 두 삼각형은 닮은 도형이 된다. 여기에 변의 길이의 비가 추가되면 닮음비를 말할 수 있으나 단순히 닮음만을 설명하기 위해서는 닮음비는 필요가 없다. 따라서 최소한의 조건으로 AA 닮음으로 정한 것이다.

| 개념 체크 |

1-1 삼각형의 닮음 조건

아래 그림의 △ABC와 △DEF가 다음 조건을 만족할 때, 두 삼각형이 서로 닮음이면 ○표, 그렇지 않으면 ×표를 (　　) 안에 써넣으시오.

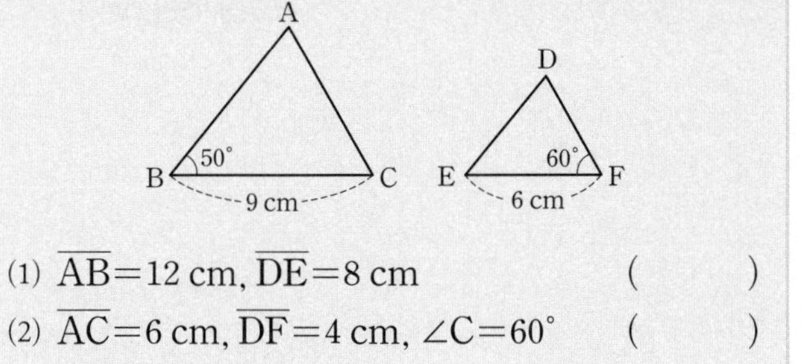

(1) $\overline{AB}=12$ cm, $\overline{DE}=8$ cm (　　)

(2) $\overline{AC}=6$ cm, $\overline{DF}=4$ cm, $\angle C=60°$ (　　)

(3) $\angle C=60°$, $\angle D=70°$ (　　)

셀파 SSS 닮음, SAS 닮음, AA 닮음 중 어느 하나에 해당하면 두 삼각형은 서로 닮음이다.

연구 (1) $\overline{AB}:\overline{DE}=\overline{BC}:\overline{EF}=3:2$이지만 그 끼인각의 크기는 같은지 알 수 없다.

(2) $\overline{BC}:\overline{EF}=\overline{AC}:\overline{DF}=3:2$이고
$\angle C=$ ☐ $=60°$(끼인각)이므로
△ABC∽△DEF (☐ 닮음)

(3) △ABC에서 $\angle C=60°$이므로
$\angle A=180°-(50°+60°)=$ ☐
즉 ☐ $=\angle D=70°$, $\angle C=\angle F=60°$이므로
△ABC∽△DEF (☐ 닮음)

| 따라 풀기 |

1-2 다음에 주어진 두 삼각형은 닮은 도형이다. ☐ 안에 알맞은 것을 써넣고, 이때 사용된 닮음 조건을 (　　) 안에 써넣으시오.

(1)

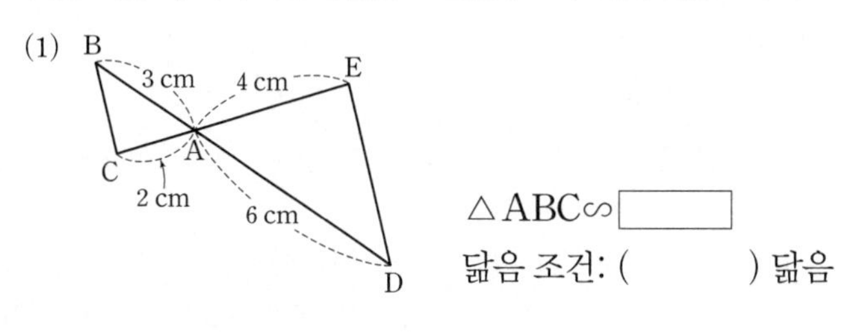

△ABC∽ ☐
닮음 조건: (　　) 닮음

(2)

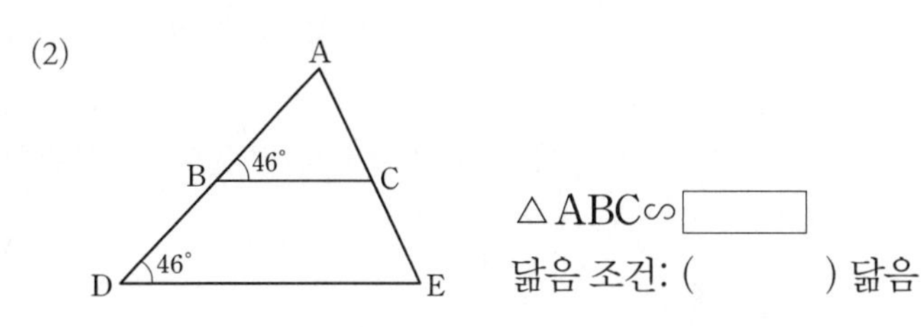

△ABC∽ ☐
닮음 조건: (　　) 닮음

1-3 아래 그림의 △ABC와 △DEF가 다음 조건을 만족할 때, 두 삼각형이 서로 닮음이면 ○표, 그렇지 않으면 ×표를 (　　) 안에 써넣으시오.

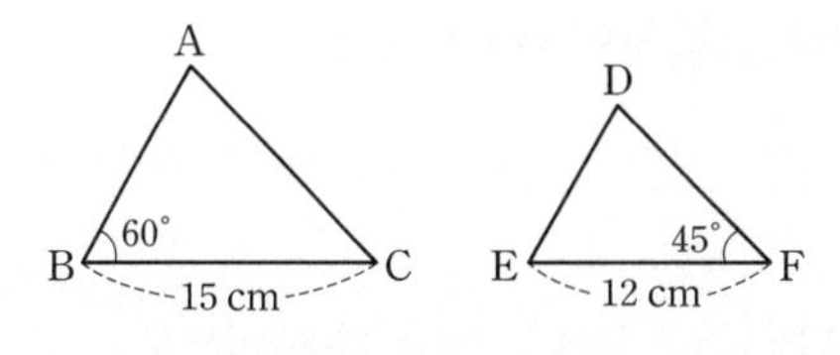

(1) $\overline{AC}=5$ cm, $\overline{DF}=4$ cm (　　)

(2) $\overline{AB}=10$ cm, $\overline{DE}=8$ cm, $\angle E=60°$ (　　)

(3) $\angle A=80°$, $\angle E=60°$ (　　)

두 삼각형은 다음 각 경우에 서로 닮음이다.
❶ 세 쌍의 대응변의 길이의 비가 같을 때 (SSS 닮음)
❷ 두 쌍의 대응변의 길이의 비가 같고, 그 끼인각의 크기가 같을 때 (SAS 닮음)
❸ 두 쌍의 대응각의 크기가 각각 같을 때 (AA 닮음)

2 삼각형의 닮음 조건의 활용

두 삼각형이 겹쳐진 도형에서 닮음인 삼각형은 다음과 같이 찾을 수 있다.

(1) SAS 닮음의 활용

공통인 각을 [ ]으로 하는 두 쌍의 대응변의 길이의 비가 같은 두 삼각형을 찾는다. (끼인각)

예

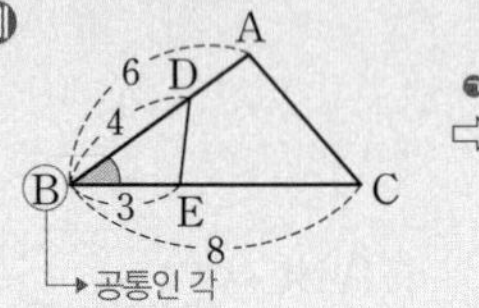

⇨ ㉠

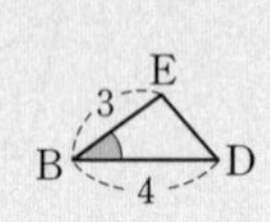

$\triangle ABC$와 $\triangle EBD$에서

$\angle B$는 공통, $\overline{AB}:\overline{EB}=\overline{BC}:\overline{BD}=$ [ ] $:1$ (2)

$\therefore \triangle ABC \backsim \triangle EBD$ (SAS 닮음)

(2) AA 닮음의 활용

공통인 각이 있고, 다른 한 내각의 크기가 같은 두 삼각형을 찾는다.

예

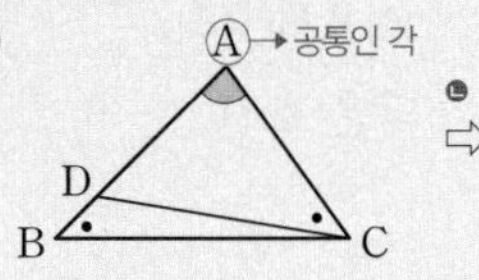

⇨ ㉡

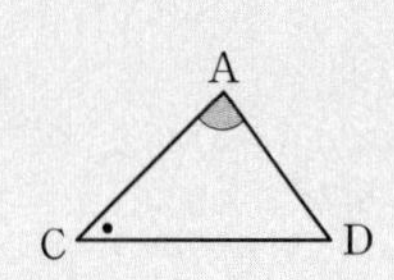

$\triangle ABC$와 $\triangle ACD$에서

$\angle A$는 공통, $\angle ABC=$ [ ] ($\angle ACD$)

$\therefore \triangle ABC \backsim \triangle ACD$ (AA 닮음)

㉠ 공통인 각을 기준으로 대응변의 길이의 비가 같도록 위치를 맞추어 두 삼각형을 그린다.

㉡ 공통인 각을 기준으로 크기가 같은 각이 같은 위치에 오도록 두 삼각형을 그린다.

3 직각삼각형의 닮음의 활용

$\angle A=90^\circ$인 직각삼각형 ABC의 꼭짓점 A에서 빗변 BC에 내린 수선의 발을 D라 하면

(1) $\triangle ABC \backsim \triangle DBA$ (AA 닮음)이므로

$\overline{AB}:\overline{DB}=\overline{BC}:$ [ ] ($\overline{BA}$)

$\therefore \overline{AB}^2=\overline{BD}\times\overline{BC}$

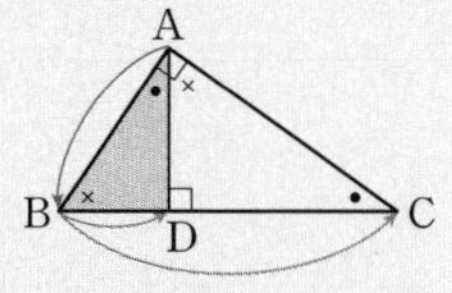

(2) $\triangle ABC \backsim \triangle DAC$ (AA 닮음)이므로

$\overline{AC}:\overline{DC}=$ [ ] $:\overline{AC}$ ($\overline{BC}$)

$\therefore \overline{AC}^2=\overline{CD}\times\overline{CB}$

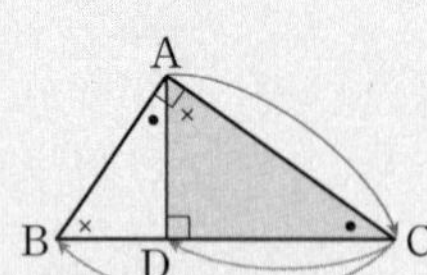

(3) $\triangle DBA \backsim \triangle DAC$ (AA 닮음)이므로

$\overline{DB}:\overline{DA}=\overline{DA}:\overline{DC}$

$\therefore \overline{AD}^2=\overline{DB}\times\overline{DC}$

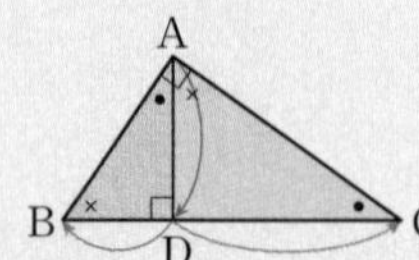

참고 직각삼각형 ABC의 넓이에서 $\frac{1}{2}\times\overline{AB}\times\overline{AC}=\frac{1}{2}\times\overline{BC}\times\overline{AD}$이므로

$\overline{AB}\times\overline{AC}=\overline{AD}\times\overline{BC}$가 성립한다.

● 직각삼각형은 한 내각의 크기가 90°이다. 따라서 한 예각의 크기가 같은 두 직각삼각형은 두 각의 크기가 각각 같으므로 AA 닮음이다.

빠른 정답 243쪽 | 정답과 해설 34쪽

| 개념 체크 |

2-1 삼각형의 닮음 조건의 활용

오른쪽 그림을 보고 다음 물음에 답하시오.

(1) 서로 닮음인 삼각형을 찾아 기호 ∽를 사용하여 나타내고, 이때 사용된 닮음 조건을 말하시오.

(2) x의 값을 구하시오.

셀파 공통인 각을 기준으로 삼각형 두 개를 찾는다.

(1)

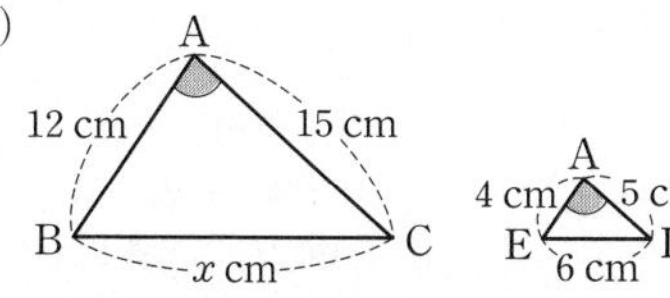

$\triangle$ABC와 $\triangle$AED에서

$\angle$A는 공통, $\overline{AB}:\overline{AE}=\square:\overline{AD}=3:\square$

$\therefore \triangle ABC \backsim \square$ (SAS 닮음)

(2) $x:6=3:\square \qquad \therefore x=\square$

| 따라 풀기 |

2-2 오른쪽 그림에서 $\angle B=\angle DAC$일 때, 다음 물음에 답하시오.

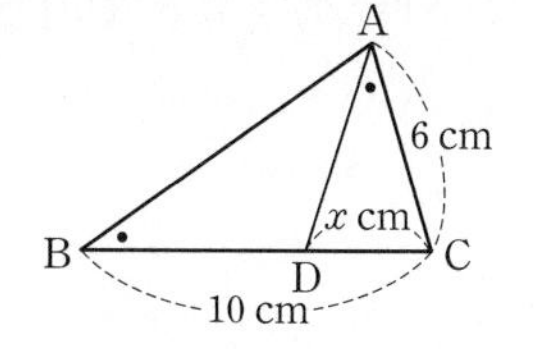

(1) 서로 닮음인 삼각형을 찾아 기호 ∽를 사용하여 나타내시오.

(2) 닮음 조건을 말하시오.

(3) x의 값을 구하시오.

3-1 직각삼각형의 닮음의 활용

오른쪽 그림과 같은 직각삼각형 ABC에서 x, y의 값을 각각 구하시오.

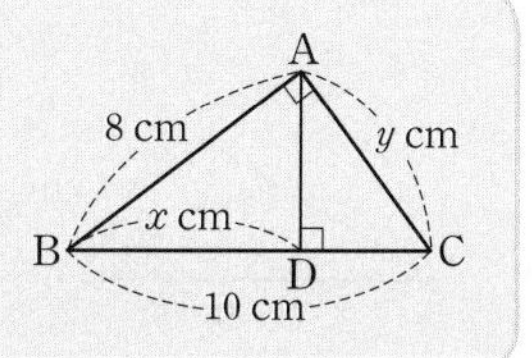

셀파 $\triangle ABC \backsim \triangle DBA \backsim \triangle DAC$임을 이용한다.

연구 $\overline{AB}^2=\overline{BD}\times\overline{BC}$에서 $8^2=x\times10 \qquad \therefore x=\square$

이때 $\overline{CD}=10-\dfrac{32}{5}=\dfrac{18}{5}$ (cm)

$\overline{AC}^2=\overline{CD}\times\overline{CB}$에서 $y^2=\square\times10=\square$

$y>0$이므로 $y=\square$

3-2 다음 그림과 같은 직각삼각형 ABC에서 x의 값을 구하시오.

(1)

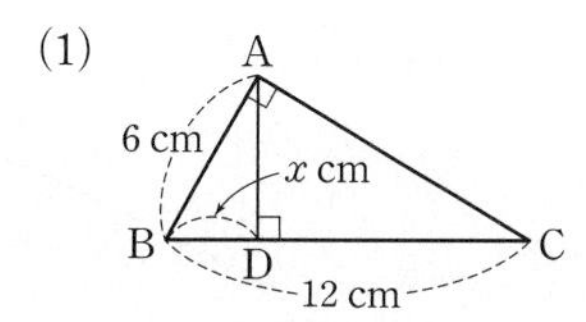

(2)

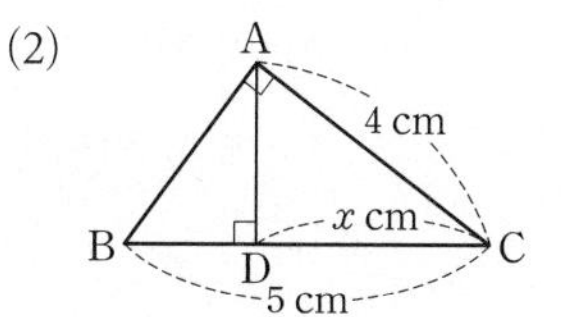

(3)

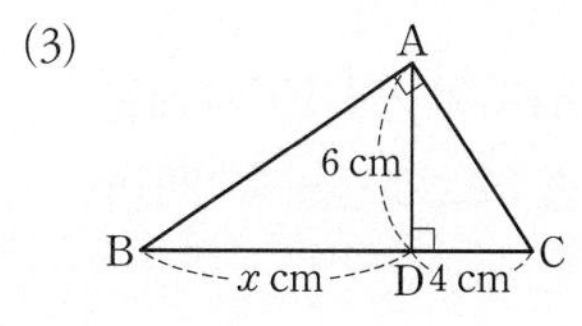

- 두 삼각형이 겹쳐진 도형에서 닮음인 삼각형을 찾을 때는 공통인 각을 기준으로 두 삼각형을 분리한 후 대응변의 길이의 비 또는 대응각의 크기를 비교한다.
- 오른쪽 그림의 직각삼각형 ABC에서
  ① $c^2=ax$ ② $b^2=ay$
  ③ $h^2=xy$ ④ $bc=ah$

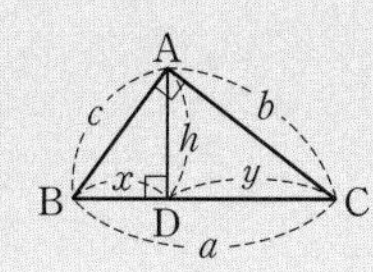

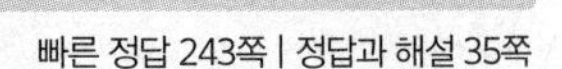

기본 01 삼각형의 닮음 조건

해법코드

다음에서 닮은 삼각형을 찾아 기호 ∽를 사용하여 나타내고, 이때 사용된 닮음 조건을 말하시오.

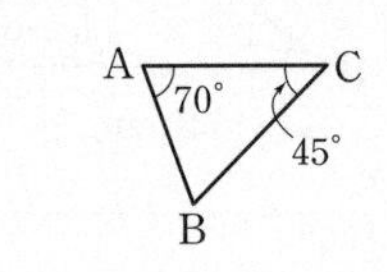

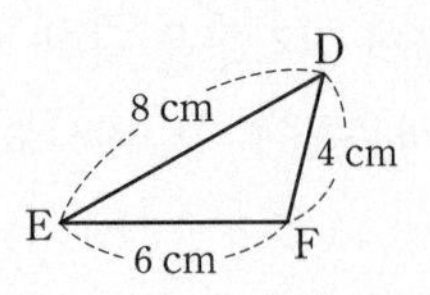

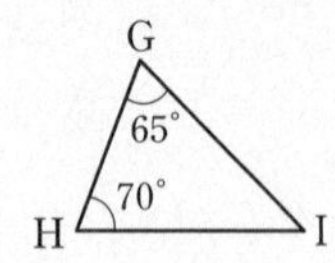

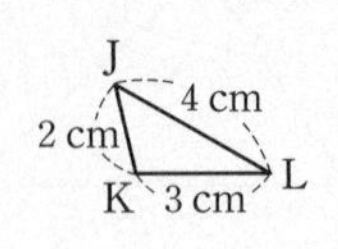

삼각형의 닮음 조건
❶ 세 쌍의 대응변의 길이의 비가 같으면 ⇨ SSS 닮음
❷ 두 쌍의 대응변의 길이의 비가 같고 그 끼인각의 크기가 같으면 ⇨ SAS 닮음
❸ 두 쌍의 대응각의 크기가 각각 같으면 ⇨ AA 닮음

셀파 닮은 삼각형을 찾을 때는 변의 길이의 비 또는 각의 크기를 비교한다.

풀이 $\triangle$ABC와 $\triangle$HGI: $\triangle$ABC에서 $\angle B=180°-(70°+45°)=65°$
즉 $\angle A=\angle H=70°$, $\angle B=\angle G=65°$이므로
$\triangle$ABC∽$\triangle$HGI (AA 닮음)

$\triangle$DEF와 $\triangle$JLK: $\overline{DE}:\overline{JL}=8:4=2:1$, $\overline{EF}:\overline{LK}=6:3=2:1$,
$\overline{DF}:\overline{JK}=4:2=2:1$
즉 세 쌍의 대응변의 길이의 비가 같으므로
$\triangle$DEF∽$\triangle$JLK (SSS 닮음)

가장 긴 변은 가장 긴 변끼리, 가장 짧은 변은 가장 짧은 변끼리 길이를 비교해 봐.

확인 01

1. 다음 중 오른쪽 보기의 삼각형과 닮음인 것은?

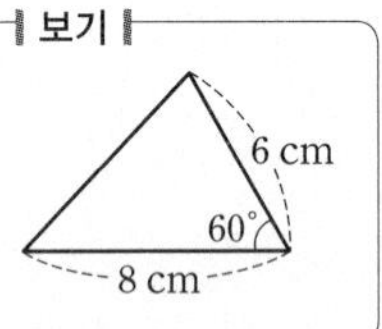

① 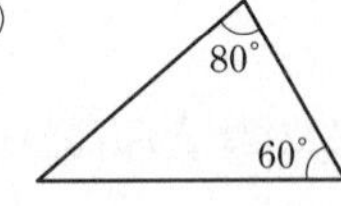

② 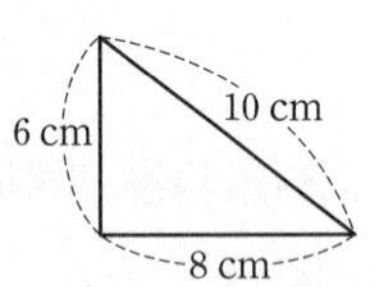

③
40°
8 cm
60°

④ 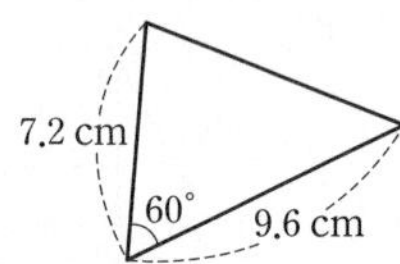

⑤ 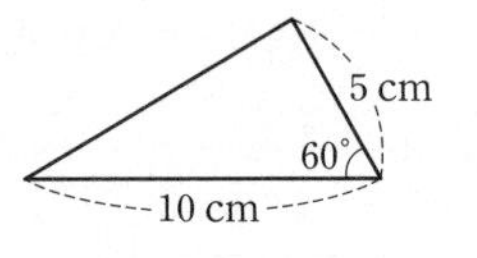

» My 셀파

1. 두 변의 길이를 알 수 있고 그 끼인각의 크기가 60°인 삼각형부터 찾는다.

2. 오른쪽 그림에서 $\triangle$ABC와 $\triangle$DEF가 닮은 도형이 되려면 다음 중 어느 조건을 추가해야 하는가?

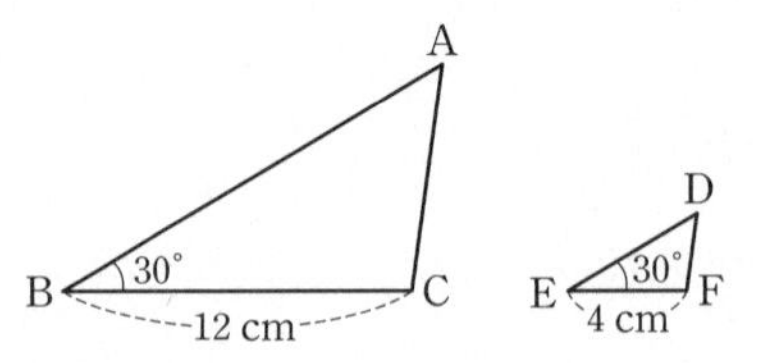

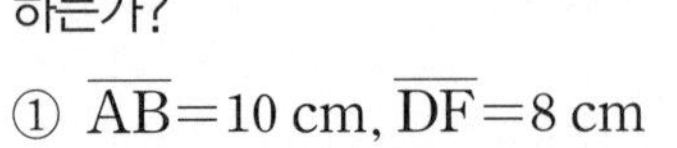

① $\overline{AB}=10$ cm, $\overline{DF}=8$ cm
② $\overline{AC}=9$ cm, $\overline{DF}=3$ cm
③ $\overline{AB}=15$ cm, $\overline{DE}=5$ cm
④ $\angle A=55°$, $\angle D=50°$
⑤ $\angle C=95°$, $\angle F=90°$

2. ①~⑤의 조건을 각각 추가해서 닮음인지 따져 본다.

기본 02 SAS 닮음의 활용

오른쪽 그림을 보고 다음 물음에 답하시오.

(1) 서로 닮음인 삼각형을 찾아 기호로 나타내고, 이때 사용된 닮음 조건을 말하시오.

(2) x의 값을 구하시오.

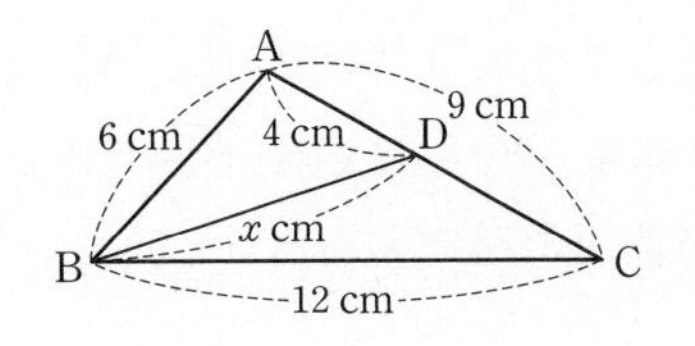

셀파 공통인 각을 기준으로 대응변의 길이의 비가 같도록 두 삼각형을 그린다.

풀이 (1) $\triangle ABC$와 $\triangle ADB$에서

$\angle A$는 공통, $\overline{AB} : \overline{AD} = \overline{AC} : \overline{AB} = 3 : 2$

$\therefore$ $\triangle \mathbf{ABC} \backsim \triangle \mathbf{ADB}$ **(SAS 닮음)**

(2) $\overline{BC} : \overline{DB} = 3 : 2$이므로 $12 : x = 3 : 2$

$3x = 24$ $\quad \therefore x = \mathbf{8}$

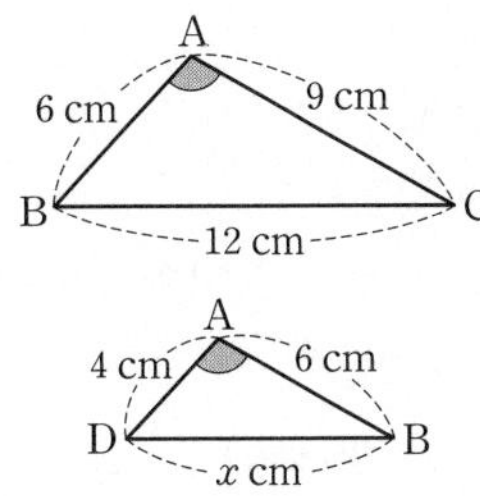

해법코드

공통인 각을 끼인각으로 하는 두 쌍의 대응변의 길이의 비가 같으면 SAS 닮음이다.
이때 긴 변은 긴 변끼리, 짧은 변은 짧은 변끼리 비교한다.

참고 $\angle C$가 공통인 각인 경우

$\triangle ABC$와 $\triangle DBC$에서
$\angle C$는 공통이지만
$\overline{AC} : \overline{DC} \neq \overline{BC} : \overline{BC}$이므로
$\triangle ABC$와 $\triangle DBC$는 닮음이 아니다.

확인 02 다음 그림에서 x의 값을 구하시오.

(1)

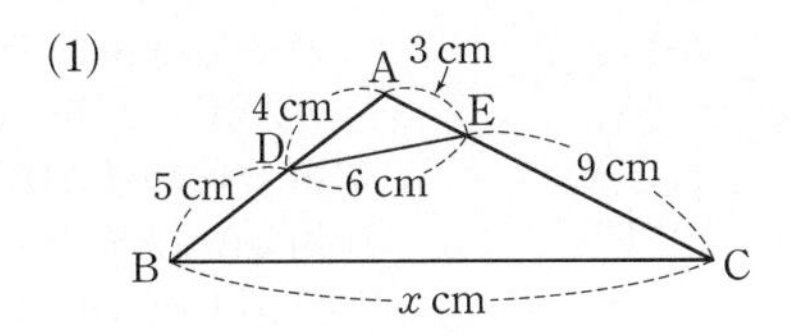

(2)

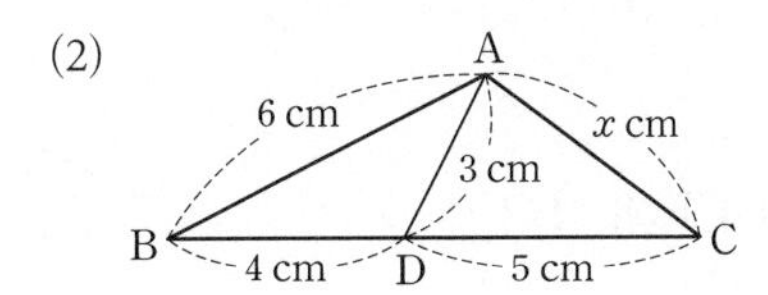

» My 셀파

공통인 각을 끼인각으로 하는 두 쌍의 대응변의 길이의 비가 같은 두 삼각형을 찾는다.

기본 03 AA 닮음의 활용

오른쪽 그림에서 $\angle ADE = \angle C$일 때, 다음 물음에 답하시오.

(1) 서로 닮음인 삼각형을 찾아 기호로 나타내고, 이때 사용된 닮음 조건을 말하시오.

(2) x의 값을 구하시오.

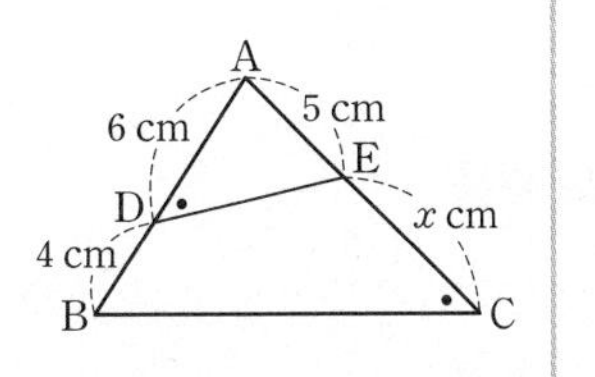

셀파 공통인 각을 기준으로 크기가 같은 각이 같은 위치에 오도록 두 삼각형을 그린다.

풀이 (1) $\triangle ABC$와 $\triangle AED$에서

$\angle A$는 공통, $\angle ACB = \angle ADE$

$\therefore$ $\triangle \mathbf{ABC} \backsim \triangle \mathbf{AED}$ **(AA 닮음)**

(2) $\overline{AB} : \overline{AE} = \overline{AC} : \overline{AD}$이므로 $10 : 5 = (5+x) : 6$

$5(5+x) = 60$, $5x = 35$ $\quad \therefore x = \mathbf{7}$

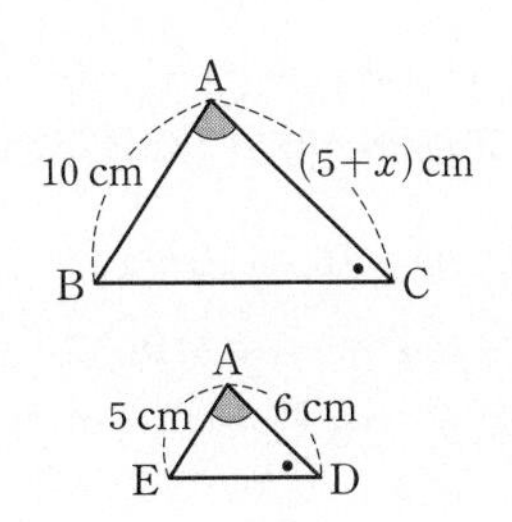

해법코드

공통인 각과 다른 한 내각의 크기가 같으면 AA 닮음이다.

확인 03 다음 그림에서 x의 값을 구하시오.

(1)

(2)

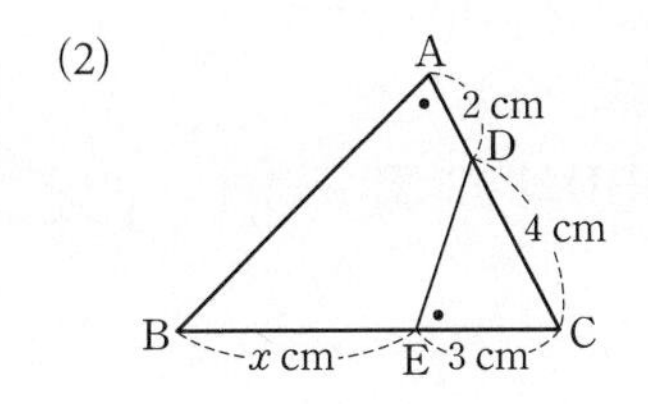

» My 셀파

공통인 각이 있고, 다른 한 내각의 크기가 같은 두 삼각형을 찾는다.

7 | 도형의 닮음

기본 04 직각삼각형의 닮음

오른쪽 그림과 같이 △ABC의 두 꼭짓점 A, B에서 $\overline{BC}$, $\overline{AC}$에 내린 수선의 발을 각각 D, E라 하자. $\overline{AC}=24$ cm, $\overline{BD}=18$ cm, $\overline{DC}=12$ cm일 때, $\overline{AE}$의 길이를 구하시오.

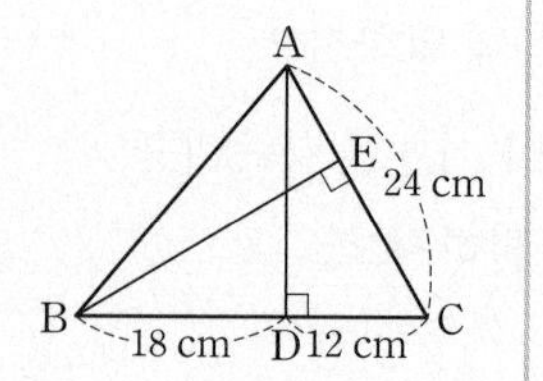

해법코드

한 예각의 크기가 같은 두 직각삼각형은 AA 닮음이다.

셀파 닮은 두 직각삼각형을 찾는다.

풀이 △EBC와 △DAC에서

∠C는 공통, ∠BEC=∠ADC=90°

∴ △EBC∽△DAC (AA 닮음)

이때 $\overline{EC}:\overline{DC}=\overline{BC}:\overline{AC}$이므로 $\overline{EC}:12=30:24$

$24\overline{EC}=360$ ∴ $\overline{EC}=15$ (cm)

∴ $\overline{AE}=\overline{AC}-\overline{EC}=24-15=$**9 (cm)**

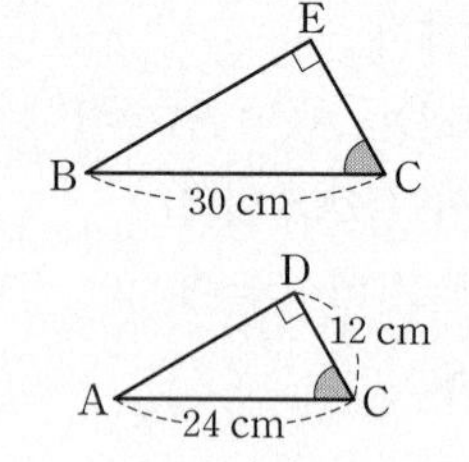

확인 04 오른쪽 그림에서 $\overline{AD}\perp\overline{BC}$, $\overline{AC}\perp\overline{BE}$이다. $\overline{AC}=26$ cm, $\overline{AD}=24$ cm, $\overline{BD}=29$ cm, $\overline{DC}=10$ cm일 때, 다음을 구하시오.

(1) $\overline{AE}$의 길이 (2) $\overline{EF}$의 길이

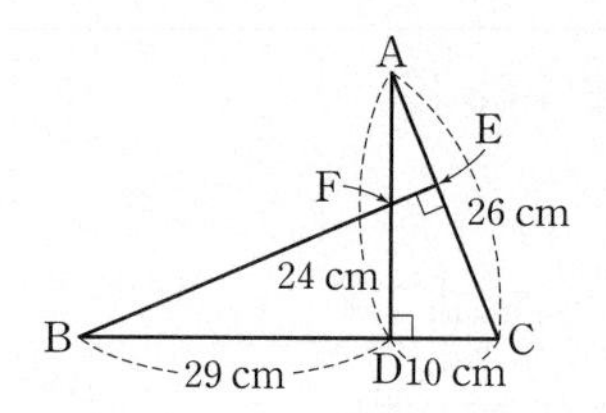

» My 셀파

(1) 두 직각삼각형 ADC와 BEC에서 ∠C는 공통이므로 △ADC∽△BEC (AA 닮음)

(2) 두 직각삼각형 ADC와 AEF에서 ∠A는 공통이므로 △ADC∽△AEF (AA 닮음)

기본 05 직각삼각형의 닮음의 활용

오른쪽 그림과 같은 ∠A=90°인 직각삼각형 ABC에서 $\overline{AD}\perp\overline{BC}$이고 $\overline{AB}=20$ cm, $\overline{AC}=15$ cm, $\overline{BD}=16$ cm일 때, x, y의 값을 각각 구하시오.

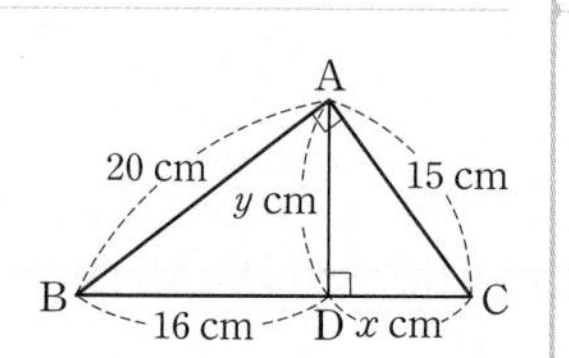

해법코드

∠A=90°인 직각삼각형 ABC에서 $\overline{AD}\perp\overline{BC}$일 때

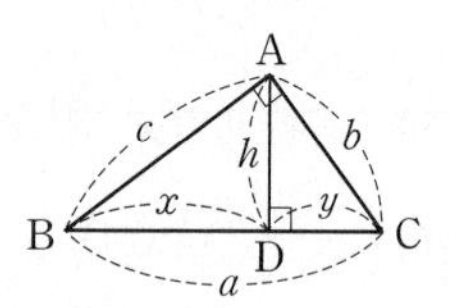

① $c^2=ax$ ② $b^2=ay$

③ $h^2=xy$ ④ $bc=ah$

셀파 세 직각삼각형의 닮음을 이용하여 선분의 길이를 구한다.

풀이 $\overline{AB}^2=\overline{BD}\times\overline{BC}$이므로 $20^2=16\times(16+x)$

$400=256+16x$, $16x=144$ ∴ $\boldsymbol{x=9}$

$\overline{AD}^2=\overline{DB}\times\overline{DC}$이므로 $y^2=16\times x=16\times 9=144$ ∴ $\boldsymbol{y=12}$ ($\because y>0$)

확인 05 오른쪽 그림과 같이 ∠A=90°인 직각삼각형 ABC의 꼭짓점 A에서 $\overline{BC}$에 내린 수선의 발을 D라 하자. $\overline{AC}=5$ cm, $\overline{DC}=3$ cm일 때, △ABD의 넓이를 구하시오.

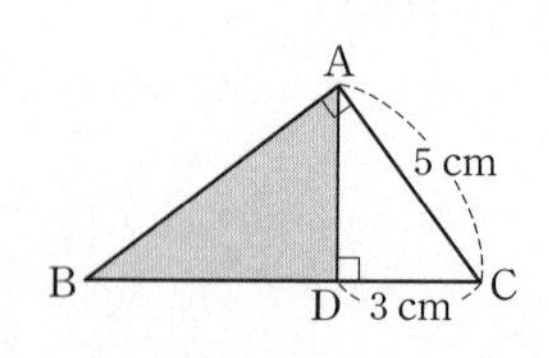

» My 셀파

$\triangle ABD=\frac{1}{2}\times\overline{BD}\times\overline{AD}$이므로 $\overline{BD}$와 $\overline{AD}$의 길이를 각각 구한다.

발전 06 접힌 도형에서 닮은 삼각형 찾기

오른쪽 그림과 같이 직사각형 모양의 종이 ABCD를 $\overline{BE}$를 접는 선으로 하여 꼭짓점 C가 $\overline{AD}$ 위의 점 F에 오도록 접었다. $\overline{AB}=6$ cm, $\overline{BC}=10$ cm, $\overline{AF}=8$ cm일 때, $\overline{EF}$의 길이를 구하시오.

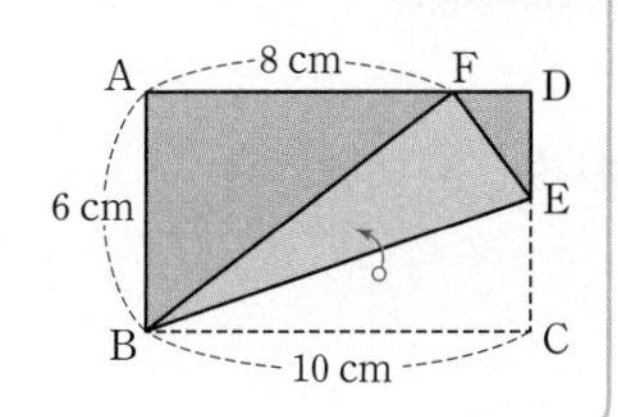

해법코드

종이를 접는 경우 합동인 도형과 닮은 도형을 찾아본다.

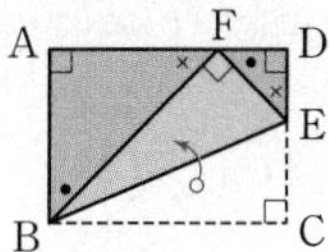

⇨ $\triangle BCE \equiv \triangle BFE$
$\triangle ABF \backsim \triangle DFE$

셀파 크기가 같은 각과 길이가 같은 선분에 주목한다.

풀이 $\overline{AD}=\overline{BC}=10$ cm이므로 $\overline{DF}=10-8=2$ (cm)

❶ $\triangle BCE \equiv \triangle BFE$이므로 $\overline{BF}=\overline{BC}=10$ cm

$\triangle ABF$와 $\triangle DFE$에서

$\angle A=\angle D=90^\circ$, $\angle ABF=90^\circ-\angle AFB=\angle DFE$

$\therefore$ $\triangle ABF \backsim \triangle DFE$ (AA 닮음)

$\overline{AB}:\overline{DF}=\overline{FB}:\overline{EF}$에서 $6:2=10:\overline{EF}$

$6\overline{EF}=20$ $\quad\therefore$ $\overline{EF}=\mathbf{\frac{10}{3}}$ **(cm)**

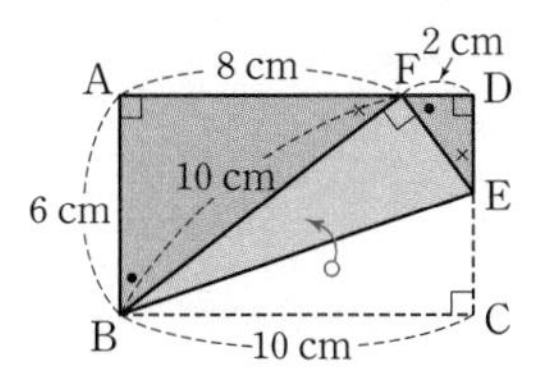

❶ $\triangle BCE$를 접어 올린 것이 $\triangle BFE$이므로 두 삼각형은 합동이다.

Lecture 접힌 도형에서 닮은 삼각형 찾기

(1) 접힌 직사각형 속의 닮음

$\triangle AEF$와 $\triangle DFC$에서

$\angle A=\angle D=90^\circ$ ...... ㉠

$\angle AEF+\angle AFE=90^\circ$, $\angle AFE+\angle DFC=90^\circ$이므로

$\angle AEF=\angle DFC$ ...... ㉡

㉠, ㉡에 의하여 $\triangle AEF \backsim \triangle DFC$ (AA 닮음)

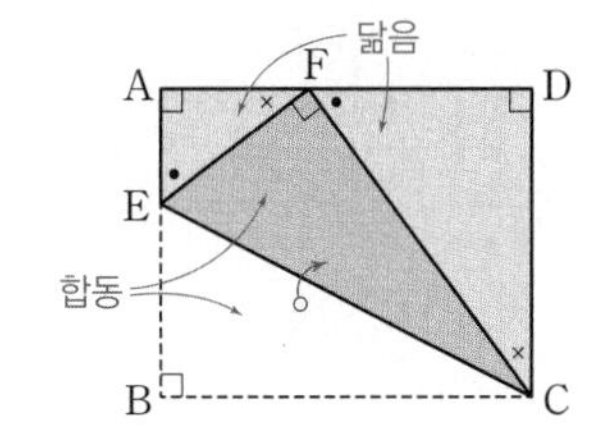

(2) 접힌 정삼각형 속의 닮음

$\triangle DBE$와 $\triangle ECF$에서

$\angle B=\angle C=60^\circ$ ...... ㉢

$\angle DEB+\angle BDE=120^\circ$, $\angle DEB+\angle CEF=120^\circ$이므로

$\angle BDE=\angle CEF$ ...... ㉣

㉢, ㉣에 의하여 $\triangle DBE \backsim \triangle ECF$ (AA 닮음)

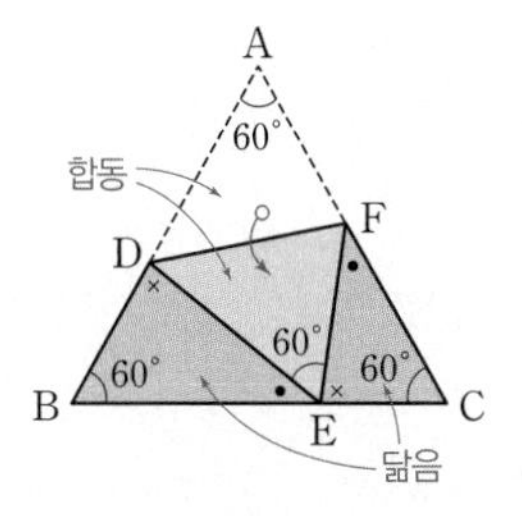

확인 06 오른쪽 그림과 같이 정삼각형 모양의 종이 ABC를 $\overline{DF}$를 접는 선으로 하여 꼭짓점 A가 $\overline{BC}$ 위의 점 E에 오도록 접었다. $\overline{BD}=8$ cm, $\overline{BE}=5$ cm, $\overline{DE}=7$ cm일 때, $\overline{CF}$의 길이를 구하시오.

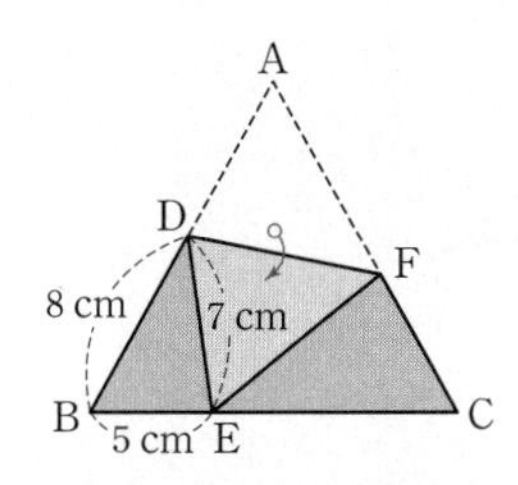

» My 셀파

$\triangle DBE \backsim \triangle ECF$임을 이용한다.

7 도형의 닮음

두 삼각형의 닮음을 이용하여 변의 길이 구하기

빠른 정답 244쪽 | 정답과 해설 36쪽

1 다음 그림에서 x의 값을 구하시오.

(1)

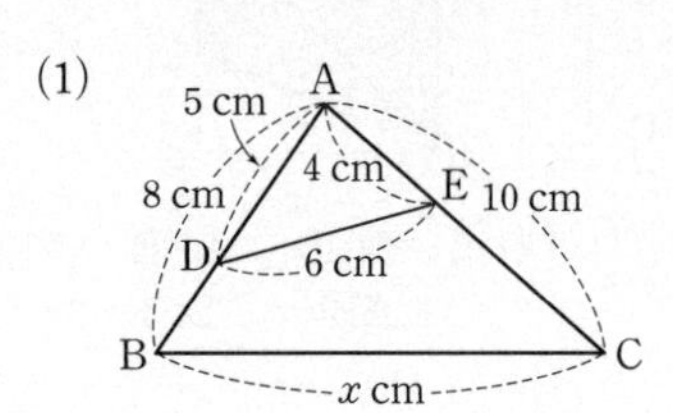

(2)

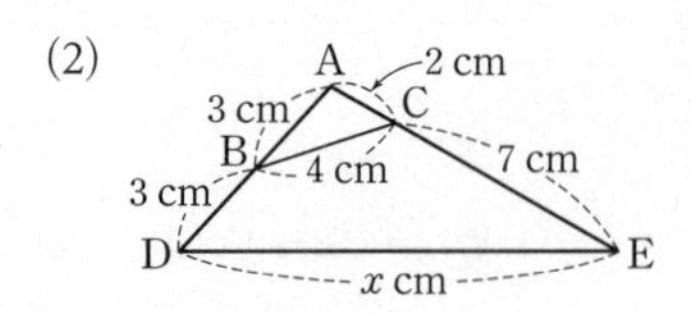

(3)

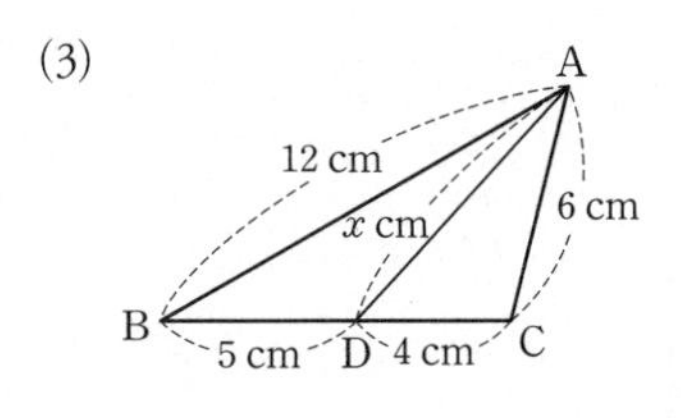

(4)

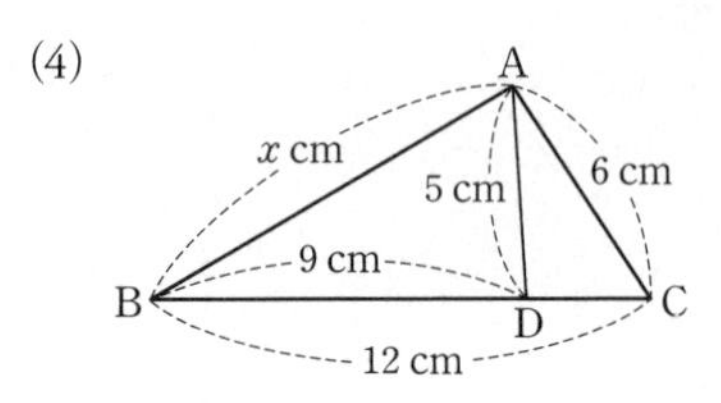

(3)

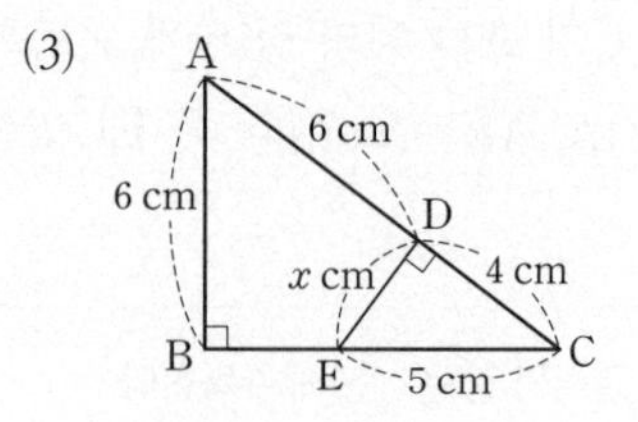

(4)

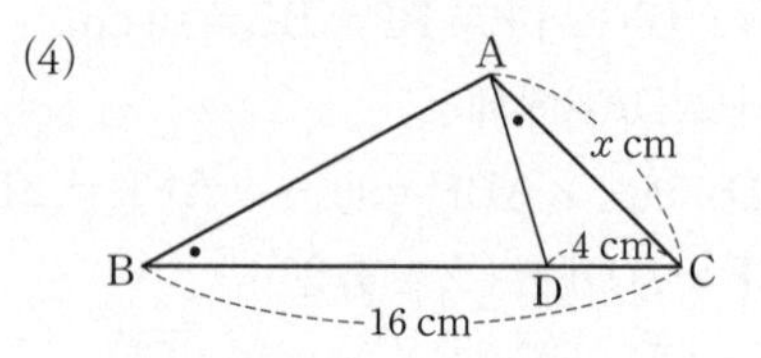

2 다음 그림에서 x의 값을 구하시오.

(1)

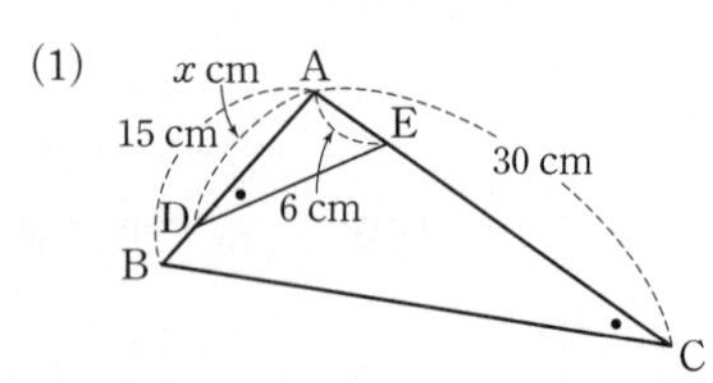

(2)

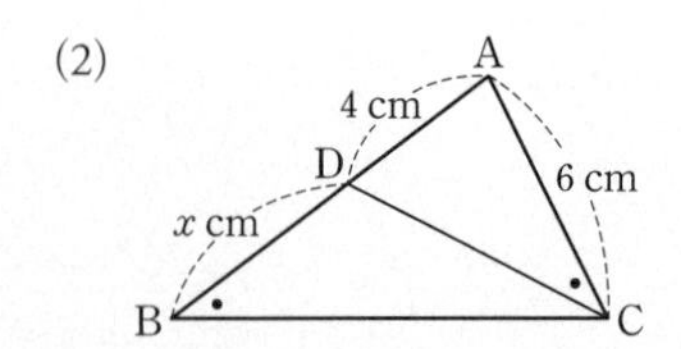

3 다음 그림과 같이 $\angle A=90^\circ$인 직각삼각형 ABC에서 $\overline{AD}\perp\overline{BC}$일 때, x의 값을 구하시오.

(1)

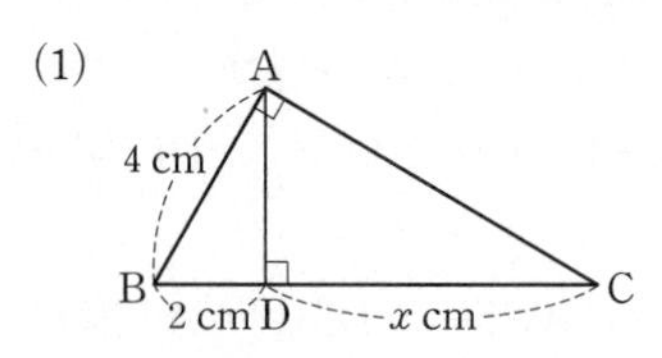

(2)

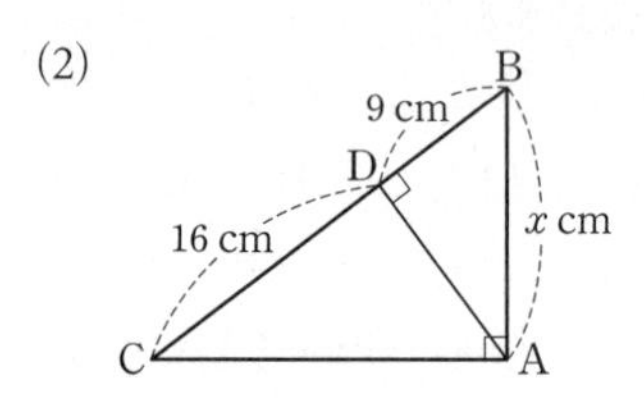

(3)

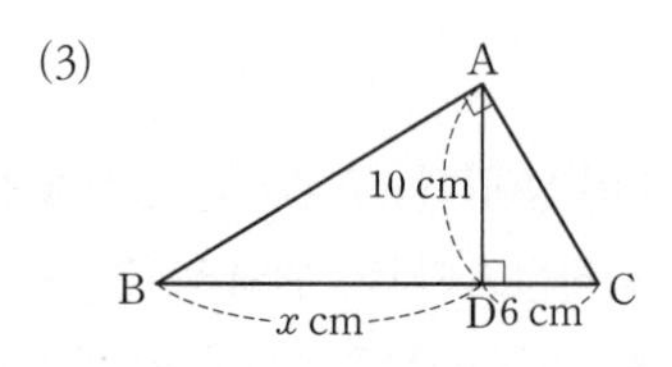

(4)

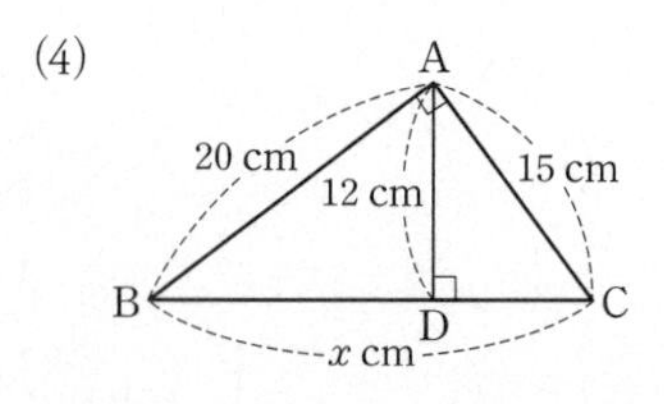

실력 키우기

빠른 정답 244쪽 | 정답과 해설 37쪽

01 항상 닮은 도형

다음 중 항상 닮은 도형이라고 할 수 없는 것을 모두 고르면? (정답 2개)

① 두 반원
② 두 정삼각형
③ 두 직사각형
④ 반지름의 길이가 같은 두 부채꼴
⑤ 한 예각의 크기가 같은 두 직각삼각형

02 평면도형에서 닮음의 성질

아래 그림에서 □ABCD∽□EFGH일 때, 다음 중 옳지 않은 것은?

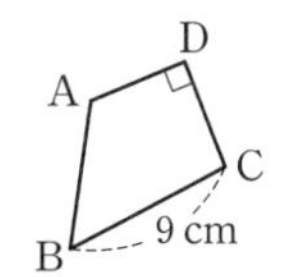

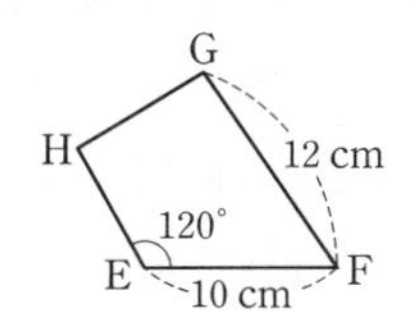

① $\angle A=120°$
② $\angle H=90°$
③ (닮음비)$=3:4$
④ $\overline{AD}:\overline{EH}=3:4$
⑤ $\overline{AB}=7$ cm

03 평면도형에서 닮음의 성질 (서술형)

아래 그림에서 □ABCD∽□EFGH이다. □ABCD와 □EFGH의 닮음비가 $2:3$일 때, □EFGH의 둘레의 길이를 구하시오.

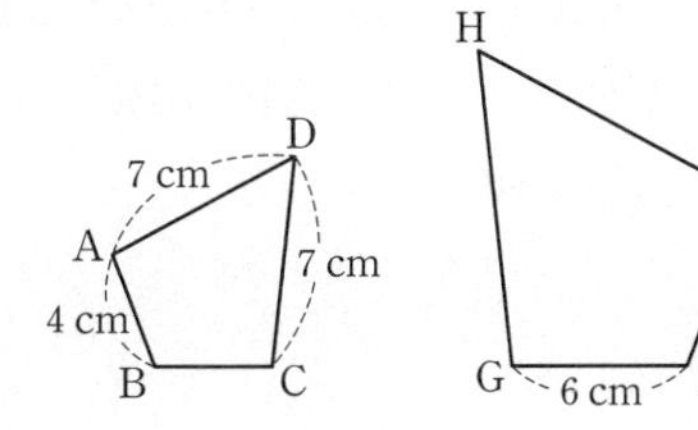

04 입체도형에서 닮음의 성질

아래 그림의 두 사각기둥은 닮은 도형이다. $\overline{AD}$에 대응하는 모서리가 $\overline{A'D'}$일 때, 다음 중 옳은 것을 모두 고르면?

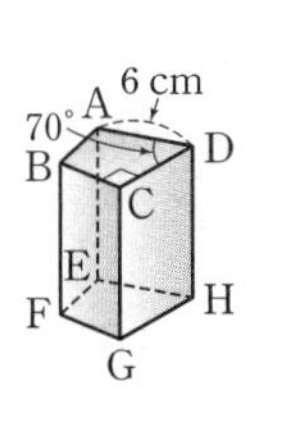

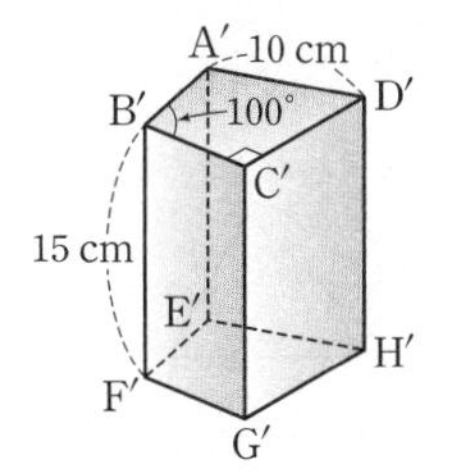

① (닮음비)$=4:5$
② $\overline{BF}=12$ cm
③ $\angle BAD=100°$
④ □ABCD≡□A′B′C′D′
⑤ □CGHD∽□C′G′H′D′

05 원뿔 또는 원기둥의 닮음

오른쪽 그림의 두 원기둥 A, B는 닮은 도형이다. 두 원기둥 A, B의 밑면의 둘레의 길이의 비를 가장 간단한 자연수의 비로 나타내시오.

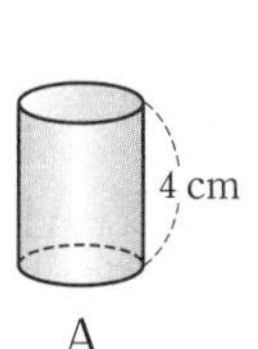

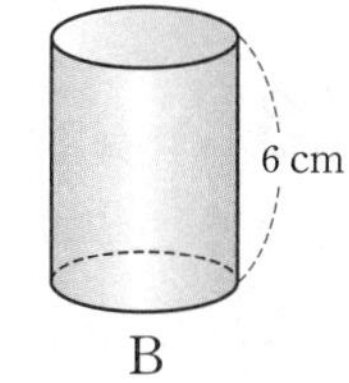

06 삼각형의 닮음 조건

다음에서 닮은 삼각형을 찾아 기호로 나타내고, 이때 사용된 닮음 조건을 말하시오.

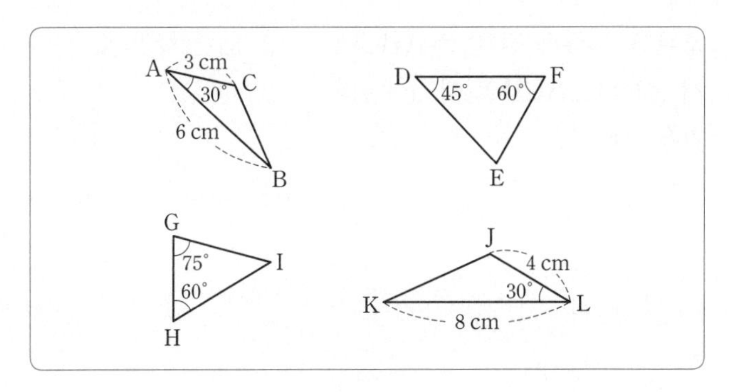

07 삼각형의 닮음 조건 창의력

다음 그림의 △ABC와 △DEF에서 $\overline{AB}:\overline{DE}=\overline{BC}:\overline{EF}$이다. 이 두 삼각형이 닮은 도형이 되기 위해서 한 가지 조건을 추가하려고 할 때, 필요한 조건을 **보기**에서 모두 고른 것은?

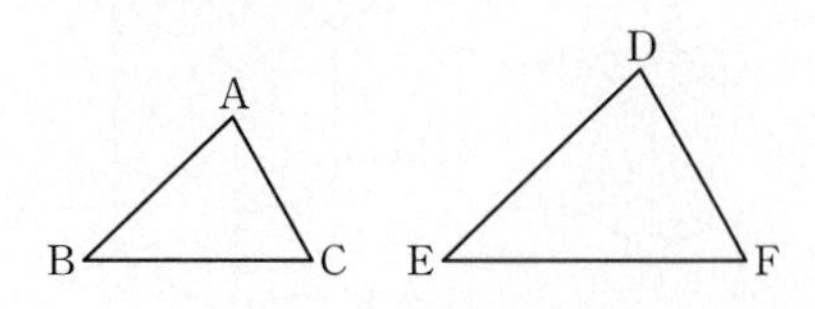

보기

ㄱ $\angle A=\angle D$　　ㄴ $\angle B=\angle E$
ㄷ $\overline{AC}=\overline{DF}$　　ㄹ $\overline{AB}:\overline{DE}=\overline{AC}:\overline{DF}$

① ㄱ　② ㄴ　③ ㄱ, ㄷ
④ ㄴ, ㄹ　⑤ ㄱ, ㄴ, ㄹ

08 SAS 닮음의 활용

오른쪽 그림과 같은 △ABC에서 $\overline{CD}$의 길이를 구하시오.

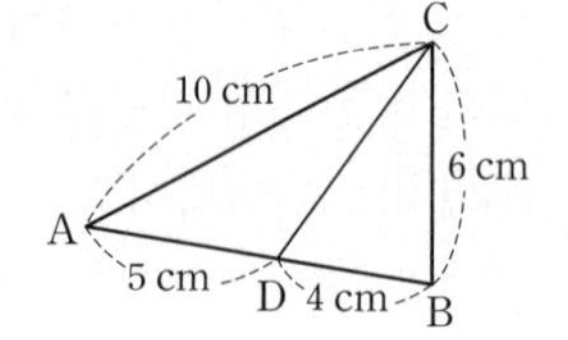

09 AA 닮음의 활용

오른쪽 그림과 같은 △ABC에서 $\angle B=\angle ACD$일 때, $x+y$의 값을 구하시오.

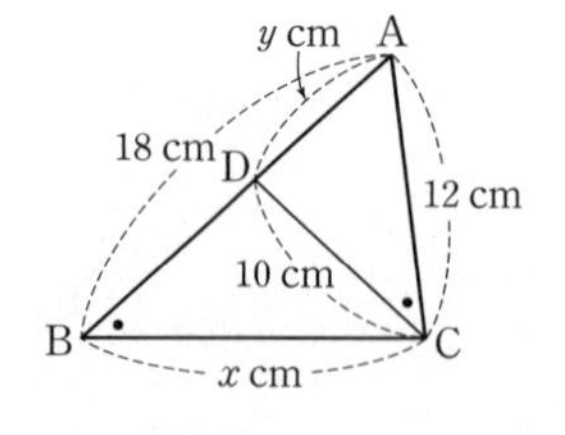

10 AA 닮음의 활용 서술형

오른쪽 그림과 같은 평행사변형 ABCD에서 $\overline{BC}$ 위에 점 E를 잡고 $\overline{AE}$의 연장선과 $\overline{DC}$의 연장선이 만나는 점을 F라 하자.

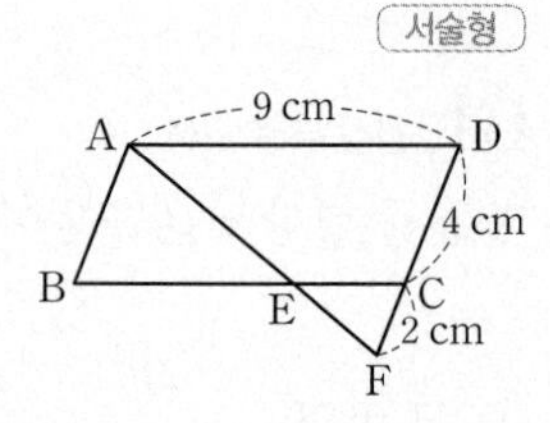

$\overline{AD}=9$ cm, $\overline{DC}=4$ cm, $\overline{CF}=2$ cm일 때, 다음 물음에 답하시오.

(1) 서로 닮음인 삼각형을 모두 찾아 기호로 나타내고, 이때 사용된 닮음 조건을 말하시오.

(2) $\overline{EC}$의 길이를 구하시오.

11 직각삼각형의 닮음

오른쪽 그림과 같은 △ABC에서 $\overline{AB}\perp\overline{CD}$, $\overline{AC}\perp\overline{BE}$이고 점 F는 $\overline{BE}$와 $\overline{CD}$의 교점일 때, 다음 중 나머지 넷과 닮음이 아닌 것은?

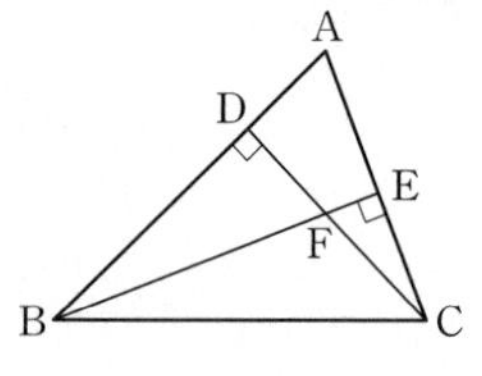

① △ABE　② △ACD　③ △CBE
④ △FBD　⑤ △FCE

12 직각삼각형의 닮음의 활용

오른쪽 그림과 같이 $\angle A=90°$인 직각삼각형 ABC에서 $\overline{AD}\perp\overline{BC}$일 때, 다음 중 옳지 않은 것은?

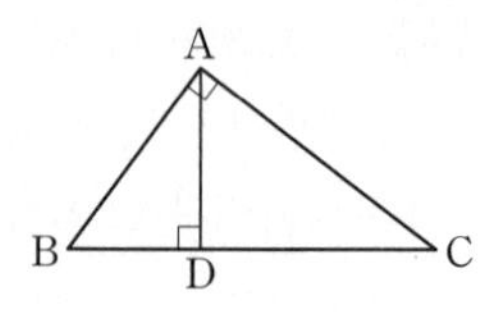

① △ABC∽△DAC　② △DBA∽△DAC
③ $\overline{AC}^2=\overline{CD}\times\overline{CB}$　④ $\overline{AB}^2=\overline{BC}\times\overline{DC}$
⑤ $\overline{AB}\times\overline{AC}=\overline{AD}\times\overline{BC}$

13 직각삼각형의 닮음의 활용

오른쪽 그림과 같은 직사각형 ABCD에서 $\overline{AH}\perp\overline{BD}$이고 $\overline{BC}=5\text{ cm}$, $\overline{DH}=4\text{ cm}$일 때, $\overline{AH}$의 길이를 구하시오.

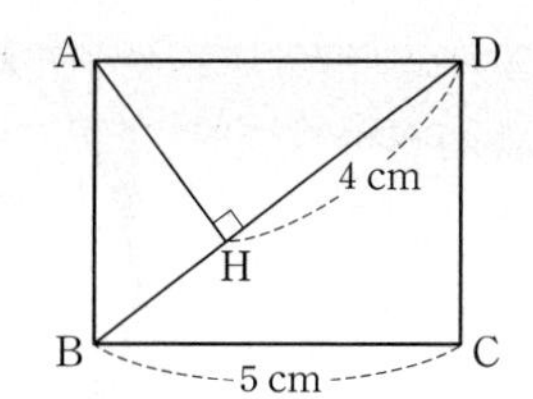

14 직각삼각형의 닮음의 활용

서술형 융합형

오른쪽 그림과 같이 $\angle A=90^\circ$인 직각삼각형 ABC에서 점 M은 $\overline{BC}$의 중점이고 $\overline{AD}\perp\overline{BC}$, $\overline{AM}\perp\overline{DE}$이다. $\overline{BD}=40\text{ cm}$, $\overline{DC}=10\text{ cm}$일 때, 다음 선분의 길이를 구하시오.

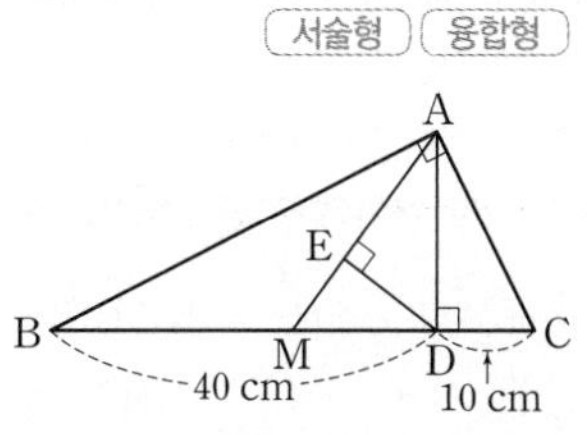

(1) $\overline{AM}$ (2) $\overline{AD}$ (3) $\overline{AE}$

15 AA 닮음의 활용

오른쪽 그림과 같이 $\angle C=90^\circ$인 직각삼각형 ABC 안에 꼭짓점 D가 $\overline{AB}$ 위에 있는 정사각형 DECF를 그렸다. $\overline{BC}=4\text{ cm}$, $\overline{AC}=8\text{ cm}$일 때, □DECF의 넓이를 구하시오.

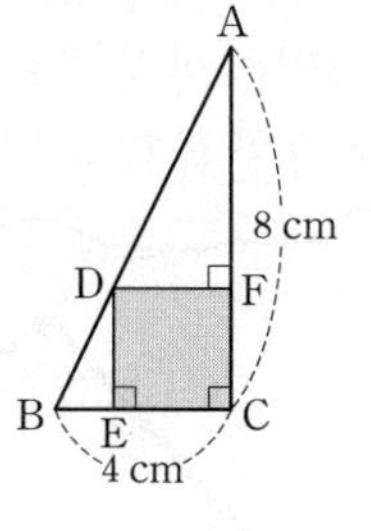

16 종이접기

서술형

오른쪽 그림과 같이 직사각형 모양의 종이 ABCD를 대각선 BD를 접는 선으로 하여 접었다. $\overline{AB}=6\text{ cm}$, $\overline{BC}=8\text{ cm}$, $\overline{BD}=10\text{ cm}$일 때, $\overline{PQ}$의 길이를 구하시오.

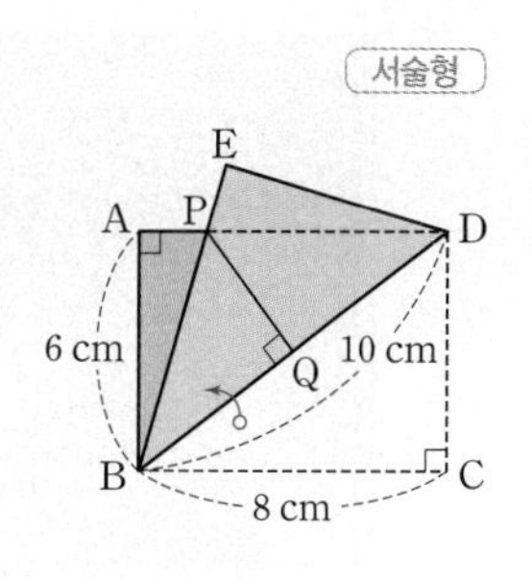

17 도형의 닮음의 활용

창의·융합

다음 글은 복사 용지에 대한 설명이다. 이 글을 읽고 A4 용지와 A0 용지의 닮음비를 구하시오.

복사 용지에 숨은 비밀

우리가 일상생활에서 흔히 쓰는 복사 용지의 규격은 어떻게 정해진 것일까? 복사 용지의 규격은 독일의 표준화 연구소에서 처음 제안한 것으로, 반으로 잘랐을 때 원래의 용지와 닮음이 되도록 정한 것이다.

이때 A1 용지는 A0 용지를 반으로 자른 것이고, A2 용지는 A1 용지를, A3 용지는 A2 용지를, A4 용지는 A3 용지를 각각 반으로 자른 것이다.

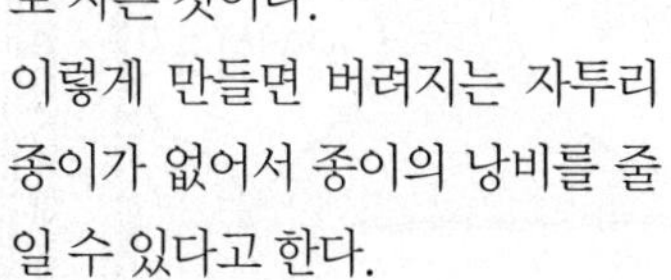
이렇게 만들면 버려지는 자투리 종이가 없어서 종이의 낭비를 줄일 수 있다고 한다.

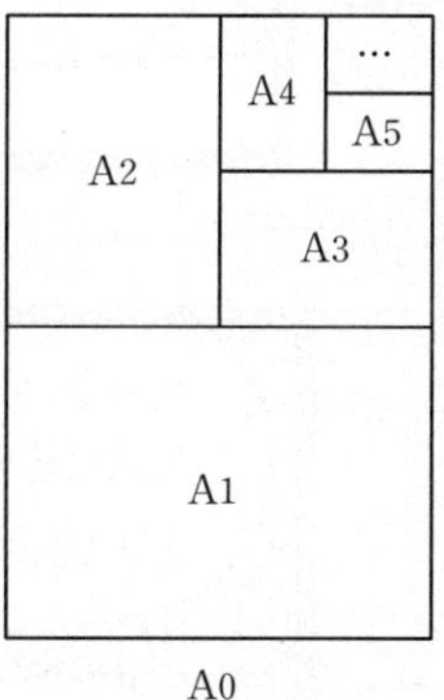

조금은 소심한 학생 한소심.
선생님, 다 그렸어요.

아주 멋진 삼각형이구나. 그런데 스케치북에 비해 너무 작은 것 같아. 크게 키워 볼래?
완벽을 추구하는 선생님 정확희.

처음 그린 삼각형과 비율이 맞지 않는구나.
슥 슥

두 밑변이 평행하면 비율이 맞는 닮은꼴이 되지.

하지만, 아직도 스케치북에 여백이 너무 많아.
어떡하죠?

이렇게 연장선을 그려서 삼각형을 키우면 되겠구나.
슥 슥

III | 도형의 닮음과 피타고라스 정리

평행선 사이의 선분의 길이의 비

1. 삼각형에서 평행선과 선분의 길이의 비

| 개념 1 | 삼각형에서 평행선과 선분의 길이의 비 (1)

| 개념 2 | 삼각형에서 평행선과 선분의 길이의 비 (2)

| 개념 3 | 삼각형의 내각의 이등분선

| 개념 4 | 삼각형의 외각의 이등분선

2. 평행선 사이의 선분의 길이의 비

| 개념 1 | 평행선 사이의 선분의 길이의 비

| 개념 2 | 사다리꼴에서 평행선 사이의 선분의 길이의 비

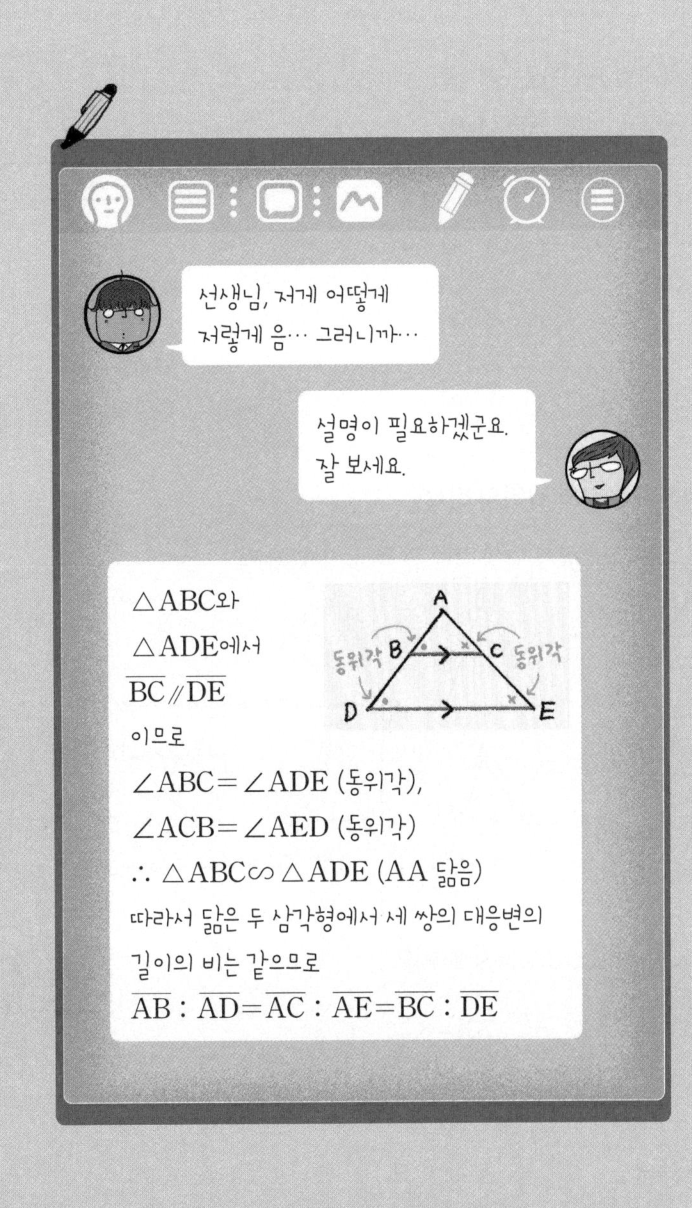

8

1. 삼각형에서 평행선과 선분의 길이의 비

1 삼각형에서 평행선과 선분의 길이의 비 (1)

$\triangle ABC$에서 $\overline{AB}$, $\overline{AC}$ 또는 그 연장선 위에 각각 점 D, E가 있을 때, $\overline{BC} /\!/ \overline{DE}$이면 다음이 성립한다.

(1) $\overline{AB} : \overline{AD} = \overline{AC} : \overline{AE}$
$= \overline{BC} : \square$

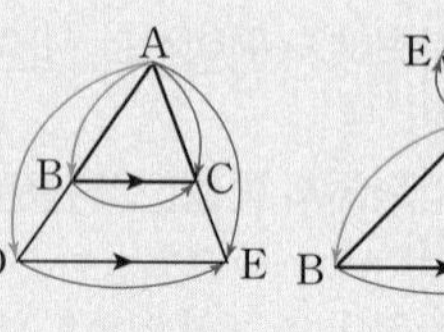

(2) $\overline{AD} : \overline{DB} = \overline{AE} : \square$

주의 $\overline{AD} : \overline{DB} = \overline{AE} : \overline{EC}$
$\neq \overline{DE} : \overline{BC}$

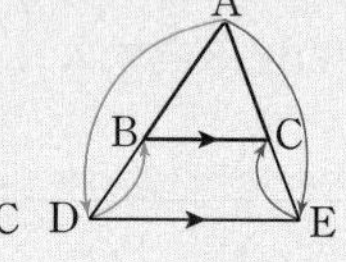

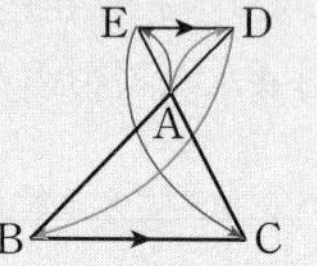

$\overline{EC}$

설명

(1) $\triangle ABC$와 $\triangle ADE$에서 $\overline{BC} /\!/ \overline{DE}$이면

동위각 동위각

$\triangle ABC \backsim \triangle ADE$ (AA 닮음)
이므로 닮은 두 삼각형에서 세 쌍의 대응변의 길이의 비는 같다.
$\therefore \overline{AB} : \overline{AD} = \overline{AC} : \overline{AE}$
$= \overline{BC} : \overline{DE}$

(2) $\overline{AB} /\!/ \overline{EF}$가 되도록 $\overline{BC}$ 위에 점 F를 잡으면

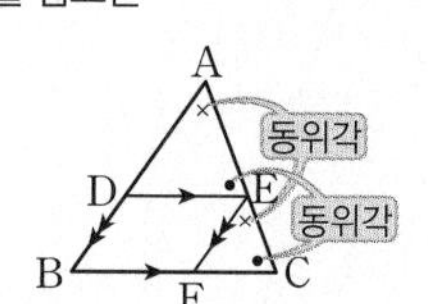

$\triangle ADE \backsim \triangle EFC$ (AA 닮음)
이므로 $\overline{AD} : \overline{EF} = \overline{AE} : \overline{EC}$
이때 □DBFE는 평행사변형이므로 $\overline{DB} = \overline{EF}$
$\therefore \overline{AD} : \overline{DB} = \overline{AE} : \overline{EC}$

보기 오른쪽 그림에서 $\overline{BC} /\!/ \overline{DE}$일 때, 다음을 구하시오.

(1) $\overline{AB} : \overline{AD}$ (2) $\overline{AD} : \overline{DB}$

풀이 (1) $\overline{AB} : \overline{AD} = \overline{AC} : \overline{AE} = 6 : 4 = \mathbf{3 : 2}$
(2) $\overline{AD} : \overline{DB} = \overline{AE} : \overline{EC} = 4 : (6-4) = \mathbf{2 : 1}$

2 삼각형에서 평행선과 선분의 길이의 비 (2)

$\triangle ABC$에서 $\overline{AB}$, $\overline{AC}$ 또는 그 연장선 위에 각각 점 D, E가 있을 때

(1) $\overline{AB} : \overline{AD} = \overline{AC} : \overline{AE}$이면
$\overline{BC} \square \overline{DE}$

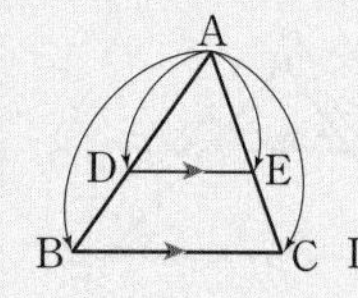

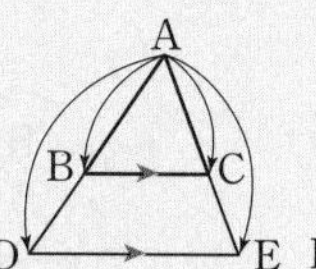

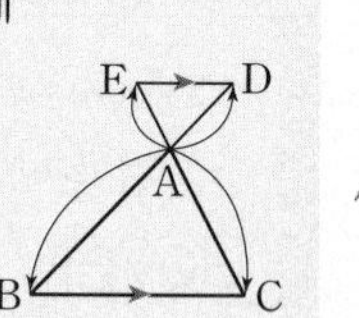

$/\!/$

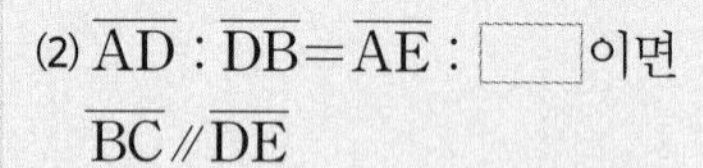

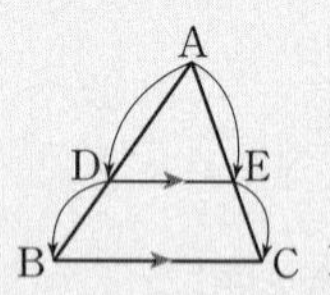

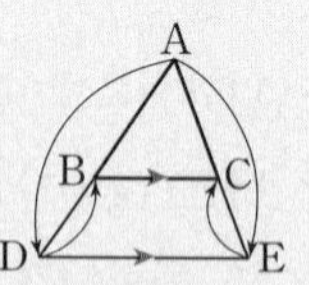

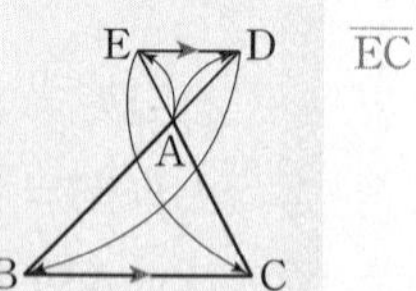

$\overline{EC}$

설명

(1) $\triangle ABC$와 $\triangle ADE$에서

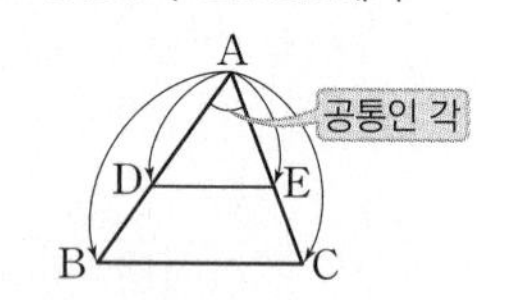

$\overline{AB} : \overline{AD} = \overline{AC} : \overline{AE}$,
$\angle A$는 공통
$\therefore \triangle ABC \backsim \triangle ADE$
(SAS 닮음)
이때 닮은 두 삼각형에서 대응각의 크기는 같으므로
$\angle B = \angle ADE$
즉 동위각의 크기가 같으므로
$\overline{BC} /\!/ \overline{DE}$

● 동위각끼리 같거나 엇각끼리 같으면 두 직선은 평행하다.

보기 오른쪽 그림의 $\triangle ABC$에서 $\overline{BC} /\!/ \overline{DE}$임을 확인하시오.

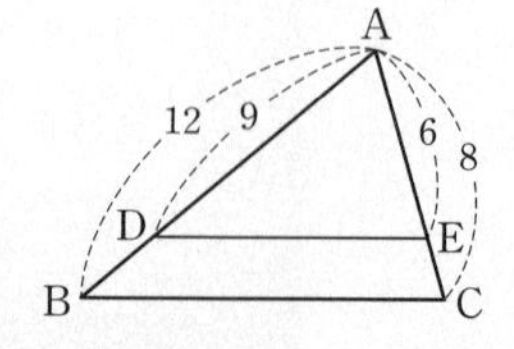

풀이 $\overline{AB} : \overline{AD} = 12 : 9 = 4 : 3$, $\overline{AC} : \overline{AE} = 8 : 6 = 4 : 3$
즉 $\overline{AB} : \overline{AD} = \overline{AC} : \overline{AE}$이므로 $\mathbf{\overline{BC} /\!/ \overline{DE}}$

빠른 정답 244쪽 | 정답과 해설 40쪽

| 개념 체크 |

1-1 삼각형에서 평행선과 선분의 길이의 비 (1)

다음 그림에서 $\overline{BC} /\!/ \overline{DE}$일 때, x의 값을 구하시오.

(1)
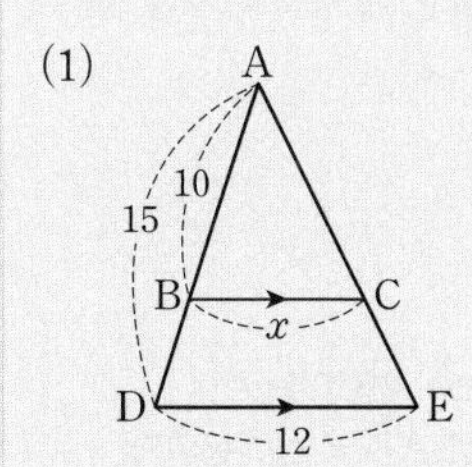

(2)
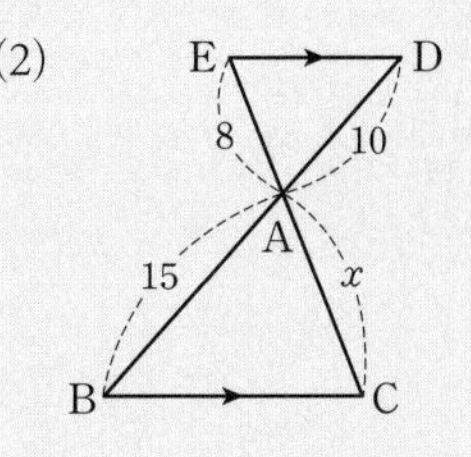

(3)
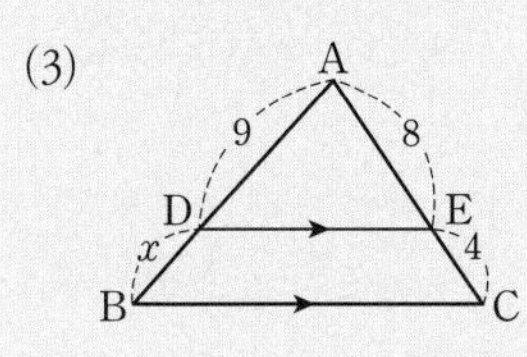

(4)
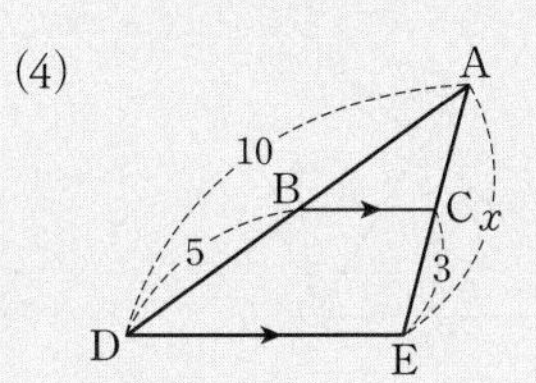

셀파 • $\overline{BC} /\!/ \overline{DE}$이면 $\overline{AB} : \overline{AD} = \overline{AC} : \overline{AE} = \overline{BC} : \overline{DE}$
• $\overline{BC} /\!/ \overline{DE}$이면 $\overline{AD} : \overline{DB} = \overline{AE} : \overline{EC}$

연구 (1) $10 : 15 = x : 12$에서 $15x = 120$ $\quad\therefore x = 8$
(2) $15 : 10 = x : 8$에서 $10x =$ ☐ $\quad\therefore x =$ ☐
(3) $9 : x = 8 :$ ☐에서 $8x =$ ☐ $\quad\therefore x =$ ☐
(4) $10 : 5 = x :$ ☐에서 $5x =$ ☐ $\quad\therefore x =$ ☐

2-1 삼각형에서 평행선과 선분의 길이의 비 (2)

다음 그림에서 $\overline{BC}$와 $\overline{DE}$가 평행한지 말하시오.

(1)
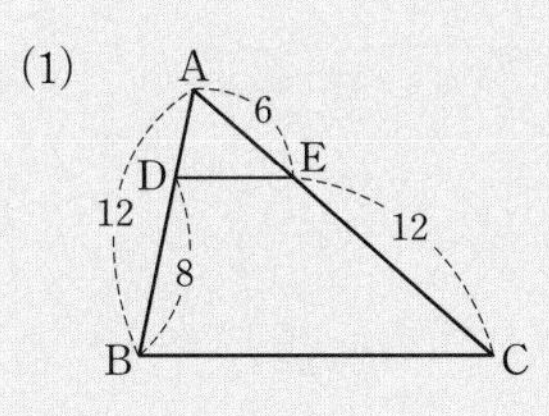

(2)
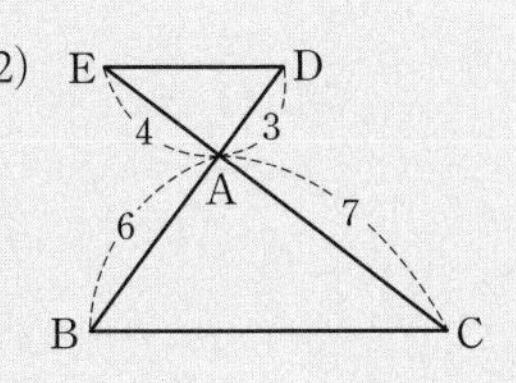

셀파 • $\overline{AB} : \overline{AD} = \overline{AC} : \overline{AE}$이면 $\overline{BC} /\!/ \overline{DE}$
• $\overline{AD} : \overline{DB} = \overline{AE} : \overline{EC}$이면 $\overline{BC} /\!/ \overline{DE}$

연구 (1) $\overline{AD} : \overline{DB}$ ☐ $\overline{AE} : \overline{EC}$이므로
$\overline{BC}$와 $\overline{DE}$는 평행☐.
(2) $\overline{AB} : \overline{AD}$ ☐ $\overline{AC} : \overline{AE}$이므로
$\overline{BC}$와 $\overline{DE}$는 평행☐.

| 따라 풀기 |

1-2 다음 그림에서 $\overline{BC} /\!/ \overline{DE}$일 때, x의 값을 구하시오.

(1)
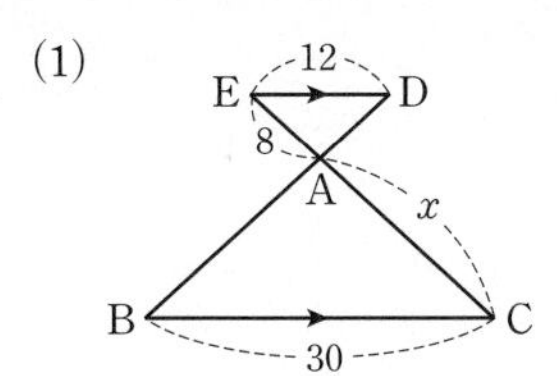

(2)
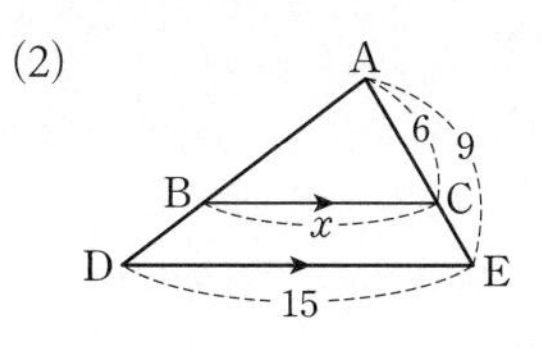

(3)
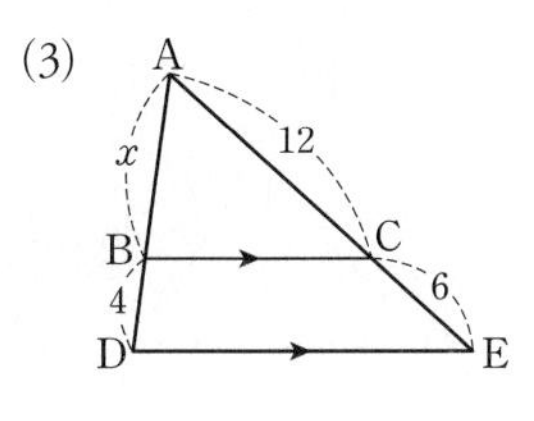

(4)
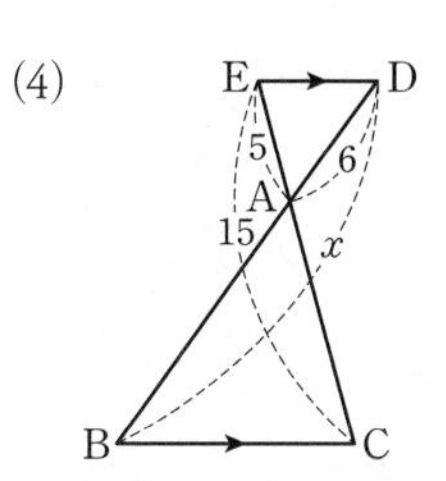

2-2 다음 그림에서 $\overline{BC}$와 $\overline{DE}$가 평행하면 ○표, 평행하지 않으면 ×표를 (　　) 안에 써넣으시오.

(1)
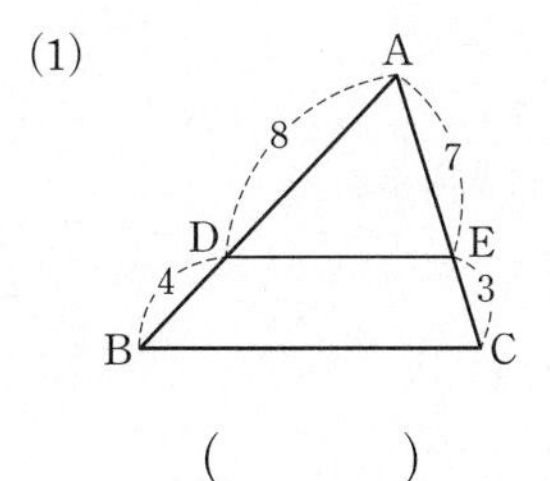
(　　)

(2)
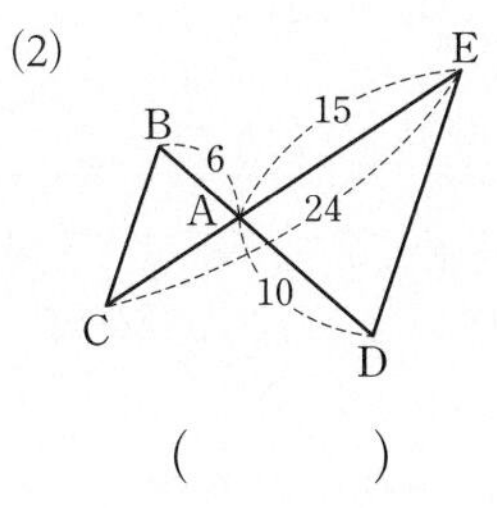
(　　)

삼각형에서 평행선과 선분의 길이의 비 닮은 두 삼각형을 대응시킨 후 선분의 길이의 비를 생각한다.

3 삼각형의 내각의 이등분선

△ABC에서 ∠A의 이등분선이 $\overline{BC}$와 만나는 점을 D라 하면

$\overline{AB} : \overline{AC} = \overline{BD} :$ ☐

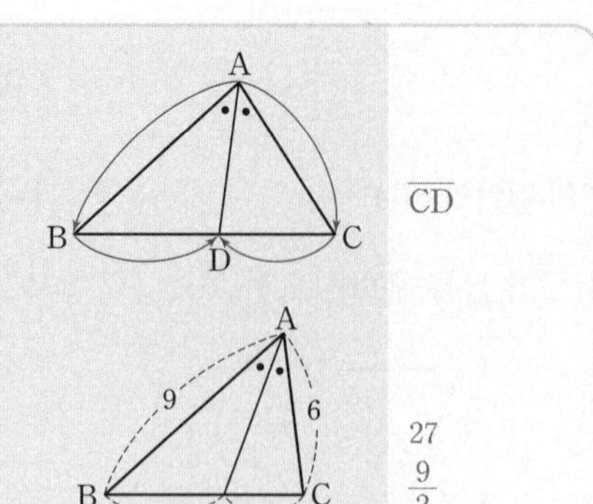

예 오른쪽 그림의 △ABC에서 $\overline{AD}$가 ∠A의 이등분선일 때, x의 값을 구해 보자.

⇨ $9 : 6 = x : 3$에서 $6x=$ ☐

$\therefore x=$ ☐

$\overline{CD}$ 27 $\frac{9}{2}$

참고 △ABD와 △ACD의 높이가 같으므로 넓이의 비는 밑변의 길이의 비와 같다.
⇨ △ABD : △ACD
$= \overline{BD} : \overline{CD}$
$= \overline{AB} : \overline{AC}$

설명 1

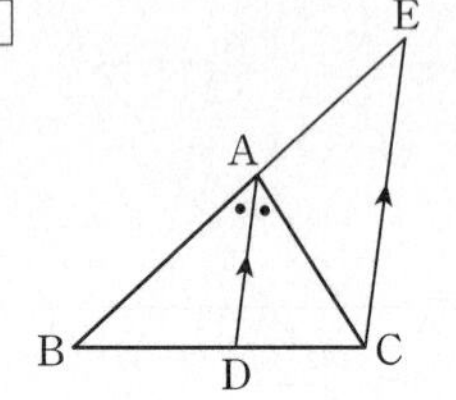

2

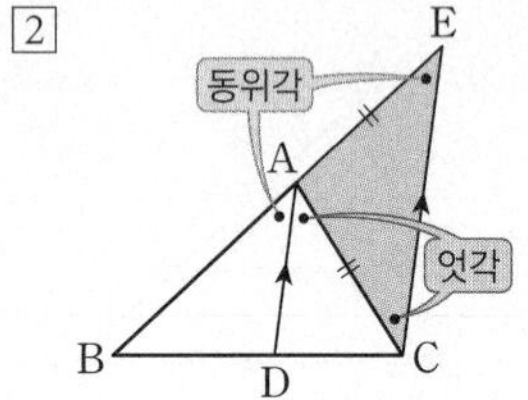

3

1 점 C를 지나고 $\overline{AD}$와 평행한 직선이 $\overline{AB}$의 연장선과 만나는 점을 E라 하자.

2 △ACE는 이등변삼각형이므로 $\overline{AC} = \overline{AE}$ …… ㉠

3 △BCE에서 $\overline{AD} /\!/ \overline{EC}$이므로 $\overline{BA} : \overline{AE} = \overline{BD} : \overline{DC}$ …… ㉡

㉠, ㉡에서 $\overline{AB} : \overline{AC} = \overline{BD} : \overline{CD}$

㉠ $\overline{AD} /\!/ \overline{EC}$이므로
∠BAD=∠E (동위각),
∠DAC=∠ACE (엇각)

㉡ △ACE에서 ∠ACE=∠E이므로 △ACE는 $\overline{AC} = \overline{AE}$인 이등변삼각형이다.

● 두 밑각의 크기가 같은 삼각형은 이등변삼각형이다.

4 삼각형의 외각의 이등분선

△ABC에서 ∠A의 외각의 이등분선이 $\overline{BC}$의 연장선과 만나는 점을 D라 하면

$\overline{AB} : \overline{AC} = \overline{BD} :$ ☐

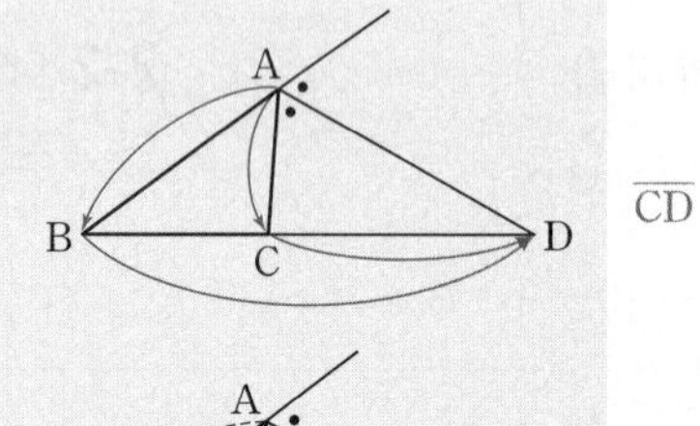

예 오른쪽 그림의 △ABC에서 $\overline{AD}$가 ∠A의 외각의 이등분선일 때, x의 값을 구해 보자.

⇨ $5 :$ ☐ $= 10 : x$에서 $5x = 30$

$\therefore x = 6$

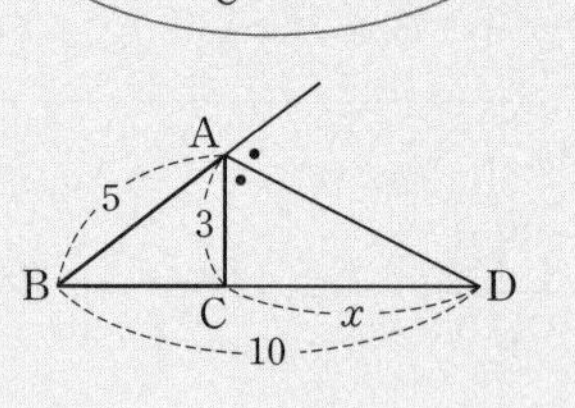

$\overline{CD}$ 3

설명 1

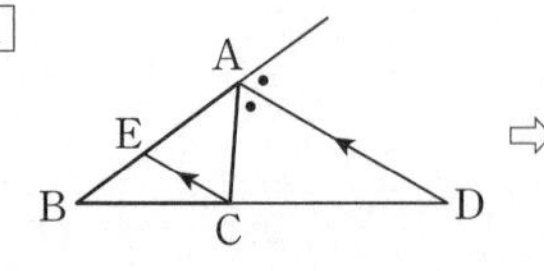

2

3

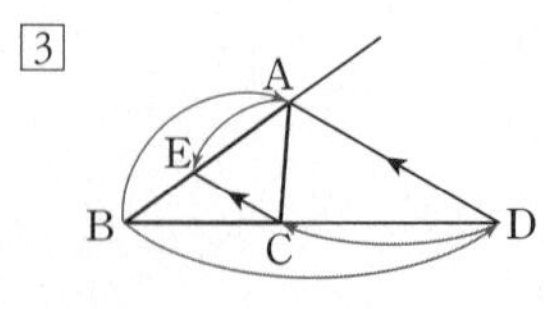

1 점 C를 지나고 $\overline{AD}$와 평행한 직선이 $\overline{AB}$와 만나는 점을 E라 하자.

2 △AEC는 이등변삼각형이므로 $\overline{AE} = \overline{AC}$ …… ㉠

3 △BDA에서 $\overline{AD} /\!/ \overline{EC}$이므로 $\overline{BA} : \overline{AE} = \overline{BD} : \overline{DC}$ …… ㉡

㉠, ㉡에서 $\overline{AB} : \overline{AC} = \overline{BD} : \overline{CD}$

| 개념 체크 |

3-1 삼각형의 내각의 이등분선

오른쪽 그림의 △ABC에서 $\overline{AD}$가 ∠A의 이등분선일 때, x의 값을 구하시오.

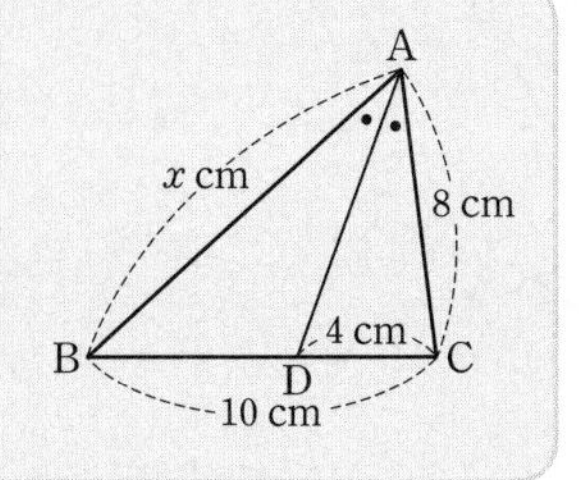

셀파 $\overline{AD}$가 ∠A의 이등분선이면 $\overline{AB}:\overline{AC}=\overline{BD}:\overline{CD}$

연구 $x:8=(10-4):$ □

∴ $x=$ □

4-1 삼각형의 외각의 이등분선

오른쪽 그림의 △ABC에서 $\overline{AD}$가 ∠A의 외각의 이등분선일 때, x의 값을 구하시오.

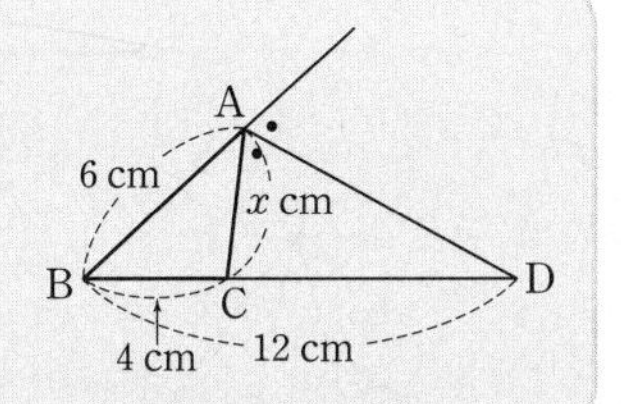

셀파 $\overline{AD}$가 ∠A의 외각의 이등분선이면 $\overline{AB}:\overline{AC}=\overline{BD}:\overline{CD}$

연구 $6:x=$ □ $:(12-4)$

∴ $x=$ □

| 따라 풀기 |

3-2 다음 그림의 △ABC에서 $\overline{AD}$가 ∠A의 이등분선일 때, x의 값을 구하시오.

(1)

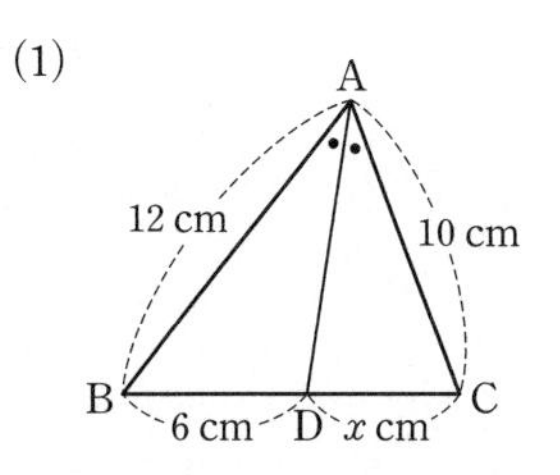

(2)

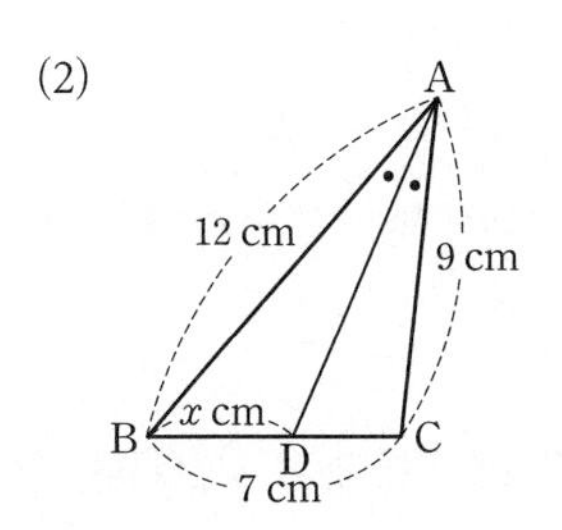

4-2 다음 그림의 △ABC에서 $\overline{AD}$가 ∠A의 외각의 이등분선일 때, x의 값을 구하시오.

(1)

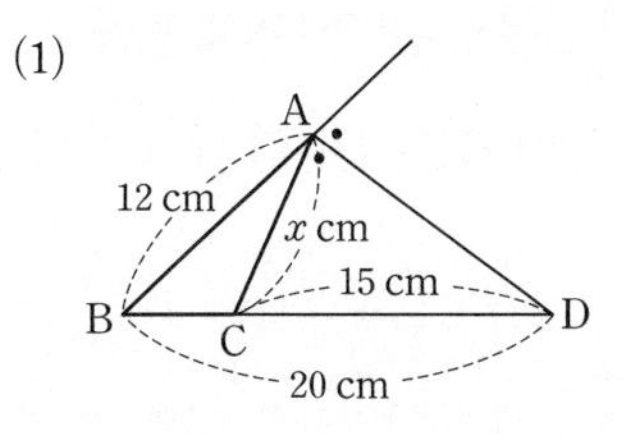

(2)

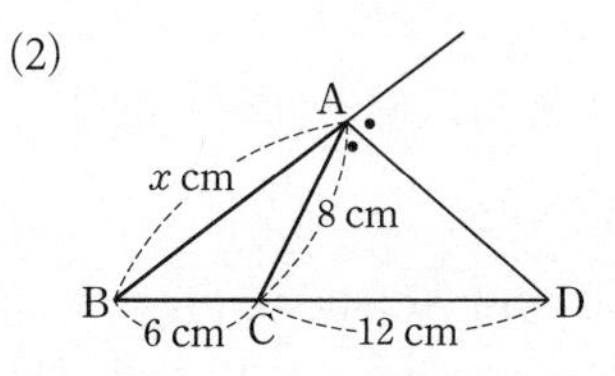

공식으로 암기하는 것보다 다음과 같이 그림으로 기억해 두자. 특히, 삼각형의 외각의 이등분선은 보조선을 그리면 문제를 쉽게 해결할 수 있다.

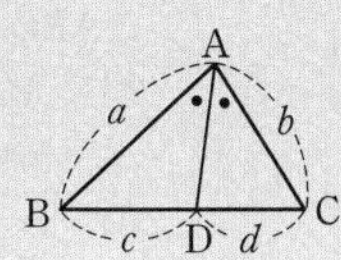

⇨ $a:b=c:d$

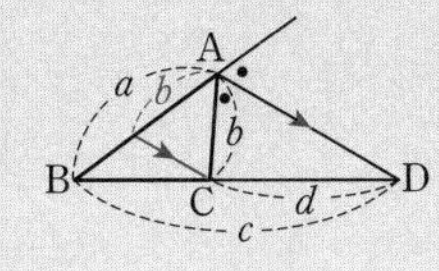

⇨ $a:b=c:d$

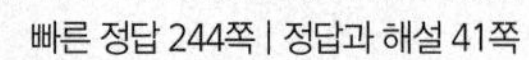

기본 01 삼각형에서 평행선과 선분의 길이의 비

다음 그림에서 $\overline{BC} /\!/ \overline{DE}$일 때, x, y의 값을 각각 구하시오.

(1)

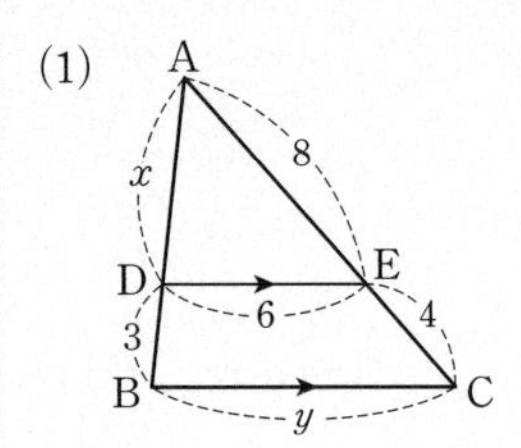

(2)

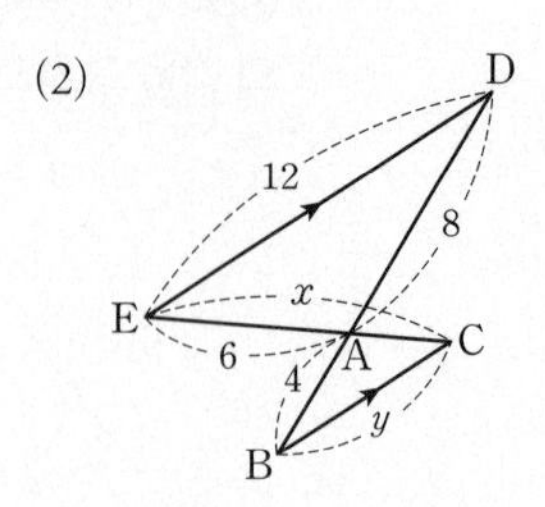

셀파 삼각형에서 평행선에 주목하여 선분의 길이의 비에 맞게 비례식을 세운다.

풀이 (1) $x : 3 = 8 : 4$에서 $4x = 24$ $\therefore$ $\boldsymbol{x=6}$

$8 : (8+4) = 6 : y$에서 $8y = 72$ $\therefore$ $\boldsymbol{y=9}$

(2) $8 : 4 = 6 : (x-6)$에서 $8x-48=24$, $8x=72$ $\therefore$ $\boldsymbol{x=9}$

$8 : 4 = 12 : y$에서 $8y = 48$ $\therefore$ $\boldsymbol{y=6}$

해법코드

$\overline{BC} /\!/ \overline{DE}$이므로

① $\overline{AD} : \overline{AB} = \overline{AE} : \overline{AC}$

$= \overline{DE} : \overline{BC}$

② $\overline{AD} : \overline{DB} = \overline{AE} : \overline{EC}$

» 오답 피하기

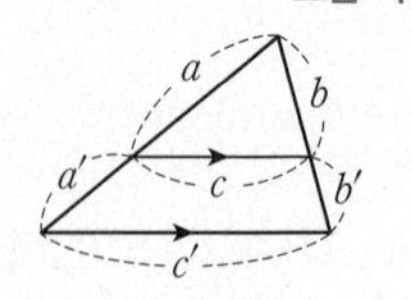

⇨ $a : a' = b : b' \neq c : c'$

$a : (a+a') = b : (b+b')$

$= c : c'$

확인 01 다음 그림에서 $\overline{BC} /\!/ \overline{DE}$일 때, x의 값을 구하시오.

(1)

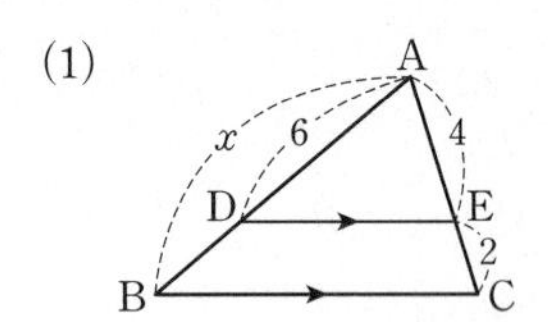

(2)

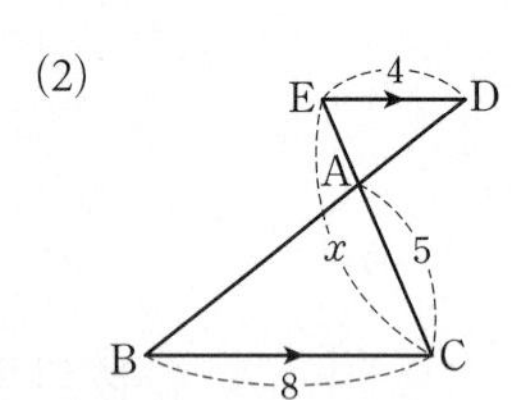

» My 셀파

(1) $\overline{AB} : \overline{AD} = \overline{AC} : \overline{AE}$에서 x의 값을 구한다.

(2) $\overline{AC} : \overline{AE} = \overline{BC} : \overline{DE}$에서 x의 값을 구한다.

기본 02 삼각형에서 평행선과 선분의 길이의 비의 활용

오른쪽 그림과 같은 $\triangle ABC$에서 $\overline{BC} /\!/ \overline{DE}$일 때, $\overline{GE}$의 길이를 구하시오.

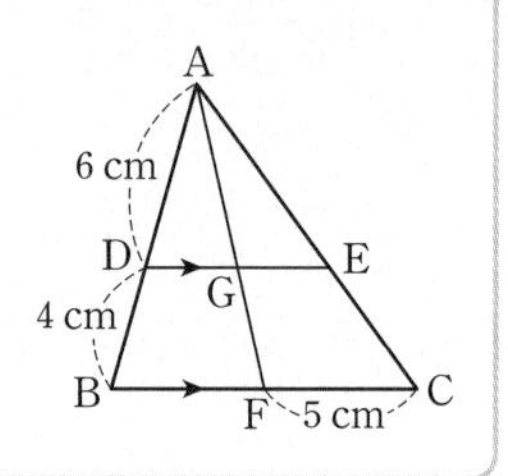

셀파 $\triangle ABF$와 $\triangle AFC$에서 선분의 길이의 비를 알아본다.

풀이 $\triangle ABF$에서 $\overline{DG} /\!/ \overline{BF}$이므로

$\overline{AG} : \overline{AF} = \overline{AD} : \overline{AB} = 6 : (6+4) = 3 : 5$

$\triangle AFC$에서 $\overline{GE} /\!/ \overline{FC}$이므로 $\overline{AG} : \overline{AF} = \overline{GE} : \overline{FC}$

$3 : 5 = \overline{GE} : 5$, $5\overline{GE} = 15$ $\therefore$ $\overline{GE} = \mathbf{3\ (cm)}$

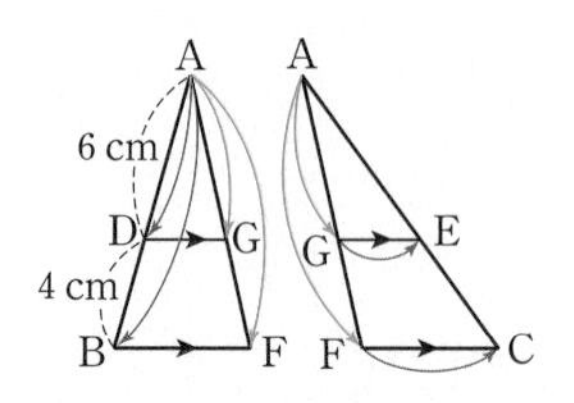

해법코드

$\triangle ABC$에서 $\overline{BC} /\!/ \overline{DE}$이면

① $\triangle ABF$에서

$\overline{AD} : \overline{AB} = \overline{AG} : \overline{AF}$

$= \overline{DG} : \overline{BF}$

② $\triangle AFC$에서

$\overline{AG} : \overline{AF} = \overline{AE} : \overline{AC}$

$= \overline{GE} : \overline{FC}$

확인 02 오른쪽 그림과 같은 $\triangle ABC$에서 $\overline{DE} /\!/ \overline{BC}$일 때, x의 값을 구하시오.

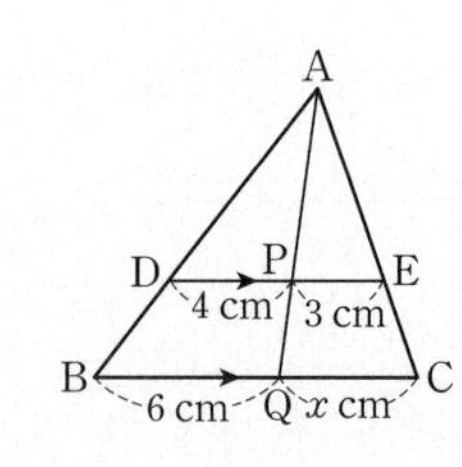

» My 셀파

$\triangle ABQ$에서 $\overline{DP} /\!/ \overline{BQ}$이므로

$\overline{AP} : \overline{AQ} = \overline{DP} : \overline{BQ}$

$\triangle AQC$에서 $\overline{PE} /\!/ \overline{QC}$이므로

$\overline{AP} : \overline{AQ} = \overline{PE} : \overline{QC}$

기본 03 삼각형에서 평행선이 두 쌍일 때 선분의 길이의 비

오른쪽 그림과 같은 $\triangle ABC$에서 $\overline{DE} /\!/ \overline{BC}$, $\overline{FE} /\!/ \overline{DC}$일 때, x의 값을 구하시오.

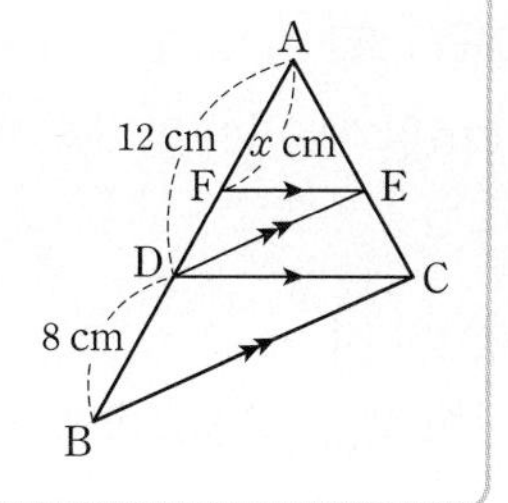

해법코드

① $\triangle ABC$에서 $\overline{DE} /\!/ \overline{BC}$이므로 $\overline{AD} : \overline{DB} = \overline{AE} : \overline{EC}$

② $\triangle ADC$에서 $\overline{FE} /\!/ \overline{DC}$이므로 $\overline{AF} : \overline{FD} = \overline{AE} : \overline{EC}$

셀파 $\triangle ABC$와 $\triangle ADC$에서 선분의 길이의 비를 알아본다.

풀이 $\triangle ABC$에서 $\overline{AD} : \overline{DB} = \overline{AE} : \overline{EC}$이므로

$12 : 8 = \overline{AE} : \overline{EC}$ $\quad \therefore \overline{AE} : \overline{EC} = 3 : 2$

$\triangle ADC$에서 $\overline{AF} : \overline{FD} = \overline{AE} : \overline{EC}$이므로

$x : (12-x) = 3 : 2$, $3(12-x) = 2x$

$36 - 3x = 2x$, $5x = 36$ $\quad \therefore x = \mathbf{\frac{36}{5}}$

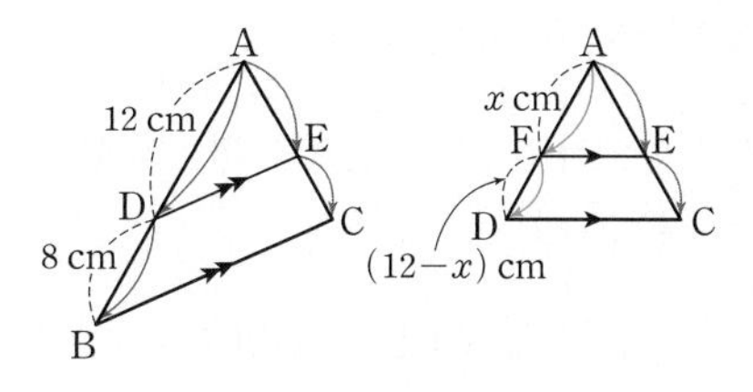

확인 03 오른쪽 그림과 같은 $\triangle ABC$에서 $\overline{AC} /\!/ \overline{EF}$, $\overline{AF} /\!/ \overline{ED}$일 때, $\overline{FC}$의 길이를 구하시오.

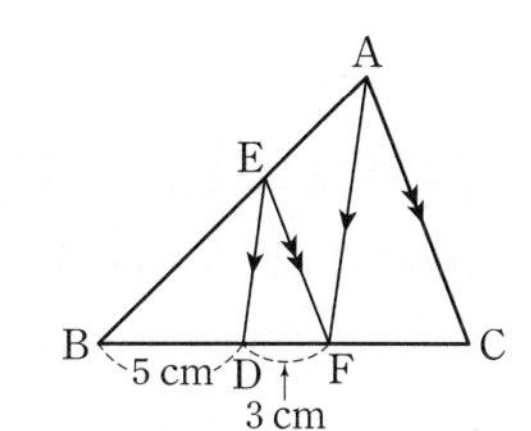

» My 셀파

① $\triangle BCA$에서 $\overline{AC} /\!/ \overline{EF}$이므로 $\overline{BF} : \overline{FC} = \overline{BE} : \overline{EA}$

② $\triangle BFA$에서 $\overline{AF} /\!/ \overline{ED}$이므로 $\overline{BE} : \overline{EA} = \overline{BD} : \overline{DF}$

기본 04 선분의 길이의 비를 이용하여 평행선 찾기

다음 **보기**에서 $\overline{BC} /\!/ \overline{DE}$인 것을 모두 고르시오.

보기

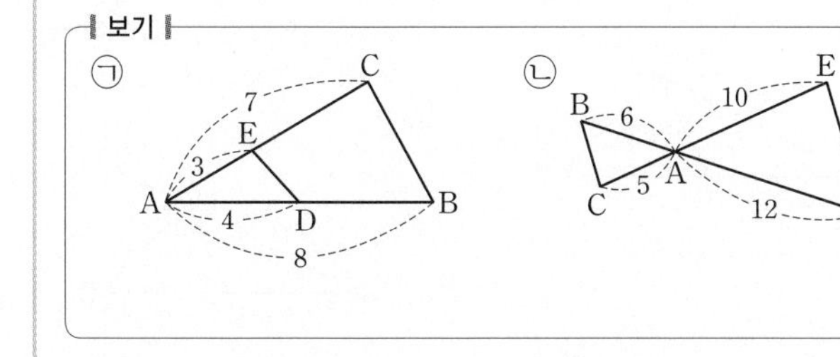

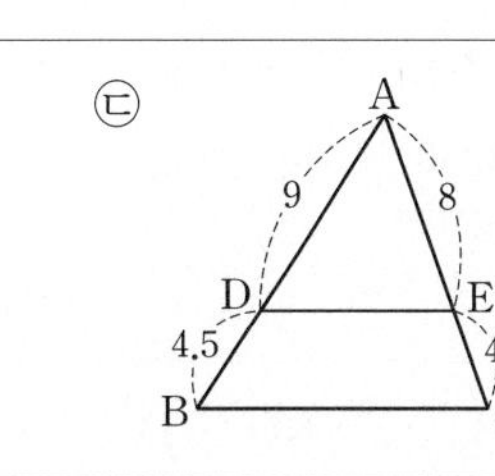

해법코드

(1) $\overline{AB} : \overline{AD} = \overline{AC} : \overline{AE}$이면 $\overline{BC} /\!/ \overline{DE}$

(2) $\overline{AD} : \overline{DB} = \overline{AE} : \overline{EC}$이면 $\overline{BC} /\!/ \overline{DE}$

셀파 선분의 길이의 비가 일정한 것을 찾는다.

풀이 ㉠ $8 : 4 \neq 7 : 3$ $\quad$ ㉡ $6 : 12 = 5 : 10$ $\quad$ ㉢ $9 : 4.5 = 8 : 4$

따라서 $\overline{BC} /\!/ \overline{DE}$인 것은 ㉡, ㉢이다.

» 오답 피하기

삼각형에서 평행한 두 선분을 찾을 때는 눈으로 짐작하지 말고 선분의 길이의 비를 직접 확인하도록 한다.

확인 04 오른쪽 그림과 같은 $\triangle ABC$에서 다음 중 옳은 것은?

① $\overline{DF} /\!/ \overline{AC}$ $\quad$ ② $\overline{EF} /\!/ \overline{AB}$

③ $\overline{DE} /\!/ \overline{BC}$ $\quad$ ④ $\angle BDF = \angle A$

⑤ $\overline{DE} : \overline{BC} = 2 : 3$

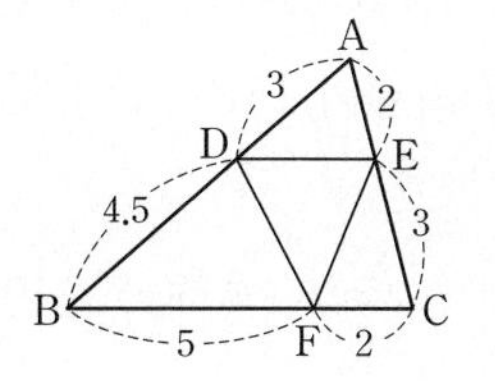

» My 셀파

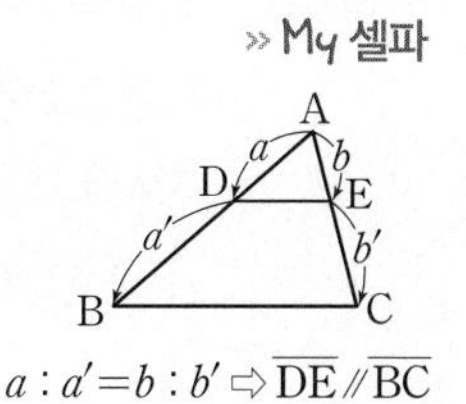

$a : a' = b : b' \Rightarrow \overline{DE} /\!/ \overline{BC}$

8 평행선 사이의 선분의 길이의 비

기본 05 삼각형의 내각의 이등분선

오른쪽 그림과 같은 $\triangle ABC$에서 $\overline{AD}$는 $\angle A$의 이등분선이고 $\overline{AB}=15$ cm, $\overline{AC}=6$ cm일 때, 다음을 구하시오.

(1) $\overline{BD} : \overline{DC}$

(2) $\triangle ABD$와 $\triangle ADC$의 넓이의 비

(3) $\triangle ABC$의 넓이가 35 cm^{2}일 때, $\triangle ABD$의 넓이

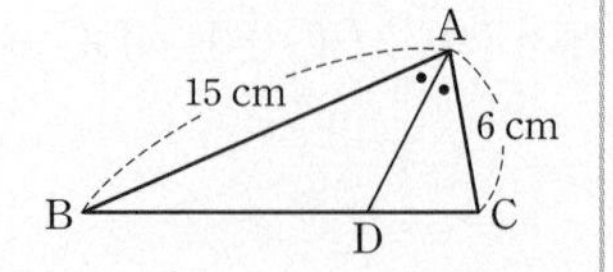

해법코드

$\triangle ABC$에서 $\angle A$의 이등분선과 $\overline{BC}$의 교점을 D라 하면

⇨ ① $a : b = c : d$

② $\triangle ABD : \triangle ADC$

$= \overline{BD} : \overline{DC}$

$= c : d$

셀파 $\overline{AD}$가 $\angle A$의 이등분선이므로 $\overline{AB} : \overline{AC} = \overline{BD} : \overline{CD}$

풀이 (1) $\overline{BD} : \overline{DC} = \overline{AB} : \overline{AC} = 15 : 6 = \mathbf{5 : 2}$

(2) $\triangle ABD$와 $\triangle ADC$의 높이가 같으므로 넓이의 비는 밑변의 길이의 비와 같다.

$\triangle ABD : \triangle ADC = \overline{BD} : \overline{DC} = \mathbf{5 : 2}$

(3) $\triangle ABD : \triangle ADC = 5 : 2$이고 $\triangle ABD + \triangle ADC = \triangle ABC = 35$ cm^{2}이므로

$\triangle ABD = \triangle ABC \times \frac{5}{5+2} = 35 \times \frac{5}{7} = \mathbf{25\ (cm^2)}$

확인 05 오른쪽 그림과 같은 $\triangle ABC$에서 $\overline{AD}$가 $\angle A$의 이등분선이다. $\triangle ABD$의 넓이가 16 cm^{2}일 때, $\triangle ADC$의 넓이를 구하시오.

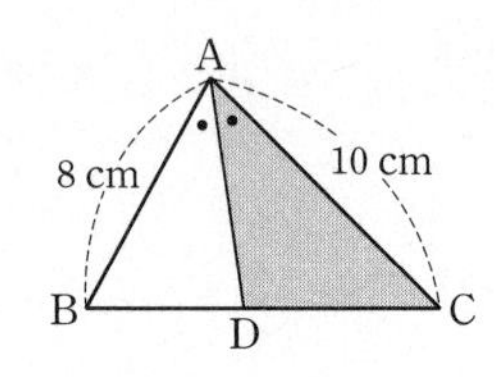

» My 셀파

높이가 같은 두 삼각형의 넓이의 비는 밑변의 길이의 비와 같으므로

$\triangle ABD : \triangle ADC = \overline{BD} : \overline{DC}$

기본 06 삼각형의 외각의 이등분선

오른쪽 그림과 같은 $\triangle ABC$에서 $\angle A$의 외각의 이등분선과 $\overline{BC}$의 연장선이 만나는 점을 D라 할 때, $\overline{CD}$의 길이를 구하시오.

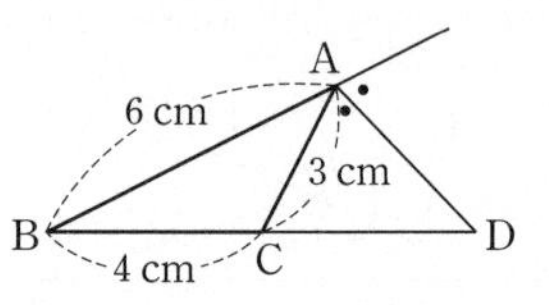

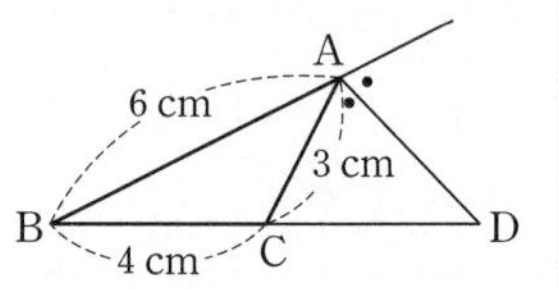

해법코드

$\triangle ABC$에서 $\angle A$의 외각의 이등분선과 $\overline{BC}$의 연장선과의 교점을 D라 하면

⇨ $a : b = c : d$

셀파 $\overline{AD}$가 $\angle A$의 외각의 이등분선이므로 $\overline{AB} : \overline{AC} = \overline{BD} : \overline{CD}$

풀이 $\overline{AB} : \overline{AC} = \overline{BD} : \overline{CD}$이므로 $6 : 3 = (4 + \overline{CD}) : \overline{CD}$

$6\overline{CD} = 12 + 3\overline{CD}$, $3\overline{CD} = 12$

$\therefore \overline{CD} = \mathbf{4\ (cm)}$

확인 06 오른쪽 그림과 같은 $\triangle ABC$에서 $\overline{AD}$는 $\angle A$의 외각의 이등분선이다. $\triangle ACD$의 넓이가 12 cm^{2}일 때, 다음을 구하시오.

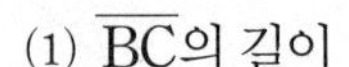

(1) $\overline{BC}$의 길이　　　(2) $\triangle ABC$의 넓이

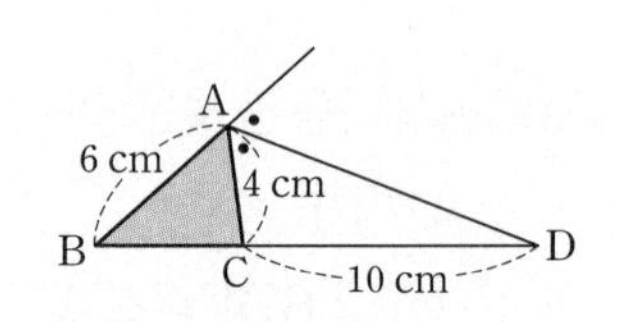

» My 셀파

$\triangle ABC : \triangle ACD = \overline{BC} : \overline{CD}$임을 이용한다.

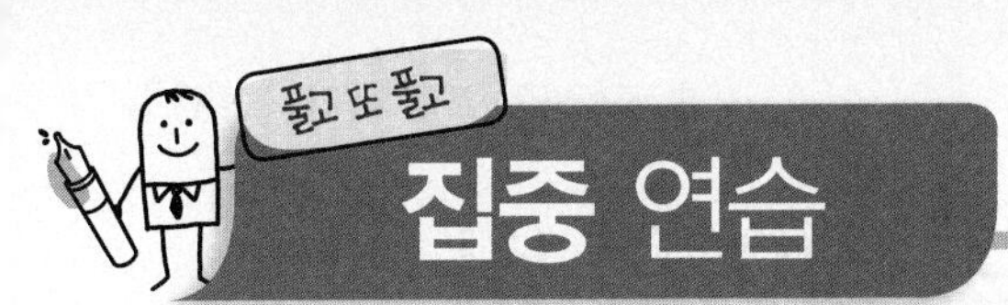

1 다음 그림에서 $\overline{BC} /\!/ \overline{DE}$일 때, x의 값을 구하시오.

(1)

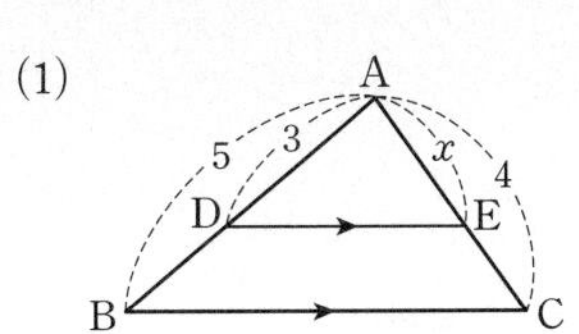

(2)

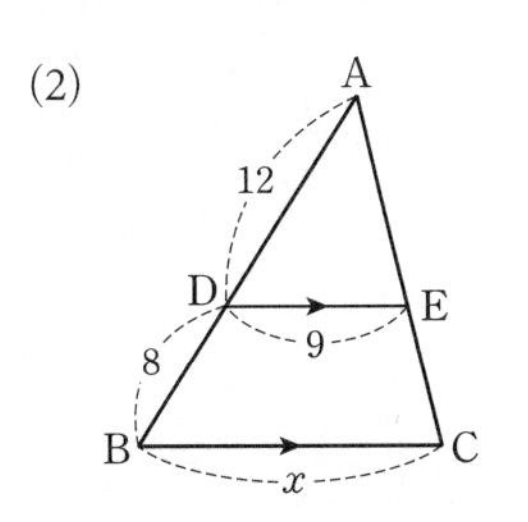

(3)

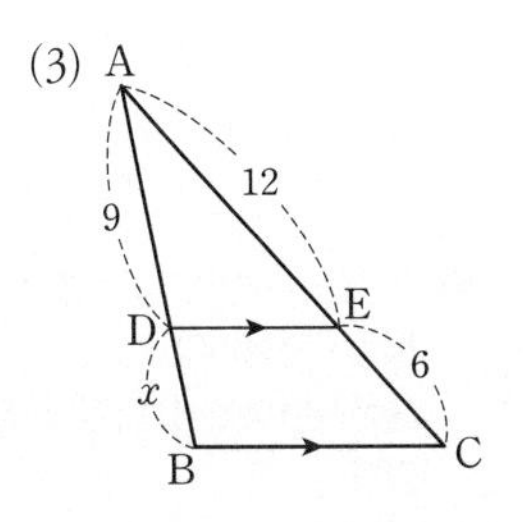

(4)

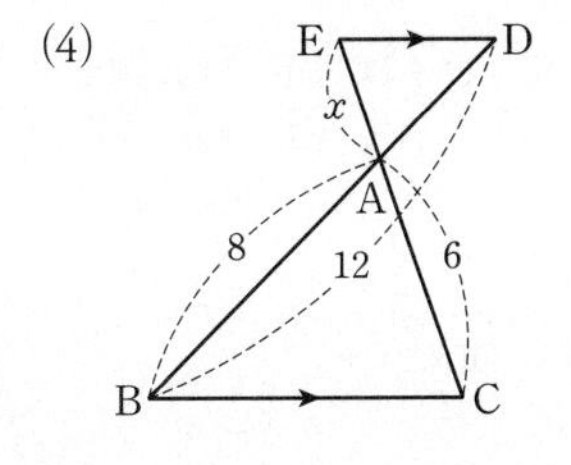

2 다음 그림에서 $\overline{BC} /\!/ \overline{DE}$인 것에는 ○표, 아닌 것에는 ×표를 (　　) 안에 써넣으시오.

(1) (　　)

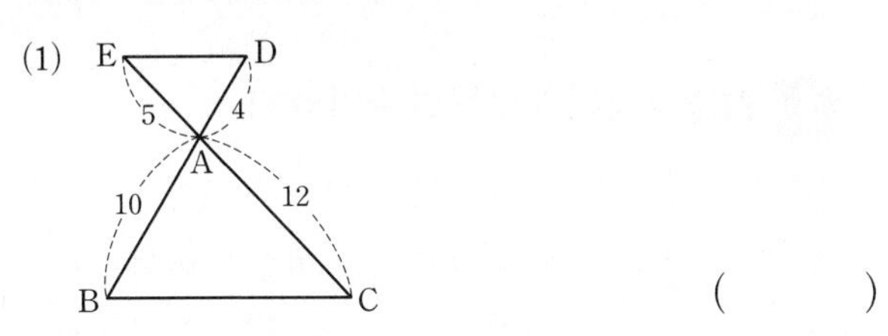

(2) (　　)

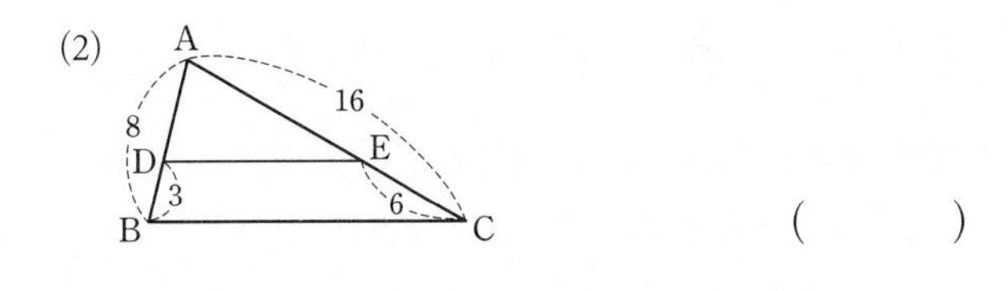

(3) (　　)

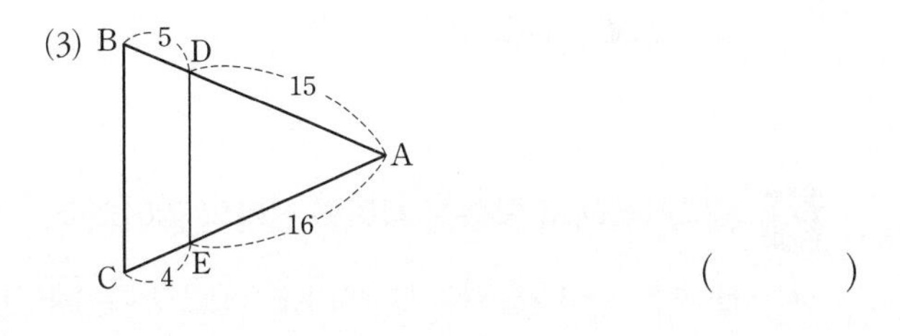

(4) (　　)

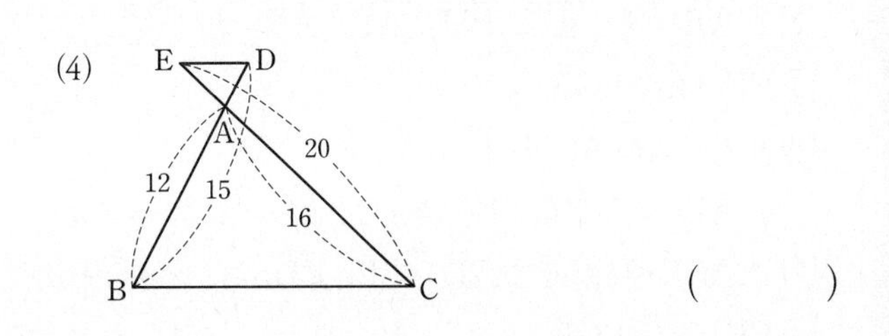

8

2. 평행선 사이의 선분의 길이의 비

1 평행선 사이의 선분의 길이의 비

평행한 세 직선이 다른 두 직선과 만날 때, 평행선 사이의 선분의 길이의 비는 같다.

⇨ 다음 그림에서 $l /\!/ m /\!/ n$이면 $a : b = c : d$ 또는 $a : \square = b : d$ c

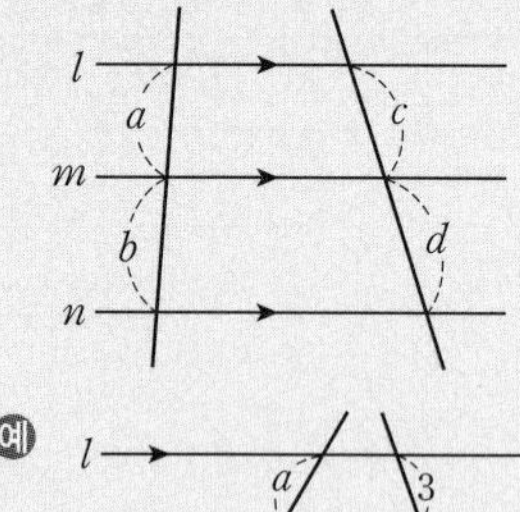
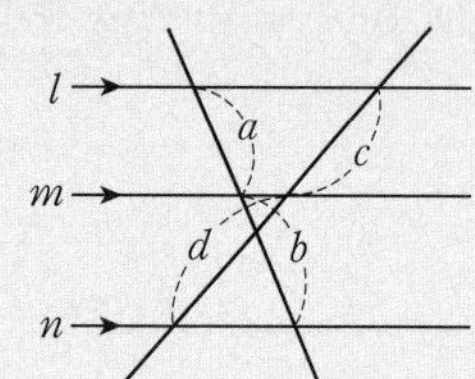

예

왼쪽 그림에서 $l /\!/ \square /\!/ n$이므로 m

㉠ $a : b = 1 : \square$ 2

주의
$a : b = c : d$라고 해서 세 직선 l, m, n이 항상 평행한 것은 아니다.
예 다음 그림에서 $4 : 6 = 2 : 3$이지만 세 직선 l, m, n은 평행하지 않다.

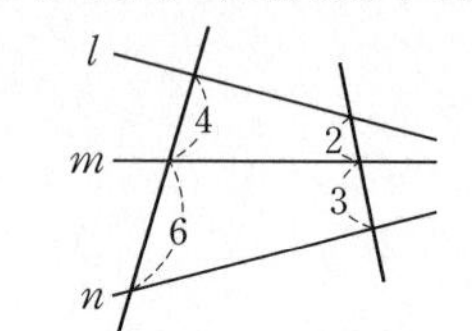

설명 오른쪽 그림과 같이 직선 DF를 평행이동하면 삼각형에서 평행선과 선분의 길이의 비를 생각할 수 있다.

$\triangle ACC'$에서 $\overline{BB'} /\!/ \overline{CC'}$이므로

$\overline{AB} : \overline{BC} = \overline{AB'} : \overline{B'C'}$

또 $\square AB'ED$와 $\square B'C'FE$는 평행사변형이므로 $\overline{AB'} = \overline{DE}$, $\overline{B'C'} = \overline{EF}$

$\therefore \overline{AB} : \overline{BC} = \overline{DE} : \overline{EF}$

㉠ $a : b = 3 : 6 = 1 : 2$

㉡ 두 쌍의 대변이 각각 평행하므로 평행사변형이다.
평행사변형에서 대변의 길이는 같다.

2 사다리꼴에서 평행선 사이의 선분의 길이의 비

$\overline{AD} /\!/ \overline{BC}$인 사다리꼴 ABCD에서 $\overline{EF} /\!/ \overline{BC}$일 때, $\overline{EF}$의 길이는 다음과 같은 방법으로 구한다.

[방법 1] 점 A를 지나고 $\overline{DC}$와 평행한 선분 긋기

1. ㉡ $\square AGFD$, $\square AHCD$는 평행사변형이므로
   $\overline{GF} = \overline{AD} = \square$ $\overline{HC}$
2. $\triangle ABH$에서 $\overline{EG} : \overline{BH} = \overline{AE} : \overline{AB} = m : (\square)$ $m+n$
3. $\overline{EF} = \overline{EG} + \overline{GF}$

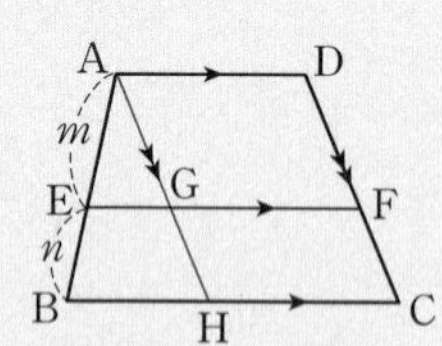
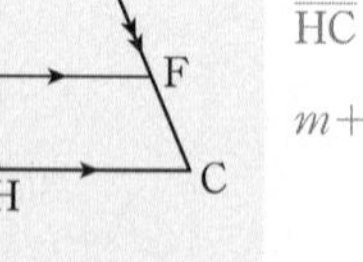

[방법 2] 대각선 AC 긋기

1. $\triangle ABC$에서 $\overline{EG} : \overline{BC} = \overline{AE} : \overline{AB} = m : (m+n)$
2. $\triangle ACD$에서 $\overline{GF} : \overline{AD} \overset{㉢}{=} \overline{CF} : \overline{CD} = \square : (m+n)$ n
3. $\overline{EF} = \overline{EG} + \overline{GF}$

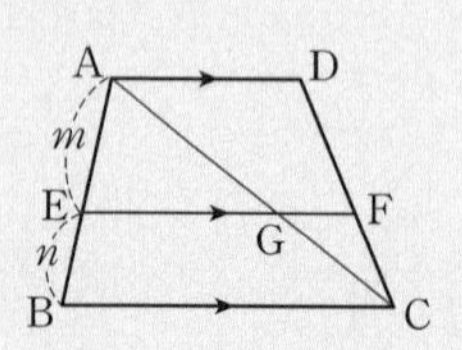

㉢ $\overline{AD} /\!/ \overline{EF} /\!/ \overline{BC}$이므로
$\overline{AE} : \overline{EB} = \overline{DF} : \overline{FC}$
$= m : n$

따라 풀면서
개념 익히기

빠른 정답 244쪽 | 정답과 해설 42쪽

| 개념 체크 |

1-1 평행선 사이의 선분의 길이의 비

다음 그림에서 $l /\!/ m /\!/ n$일 때, x의 값을 구하시오.

(1)
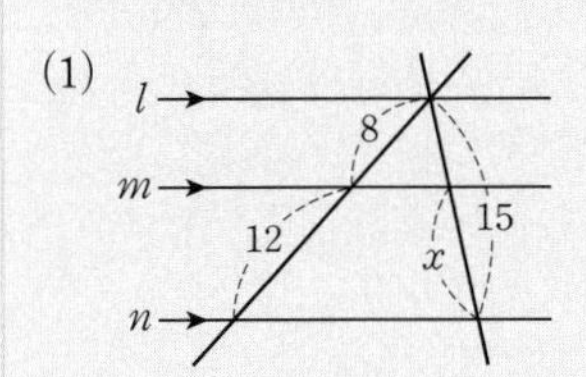

(2)
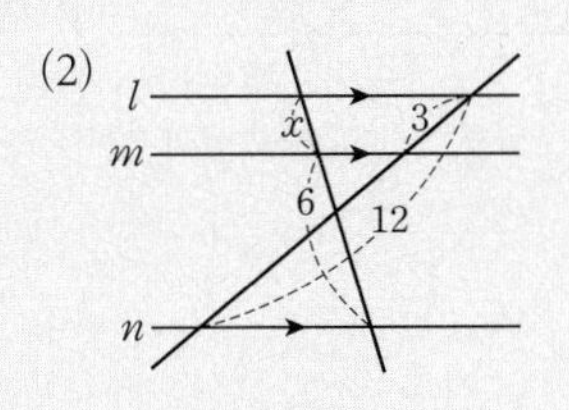

셀파 평행한 세 직선이 다른 두 직선과 만날 때, 평행선 사이에 생기는 선분의 길이의 비는 같다.

연구 (1) $8:12=(\square):x$ $\therefore x=\square$

(2) $x:6=\square:(12-3)$ $\therefore x=\square$

2-1 사다리꼴에서 평행선 사이의 선분의 길이의 비

다음 그림과 같은 사다리꼴 ABCD에서 $\overline{AD} /\!/ \overline{EF} /\!/ \overline{BC}$일 때, x, y의 값을 각각 구하시오.

(1)
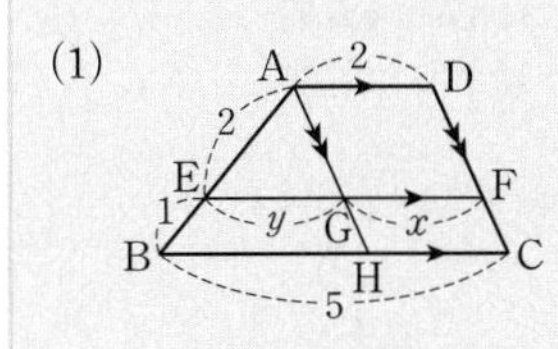

(단, $\overline{AH} /\!/ \overline{DC}$)

(2)
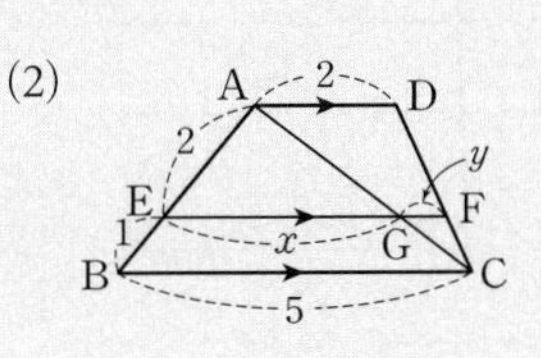

셀파 삼각형에서 평행선과 선분의 길이의 비를 생각한다.

연구 (1) $\overline{GF}=\overline{HC}=\overline{AD}=\square$이므로 $x=\square$

$\triangle ABH$에서 $\overline{BH}=\overline{BC}-\overline{HC}=5-2=3$이므로

$2:(2+1)=y:3$ $\therefore y=\square$

(2) $\triangle ABC$에서 $2:(2+1)=x:\square$ $\therefore x=\square$

$\triangle ACD$에서 $\square:(1+2)=y:2$ $\therefore y=\square$

| 따라 풀기 |

1-2 다음 그림에서 $l /\!/ m /\!/ n$일 때, x의 값을 구하시오.

(1)
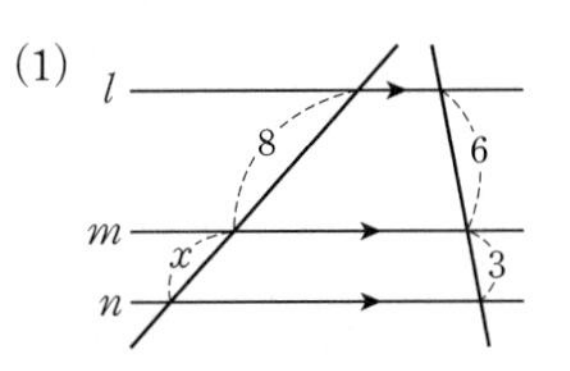

(2)
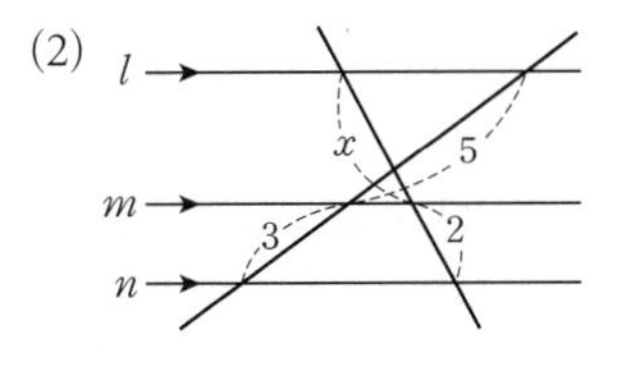

2-2 다음 그림과 같은 사다리꼴 ABCD에서 $\overline{EF}$의 길이를 구하시오.

(1)
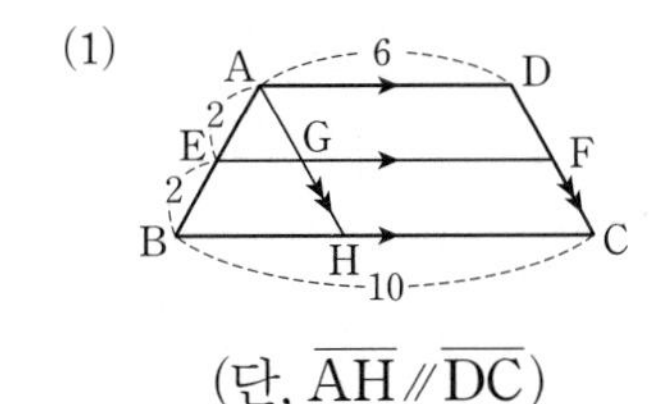

(단, $\overline{AH} /\!/ \overline{DC}$)

(2)
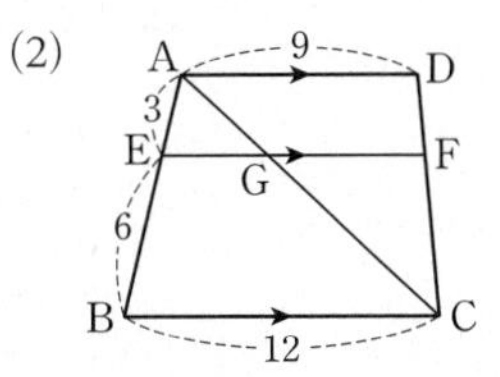

- 평행선이 서로 다른 두 직선과 만날 때, 평행선 사이에 생기는 선분의 길이의 비는 같다.
- $\overline{AD} /\!/ \overline{BC}$인 사다리꼴 ABCD에서 $\overline{EF} /\!/ \overline{BC}$일 때, $\overline{EF}$의 길이는 $\overline{DC}$와 평행한 선분을 긋거나 대각선 AC를 그어 구할 수 있다.

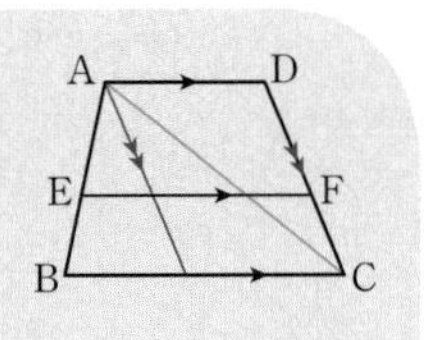

보고 또 보고

유형 익히기

빠른 정답 244쪽 | 정답과 해설 43쪽

기본 01 평행선 사이의 선분의 길이의 비 (1)

오른쪽 그림에서 $l /\!/ m /\!/ n$일 때, x, y의 값을 각각 구하시오.

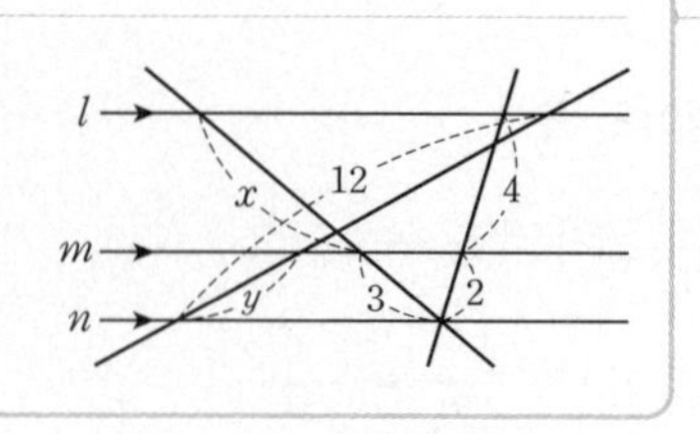

해법코드

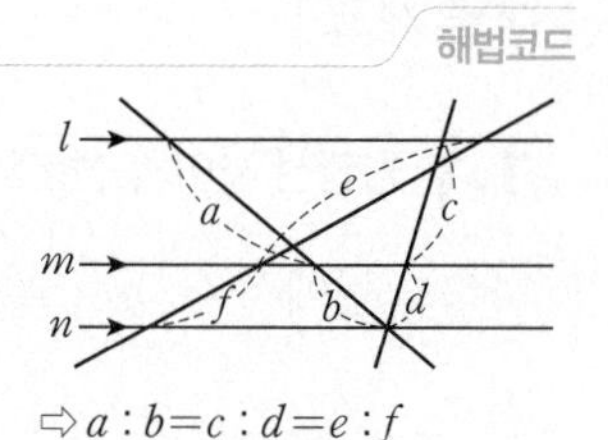

⇨ $a : b = c : d = e : f$

셀파 평행선에 의해 잘리는 부분에서 길이의 비례식을 세운다.

풀이 $x : 3 = 4 : 2$에서 $2x = 12$ $\quad \therefore \boldsymbol{x=6}$

$(12-y) : y = 4 : 2$에서 $24-2y=4y$, $6y=24$ $\quad \therefore \boldsymbol{y=4}$

확인 01 오른쪽 그림에서 $l /\!/ m /\!/ n$일 때, x, y의 값을 각각 구하시오.

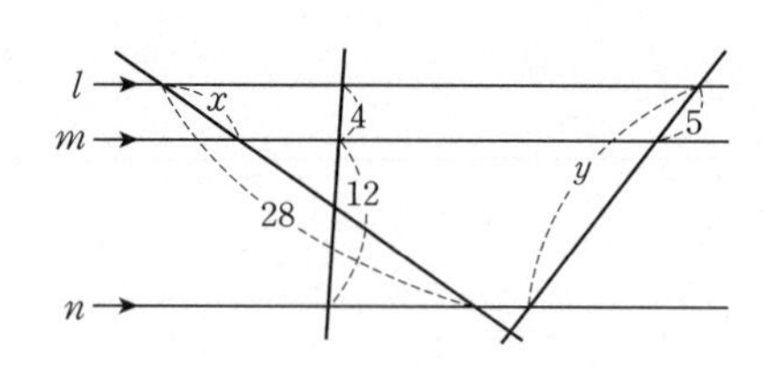

» My 셀파

평행선 사이에 생기는 선분의 길이의 비가 같음을 이용한다.

기본 02 평행선 사이의 선분의 길이의 비 (2)

오른쪽 그림에서 $k /\!/ l /\!/ m /\!/ n$일 때, x, y의 값을 각각 구하시오.

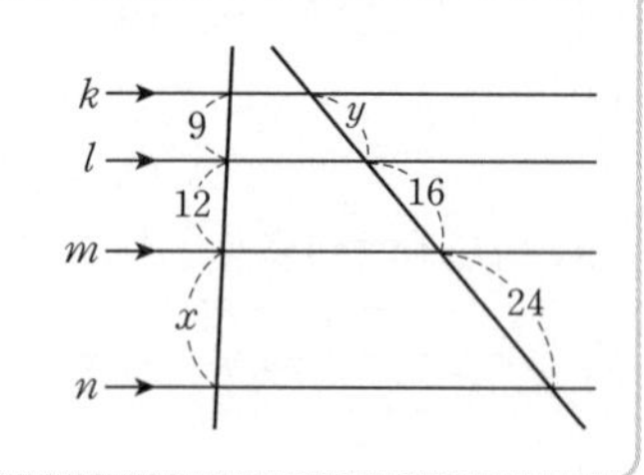

해법코드

평행선이 4개일 때는 세 직선이 평행일 때로 나누어 푼다.

(i) $l /\!/ m /\!/ n$일 때

(ii) $k /\!/ l /\!/ m$일 때

셀파 네 개의 평행선이 다른 두 직선과 만나서 생기는 선분의 길이의 비도 같다.

풀이 (i) $l /\!/ m /\!/ n$이므로

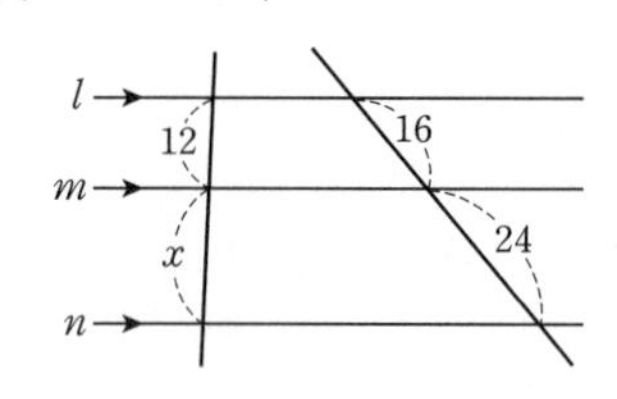

$12 : x = 16 : 24$ $\quad \therefore \boldsymbol{x=18}$

(ii) $k /\!/ l /\!/ m$이므로

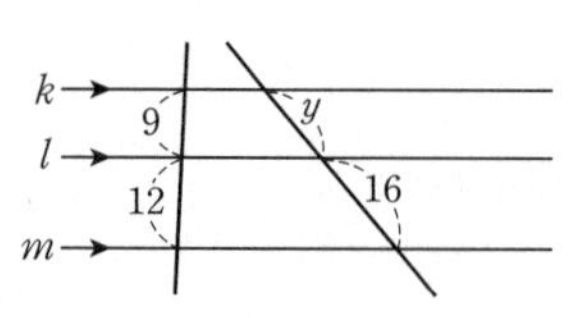

$9 : 12 = y : 16$ $\quad \therefore \boldsymbol{y=12}$

참고 다음 그림에서 $k /\!/ l /\!/ m /\!/ n$이면

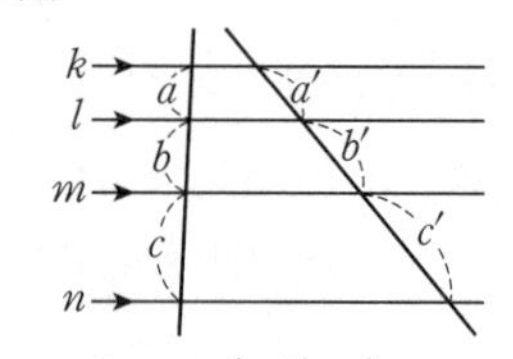

⇨ $a : b : c = a' : b' : c'$
또는 $a : a' = b : b' = c : c'$

확인 02 오른쪽 그림에서 $k /\!/ l /\!/ m /\!/ n$일 때, x, y의 값을 각각 구하시오.

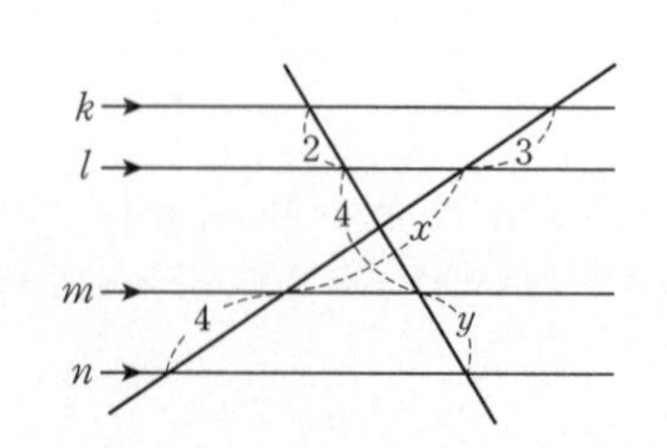

» My 셀파

세 직선이 평행일 때로 나누어 푼다.

(i) $k /\!/ l /\!/ m$일 때

(ii) $l /\!/ m /\!/ n$일 때

기본 03 사다리꼴에서 평행선 사이의 선분의 길이의 비

오른쪽 그림과 같은 사다리꼴 ABCD에서 $\overline{AD} /\!/ \overline{EF} /\!/ \overline{BC}$일 때, $\overline{EF}$의 길이를 구하시오.

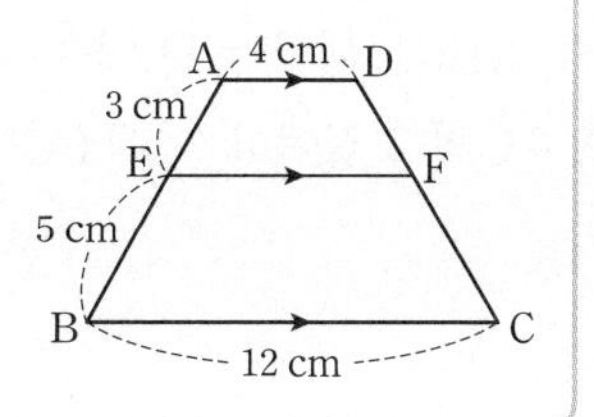

해법코드

보조선을 그어 $\overline{EF}$의 길이를 구한다.

[방법 1] 점 A를 지나고 $\overline{DC}$와 평행한 선분을 긋는다.

[방법 2] 대각선 AC를 긋는다.

[방법 1], [방법 2] 중 어느 하나를 이용한다.

셀파 적당한 곳에 보조선을 그어 삼각형을 만든다.

풀이 [방법 1] 점 A를 지나고 $\overline{DC}$와 평행한 선분 긋기

오른쪽 그림과 같이 점 A를 지나고 $\overline{DC}$와 평행한 선분이 $\overline{EF}$, $\overline{BC}$와 만나는 점을 각각 G, H라 하면

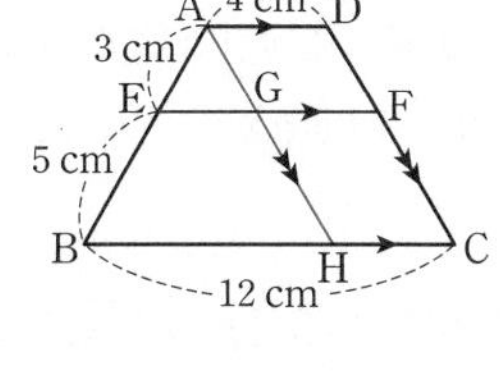

㉠ $\overline{GF}=\overline{HC}=\overline{AD}=4$ cm

$\therefore \overline{BH}=\overline{BC}-\overline{HC}=12-4=8$ (cm)

$\triangle$ABH에서 $\overline{EG} /\!/ \overline{BH}$이므로 $\overline{AE}:\overline{AB}=\overline{EG}:\overline{BH}$

$3:(3+5)=\overline{EG}:8$, $8\overline{EG}=24$

$\therefore \overline{EG}=3$ (cm)

따라서 $\overline{EF}=\overline{EG}+\overline{GF}=3+4=$ **7 (cm)**

㉠ $\overline{AD} /\!/ \overline{GF}$, $\overline{AG} /\!/ \overline{DF}$에서 □AGFD는 평행사변형이다.
$\overline{AD} /\!/ \overline{HC}$, $\overline{AH} /\!/ \overline{DC}$에서 □AHCD는 평행사변형이다.
따라서 대변의 길이는 각각 같다.

[방법 2] 대각선 AC 긋기

오른쪽 그림과 같이 대각선 AC를 그어 $\overline{EF}$와 만나는 점을 G라 하면

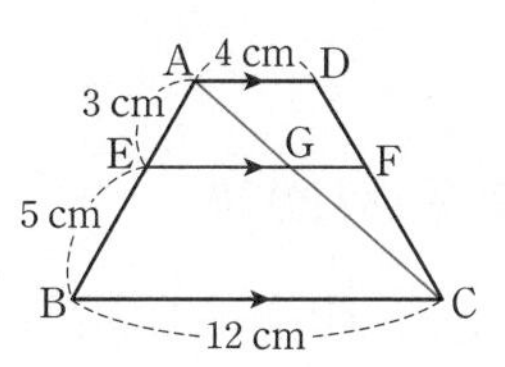

$\triangle$ABC에서 $\overline{EG} /\!/ \overline{BC}$이므로 $\overline{AE}:\overline{AB}=\overline{EG}:\overline{BC}$

$3:(3+5)=\overline{EG}:12$, $8\overline{EG}=36$

$\therefore \overline{EG}=\frac{9}{2}$ (cm)

$\triangle$ACD에서 $\overline{AD} /\!/ \overline{GF}$이므로 $\overline{GF}:\overline{AD}=\overline{FC}:\overline{DC}=\overline{EB}:\overline{AB}$

$\overline{GF}:4=5:(5+3)$, $8\overline{GF}=20$ $\quad \therefore \overline{GF}=\frac{5}{2}$ (cm)

따라서 $\overline{EF}=\overline{EG}+\overline{GF}=\frac{9}{2}+\frac{5}{2}=\frac{14}{2}=7$ (cm)

[방법 1]과 [방법 2] 중 어떤 것을 택해도 답은 같아. 그러니까 문제에 따라 두 방법 중 어떤 방법이 더 편리한지 생각한 후 풀면 돼.

확인 03 다음 그림과 같은 사다리꼴 ABCD에서 $\overline{AD} /\!/ \overline{EF} /\!/ \overline{BC}$일 때, x의 값을 구하시오.

(1)

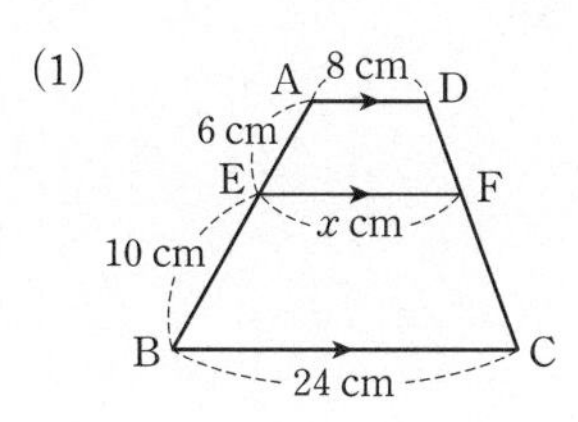

(2)

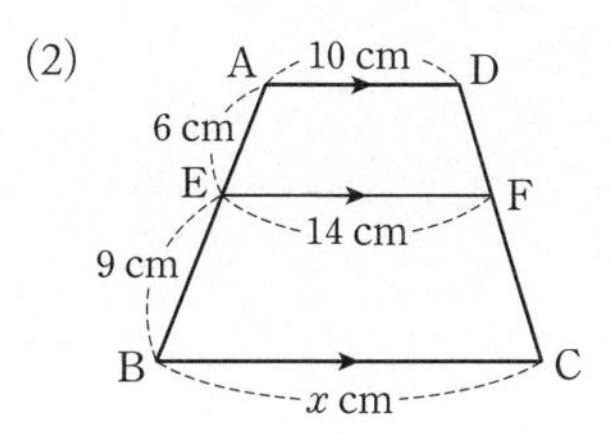

» My 셀파

[방법 1] 점 A를 지나고 $\overline{DC}$와 평행한 선분을 긋거나

[방법 2] 대각선 AC를 긋고 생각한다.

● [방법 1], [방법 2] 중 어느 하나를 이용한다.

8 평행선 사이의 선분의 길이의 비

기본 04 사다리꼴에서 평행선과 두 대각선 (1)

오른쪽 그림과 같은 사다리꼴 ABCD에서 $\overline{AD} /\!/ \overline{EF} /\!/ \overline{BC}$이고 두 점 P, Q는 각각 $\overline{EF}$와 $\overline{BD}$, $\overline{AC}$의 교점이다. 이때 $\overline{PQ}$의 길이를 구하시오.

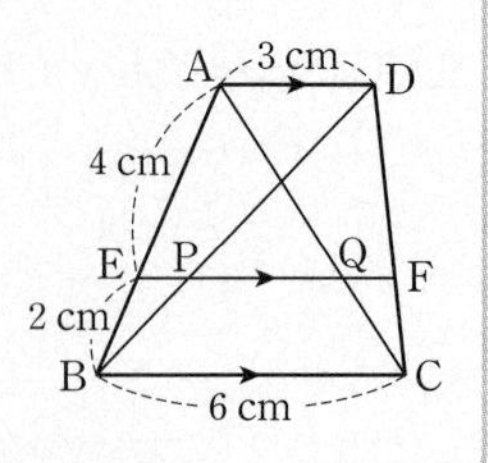

해법코드

[1] △ABC에서 $\overline{EQ}$의 길이를, △ABD에서 $\overline{EP}$의 길이를 구한다.

[2] $\overline{PQ}=\overline{EQ}-\overline{EP}$

셀파 삼각형에서 평행선과 선분의 길이의 비를 이용하여 $\overline{EQ}$와 $\overline{EP}$의 길이를 구한다.

풀이 △ABC에서 $\overline{AE} : \overline{AB}=\overline{EQ} : \overline{BC}$이므로 $4 : (4+2)=\overline{EQ} : 6$ $\quad \therefore \overline{EQ}=4\,(\text{cm})$

△ABD에서 $\overline{BE} : \overline{BA}=\overline{EP} : \overline{AD}$이므로 $2 : (2+4)=\overline{EP} : 3$ $\quad \therefore \overline{EP}=1\,(\text{cm})$

$\therefore \overline{PQ}=\overline{EQ}-\overline{EP}=4-1=$**3 (cm)**

확인 04 오른쪽 그림과 같은 사다리꼴 ABCD에서 $\overline{AD} /\!/ \overline{EF} /\!/ \overline{BC}$이고 두 점 P, Q는 각각 $\overline{EF}$와 $\overline{BD}$, $\overline{AC}$의 교점이다. 이때 $\overline{PQ}$의 길이를 구하시오.

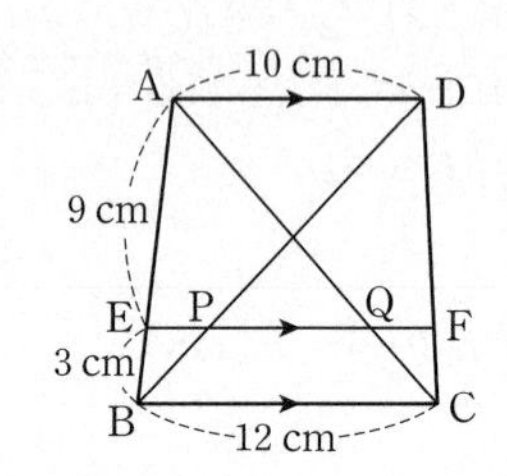

» My 셀파

[1] △ABC에서 $\overline{EQ}$의 길이를, △ABD에서 $\overline{EP}$의 길이를 구한다.

[2] $\overline{PQ}=\overline{EQ}-\overline{EP}$

발전 05 사다리꼴에서 평행선과 두 대각선 (2)

오른쪽 그림과 같이 $\overline{AD} /\!/ \overline{BC}$인 사다리꼴 ABCD에서 점 O는 두 대각선의 교점이고 $\overline{EF}$는 점 O를 지난다. $\overline{EF} /\!/ \overline{BC}$일 때, $\overline{EF}$의 길이를 구하시오.

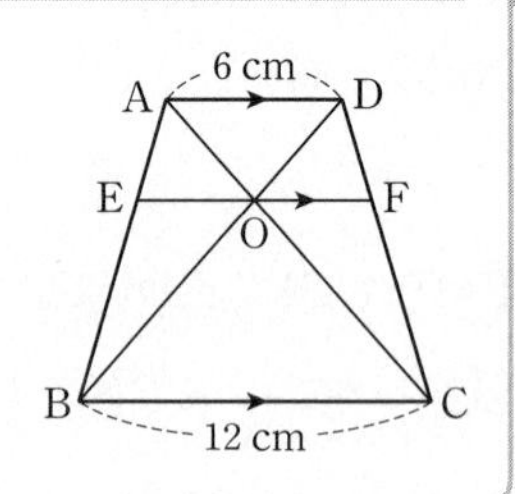

해법코드

사다리꼴 ABCD에서 $\overline{AD} /\!/ \overline{EF} /\!/ \overline{BC}$일 때

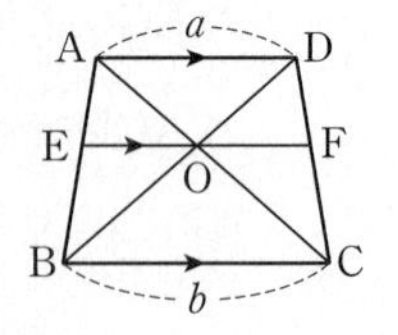

① △AOD∽△COB (AA 닮음)이므로 $\overline{OA} : \overline{OC}=\overline{OD} : \overline{OB}=a : b$

② $\overline{AE} : \overline{EB}=\overline{DF} : \overline{FC}=a : b$

셀파 △AOD∽△COB (AA 닮음)임을 이용하여 선분의 길이의 비를 구한다.

풀이 △AOD∽△COB (AA 닮음)이므로

$\overline{AO} : \overline{CO}=\overline{AD} : \overline{CB}=6 : 12=1 : 2$

△ABC에서 $\overline{AO} : \overline{AC}=\overline{EO} : \overline{BC}$이므로

$1 : (1+2)=\overline{EO} : 12$, $3\overline{EO}=12$ $\quad \therefore \overline{EO}=4\,(\text{cm})$

△ACD에서 $\overline{CO} : \overline{CA}=\overline{OF} : \overline{AD}$이므로

$2 : (2+1)=\overline{OF} : 6$

$3\overline{OF}=12$ $\quad \therefore \overline{OF}=4\,(\text{cm})$

$\therefore \overline{EF}=\overline{EO}+\overline{OF}=4+4=$**8 (cm)**

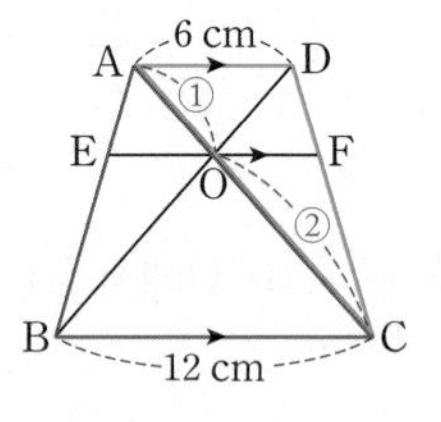

확인 05 오른쪽 그림과 같이 $\overline{AD} /\!/ \overline{BC}$인 사다리꼴 ABCD에서 점 O는 두 대각선의 교점이고 $\overline{EF}$는 점 O를 지난다. $\overline{EF} /\!/ \overline{BC}$일 때, $\overline{EF}$의 길이를 구하시오.

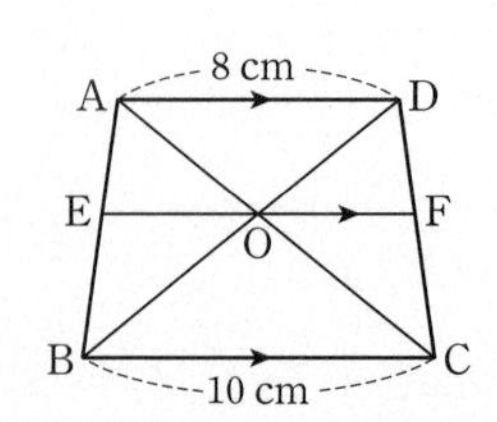

» My 셀파

△AOD∽△COB (AA 닮음)이므로

$\overline{AO} : \overline{CO}=\overline{DO} : \overline{BO}$
$=\overline{AD} : \overline{CB}$

미니 특강 평행선 사이의 선분의 길이의 비의 응용

오른쪽 그림과 같이 $\overline{AC}$와 $\overline{BD}$의 교점을 E라 하고, $\overline{AB} /\!/ \overline{EF} /\!/ \overline{DC}$일 때, 삼각형에서 ㉠평행선과 선분의 길이의 비로부터 다음을 얻을 수 있다.

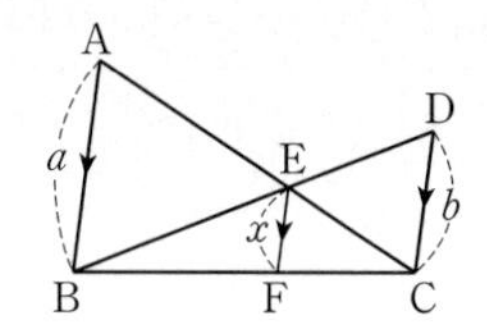

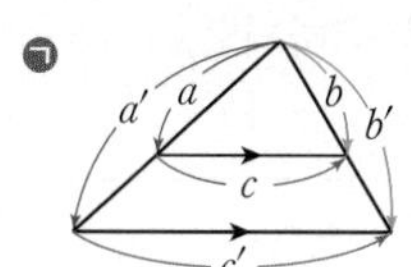

(1) △ABE와 △CDE에서 $\overline{AB} /\!/ \overline{DC}$이므로

$\overline{EA} : \overline{EC} = \overline{EB} : \overline{ED} = \overline{AB} : \overline{DC} = a : b$

△BCD에서 $\overline{EF} /\!/ \overline{DC}$이므로

$\overline{BF} : \overline{FC} = \overline{BE} : \overline{ED} = a : b$

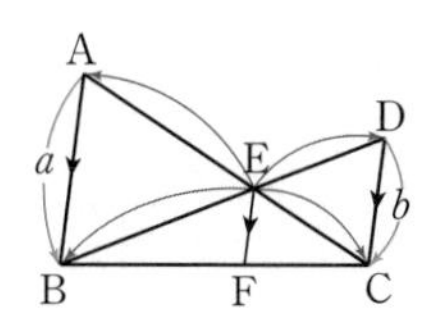

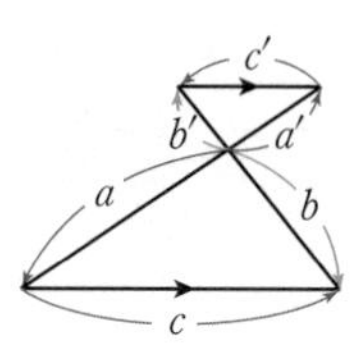

$\Rightarrow a : a' = b : b' = c : c'$

(2) △BCD에서 $\overline{EF} /\!/ \overline{DC}$이므로

$\overline{EF} : \overline{DC} = \overline{BF} : \overline{BC}$

즉 $x : b = a : (a+b)$ → $(a+b)x = ab$ $\quad \therefore x = \frac{ab}{a+b}$

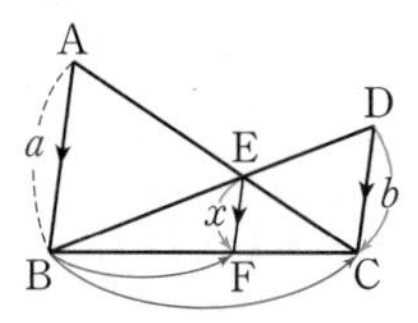

(3) △ABC에서 $\overline{AB} /\!/ \overline{EF}$이므로

$\overline{EF} : \overline{AB} = \overline{CF} : \overline{CB}$

즉 $x : a = b : (b+a)$ → $(b+a)x = ab$ $\quad \therefore x = \frac{ab}{a+b}$

이때 (2), (3)에서 x의 값을 구하면 $x = \frac{ab}{a+b}$

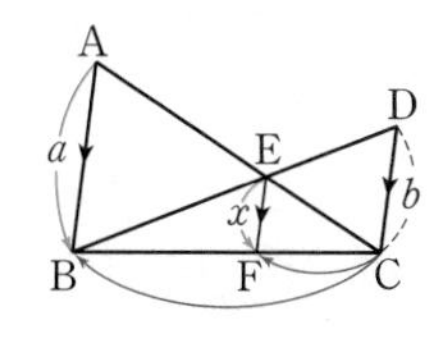

● 삼각형에서 평행선과 선분의 길이의 비가 생각나지 않으면 닮은 두 삼각형을 찾아 문제를 해결해도 된다.
△ABE∽△CDE (AA 닮음)
△BFE∽△BCD (AA 닮음)
△CEF∽△CAB (AA 닮음)

발전 06 평행선 사이의 선분의 길이의 비의 응용

오른쪽 그림에서 $\overline{AB} /\!/ \overline{EF} /\!/ \overline{DC}$일 때, $\overline{EF}$의 길이를 구하시오.

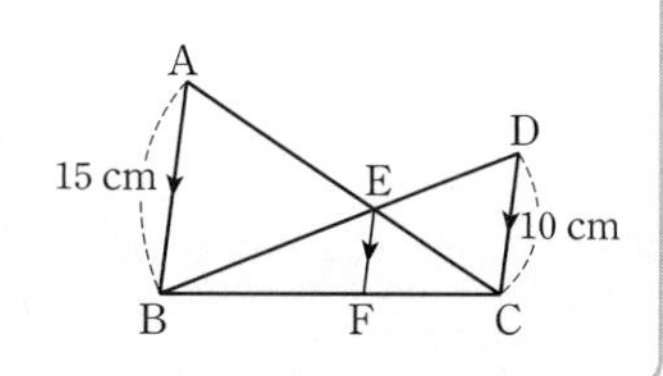

해법코드

1 $\overline{AB} /\!/ \overline{DC}$이므로 $\overline{AB} : \overline{DC} = \overline{BE} : \overline{ED}$

2 △BCD에서 $\overline{EF} /\!/ \overline{DC}$이므로 $\overline{EF} : \overline{DC} = \overline{BE} : \overline{BD}$

이때 $\overline{BD} = \overline{BE} + \overline{ED}$

셀파 △BCD에서 $\overline{EF} : \overline{DC} = \overline{BE} : \overline{BD}$이고 $\overline{BD} = \overline{BE} + \overline{ED}$이므로 $\overline{BE} : \overline{ED}$를 구한다.

풀이 $\overline{AB} /\!/ \overline{DC}$이므로 $\overline{BE} : \overline{ED} = \overline{AB} : \overline{DC} = 15 : 10 = 3 : 2$

△BCD에서 $\overline{EF} : \overline{DC} = \overline{BE} : \overline{BD}$이므로

$\overline{EF} : 10 = 3 : (3+2)$, $5\overline{EF} = 30$ $\quad \therefore \overline{EF} = \mathbf{6\ (cm)}$

참고 [공식 이용] $\overline{EF} = \frac{15 \times 10}{15+10} = \frac{150}{25} = 6\ (\text{cm})$

확인 06 오른쪽 그림에서 $\overline{AB} /\!/ \overline{EF} /\!/ \overline{DC}$일 때, x의 값을 구하시오.

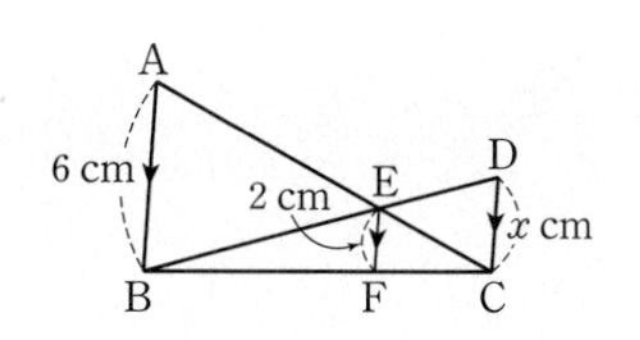

» My 셀파
△CAB에서 $\overline{CE} : \overline{CA}$를 구하고 △ABE∽△CDE임을 이용하여 x의 값을 구한다.

평행선 사이의 선분의 길이의 비

빠른 정답 244쪽 | 정답과 해설 44쪽

1 다음 그림에서 $l \,/\!/\, m \,/\!/\, n$ 또는 $k \,/\!/\, l \,/\!/\, m \,/\!/\, n$일 때, x, y의 값을 각각 구하시오.

(1)

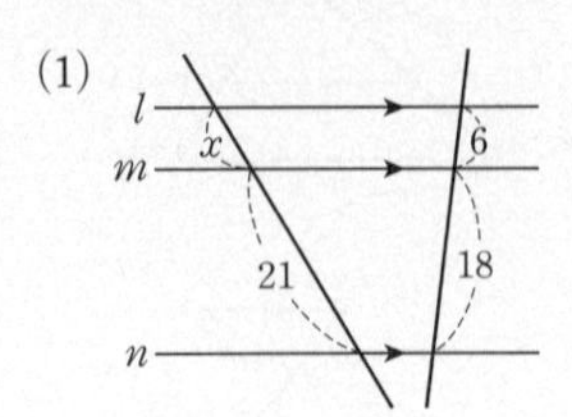

(2)

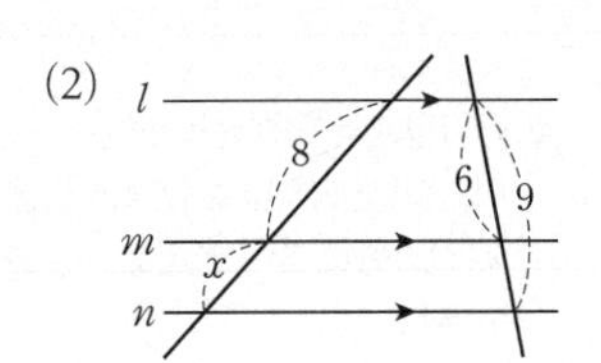

(3)

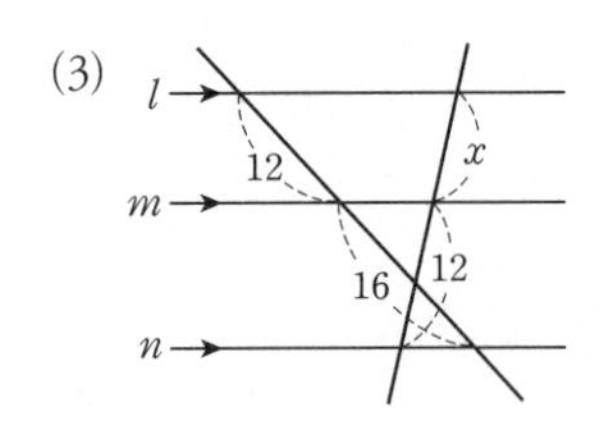

(4)

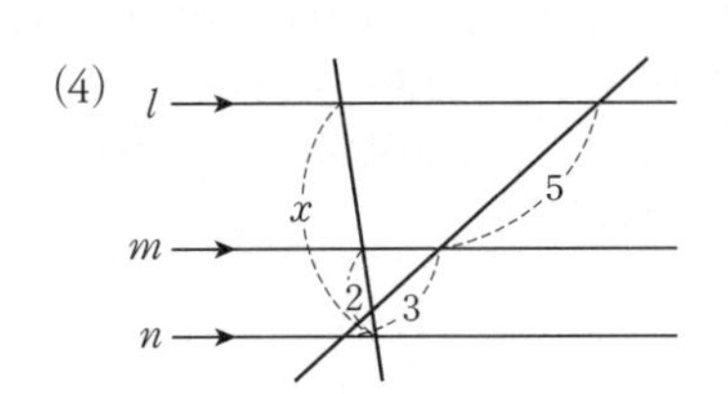

(5)

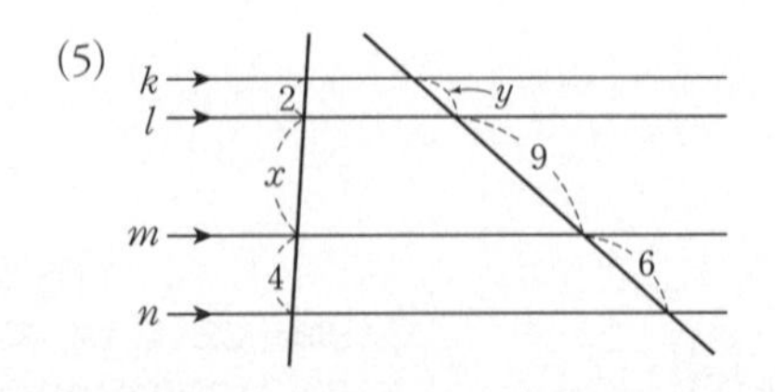

(6)

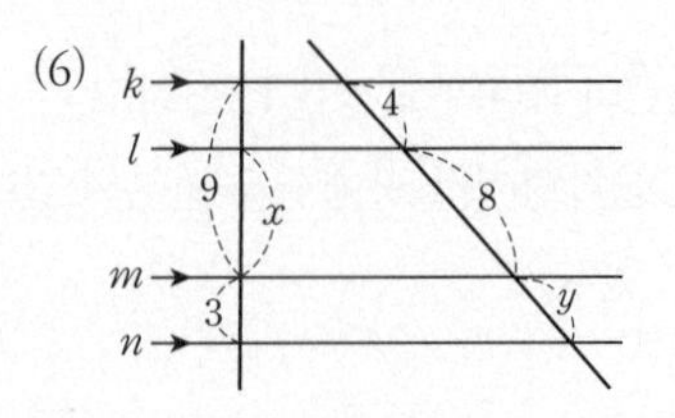

2 다음 그림과 같은 사다리꼴 ABCD에서 $\overline{AD} \,/\!/\, \overline{EF} \,/\!/\, \overline{BC}$일 때, 다음을 구하시오.

(1)

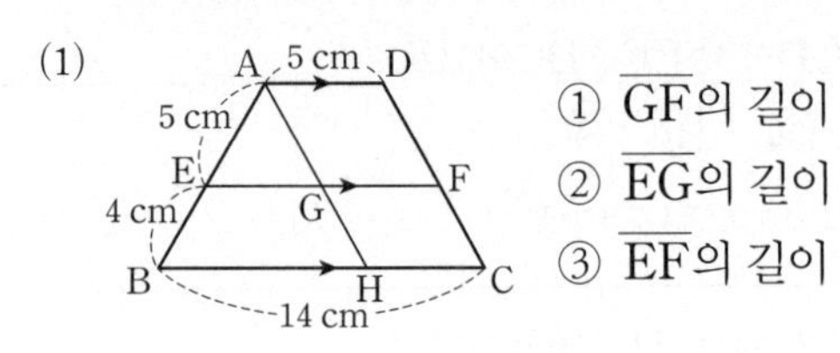

① $\overline{GF}$의 길이
② $\overline{EG}$의 길이
③ $\overline{EF}$의 길이

(2)

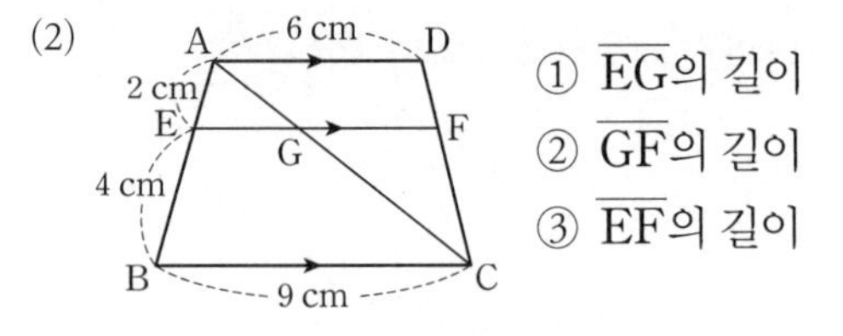

① $\overline{EG}$의 길이
② $\overline{GF}$의 길이
③ $\overline{EF}$의 길이

3 다음 그림에서 $\overline{AB} \,/\!/\, \overline{EF} \,/\!/\, \overline{DC}$일 때, x의 값을 구하시오.

(1)

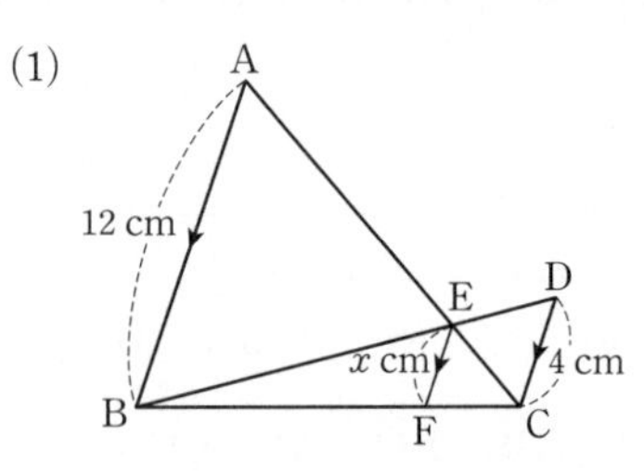

(2)

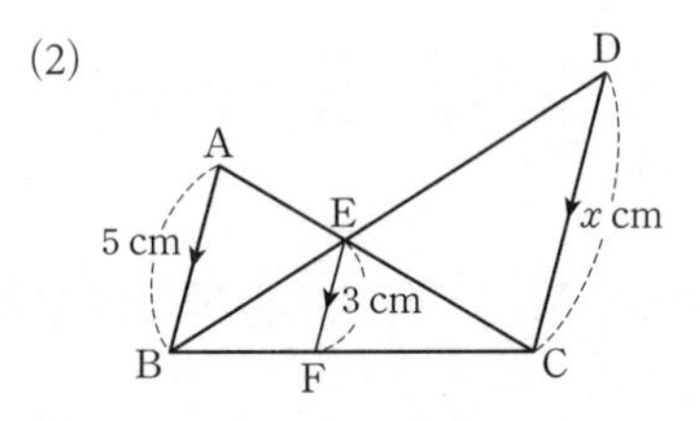

01 삼각형에서 평행선과 선분의 길이의 비

오른쪽 그림과 같은 $\triangle ABC$에서 $\overline{BC} /\!/ \overline{DE}$일 때, $x+y$의 값을 구하시오.

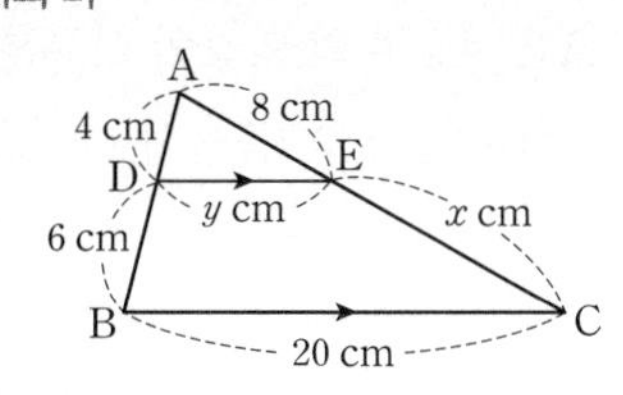

02 삼각형에서 평행선과 선분의 길이의 비

오른쪽 그림에서 $\overline{BC} /\!/ \overline{DE}$일 때, $\triangle ABC$의 둘레의 길이를 구하시오.

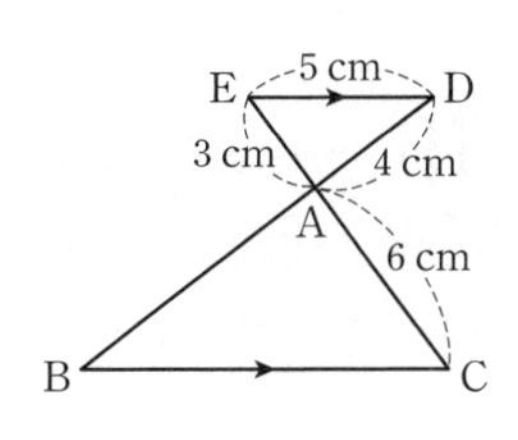

03 삼각형에서 평행선과 선분의 길이의 비

서술형

오른쪽 그림과 같은 $\triangle ABC$에서 $\overline{BC} /\!/ \overline{DE}$, $\overline{AC} /\!/ \overline{DF}$일 때, $\overline{BF}$의 길이를 구하시오.

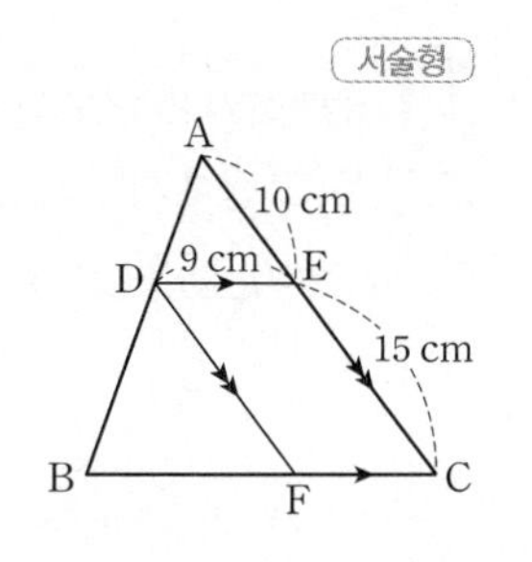

04 선분의 길이의 비를 이용하여 평행선 찾기

$\triangle ABC$에서 $\overline{AB}$, $\overline{AC}$ 또는 그 연장선 위에 각각 점 D, E가 있을 때, 다음 중 $\overline{BC} /\!/ \overline{DE}$인 것은?

①
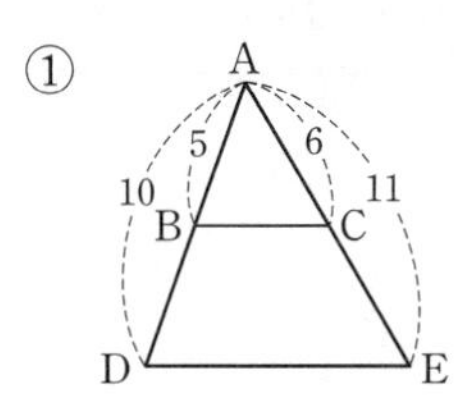

②
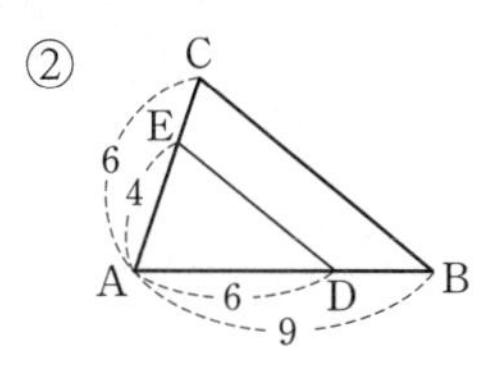

③
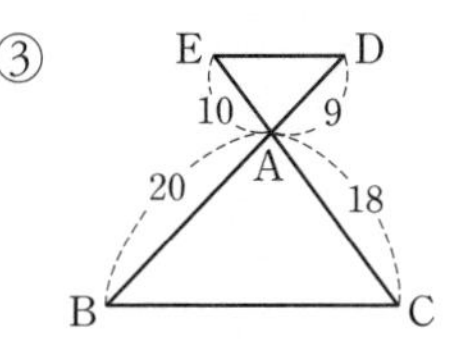

④
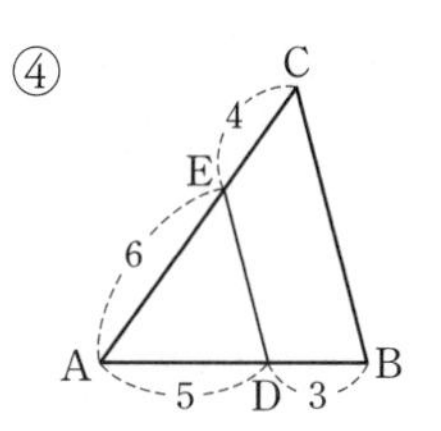

⑤
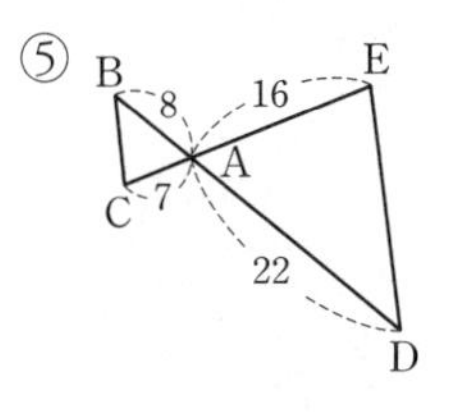

05 선분의 길이의 비를 이용하여 평행선 찾기

오른쪽 그림과 같은 $\triangle ABC$에서 $\overline{AB} : \overline{AD} = \overline{AC} : \overline{AE}$이다. 하랑이는 $\overline{DE}$의 길이를 다음과 같이 구하였다. ㉠~㉣ 중 처음으로 틀린 부분을 찾고, 올바른 $\overline{DE}$의 길이를 구하시오.

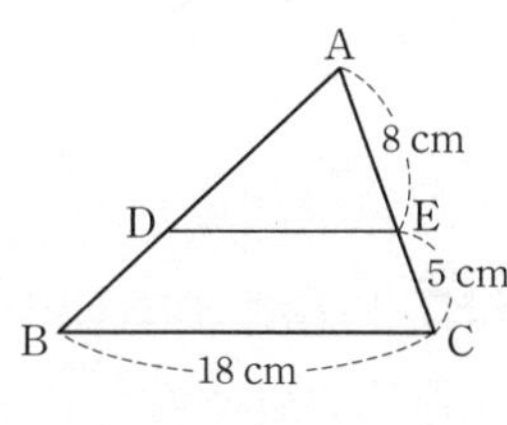

$\overline{AB} : \overline{AD} = \overline{AC} : \overline{AE}$에서 $\overline{DE} /\!/ \overline{BC}$이므로 ...... ㉠

$\overline{AD} : \overline{DB} = \overline{AE} : \overline{EC}$ ...... ㉡

또 $\overline{AD} : \overline{DB} = \overline{DE} : \overline{BC}$이므로 ...... ㉢

$8 : 5 = \overline{DE} : 18$ ...... ㉣

$5\overline{DE} = 144 \quad \therefore \overline{DE} = \dfrac{144}{5}\,(\text{cm})$

06 삼각형에서 평행선과 선분의 길이의 비의 활용

오른쪽 그림과 같은 △ABC에서 $\overline{BC} /\!/ \overline{DE}$일 때, $\overline{BF}$의 길이를 구하시오.

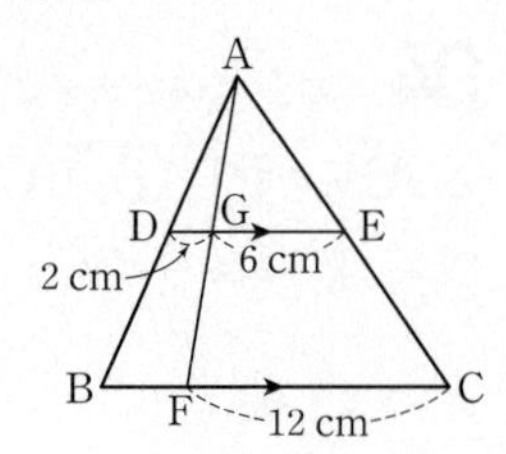

07 삼각형에서 평행선이 두 쌍일 때 선분의 길이의 비

오른쪽 그림과 같은 △ABC에서 $\overline{BC} /\!/ \overline{DE}$, $\overline{BE} /\!/ \overline{DF}$일 때, x의 값을 구하시오.

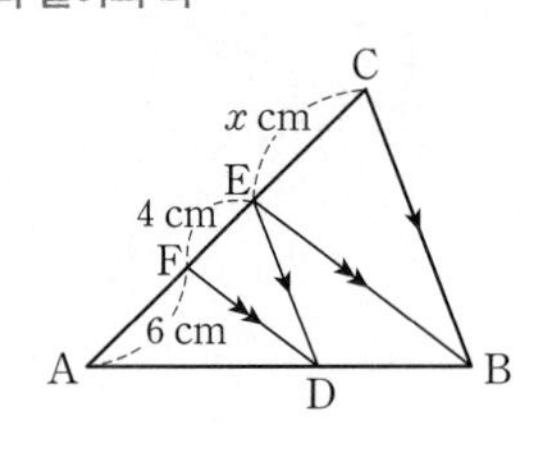

08 삼각형의 내각의 이등분선

오른쪽 그림과 같은 △ABC에서 $\overline{AD}$는 ∠A의 이등분선이고 $\overline{AB} /\!/ \overline{ED}$이다. $\overline{AB}=9$ cm, $\overline{AC}=12$ cm일 때, x의 값을 구하시오.

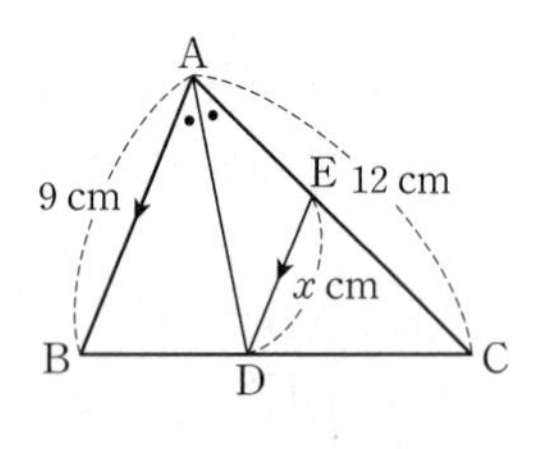

09 삼각형의 내각과 외각의 이등분선 (서술형)

다음 그림과 같은 △ABC에서 $\overline{AD}$는 ∠A의 이등분선이고 $\overline{AE}$는 ∠A의 외각의 이등분선이다. △ABD의 넓이가 7 cm^2일 때, 다음을 구하시오.

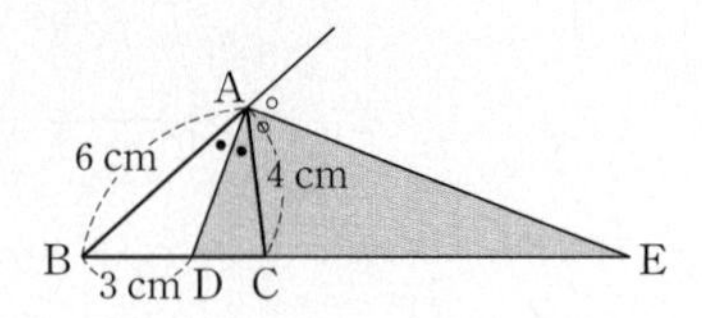

(1) $\overline{DC}$의 길이

(2) $\overline{CE}$의 길이

(3) △ADE의 넓이

10 평행선 사이의 선분의 길이의 비 (융합형)

다음 그림에서 $l /\!/ m /\!/ n$일 때, 민수네 집에서 도서관까지의 거리를 구하시오.

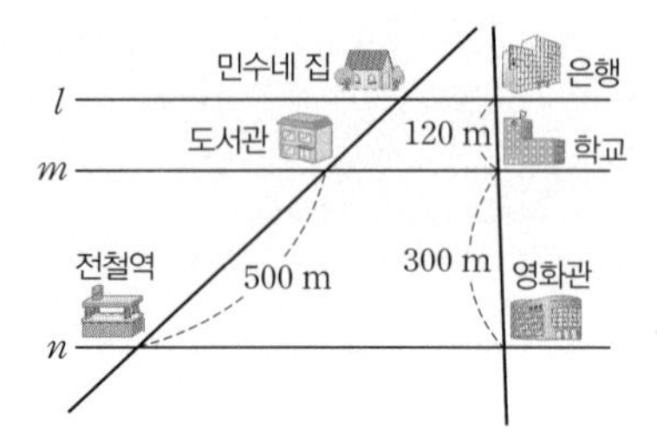

11 평행선 사이의 선분의 길이의 비

오른쪽 그림에서 $l /\!/ m /\!/ n$일 때, x, y의 값을 각각 구하시오.

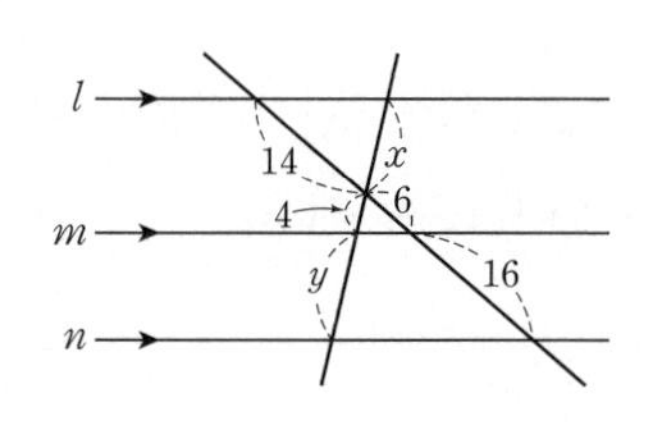

12 사다리꼴에서 평행선 사이의 선분의 길이의 비 (창의력)

오른쪽 그림에서 $l /\!/ m /\!/ n$일 때, x의 값을 구하시오.

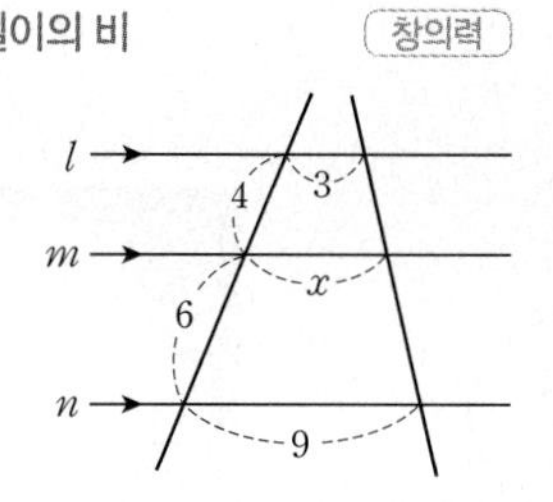

13 사다리꼴에서 평행선 사이의 선분의 길이의 비 (창의·융합)

오른쪽 그림과 같이 일정한 간격으로 다리가 놓여 있는 사다리에서 다리 중 한 개가 파손되어 없어져 새로 만들어야 한다. 이때 새로 만들어야 할 다리의 길이를 구하시오. (단, 사다리의 다리들은 서로 평행하다.)

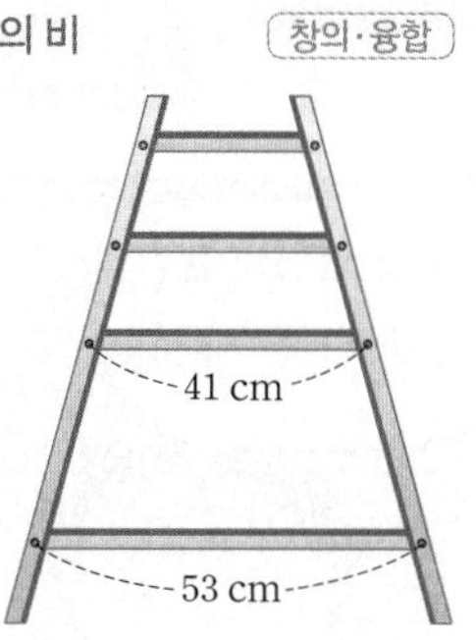

14 사다리꼴에서 평행선과 두 대각선 (1) (서술형)

오른쪽 그림과 같은 사다리꼴 ABCD에서 $\overline{AD} /\!/ \overline{MN} /\!/ \overline{BC}$이고 $\overline{AM} : \overline{MB} = 1 : 1$일 때, $\overline{PQ}$의 길이를 구하시오.

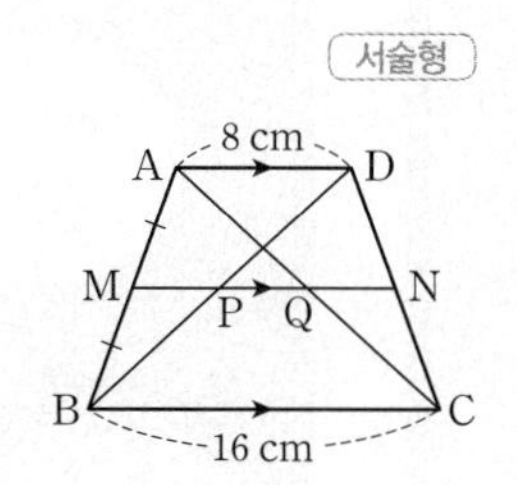

15 사다리꼴에서 평행선과 두 대각선 (2)

오른쪽 그림과 같이 $\overline{AD} /\!/ \overline{BC}$인 사다리꼴 ABCD에서 점 O는 두 대각선의 교점이고 $\overline{EF}$는 점 O를 지난다. $\overline{EF} /\!/ \overline{BC}$이고 $\overline{EO} = 12\text{ cm}$, $\overline{BC} = 30\text{ cm}$일 때, $\overline{AD}$의 길이를 구하시오.

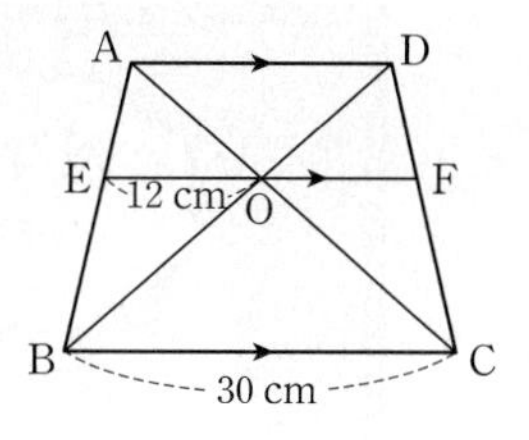

16 평행선 사이의 선분의 길이의 비의 응용

오른쪽 그림에서 $\overline{AB} /\!/ \overline{EF} /\!/ \overline{DC}$일 때, 다음 중 옳지 않은 것은?

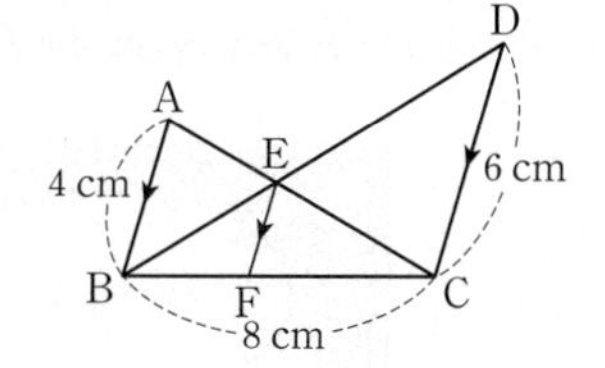

① $\triangle ABE \backsim \triangle CDE$

② $\overline{AE} : \overline{CE} = 2 : 3$

③ $\overline{BF} = \frac{16}{5}\text{ cm}$

④ $\overline{EF} : \overline{AB} = 2 : 3$

⑤ $\overline{EF} = \frac{12}{5}\text{ cm}$

17 평행선 사이의 선분의 길이의 비의 응용 (서술형)

오른쪽 그림에서 $\overline{AB} \perp \overline{BC}$, $\overline{PH} \perp \overline{BC}$, $\overline{DC} \perp \overline{BC}$일 때, 다음을 구하시오.

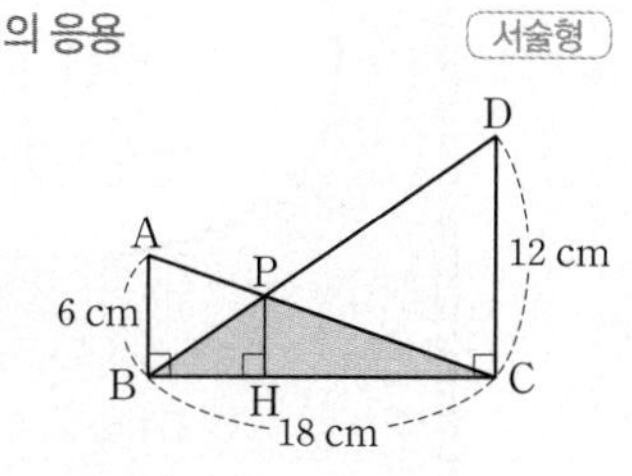

(1) $\overline{PH}$의 길이

(2) $\triangle PBC$의 넓이

삼각형 모양의
개집 완성!

왈왈왈

이제 와서 2층 집을
만들어 달라면
어떡해!
……

자, 이제 됐냐?
탕
탕

기울어졌다고?
그냥 대충 살아.
왈~왈

두 변의 중점을
연결하라고?
왈 왈
왈~

바닥 변하고
평행하구나.
오~

Ⅲ | 도형의 닮음과 피타고라스 정리

삼각형의 무게중심

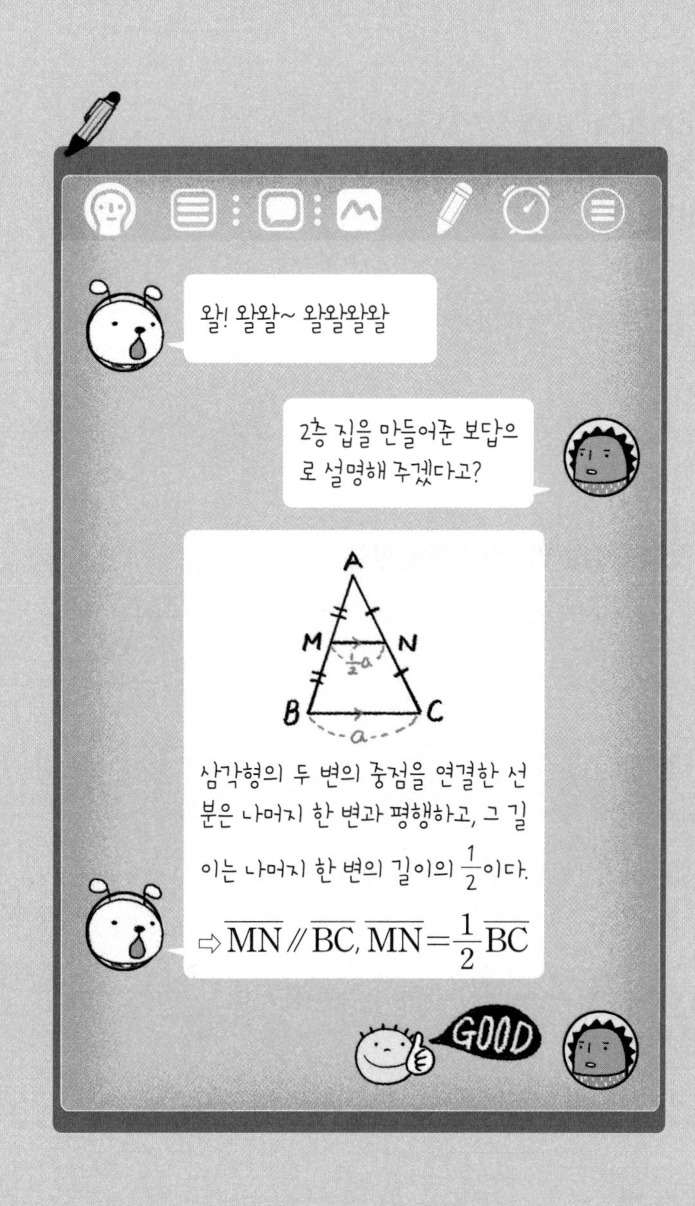

1. 삼각형의 두 변의 중점을 연결한 선분의 성질

1 삼각형의 두 변의 중점을 연결한 선분의 성질

(1) 삼각형의 두 변의 중점을 연결한 선분은 나머지 한 변과 ☐하고, 그 길이는 나머지 한 변의 길이의 $\frac{1}{2}$이다.

⇨ $\triangle ABC$에서 $\overline{AM}=\overline{MB}$, $\overline{AN}=\overline{NC}$이면

$\overline{MN} /\!/ \overline{BC}$, $\overline{MN}=\frac{1}{2}\overline{BC}$

(2) 삼각형의 한 변의 중점을 지나고, 다른 한 변에 평행한 직선은 나머지 한 변의 ☐을 지난다.

⇨ $\triangle ABC$에서 $\overline{AM}=\overline{MB}$, $\overline{MN} /\!/ \overline{BC}$이면

$\overline{AN}=\overline{NC}$

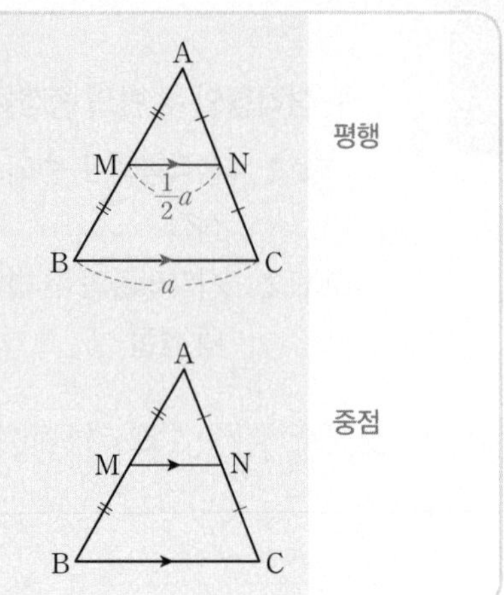

평행

중점

개념 다시 보기

삼각형에서 평행선과 선분의 길이의 비

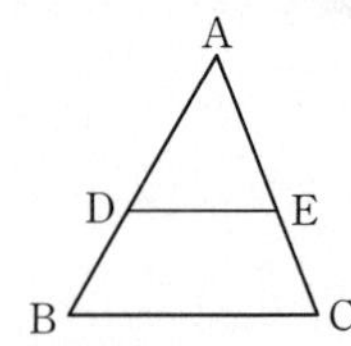

(1) $\overline{DE} /\!/ \overline{BC}$이면

$\overline{AB} : \overline{AD}=\overline{AC} : \overline{AE}$

$=\overline{BC} : \overline{DE}$

$\overline{AD} : \overline{DB}=\overline{AE} : \overline{EC}$

(2) $\overline{AB} : \overline{AD}=\overline{AC} : \overline{AE}$이면

$\overline{DE} /\!/ \overline{BC}$

(3) $\overline{AD} : \overline{DB}=\overline{AE} : \overline{EC}$이면

$\overline{DE} /\!/ \overline{BC}$

설명 (1) $\triangle ABC$에서 $\overline{AB}$, $\overline{AC}$의 중점을 각각 M, N이라 하면

$\overline{AM} : \overline{AB}=\overline{AN} : \overline{AC}=1 : 2$이므로 $\overline{MN} /\!/ \overline{BC}$

따라서 $\overline{MN} : \overline{BC}=\overline{AM} : \overline{AB}=1 : 2$이므로

$\overline{MN}=\frac{1}{2}\overline{BC}$

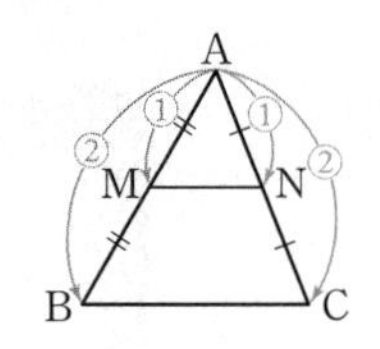

(2) $\triangle ABC$에서 점 M이 $\overline{AB}$의 중점이고 $\overline{MN} /\!/ \overline{BC}$이면

$\overline{AN} : \overline{NC}=\overline{AM} : \overline{MB}=1 : 1$

$\therefore \overline{AN}=\overline{NC}$

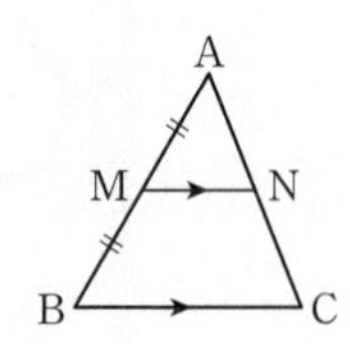

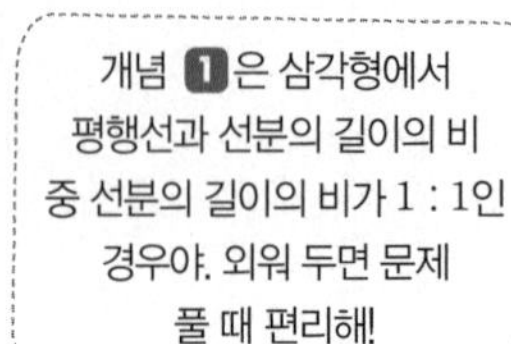

개념 1은 삼각형에서
평행선과 선분의 길이의 비
중 선분의 길이의 비가 1 : 1인
경우야. 외워 두면 문제
풀 때 편리해!

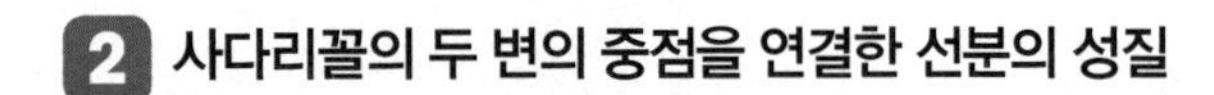

2 사다리꼴의 두 변의 중점을 연결한 선분의 성질

$\overline{AD} /\!/ \overline{BC}$인 사다리꼴 ABCD에서 $\overline{AB}$, $\overline{DC}$의 중점을 각각 M, N이라 하면

(1) $\overline{AD} /\!/ \overline{MN} /\!/ \overline{BC}$

(2) $\overline{MN}=$ ☐ $(\overline{AD}+\overline{BC})$

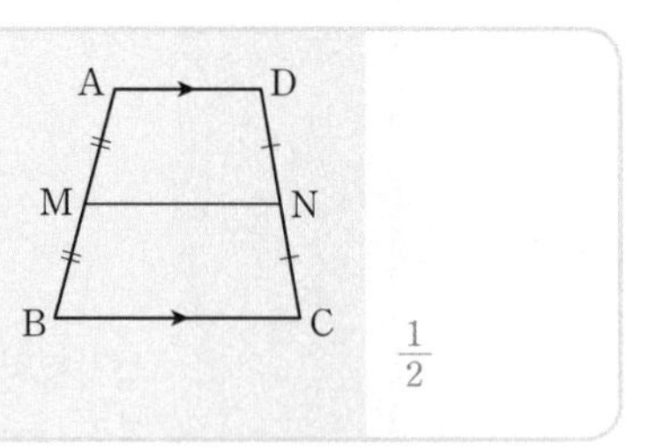

$\frac{1}{2}$

설명 (1) 오른쪽 그림과 같이 $\overline{AN}$의 연장선과 $\overline{BC}$의 연장선의 교점을 E라 하면 $\triangle AND \equiv \triangle ENC$ (ASA 합동)이므로

$\overline{AN}=\overline{EN}$, $\overline{AD}=\overline{EC}$

따라서 $\triangle ABE$에서 $\overline{AM}=\overline{MB}$, $\overline{AN}=\overline{NE}$이므로 $\overline{MN} /\!/ \overline{BE}$

이때 $\overline{AD} /\!/ \overline{BC}$이므로 $\overline{AD} /\!/ \overline{MN} /\!/ \overline{BC}$

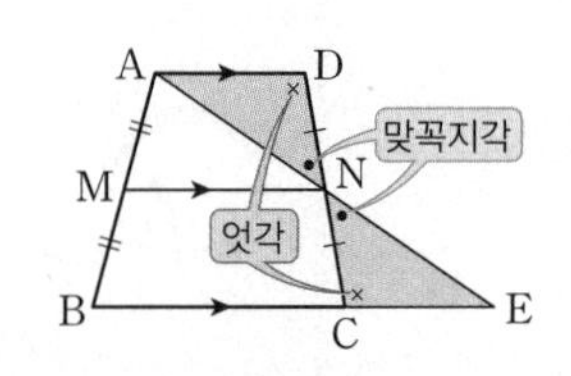

(2) $\triangle ABE$에서 $\overline{MN}=\frac{1}{2}\overline{BE}=\frac{1}{2}(\overline{BC}+\overline{CE})=\frac{1}{2}(\overline{AD}+\overline{BC})$

따라 풀면서

개념 익히기

빠른 정답 245쪽 | 정답과 해설 48쪽

| 개념 체크 |

1-1 삼각형의 두 변의 중점을 연결한 선분의 성질 (1)

오른쪽 그림과 같은 △ABC에서 $\overline{AB}$, $\overline{AC}$의 중점을 각각 M, N이라 할 때, x, y의 값을 각각 구하시오.

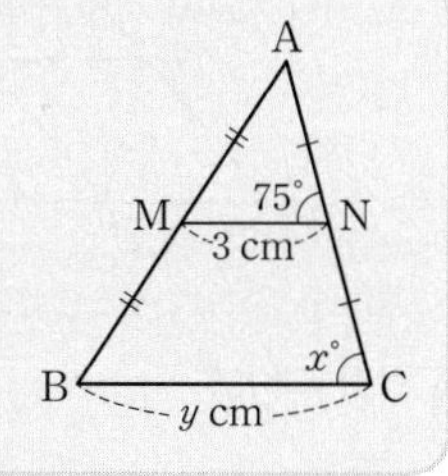

셀파 △ABC에서 $\overline{AM}=\overline{MB}$, $\overline{AN}=\overline{NC}$이면

$\overline{MN} /\!/ \overline{BC}$, $\overline{MN}=\frac{1}{2}\overline{BC}$

연구 $\overline{MN} /\!/ \overline{BC}$이므로 $\angle C=\angle ANM=75°$ (☐ 각)

$\therefore x=75$

$\overline{BC}=$ ☐ $\overline{MN}=$ ☐ (cm)

$\therefore y=$ ☐

2-1 삼각형의 두 변의 중점을 연결한 선분의 성질 (2)

오른쪽 그림과 같은 △ABC에서 $\overline{AM}=\overline{MB}$, $\overline{MN} /\!/ \overline{BC}$일 때, x, y의 값을 각각 구하시오.

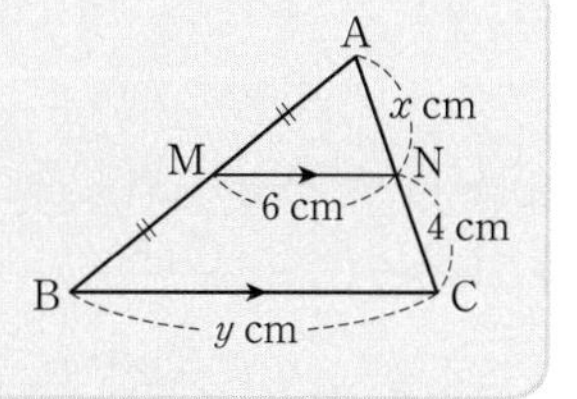

셀파 △ABC에서 $\overline{AM}=\overline{MB}$, $\overline{MN} /\!/ \overline{BC}$이면 $\overline{AN}=\overline{NC}$

연구 $\overline{AM}=\overline{MB}$, $\overline{MN} /\!/ \overline{BC}$이므로

$\overline{AN}=$ ☐ $=4$ cm $\quad \therefore x=$ ☐

또 $\overline{BC}=$ ☐ $\overline{MN}=12$ (cm) $\quad \therefore y=12$

| 따라 풀기 |

1-2 다음 그림과 같은 △ABC에서 $\overline{AB}$, $\overline{AC}$의 중점을 각각 M, N이라 할 때, x, y의 값을 각각 구하시오.

(1)

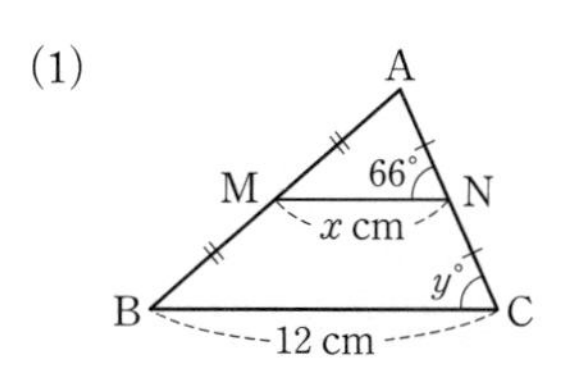

(2)

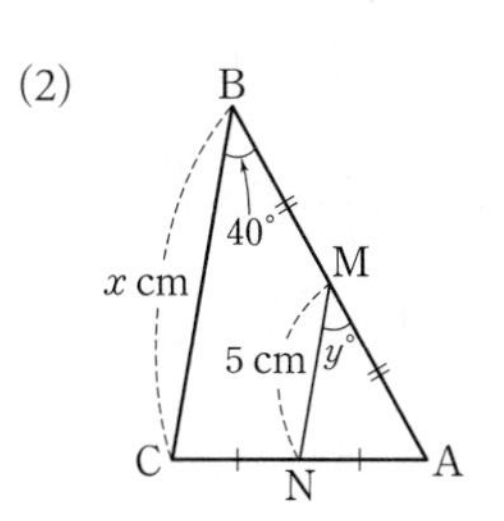

2-2 다음 그림과 같은 △ABC에서 $\overline{AM}=\overline{MB}$, $\overline{MN} /\!/ \overline{BC}$일 때, x의 값을 구하시오.

(1)

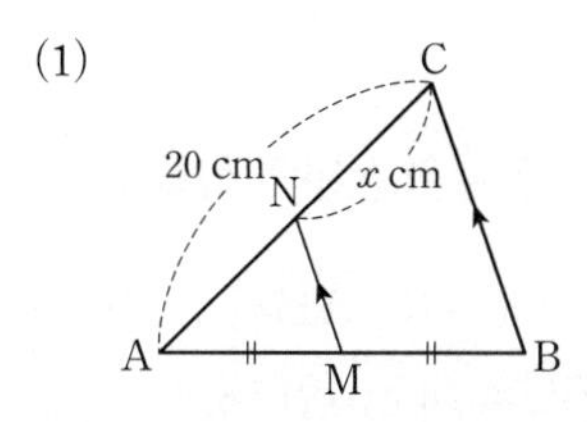

(2)

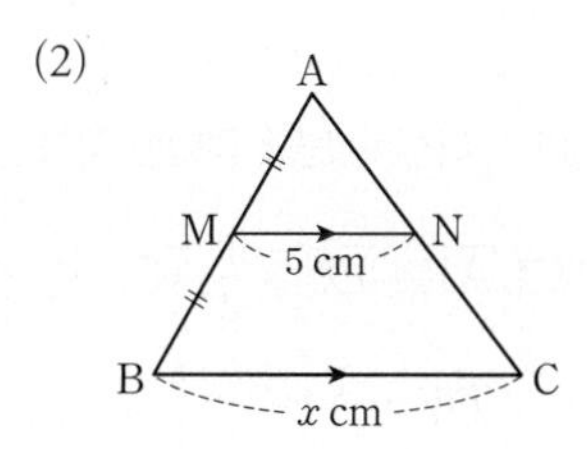

- 삼각형의 두 변의 중점을 연결한 선분은 나머지 한 변과 평행하고, 그 길이는 나머지 한 변의 길이의 $\frac{1}{2}$이다.
- 삼각형의 한 변의 중점을 지나고, 다른 한 변에 평행한 직선은 나머지 한 변의 중점을 지난다.

기본 01 삼각형의 두 변의 중점을 연결한 선분의 성질 (1)

해법코드

오른쪽 그림과 같은 △ABC에서 세 점 D, E, F는 각각 $\overline{AB}$, $\overline{BC}$, $\overline{CA}$의 중점일 때, △DEF의 둘레의 길이를 구하시오.

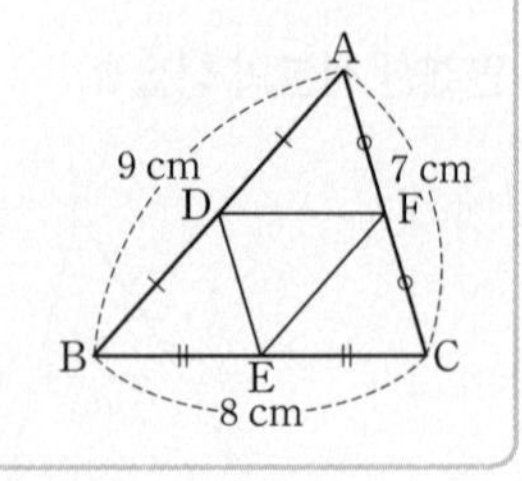

△ABC에서 $\overline{AM}=\overline{MB}$, $\overline{AN}=\overline{NC}$이면

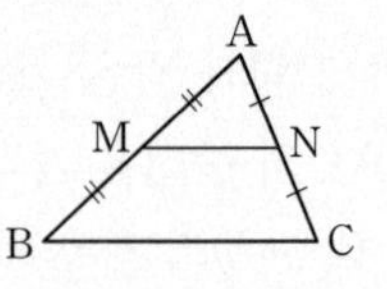

⇨ $\overline{MN} /\!/ \overline{BC}$, $\overline{MN}=\frac{1}{2}\overline{BC}$

셀파 세 점 D, E, F가 각 변의 중점임을 이용하여 $\overline{DF}$, $\overline{DE}$, $\overline{EF}$의 길이를 각각 구한다.

풀이 $\overline{AD}=\overline{DB}$, $\overline{AF}=\overline{FC}$이므로 $\overline{DF}=\frac{1}{2}\overline{BC}=\frac{1}{2}\times 8=4\ (\text{cm})$

$\overline{BE}=\overline{EC}$, $\overline{BD}=\overline{DA}$이므로 $\overline{DE}=\frac{1}{2}\overline{AC}=\frac{7}{2}\ (\text{cm})$

$\overline{CE}=\overline{EB}$, $\overline{CF}=\overline{FA}$이므로 $\overline{EF}=\frac{1}{2}\overline{AB}=\frac{9}{2}\ (\text{cm})$

$\therefore$ (△DEF의 둘레의 길이)$=\overline{DF}+\overline{DE}+\overline{EF}=4+\frac{7}{2}+\frac{9}{2}=\mathbf{12\ (cm)}$

확인 01 오른쪽 그림에서 두 점 M, N은 각각 $\overline{AB}$, $\overline{AC}$의 중점이고, 두 점 P, Q는 각각 $\overline{DB}$, $\overline{DC}$의 중점이다. $\overline{MN}=4$ cm일 때, $\overline{PQ}$의 길이를 구하시오.

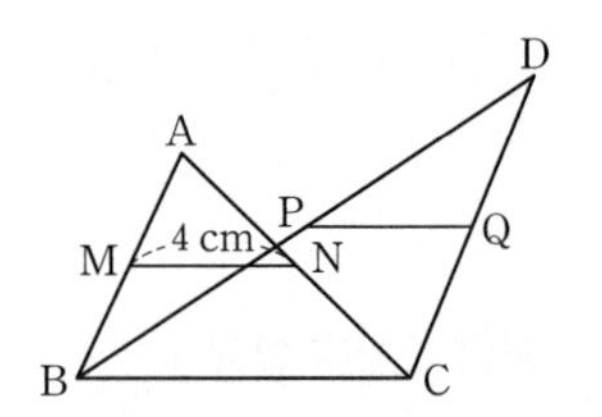

» My 셀파

△ABC, △DBC에서 각각 삼각형의 두 변의 중점을 연결한 선분의 성질을 이용한다.

기본 02 삼각형의 두 변의 중점을 연결한 선분의 성질 (2)

해법코드

오른쪽 그림과 같은 △ABC에서 점 D는 $\overline{AB}$의 중점이고 $\overline{BC} /\!/ \overline{DE}$이다. $\overline{AC}=10$ cm, $\overline{BC}=14$ cm일 때, x, y의 값을 각각 구하시오.

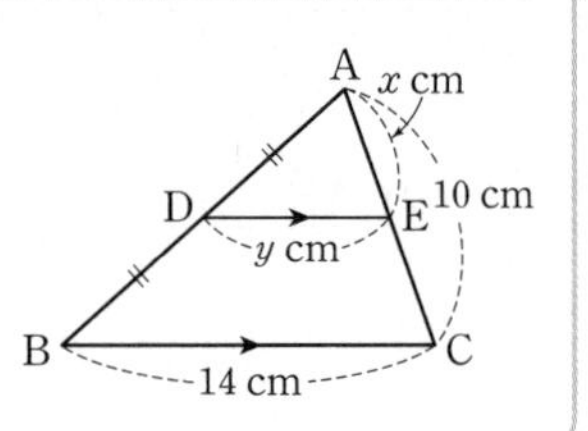

△ABC에서 $\overline{AM}=\overline{MB}$, $\overline{MN} /\!/ \overline{BC}$이면

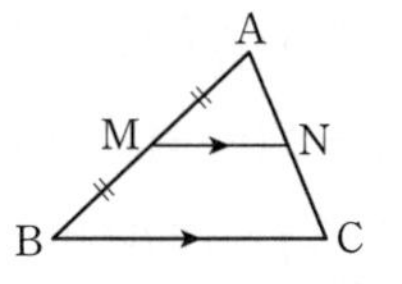

⇨ $\overline{AN}=\overline{NC}$, $\overline{MN}=\frac{1}{2}\overline{BC}$

셀파 삼각형의 한 변의 중점을 지나고, 다른 한 변에 평행한 직선은 나머지 한 변의 중점을 지난다.

풀이 $\overline{AD}=\overline{DB}$, $\overline{BC} /\!/ \overline{DE}$이므로 $\overline{AE}=\overline{EC}=\frac{1}{2}\overline{AC}=\frac{1}{2}\times 10=5\ (\text{cm})$ $\quad \therefore \boldsymbol{x=5}$

$\overline{AD}=\overline{DB}$, $\overline{AE}=\overline{EC}$이므로 $\overline{DE}=\frac{1}{2}\overline{BC}=\frac{1}{2}\times 14=7\ (\text{cm})$ $\quad \therefore \boldsymbol{y=7}$

확인 02 오른쪽 그림과 같은 △ABC에서 점 E는 $\overline{AC}$의 중점이고 $\overline{AB} /\!/ \overline{EF}$, $\overline{DE} /\!/ \overline{BC}$이다. $\overline{AB}=14$ cm, $\overline{BF}=8$ cm일 때, $\overline{AD}$의 길이와 $\overline{FC}$의 길이를 구하시오.

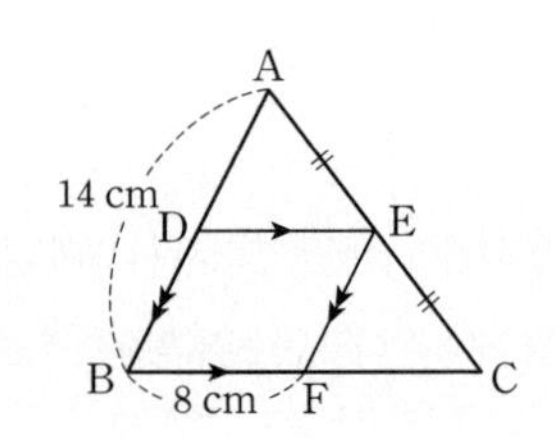

» My 셀파

삼각형의 한 변의 중점을 지나고, 다른 한 변과 평행한 직선의 성질을 이용한다.

기본 03 사각형의 네 변의 중점을 연결하여 만든 사각형

오른쪽 그림과 같은 □ABCD에서 $\overline{AB}$, $\overline{BC}$, $\overline{CD}$, $\overline{DA}$의 중점을 각각 E, F, G, H라 하자. $\overline{AC}=10$ cm, $\overline{BD}=8$ cm일 때, □EFGH의 둘레의 길이를 구하시오.

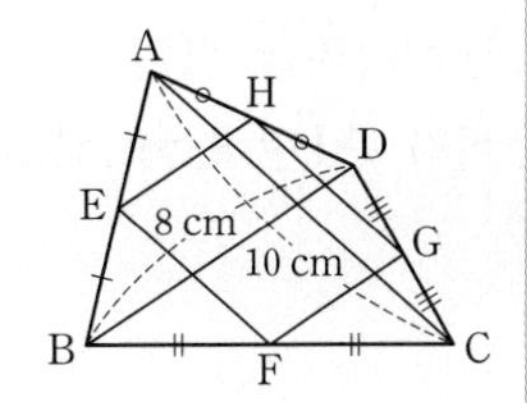

해법코드

사각형에서 각 변의 중점을 연결하여 만든 사각형의 변의 길이는 대각선을 한 변으로 하는 삼각형에서 생각한다.

(1) $\overline{EF} /\!/ \overline{AC} /\!/ \overline{HG}$,
$\overline{EF}=\overline{HG}=\frac{1}{2}\overline{AC}$

(2) $\overline{EH} /\!/ \overline{BD} /\!/ \overline{FG}$,
$\overline{EH}=\overline{FG}=\frac{1}{2}\overline{BD}$

(1), (2)에서 □EFGH는 평행사변형이다.

셀파 △ABC, △ACD, △ABD, △BCD에서 두 변의 중점을 연결한 선분의 성질을 이용한다.

풀이 △ABC와 △ACD에서

$\overline{EF}=\frac{1}{2}\overline{AC}$, $\overline{HG}=\frac{1}{2}\overline{AC}$이므로

$\overline{EF}=\overline{HG}=\frac{1}{2}\overline{AC}=\frac{1}{2}\times 10=5\ (\text{cm})$

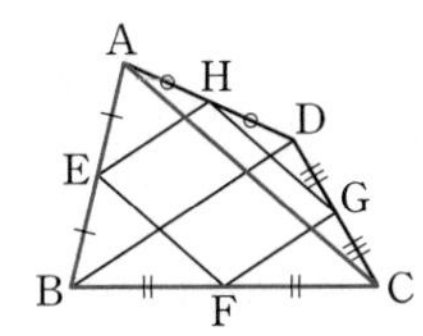

또 △ABD와 △BCD에서

$\overline{EH}=\frac{1}{2}\overline{BD}$, $\overline{FG}=\frac{1}{2}\overline{BD}$이므로

$\overline{EH}=\overline{FG}=\frac{1}{2}\overline{BD}=\frac{1}{2}\times 8=4\ (\text{cm})$

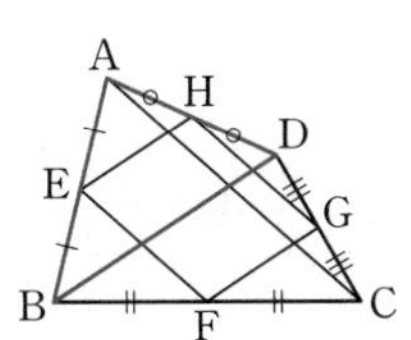

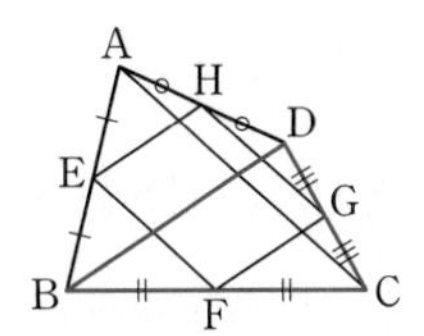

$\therefore$ (□EFGH의 둘레의 길이) $=\overline{EF}+\overline{FG}+\overline{GH}+\overline{HE}$

$=5+4+5+4$

$=\mathbf{18\ (cm)}$

확인 03

1. 오른쪽 그림과 같은 □ABCD에서 $\overline{AB}$, $\overline{BC}$, $\overline{CD}$, $\overline{DA}$의 중점을 각각 E, F, G, H라 하자. $\overline{AC}=12$ cm, $\overline{BD}=18$ cm이고 $\angle FGH=90°$일 때, □EFGH의 넓이를 구하시오.

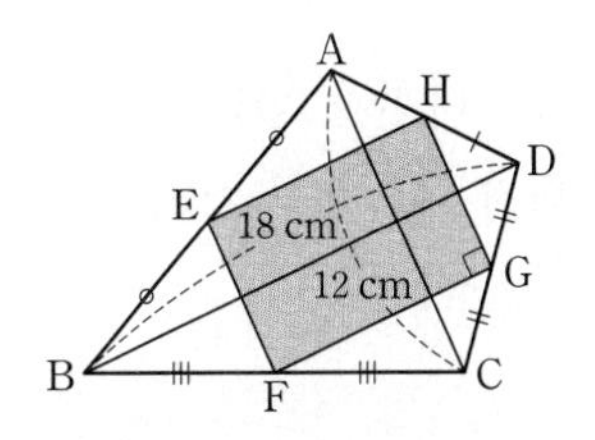

» My 셀파

1. □EFGH는 한 내각의 크기가 90°인 평행사변형이므로 직사각형이다.

2. 오른쪽 그림과 같이 $\overline{AD} /\!/ \overline{BC}$인 등변사다리꼴 ABCD에서 $\overline{AB}$, $\overline{BC}$, $\overline{CD}$, $\overline{DA}$의 중점을 각각 E, F, G, H라 하자. $\overline{AC}=14$ cm일 때, 다음 물음에 답하시오.

(1) □EFGH는 어떤 사각형인지 말하시오.

(2) □EFGH의 둘레의 길이를 구하시오.

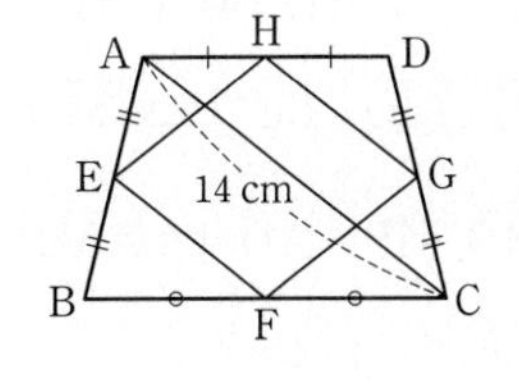

2. 등변사다리꼴은 두 대각선의 길이가 같음을 이용한다.

기본 04 사다리꼴에서 두 변의 중점을 연결한 선분의 성질 (1)

오른쪽 그림과 같이 $\overline{AD} /\!/ \overline{BC}$인 사다리꼴 ABCD에서 $\overline{AB}$, $\overline{DC}$의 중점을 각각 M, N이라 하자. $\overline{AD}=8$ cm, $\overline{BC}=12$ cm 일 때, $\overline{MN}$의 길이를 구하시오.

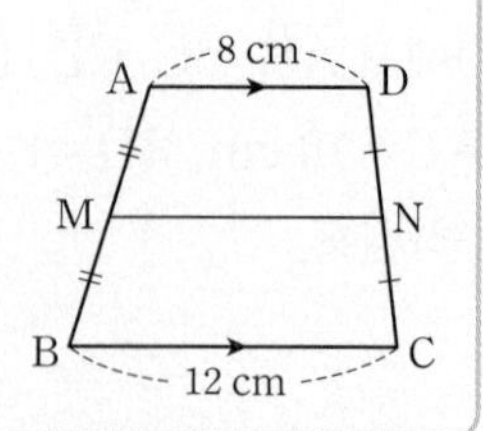

해법코드

$\overline{AD} /\!/ \overline{BC}$인 사다리꼴 ABCD에서 $\overline{AM}=\overline{MB}$, $\overline{DN}=\overline{NC}$이면

(1) $\overline{AD} /\!/ \overline{MN} /\!/ \overline{BC}$

(2) $\overline{MN}=\frac{1}{2}(\overline{AD}+\overline{BC})$

셀파 보조선을 그어 삼각형을 만든 후 삼각형의 한 변의 중점을 지나고, 다른 한 변과 평행한 직선의 성질을 이용한다.

풀이 $\overline{AM}=\overline{MB}$, $\overline{DN}=\overline{NC}$이므로 $\overline{AD} /\!/ \overline{MN} /\!/ \overline{BC}$

오른쪽 그림과 같이 $\overline{AC}$를 그으면

$\triangle$ABC에서 $\overline{AM}=\overline{MB}$, $\overline{MP} /\!/ \overline{BC}$이므로 ($\to \overline{AP}=\overline{PC}$)

$\overline{MP}=\frac{1}{2}\overline{BC}=\frac{1}{2}\times12=6$ (cm)

$\triangle$ACD에서 $\overline{CN}=\overline{ND}$, $\overline{PN} /\!/ \overline{AD}$이므로 ($\to \overline{AP}=\overline{PC}$) $\overline{PN}=\frac{1}{2}\overline{AD}=\frac{1}{2}\times8=4$ (cm)

$\therefore \overline{MN}=\overline{MP}+\overline{PN}=6+4=$ **10 (cm)**

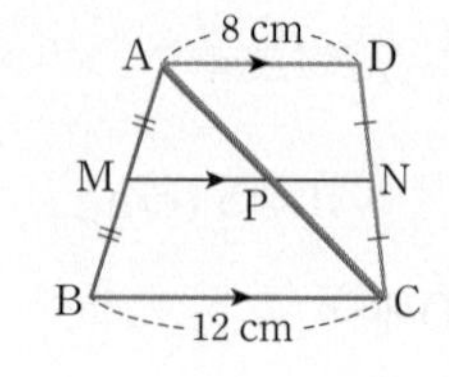

다른 풀이 공식 이용

$\overline{MN}=\frac{1}{2}(\overline{AD}+\overline{BC})$

$=\frac{1}{2}\times(8+12)$

$=\frac{1}{2}\times20$

$=10$ (cm)

확인 04

오른쪽 그림과 같이 $\overline{AD} /\!/ \overline{BC}$인 사다리꼴 ABCD에서 $\overline{AB}$, $\overline{DC}$의 중점을 각각 M, N이라 하자. $\overline{AD}=6$ cm, $\overline{MN}=9$ cm일 때, $\overline{BC}$의 길이를 구하시오.

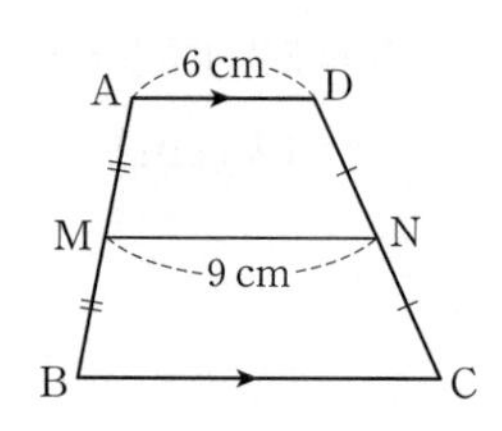

» My 셀파

$\overline{AC}$를 그어 삼각형의 한 변의 중점을 지나고, 다른 한 변과 평행한 직선의 성질을 이용한다.

기본 05 사다리꼴에서 두 변의 중점을 연결한 선분의 성질 (2)

오른쪽 그림과 같이 $\overline{AD} /\!/ \overline{BC}$인 사다리꼴 ABCD에서 $\overline{AB}$, $\overline{DC}$의 중점을 각각 M, N이라 하자. $\overline{AD}=10$ cm, $\overline{BC}=18$ cm일 때, $\overline{PQ}$의 길이를 구하시오.

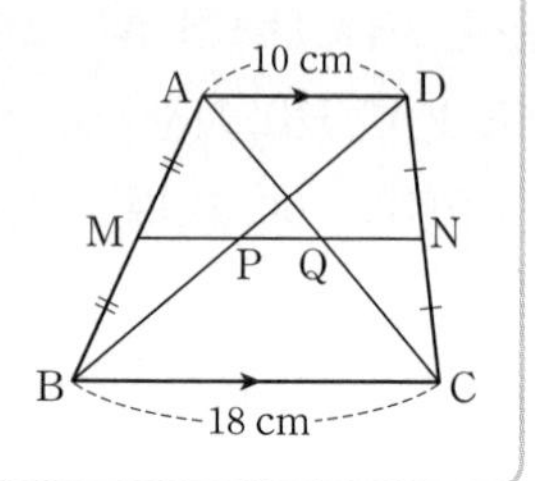

해법코드

$\overline{AD} /\!/ \overline{MN} /\!/ \overline{BC}$이므로

① $\triangle$ABC에서 $\overline{MQ}=\frac{1}{2}\overline{BC}$

② $\triangle$ABD에서 $\overline{MP}=\frac{1}{2}\overline{AD}$

③ $\overline{PQ}=\overline{MQ}-\overline{MP}$

셀파 $\triangle$ABC에서 $\overline{MQ}$의 길이, $\triangle$ABD에서 $\overline{MP}$의 길이를 구한다.

풀이 $\overline{AM}=\overline{MB}$, $\overline{DN}=\overline{NC}$이므로 $\overline{AD} /\!/ \overline{MN} /\!/ \overline{BC}$

$\triangle$ABC에서 $\overline{AM}=\overline{MB}$, $\overline{MQ} /\!/ \overline{BC}$이므로 $\overline{MQ}=\frac{1}{2}\overline{BC}=\frac{1}{2}\times18=9$ (cm)

$\triangle$ABD에서 $\overline{AM}=\overline{MB}$, $\overline{MP} /\!/ \overline{AD}$이므로 $\overline{MP}=\frac{1}{2}\overline{AD}=\frac{1}{2}\times10=5$ (cm)

$\therefore \overline{PQ}=\overline{MQ}-\overline{MP}=9-5=$ **4 (cm)**

확인 05

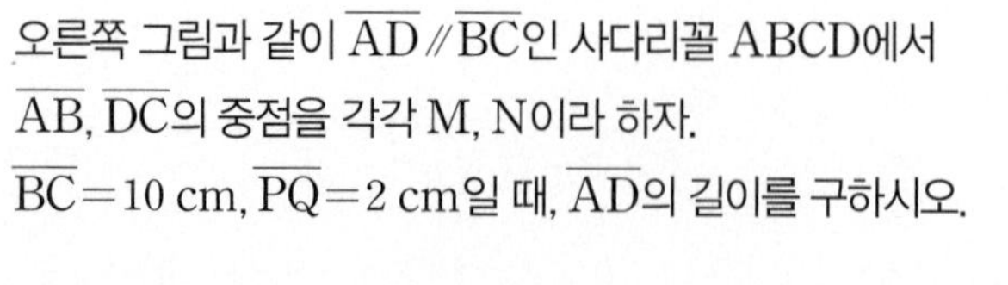

오른쪽 그림과 같이 $\overline{AD} /\!/ \overline{BC}$인 사다리꼴 ABCD에서 $\overline{AB}$, $\overline{DC}$의 중점을 각각 M, N이라 하자. $\overline{BC}=10$ cm, $\overline{PQ}=2$ cm일 때, $\overline{AD}$의 길이를 구하시오.

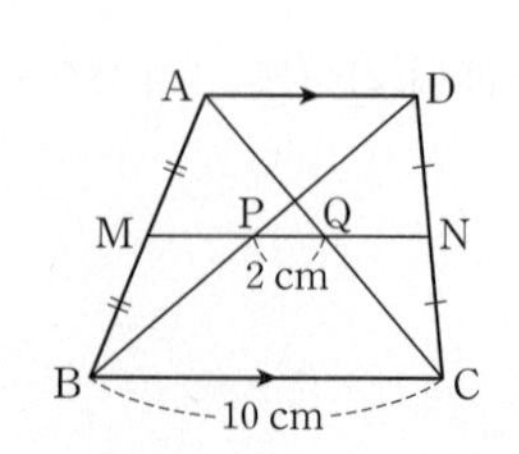

» My 셀파

$\overline{MP}=\overline{MQ}-\overline{PQ}$

이때 $\triangle$ABC에서 $\overline{MQ}$의 길이를 구한다.

발전 06 삼각형의 두 변의 중점을 연결한 선분의 성질의 활용 (1)

오른쪽 그림과 같은 △ABC에서 $\overline{AD}=\overline{DC}$, $\overline{AE}=\overline{EF}=\overline{FB}$이고 점 P는 $\overline{BD}$와 $\overline{CF}$의 교점이다. $\overline{FP}=4$ cm일 때, $\overline{PC}$의 길이를 구하시오.

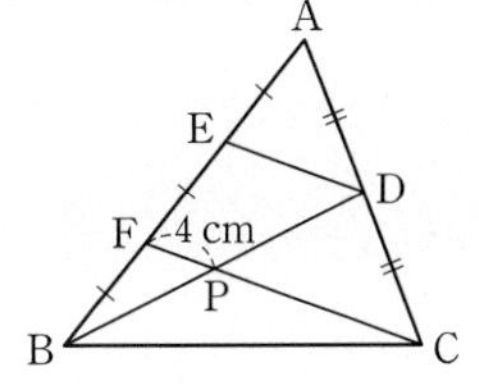

해법코드

△ABC에서 $\overline{AD}=\overline{DC}$, $\overline{AE}=\overline{EF}=\overline{FB}$일 때

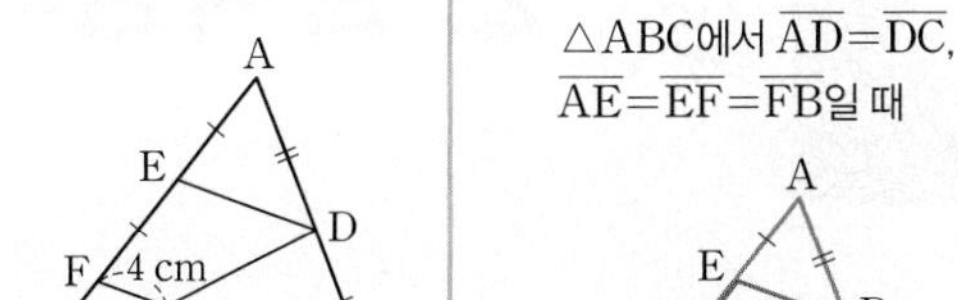

① △AFC에서 $\overline{ED}\,/\!/\,\overline{FC}$, $\overline{ED}=\frac{1}{2}\overline{FC}$

② △EBD에서 $\overline{ED}\,/\!/\,\overline{FP}$이므로 $\overline{FP}=\frac{1}{2}\overline{ED}$

셀파 △EBD에서 $\overline{ED}\,/\!/\,\overline{FP}$인지 알아본다.

풀이 △AFC에서 $\overline{AE}=\overline{EF}$, $\overline{AD}=\overline{DC}$이므로 $\overline{ED}\,/\!/\,\overline{FC}$, $\overline{FC}=2\overline{ED}$ ······ ㉠

△EBD에서 $\overline{EF}=\overline{FB}$, $\overline{ED}\,/\!/\,\overline{FP}$이므로 $\overline{ED}=2\overline{FP}=2\times4=8$ (cm)

㉠에서 $\overline{FC}=2\overline{ED}=2\times8=16$ (cm)이므로

$\overline{PC}=\overline{FC}-\overline{FP}=16-4=$ **12 (cm)**

확인 06 오른쪽 그림과 같은 △ABC에서 $\overline{AB}$의 중점을 D, $\overline{AC}$의 삼등분점을 각각 E, F라 하자. 점 P가 $\overline{BF}$와 $\overline{CD}$의 교점이고 $\overline{DE}=10$ cm일 때, $\overline{BP}$의 길이를 구하시오.

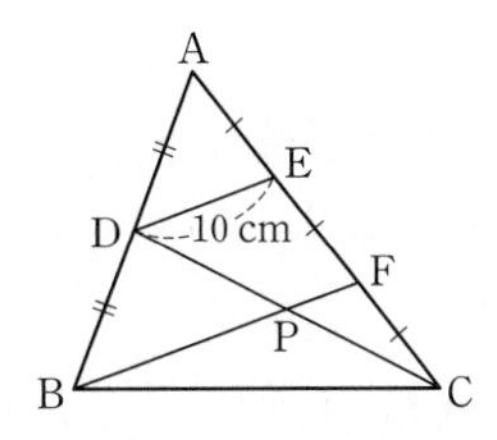

» My 셀파

$\overline{BP}=\overline{BF}-\overline{PF}$

이때 △ABF에서 $\overline{BF}$의 길이, △DCE에서 $\overline{PF}$의 길이를 구한다.

발전 07 삼각형의 두 변의 중점을 연결한 선분의 성질의 활용 (2)

오른쪽 그림과 같은 △ABC에서 $\overline{AB}$의 연장선 위에 $\overline{AB}=\overline{AD}$가 되도록 점 D를 잡고, $\overline{AC}$의 중점을 E, $\overline{DE}$의 연장선과 $\overline{BC}$의 교점을 F라 하자. $\overline{CF}=8$ cm일 때, $\overline{BF}$의 길이를 구하시오.

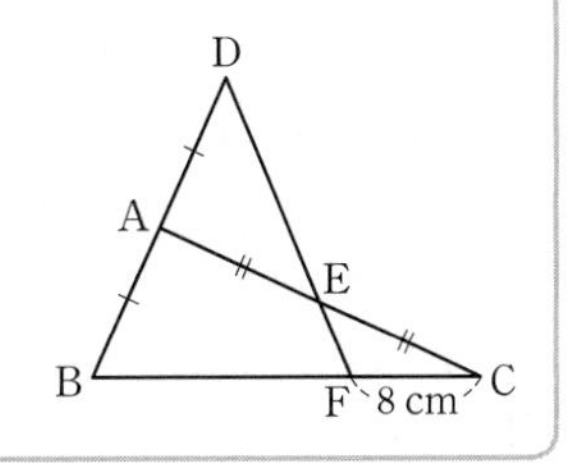

해법코드

$\overline{BC}\,/\!/\,\overline{AG}$가 되도록 $\overline{AG}$를 그으면

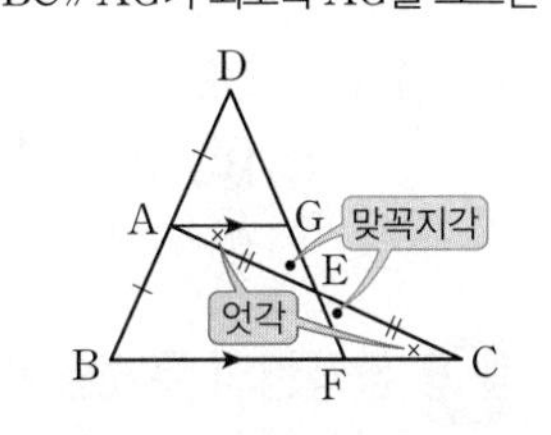

△AEG≡△CEF (ASA 합동)

셀파 평행선에서 엇각의 크기가 같음을 이용하여 합동인 삼각형을 찾는다.

풀이 오른쪽 그림과 같이 점 A를 지나고 $\overline{BC}$에 평행한 직선과 $\overline{DF}$의 교점을 G라 하면 △AEG와 △CEF에서

$\overline{AE}=\overline{CE}$, ∠GAE=∠C (엇각), ∠AEG=∠CEF (맞꼭지각)

이므로 △AEG≡△CEF (ASA 합동)

∴ $\overline{AG}=\overline{CF}=8$ cm

△DBF에서 $\overline{DA}=\overline{AB}$, $\overline{AG}\,/\!/\,\overline{BF}$이므로 $\overline{BF}=2\overline{AG}=2\times8=$ **16 (cm)**

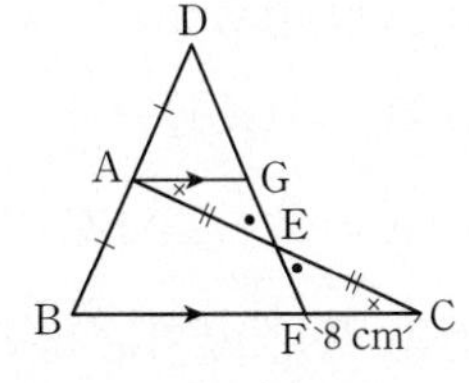

확인 07 오른쪽 그림과 같은 △ABC에서 $\overline{AD}=\overline{DB}$, $\overline{DF}=\overline{FE}$이다. $\overline{BC}=10$ cm일 때, $\overline{CE}$의 길이를 구하시오.

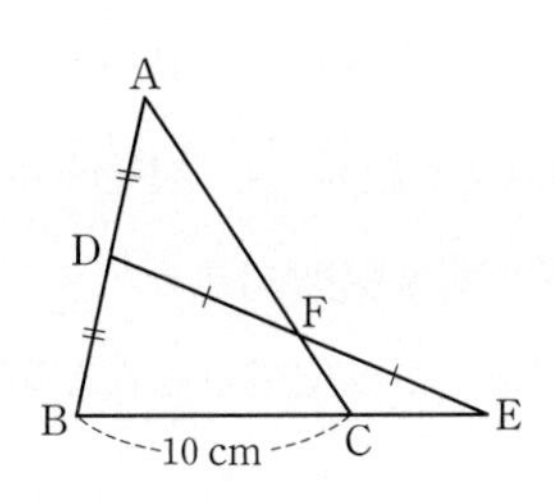

» My 셀파

점 D를 지나고 $\overline{BE}$에 평행한 보조선을 그어 생각해 본다.

9

2. 삼각형의 무게중심

1 삼각형의 무게중심

(1) ㉠**중선** 삼각형의 한 꼭짓점과 그 대변의 중점을 이은 선분

(2) **삼각형의 중선의 성질** 삼각형의 한 중선은 그 삼각형의 넓이를 [ ]한다.

⇨ △ABC에서 $\overline{AD}$가 중선이면

㉡$\triangle ABD = \triangle ACD = \frac{1}{2}\triangle ABC$

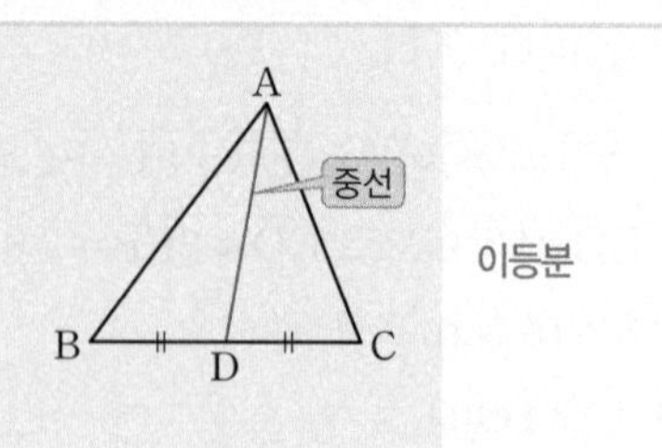

이등분

(3) **삼각형의 무게중심** 삼각형의 세 [ ]의 교점

중선

(4) **삼각형의 무게중심의 성질**

❶ 삼각형의 세 중선은 한 점(무게중심)에서 만난다.

❷ 삼각형의 무게중심은 세 중선의 길이를 각 꼭짓점으로부터 각각 2 : 1로 나눈다.

⇨ $\overline{AG} : \overline{GD} = \overline{BG} : \overline{GE} = \overline{CG} : \overline{GF} =$ [ ] : 1

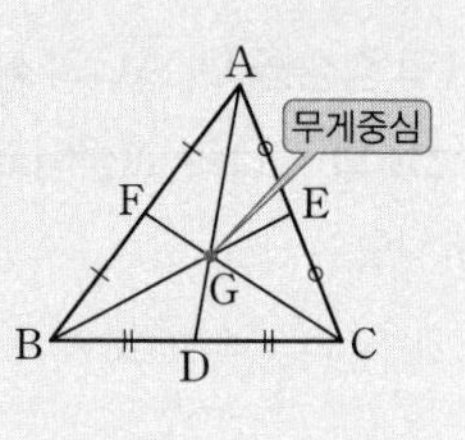

2

㉠ 한 삼각형에는 세 개의 중선이 있다.

㉡ 밑변의 길이와 높이가 각각 같은 두 삼각형의 넓이는 같다.

보기 오른쪽 그림에서 점 G가 △ABC의 무게중심일 때, 다음을 구하시오.

(1) $\overline{CE}$의 길이　　(2) $\overline{BG}$의 길이

풀이 (1) $\overline{BE}$는 중선이므로 $\overline{CE} = \overline{AE} = $ **5 cm**

(2) $\overline{BG} : \overline{GE} = 2 : 1$이므로 $\overline{BG} : 3 = 2 : 1$　　$\therefore \overline{BG} = $ **6 (cm)**

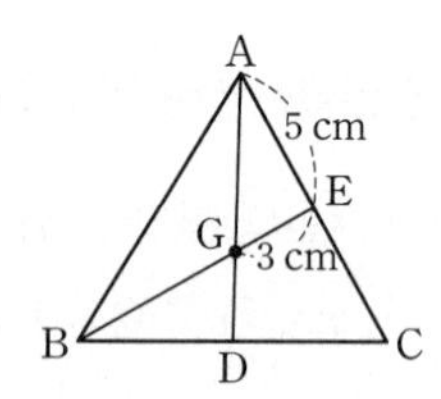

참고
- 정삼각형의 무게중심, 외심, 내심은 모두 일치한다.
- 이등변삼각형의 무게중심, 외심, 내심은 모두 꼭지각의 이등분선 위에 있다.

2 삼각형의 무게중심과 넓이

점 G가 △ABC의 무게중심이면

(1) 세 중선에 의하여 ㉢삼각형의 넓이는 6등분된다.

⇨ $\triangle GAF = \triangle GBF = \triangle GBD = \triangle GCD$

$= \triangle GCE = \triangle GAE =$ [ ] △ABC

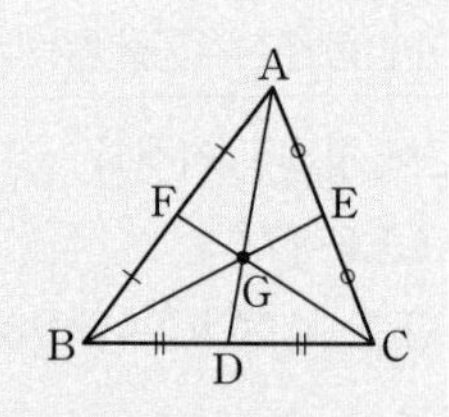

$\frac{1}{6}$

(2) 삼각형의 무게중심과 세 꼭짓점을 이어서 생기는 ㉣세 삼각형의 넓이는 같다.

⇨ $\triangle GAB = \triangle GBC = \triangle GCA = \frac{1}{3}$ [ ]

△ABC

㉢ 6개의 삼각형은 넓이는 같지만 합동이 아니다.

설명 (1) △ABC에서 $\overline{BD} = \overline{CD}$이므로 $\triangle ABD = \frac{1}{2}\triangle ABC$

이때 $\overline{AG} : \overline{GD} = 2 : 1$이므로 $\triangle GBD = \frac{1}{3}\triangle ABD = \frac{1}{3} \times \frac{1}{2}\triangle ABC = \frac{1}{6}\triangle ABC$

(2) △ABC의 넓이는 세 중선에 의하여 6등분되므로

$\triangle GAB = \triangle GAF + \triangle GBF = \frac{1}{6}\triangle ABC + \frac{1}{6}\triangle ABC = \frac{1}{3}\triangle ABC$

㉣ 3개의 삼각형은 넓이는 같지만 합동이 아니다.

따라 풀면서

개념 익히기

빠른 정답 245쪽 | 정답과 해설 49쪽

| 개념 체크 |

1-1 삼각형의 무게중심

오른쪽 그림에서 점 G가 △ABC의 무게중심일 때, x, y의 값을 각각 구하시오.

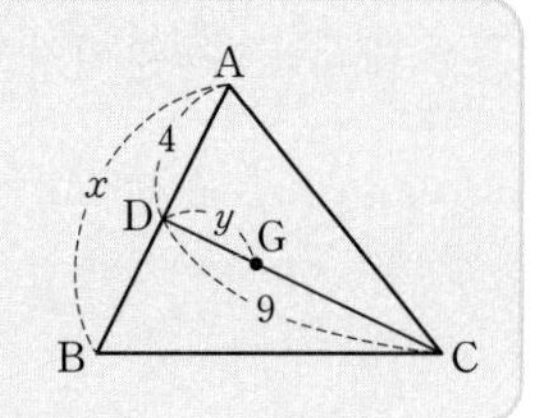

셀파 • 삼각형의 무게중심은 세 중선의 교점이다.
• 삼각형의 무게중심은 세 중선의 길이를 각 꼭짓점으로부터 각각 2 : 1로 나눈다.

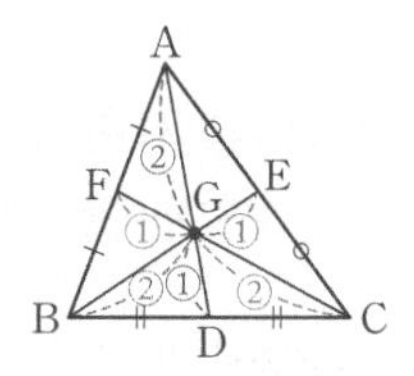

연구 점 G가 △ABC의 무게중심이므로
점 D는 $\overline{AB}$의 ☐이다.
$\therefore x=\overline{AB}=$☐$\overline{AD}=$☐
$\overline{CD}:\overline{GD}=$☐$:1$이므로 $9:y=$☐$:1$
$\therefore y=$☐

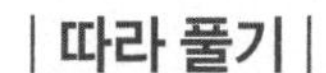

| 따라 풀기 |

1-2 오른쪽 그림에서 $\overline{AD}$가 △ABC의 중선일 때, 다음을 구하시오.

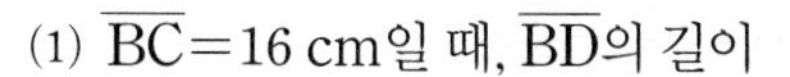

(1) $\overline{BC}=16$ cm일 때, $\overline{BD}$의 길이

(2) △ABC의 넓이가 24 cm^{2}일 때, △ADC의 넓이

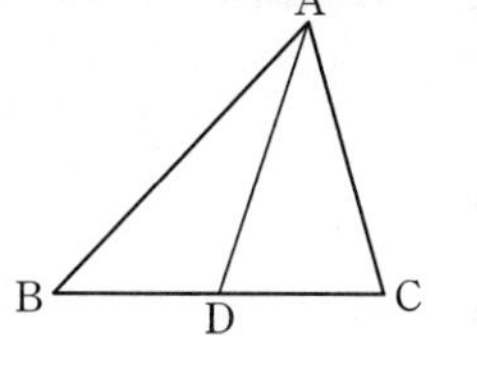

1-3 다음 그림에서 점 G가 △ABC의 무게중심일 때, x, y의 값을 각각 구하시오.

(1)

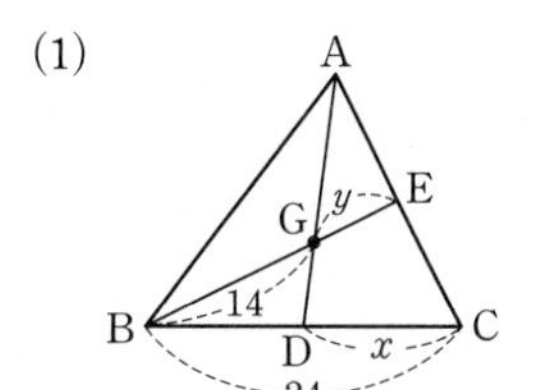

(2)

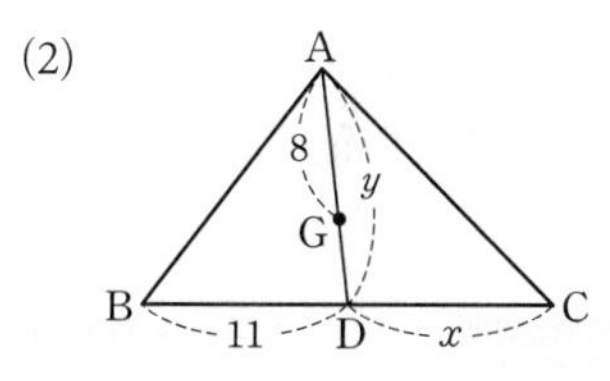

2-1 삼각형의 무게중심과 넓이

오른쪽 그림에서 점 G가 △ABC의 무게중심이고 △GDC의 넓이가 4 cm^{2}일 때, 다음을 구하시오.

(1) △GAF의 넓이

(2) △ABC의 넓이

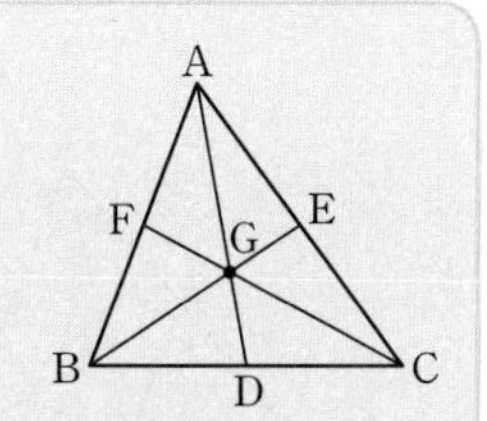

셀파 삼각형의 세 중선에 의하여 나누어진 6개의 삼각형의 넓이는 모두 같다.

연구 (1) △GAF=△GDC=4 cm^2
(2) △GDC=☐△ABC이므로
△ABC=☐△GDC=☐ (cm^2)

2-2 다음 그림에서 점 G가 △ABC의 무게중심이고 △ABC의 넓이가 30 cm^{2}일 때, 색칠한 부분의 넓이를 구하시오.

(1)

(2)

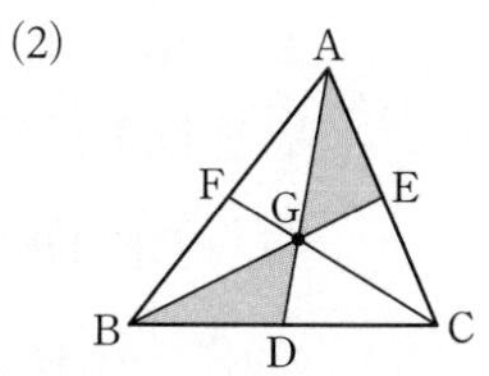

(3)

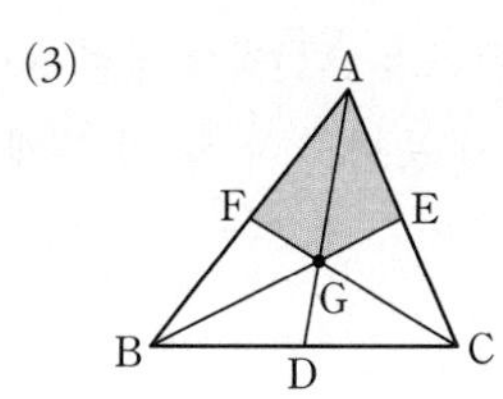

(4)

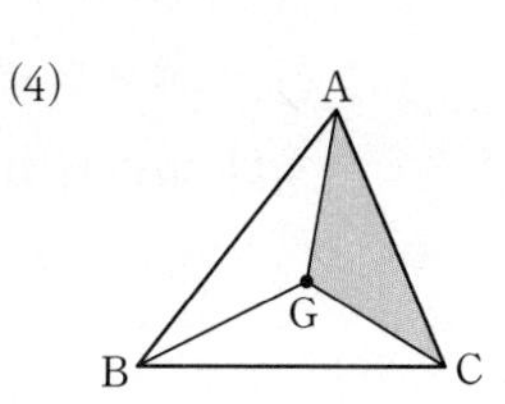

• 삼각형의 무게중심은 세 중선의 교점으로, 세 중선의 길이를 각 꼭짓점으로부터 각각 2 : 1로 나눈다.
• 세 중선에 의하여 삼각형의 넓이는 6등분된다.

개념 더 알아보기

셀파 특강 삼각형의 무게중심 찾기

Q 대단원 Ⅰ에서 삼각형의 외심과 내심을 어떻게 찾았지?

A 삼각형의 외심은 두 변의 수직이등분선의 교점만, 내심은 두 내각의 이등분선의 교점만 찾으면 된다고 했어요.

개념 다시 보기
- **삼각형의 외심** 삼각형의 세 변의 수직이등분선은 한 점에서 만나고, 그 점이 외심이다.
- **삼각형의 내심** 삼각형의 세 내각의 이등분선은 한 점에서 만나고, 그 점이 내심이다.

Q 잘 기억하고 있구나! 그 이유는 나머지 한 변의 수직이등분선 또는 나머지 한 내각의 이등분선 역시 그 점을 지나기 때문이었지. 그럼 삼각형의 무게중심은 어떻게 찾을까?

A 삼각형의 외심, 내심과 마찬가지로 두 중선의 교점만 찾으면 될 것 같아요.

Q 맞아. 정말 그런지 확인해 보자.

A 오른쪽 그림과 같이 △ABC에서 두 중선 AD, BE의 교점을 G라 하면 두 점 D, E는 각각 $\overline{BC}$, $\overline{AC}$의 중점이므로

ㄱ $\overline{AB} /\!/ \overline{DE}$, $\overline{DE}=\frac{1}{2}\overline{AB}$

이때 ㄴ △GAB∽△GDE (AA 닮음)이고

$\overline{AB} : \overline{DE}=2:1$이므로 ㄷ $\overline{AG} : \overline{DG}=2:1$ …… ㉠

또 △ABC에서 두 중선 AD, CF의 교점을 H라 하면 두 점 D, F는 각각 $\overline{BC}$, $\overline{AB}$의 중점이므로

$\overline{AC} /\!/ \overline{DF}$, $\overline{DF}=\frac{1}{2}\overline{AC}$

이때 ㄹ △ACH∽△DFH (AA 닮음)이고

$\overline{AC} : \overline{DF}=2:1$이므로 $\overline{AH} : \overline{DH}=2:1$ …… ㉡

㉠, ㉡에서 두 점 G, H는 모두 $\overline{AD}$를 꼭짓점 A로부터 $2:1$로 나누는 점으로 일치한다. 따라서 삼각형의 세 중선은 한 점, 즉 무게중심에서 만난다.

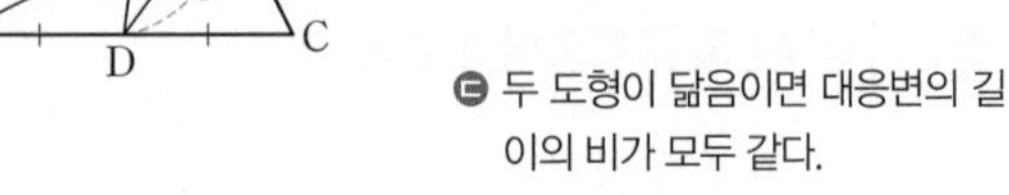

ㄱ 삼각형의 두 변의 중점을 연결한 선분의 성질이다.

ㄴ △GAB와 △GDE에서 $\overline{AB} /\!/ \overline{DE}$이므로

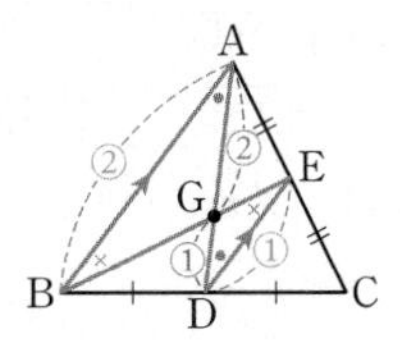

∠GAB=∠GDE (엇각),
∠GBA=∠GED (엇각)
∴ △GAB∽△GDE (AA 닮음)

ㄷ 두 도형이 닮음이면 대응변의 길이의 비가 모두 같다.

ㄹ △ACH와 △DFH에서 $\overline{AC} /\!/ \overline{DF}$이므로

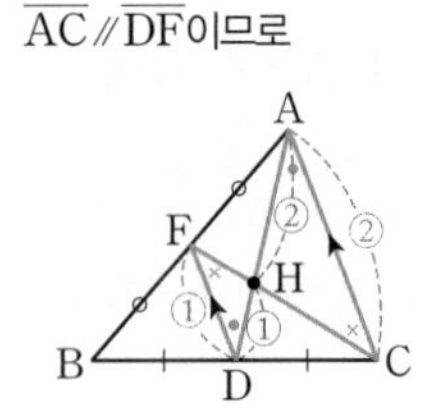

∠HAC=∠HDF (엇각),
∠HCA=∠HFD (엇각)
∴ △ACH∽△DFH (AA 닮음)

Note 삼각형의 세 중선은 한 점에서 만나므로 두 중선의 교점만으로도 무게중심을 구할 수 있다.

기본 01 삼각형의 중선의 성질

오른쪽 그림에서 $\overline{AD}$는 $\triangle ABC$의 중선이고 $\overline{CE}$는 $\triangle ADC$의 중선이다. $\triangle ABC$의 넓이가 $20\ cm^2$일 때, $\triangle AEC$의 넓이를 구하시오.

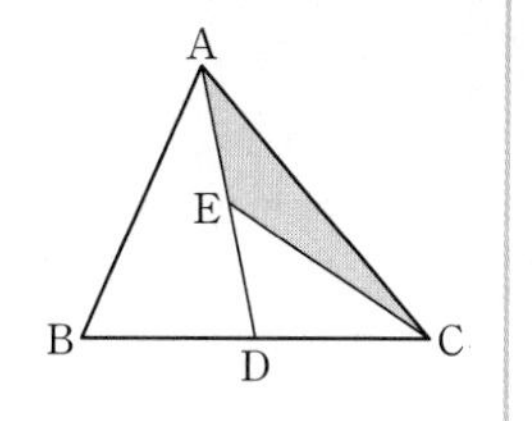

해법코드

$\overline{AD}$가 $\triangle ABC$의 중선일 때

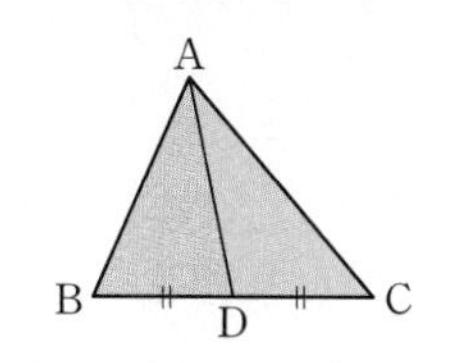

$\overline{BD}=\overline{DC}$이므로

$\triangle ABD=\triangle ADC=\frac{1}{2}\triangle ABC$

셀파 $\overline{AD}$, $\overline{CE}$는 각각 $\triangle ABC$, $\triangle ADC$의 중선이므로 각각 그 삼각형의 넓이를 이등분한다.

풀이 $\overline{AD}$는 $\triangle ABC$의 중선이므로 $\triangle ADC=\frac{1}{2}\triangle ABC=\frac{1}{2}\times 20=10\ (cm^2)$

→ $\overline{BD}=\overline{DC}$

$\overline{CE}$는 $\triangle ADC$의 중선이므로 $\triangle AEC=\frac{1}{2}\triangle ADC=\frac{1}{2}\times 10=\mathbf{5\ (cm^2)}$

→ $\overline{AE}=\overline{ED}$

확인 01 오른쪽 그림에서 $\overline{AD}$는 $\triangle ABC$의 중선이고, $\overline{AE}=\overline{EF}=\overline{FD}$이다. $\triangle ABC$의 넓이가 $42\ cm^2$일 때, $\triangle BFE$의 넓이를 구하시오.

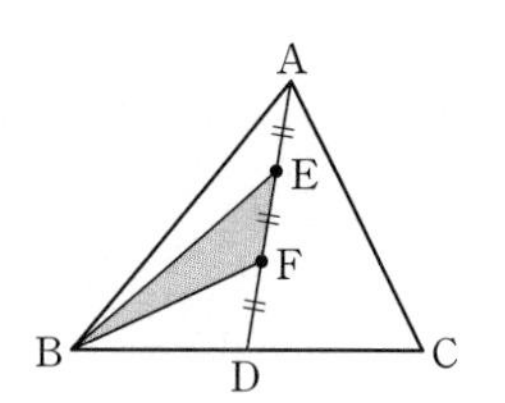

» My 셀파

밑변의 길이와 높이가 같은 삼각형의 넓이는 같다.

즉 $\overline{AE}=\overline{EF}=\overline{FD}$이므로

$\triangle ABE=\triangle EBF=\triangle FBD$

기본 02 삼각형의 무게중심의 성질

오른쪽 그림에서 점 G는 $\triangle ABC$의 무게중심이고 점 G′은 $\triangle GBC$의 무게중심이다. $\overline{AD}=36\ cm$일 때, $\overline{GG'}$의 길이를 구하시오.

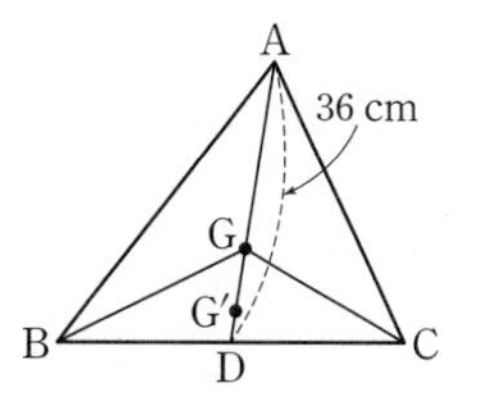
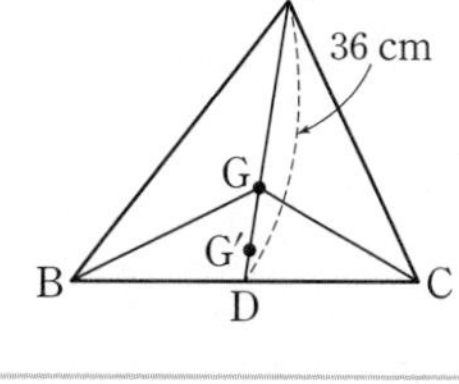

해법코드

점 G가 $\triangle ABC$의 무게중심이므로 $\overline{AG}:\overline{GD}=2:1$

점 G′이 $\triangle GBC$의 무게중심이므로 $\overline{GG'}:\overline{G'D}=2:1$

셀파 삼각형의 무게중심은 중선의 길이를 각 꼭짓점으로부터 각각 $2:1$로 나눈다.

풀이 $\overline{AG}:\overline{GD}=2:1$이고 $\overline{AD}=\overline{AG}+\overline{GD}$이므로

$\overline{GD}=\frac{1}{3}\overline{AD}=\frac{1}{3}\times 36=12\ (cm)$

$\overline{GG'}:\overline{G'D}=2:1$이고 $\overline{GD}=\overline{GG'}+\overline{G'D}$이므로

$\overline{GG'}=\frac{2}{3}\overline{GD}=\frac{2}{3}\times 12=\mathbf{8\ (cm)}$

확인 02 오른쪽 그림에서 점 G는 $\triangle ABC$의 무게중심이고 점 G′은 $\triangle GBC$의 무게중심이다. $\overline{GG'}=2\ cm$일 때, $\overline{AD}$의 길이를 구하시오.

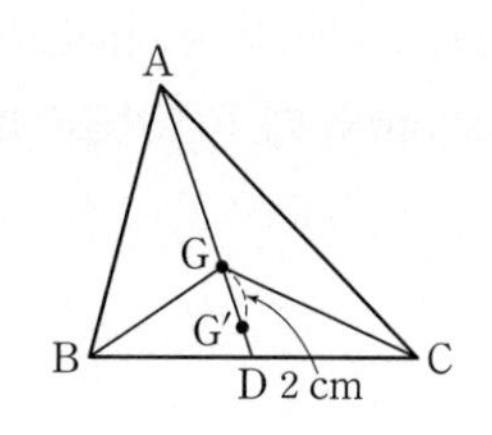

» My 셀파

$\overline{GD}=\frac{1}{3}\overline{AD}$, $\overline{GG'}=\frac{2}{3}\overline{GD}$

기본 03 삼각형의 무게중심의 활용 (1)

오른쪽 그림에서 점 G는 $\triangle ABC$의 무게중심이다.
$\overline{BE} /\!/ \overline{DF}$이고 $\overline{DF}=6\text{ cm}$일 때, $\overline{BG}$의 길이를 구하시오.

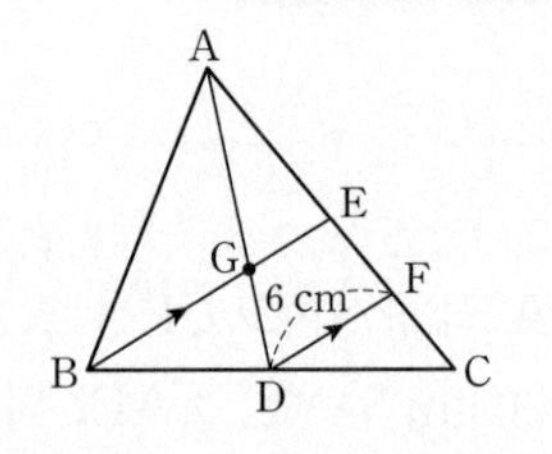

해법코드

점 G가 $\triangle ABC$의 무게중심이고 $\overline{BE} /\!/ \overline{DF}$일 때

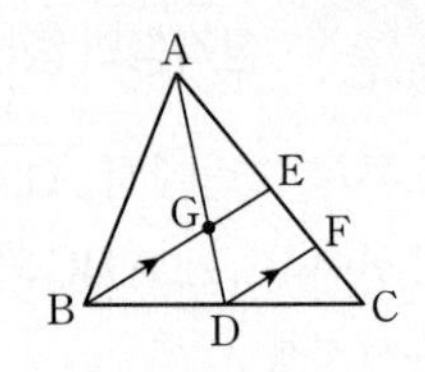

(1) $\overline{BD}=\overline{DC}$, $\overline{BE} /\!/ \overline{DF}$이므로
$\overline{EF}=\overline{FC}$, $\overline{DF}=\frac{1}{2}\overline{BE}$

(2) $\overline{BG} : \overline{BE}=2 : 3$

셀파 삼각형의 무게중심의 성질과 삼각형의 한 변의 중점을 지나고, 다른 한 변에 평행한 직선의 성질을 이용한다.

풀이 $\triangle BCE$에서 ㉠ $\overline{BD}=\overline{DC}$, $\overline{BE} /\!/ \overline{DF}$이므로
$\overline{BE}=2\overline{DF}=2\times 6=12\ (\text{cm})$
이때 점 G는 $\triangle ABC$의 무게중심이므로
$\overline{BG}=\frac{2}{3}\overline{BE}=\frac{2}{3}\times 12=8\ (\mathbf{cm})$

㉠ $\overline{AD}$가 $\triangle ABC$의 중선이므로 점 D는 $\overline{BC}$의 중점이다.
$\therefore \overline{BD}=\overline{DC}$

확인 03 오른쪽 그림에서 점 G는 $\triangle ABC$의 무게중심이다.
$\overline{AD} /\!/ \overline{EF}$, $\overline{DF}=\overline{FC}$이고 $\overline{AG}=16\text{ cm}$일 때, $\overline{EF}$의 길이를 구하시오.

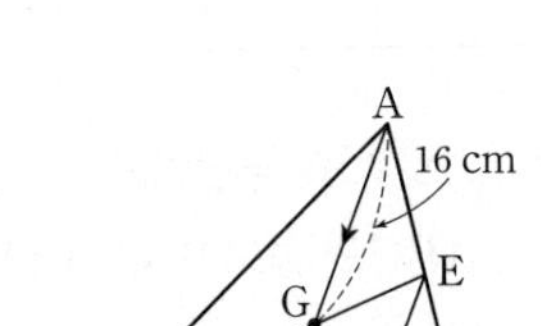
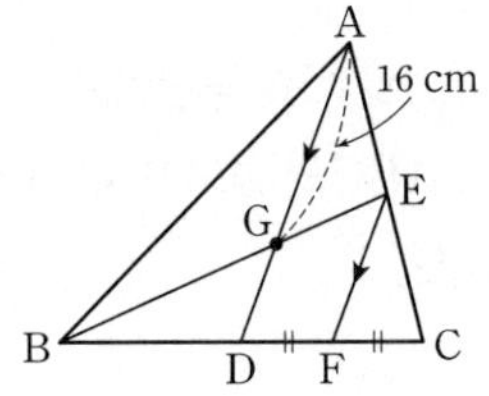

» My 셀파

점 G가 $\triangle ABC$의 무게중심이므로
$\overline{GD}=\frac{1}{2}\overline{AG}$
$\triangle ADC$에서 $\overline{DF}=\overline{FC}$, $\overline{AD} /\!/ \overline{EF}$이므로 $\overline{EF}=\frac{1}{2}\overline{AD}$

기본 04 삼각형의 무게중심의 활용 (2)

오른쪽 그림에서 점 G는 $\triangle ABC$의 무게중심이다.
$\overline{EF} /\!/ \overline{BC}$이고 $\overline{BD}=12\text{ cm}$일 때, $\overline{GF}$의 길이를 구하시오.

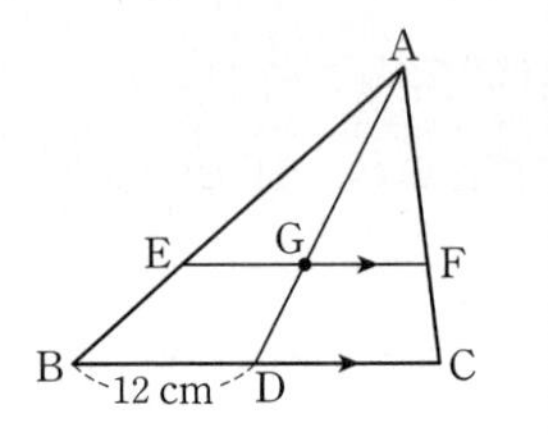

해법코드

점 G가 $\triangle ABC$의 무게중심이고 $\overline{BC} /\!/ \overline{EF}$일 때

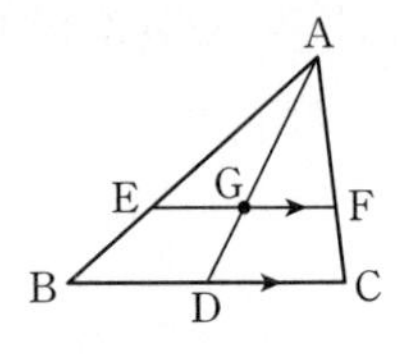

(1) $\triangle ABD$에서
$\overline{EG} : \overline{BD}=\overline{AG} : \overline{AD}=2 : 3$

(2) $\triangle ADC$에서
$\overline{GF} : \overline{DC}=\overline{AG} : \overline{AD}=2 : 3$

셀파 삼각형의 무게중심의 성질과 삼각형에서 평행선과 선분의 길이의 비를 이용한다.

풀이 $\overline{AD}$가 $\triangle ABC$의 중선이므로 $\overline{DC}=\overline{BD}=12\text{ cm}$
$\triangle ADC$에서 $\overline{GF} /\!/ \overline{DC}$이므로 $\overline{AG} : \overline{AD}=\overline{GF} : \overline{DC}$
$2 : 3=\overline{GF} : 12$
$3\overline{GF}=24 \qquad \therefore \overline{GF}=8\ (\mathbf{cm})$

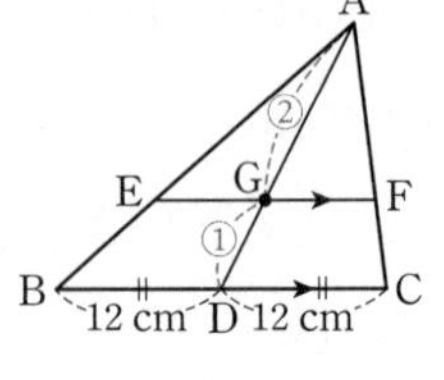
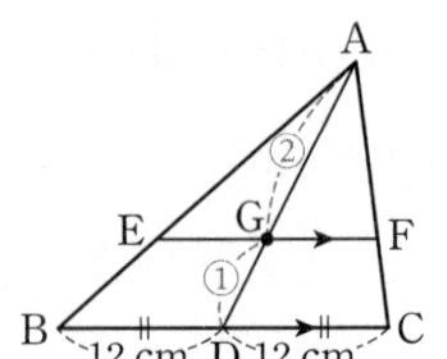

확인 04 오른쪽 그림에서 점 G는 $\triangle ABC$의 무게중심이다.
$\overline{EF} /\!/ \overline{BC}$이고 $\overline{AD}=24\text{ cm}$일 때, $\overline{FG}$의 길이를 구하시오.

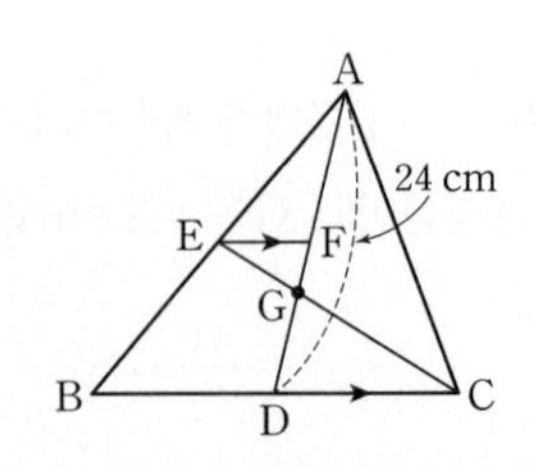

» My 셀파

$\triangle EGF \backsim \triangle CGD$ (AA 닮음)
이므로
$\overline{FG} : \overline{DG}=\overline{EG} : \overline{CG}=1 : 2$

기본 05 삼각형의 무게중심과 넓이 (1)

오른쪽 그림과 같이 $\angle C=90^\circ$인 직각삼각형 ABC에서 점 D는 $\overline{BC}$의 중점, 점 E는 $\overline{AB}$의 중점이고 $\overline{AD}$와 $\overline{CE}$의 교점을 G라 하자. $\triangle AEG$의 넓이를 구하시오.

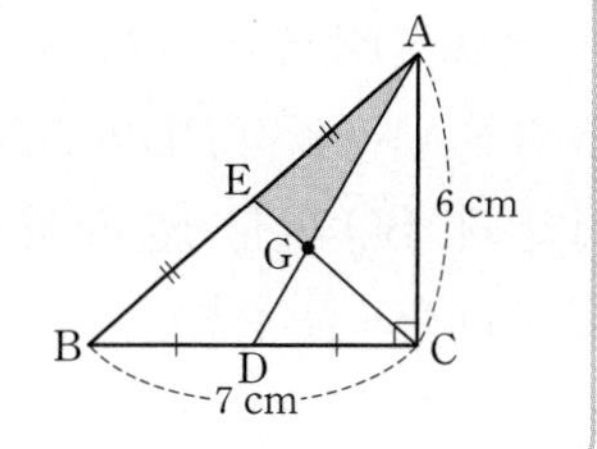

해법코드

점 G가 $\triangle ABC$의 무게중심일 때

(1)

$S_1=S_2=S_3=S_4=S_5=S_6$

$=\frac{1}{6}\triangle ABC$

(2)

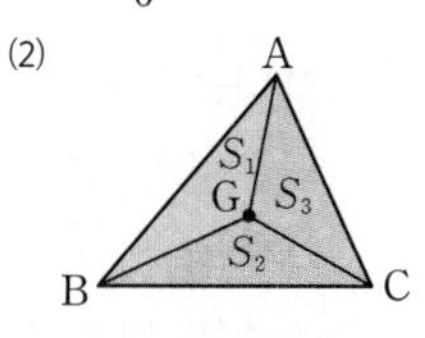

$S_1=S_2=S_3=\frac{1}{3}\triangle ABC$

셀파 점 G는 두 중선 AD, CE의 교점이므로 $\triangle ABC$의 무게중심이다.

풀이 점 G가 $\triangle ABC$의 무게중심이므로

$$\triangle AEG=\frac{1}{6}\triangle ABC$$
$$=\frac{1}{6}\times\left(\frac{1}{2}\times7\times6\right)$$
$$=\mathbf{\frac{7}{2}\ (cm^2)}$$

확인 05 오른쪽 그림에서 점 G는 $\triangle ABC$의 무게중심이다. $\triangle ABC$의 넓이가 36 cm^2일 때, □GPCQ의 넓이를 구하시오.

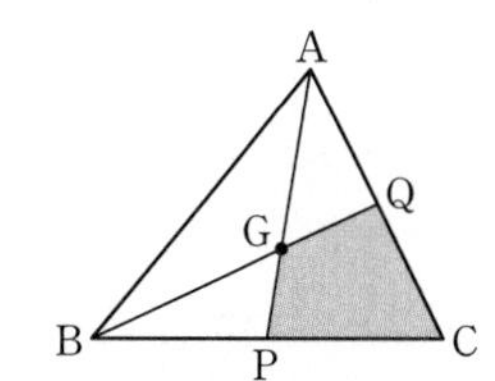

» My 셀파

$\overline{GC}$를 그으면

□GPCQ$=\triangle GPC+\triangle GCQ$

기본 06 삼각형의 무게중심과 넓이 (2)

오른쪽 그림에서 점 G는 $\triangle ABC$의 무게중심이다. $\triangle ABC$의 넓이가 60 cm^2일 때, $\triangle DGE$의 넓이를 구하시오.

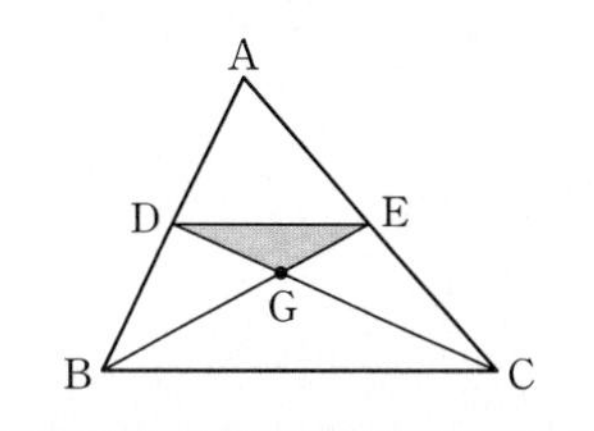

해법코드

점 G가 $\triangle ABC$의 무게중심일 때

$\triangle DGE : \triangle EGC=\overline{DG} : \overline{GC}$

$=1 : 2$

셀파 높이가 같은 두 삼각형의 넓이의 비는 밑변의 길이의 비와 같다.

풀이 점 G가 $\triangle ABC$의 무게중심이므로

$\triangle EGC=\frac{1}{6}\triangle ABC=\frac{1}{6}\times60=10\ (cm^2)$

$\triangle DGE : \triangle EGC=\overline{DG} : \overline{GC}=1 : 2$이므로 $\triangle DGE : 10=1 : 2$

$2\triangle DGE=10\qquad \therefore\ \triangle DGE=\mathbf{5\ (cm^2)}$

확인 06 오른쪽 그림에서 점 G는 $\triangle ABC$의 무게중심이다. $\triangle DGE$의 넓이가 3 cm^2일 때, $\triangle ABC$의 넓이를 구하시오.

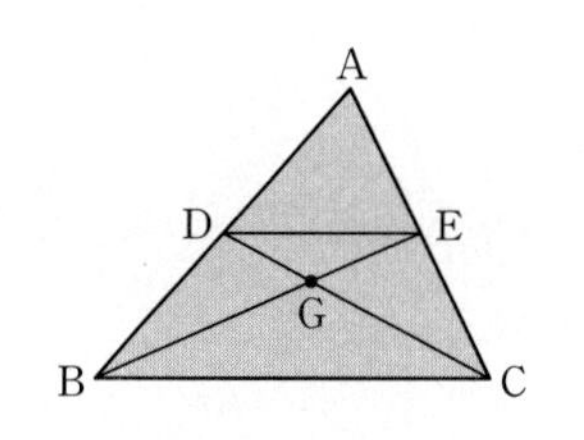

» My 셀파

$\triangle DBG : \triangle DGE=\overline{BG} : \overline{GE}$이고 $\triangle ABC=6\triangle DBG$임을 이용한다.

발전 07 평행사변형에서 삼각형의 무게중심의 활용

오른쪽 그림과 같은 평행사변형 ABCD에서 두 점 M, N은 각각 $\overline{AD}$, $\overline{BC}$의 중점이고, 두 점 P, Q는 각각 $\overline{BD}$와 $\overline{AN}$, $\overline{CM}$의 교점이다. $\overline{DP}=8$ cm일 때, $\overline{BO}$의 길이를 구하시오. (단, 점 O는 두 대각선 AC, BD의 교점이다.)

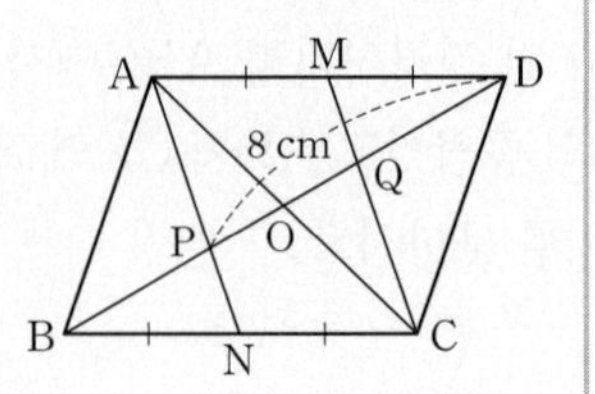

해법코드

평행사변형의 두 대각선은 서로 다른 것을 이등분하므로
$\overline{AO}=\overline{CO}$, $\overline{BO}=\overline{DO}$
이때 △ABC, △ACD에서 두 중선이 만나는 점인 P, Q는 각 삼각형의 무게중심이다.

셀파 두 점 P, Q는 각각 △ABC, △ACD의 무게중심이다.

풀이 점 O는 두 대각선 AC, BD의 교점이므로
$\overline{AO}=\overline{CO}$, $\overline{BO}=\overline{DO}$ …… ㉠
△ABC에서 ⓐ두 중선 AN, BO의 교점 P는
△ABC의 무게중심이므로
$\overline{BP}:\overline{PO}=2:1$ …… ㉡
또 △ACD에서 두 중선 CM, DO의 교점 Q는
△ACD의 무게중심이므로
$\overline{DQ}:\overline{QO}=2:1$ …… ㉢
㉠, ㉡, ㉢에서
ⓑ $\overline{BP}:\overline{PO}:\overline{OQ}:\overline{QD}=2:1:1:2$
이때 ⓒ $\overline{DP}=8$ cm이므로
$\overline{PO}=\overline{OQ}=2$ cm, $\overline{BP}=\overline{QD}=4$ cm
∴ $\overline{BO}=\overline{BP}+\overline{PO}=4+2=$ **6 (cm)**

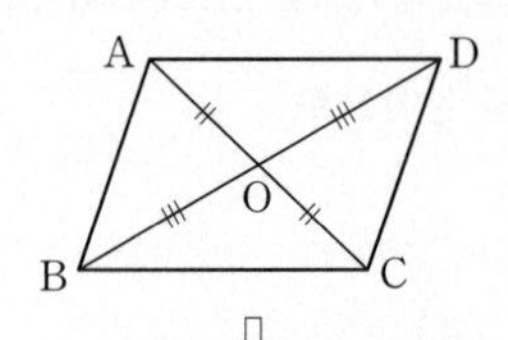

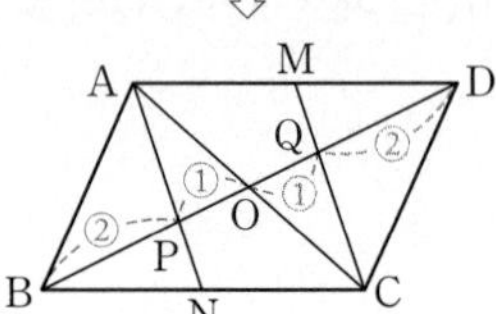

ⓐ 삼각형의 세 중선은 항상 한 점에서 만난다. 또 삼각형에서 두 중선의 교점은 세 중선의 교점과 같으므로 두 중선의 교점은 무게중심이다.

ⓑ $\overline{BO}=\overline{DO}$이고
$\overline{BP}:\overline{PO}=2:1$,
$\overline{DQ}:\overline{QO}=2:1$이므로
$\overline{BP}:\overline{PO}:\overline{OQ}:\overline{QD}$
$=2:1:1:2$

ⓒ $\overline{DP}=\overline{PO}+\overline{OQ}+\overline{QD}$이고
$\overline{PO}:\overline{OQ}:\overline{QD}=1:1:2$
이므로
$\overline{PO}=\frac{1}{4}\overline{DP}=\frac{1}{4}\times 8=2$ (cm)
$\overline{OQ}=\overline{PO}=2$ cm
$\overline{QD}=\frac{2}{4}\overline{DP}=\frac{1}{2}\times 8=4$ (cm)
이때 $\overline{BP}=\overline{QD}=4$ cm

Lecture 평행사변형 ABCD에서 두 대각선 AC, BD의 교점을 O, 두 변 AD, BC의 중점 M, N에 대하여 $\overline{AN}$과 $\overline{BO}$의 교점을 P, $\overline{CM}$과 $\overline{DO}$의 교점을 Q라 할 때,
① 점 P는 △ABC의 무게중심이다.
② 점 Q는 △ACD의 무게중심이다.
③ $\overline{BP}=\overline{PQ}=\overline{QD}$

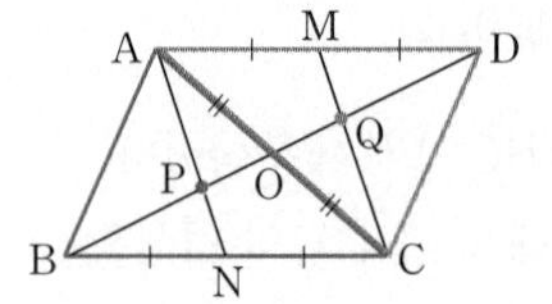

확인 07 오른쪽 그림과 같은 평행사변형 ABCD에서 두 점 M, N은 각각 $\overline{BC}$, $\overline{DC}$의 중점이고, 두 점 P, Q는 각각 $\overline{BD}$와 $\overline{AM}$, $\overline{AN}$의 교점이다. $\overline{PQ}=6$ cm일 때, $\overline{BD}$의 길이를 구하시오.

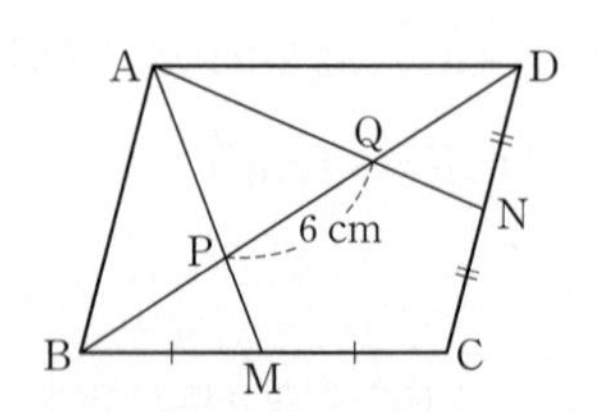

» My 셀파
대각선 AC를 그으면 두 점 P, Q는 각각 △ABC, △ACD의 무게중심이다.

실력 키우기

빠른 정답 245쪽 | 정답과 해설 51쪽

01 삼각형의 두 변의 중점을 연결한 선분의 성질 (1)

오른쪽 그림과 같은 $\triangle ABC$에서 세 점 D, E, F가 각각 $\overline{AB}$, $\overline{BC}$, $\overline{CA}$의 중점일 때, 다음을 구하시오.

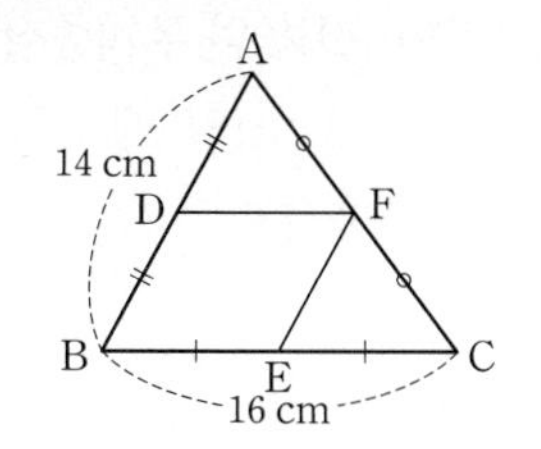

(1) $\overline{DF}$의 길이

(2) $\overline{EF}$의 길이

(3) □DBEF의 둘레의 길이

02 삼각형의 두 변의 중점을 연결한 선분의 성질 (2)

오른쪽 그림과 같은 $\triangle ADB$와 $\triangle BCD$에서 $\overline{AB} /\!/ \overline{EG} /\!/ \overline{CD}$이고 $\overline{BG}=\overline{GD}$이다. $\overline{AB}=\overline{EF}=6$ cm일 때, x의 값을 구하시오.

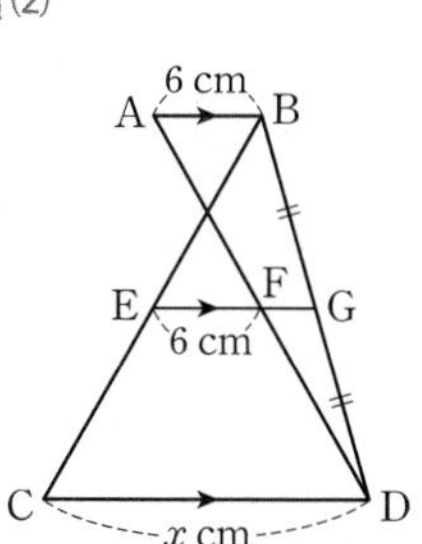

03 사각형의 네 변의 중점을 연결하여 만든 사각형

오른쪽 그림과 같은 직사각형 ABCD에서 네 변의 중점을 각각 E, F, G, H라 하자. $\overline{BD}=8$ cm일 때, □EFGH의 둘레의 길이를 구하시오.

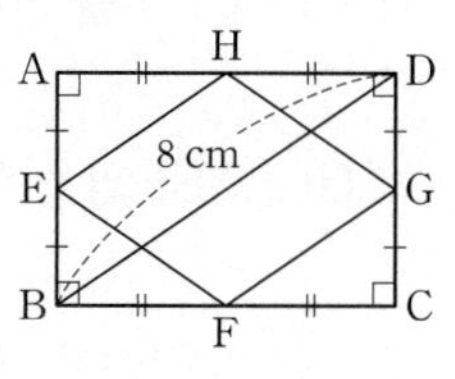

04 사다리꼴에서 두 변의 중점을 연결한 선분의 성질 (서술형)

오른쪽 그림과 같이 $\overline{AD} /\!/ \overline{BC}$인 사다리꼴 ABCD에서 $\overline{AB}$, $\overline{DC}$의 중점을 각각 M, N이라 하자. $\overline{AD}=4$ cm, $\overline{BC}=10$ cm일 때, $\overline{PQ}$의 길이를 구하시오.

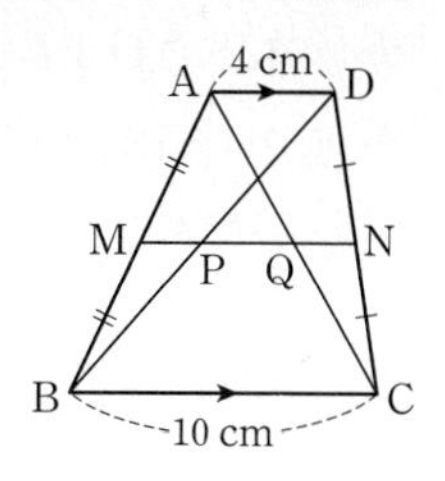

05 삼각형의 두 변의 중점을 연결한 선분의 성질의 활용 (1)

오른쪽 그림과 같은 $\triangle ABC$에서 $\overline{BD}=\overline{DC}$, $\overline{AE}=\overline{ED}$이고 $\overline{BF} /\!/ \overline{DG}$이다. $\overline{EF}=5$ cm일 때, $\overline{BE}$의 길이를 구하시오.

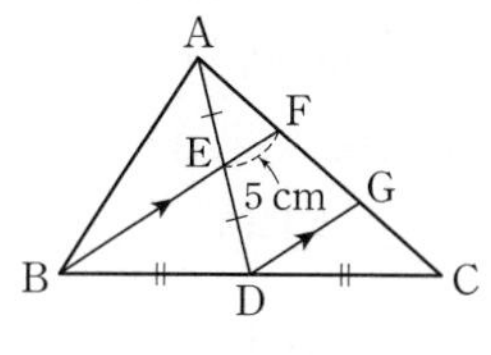

06 삼각형의 두 변의 중점을 연결한 선분의 성질의 활용 (2)

오른쪽 그림과 같은 $\triangle ABC$에서 $\overline{AD}=\overline{DC}$, $\overline{DF}=\overline{FE}$이다. $\overline{EC}=18$ cm일 때, $\overline{EB}$의 길이를 구하시오.

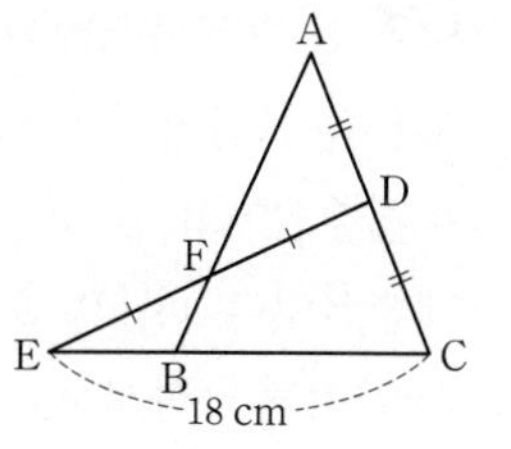

07 삼각형의 중선의 성질

오른쪽 그림에서 $\overline{AD}$는 $\triangle ABC$의 중선이고 $\overline{AH}\perp\overline{BC}$이다. $\triangle ABD$의 넓이가 12 cm^{2}일 때, $\overline{AH}$의 길이를 구하시오.

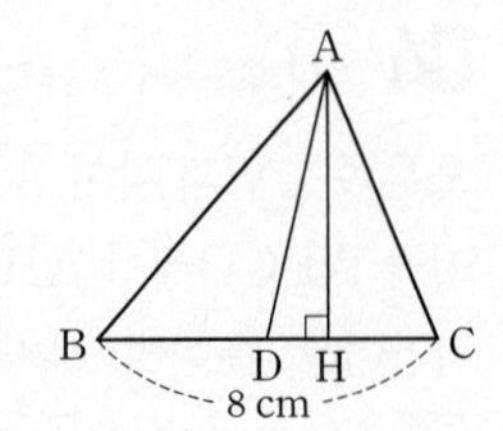

08 삼각형의 무게중심의 성질

오른쪽 그림에서 점 G가 $\triangle ABC$의 무게중심일 때, 다음 중 옳지 않은 것은?

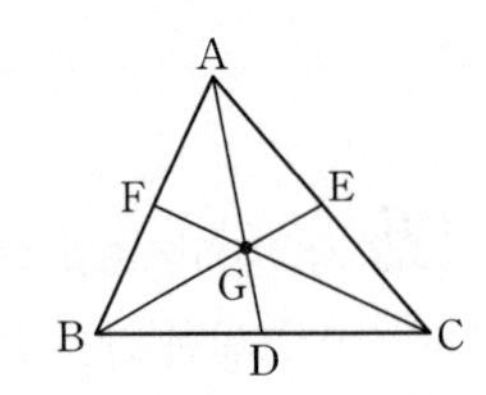

① $\overline{BD}=\overline{CD}$

② $\overline{AG}=2\overline{GD}$

③ $\triangle ABD=2\triangle GDC$

④ $\triangle GBD=\frac{1}{6}\triangle ABC$

⑤ $\square GDCE=\triangle ABG$

09 삼각형의 무게중심의 성질

오른쪽 그림에서 점 G는 $\triangle ABC$의 무게중심이고 점 G′은 $\triangle GBC$의 무게중심이다. $\overline{G'D}=2$ cm일 때, $\overline{AG}$의 길이를 구하시오.

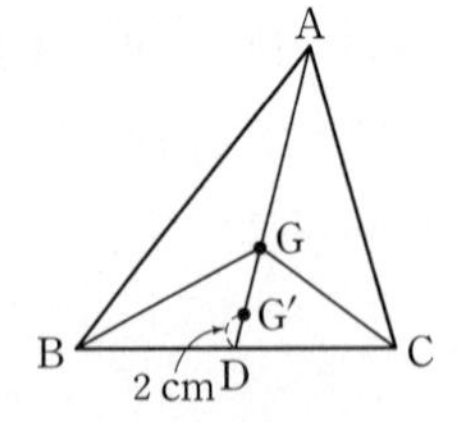

10 삼각형의 무게중심의 성질

융합형

오른쪽 그림에서 점 G는 직각삼각형 ABC의 무게중심이다. $\overline{GD}=3$ cm일 때, $\overline{BC}$의 길이를 구하시오.

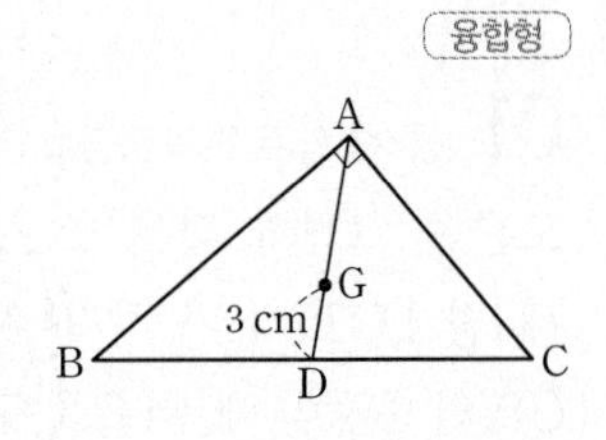

11 삼각형의 무게중심의 활용 (1)

오른쪽 그림에서 점 G는 $\triangle ABC$의 무게중심이고 $\overline{BE}\,/\!/\,\overline{DF}$이다. $\overline{GE}=4$ cm일 때, $x+y$의 값을 구하시오.

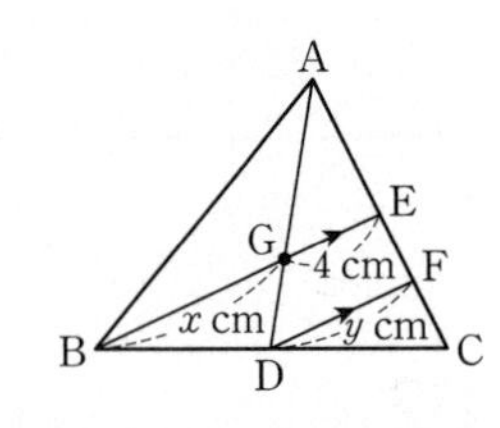

12 삼각형의 무게중심의 활용 (2)

서술형

오른쪽 그림과 같은 $\triangle ABC$에서 점 G는 $\triangle ABD$의 무게중심이고 점 G′은 $\triangle ADC$의 무게중심이다. $\overline{BC}=30$ cm일 때, 다음 물음에 답하여라.

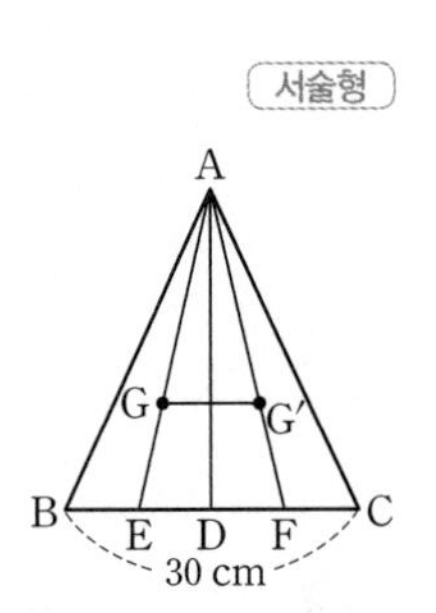

(1) $\overline{EF}$의 길이를 구하시오.

(2) $\overline{GG'}\,/\!/\,\overline{EF}$임을 설명하시오.

(3) $\overline{GG'}$의 길이를 구하시오.

13 삼각형의 무게중심과 넓이 (1) 서술형

오른쪽 그림에서 점 G는 $\triangle ABC$의 무게중심이고 점 G′은 $\triangle GBC$의 무게중심이다. $\triangle ABC$의 넓이가 63 cm^2일 때, $\triangle GG'C$의 넓이를 구하시오.

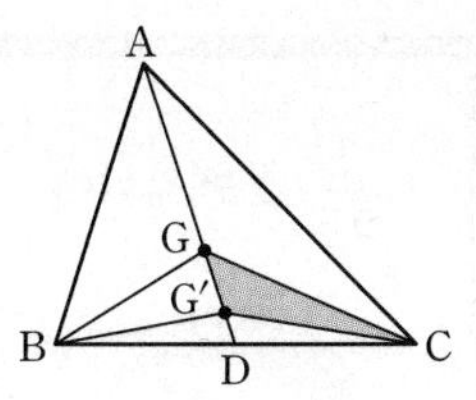

16 평행사변형에서 삼각형의 무게중심의 활용 서술형

오른쪽 그림과 같은 평행사변형 ABCD에서 두 점 M, N은 각각 $\overline{AD}$, $\overline{BC}$의 중점이고, 두 점 P, Q는 각각 $\overline{AC}$와 $\overline{BM}$, $\overline{DN}$의 교점이다. $\overline{AP}=6\text{ cm}$일 때, $\overline{PQ}$의 길이를 구하시오.

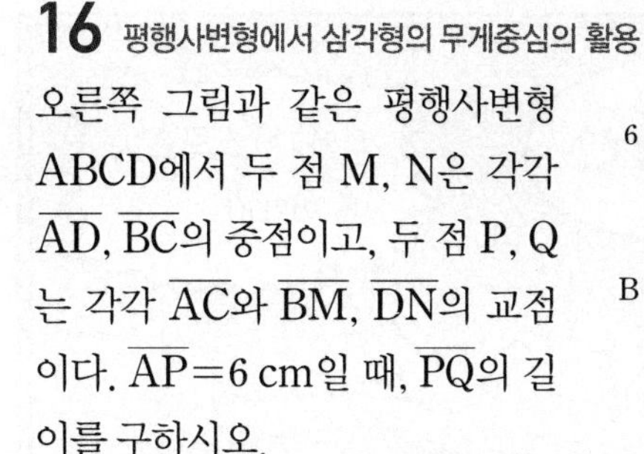

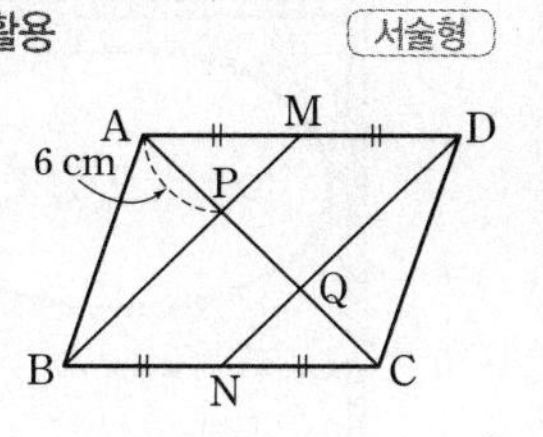

14 삼각형의 무게중심과 넓이 (1)

오른쪽 그림에서 점 G는 $\triangle ABC$의 무게중심이고 $\overline{BD}=\overline{DG}$, $\overline{CE}=\overline{EG}$이다. $\triangle ABC$의 넓이가 27 cm^2일 때, 색칠한 부분의 넓이를 구하시오.

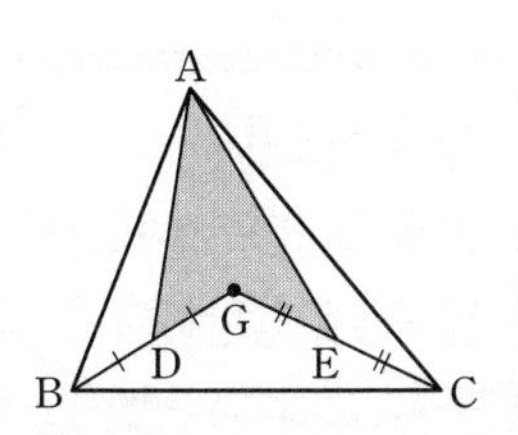

17 평행사변형에서 삼각형의 무게중심의 활용

오른쪽 그림과 같은 평행사변형 ABCD에서 $\overline{BC}$, $\overline{CD}$의 중점을 각각 M, N이라 하고 $\overline{BD}$와 $\overline{AM}$, $\overline{AN}$의 교점을 각각 P, Q라 하자. $\overline{MN}=12\text{ cm}$일 때, $\overline{PQ}$의 길이를 구하시오.

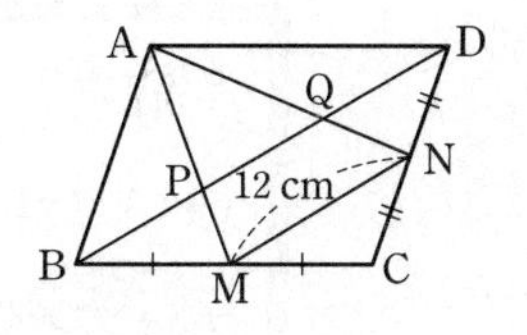

15 삼각형의 무게중심과 넓이 (2) 창의력

오른쪽 그림에서 점 G는 $\triangle ABC$의 무게중심이고 $\overline{EF}\,/\!/\,\overline{BC}$이다. $\triangle ABC$의 넓이가 45 cm^2일 때, $\triangle EDG$의 넓이를 구하시오.

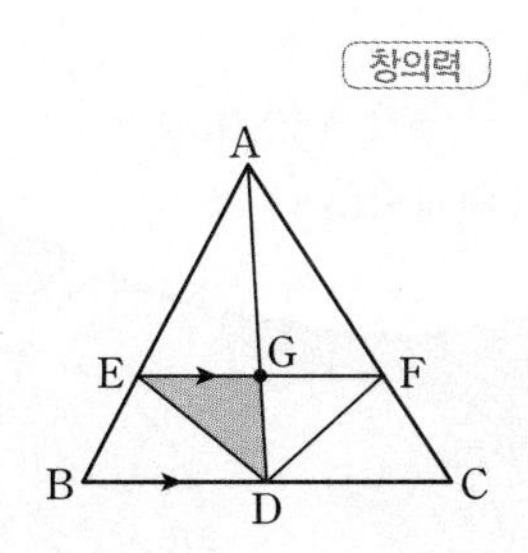

18 평행사변형에서 삼각형의 무게중심의 활용

오른쪽 그림과 같은 평행사변형 ABCD에서 두 점 M, N은 각각 $\overline{BC}$, $\overline{DC}$의 중점이고, 두 점 P, Q는 각각 $\overline{BD}$와 $\overline{AM}$, $\overline{AN}$의 교점이다. □ABCD의 넓이가 48 cm^2일 때, 색칠한 부분의 넓이를 구하시오.

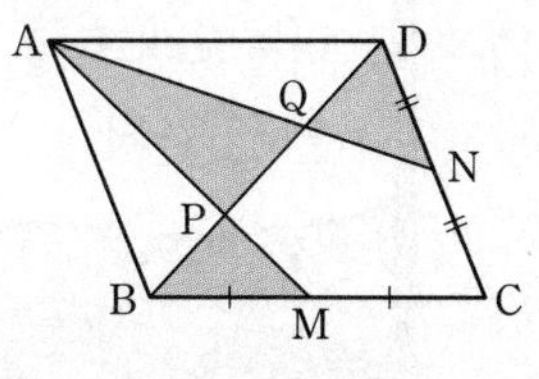

어때, 멋있지?
우와, 이 스포츠카 네 꺼야?!
짜쟈 ~ 잔

$\frac{1}{25}$ 스케일이야.
완전 똑같아. 완전 닮은꼴이구만.

우훗, 겨우 $\frac{1}{25}$ 내 껀 무려 $\frac{1}{800}$이다.
와, 항공모함.

정말 가소롭군. 겨우 그 정도 스케일의 닮은꼴로 감탄하다니.
크크크

너는 도대체 뭘 준비했는데?
놀라지 마.

무려 $\frac{1}{57,980,000}$ 스케일이다.
지구본

Ⅲ | 도형의 닮음과 피타고라스 정리

10 닮음의 활용

| 개념 1 | 닮은 두 평면도형의 둘레의 길이의 비와 넓이의 비
| 개념 2 | 닮은 두 입체도형의 겉넓이의 비와 부피의 비
| 개념 3 | 닮음의 활용

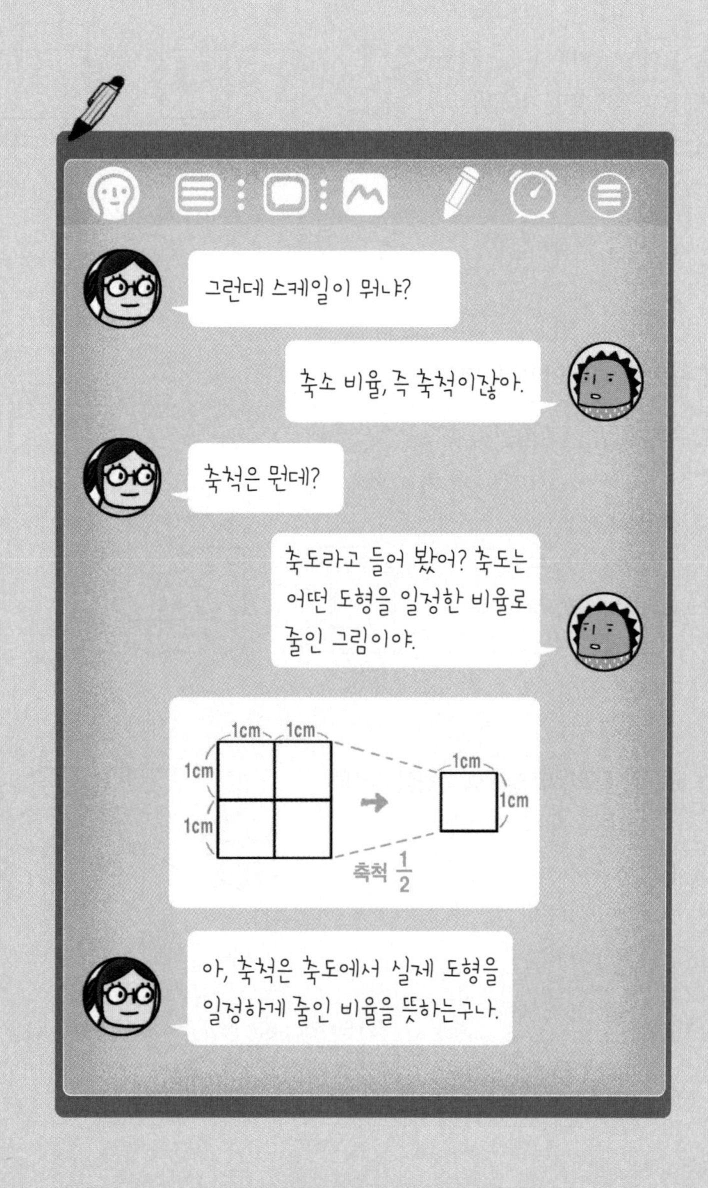

10 닮음의 활용

1 닮은 두 평면도형의 둘레의 길이의 비와 넓이의 비

닮은 두 평면도형의 닮음비가 $m : n$이면

(1) 둘레의 길이의 비 ⇨ $m : n$　　(2) 넓이의 비 ⇨ $m^2 :$ ☐ 　n^2

설명 닮음비가 $m : n$인 두 직각삼각형 ABC, DEF에서

(1) ㉠둘레의 길이의 비

⇨ $m(a+b+c) : n(a+b+c) = m :$ ☐ 　n

(2) ㉡넓이의 비 ⇨ $\frac{1}{2}m^2ab : \frac{1}{2}n^2ab = m^2 : n^2$

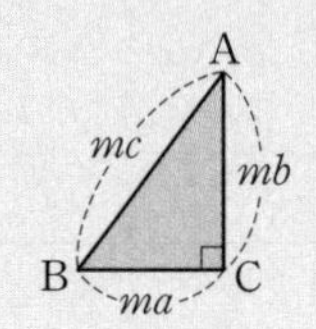

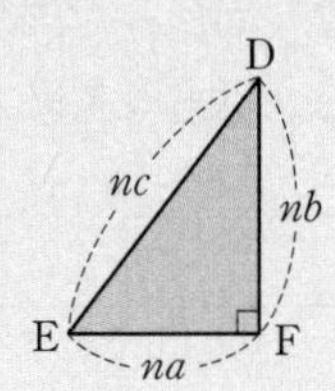

㉠ (△ABC의 둘레의 길이)
$= ma + mb + mc$
$= m(a+b+c)$
(△DEF의 둘레의 길이)
$= na + nb + nc$
$= n(a+b+c)$

보기 오른쪽 그림과 같은 닮은 두 정사각형 A, B에 대하여 다음을 구하시오.

(1) 두 정사각형 A, B의 닮음비

(2) 두 정사각형 A, B의 둘레의 길이의 비

(3) 두 정사각형 A, B의 넓이의 비

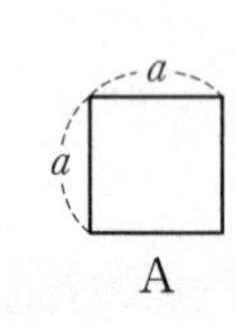

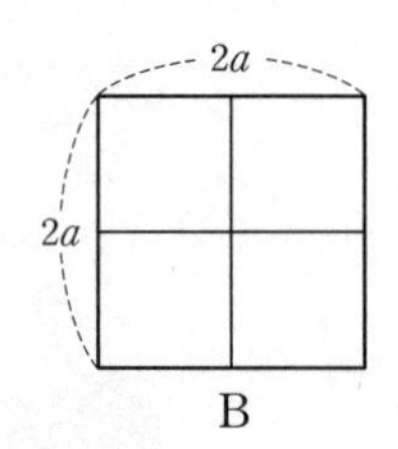

풀이 (1) $a : 2a = \mathbf{1 : 2}$　　(2) $4a : 4 \times 2a = 4a : 8a = \mathbf{1 : 2}$

(3) $a^2 : (2a)^2 = a^2 : 4a^2 = \mathbf{1 : 4}$ ($=1 : 2^2$)

닮은 두 평면도형에서 둘레의 길이의 비는 닮음비와 같다.

㉡ $\triangle ABC = \frac{1}{2} \times ma \times mb$
$= \frac{1}{2}m^2ab$
$\triangle DEF = \frac{1}{2} \times na \times nb$
$= \frac{1}{2}n^2ab$

2 닮은 두 입체도형의 겉넓이의 비와 부피의 비

닮은 두 입체도형의 닮음비가 $m : n$이면

(1) 겉넓이의 비 ⇨ $m^2 : n^2$　　(2) 부피의 비 ⇨ $m^3 :$ ☐ 　n^3

설명 닮음비가 $m : n$인 두 직육면체 A, B에서

(1) ㉢겉넓이의 비

⇨ $2m^2(ab+bc+ca) : 2n^2(ab+bc+ca)$
$= m^2 : n^2$

(2) ㉣부피의 비 ⇨ $m^3abc : n^3abc = m^3 : n^3$

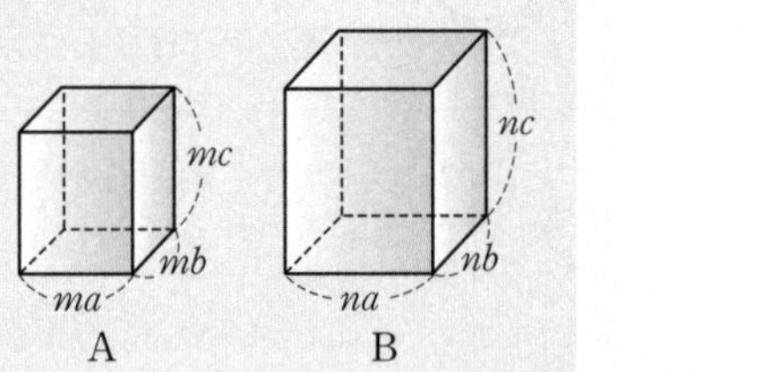

㉢ (직육면체 A의 겉넓이)
$= 2(m^2ab + m^2bc + m^2ca)$
$= 2m^2(ab+bc+ca)$
(직육면체 B의 겉넓이)
$= 2(n^2ab + n^2bc + n^2ca)$
$= 2n^2(ab+bc+ca)$

참고 닮은 두 입체도형에서 닮음비가 $m : n$이면 서로 대응하는 면끼리의 넓이의 비는 $m^2 : n^2$이다. 즉
밑넓이의 비 ⇨ $m^2 : n^2$
옆넓이의 비 ⇨ $m^2 : n^2$
겉넓이의 비 ⇨ $m^2 : n^2$

보기 오른쪽 그림과 같은 닮은 두 정육면체 A, B에 대하여 다음을 구하시오.

(1) 두 정육면체 A, B의 닮음비

(2) 두 정육면체 A, B의 겉넓이의 비

(3) 두 정육면체 A, B의 부피의 비

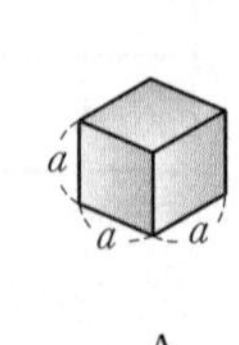

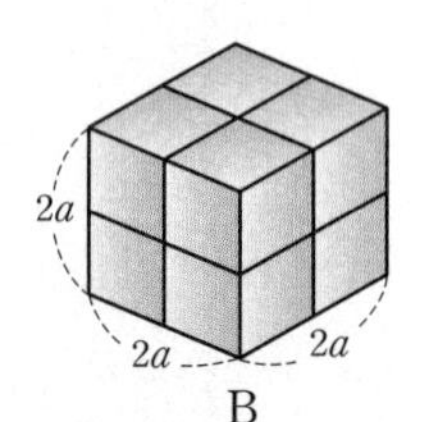

풀이 (1) $a : 2a = \mathbf{1 : 2}$　　(2) $6 \times a^2 : 6 \times (2a)^2 = 6a^2 : 24a^2 = \mathbf{1 : 4}$ ($=1 : 2^2$)

(3) $a^3 : (2a)^3 = a^3 : 8a^3 = \mathbf{1 : 8}$ ($=1 : 2^3$)

㉣ (직육면체 A의 부피)
$= ma \times mb \times mc = m^3abc$
(직육면체 B의 부피)
$= na \times nb \times nc = n^3abc$

빠른 정답 246쪽 | 정답과 해설 54쪽

| 개념 체크 |

1-1 닮은 두 평면도형의 둘레의 길이의 비와 넓이의 비

아래 그림에서 △ABC∽△DEF일 때, 다음을 구하시오.

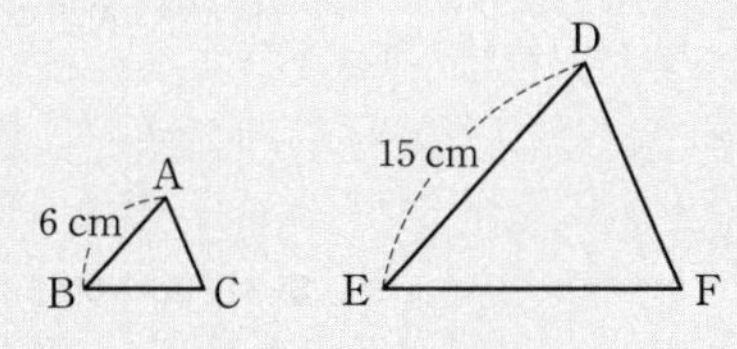

(1) △ABC와 △DEF의 닮음비
(2) △ABC와 △DEF의 둘레의 길이의 비
(3) △ABC와 △DEF의 넓이의 비

셀파 닮은 두 평면도형에서 닮음비가 $m : n$이면
• 둘레의 길이의 비는 $m : n$ • 넓이의 비는 $m^2 : n^2$

연구 (1) (닮음비)=(대응하는 변의 길이의 비)$=6 : 15=2 : 5$
(2) 닮은 두 평면도형에서 둘레의 길이의 비는 ☐와 같으므로 $2 :$ ☐
(3) $2^2 : 5^{☐}=4 :$ ☐

| 따라 풀기 |

1-2 아래 그림에서 □ABCD∽□EFGH일 때, 다음을 구하시오.

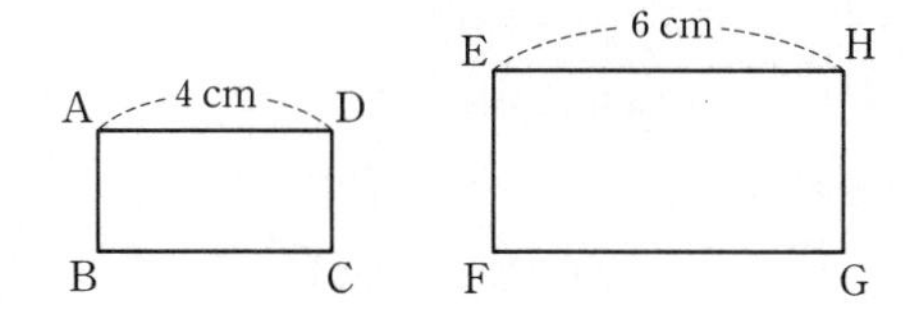

(1) □ABCD와 □EFGH의 닮음비

(2) □ABCD와 □EFGH의 둘레의 길이의 비

(3) □ABCD와 □EFGH의 넓이의 비

2-1 닮은 두 입체도형의 겉넓이의 비와 부피의 비

아래 그림에서 두 정사면체 A, B가 닮은 도형일 때, 다음을 구하시오.

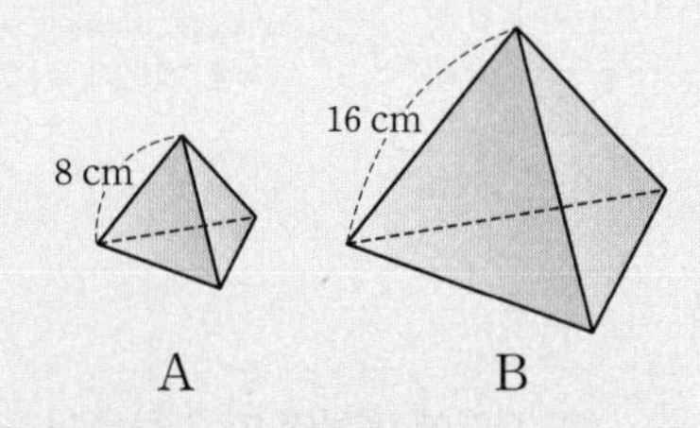

(1) 두 정사면체 A, B의 닮음비
(2) 두 정사면체 A, B의 겉넓이의 비
(3) 두 정사면체 A, B의 부피의 비

셀파 닮은 두 입체도형에서 닮음비가 $m : n$이면
• 겉넓이의 비는 $m^2 : n^2$ • 부피의 비는 $m^3 : n^3$

연구 (1) (닮음비)=(한 모서리의 길이의 비)$=8 : 16=1 : 2$
(2) $1^2 : 2^{☐}=1 :$ ☐ (3) $1^3 : 2^{☐}=1 :$ ☐

2-2 아래 그림에서 두 원기둥 A, B가 닮은 도형일 때, 다음을 구하시오.

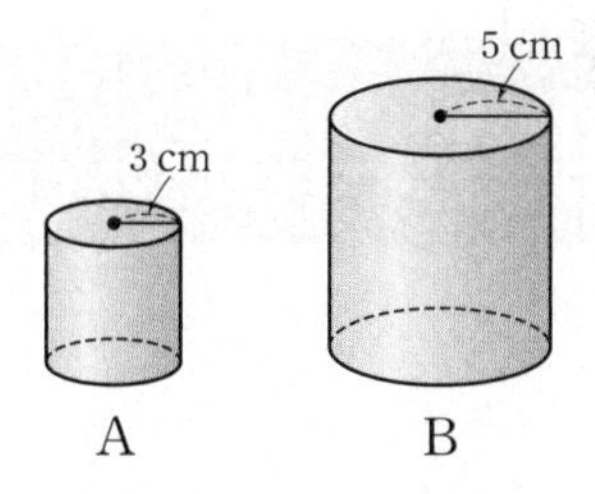

(1) 두 원기둥 A, B의 닮음비

(2) 두 원기둥 A, B의 겉넓이의 비

(3) 두 원기둥 A, B의 부피의 비

닮은 두 도형의 닮음비가 $m : n$일 때 (1) 닮은 두 평면도형의 둘레의 길이의 비 ⇨ $m : n$, 닮은 두 평면도형의 넓이의 비 ⇨ $m^2 : n^2$
(2) 닮은 두 입체도형의 겉넓이의 비 ⇨ $m^2 : n^2$, 닮은 두 입체도형의 부피의 비 ⇨ $m^3 : n^3$

3 닮음의 활용

직접 측정하기 어려운 실제 거리나 높이는 닮음을 이용하여 간접적으로 측정할 수 있다.

(1) **축도** 어떤 도형을 일정한 비율로 [ ] 그림 — 줄인

(2) **축척** 축도에서 실제 도형을 일정하게 줄인 비율

① (축척)$=\dfrac{(\text{축도에서의 길이})}{(\text{실제 길이})}$

② (축도에서의 길이)$=$(실제 길이)$\times$(축척)

③ (실제 길이)$=\dfrac{(\text{축도에서의 길이})}{(\text{축척})}$

축도에서의 길이
÷ ÷
실제 길이 × 축척

예 어떤 지도에서 2 cm 떨어진 두 지점 A, B 사이의 실제 거리가 1 km일 때, 다음을 구해 보자.

① 지도의 축척 ⇨ $\dfrac{\square\ \text{cm}}{1\ \text{km}}=\dfrac{2\ \text{cm}}{100000\ \text{cm}}=\dfrac{1}{50000}$ — 2

② 실제 거리가 3 km인 두 지점 사이의 지도에서의 거리

⇨ $3\ \text{km}\times\dfrac{1}{50000}=\square\ \text{cm}\times\dfrac{1}{50000}=6\ \text{cm}$ — 300000

③ 지도에서의 거리가 5 cm인 두 지점 사이의 실제 거리

⇨ $5\ \text{cm}\div\dfrac{1}{50000}=5\ \text{cm}\times50000=250000\ \text{cm}=\square\ \text{km}$ — 2.5

참고 길이 및 넓이의 단위 사이의 관계

① 1 km$=$1000 m
1 m$=$100 cm
1 cm$=$10 mm

② 1 km^2$=$1000000 m^2
1 m^2$=$10000 cm^2

ㄱ 지도에서 '축척이 1 : 50000' 또는 '축척이 $\dfrac{1}{50000}$' 이라는 것은 지도에서의 거리와 실제 거리의 비가 1 : 50000임을 뜻한다.
즉 실제 거리가 50000 cm인 것을 지도에 1 cm로 축소하여 나타낸 것이다.

빠른 정답 246쪽 | 정답과 해설 54쪽

| 개념 체크 |

3-1 닮음의 활용

실제 거리가 125 m인 거리를 축척이 $\dfrac{1}{5000}$인 지도에 나타낼 때, 지도에서 이 거리는 몇 cm인지 구하시오.

셀파 (축도에서의 길이)$=$(실제 길이)$\times$(축척)

연구 $125\ \text{m}\times\dfrac{1}{5000}=\square\ \text{cm}\times\dfrac{1}{5000}=\square\ \text{cm}$

참고 축척이 $\dfrac{1}{5000}$이므로
(지도에서의 거리) : (실제 거리)$=$1 : 5000
과 같이 비례식을 세워 지도에서의 거리를 구해도 된다.

| 따라 풀기 |

3-2 축척이 $\dfrac{1}{10000}$인 지도에 대하여 다음 물음에 답하시오.

(1) 다음 □ 안에 알맞은 수를 써넣으시오.

> 지도에서의 거리와 실제 거리의 닮음비
> ⇨ (지도에서의 거리) : (실제 거리)$=$1 : □

(2) 지도에서 두 지점 사이의 거리가 3 cm일 때, 두 지점 사이의 실제 거리는 몇 m인지 구하시오.

유형 익히기

빠른 정답 246쪽 | 정답과 해설 55쪽

기본 01 닮은 두 평면도형의 둘레의 길이의 비와 넓이의 비

해법코드

닮은 두 평면도형의 닮음비가 $m : n$이면
① 둘레의 길이의 비는 $m : n$
② 넓이의 비는 $m^2 : n^2$

오른쪽 그림에서 두 원 O, O′의 지름의 길이의 비가 2 : 3일 때, 다음을 구하시오.

(1) 원 O의 둘레의 길이가 4π cm일 때, 원 O′의 둘레의 길이

(2) 원 O′의 넓이가 9π cm^{2}일 때, 원 O의 넓이

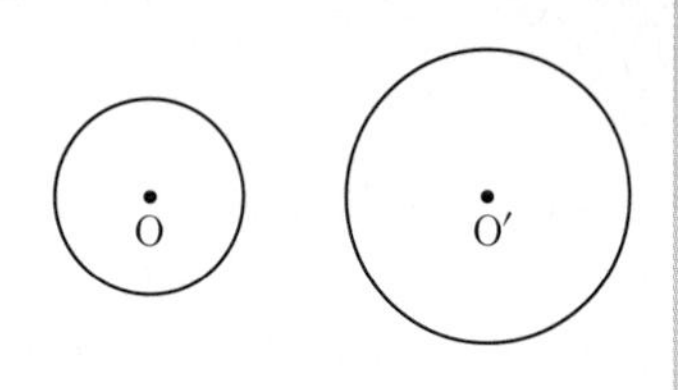

셀파 (두 원 O, O′의 닮음비)=(두 원 O, O′의 지름의 길이의 비)

풀이 (1) (두 원 O, O′의 닮음비)=(두 원 O, O′의 지름의 길이의 비)=2 : 3
두 원 O, O′의 둘레의 길이의 비는 닮음비와 같으므로
4π : (원 O′의 둘레의 길이)=2 : 3
2×(원 O′의 둘레의 길이)=12π　　∴ (원 O′의 둘레의 길이)=**6π (cm)**

(2) 두 원 O, O′의 닮음비가 2 : 3이므로 넓이의 비는 $2^2 : 3^2 = 4 : 9$
즉 (원 O의 넓이) : 9π=4 : 9이므로 9×(원 O의 넓이)=36π
∴ (원 O의 넓이)=**4π (cm^2)**

확인 01 닮은 두 사각형 A, B의 닮음비가 5 : 2일 때, 다음을 구하시오.

(1) 사각형 A의 둘레의 길이가 30 cm일 때, 사각형 B의 둘레의 길이

(2) 사각형 B의 넓이가 16 cm^{2}일 때, 사각형 A의 넓이

» My 셀파
두 사각형 A, B의 닮음비가 5 : 2이므로
(1) 둘레의 길이의 비 ⇨ 5 : 2
(2) 넓이의 비 ⇨ $5^2 : 2^2$

기본 02 닮은 두 평면도형의 넓이의 비 (1)

해법코드

닮은 두 평면도형에서 닮음비가 $m : n$이면 넓이의 비는 $m^2 : n^2$이다.

오른쪽 그림과 같은 △ABC에서 $\overline{DE} /\!/ \overline{BC}$이다.
△ADE의 넓이가 20 cm^{2}일 때, △ABC의 넓이를 구하시오.

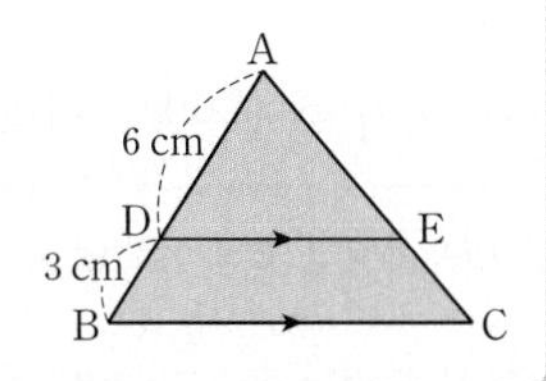

셀파 △ADE∽△ABC (AA 닮음)이므로 닮음비를 이용하여 넓이의 비를 구한다.

풀이 ㉠ △ADE∽△ABC (AA 닮음)이므로
(닮음비)=$\overline{AD} : \overline{AB}$=6 : (6+3)=2 : 3
따라서 △ADE : △ABC=$2^2 : 3^2$=4 : 9이므로
20 : △ABC=4 : 9, 4△ABC=180
∴ △ABC=**45 (cm^2)**

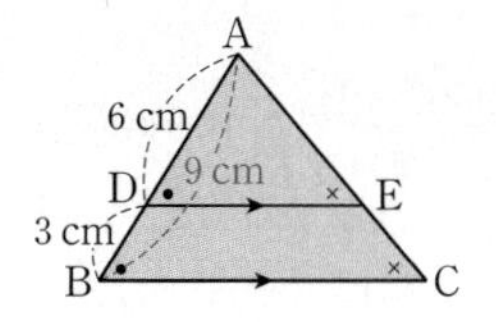

㉠ $\overline{DE} /\!/ \overline{BC}$이므로
∠ADE=∠B (동위각),
∠AED=∠C (동위각)
∴ △ADE∽△ABC
(AA 닮음)

확인 02 오른쪽 그림에서 ∠ABD=∠C이고 △ABD의 넓이가 15 cm^{2}일 때, △ABC의 넓이를 구하시오.

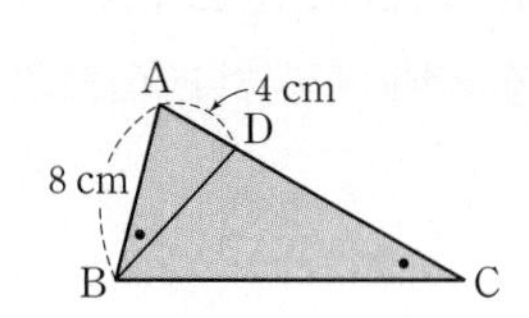

» My 셀파
△ADB∽△ABC (AA 닮음)이므로 닮음비는 $\overline{AD} : \overline{AB}$이다.

기본 03 닮은 두 평면도형의 넓이의 비 (2)

오른쪽 그림과 같이 $\overline{AD} /\!/ \overline{BC}$인 사다리꼴 ABCD에서 두 대각선의 교점을 O라 하자. $\overline{AD}=9$ cm, $\overline{BC}=15$ cm일 때, 다음을 구하시오.

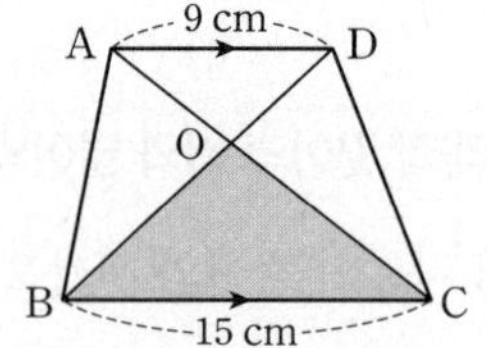

(1) $\triangle$AOD와 $\triangle$COB의 닮음비

(2) $\triangle$AOD의 넓이는 18 cm^2일 때, $\triangle$COB의 넓이

해법코드

$\overline{AD} /\!/ \overline{BC}$인 사다리꼴 ABCD에서

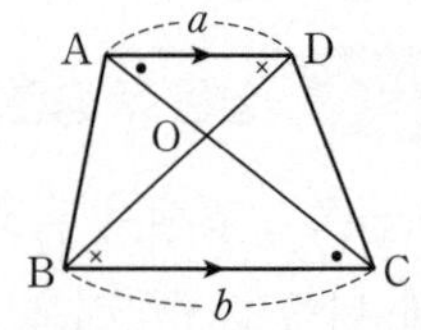

$\triangle$ODA∽$\triangle$OBC (AA 닮음)이므로 $\triangle$ODA와 $\triangle$OBC의 닮음비는 $a:b$이고 넓이의 비는 $a^2:b^2$이다.

셀파 $\triangle$AOD∽$\triangle$COB (AA 닮음)이므로 닮음비를 이용하여 넓이의 비를 구한다.

풀이 (1) $\triangle$AOD∽$\triangle$COB (AA 닮음)이고 닮음비는 $\overline{AD}:\overline{CB}=9:15=\mathbf{3:5}$

(2) $\triangle$AOD와 $\triangle$COB의 닮음비가 3 : 5이므로 $\triangle AOD:\triangle COB=3^2:5^2=9:25$

$18:\triangle COB=9:25$, $9\triangle COB=450$ $\quad\therefore \triangle COB=\mathbf{50\ (cm^2)}$

확인 03 오른쪽 그림과 같이 $\overline{AD} /\!/ \overline{BC}$인 사다리꼴 ABCD에서 두 대각선의 교점을 O라 하자. $\overline{AD}=8$ cm, $\overline{BC}=12$ cm이고 $\triangle$OBC의 넓이가 45 cm^2일 때, $\triangle$ODA의 넓이를 구하시오.

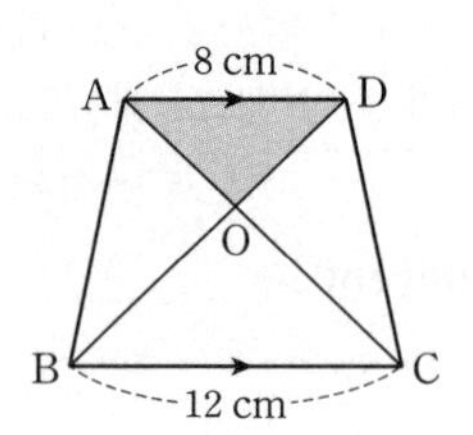

» My 셀파

$\triangle$ODA∽$\triangle$OBC (AA 닮음)이므로 닮음비는 $\overline{DA}:\overline{BC}$이다.

기본 04 닮은 두 평면도형의 넓이의 비의 활용

성하네 동네의 한 피자집에서는 지름의 길이가 30 cm인 원 모양의 피자 A의 가격이 9000원이다. 피자 가격이 피자 넓이에 정비례한다고 할 때, 지름의 길이가 40 cm인 원 모양의 피자 B의 가격을 구하시오.

(단, 피자 두께는 무시한다.)

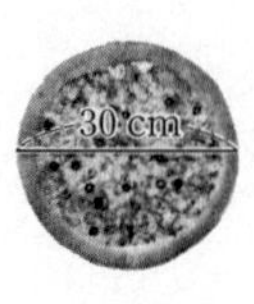

A

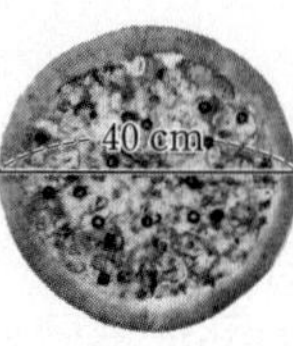

B

해법코드

닮은 두 평면도형의 넓이의 비의 활용 문제는 다음과 같이 해결할 수 있다.

1 닮음비 $m:n$을 구한다.

2 넓이의 비 $m^2:n^2$을 구한다.

3 비례식을 이용하여 넓이를 구한다.

셀파 피자 가격이 피자 넓이에 정비례하므로 (피자 가격의 비)=(피자 넓이의 비)

풀이 원 모양의 두 피자 A, B의 닮음비는 $30:40=3:4$

이때 피자 가격이 피자 넓이에 정비례하므로

$9000:(\text{피자 B의 가격})=3^2:4^2=9:16$

$\therefore (\text{피자 B의 가격})=\frac{\overset{1000}{\cancel{9000}}\times 16}{\cancel{9}}=\mathbf{16000(원)}$

● (두 원의 닮음비)

=(두 원의 반지름의 길이의 비)

=(두 원의 지름의 길이의 비)

확인 04 가로의 길이가 2.1 m, 세로의 길이가 1.8 m인 직사각형 모양의 이불 A의 가격은 45000원이다. 이때 가로의 길이가 2.8 m, 세로의 길이가 2.4 m인 직사각형 모양의 이불 B의 가격을 구하시오. (단, 이불 두께는 무시하고, 이불 가격은 이불 넓이에 정비례한다.)

» My 셀파

두 이불의 가로의 길이의 비는

$2.1:2.8=3:4$,

세로의 길이의 비는

$1.8:2.4=3:4$

따라서 직사각형 모양의 두 이불은 서로 닮음이다.

기본 05 닮은 두 입체도형의 겉넓이의 비

오른쪽 그림의 닮은 두 원뿔 A, B에서 원뿔 A의 겉넓이가 $75\pi\ \text{cm}^2$일 때, 원뿔 B의 겉넓이를 구하시오.

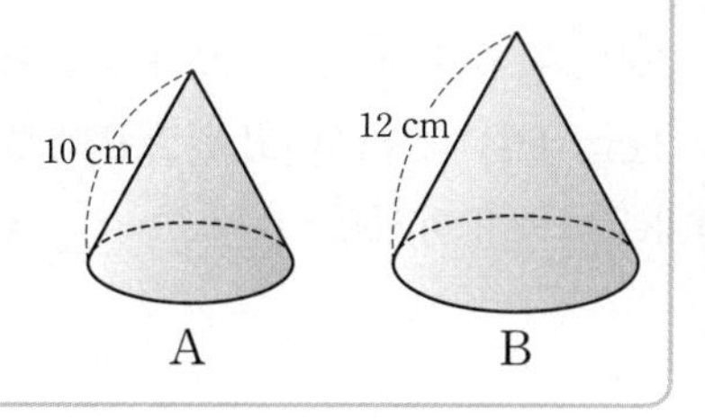

해법코드

닮은 두 입체도형의 닮음비가 $m:n$이면 겉넓이의 비는 $m^2:n^2$이다.

셀파 닮은 두 원뿔 A, B의 닮음비는 두 원뿔의 모선의 길이의 비와 같다.

풀이 두 원뿔 A, B의 닮음비는 $10:12=5:6$이므로

(원뿔 A의 겉넓이) : (원뿔 B의 겉넓이) $=5^2:6^2=25:36$

75π : (원뿔 B의 겉넓이) $=25:36$

$\therefore$ (원뿔 B의 겉넓이) $=\dfrac{\overset{3}{\cancel{75}}\pi\times36}{\cancel{25}}=\mathbf{108\pi\ (cm^2)}$

확인 05 오른쪽 그림의 두 삼각기둥은 닮은 도형이고 $\overline{AB}$에 대응하는 모서리는 $\overline{A'B'}$이다. 두 삼각기둥의 겉넓이가 각각 $160\ \text{cm}^2$, $360\ \text{cm}^2$일 때, $\overline{AB}$의 길이를 구하시오.

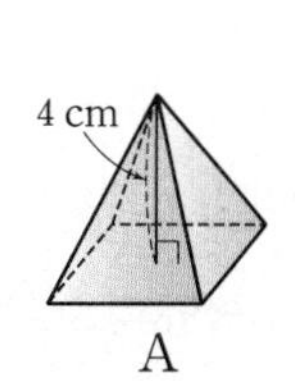

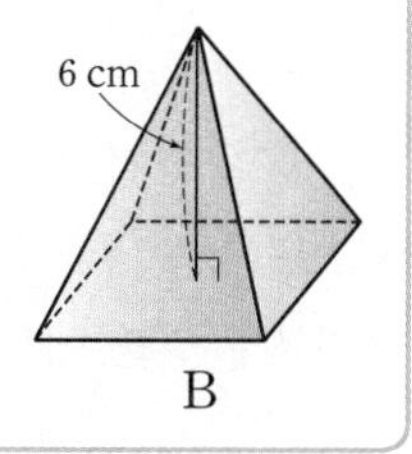

» My 셀파

두 삼각기둥의 겉넓이의 비를 이용하여 두 삼각기둥의 닮음비를 구한다.

기본 06 닮은 두 입체도형의 부피의 비 (1)

오른쪽 그림의 닮은 두 사각뿔 A, B에서 사각뿔 A의 부피가 $24\ \text{cm}^3$일 때, 사각뿔 B의 부피를 구하시오.

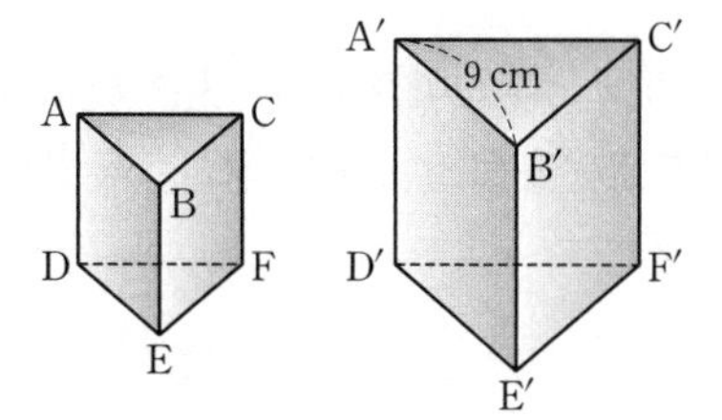

해법코드

닮은 두 입체도형의 닮음비가 $m:n$이면 부피의 비는 $m^3:n^3$이다.

셀파 닮은 두 사각뿔 A, B의 닮음비는 두 사각뿔의 높이의 비와 같다.

풀이 두 사각뿔 A, B의 닮음비는 $4:6=2:3$이므로

(사각뿔 A의 부피) : (사각뿔 B의 부피) $=2^3:3^3=8:27$

24 : (사각뿔 B의 부피) $=8:27$

$\therefore$ (사각뿔 B의 부피) $=\dfrac{\overset{3}{\cancel{24}}\times27}{\cancel{8}}=\mathbf{81\ (cm^3)}$

확인 06 두 구 A, B의 부피의 비가 $8:125$이다. 구 A의 겉넓이가 $64\pi\ \text{cm}^2$일 때, 구 B의 겉넓이를 구하시오.

» My 셀파

두 구의 부피의 비를 이용하여 두 구의 닮음비를 구한다.

기본 07 닮은 두 입체도형의 부피의 비 (2)

오른쪽 그림과 같이 원뿔을 밑면에 평행한 평면으로 잘라 원뿔 P와 원뿔대 Q를 만들었다. $\overline{AC}=3$ cm, $\overline{CB}=2$ cm이고 원뿔 P의 부피가 27π cm^{3}일 때, 원뿔대 Q의 부피를 구하시오.

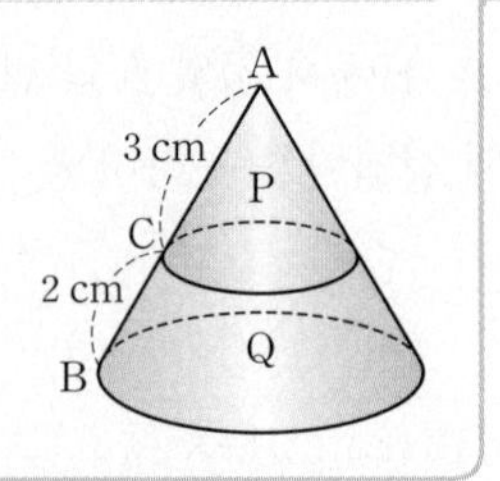

원뿔의 모선 AB를 $\overline{AC}:\overline{CB}=m:n$이 되도록 밑면에 평행한 평면으로 잘랐을 때 생기는 두 입체도형을 P, Q라 하면

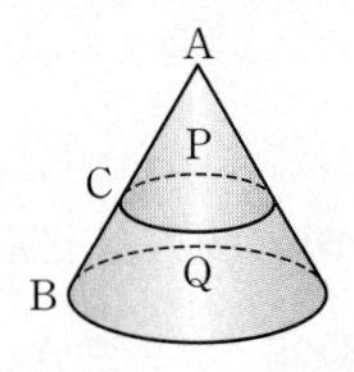

(1) 두 원뿔 P, (P+Q)는 닮은 도형이다.
(2) 두 원뿔 P, (P+Q)의 닮음비는 $\overline{AC}:\overline{AB}=m:(m+n)$

셀파 닮은 두 원뿔의 닮음비는 모선의 길이의 비와 같다.

풀이 두 원뿔 P, (P+Q)는 닮은 도형이고 닮음비는 $3:(3+2)=3:5$이므로
부피의 비는 $3^3:5^3=27:125$
따라서 두 입체도형 P, Q의 부피의 비는 $27:(125-27)=27:98$
$27\pi:$(원뿔대 Q의 부피)$=27:98$이므로 $27\times$(원뿔대 Q의 부피)$=27\pi\times98$
$\therefore$ (원뿔대 Q의 부피)$=\mathbf{98\pi}$ **(cm^3)**

확인 07 오른쪽 그림과 같이 원뿔의 모선의 길이를 $4:1$로 나누는 점을 지나고 밑면에 평행한 평면으로 원뿔을 잘랐을 때 생기는 두 도형 P, Q의 부피의 비를 구하시오.

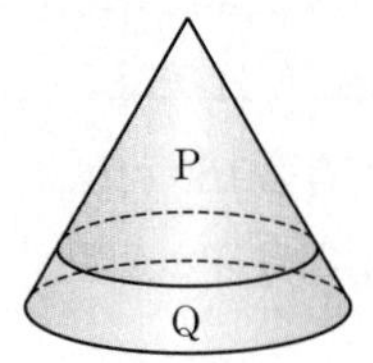

» My 셀파
두 원뿔 P, (P+Q)는 닮은 도형이고 닮음비는 모선의 길이의 비와 같다.

발전 08 닮은 두 입체도형의 부피의 비의 활용

오른쪽 그림과 같은 원뿔 모양의 그릇에 전체 높이의 $\frac{1}{3}$까지 물이 들어 있다. 이때 이 그릇에 물을 가득 채우려면 지금 들어 있는 물의 몇 배를 더 부어야 하는지 구하시오.

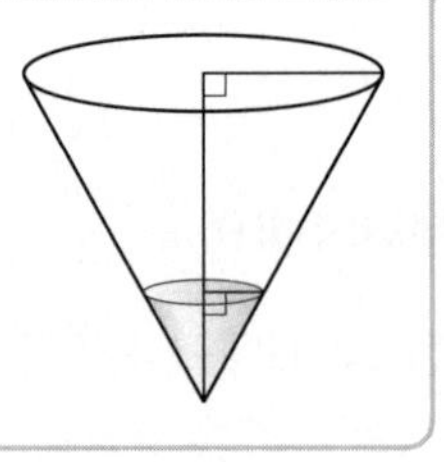

해법코드

닮은 두 입체도형의 부피의 비의 활용 문제는 다음과 같이 해결할 수 있다.
1 닮음비 $m:n$을 구한다.
2 부피의 비 $m^3:n^3$을 구한다.
3 비례식을 이용하여 부피를 구한다.

셀파 그릇인 큰 원뿔과 물이 담긴 작은 원뿔은 닮은 도형이다.

풀이 그릇인 큰 원뿔과 물이 담긴 작은 원뿔은 닮은 도형이고 닮음비는 $1:\frac{1}{3}=3:1$이므로
부피의 비는 $3^3:1^3=27:1$
따라서 물이 들어 있지 않은 부분의 부피와 물이 들어 있는 부분의 부피의 비는
$(27-1):1=26:1$
즉 그릇에 물을 가득 채우려면 지금 들어 있는 물의 **26배**를 더 부어야 한다.

» 오답 피하기
원뿔 모양의 그릇에는 현재 들어 있는 물의 27배만큼 물이 들어갈 수 있으므로 27배라고 생각할 수도 있다. 그러나 그릇에 물을 가득 채우기 위해 더 부어야 하는 물의 양은 현재 들어 있는 물의 양을 제외해야 한다.

확인 08 오른쪽 그림과 같이 높이가 8 cm인 원뿔 모양의 그릇이 있다. 이 그릇에 높이가 6 cm가 되도록 물을 부었을 때, 다음 물음에 답하시오.

(1) 물이 담긴 부분의 부피와 전체 그릇의 부피의 비를 구하시오.

(2) 물의 부피가 54π cm^{3}일 때, 그릇의 빈 공간의 부피를 구하시오.

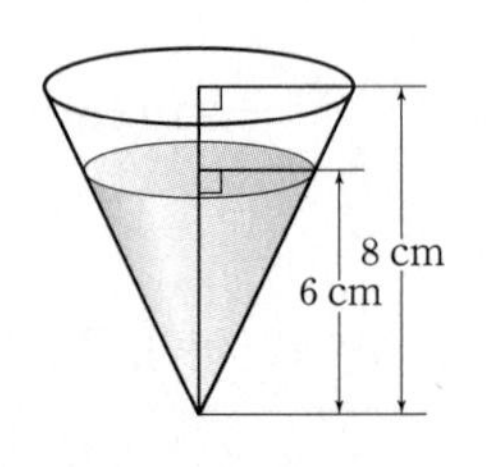

» My 셀파
물이 담긴 부분과 전체 그릇은 닮은 도형이고 닮음비가 $m:n$이면 부피의 비는 $m^3:n^3$이다.

발전 09 닮은 두 입체도형의 높이 비교

오른쪽 그림과 같이 길이가 90 cm인 막대를 세워 그 그림자의 끝이 가로등의 그림자의 끝과 일치하게 하였다. 이때 가로등의 높이는 몇 m인지 구하시오.

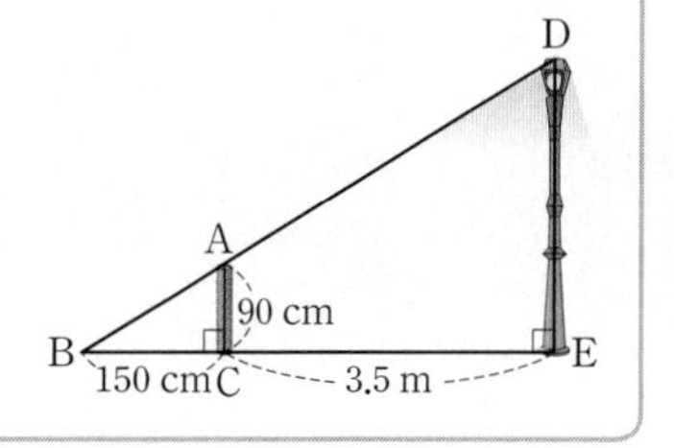

해법코드

서로 닮음인 두 도형을 찾아 대응하는 변끼리 길이의 비가 같음을 이용한다. 이때 단위는 통일한다. 즉 $3.5\text{ m}=3.5\times100\text{ cm}$
$=350\text{ cm}$

셀파 $\triangle ABC \backsim \triangle DBE$ (AA 닮음)이므로 대응하는 변의 길이의 비는 같다.

풀이 ㉠ $\triangle ABC \backsim \triangle DBE$ (AA 닮음)이므로 $\overline{AC}:\overline{DE}=\overline{BC}:\overline{BE}$

$90:\overline{DE}=150:(150+350)$ (3.5 m = 350 cm) $\quad \therefore \overline{DE}=\dfrac{90\times500}{150}=300\,(\text{cm})$

따라서 가로등의 높이는 300 cm, 즉 **3 m**이다.

㉠ $\triangle ABC$와 $\triangle DBE$에서
$\angle B$는 공통,
$\angle ACB=\angle E=90^\circ$
$\therefore \triangle ABC \backsim \triangle DBE$
(AA 닮음)

확인 09 태영이가 나무에서 3 m 떨어진 지점에 거울을 놓고, 거울에서 1.2 m 떨어진 지점에 섰을 때, 거울에 나무 끝이 보였다. 태영이의 눈높이가 1.6 m이고 $\angle ACB=\angle ECD$일 때, 나무의 높이를 구하시오.

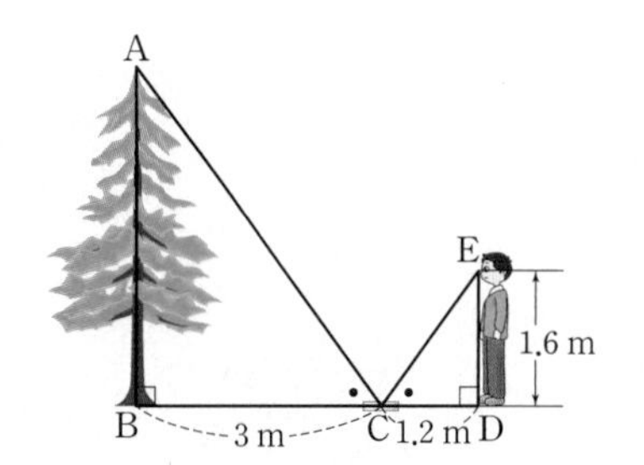

» My 셀파

서로 닮음인 두 도형을 찾아 대응하는 변의 길이의 비가 같음을 이용한다.

발전 10 축도와 축척

어떤 지도에서 거리가 2 cm인 두 지점 사이의 실제 거리는 100 m이다. 이 지도에 가로의 길이가 4 cm, 세로의 길이가 3 cm인 직사각형 모양의 과수원이 있을 때, 과수원의 실제 넓이는 몇 m^2인지 구하시오.

해법코드

이 지도의 축척을 이용하여 직사각형 모양의 과수원의 실제 가로의 길이와 세로의 길이를 구한다.

셀파 $(\text{축척})=\dfrac{(\text{축도에서의 길이})}{(\text{실제 길이})}$

풀이 $(\text{축척})=\dfrac{2\text{ cm}}{100\text{ m}}=\dfrac{2\text{ cm}}{10000\text{ cm}}=\dfrac{1}{5000}$

과수원의 실제 가로의 길이는 $4\text{ cm}\div\dfrac{1}{5000}=4\text{ cm}\times5000=20000\text{ cm}=200\text{ m}$

과수원의 실제 세로의 길이는 $3\text{ cm}\div\dfrac{1}{5000}=3\text{ cm}\times5000=15000\text{ cm}=150\text{ m}$

따라서 과수원의 실제 넓이는 $200\times150=$ **30000 (m^2)**

다른 풀이

지도에서 거리와 실제 거리의 비는 1 : 5000이므로 지도에서 넓이와 실제 넓이의 비는 $1^2:5000^2$이다.
이때 과수원의 실제 넓이를 x라 하면 지도에서 과수원의 넓이가 $4\text{ cm}\times3\text{ cm}=12\text{ cm}^2$이므로
$1^2:5000^2=12:x$에서
$x=5000^2\times12\text{ cm}^2$
$=30000\text{ m}^2$

확인 10 강의 폭을 구하기 위해 오른쪽 그림과 같이 축척이 $\dfrac{1}{20000}$인 축도를 그렸다. $\overline{BC}/\!/\overline{DE}$일 때, 다음 물음에 답하시오.

(1) 축도에서 강의 폭이 몇 cm인지 구하시오.

(2) 실제 강의 폭은 몇 km인지 구하시오.

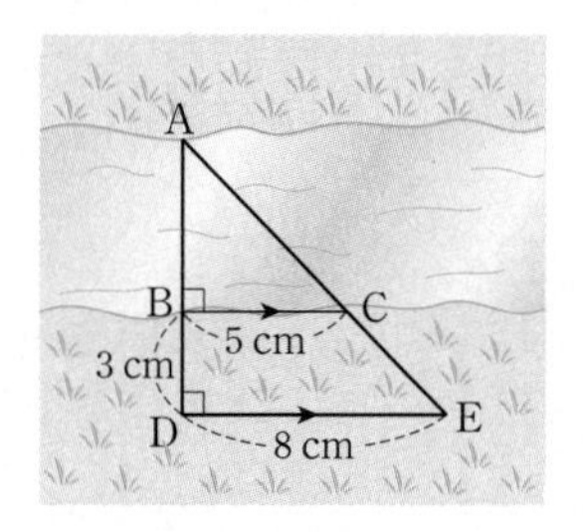

» My 셀파

$\triangle ABC \backsim \triangle ADE$ (AA 닮음)임을 이용하여 $\overline{AB}$의 길이를 구한다.

10 닮음의 활용

실력 키우기

01 닮은 두 평면도형의 닮음비와 넓이의 비

오른쪽 그림과 같이 $\angle A=90°$인 직각삼각형 ABC에서 $\overline{AD}\perp\overline{BC}$이다. $\overline{AB}=3$ cm, $\overline{AC}=4$ cm일 때, $\triangle ABD$와 $\triangle CAD$의 넓이의 비를 구하시오.

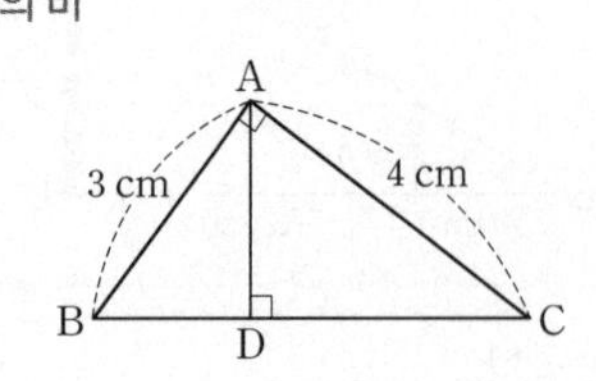

02 닮은 두 평면도형의 넓이의 비 (1)

오른쪽 그림과 같은 $\triangle ABC$에서 $\overline{DE}/\!/\overline{BC}$이고 $\overline{AD}=\overline{DB}$이다. $\triangle ADE$의 넓이가 20 cm^2일 때, □DBCE의 넓이를 구하시오.

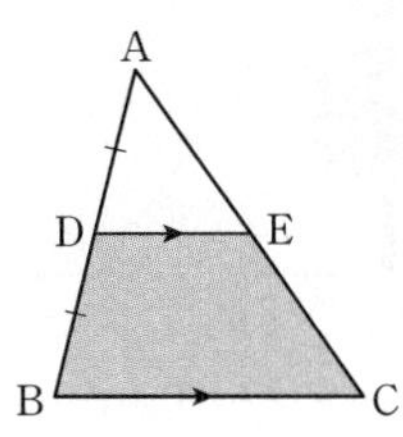
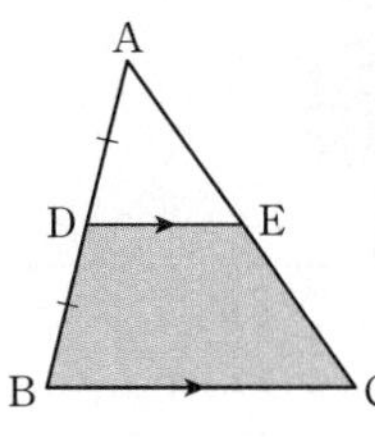

03 닮은 두 평면도형의 넓이의 비 (2) 서술형 융합형

오른쪽 그림과 같이 $\overline{AD}/\!/\overline{BC}$인 사다리꼴 ABCD에서 두 대각선의 교점을 O라 하자. $\overline{AD}=4$ cm, $\overline{BC}=10$ cm이고 $\triangle AOD$의 넓이가 4 cm^2일 때, 다음을 구하시오.

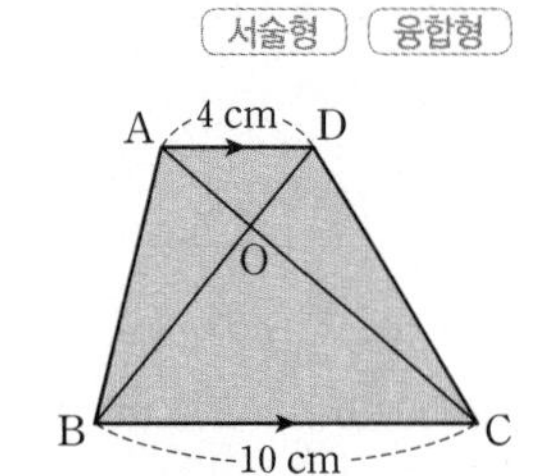

(1) $\triangle BOC$의 넓이

(2) $\triangle ABO$의 넓이

(3) □ABCD의 넓이

04 닮은 두 평면도형의 넓이의 비의 활용

한 변의 길이가 1.2 m인 정사각형 모양의 벽면에 한 변의 길이가 24 cm인 정사각형 모양의 타일을 겹치지 않게 빈틈없이 붙이려고 한다. 이때 필요한 타일의 장수를 구하시오.

05 닮은 두 입체도형의 부피의 비 (1)

닮은 두 원기둥 A, B가 있다. 두 원기둥 A, B의 겉넓이의 비가 9 : 25이고 원기둥 A의 부피가 108π cm^3일 때, 원기둥 B의 부피를 구하시오.

06 닮은 두 입체도형의 부피의 비 (2)

오른쪽 그림과 같이 원뿔의 높이를 밑면에 평행한 평면으로 3등분할 때 생기는 세 입체도형을 차례로 P, Q, R라 하자. 입체도형 Q의 부피가 28 cm^3일 때, 입체도형 R의 부피를 구하시오.

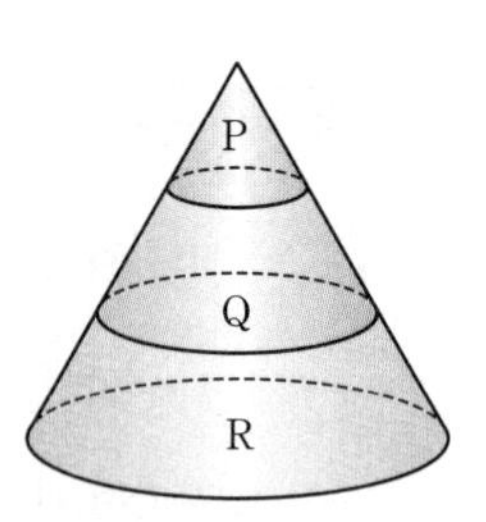

07 닮은 두 입체도형의 부피의 비의 활용

지름의 길이가 12 cm인 구 모양의 쇠구슬을 1개 녹여서 지름의 길이가 4 cm인 쇠구슬을 만들려고 한다. 이때 지름의 길이가 4 cm인 쇠구슬을 모두 몇 개 만들 수 있는지 구하시오.

08 축도와 축척

오른쪽 그림은 축척이 $\frac{1}{500000}$인 지도이다. 성산일출봉과 혜림사 사이의 거리가 2 cm일 때, 실제 거리는 몇 km인지 구하시오.

09 닮은 두 입체도형의 겉넓이의 비의 활용

창의력

오른쪽 그림과 같이 반지름의 길이가 각각 12 cm, 18 cm인 두 구가 있다. 큰 구의 겉면을 빈틈없이 칠하는 데 180 g의 페인트가 필요할 때, 작은 구의 겉면을 빈틈없이 칠하는 데 필요한 페인트의 양을 구하시오.

(단, 필요한 페인트의 양은 칠하는 넓이에 정비례한다.)

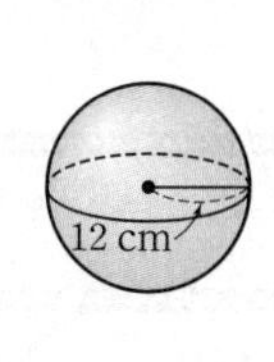

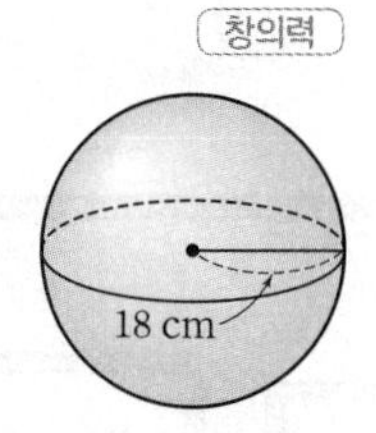

10 닮은 두 입체도형의 부피의 비의 활용

서술형

오른쪽 그림과 같이 원뿔 모양의 그릇에 일정한 속도로 물을 채우고 있다. 전체 높이의 $\frac{2}{3}$만큼 물을 채우는 데 8분이 걸렸다면 가득 채울 때까지 시간이 얼마나 더 걸리는지 구하시오.

11 닮음의 활용

창의·융합

다음 그림과 같이 밑면이 한 변의 길이가 148 m인 정사각형인 사각뿔 모양의 피라미드의 높이를 구하기 위하여 길이가 40 cm인 막대를 땅에 수직으로 세우고, 같은 시각에 그림자의 길이를 재었더니 막대 그림자의 길이는 1.2 m, 피라미드 그림자의 길이는 220 m이었다. 이 피라미드의 높이를 구하시오.

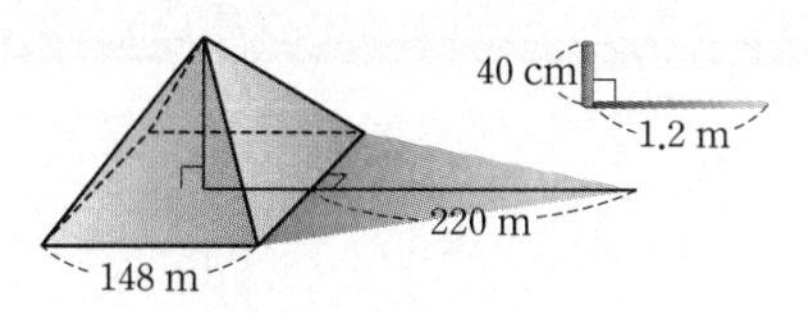

아~
덥다.
그늘에서 좀 쉬어.

아, 시원해.
이 담벼락에서
그늘 끝까지 그늘막을
치면 얼마나 필요할까?

이거?

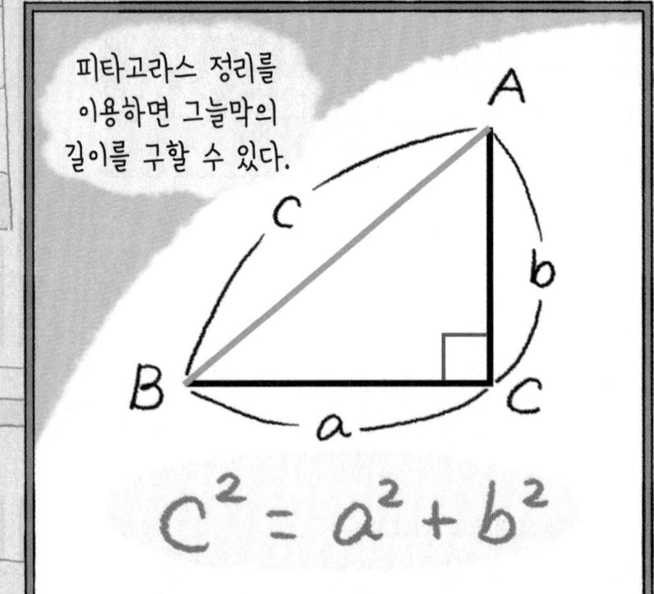
피타고라스 정리를
이용하면 그늘막의
길이를 구할 수 있다.
A
B
C
a
b
c
$c^2 = a^2 + b^2$

담의 높이와
그림자의 길이를
재면 되겠어.

이런!
그림자의 길이가
길어졌잖아.

Ⅲ | 도형의 닮음과 피타고라스 정리

피타고라스 정리

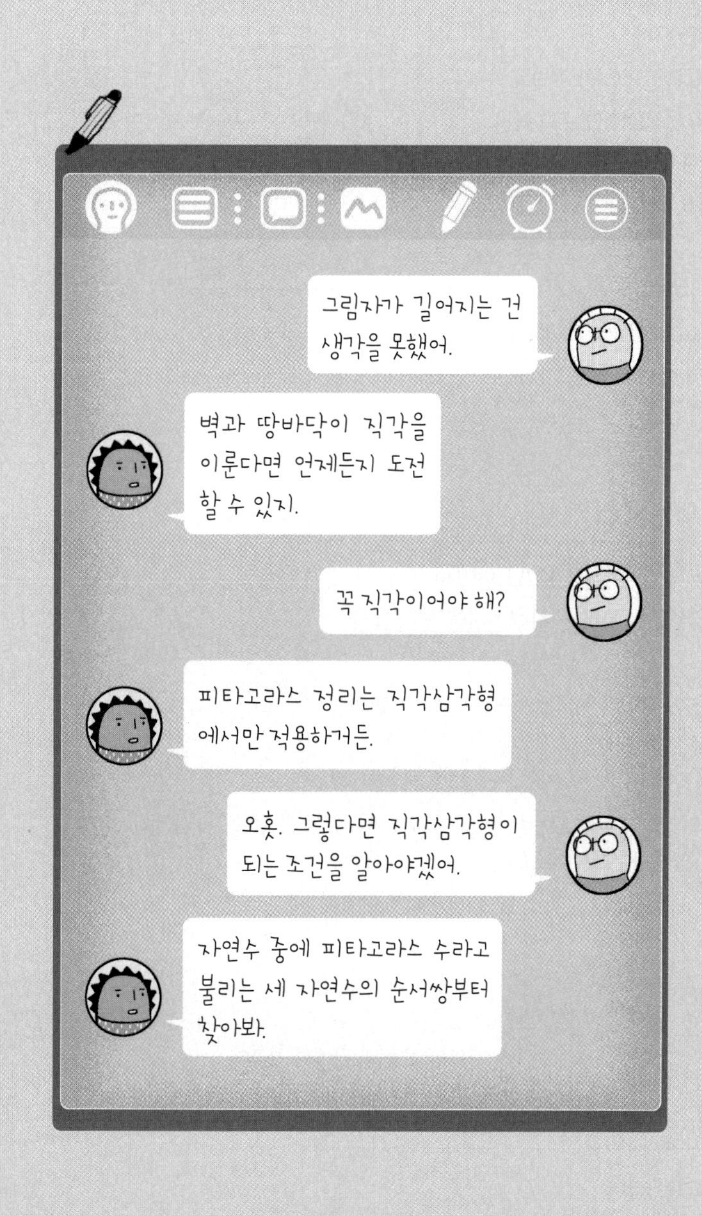

11 1. 피타고라스 정리

1 피타고라스 정리

직각삼각형 ABC에서 [ ]을 낀 두 변의 길이를 각각 a, b라 하고 빗변의 길이를 c라 하면

$a^2+b^2=c^2$

이 성립한다.

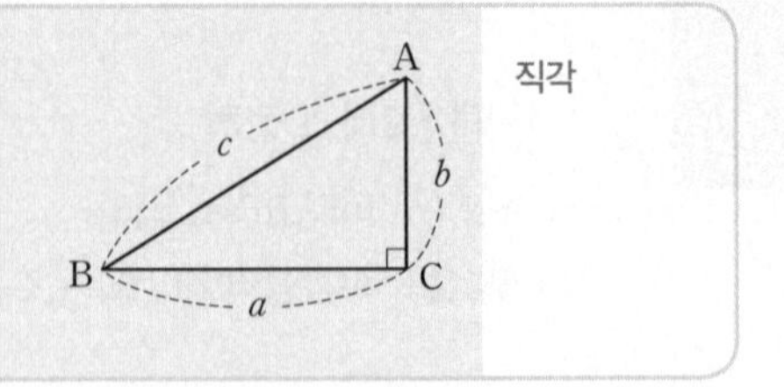

직각

㉠ 피타고라스 정리는 직각삼각형에서만 적용할 수 있다.

㉡ 빗변은 직각삼각형에서 직각과 마주 보는 변으로, 길이가 가장 긴 변이다.

설명 오른쪽 그림과 같이 직각삼각형 ABC의 꼭짓점 C에서 $\overline{AB}$에 내린 수선의 발을 D라 하자.

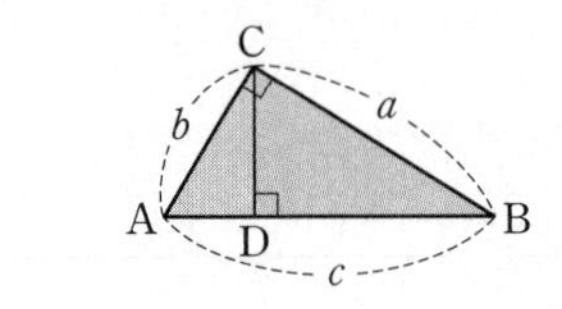

△ABC와 △CBD에서

∠B는 공통, ∠ACB=∠CDB=90°

이므로 △ABC∽△CBD (AA 닮음)

따라서 $c : a=a : \overline{DB}$이므로 $a^2=c\times\overline{DB}$ … ㉠

마찬가지로 △ABC∽△ACD (AA 닮음)

따라서 $c : b=b : \overline{DA}$이므로 $b^2=c\times\overline{DA}$ … ㉡

㉠, ㉡을 변끼리 더하면

$a^2+b^2=c\times\overline{DB}+c\times\overline{DA}=c\times(\overline{DB}+\overline{DA})$

이때 $\overline{DB}+\overline{DA}=c$이므로 $a^2+b^2=c^2$

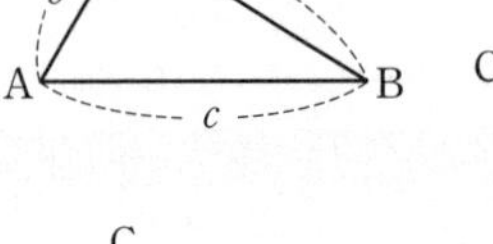

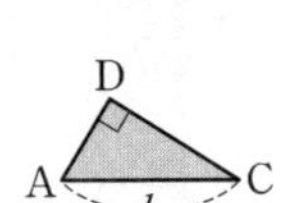

㉢ △ABC와 △ACD에서
∠A는 공통,
∠ACB=∠ADC=90°
∴ △ABC∽△ACD
(AA 닮음)

2 직각삼각형이 되는 조건

세 변의 길이가 각각 a, b, c인 삼각형 ABC에서 $a^2+b^2=c^2$이면 이 삼각형은 빗변의 길이가 c인 직각삼각형이다.

예 세 변의 길이가 3, 4, 5인 삼각형은 $5^2=3^2+4^2$이므로 빗변의 길이가 [ ]인 직각삼각형이다.

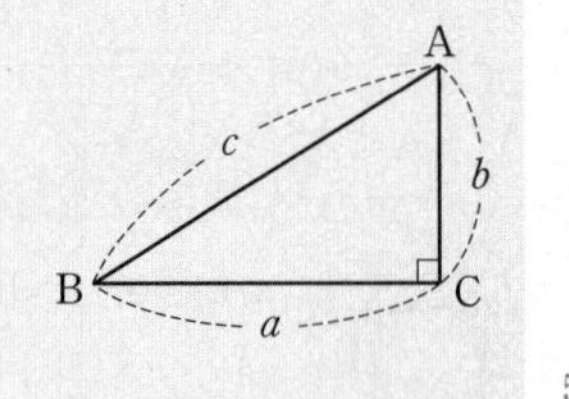

5

참고 피타고라스 수

직각삼각형의 세 변의 길이가 될 수 있는 세 자연수, 즉 $a^2+b^2=c^2$을 만족하는 세 자연수 a, b, c의 순서쌍 (a, b, c)를 피타고라스 수라 한다.

예 (3, 4, 5), (5, 12, 13), (6, 8, [ ]), (8, 15, 17), (9, 12, 15), …

10

㉣ (3, 4, 5) ⇨ $5^2=3^2+4^2$
(5, 12, 13) ⇨ $13^2=5^2+12^2$
(6, 8, 10) ⇨ $10^2=6^2+8^2$
(8, 15, 17) ⇨ $17^2=8^2+15^2$
(9, 12, 15) ⇨ $15^2=9^2+12^2$

● 세 변의 길이가 a, b, c인 삼각형에서 c가 가장 긴 변의 길이일 때, $c^2\neq a^2+b^2$이면 이 삼각형은 직각삼각형이 아니다.

설명 직각삼각형의 판별

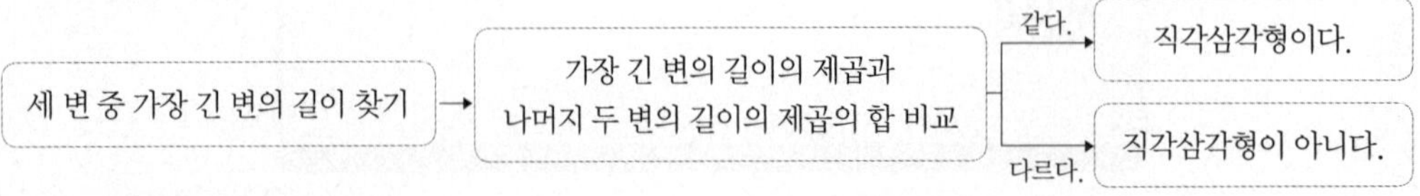

빠른 정답 246쪽 | 정답과 해설 58쪽

| 개념 체크 |

1-1 피타고라스 정리

다음 직각삼각형 ABC에서 x의 값을 구하시오.

(1)

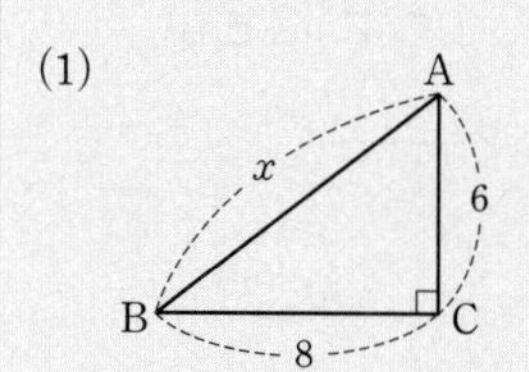

(2)

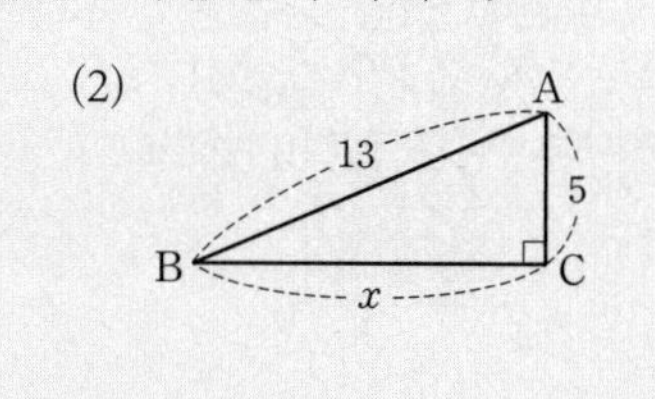

셀파 세 변의 길이가 각각 a, b, c인 직각삼각형에서 빗변의 길이가 c이면 $a^2+b^2=c^2$이 성립한다.

연구 (1) $x^2=8^2+6^2=100$ $\therefore x=$ ☐ ($\because x>0$)
(2) ☐$^2=x^2+5^2$이므로 $x^2=$ ☐
$\therefore x=$ ☐ ($\because x>0$)

| 따라 풀기 |

1-2 다음 직각삼각형 ABC에서 x^2의 값을 구하시오.

(1)

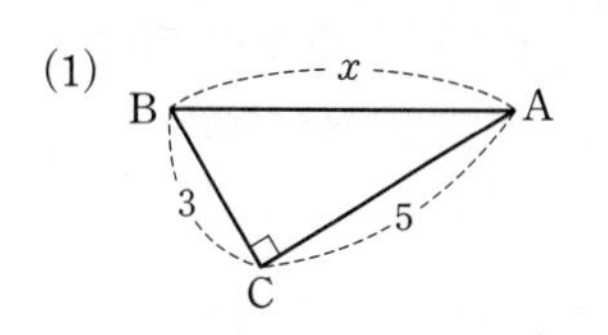

(2)

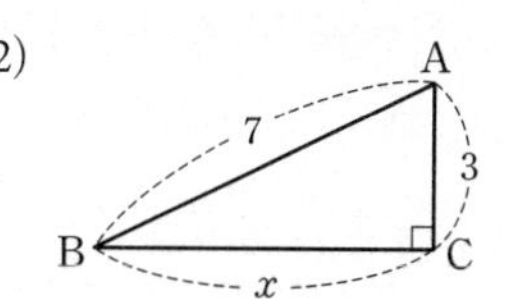

1-3 다음 직각삼각형 ABC에서 x의 값을 구하시오.

(1)

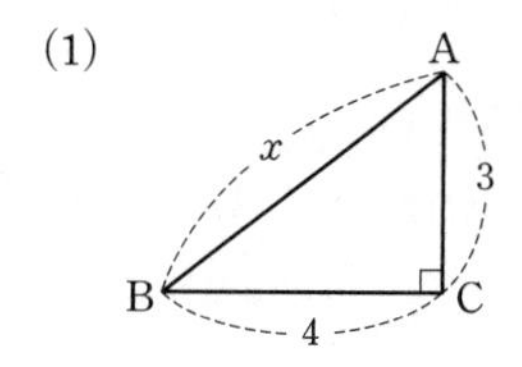

(2)

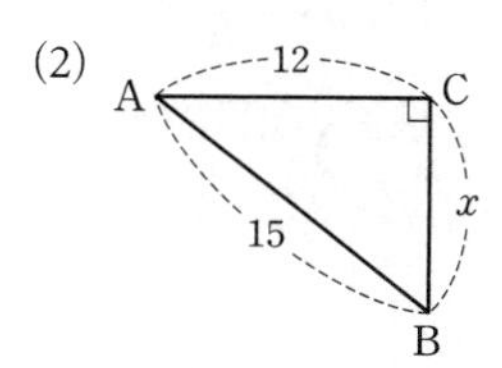

2-1 직각삼각형이 되는 조건

삼각형의 세 변의 길이가 각각 다음과 같을 때, 직각삼각형인 것에는 ○표, 직각삼각형이 아닌 것에는 ×표를 (   ) 안에 써넣으시오.

(1) 4 cm, 8 cm, 9 cm (   )
(2) 5 cm, 12 cm, 13 cm (   )

셀파 세 변의 길이가 각각 a, b, c인 삼각형에서 c가 가장 긴 변의 길이일 때, $a^2+b^2=c^2$이면 이 삼각형은 빗변의 길이가 c인 직각삼각형이다.

연구 (1) 9^2 ☐ 4^2+8^2이므로 직각삼각형 ☐.
(2) 13^2 ☐ 5^2+12^2이므로 직각삼각형 ☐.

2-2 삼각형의 세 변의 길이가 각각 다음과 같을 때, ● 안에 =, ≠ 중 알맞은 것을 써넣고, (   ) 안의 옳은 것에 ○표를 하시오.

(1) 2 cm, 4 cm, 5 cm
⇨ 5^2 ● 2^2+4^2이므로
(직각삼각형이다, 직각삼각형이 아니다).

(2) 8 cm, 15 cm, 17 cm
⇨ 17^2 ● 8^2+15^2이므로
(직각삼각형이다, 직각삼각형이 아니다).

- **피타고라스 정리** 세 변의 길이가 각각 a, b, c인 직각삼각형에서 빗변의 길이가 c이면 $a^2+b^2=c^2$이 성립한다.
- **직각삼각형이 되는 조건** 세 변의 길이가 각각 a, b, c인 삼각형에서 $a^2+b^2=c^2$이면 이 삼각형은 빗변의 길이가 c인 직각삼각형이다.

피타고라스 정리의 설명

1 유클리드의 방법

$\angle C=90^\circ$인 직각삼각형 ABC에 대하여 세 변을 각각 한 변으로 하는 세 정사각형을 그리고, 꼭짓점 C에서 $\overline{AB}$에 내린 수선의 발을 J, 그 연장선과 $\overline{FG}$가 만나는 점을 K라 하면

① $\square ACDE=\square AFKJ$, $\square CBHI=\square JKGB$

② $\square AFGB=\square ACDE+\square CBHI$이므로
$\overline{AB}^2=\overline{AC}^2+\overline{BC}^2$

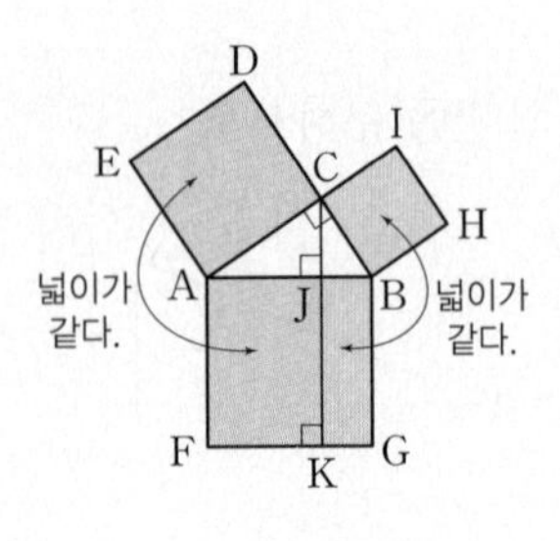

㉠ 밑변은 $\overline{EA}$로 같고 $\overline{EA}/\!/\overline{DB}$이므로 높이는 $\overline{AC}$로 같다.
$\therefore \triangle EAC=\triangle EAB$

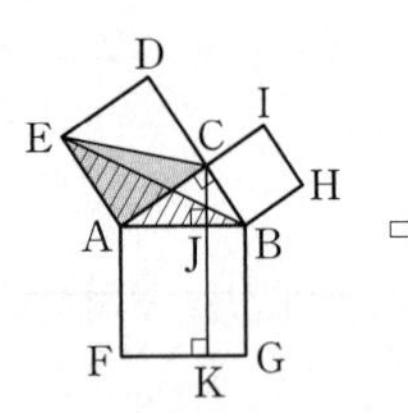

$\overline{EA}/\!/\overline{DB}$이므로
㉠ $\triangle EAC=\triangle EAB$

⇨

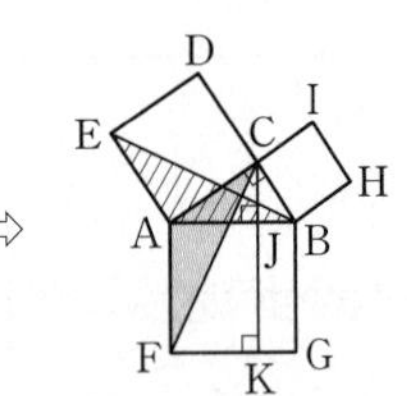

㉡ $\triangle EAB\equiv\triangle CAF$
$\therefore \triangle EAB=\triangle CAF$

⇨

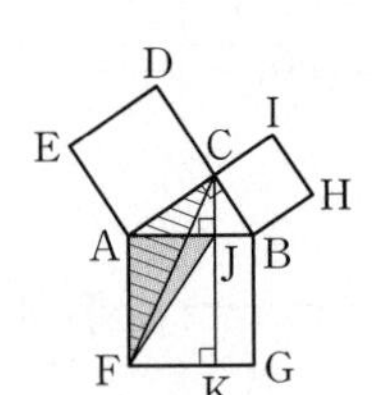

$\overline{AF}/\!/\overline{CK}$이므로
$\triangle CAF=\triangle JAF$

⇨

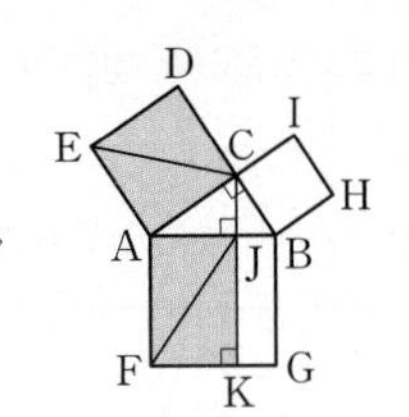

$\triangle EAC=\triangle JAF$
이므로
$\square ACDE=2\triangle EAC$
$=2\triangle JAF$
$=\square AFKJ$

㉡

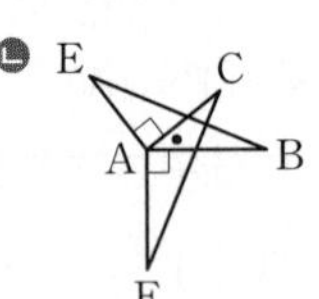

$\triangle EAB$와 $\triangle CAF$에서
$\overline{EA}=\overline{CA}$, $\overline{AB}=\overline{AF}$,
$\angle EAB=90^\circ+\bullet=\angle CAF$
$\therefore \triangle EAB\equiv\triangle CAF$
(SAS 합동)

위와 같은 방법으로 하면 $\square CBHI=\square JKGB$
즉 $\square AFGB=\square AFKJ+\square JKGB=\square ACDE+\square CBHI$
$\therefore \overline{AB}^2=\overline{AC}^2+\overline{BC}^2$

2 피타고라스의 방법

아래 그림과 같이 직각삼각형 ABC에서 두 변 AC, BC를 연장하여 한 변의 길이가 $a+b$인 정사각형 CDEF를 만들면

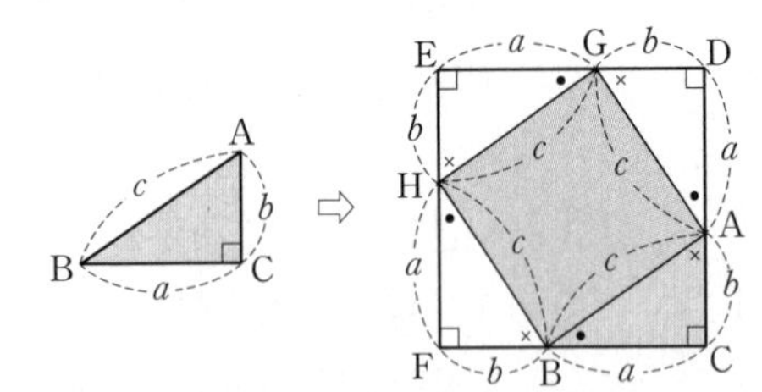

(1) $\triangle ABC\equiv\triangle GAD\equiv\triangle HGE\equiv\triangle BHF$ ㉢(SAS 합동)이므로
㉣ $\square AGHB$는 한 변의 길이가 c인 정사각형이다.

(2) $\square CDEF=4\triangle ABC+\square AGHB$이므로 $(a+b)^2=4\times\frac{1}{2}ab+c^2$

$a^2+2ab+b^2=2ab+c^2$ $\quad\therefore a^2+b^2=c^2$

㉢ 두 변의 길이가 각각 a, b로 같고 그 끼인각의 크기가 90°로 같다.

㉣ $\triangle ABC\equiv\triangle GAD\equiv\triangle HGE\equiv\triangle BHF$이므로
$\overline{AB}=\overline{GA}=\overline{HG}=\overline{BH}=c$
또 $\bullet+\times=90^\circ$이므로
$\angle BAG=\angle AGH=\angle GHB$
$=\angle HBA=180^\circ-(\bullet+\times)$
$=180^\circ-90^\circ$
$=90^\circ$

3 바스카라의 방법

아래 그림과 같이 직각삼각형 ABC와 이와 합동인 직각삼각형 3개를 붙여 정사각형 ABDE를 만들면

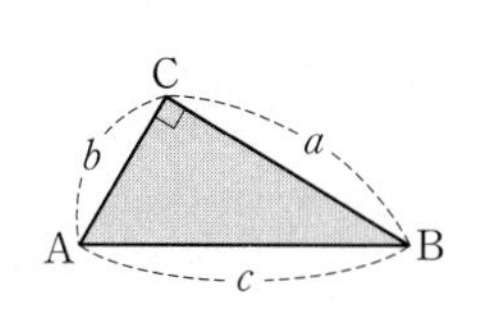

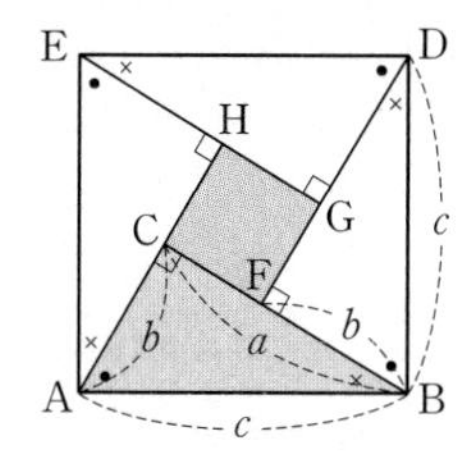

(1) △ABC≡△BDF≡△DEG≡△EAH이므로
ⓜ□CFGH는 한 변의 길이가 $a-b$인 정사각형이다.

(2) □ABDE=4△ABC+□CFGH이므로 $c^2=4\times\frac{1}{2}ab+(a-b)^2$

$c^2=2ab+a^2-2ab+b^2$ $\therefore a^2+b^2=c^2$

ⓜ $\overline{CB}=a$, $\overline{FB}=\overline{CA}=b$ 이므로
$\overline{CF}=\overline{CB}-\overline{FB}=a-b$
같은 방법으로 하면
$\overline{CF}=\overline{FG}=\overline{GH}=\overline{HC}$
$=a-b$

ⓑ 합동인 두 삼각형에서 대응변의 길이는 같고, 대응각의 크기는 같다.
•+×=90°이므로
∠BAE=180°−(•+×)
=180°−90°
=90°

4 가필드의 방법

오른쪽 그림과 같이 서로 합동인 두 직각삼각형 ABC와 ADE를 세 점 C, A, D가 같은 직선 위에 있도록 놓으면

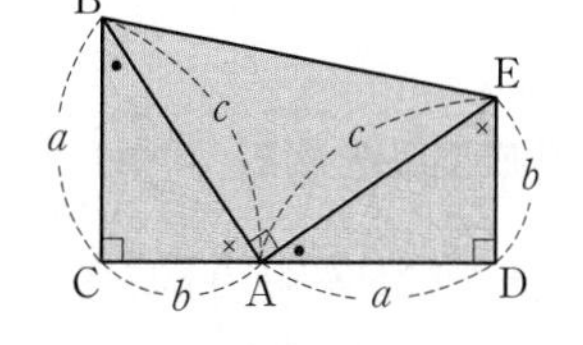

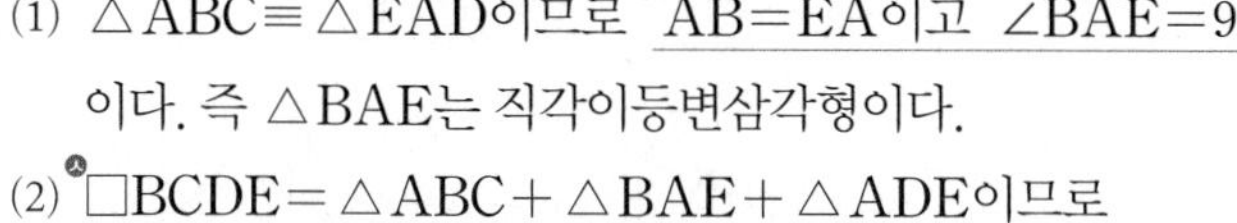

(1) △ABC≡△EAD이므로 ⓑ$\overline{AB}=\overline{EA}$이고 ∠BAE=90°이다. 즉 △BAE는 직각이등변삼각형이다.

(2) ⓢ□BCDE=△ABC+△BAE+△ADE이므로

$\frac{1}{2}(a+b)^2=\frac{1}{2}ab+\frac{1}{2}c^2+\frac{1}{2}ab$

$(a+b)^2=2ab+c^2$, $a^2+2ab+b^2=2ab+c^2$

$\therefore a^2+b^2=c^2$

ⓢ □BCDE는 윗변과 아랫변의 길이가 각각 a, b이고 높이가 $a+b$인 사다리꼴이다.
∴ (□BCDE의 넓이)
$=\frac{1}{2}\times${(윗변의 길이)+(아랫변의 길이)}×(높이)
$=\frac{1}{2}\times(a+b)\times(a+b)$

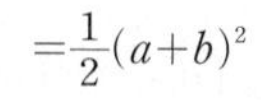

$=\frac{1}{2}(a+b)^2$

• 유클리드의 방법은 두 평행선에서 밑변의 길이가 같은 두 삼각형의 넓이가 같음을 이용한 것이다.
• 피타고라스의 방법과 바스카라의 방법은 모두 정사각형을 이용하여 피타고라스 정리를 설명한 것이다.
• 가필드의 방법은 세 직각삼각형으로 쪼갤 수 있는 사다리꼴의 넓이를 이용하여 피타고라스 정리를 설명한 것이다.

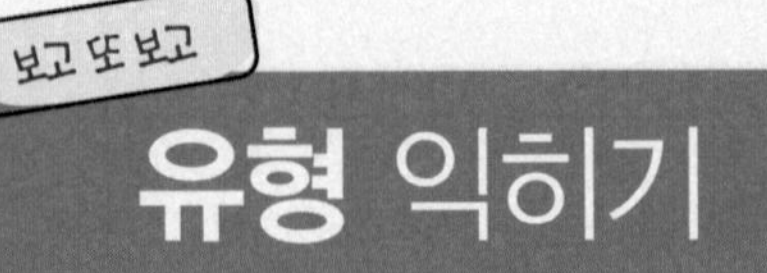

유형 익히기

빠른 정답 246쪽 | 정답과 해설 58쪽

기본 01 삼각형에서 피타고라스 정리 이용하기

오른쪽 그림과 같은 △ABC에서 $\overline{AD}\perp\overline{BC}$이고 $\overline{AB}=20$ cm, $\overline{AC}=13$ cm, $\overline{BD}=16$ cm일 때, x, y의 값을 각각 구하시오.

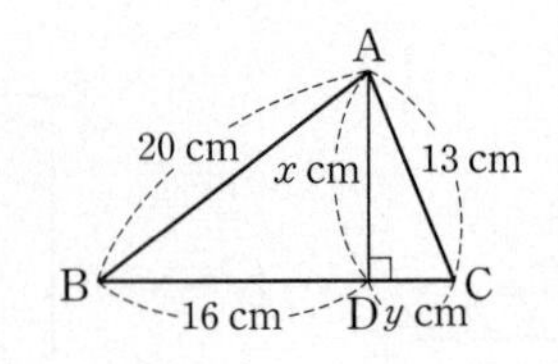

셀파 두 직각삼각형 ABD, ADC에서 각각 피타고라스 정리를 이용한다.

풀이 ㉠△ABD에서 $20^2=16^2+x^2$이므로

$x^2=20^2-16^2=144$ $\quad\therefore \boldsymbol{x=12}$ ($\because x>0$)

△ADC에서 $13^2=x^2+y^2$, 즉 $13^2=12^2+y^2$이므로

$y^2=13^2-12^2=25$ $\quad\therefore \boldsymbol{y=5}$ ($\because y>0$)

해법코드

직각삼각형을 찾아 피타고라스 정리를 이용한다.

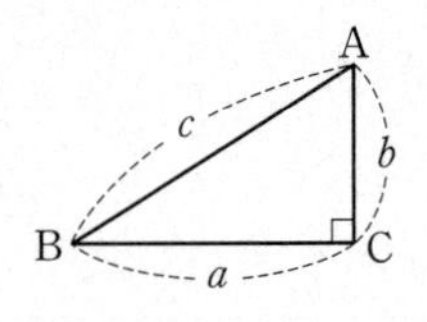

⇨ $a^2+b^2=c^2$

㉠ 직각삼각형 ADC에는 미지수가 2개이므로 먼저 직각삼각형 ABD에서 x의 값을 구한다.

● 미지수가 여러 개 있다면 미지수를 적게 포함하는 직각삼각형에서부터 피타고라스 정리를 적용한다.

확인 01 오른쪽 그림과 같이 ∠B=90°인 직각삼각형 ABC에서 x, y의 값을 각각 구하시오.

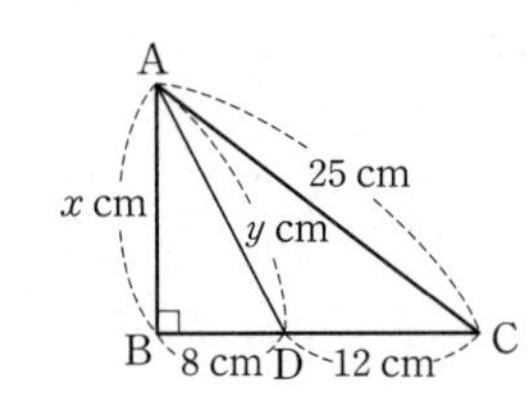

» My 셀파

두 직각삼각형 ABC, ABD에서 각각 피타고라스 정리를 이용한다.

기본 02 직각삼각형의 닮음과 피타고라스 정리

오른쪽 그림과 같이 ∠C=90°인 직각삼각형 ABC에서 $\overline{AB}\perp\overline{CD}$이고 $\overline{BC}=13$ cm, $\overline{BD}=12$ cm일 때, x, y의 값을 각각 구하시오.

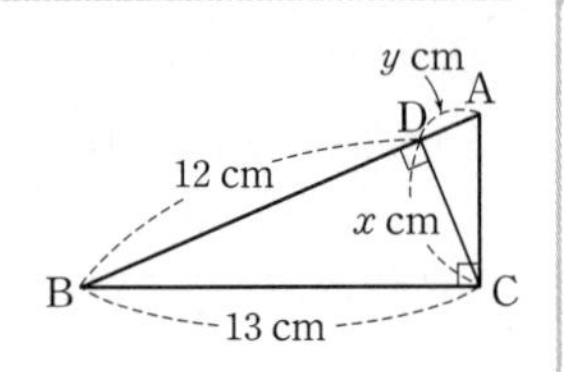

셀파 직각삼각형 DBC에서 $\overline{BD}^2+\overline{CD}^2=\overline{BC}^2$, 직각삼각형 ABC에서 $\overline{CD}^2=\overline{DA}\times\overline{DB}$

풀이 △DBC에서 $x^2=13^2-12^2=25$ $\quad\therefore \boldsymbol{x=5}$ ($\because x>0$)

△ABC에서 $\overline{CD}^2=\overline{DA}\times\overline{DB}$이므로 $x^2=y\times12$, $25=12y$ $\quad\therefore \boldsymbol{y=\frac{25}{12}}$

해법코드

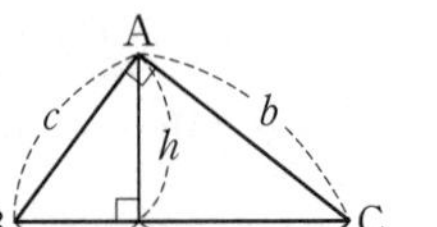

① $c^2=xa$, $b^2=ya$, $h^2=xy$

② $x^2+h^2=c^2$, $y^2+h^2=b^2$, $b^2+c^2=a^2$

확인 02 오른쪽 그림과 같이 ∠A=90°인 △ABC에서 $\overline{AD}\perp\overline{BC}$이고 $\overline{AB}=4$ cm, $\overline{AC}=3$ cm일 때, $x+y$의 값을 구하시오.

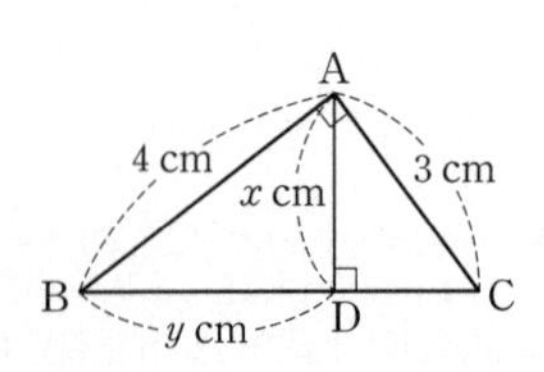

» My 셀파

직각삼각형에서 피타고라스 정리를 이용하여 변의 길이를 구한 후 닮은 두 삼각형을 찾아 대응변의 길이의 비를 이용한다.

기본 03 사각형에서 피타고라스 정리 이용하기

오른쪽 그림과 같은 □ABCD에서 $\angle B = \angle D = 90°$이고 $\overline{AB} = 3$ cm, $\overline{BC} = 11$ cm, $\overline{CD} = 9$ cm일 때, $\overline{AD}$의 길이를 구하시오.

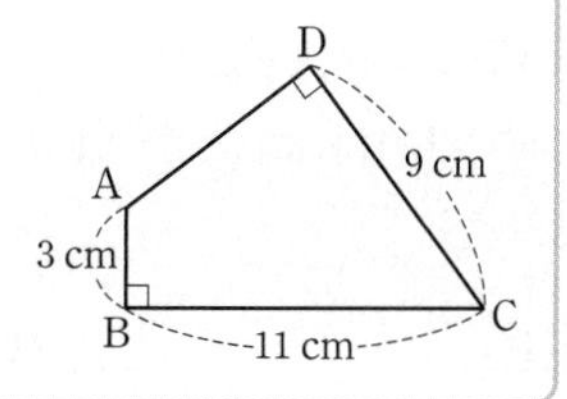

해법코드
사각형에서 한 쌍의 대각이 직각인 경우 피타고라스 정리를 이용할 수 있도록 보조선을 그어 직각삼각형 두 개로 나누어 본다.

셀파 대각선 AC를 그어 직각삼각형 ABC와 ACD를 만든다.

풀이 오른쪽 그림과 같이 대각선 AC를 그으면
$\triangle ABC$에서 $\overline{AC}^2 = 3^2 + 11^2 = 130$
$\triangle ACD$에서 $\overline{AD}^2 = \overline{AC}^2 - \overline{CD}^2 = 130 - 9^2 = 49$
$\therefore \overline{AD} = \mathbf{7\ (cm)}$ ($\because \overline{AD} > 0$)

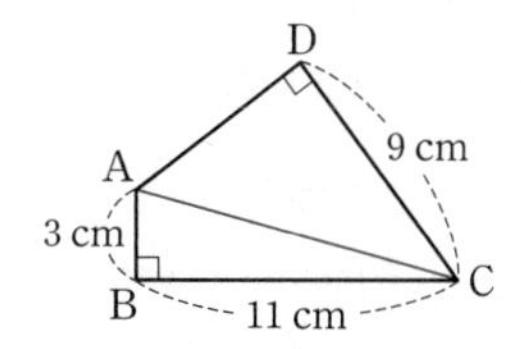

확인 03 오른쪽 그림과 같은 □ABCD에서 $\angle A = \angle C = 90°$이고 $\overline{AB} = 7$ cm, $\overline{BC} = 15$ cm, $\overline{AD} = 24$ cm일 때, $\overline{DC}$의 길이를 구하시오.

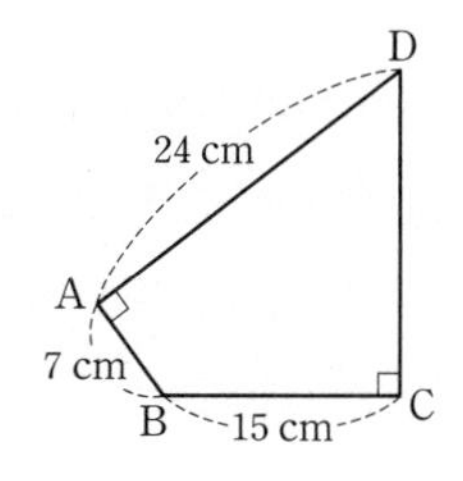

» My 셀파
대각선 BD를 그어 직각삼각형 ABD와 BCD를 만든다.

기본 04 사다리꼴에서 피타고라스 정리 이용하기

오른쪽 그림과 같은 사다리꼴 ABCD에서 $\overline{AB} = 8$ cm, $\overline{AD} = 5$ cm, $\overline{CD} = 10$ cm일 때, $\overline{BC}$의 길이를 구하시오.

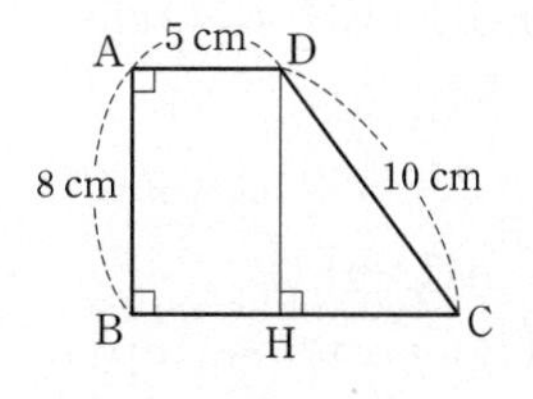

해법코드
사다리꼴에서는 수선을 그어 직각삼각형을 만든 후 피타고라스 정리를 이용한다.

셀파 꼭짓점 D에서 $\overline{BC}$에 수선을 긋는다.

풀이 오른쪽 그림과 같이 꼭짓점 D에서 $\overline{BC}$에 내린 수선의 발을 H라 하면 ㉠ $\overline{BH} = \overline{AD} = 5$ cm
$\overline{DH} = \overline{AB} = 8$ cm이므로 $\triangle DHC$에서
$\overline{HC}^2 = 10^2 - 8^2 = 36$ $\therefore \overline{HC} = 6$ (cm) ($\because \overline{HC} > 0$)
$\therefore \overline{BC} = \overline{BH} + \overline{HC} = 5 + 6 = \mathbf{11\ (cm)}$

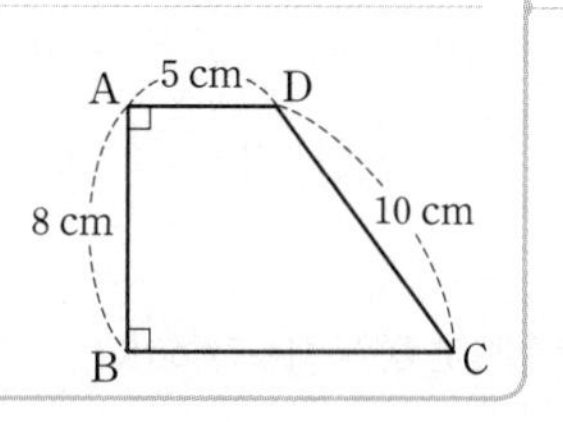

㉠ □ABHD는 직사각형이므로 $\overline{AD} = \overline{BH}$, $\overline{AB} = \overline{DH}$

확인 04 오른쪽 그림과 같은 사다리꼴 ABCD에서 $\overline{AB} = 10$ cm, $\overline{BC} = 15$ cm, $\overline{AD} = 9$ cm일 때, $\overline{BD}$의 길이를 구하시오.

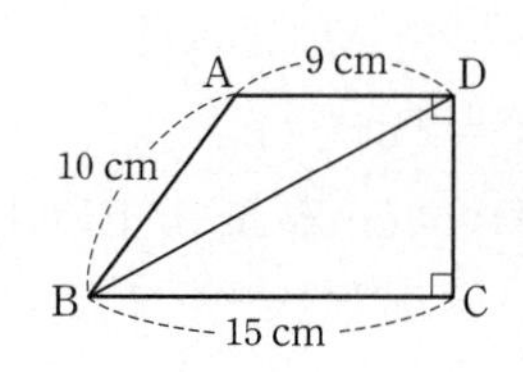

» My 셀파
보조선을 그어 직각삼각형을 만든다.

피타고라스 정리의 설명 (1) – 유클리드의 방법

오른쪽 그림은 $\angle A=90^\circ$인 직각삼각형 ABC의 세 변을 각각 한 변으로 하는 세 정사각형을 그린 것이다. 다음 중 넓이가 나머지 넷과 다른 하나는?

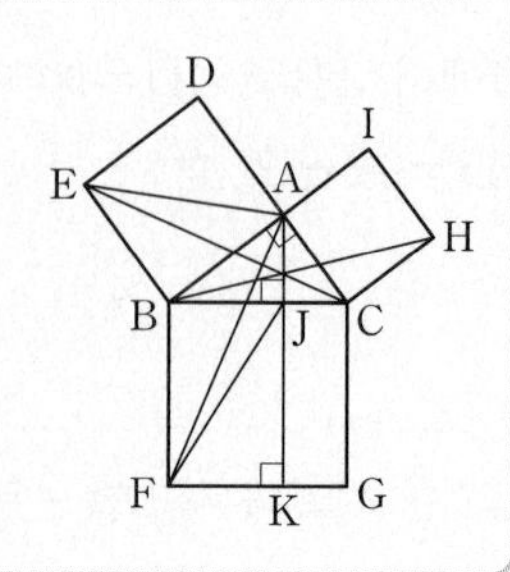

① $\triangle$EBC ② $\triangle$EBA ③ $\triangle$ABF
④ $\triangle$BFJ ⑤ $\triangle$BCH

해법코드

다음의 두 가지 성질을 이용하여 넓이가 같은 삼각형을 찾는다.
① 밑변이 공통이고 높이가 같은 두 삼각형의 넓이는 같다.
② 합동인 두 삼각형의 넓이는 같다.

셀파 넓이가 같은 삼각형과 합동인 삼각형을 찾는다.

풀이 $\overline{EB} /\!/ \overline{DC}$이므로 $\triangle EBA=\triangle EBC$
$\triangle EBC\equiv\triangle ABF$이므로 $\triangle EBC=\triangle ABF$
$\overline{BF} /\!/ \overline{AK}$이므로 $\triangle ABF=\triangle BFJ$
따라서 $\triangle EBA=\triangle EBC=\triangle ABF=\triangle BFJ$이므로 구하는 답은 ⑤이다.

● $\triangle$EBC와 $\triangle$ABF에서
$\overline{EB}=\overline{AB}$, $\overline{BC}=\overline{BF}$,
$\angle EBC=\angle ABF$
$\therefore \triangle EBC\equiv\triangle ABF$
(SAS 합동)

확인 05 오른쪽 그림은 $\angle A=90^\circ$인 직각삼각형 ABC의 세 변을 각각 한 변으로 하는 세 정사각형을 그린 것이다.
$\overline{AB}=8$ cm, $\overline{BC}=10$ cm일 때, $\triangle$BCH의 넓이를 구하시오.

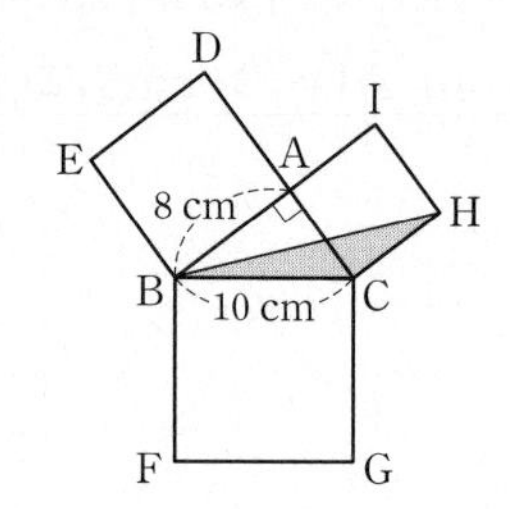

» My 셀파
$\overline{BI} /\!/ \overline{CH}$이므로
$\triangle BCH=\triangle ACH=\frac{1}{2}\square ACHI$

피타고라스 정리의 설명 (2) – 피타고라스의 방법

오른쪽 그림과 같은 정사각형 ABCD에서
$\overline{AE}=\overline{BF}=\overline{CG}=\overline{DH}=5$ cm
이고 $\square$EFGH의 넓이가 169 cm^2일 때, 다음을 구하시오.

(1) $\overline{AH}$의 길이 (2) $\square$ABCD의 둘레의 길이

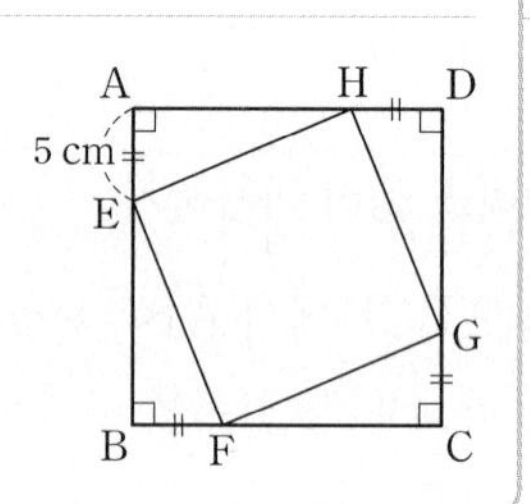

해법코드

① $\triangle AEH\equiv\triangle BFE\equiv\triangle CGF\equiv\triangle DHG$ (SAS 합동)
② $\square$ABCD, $\square$EFGH는 정사각형이다.

셀파 $\square$EFGH는 $\overline{EH}$를 한 변으로 하는 정사각형이다.

풀이 (1) $\triangle AEH\equiv\triangle BFE\equiv\triangle CGF\equiv\triangle DHG$이므로 $\square$EFGH는 정사각형이다. $\square EFGH=\overline{EH}^2=169\ \text{cm}^2$이므로
$\overline{EH}=13$ (cm) ($\because \overline{EH}>0$)
$\triangle$AEH에서 $\overline{AH}^2=13^2-5^2=144$이므로
$\overline{AH}=$ **12 (cm)** ($\because \overline{AH}>0$)
(2) $\overline{AD}=\overline{AH}+\overline{HD}=12+5=17$ (cm)이므로
$\square$ABCD의 둘레의 길이는 $4\times17=$ **68 (cm)**

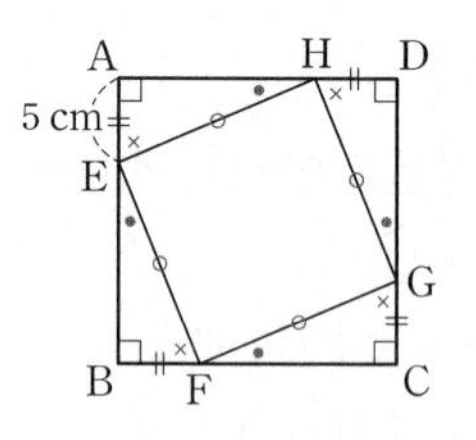

● 삼각형이 합동이면 대응변의 길이, 대응각의 크기가 각각 같다.
즉
$\overline{EF}=\overline{FG}=\overline{GH}=\overline{HE}$,
$\angle EFG=\angle FGH$
$=\angle GHE=\angle HEF$
$=180^\circ-(\bullet+\times)$
$=180^\circ-90^\circ=90^\circ$

확인 06 오른쪽 그림과 같은 정사각형 ABCD에서
$\overline{AH}=\overline{BE}=\overline{CF}=\overline{DG}=2$ cm,
$\overline{AE}=\overline{BF}=\overline{CG}=\overline{DH}=4$ cm일 때, $\square$EFGH의 넓이를 구하시오.

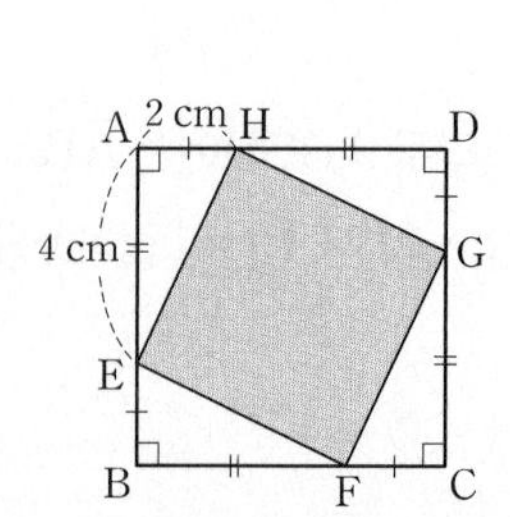

» My 셀파
$\square$EFGH는 $\overline{EH}$를 한 변으로 하는 정사각형이므로
($\square$EFGH의 넓이)$=\overline{EH}^2$

기본 07 피타고라스 정리의 설명 (3) – 바스카라의 방법

오른쪽 그림은 $\angle F=90^\circ$인 직각삼각형 ABF와 이와 합동인 3개의 직각삼각형을 붙여서 정사각형 ABCD를 만든 것이다.
$\overline{BF}=1$이고 □EFGH의 넓이가 4일 때, □ABCD의 넓이를 구하시오.

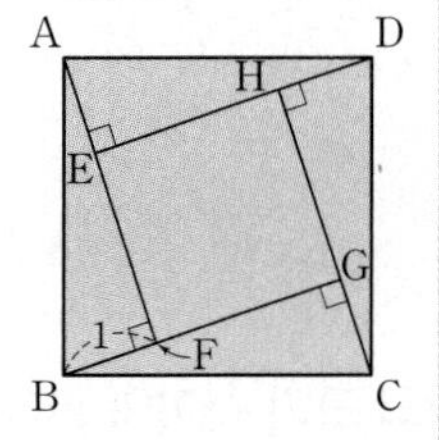

해법코드
① $\triangle ABF \equiv \triangle BCG \equiv \triangle CDH \equiv \triangle DAE$
② □ABCD, □EFGH는 정사각형이다.

셀파 □EFGH는 $\overline{EF}$를 한 변으로 하는 정사각형이다.

풀이 $\triangle ABF \equiv \triangle BCG \equiv \triangle CDH \equiv \triangle DAE$이므로 □EFGH는 정사각형이다.
□EFGH$=\overline{EF}^2=4$이므로 $\overline{EF}=2$ ($\because \overline{EF}>0$)
$\overline{AE}=\overline{BF}=1$이므로 $\overline{AF}=\overline{AE}+\overline{EF}=1+2=3$
$\triangle ABF$에서 $\overline{AB}^2=1^2+3^2=10$
$\therefore$ □ABCD$=\overline{AB}^2=$**10**

❶ $\triangle ABF$, $\triangle BCG$, $\triangle CDH$, $\triangle DAE$가 모두 합동이므로
$\overline{AF}=\overline{BG}=\overline{CH}=\overline{DE}$,
$\overline{AE}=\overline{BF}=\overline{CG}=\overline{DH}$
$\therefore \overline{EF}=\overline{FG}=\overline{GH}=\overline{HE}$
따라서 □EFGH는 정사각형이다.

확인 07 오른쪽 그림에서 4개의 직각삼각형은 모두 합동이고 $\overline{AB}=17$ cm, $\overline{CR}=8$ cm일 때, □PQRS의 넓이를 구하시오.

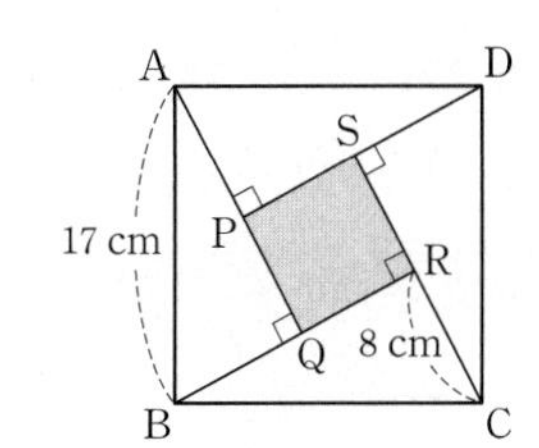

» My 셀파
□ABCD, □PQRS는 정사각형이다.

기본 08 직각삼각형이 되는 조건

세 변의 길이가 각각 다음과 같은 삼각형 중 직각삼각형인 것은?

① 3 cm, 4 cm, 6 cm ② 5 cm, 5 cm, 8 cm ③ 7 cm, 9 cm, 11 cm
④ 9 cm, 12 cm, 15 cm ⑤ 12 cm, 15 cm, 20 cm

해법코드
[1] 가장 긴 변의 길이를 찾아 제곱한다.
[2] 나머지 두 변의 길이를 각각 제곱하여 더한다.
[3] [1], [2]의 계산 결과가 같으면 주어진 삼각형은 직각삼각형이다.

셀파 가장 긴 변의 길이의 제곱과 나머지 두 변의 길이의 제곱의 합을 비교한다.

풀이 ① $6^2 \neq 3^2+4^2$ ② $8^2 \neq 5^2+5^2$ ③ $11^2 \neq 7^2+9^2$
④ $15^2=9^2+12^2$ ⑤ $20^2 \neq 12^2+15^2$
따라서 직각삼각형인 것은 ④이다.

확인 08 **1.** 세 변의 길이가 각각 12, x, 20인 삼각형이 직각삼각형이 되도록 하는 x의 값을 구하시오. (단, $x<20$)

» My 셀파
1. $x<20$이므로 세 변 중 가장 긴 변의 길이는 20이다.

2. 오른쪽 그림과 같은 $\triangle ABC$에서 $\overline{AB}=10$ cm, $\overline{BC}=26$ cm, $\overline{AC}=24$ cm일 때, $\triangle ABC$의 넓이를 구하시오.

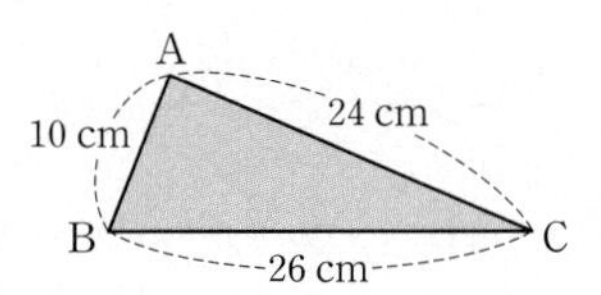

2. 세 변의 길이 사이의 관계로부터 $\triangle ABC$가 어떤 삼각형인지 알아본다.

2. 피타고라스 정리를 이용한 성질

1 삼각형의 변의 길이와 각의 크기 사이의 관계

(1) 삼각형에서 각의 크기에 대한 변의 길이

$\triangle ABC$에서 $\overline{AB}=c$, $\overline{BC}=a$, $\overline{CA}=b$일 때

$\angle C<90°$이면 $c^2<a^2+b^2$	$\angle C=90°$이면 c^2 ☐ a^2+b^2	$\angle C>90°$이면 $c^2>a^2+b^2$

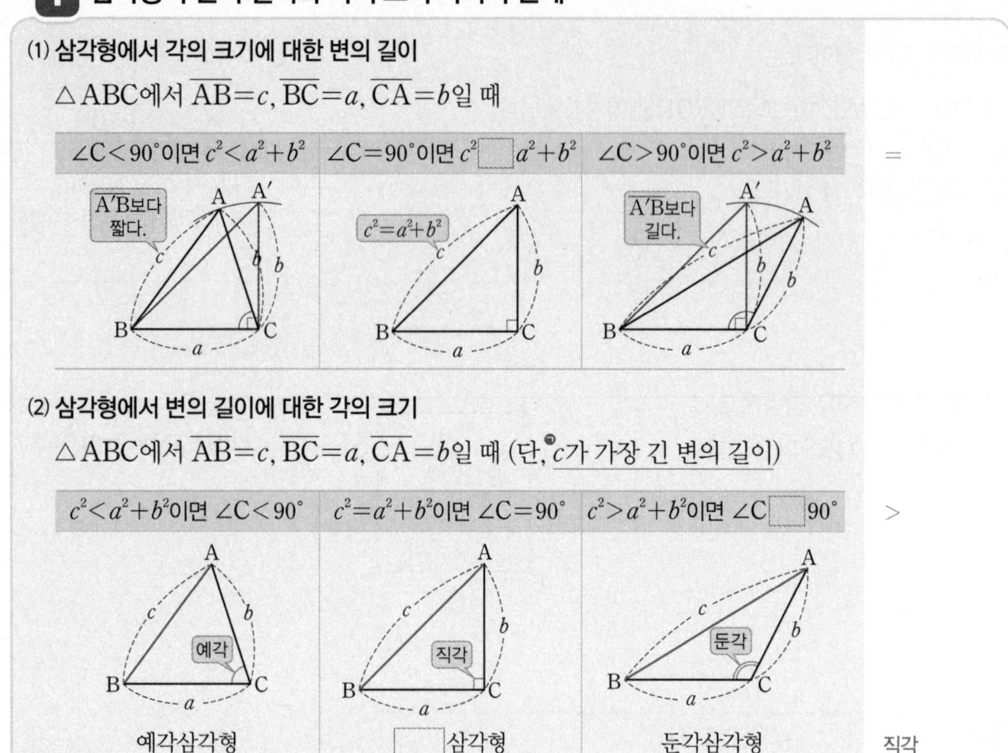

=

왼쪽 그림처럼 a, b의 길이를 고정시키고 $\angle C$의 크기를 변화시켜 봐. c ($\overline{AB}$의 길이)의 변화를 관찰할 수 있어.

(2) 삼각형에서 변의 길이에 대한 각의 크기

$\triangle ABC$에서 $\overline{AB}=c$, $\overline{BC}=a$, $\overline{CA}=b$일 때 (단, ㉠c가 가장 긴 변의 길이)

$c^2<a^2+b^2$이면 $\angle C<90°$	$c^2=a^2+b^2$이면 $\angle C=90°$	$c^2>a^2+b^2$이면 $\angle C$ ☐ $90°$
예각	직각	둔각
예각삼각형	☐삼각형	둔각삼각형

>

직각

㉠ c가 가장 긴 변의 길이라는 조건이 없으면 $c^2<a^2+b^2$이라도 $\triangle ABC$가 반드시 예각삼각형인 것은 아니다.
$\angle C$는 예각이지만 $\angle A$, $\angle B$ 중 하나가 직각 또는 둔각일 수도 있기 때문이다.

예 세 변의 길이가 각각 7, 8, 14인 $\triangle ABC$에서

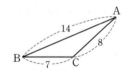

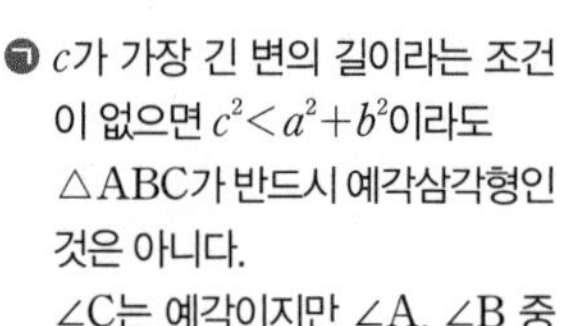

$7^2<14^2+8^2$이므로 $\angle A<90°$
그러나 $14^2>7^2+8^2$이므로 $\angle C>90°$
즉 $\triangle ABC$는 둔각삼각형이다.

보기 오른쪽 그림과 같은 $\triangle ABC$가 어떤 삼각형인지 말하시오.

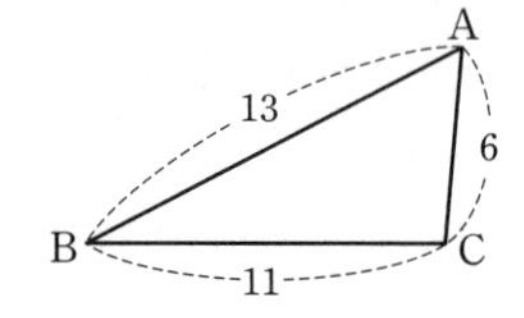

풀이 $13^2>11^2+6^2$이므로 $\angle C>90°$
이때 13이 가장 긴 변의 길이이므로 $\triangle ABC$는 둔각삼각형이다.

2 피타고라스 정리를 이용한 직각삼각형의 성질

$\angle A=90°$인 직각삼각형 ABC에서 두 점 D, E가 각각 $\overline{AB}$와 $\overline{AC}$ 위에 있을 때
⇨ $\overline{DE}^2+\overline{BC}^2=\overline{BE}^2+$ ☐

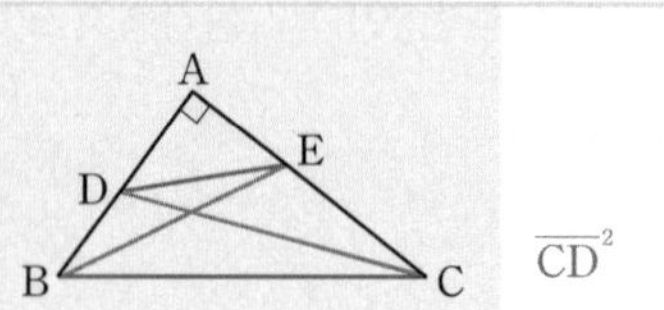

$\overline{CD}^2$

설명 피타고라스 정리에 의하여

$$\overline{DE}^2+\overline{BC}^2=(\overline{AD}^2+\overline{AE}^2)+(\overline{AB}^2+\overline{AC}^2)=(\overline{AB}^2+\overline{AE}^2)+(\overline{AD}^2+\overline{AC}^2)=\overline{BE}^2+\overline{CD}^2$$

개념 다시 보기
- **예각삼각형** 세 내각의 크기가 모두 90°보다 작은 삼각형
- **직각삼각형** 한 내각의 크기가 90°인 삼각형
- **둔각삼각형** 한 내각의 크기가 90°보다 큰 삼각형

빠른 정답 246쪽 | 정답과 해설 59쪽

| 개념 체크 |

1-1 삼각형의 변의 길이와 각의 크기 사이의 관계

1. 오른쪽 그림과 같은 △ABC에서 ∠C<90°일 때, 이를 만족하는 자연수 x의 값을 구하시오. (단, $x>8$)

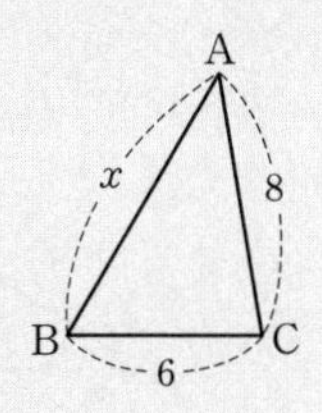

2. 세 변의 길이가 각각 다음과 같은 삼각형은 어떤 삼각형인지 말하시오.

(1) 4, 5, 7　　(2) 7, 10, 12　　(3) 5, 12, 13

셀파 가장 긴 변의 길이를 찾는다.

연구 1. x가 가장 긴 변의 길이이므로 삼각형이 되기 위한 조건에 의하여 $8<x<$ ☐ ······ ㉠

→ (가장 긴 변의 길이) < (나머지 두 변의 길이의 합)

∠C<90°이므로 $x^2<$ ☐$^2+8^2$

$\therefore x^2<$ ☐ ······ ㉡

㉠, ㉡을 모두 만족하는 자연수 x의 값은 ☐이다.

2. (1) $7^2>4^2+5^2$이므로 ☐삼각형이다.

(2) $12^2<7^2+10^2$이므로 ☐삼각형이다.

(3) $13^2=5^2+12^2$이므로 ☐삼각형이다.

| 따라 풀기 |

1-2

다음은 오른쪽 그림과 같은 △ABC에서 ∠C>90°일 때, 이를 만족하는 자연수 x의 값을 모두 구하는 과정이다. ☐ 안에 알맞은 수를 써넣으시오. (단, $x>9$)

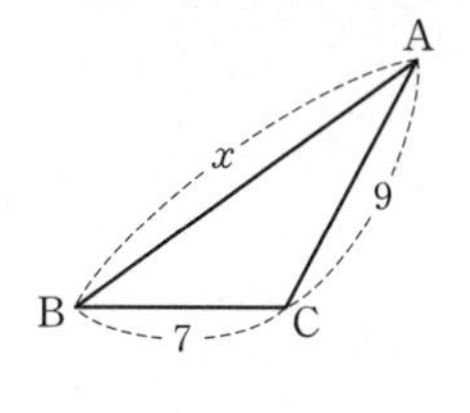

x가 가장 긴 변의 길이이므로 삼각형이 되기 위한 조건에 의하여 $9<x<$ ☐ ······ ㉠

∠C>90°이므로 $x^2>$ ☐ ······ ㉡

㉠, ㉡을 모두 만족하는 자연수 x의 값은 ☐이다.

1-3

세 변의 길이가 각각 다음과 같은 삼각형은 어떤 삼각형인지 말하시오.

(1) 2, 3, 4　　(2) 5, 6, 7　　(3) 7, 24, 25

2-1 피타고라스 정리를 이용한 직각삼각형의 성질

오른쪽 그림과 같은 직각삼각형 ABC에서 x^2의 값을 구하시오.

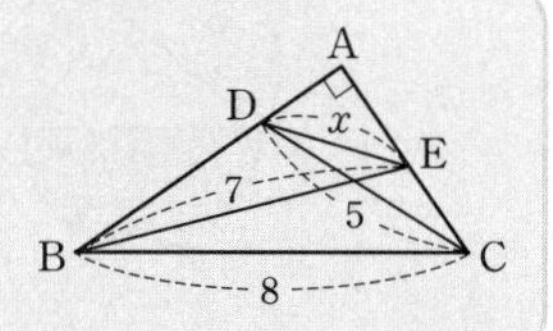

셀파 $\overline{DE}^2+\overline{BC}^2=\overline{BE}^2+\overline{CD}^2$

연구 $x^2+8^2=7^2+$ ☐^{2}

$\therefore x^2=$ ☐

2-2

오른쪽 그림과 같은 직각삼각형 ABC에서 x^2의 값을 구하시오.

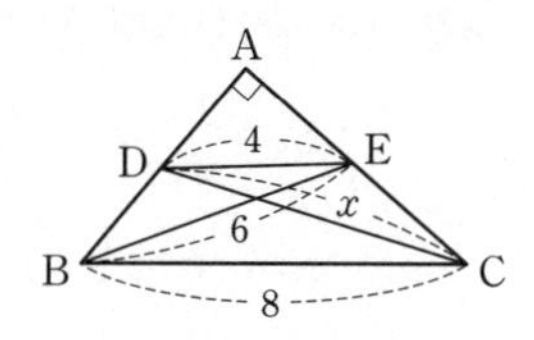

△ABC에서 $\overline{AB}=c$, $\overline{BC}=a$, $\overline{CA}=b$일 때
① ∠C<90°이면 $c^2<a^2+b^2$
② ∠C=90°이면 $c^2=a^2+b^2$
③ ∠C>90°이면 $c^2>a^2+b^2$

2. 피타고라스 정리를 이용한 성질

3 피타고라스 정리를 이용한 사각형의 성질

사각형 ABCD에서 두 대각선이 ㉠직교할 때

⇨ $\overline{AB}^2+\overline{CD}^2=$ ☐ $+\overline{BC}^2$

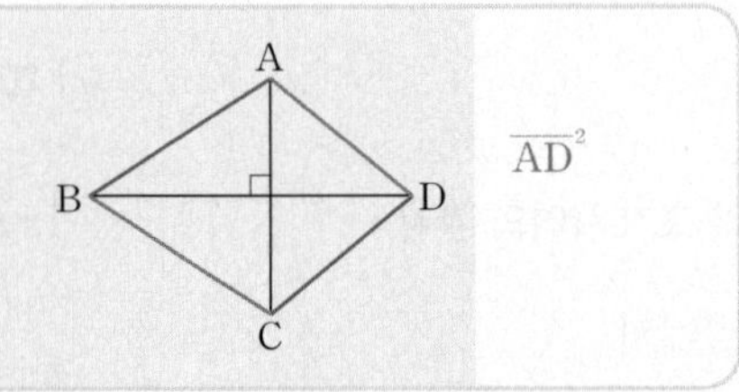

$\overline{AD}^2$

㉠ 두 직선의 교각이 직각일 때, 두 직선은 직교한다고 한다.

설명 피타고라스 정리에 의하여

$\overline{AB}^2=a^2+b^2$, $\overline{BC}^2=b^2+c^2$, $\overline{CD}^2=c^2+d^2$, $\overline{AD}^2=a^2+d^2$

$\therefore \overline{AB}^2+\overline{CD}^2=(a^2+b^2)+(c^2+d^2)$

$=(a^2+d^2)+(b^2+c^2)$

$=\overline{AD}^2+\overline{BC}^2$

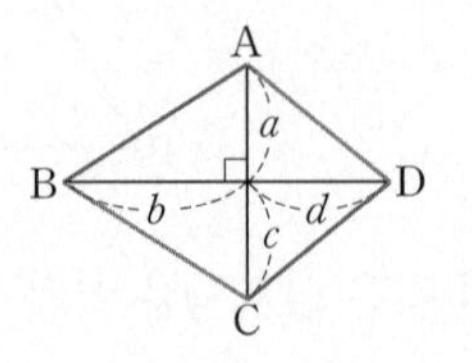

㉡ 직각삼각형의 각 변을 한 변으로 하는 세 개의 정다각형이나 각 변을 지름으로 하는 반원을 그리면 그 넓이 사이에는 항상 다음과 같은 관계가 성립한다.
(가장 큰 도형의 넓이)
=(다른 두 도형의 넓이의 합)

4 직각삼각형과 반원으로 이루어진 도형의 성질

(1) ㉡직각삼각형과 세 반원 사이의 관계

오른쪽 그림과 같이 직각삼각형 ABC의 세 변을 지름으로 하는 반원의 넓이를 각각 S_1, S_2, S_3이라 할 때,

$S_3=S_1+S_2$

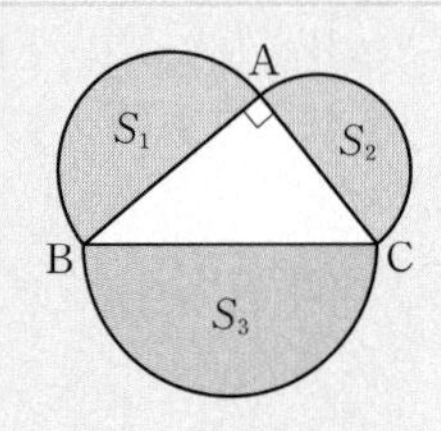

(2) 히포크라테스의 원의 넓이

오른쪽 그림과 같이 직각삼각형 ABC의 세 변을 지름으로 하는 반원에서

㉢(색칠한 부분의 넓이)$=\triangle ABC=\frac{1}{2}bc$

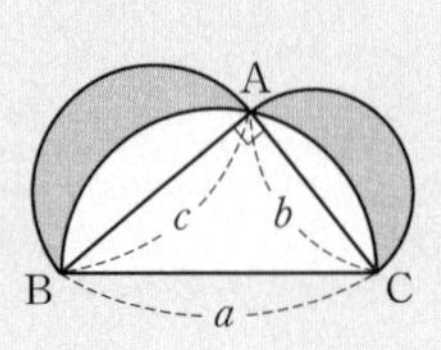

㉢ 색칠한 부분의 넓이를 히포크라테스의 원의 넓이라 한다.

설명 (1) 직각삼각형 ABC에서 $\overline{AB}=c$, $\overline{BC}=a$, $\overline{CA}=b$라 하면

$S_3=\frac{1}{2}\times\pi\times\left(\frac{a}{2}\right)^2=\frac{1}{8}\pi a^2$,

$S_1+S_2=\frac{1}{2}\times\pi\times\left(\frac{c}{2}\right)^2+\frac{1}{2}\times\pi\times\left(\frac{b}{2}\right)^2=\frac{1}{8}\pi(b^2+c^2)$

이때 피타고라스 정리에 의하여 $b^2+c^2=a^2$이므로 $S_3=S_1+S_2$

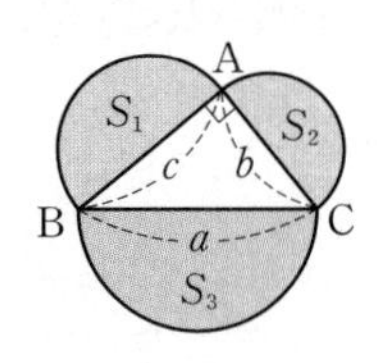

(2) 직각삼각형 ABC에서 $\overline{AB}$를 지름으로 하는 반원의 넓이를 S_1, $\overline{AC}$를 지름으로 하는 반원의 넓이를 S_2, $\overline{BC}$를 지름으로 하는 반원의 넓이를 S_3이라 하자.

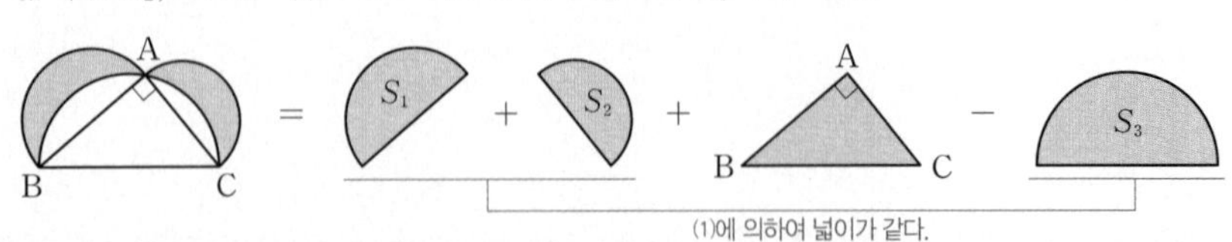

$\therefore$ (색칠한 부분의 넓이)$=(S_1+S_2)+\triangle ABC-S_3$

$=S_3+\triangle ABC-S_3=\triangle ABC$

주의 다음 그림에서 $S_1+S_2=\triangle ABC$로 착각하지 않도록 한다.

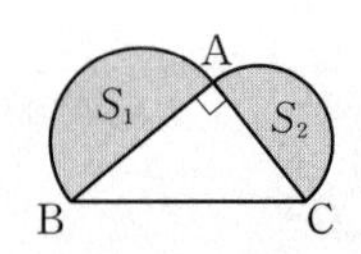

개념 익히기

| 개념 체크 |

3-1 피타고라스 정리를 이용한 사각형의 성질

오른쪽 그림과 같은 □ABCD에서 x^2의 값을 구하시오.

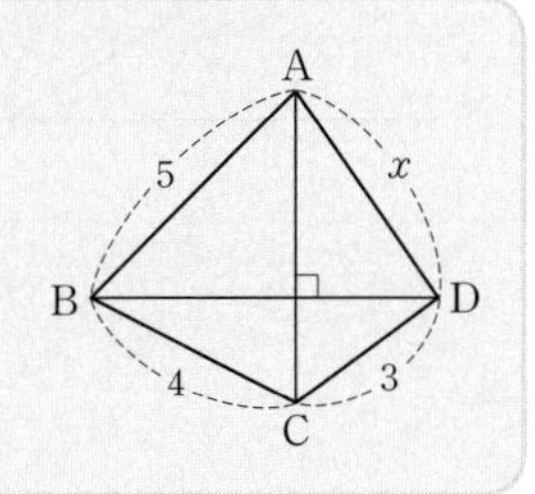

셀파 $\overline{AB}^2+\overline{CD}^2=\overline{AD}^2+\overline{BC}^2$

연구 □ABCD에서 두 대각선이 직교하므로

$5^2+\square^2=x^2+4^2$

$\therefore x^2=\square$

4-1 직각삼각형과 반원으로 이루어진 도형의 성질

다음은 직각삼각형 ABC의 세 변을 지름으로 하는 반원을 그린 것이다. 색칠한 부분의 넓이를 구하시오.

(1)

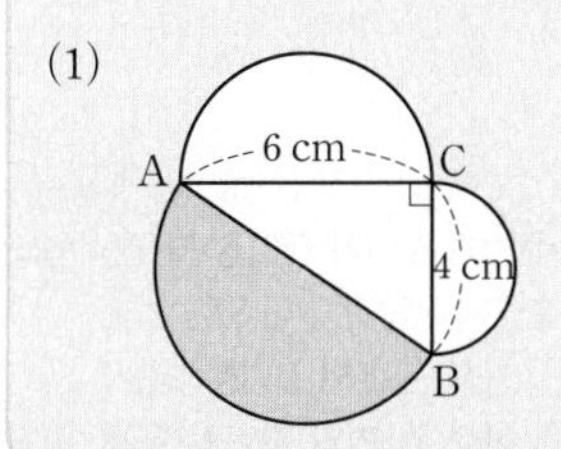

(2)

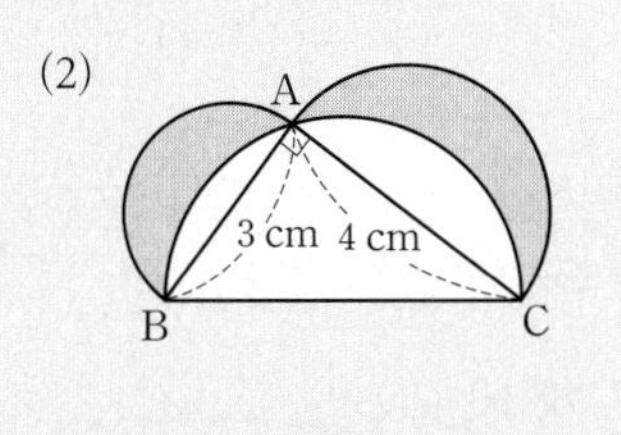

셀파 (1) (가장 큰 반원의 넓이)=(다른 두 반원의 넓이의 합)
(2) 색칠한 부분의 넓이는 △ABC의 넓이와 같다.

연구 (1) (색칠한 부분의 넓이) $=\frac{1}{2}\times\pi\times3^2+\frac{1}{2}\times\pi\times\square^2$

$=\frac{9}{2}\pi+\square=\square\ (\text{cm}^2)$

(2) (색칠한 부분의 넓이) $=\square$

$=\frac{1}{2}\times3\times\square$

$=\square\ (\text{cm}^2)$

| 따라 풀기 |

3-2 오른쪽 그림과 같은 □ABCD에서 x^2의 값을 구하시오.

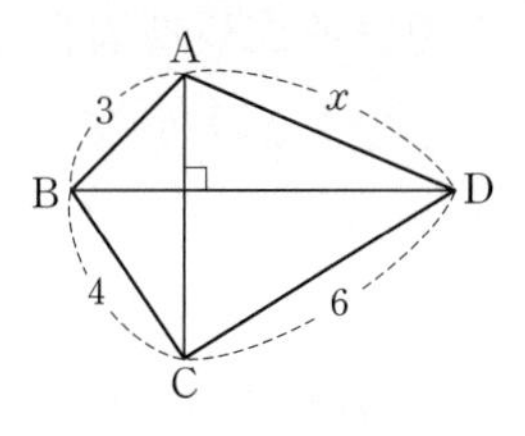

4-2 다음은 직각삼각형 ABC의 세 변을 지름으로 하는 반원을 그린 것이다. 색칠한 부분의 넓이를 구하시오.

(1)

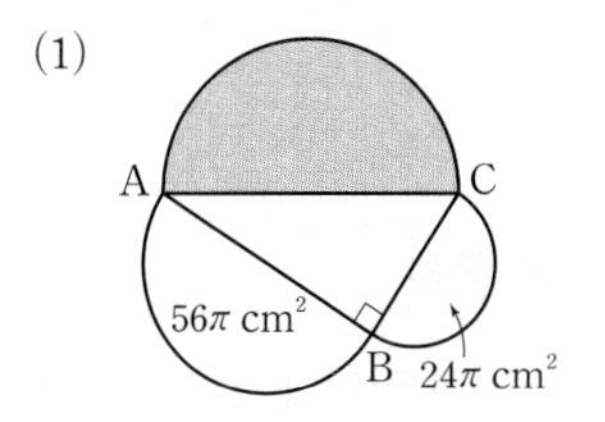

(2)

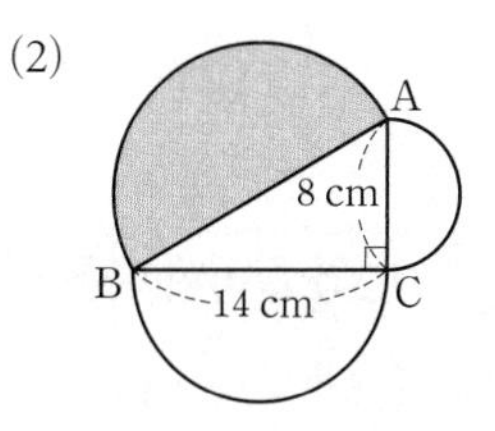

(3)

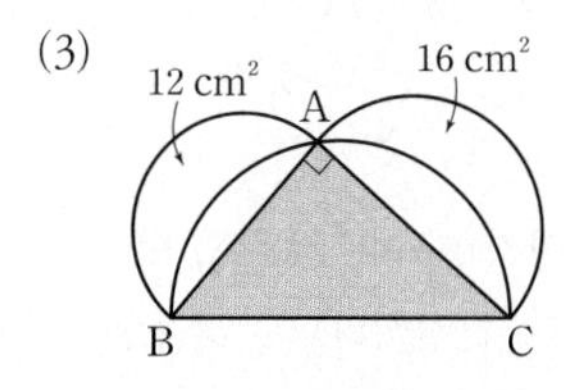

(4)

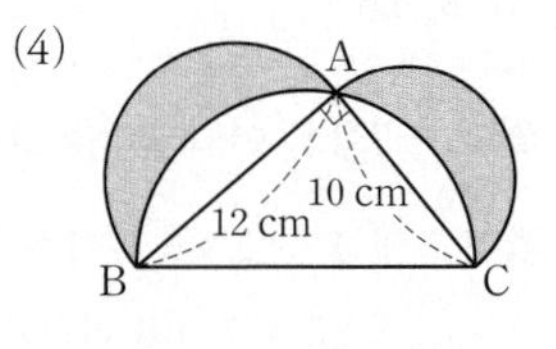

- 사각형 ABCD에서 두 대각선이 직교할 때, 사각형의 두 대변의 길이의 제곱의 합은 서로 같다.
- 직각삼각형의 세 변을 각각 지름으로 하는 세 반원을 그리면 그 넓이 사이에는 (가장 큰 반원의 넓이)=(다른 두 반원의 넓이의 합)인 관계가 성립한다.

빠른 정답 246쪽 | 정답과 해설 60쪽

기본 01 삼각형에서 각의 크기에 대한 변의 길이

오른쪽 그림과 같은 $\triangle ABC$에서 $\angle A > 90^\circ$가 되도록 하는 자연수 x의 개수를 구하시오. (단, $x > 5$)

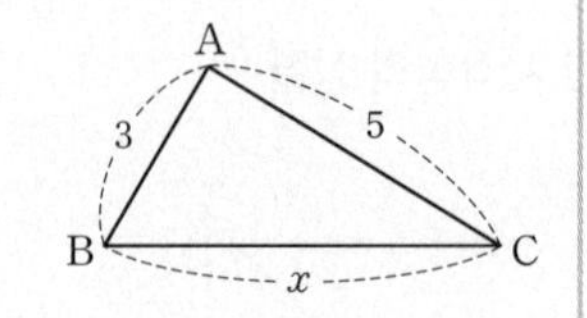

셀파 $\angle A > 90^\circ$이면 $x^2 > 3^2 + 5^2$을 만족한다.

풀이 x가 가장 긴 변의 길이이므로 삼각형이 되기 위한 조건에 의하여

$5 < x < 3+5$, 즉 $5 < x < 8$ ← 나머지 두 변의 길이의 합 …… ㉠

$\angle A > 90^\circ$이므로 $x^2 > 3^2 + 5^2$, 즉 $x^2 > 34$ …… ㉡

㉠, ㉡을 모두 만족하는 자연수 x는 6, 7의 **2개**이다.

> 해법코드
> $\triangle ABC$에서 $\overline{AB} = c$, $\overline{BC} = a$, $\overline{CA} = b$이고 c가 가장 긴 변의 길이일 때, c의 값은 다음과 같이 구한다.
> 1 $c < a + b$ ← 삼각형이 되기 위한 조건
> 2 $\angle C < 90^\circ$이면 $c^2 < a^2 + b^2$
> $\angle C = 90^\circ$이면 $c^2 = a^2 + b^2$
> $\angle C > 90^\circ$이면 $c^2 > a^2 + b^2$
> 3 1, 2를 모두 만족하는 c의 값을 찾는다.

확인 01 세 변의 길이가 각각 4, 7, x인 삼각형에서 다음을 구하시오. (단, $x > 7$)

(1) 예각삼각형이 되기 위한 자연수 x의 값

(2) 둔각삼각형이 되기 위한 자연수 x의 값

> » My 셀파
> 가장 긴 변의 길이부터 찾는다.

기본 02 변의 길이에 따른 삼각형의 종류

세 변의 길이가 각각 다음과 같은 삼각형 중 예각삼각형인 것을 모두 고르면? (정답 2개)

① 2, 3, 4　② 4, 5, 6　③ 7, 8, 10
④ 5, 9, 13　⑤ 8, 15, 17

셀파 가장 긴 변의 길이를 찾는다.

풀이 ① $4^2 > 2^2 + 3^2$이므로 둔각삼각형이다.　② $6^2 < 4^2 + 5^2$이므로 예각삼각형이다.
③ $10^2 < 7^2 + 8^2$이므로 예각삼각형이다.　④ $13^2 > 5^2 + 9^2$이므로 둔각삼각형이다.
⑤ $17^2 = 8^2 + 15^2$이므로 직각삼각형이다.
따라서 예각삼각형인 것은 **②, ③**이다.

> 해법코드
> 세 변의 길이가 주어질 때, 삼각형의 종류는 다음과 같이 판단한다.
> 1 가장 긴 변의 길이를 찾는다.
> 2 가장 긴 변의 길이의 제곱(㉠)과 나머지 두 변의 길이의 제곱의 합(㉡)의 대소를 비교한다.
> ⇨ ㉠ < ㉡이면 예각삼각형
> ㉠ = ㉡이면 직각삼각형
> ㉠ > ㉡이면 둔각삼각형

확인 02 세 변의 길이가 각각 다음과 같은 삼각형 중 둔각삼각형인 것은?

① 3, 4, 5　② 4, 4, 7　③ 6, 7, 8
④ 8, 10, 11　⑤ 9, 12, 15

> » My 셀파
> 세 변의 길이가 각각 a, b, c(c가 가장 긴 변의 길이)인 삼각형에서 $c^2 > a^2 + b^2$이면 그 삼각형은 둔각삼각형이다.

기본 03 피타고라스 정리를 이용한 직각삼각형의 성질

오른쪽 그림과 같이 $\angle C=90^\circ$인 직각삼각형 ABC에서 $\overline{BC}=8$, $\overline{AC}=6$, $\overline{AD}=8$일 때, $\overline{BE}^2-\overline{DE}^2$의 값을 구하시오.

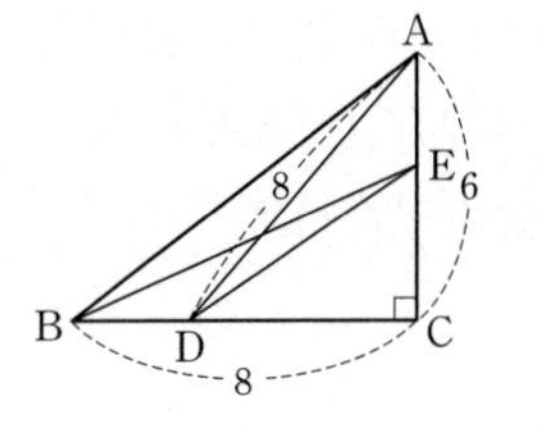

해법코드

$\angle C=90^\circ$인 직각삼각형 ABC에서 두 점 D, E가 각각 $\overline{BC}$, $\overline{AC}$ 위에 있을 때

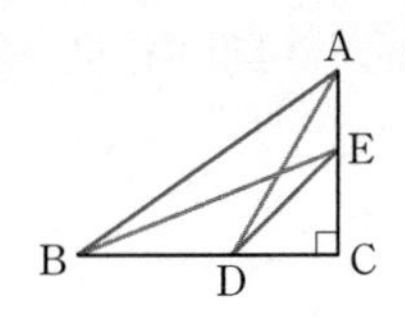

⇨ $\overline{AD}^2+\overline{BE}^2=\overline{AB}^2+\overline{DE}^2$

셀파 먼저 직각삼각형 ABC에서 $\overline{AB}^2$의 값을 구한다.

풀이 $\triangle ABC$에서 $\overline{AB}^2=8^2+6^2=100$
$\overline{AD}^2+\overline{BE}^2=\overline{AB}^2+\overline{DE}^2$이므로
$\overline{BE}^2-\overline{DE}^2=\overline{AB}^2-\overline{AD}^2=100-8^2=\mathbf{36}$

확인 03 오른쪽 그림과 같이 $\angle A=90^\circ$인 직각삼각형 ABC에서 $\overline{AD}=4$, $\overline{AE}=3$, $\overline{DB}=6$일 때, $\overline{BC}^2-\overline{CD}^2$의 값을 구하시오.

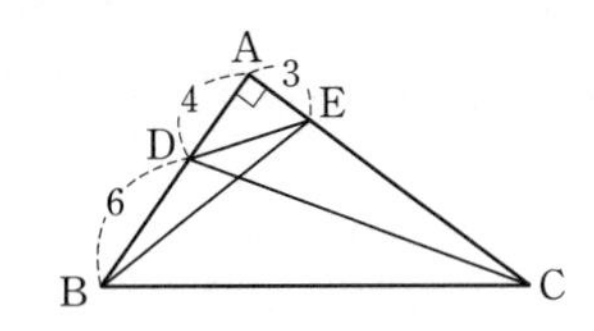

» My 셀파
직각삼각형 ADE에서 $\overline{DE}^2$의 값, 직각삼각형 ABE에서 $\overline{BE}^2$의 값을 구한다.

기본 04 피타고라스 정리를 이용한 사각형의 성질

오른쪽 그림과 같은 □ABCD에서 $\overline{AC}\perp\overline{BD}$일 때, $\overline{BC}^2$의 값을 구하시오.

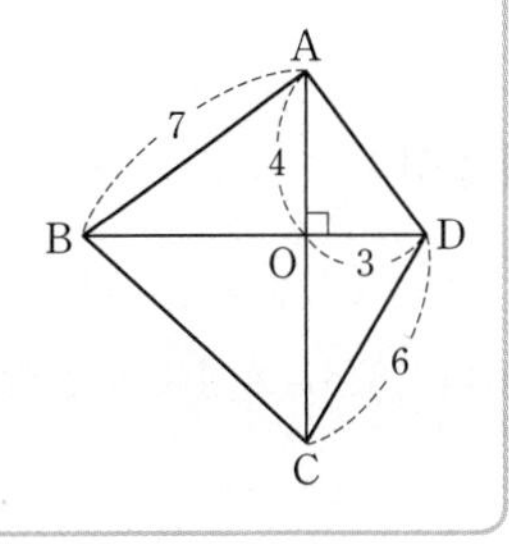

해법코드

□ABCD의 두 대각선이 직교할 때

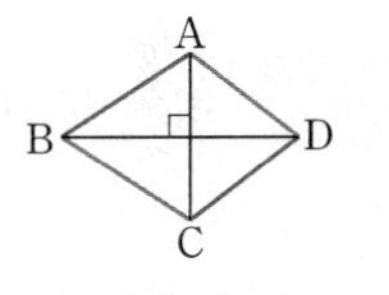

⇨ $\overline{AB}^2+\overline{CD}^2=\overline{AD}^2+\overline{BC}^2$
→ 두 대변의 길이의 제곱의 합은 서로 같다.

셀파 먼저 직각삼각형 AOD에서 $\overline{AD}^2$의 값을 구한다.

풀이 $\triangle AOD$에서 $\overline{AD}^2=3^2+4^2=25$
$\overline{AB}^2+\overline{CD}^2=\overline{AD}^2+\overline{BC}^2$이므로
$7^2+6^2=25+\overline{BC}^2$ $\quad\therefore \overline{BC}^2=\mathbf{60}$

확인 04 오른쪽 그림의 □ABCD는 $\overline{AD}/\!/\overline{BC}$인 등변사다리꼴이다. $\overline{AC}\perp\overline{BD}$이고 $\overline{AD}=4$, $\overline{BC}=8$일 때, $\overline{AB}^2$의 값을 구하시오.

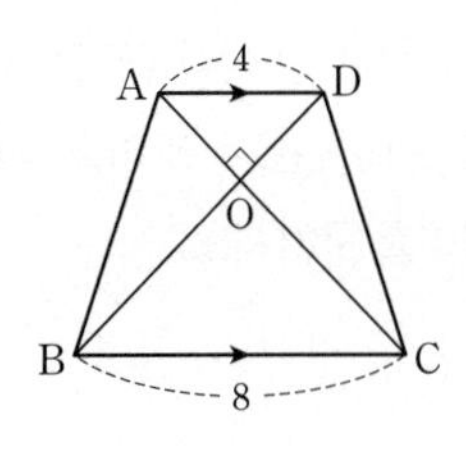

» My 셀파
등변사다리꼴에서 평행하지 않은 한 쌍의 대변의 길이는 같으므로 $\overline{AB}=\overline{DC}$

기본 05 직각삼각형과 세 반원 사이의 관계

해법코드

오른쪽 그림과 같이 $\angle A=90^\circ$인 직각삼각형 ABC의 세 변을 지름으로 하는 반원의 넓이를 각각 P, Q, R라 하자. $\overline{BC}=14$일 때, $P+Q+R$의 값을 구하시오.

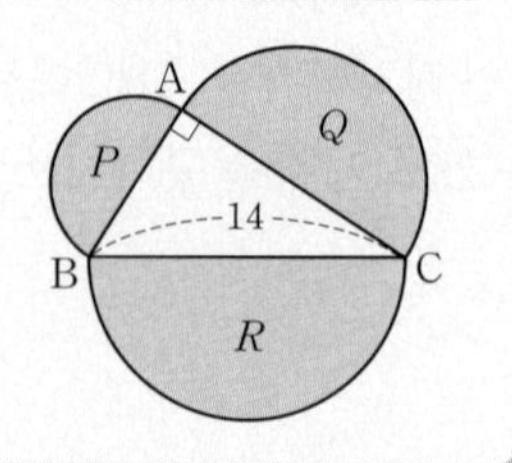

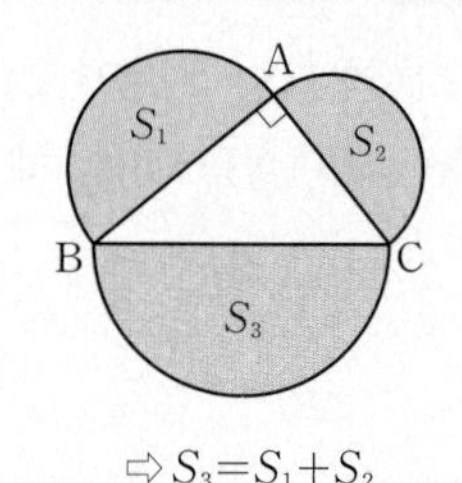

⇨ $S_3=S_1+S_2$

셀파 (가장 큰 반원의 넓이)=(다른 두 반원의 넓이의 합)임을 이용한다.

풀이 $R=P+Q$이므로

$P+Q+R=2R=2\times\left(\frac{1}{2}\times\pi\times7^2\right)=\mathbf{49\pi}$

확인 05 오른쪽 그림과 같이 $\angle A=90^\circ$인 직각삼각형 ABC에서 $\overline{AB}$, $\overline{AC}$를 각각 지름으로 하는 두 반원을 그렸다. 이때 색칠한 부분의 넓이를 구하시오.

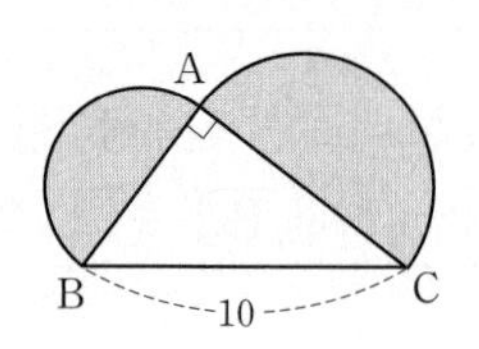

» My 셀파

$\overline{AB}$, $\overline{AC}$를 지름으로 하는 두 반원의 넓이의 합은 $\overline{BC}$를 지름으로 하는 반원의 넓이와 같다.

기본 06 히포크라테스의 원의 넓이

해법코드

오른쪽 그림과 같이 $\angle A=90^\circ$인 직각삼각형 ABC의 각 변을 지름으로 하는 세 반원을 그렸다. $\overline{AB}=8$, $\overline{BC}=10$일 때, 색칠한 부분의 넓이를 구하시오.

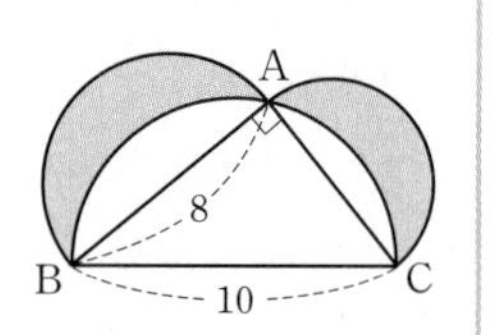

⇨ $S_1+S_2=\triangle ABC=\frac{1}{2}bc$

셀파 색칠한 부분의 넓이는 $\triangle ABC$의 넓이와 같다.

풀이 $\triangle ABC$에서 $\overline{AC}^2=10^2-8^2=36$ $\quad\therefore \overline{AC}=6\ (\because \overline{AC}>0)$

$\therefore$ (색칠한 부분의 넓이)$=\triangle ABC=\frac{1}{2}\times8\times6=\mathbf{24}$

확인 06 오른쪽 그림과 같이 $\angle A=90^\circ$인 직각삼각형 ABC의 세 변을 지름으로 하는 반원을 그렸다. $\overline{AC}=12$이고 색칠한 부분의 넓이가 30일 때, $\overline{BC}$의 길이를 구하시오.

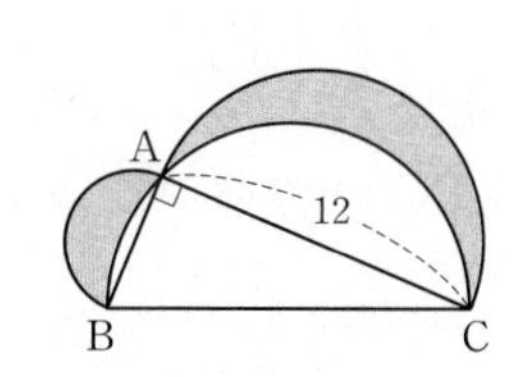

» My 셀파

(색칠한 부분의 넓이)$=\triangle ABC$임을 이용하여 $\overline{AB}$의 길이를 먼저 구한다.

실력 키우기

빠른 정답 247쪽 | 정답과 해설 61쪽

01 피타고라스 정리

오른쪽 그림과 같은 △ABC에서 $\overline{AD} \perp \overline{BC}$일 때, $x+y$의 값을 구하시오.

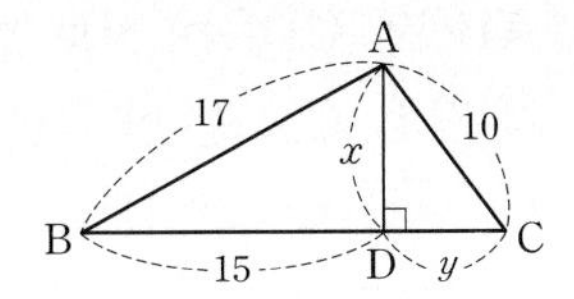

02 피타고라스 정리

오른쪽 그림에서

$\overline{AB}=\overline{AC}=\overline{CD}=\overline{DE}=1$

일 때, $\overline{BE}$의 길이를 구하시오.

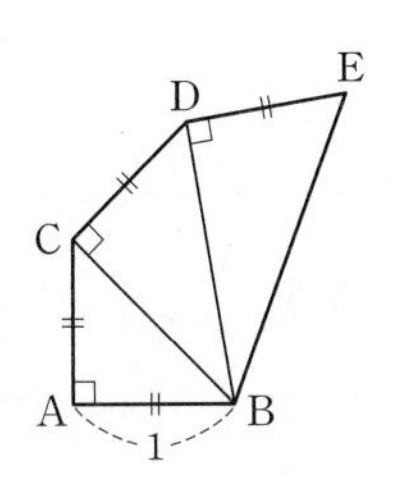

03 피타고라스 정리

오른쪽 그림과 같이 넓이가 각각 $25\,\text{cm}^2$, $225\,\text{cm}^2$인 두 정사각형 ABCD, GCEF를 세 점 B, C, E가 한 직선 위에 있도록 이어 붙였을 때, $\overline{BF}$의 길이를 구하시오.

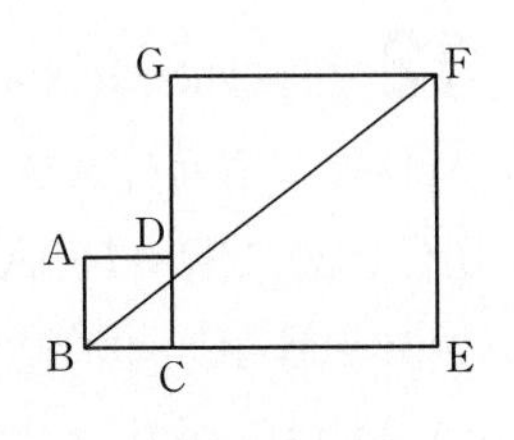

04 직각삼각형의 닮음과 피타고라스 정리 (서술형)

오른쪽 그림과 같이 가로, 세로의 길이가 각각 16 cm, 12 cm인 직사각형 ABCD의 꼭짓점 A에서 대각선 BD에 내린 수선의 발을 H라 할 때, $\overline{BH}$의 길이를 구하시오.

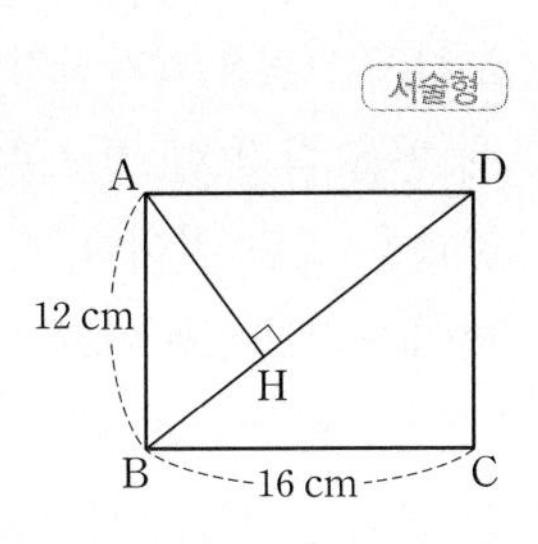

05 직각삼각형의 닮음과 피타고라스 정리 (융합형)

오른쪽 그림과 같이 직선 $y=-\frac{4}{3}x+8$이 x축, y축과 만나는 점을 각각 A, B라 하고 원점 O에서 이 직선에 내린 수선의 발을 H라 할 때, $\overline{OH}$의 길이를 구하시오.

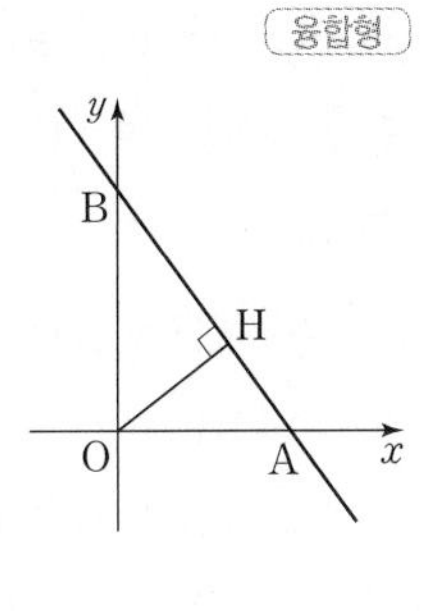

06 사다리꼴에서 피타고라스 정리 이용하기

오른쪽 그림과 같이 $\overline{AD} /\!/ \overline{BC}$인 등변사다리꼴 ABCD에서 $\overline{AB}=\overline{DC}=5\,\text{cm}$, $\overline{AD}=6\,\text{cm}$, $\overline{BC}=12\,\text{cm}$일 때, □ABCD의 넓이를 구하시오.

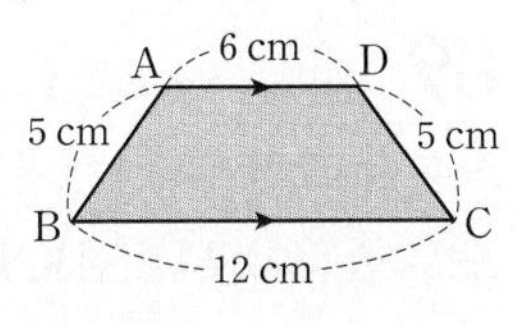

07 피타고라스 정리의 설명 (1) – 유클리드의 방법

오른쪽 그림은 직각삼각형 ABC의 세 변을 각각 한 변으로 하는 정사각형을 그린 것이다. □ADEB의 넓이가 225 cm^2이고 □ACHI의 넓이가 81 cm^2일 때, □BFGC의 한 변의 길이를 구하시오.

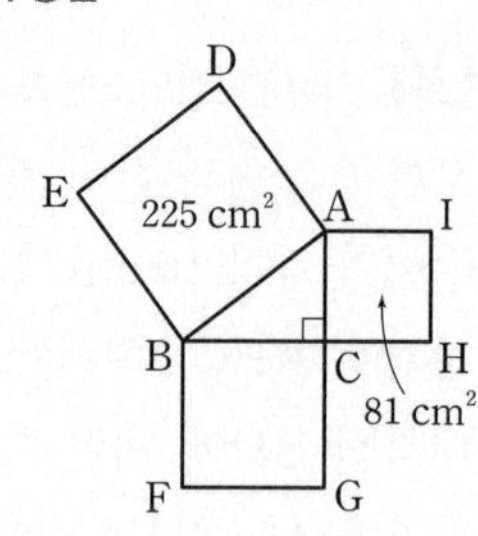

08 피타고라스 정리의 설명 (1) – 유클리드의 방법

오른쪽 그림은 직각삼각형 ABC의 세 변을 각각 한 변으로 하는 정사각형을 그린 것이다. 다음 중 옳지 않은 것은?

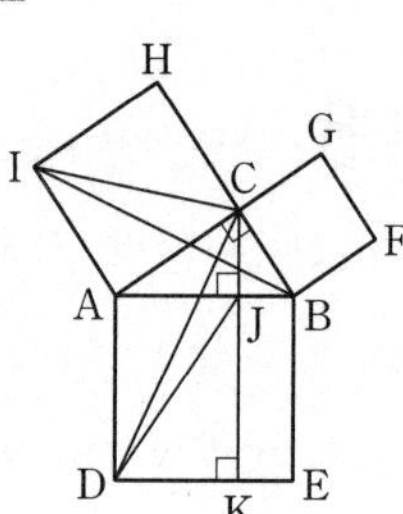

① $\triangle IAB \equiv \triangle CAD$
② $\triangle HIC = \triangle ADJ$
③ □IACH=□ADKJ
④ □CBFG=□JKEB
⑤ $\triangle IAC = \triangle ABC$

09 피타고라스 정리의 설명 (3) – 바스카라의 방법

오른쪽 그림에서 4개의 직각삼각형은 모두 합동이고 □ABCD의 넓이는 400 cm^2이다. $\overline{AE}=12\text{ cm}$일 때, □EFGH의 둘레의 길이를 구하시오.

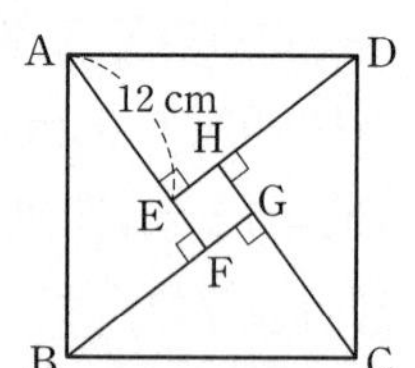

10 피타고라스 정리의 설명 (4) – 가필드의 방법

서술형

오른쪽 그림에서 두 직각삼각형 ABC와 CDE는 서로 합동이고 세 점 B, C, D는 한 직선 위에 있다. $\overline{AB}=8\text{ cm}$이고 $\triangle ACE$의 넓이가 50 cm^2일 때, 다음을 구하시오.

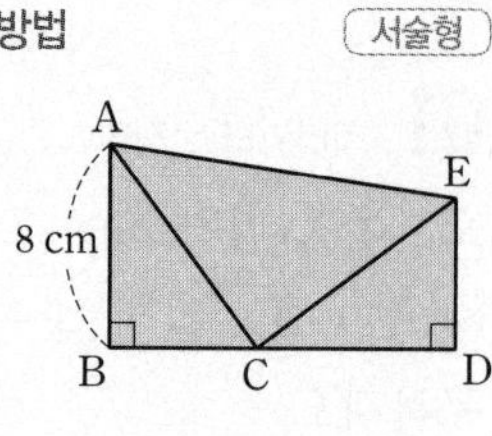

(1) $\overline{CE}$의 길이

(2) $\overline{ED}$의 길이

(3) 사다리꼴 ABDE의 넓이

11 각의 크기에 따른 삼각형의 변의 길이

오른쪽 그림과 같은 $\triangle ABC$에서 $\angle B < 90^\circ$가 되도록 하는 자연수 x의 값을 구하시오. (단, $x > 5$)

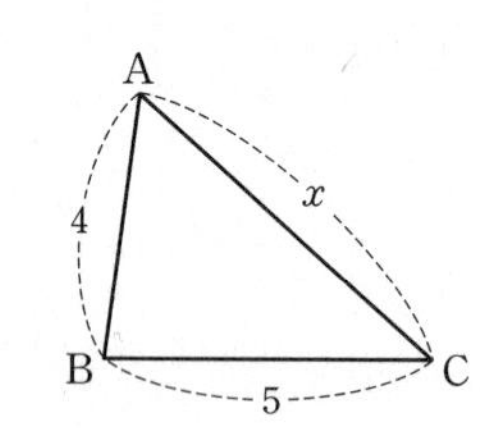

12 변의 길이에 따른 삼각형의 종류

창의력

오른쪽 그림에서 $\overline{AB}=16$, $\overline{BC}=20$, $\overline{CD}=10$, $\overline{AD}=6$이고 $\angle BAC=90^\circ$일 때, $\triangle ACD$는 어떤 삼각형인가?

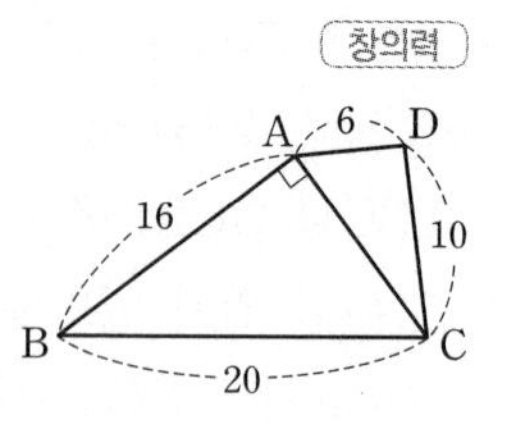

① 직각삼각형 ② 예각삼각형 ③ 둔각삼각형
④ 정삼각형 ⑤ 이등변삼각형

13 피타고라스 정리를 이용한 직각삼각형의 성질

오른쪽 그림과 같이 ∠C=90°인 직각삼각형 ABC에서 두 점 D, E는 각각 $\overline{BC}$, $\overline{AC}$의 중점이다. $\overline{DE}=8$일 때, $\overline{AD}^2+\overline{BE}^2$의 값을 구하시오.

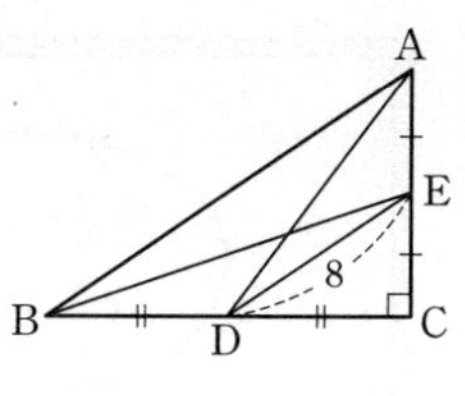

14 피타고라스 정리를 이용한 사각형의 성질

서술형

오른쪽 그림과 같이 □ABCD의 두 대각선이 점 O에서 직교하고 $\overline{AB}=9$, $\overline{BC}=15$, $\overline{CD}=13$, $\overline{AO}=3$일 때, 다음을 구하시오.

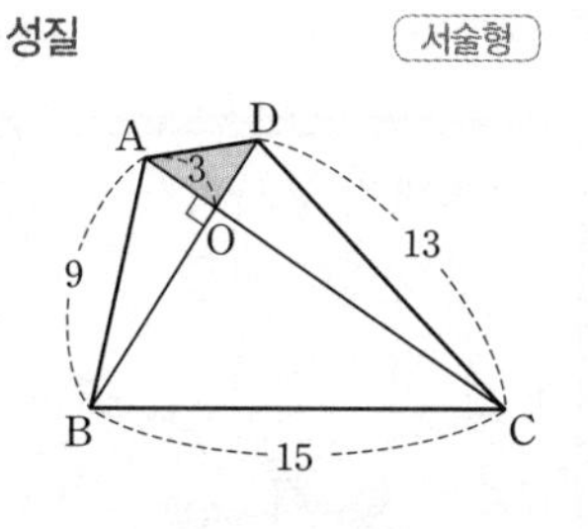

(1) $\overline{AD}$의 길이

(2) △AOD의 넓이

15 이등변삼각형에서 피타고라스 정리

서술형

오른쪽 그림과 같이 $\overline{AB}=\overline{AC}=10$ cm, $\overline{BC}=16$ cm인 이등변삼각형 ABC의 넓이를 구하시오.

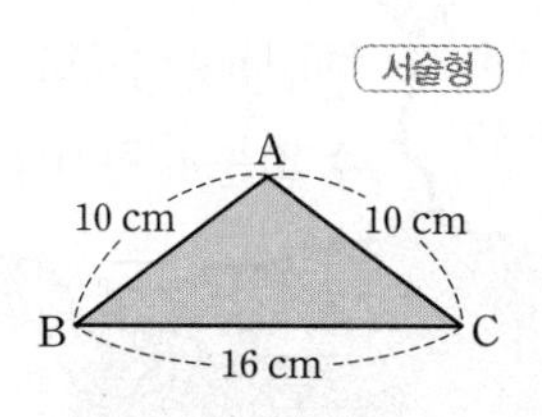

16 피타고라스 정리의 활용

융합형

오른쪽 그림과 같이 ∠A=90°인 직각삼각형 ABC에서 점 G는 무게중심이다. $\overline{AB}=5$, $\overline{GD}=2$일 때, $\overline{AC}^2$의 값을 구하시오.

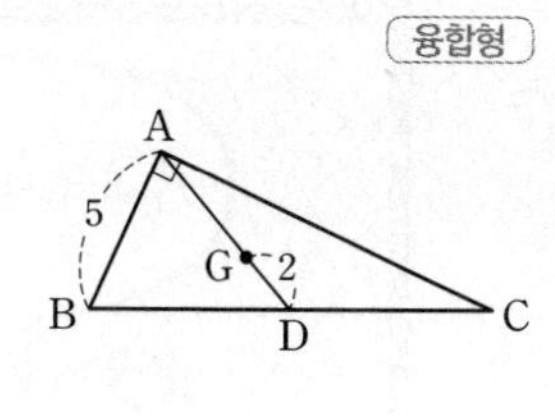

17 피타고라스 정리의 활용

융합형

오른쪽 그림과 같이 $\overline{AB}=8$ cm, $\overline{AD}=10$ cm인 직사각형 모양의 종이 ABCD를 꼭짓점 D가 $\overline{BC}$ 위의 점 E에 오도록 접었다. 이때 $\overline{EF}$의 길이를 구하시오.

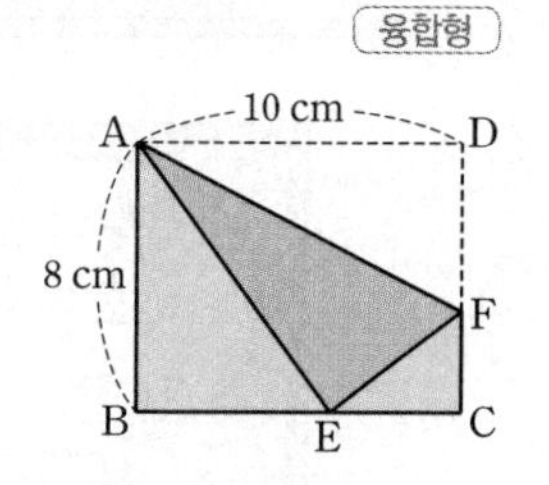

18 히포크라테스의 원의 넓이

오른쪽 그림은 원에 내접하는 직사각형 ABCD의 네 변을 각각 지름으로 하는 반원을 그린 것이다. 색칠한 부분의 넓이를 구하시오.

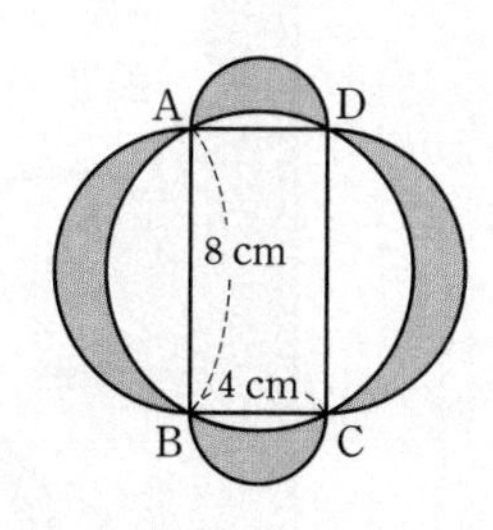

거대 주사위 던지기!
오세요~ 오세요~

상품이 어마어마하대.
상품이 뭔대?

홀수의 눈이 나오면 사탕이 한 알.
짝수의 눈이 나오면 사탕이 두알.
참가비 1,000원
1, 3, 5
2, 4, 6

에게게 참가비가 천 원인데 사탕 두 알이 뭐냐?
저건 기본이고 대박은 1등 상품이야.

1등 상품은 최고 사양의 게임 PC.
오~ 괜찮은데. 1등을 하려면?
쳇! 절대 일어날 수 없는 사건이잖아!
1 등
주사위의 눈의 수가 3이면서 짝수일 경우.

12

IV | 확률

사건과 경우의 수

| 개념 1 | 사건과 경우의 수
| 개념 2 | 사건 A 또는 사건 B가 일어나는 경우의 수
| 개념 3 | 사건 A와 사건 B가 동시에 일어나는 경우의 수
| 개념 4 | 여러 개의 동전 또는 주사위를 동시에 던지는 경우의 수

전혀 일어날 수 없는 사건 이라니, 무슨 말이야?
주사위를 던지는 행위를 실험이라고 한다면, 실험의 결과로 주사위의 눈이 나오는 건 사건이라고 해.
홀수의 눈이 나오는 사건은 몇 가지가 있을까?
1, 3, 5가 홀수니깐, 3가지.
짝수는?
2, 4, 6이 짝수니깐, 역시 3가지.
주사위를 한 번 던져서 홀수와 짝수가 동시에 나오는 사건은?
그런 사건은 절대 일어날 수 없잖아!!!

12 사건과 경우의 수

1 사건과 경우의 수

(1) **사건** 동일한 조건에서 반복할 수 있는 실험이나 관찰에 의하여 나타나는 결과

(2) ㉠**경우의 수** 어떤 사건이 일어나는 경우의 가짓수

예 한 개의 주사위를 던질 때, 일어나는 여러 가지 사건과 각 사건의 경우의 수를 구하면 다음과 같다.

사건	사건이 일어나는 경우	경우의 수
홀수의 눈이 나온다.	⚀ ⚂ ⚄	□
일어날 수 있는 모든 경우	⚀ ⚁ ⚂ ⚃ ⚄ ⚅	6

3

㉠ 경우의 수를 구할 때는 모든 경우를 빠짐없이 중복되지 않게 구한다.

보기 한 개의 주사위를 던질 때, 다음 사건이 일어나는 경우의 수를 구하시오.

(1) 짝수의 눈이 나온다.

(2) 6의 약수의 눈이 나온다.

풀이 (1) 짝수의 눈이 나오는 경우는 2, 4, 6이므로 구하는 경우의 수는 **3**

(2) 6의 약수의 눈이 나오는 경우는 1, 2, 3, 6이므로 구하는 경우의 수는 **4**

2 사건 A 또는 사건 B가 일어나는 경우의 수

㉡두 사건 A, B가 동시에 일어나지 않을 때, 사건 A가 일어나는 경우의 수가 m, 사건 B가 일어나는 경우의 수가 n이면

(사건 A 또는 사건 B가 일어나는 경우의 수) $= m \square n$ ← 합의 법칙

+

㉡ 두 사건 A, B가 동시에 일어나지 않는다는 것은 사건 A가 일어나면 사건 B는 일어날 수 없고, 사건 B가 일어나면 사건 A는 일어날 수 없다는 뜻이다.

● 두 사건이 동시에 일어나지 않을 때, 문제에 '또는', '~이거나' 등의 표현이 있으면 두 사건의 경우의 수를 더한다.

보기 한 개의 주사위를 던질 때, ㉢2 이하 또는 4 이상의 눈이 나오는 경우의 수를 구하시오.

풀이 2 이하의 눈이 나오는 경우는 1, 2의 2가지

4 이상의 눈이 나오는 경우는 4, 5, 6의 3가지

따라서 구하는 경우의 수는 $2+3=$**5**

㉢ 2 이하이면서 4 이상인 수는 없으므로 두 사건은 동시에 일어날 수 없다.

Q 사건 A 또는 사건 B가 일어나는 경우의 수는 항상 $m+n$으로 구하나요?

A 두 사건이 동시에 일어나는 경우가 있을 때는 중복되는 경우의 수를 빼야 합니다.

한 개의 주사위를 던질 때, 2의 배수 또는 3의 배수의 눈이 나오는 경우의 수를 구해 보면

2의 배수의 눈이 나오는 경우: 2, 4, 6의 3가지, 3의 배수의 눈이 나오는 경우: 3, 6의 2가지

이때 두 사건이 동시에 일어나는 경우 '6'이 중복되므로 구하는 경우의 수는 $3+2-1=4$

↑ 중복되어 세어진 경우의 수는 빼 준다.

빠른 정답 247쪽 | 정답과 해설 64쪽

| 개념 체크 |

1-1 경우의 수

각 면에 1부터 4까지의 자연수가 각각 적힌 정사면체 모양의 주사위를 던질 때, 다음을 구하시오.

(1) 바닥에 오는 면에 적힌 수가 소수인 경우의 수
(2) 바닥에 오는 면에 적힌 수가 4의 약수인 경우의 수

셀파 나올 수 있는 경우를 빠짐없이 중복되지 않게 구한다.

연구 (1) 1부터 4까지의 자연수 중 소수는 ☐, 3이므로 구하는 경우의 수는 2
(2) 1부터 4까지의 자연수 중 4의 약수는 ☐이므로 구하는 경우의 수는 ☐

| 따라 풀기 |

1-2 주사위 한 개를 던질 때, 다음을 구하시오.

(1) 4보다 큰 수의 눈이 나오는 경우의 수

(2) 2의 배수의 눈이 나오는 경우의 수

(3) 소수의 눈이 나오는 경우의 수

소수는 1보다 큰 자연수 중
1과 자기 자신만을 약수로
갖는 수야.

2-1 사건 A 또는 사건 B가 일어나는 경우의 수

오른쪽 그림과 같이 1부터 9까지의 자연수가 각각 적힌 9개의 공이 들어 있는 상자에서 한 개의 공을 꺼낼 때, 다음을 구하시오.

(1) 3보다 작은 수가 적힌 공이 나오는 경우의 수
(2) 5 이상의 수가 적힌 공이 나오는 경우의 수
(3) 3보다 작거나 5 이상의 수가 적힌 공이 나오는 경우의 수

셀파 두 사건이 동시에 일어나지 않을 때, '또는', '~이거나'가 나오면 두 사건의 경우의 수를 더한다.

연구 (1) 3보다 작은 수가 적힌 공이 나오는 경우는 1, ☐이므로 구하는 경우의 수는 ☐
(2) 5 이상의 수가 적힌 공이 나오는 경우는 5, 6, ☐이므로 구하는 경우의 수는 ☐
(3) 3보다 작으면서 5 이상인 수는 없으므로 구하는 경우의 수는 ☐+☐=☐

2-2 오른쪽 그림과 같이 1부터 10까지의 자연수가 각각 적힌 10장의 카드 중에서 한 장을 뽑을 때, 다음을 구하시오.

(1) 3의 배수가 적힌 카드가 나오는 경우의 수

(2) 5의 배수가 적힌 카드가 나오는 경우의 수

(3) 3의 배수 또는 5의 배수가 적힌 카드가 나오는 경우의 수

- 경우의 수를 구할 때는 모든 경우를 빠짐없이 중복되지 않게 구한다.
- 두 사건이 동시에 일어나지 않을 때, '또는', '~이거나' 등의 표현이 있으면 두 사건의 경우의 수를 더한다.

3 사건 A와 사건 B가 동시에 일어나는 경우의 수

사건 A가 일어나는 경우의 수가 m이고, 그 각각의 경우에 대하여 사건 B가 일어나는 경우의 수가 n이면
(ㄱ사건 A와 사건 B가 동시에 일어나는 경우의 수)$=m$ □ n ← 곱의 법칙

×

● 문제에 '동시에', '그리고', '~와', '~하고 나서' 등과 같은 표현이 있으면 각 사건의 경우의 수를 곱한다.

보기 빵 3종류와 우유 2종류가 있을 때, 빵과 우유를 각각 한 개씩 고르는 경우의 수를 구하시오.

풀이 빵을 고르는 경우는 3가지이고, 그 각각에 대하여 우유를 고르는 경우는 2가지이므로
빵과 우유를 각각 한 개씩 고르는 경우의 수는 $3\times2=$**6**
이를 ㄴ나뭇가지 모양의 그림과 순서쌍으로 나타내면 다음 그림과 같다.

빵 1 < 우유 1 ⇨ (빵 1, 우유 1) / 우유 2 ⇨ (빵 1, 우유 2)
빵 2 < 우유 1 ⇨ (빵 2, 우유 1) / 우유 2 ⇨ (빵 2, 우유 2)
빵 3 < 우유 1 ⇨ (빵 3, 우유 1) / 우유 2 ⇨ (빵 3, 우유 2)

ㄱ 사건 A와 사건 B가 동시에 일어난다는 것은 사건 A도 일어나고 사건 B도 일어난다는 뜻이다.

ㄴ 두 사건이 동시에 일어나는 경우의 수를 구할 때는 나뭇가지 모양의 그림을 이용하면 편리하다.

4 여러 개의 동전 또는 주사위를 동시에 던지는 경우의 수

(1) 여러 개의 동전을 동시에 던지는 경우

일어나는 모든 경우의 수는 다음과 같다.

① 서로 다른 두 개의 동전 A, B를 동시에 던질 때 ⇨ ㄷ$2\times2=4$

② 서로 다른 세 개의 동전을 동시에 던질 때 ⇨ $2\times2\times2=$ □ 8

③ 서로 다른 n개의 동전을 동시에 던질 때
⇨ $\underbrace{2\times2\times2\times\cdots\times2}_{n\text{개}}=$ □ 2^n

(2) 여러 개의 주사위를 동시에 던지는 경우

일어나는 모든 경우의 수는 다음과 같다.

① 서로 다른 두 개의 주사위 A, B를 동시에 던질 때
⇨ ㄹ$6\times6=6^2$

② 서로 다른 세 개의 주사위를 동시에 던질 때
⇨ $6\times6\times6=$ □ 6^3

③ 서로 다른 n개의 주사위를 동시에 던질 때
⇨ $\underbrace{6\times6\times6\times\cdots\times6}_{n\text{개}}=$ □ 6^n

A \ B	1	2	3	4	5	6
1	(1, 1)	(1, 2)	(1, 3)	(1, 4)	(1, 5)	(1, 6)
2	(2, 1)	(2, 2)	(2, 3)	(2, 4)	(2, 5)	(2, 6)
3	(3, 1)	(3, 2)	(3, 3)	(3, 4)	(3, 5)	(3, 6)
4	(4, 1)	(4, 2)	(4, 3)	(4, 4)	(4, 5)	(4, 6)
5	(5, 1)	(5, 2)	(5, 3)	(5, 4)	(5, 5)	(5, 6)
6	(6, 1)	(6, 2)	(6, 3)	(6, 4)	(6, 5)	(6, 6)

ㄷ 2×2
→ 동전 B에서 앞면, 뒷면의 2가지
→ 동전 A에서 앞면, 뒷면의 2가지

ㄹ 6×6
→ 주사위 B에서 1, 2, 3, 4, 5, 6의 6가지
→ 주사위 A에서 1, 2, 3, 4, 5, 6의 6가지

참고 서로 다른 동전 m개와 주사위 n개를 동시에 던질 때, 일어나는 모든 경우의 수
⇨ $\underbrace{2\times2\times\cdots\times2}_{m\text{개}}\times\underbrace{6\times6\times\cdots\times6}_{n\text{개}}$
$=2^m\times6^n$

빠른 정답 247쪽 | 정답과 해설 64쪽

| 개념 체크 |

3-1 사건 A와 사건 B가 동시에 일어나는 경우의 수

10원짜리 동전 한 개와 100원짜리 동전 한 개를 동시에 던질 때, 일어나는 모든 경우의 수를 구하려고 한다. 물음에 답하시오. (단, 동전에서 앞면은 그림면을 나타내고, 뒷면은 숫자면을 나타낸다.)

(1) 다음 나뭇가지 모양의 그림을 완성하여 경우의 수를 구하시오.

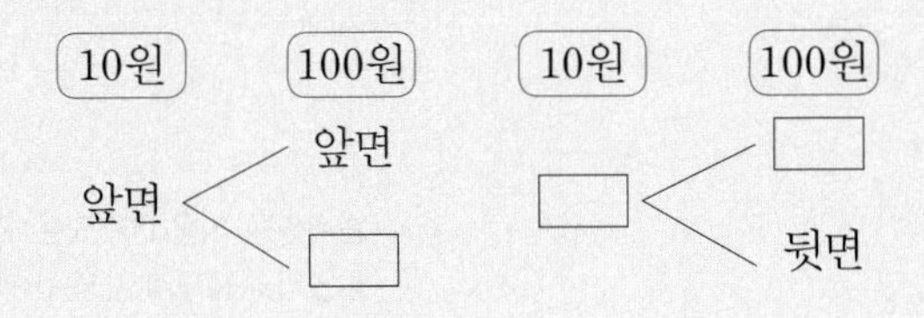

(2) 순서쌍 (10원, 100원)을 만들어 경우의 수를 구하시오.

(3) 곱의 법칙을 이용하여 경우의 수를 구하시오.

셀파 두 사건이 동시에 일어날 때, '그리고', '~와(과)', '~하고 나서'가 나오면 두 사건의 경우의 수를 곱한다.

연구 (1)

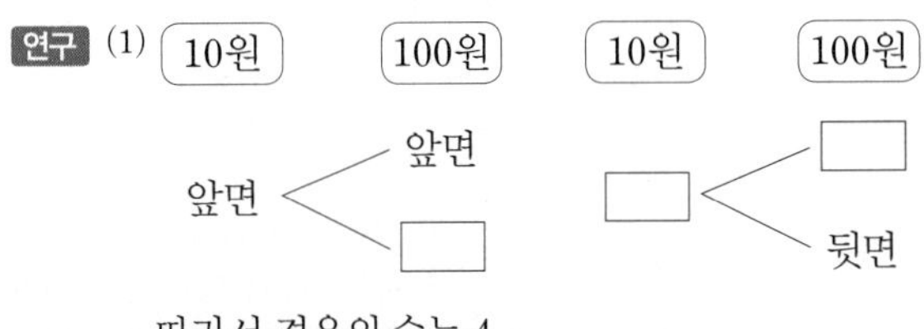

따라서 경우의 수는 4

(2) (10원, 100원) ⇨ (앞면, 앞면), (앞면, ☐), (뒷면, ☐), (뒷면, 뒷면)

따라서 경우의 수는 4

(3) 10원짜리 동전을 던졌을 때, 나오는 면의 경우는 앞면, 뒷면의 2가지이고, 그 각각에 대하여 100원짜리 동전의 면이 나오는 경우는 앞면, 뒷면의 2가지이다.

따라서 구하는 경우의 수는 2☐2=4

| 따라 풀기 |

3-2 고은이는 다음과 같이 윗옷이 2종류, 아래옷이 2종류 있다. 고은이가 옷을 다르게 입을 수 있는 경우의 수를 구하려고 한다. 물음에 답하시오.

(1) 다음 나뭇가지 모양의 그림을 완성하여 경우의 수를 구하시오.

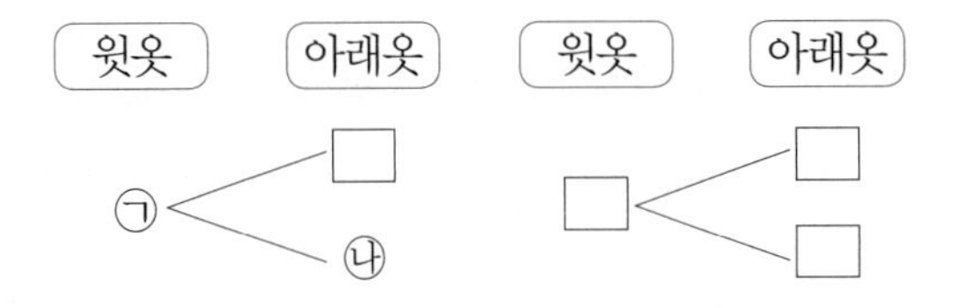

(2) 순서쌍 (윗옷, 아래옷)을 만들어 경우의 수를 구하시오.

(3) 곱의 법칙을 이용하여 경우의 수를 구하시오.

3-3 동전 한 개와 주사위 한 개를 동시에 던질 때, 다음을 구하시오.

(1) 동전 한 개를 던질 때, 일어나는 모든 경우의 수

(2) 주사위 한 개를 던질 때, 일어나는 모든 경우의 수

(3) 동전 한 개와 주사위 한 개를 동시에 던질 때, 일어나는 모든 경우의 수

두 사건이 동시에 일어날 때, '동시에', '그리고', '~와', '~하고 나서' 등과 같은 표현이 있으면 두 사건의 경우의 수를 곱한다.

빠른 정답 247쪽 | 정답과 해설 64쪽

기본 01 경우의 수

서로 다른 두 개의 주사위를 동시에 던질 때, 나오는 눈의 수의 합이 7인 경우의 수를 구하시오.

해법코드

동전이나 주사위를 던질 때, 어떤 사건이 일어나는 경우의 수
⇨ 순서쌍으로 나타내어 구한다.

셀파 두 주사위에서 나오는 눈의 수를 각각 a, b라 할 때, 순서쌍 (a, b)로 나타내어 경우의 수를 구한다.

풀이 두 주사위에서 나오는 눈의 수를 순서쌍으로 나타내면
㉠눈의 수의 합이 7인 경우는
$(1, 6)$, $(2, 5)$, $(3, 4)$, $(4, 3)$, $(5, 2)$, $(6, 1)$
이므로 구하는 경우의 수는 **6**

㉠ 다음과 같이 1부터 6까지의 수를 써넣고, 두 수의 합이 7이 되도록 순서쌍을 만든다.

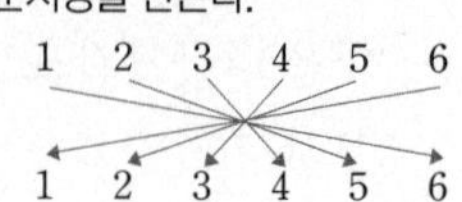

확인 01 서로 다른 두 개의 주사위를 동시에 던질 때, 다음을 구하시오.

(1) 나오는 눈의 수의 합이 10인 경우의 수

(2) 나오는 눈의 수의 차가 0인 경우의 수

» My 셀파
순서쌍을 이용하여 모든 경우를 빠짐없이 중복되지 않게 구한다.

기본 02 돈을 지불하는 방법의 수

혜나는 500원짜리 동전 1개, 100원짜리 동전 6개, 50원짜리 동전 4개를 가지고 있다. 700원짜리 과자 한 봉지를 사려고 할 때, 지불하는 방법의 수를 구하시오.

해법코드

돈을 지불하는 방법의 수를 구할 때는 먼저 액수가 큰 지폐나 동전의 개수를 정하고, 지불하는 금액에 맞게 나머지 지폐나 동전의 개수를 구한다.

셀파 500원짜리 동전의 개수부터 정한다.

풀이 700원을 지불할 때 사용할 동전의 개수를 표로 나타내면 다음과 같다.

500원	1	1	1	0	0
100원	2	1	0	6	5
50원	0	2	4	2	4

따라서 구하는 방법의 수는 **5**

확인 02 우주는 50원짜리 동전 6개와 100원짜리 동전 3개를 가지고 있다. 400원짜리 스티커를 사려고 할 때, 지불하는 방법의 수를 구하시오.

» My 셀파
100원짜리 동전의 개수부터 정한다.

기본 03 사건 A 또는 사건 B가 일어나는 경우의 수 – 주사위를 던지는 경우

서로 다른 두 개의 주사위를 동시에 던질 때, 나오는 눈의 수의 차가 3 또는 5인 경우의 수를 구하시오.

해법코드

두 사건 A, B가 동시에 일어나지 않을 때, 사건 A 또는 사건 B가 일어나는 경우의 수

⇨ (사건 A가 일어나는 경우의 수) +(사건 B가 일어나는 경우의 수)

셀파 눈의 수의 차가 3이면서 동시에 5인 경우는 없으므로 두 사건의 경우의 수를 더한다.

풀이 두 주사위에서 나오는 눈의 수를 순서쌍으로 나타내면

눈의 수의 차가 3인 경우는

$(1, 4)$, $(2, 5)$, $(3, 6)$, $(4, 1)$, $(5, 2)$, $(6, 3)$의 6가지

눈의 수의 차가 5인 경우는

$(1, 6)$, $(6, 1)$의 2가지

따라서 구하는 경우의 수는 ❶ $6+2=\mathbf{8}$

❶ 두 사건의 경우에서 중복되는 경우는 없다. 즉 두 사건이 동시에 일어나지 않으므로 두 사건의 경우의 수를 더한다.

확인 03 주사위 한 개를 두 번 던질 때, 나오는 눈의 수의 합이 5 또는 8인 경우의 수를 구하시오.

» My 셀파

눈의 수의 합이 5이면서 동시에 8인 경우는 없다.

기본 04 사건 A 또는 사건 B가 일어나는 경우의 수 – 숫자를 선택하는 경우

주머니 속에 1부터 10까지의 자연수가 각각 적힌 10개의 공이 들어 있다. 이 주머니에서 한 개의 공을 꺼낼 때, 소수 또는 4의 약수가 적힌 공이 나오는 경우의 수를 구하시오.

해법코드

사건 A 또는 사건 B가 일어나는 경우의 수

⇨ (사건 A가 일어나는 경우의 수) +(사건 B가 일어나는 경우의 수) −(두 사건 A, B가 중복되어 일어나는 경우의 수)

셀파 소수와 4의 약수 중 중복되는 경우가 있는지 확인한다.

풀이 소수가 적힌 공이 나오는 경우는 2, 3, 5, 7의 4가지

4의 약수가 적힌 공이 나오는 경우는 1, 2, 4의 3가지

이때 2는 소수이면서 4의 약수이므로

구하는 경우의 수는 $4+3-1=\mathbf{6}$

→ 중복해서 헤아린 수는 2의 1가지이므로 1을 뺀다.

문제에 '또는'이 나오면 중복되는 경우가 있는지 꼭 확인해 봐!

확인 04 1부터 20까지의 자연수가 각각 적힌 20장의 카드 중에서 한 장을 뽑을 때, 다음을 구하시오.

(1) 4의 배수 또는 7의 배수가 적힌 카드가 나오는 경우의 수

(2) 3의 배수 또는 5의 배수가 적힌 카드가 나오는 경우의 수

» My 셀파

두 사건이 동시에 일어나는 경우가 있는지 확인한다.

12 사건과 경우의 수

기본 05 두 사건 A, B가 동시에 일어나는 경우의 수 – 물건을 선택하는 경우

오른쪽 차림표에서 분식과 음료수를 각각 한 가지씩 주문하려고 한다. 이때 주문할 수 있는 경우의 수를 구하시오.

분식	음료수
김밥 순대 튀김 떡볶이	콜라 사이다 우유

셀파 분식을 선택하는 각 경우에 대하여 음료수 한 개를 선택할 수 있다.

풀이 분식을 선택하는 경우는 4가지
ⓐ분식을 선택한 각 경우에 대하여 음료수를 선택할 수 있는 경우는 3가지이므로
구하는 경우의 수는 $4\times3=\mathbf{12}$

해법코드
A를 택하는 경우가 m가지, B를 택하는 경우가 n가지일 때, A와 B를 각각 1개씩 택하는 경우의 수
⇨ $m\times n$

ⓐ 김밥 — 콜라, 사이다, 우유
순대 — 콜라, 사이다, 우유
⋮
$\therefore 4\times3=12$

확인 05 다음과 같이 3개의 자음과 2개의 모음이 적힌 카드 5장이 있다. 이 중에서 자음 1개와 모음 1개를 사용하여 받침이 없는 글자를 만들 때, 만들 수 있는 글자의 개수를 구하시오.

ㅏ

» My 셀파
글자의 초성에 올 수 있는 자음의 경우의 수와 중성에 올 수 있는 모음의 경우의 수를 생각한다.

기본 06 두 사건 A, B가 동시에 일어나는 경우의 수 – 길을 선택하는 경우

오른쪽 그림과 같이 세 지점 A, B, C를 연결하는 도로가 있다. 이때 A 지점에서 출발하여 C 지점까지 가는 경우의 수를 구하시오. (단, 한 번 지나간 지점은 다시 지나가지 않는다.)

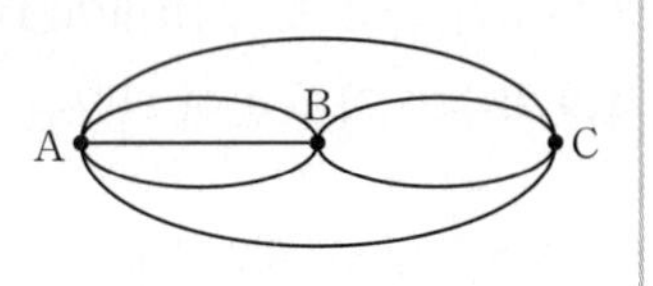

셀파 B 지점을 지나는 경우와 B 지점을 지나지 않는 경우를 나누어 생각한다.

풀이 (i) A → B → C로 가는 경우의 수: $3\times2=6$
(ii) A → C로 직접 가는 경우의 수: 2
ⓐ(i), (ii)에서 구하는 경우의 수는 $6+2=\mathbf{8}$

해법코드
A 지점에서 B 지점까지 가는 경우가 m가지, B 지점에서 C 지점까지 가는 경우가 n가지일 때, A 지점에서 B 지점을 거쳐 C 지점까지 가는 경우의 수
⇨ $m\times n$

ⓐ (i), (ii)는 동시에 일어나지 않는다. 따라서 (i)과 (ii)의 각 경우의 수를 더한다.

확인 06 다음 그림과 같이 집에서 공원까지 가는 길은 2가지, 공원에서 학교까지 가는 길은 4가지, 집에서 학교까지 바로 가는 길은 1가지이다. 이때 집에서 학교까지 가는 경우의 수를 구하시오. (단, 한 번 지나간 장소는 다시 지나지 않는다.)

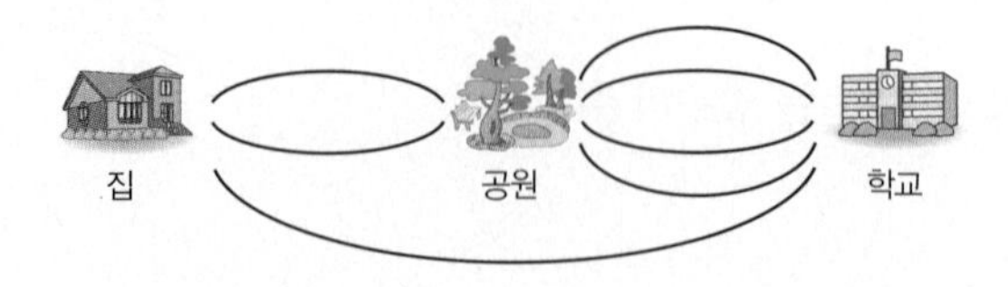

» My 셀파
집에서 학교까지 가는 경우는 다음 두 가지이다.
(i) 집에서 공원을 거쳐 학교로 가는 경우
(ii) 집에서 바로 학교로 가는 경우

기본 07 여러 개의 동전 또는 주사위를 던지는 경우

서로 다른 동전 3개와 주사위 1개를 동시에 던질 때, 다음을 구하시오.

(1) 일어나는 모든 경우의 수

(2) 동전은 서로 같은 면이 나오고, 주사위는 소수의 눈이 나오는 경우의 수

해법코드

- 서로 다른 동전 n개를 동시에 던질 때, 일어나는 모든 경우의 수 ⇨ $\underbrace{2\times2\times\cdots\times2}_{n개}=2^n$
- 서로 다른 주사위 m개를 동시에 던질 때, 일어나는 모든 경우의 수 ⇨ $\underbrace{6\times6\times\cdots\times6}_{m개}=6^m$

셀파 각 경우의 수를 구한 후 곱한다.

풀이 (1) 서로 다른 동전 3개를 동시에 던질 때, 일어나는 모든 경우의 수는

㉠ $2\times2\times2=8$

주사위 1개를 던질 때, 일어나는 모든 경우의 수는 6

따라서 구하는 경우의 수는 $8\times6=$**48**

(2) 서로 다른 동전 3개를 동시에 던질 때, 서로 같은 면이 나오는 경우는

(앞, 앞, 앞), (뒤, 뒤, 뒤)의 2가지

주사위 1개를 던질 때, 소수의 눈이 나오는 경우는 2, 3, 5의 3가지

따라서 구하는 경우의 수는 $2\times3=$**6**

㉠ 동전 1개에서 앞면, 뒷면의 2가지가 나온다.

확인 07 서로 다른 동전 2개와 주사위 1개를 동시에 던질 때, 다음을 구하시오.

(1) 일어나는 모든 경우의 수

(2) 동전은 서로 다른 면이 나오고, 주사위는 홀수의 눈이 나오는 경우의 수

» My 셀파
각 경우의 수를 구한 후 곱한다.

발전 08 신호의 개수

오른쪽 그림과 같은 4개의 전구를 켜거나 꺼서 신호를 만들려고 한다. 만들 수 있는 신호의 개수를 구하시오.
(단, 전구가 모두 꺼진 경우는 신호로 생각하지 않는다.)

해법코드
전구 1개에 대하여 켜진 경우, 꺼진 경우의 2가지가 있다.

셀파 각 전구마다 켜진 경우, 꺼진 경우의 2가지가 있다.

풀이 각각의 전구가 켜지는 경우와 꺼지는 경우의 2가지가 있으므로
전구 4개가 나타낼 수 있는 모든 신호는 $2\times2\times2\times2=16$(가지)
이때 전구가 모두 꺼진 경우는 신호로 생각하지 않으므로
만들 수 있는 신호의 개수는 $16-1=$**15**

» 오답 피하기
전구가 모두 꺼진 경우는 신호로 생각하지 않는다는 조건에 주의한다.

확인 08 오른쪽 그림과 같은 네 개의 칸에 각각 0 또는 1을 써서 암호를 만들려고 한다. 만들 수 있는 암호의 개수를 구하시오.

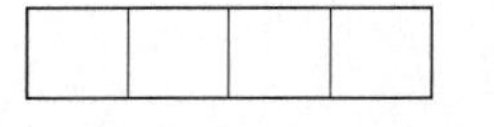

» My 셀파
각 칸에 대하여 0을 쓰는 경우와 1을 쓰는 경우의 2가지가 있다.

실력 키우기

01 경우의 수

1부터 10까지의 자연수가 각각 적힌 10개의 공이 들어 있는 주머니에서 한 개의 공을 꺼낼 때, 다음 중 경우의 수가 가장 작은 사건은?

① 소수가 적힌 공이 나온다.
② 홀수가 적힌 공이 나온다.
③ 9의 약수가 적힌 공이 나온다.
④ 4의 배수가 적힌 공이 나온다.
⑤ 3 이하의 수가 적힌 공이 나온다.

02 돈을 지불하는 방법의 수

100원짜리 동전 1개, 50원짜리 동전 3개, 10원짜리 동전 5개가 있다. 이 동전들을 이용하여 150원을 지불하는 방법의 수를 구하시오.

03 사건 A 또는 사건 B가 일어나는 경우의 수

국어 문제집이 2종류, 수학 문제집이 4종류, 영어 문제집이 3종류 있다. 이 중 수학 문제집 또는 영어 문제집 중 1종류를 선택할 수 있는 경우의 수를 구하시오.

04 사건 A 또는 사건 B가 일어나는 경우의 수

주사위 한 개를 두 번 던질 때, 나오는 눈의 수의 합이 5의 배수인 경우의 수를 구하시오.

05 사건 A 또는 사건 B가 일어나는 경우의 수 (서술형)

1부터 50까지의 자연수가 각각 적힌 50장의 카드 중에서 한 장의 카드를 뽑을 때, 3의 배수 또는 4의 배수가 적힌 카드가 나오는 경우의 수를 구하시오.

06 경우의 수

명수와 준하가 가위바위보를 할 때, 다음 중 옳은 것은?

① 일어나는 모든 경우의 수는 6이다.
② 준하가 명수를 이기는 경우의 수는 3이다.
③ 명수가 준하를 이기는 경우는 없다.
④ 서로 비기는 경우의 수는 4이다.
⑤ 승부가 결정되는 경우의 수는 2이다.

07 두 사건 A, B가 동시에 일어나는 경우의 수

오른쪽 그림과 같이 어느 산에 정상까지의 등산로가 6개 있다. 올라갈 때와 다른 길을 택하여 내려온다고 할 때, 등산을 하는 코스는 모두 몇 가지인지 구하시오.

08 여러 개의 동전 또는 주사위를 던지는 경우

서로 다른 동전 3개와 주사위 1개를 동시에 던질 때, 동전은 뒷면이 1개 나오고, 주사위는 짝수의 눈이 나오는 경우의 수를 구하시오.

09 두 사건 A, B가 동시에 일어나는 경우의 수 창의력

각 면에 1부터 12까지의 자연수가 각각 적혀 있는 정십이면체 모양의 주사위를 두 번 던질 때, 바닥에 오는 면에 적힌 수의 곱이 홀수가 되는 경우의 수를 구하시오.

10 두 사건 A, B가 동시에 일어나는 경우의 수 서술형

오른쪽 그림과 같은 길이 있을 때, A 지점을 출발하여 B 지점을 지나 다시 A 지점으로 돌아오는 경우의 수를 구하시오.
(단, 한 번 지나간 지점은 다시 지나지 않는다.)

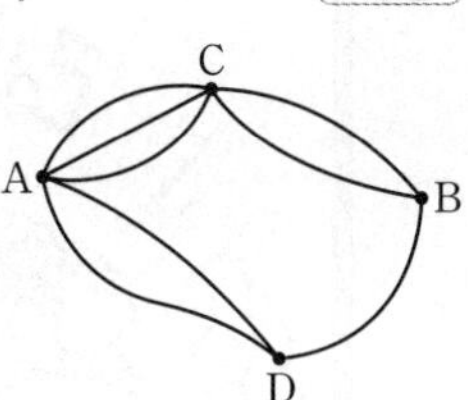

11 신호의 개수

각각 하나의 깃발을 가지고 있는 5명의 학생이 깃발을 들거나 내려서 신호를 만든다고 한다. 만들 수 있는 신호의 개수를 구하시오. (단, 깃발을 모두 내린 경우도 신호로 본다.)

12 경우의 수의 활용 융합형

서로 다른 두 개의 주사위를 동시에 던져서 나온 눈의 수를 각각 a, b라 할 때, x에 대한 방정식 $ax-b=0$의 해가 2인 경우의 수를 구하시오.

레인보우 응원단

학교 축제 안무의 마지막은
한 줄로 서는 거야.
빨 주 노 초 파 남 보

잠깐, 잠깐. 빨주노초파남보는
이제 너무 식상해.
순서를 바꿔 보자.
응.

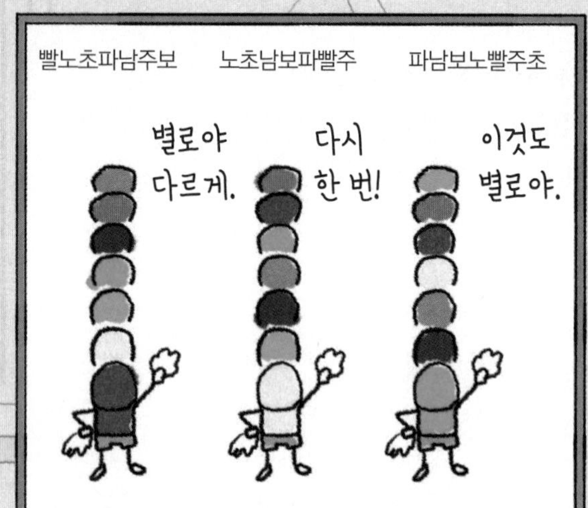

빨노초파남주보
노초남보파빨주
파남보노빨주초
별로야
다르게.
다시
한 번!
이것도
별로야.

이런 식이면 도대체
몇 번을 바꿔야 하는 거야?
따져 볼까?

7명을 한 줄로 세우는 경우의
수를 구해 봐야지.
1 2 3 4 5 6 7
7 6 5 4 3 2 1
혹시 저 숫자를
다 곱해서 나온 수만큼
연습해야 돼?
아마도...

IV | 확률

여러 가지 경우의 수

13 여러 가지 경우의 수

1 한 줄로 세우는 경우의 수

(1) ㉠ n명을 한 줄로 세우는 경우의 수

⇨ $n\times(n-1)\times(n-2)\times\cdots\times2\times1$

- n명 중에서 1명을 뽑는 경우의 수
- 첫 번째 자리에 선 사람을 뺀 $(n-1)$명 중에서 1명을 뽑는 경우의 수
- 첫 번째와 두 번째 자리에 선 사람을 뺀 $(n-2)$명 중에서 1명을 뽑는 경우의 수

(2) n명 중에서 2명을 뽑아 한 줄로 세우는 경우의 수

⇨ $n\times($ $\square$ $)$ $n-1$

(3) n명 중에서 3명을 뽑아 한 줄로 세우는 경우의 수

⇨ $n\times(n-1)\times($ $\square$ $)$ $n-2$

㉠ n개의 자리를 일렬로 놓고 n개의 자리를 채우는 것으로 생각할 수 있다. 즉 첫 번째 자리부터 시작하여 차례대로 올 수 있는 사람 수를 센다.

보기 A, B, C 3명을 ㉡ 한 줄로 세우는 경우의 수를 구하시오.

풀이

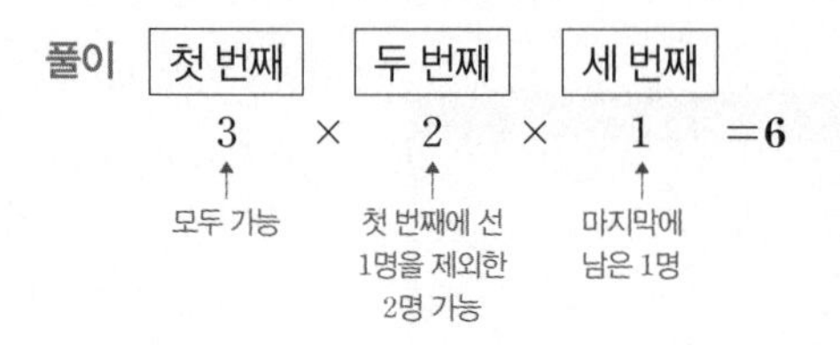

첫 번째		두 번째		세 번째	
3	×	2	×	1	=**6**
모두 가능		첫 번째에 선 1명을 제외한 2명 가능		마지막에 남은 1명	

㉡ A<B−C ⇨ ABC, C−B ⇨ ACB
B<A−C ⇨ BAC, C−A ⇨ BCA
C<A−B ⇨ CAB, B−A ⇨ CBA

2 한 줄로 세울 때 이웃하여 세우는 경우의 수

한 줄로 세울 때 이웃하여 세우는 경우의 수를 구하는 방법은 다음과 같다.

[1] $\square$ 하는 것을 하나로 묶어 한 줄로 세우는 경우의 수를 구한다. 이웃

[2] ㉢ 묶음 안에서 자리를 바꾸는 경우의 수를 구한다.

[3] [1]의 경우의 수와 [2]의 경우의 수를 곱한다.

⇨ (이웃하는 것을 하나로 묶어 한 줄로 세우는 경우의 수) × ($\square$ 안에서 자리를 바꾸는 경우의 수) 묶음

㉢ 묶음 안에서 자리를 바꾸는 경우의 수는 묶음 안에서 한 줄로 세우는 경우의 수와 같다.

보기 A, B, C 3명을 한 줄로 세울 때, A, B를 이웃하여 세우는 경우의 수를 구하시오.

풀이 [1] A, B를 하나로 묶어 (A, B)와 C 2명을 한 줄로 세우는 경우의 수는 $2\times1=2$
⇨ ((A, B), C), (C, (A, B))의 2가지

[2] 묶음 안에서 A, B가 자리를 바꾸는 경우의 수는 $2\times1=2$
⇨ (A, B), (B, A)의 2가지

[3] 따라서 구하는 경우의 수는 $2\times2=$**4**

우리는 하나!
묶음 안에서 너네끼리 자리를 바꾸는 경우도 생각해야 돼. 알지?
A
B
C

| 개념 체크 |

1-1 한 줄로 세우는 경우의 수

A, B, C, D 4명의 학생이 있을 때, 다음을 구하시오.

(1) 4명을 한 줄로 세우는 경우의 수

(2) 4명 중에서 2명을 뽑아 한 줄로 세우는 경우의 수

셀파 n명을 한 줄로 세울 때는 n개의 자리를 만든 후, 첫 번째 자리부터 n번째 자리까지 차례대로 채워 나간다.

연구 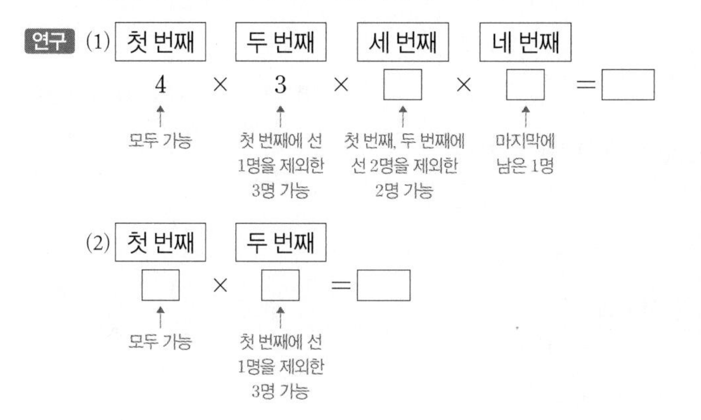

2-1 한 줄로 세울 때 이웃하여 세우는 경우의 수

A, B, C, D 4명을 한 줄로 세울 때, B, C가 이웃하여 서는 경우의 수를 구하시오.

셀파 B, C를 하나로 묶어 생각한다.

연구 B, C를 하나로 묶어 A와 (B, C)와 D 3명을 한 줄로 세우는 경우의 수는 □
이때 묶음 안에서 B, C가 자리를 바꾸는 경우의 수는 □
따라서 구하는 경우의 수는 □×□=□

| 따라 풀기 |

1-2 A, B, C, D, E 5명의 학생이 있을 때, 다음을 구하시오.

(1) 5명을 한 줄로 세우는 경우의 수

(2) 5명 중에서 3명을 뽑아 한 줄로 세우는 경우의 수

2-2 A, B, C, D, E 5명을 한 줄로 세울 때, A, C, D를 이웃하여 세우려고 한다. 다음을 구하시오.

(1) A, C, D를 하나로 묶어 (A, C, D)와 B와 E를 한 줄로 세우는 경우의 수

(2) A, C, D가 서로 자리를 바꾸는 경우의 수

(3) A, B, C, D, E 5명을 한 줄로 세울 때, A, C, D를 이웃하여 세우는 경우의 수

- n명 중에서 $r(r\leq n)$명을 뽑아 한 줄로 세우는 경우의 수는 n부터 1씩 작아지는 수를 차례대로 r개 곱한다.
- 특정한 사람을 이웃하여 세우는 경우의 수는 이웃하는 것을 하나로 묶어 생각한다.

3 자연수의 개수

(1) ㉠ 0을 포함하지 않는 경우

0이 아닌 서로 다른 한 자리의 숫자가 각각 적힌 n장의 카드 중에서

① 2장을 뽑아 만들 수 있는 두 자리 자연수의 개수 ⇨ $n\times(n-1)$

② 3장을 뽑아 만들 수 있는 세 자리 자연수의 개수

⇨ $n\times(n-1)\times($ ☐ $)$ $n-2$

(2) 0을 포함하는 경우

0을 포함한 서로 다른 한 자리의 숫자가 각각 적힌 n장의 카드 중에서

① 2장을 뽑아 만들 수 있는 두 자리 자연수의 개수 ⇨ ㉡ $(n-1)\times(n-1)$

② 3장을 뽑아 만들 수 있는 세 자리 자연수의 개수

⇨ $(n-1)\times($ ☐ $)\times(n-2)$ $n-1$

보기 다음과 같이 ㉢ 주어진 3장의 카드 중에서 2장을 뽑아 만들 수 있는 두 자리 자연수의 개수를 구하시오.

(1) 1 2 3 (2) 0 1 2

풀이 (1) 십의 자리 × 일의 자리: $3\times2=\mathbf{6}$

(3: 모두 가능, 2: 십의 자리에 온 숫자를 제외한 나머지)

(2) 십의 자리 × 일의 자리: $2\times2=\mathbf{4}$

(2: 0을 제외한 나머지, 2: 십의 자리에 온 숫자를 제외한 나머지)

4 대표를 뽑는 경우의 수

(1) ㉣ 자격이 다른 대표를 뽑는 경우 ← 뽑는 순서와 관계가 있다.

㉤ n명 중에서 자격이 다른 2명의 대표를 뽑는 경우의 수 ⇨ $n\times($ ☐ $)$ $n-1$

(2) 자격이 같은 대표를 뽑는 경우 ← 뽑는 순서와 관계가 없다.

n명 중에서 ㉥ 자격이 같은 2명의 대표를 뽑는 경우의 수 ⇨ $\dfrac{n\times(n-1)}{☐}$ 2

참고 n명 중에서 3명의 대표를 뽑는 경우의 수는 다음과 같다.

① 자격이 다른 경우 ⇨ $n\times(n-1)\times(n-2)$

② 자격이 같은 경우 ⇨ $\dfrac{n\times(n-1)\times(n-2)}{3\times2\times1}$

보기 A, B, C 3명의 후보 중에서 다음과 같이 두 명을 뽑을 때, 경우의 수를 구하시오.

(1) 회장 1명, 부회장 1명 (2) 대표 2명

풀이 (1) 회장 × 부회장: $3\times2=\mathbf{6}$

(3: 3명 모두 가능, 2: 회장이 된 1명을 제외한 나머지)

(2) $\dfrac{3\times2}{2}=\mathbf{3}$

(3×2: 3명 중에서 자격이 다른 대표 2명을 뽑는 경우의 수, 2: 중복되는 경우의 수)

㉠ 0을 포함하지 않는 n개의 숫자로 자연수를 만드는 경우의 수는 n명을 한 줄로 세우는 경우의 수와 같다.

㉡ 자연수의 맨 앞자리에는 0이 올 수 없다.

㉢ 나뭇가지 모양의 그림을 이용하여 직접 구해 보면 다음과 같다.

(1) 1 — 2 ⇨ 12, 3 ⇨ 13; 2 — 1 ⇨ 21, 3 ⇨ 23; 3 — 1 ⇨ 31, 2 ⇨ 32

(2) 1 — 0 ⇨ 10, 2 ⇨ 12; 2 — 0 ⇨ 20, 1 ⇨ 21

㉣ (회장, 부회장)을 뽑을 때 (A, B)는 A가 회장, B가 부회장인 경우이고, (B, A)는 B가 회장, A가 부회장인 경우이므로 (A, B)와 (B, A)는 다른 경우이다.

㉤ n명 중에서 자격이 다른 2명의 대표를 뽑는 경우의 수는 n명 중에서 2명을 뽑아 한 줄로 세우는 경우의 수와 같다.

㉥ (A, B), (B, A)는 모두 A와 B가 대표인 경우이므로 (A, B)와 (B, A)는 같은 경우이다. 즉 뽑는 순서와 관계가 없으므로 경우의 수는 중복되는 개수인 2로 나누어 주어야 한다.
이때 2는 A, B를 한 줄로 세우는 경우의 수와 같다.

| 개념 체크 |

3-1 자연수의 개수

다음과 같은 숫자가 각각 적힌 4장의 카드 중에서 2장을 뽑아 만들 수 있는 두 자리 자연수의 개수를 구하시오.

(1) 1, 2, 3, 4　　　　　(2) 0, 1, 2, 3

셀파 두 자리 자연수이므로 십의 자리, 일의 자리에 올 수 있는 숫자를 생각한다. 이때 십의 자리에는 0이 올 수 없다.

연구 (1)
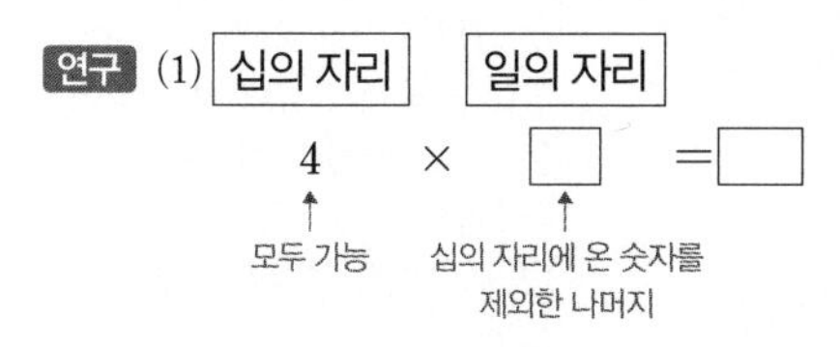

(2)
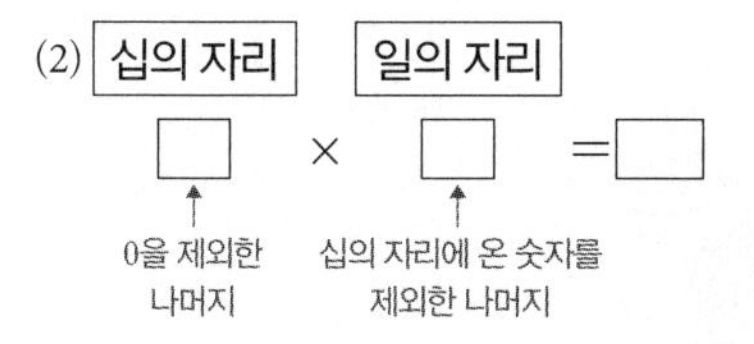

4-1 대표를 뽑는 경우의 수

A, B, C, D 4명의 학생 중에서 학급 임원을 뽑을 때, 다음을 구하시오.

(1) 회장 1명, 부회장 1명, 총무 1명을 뽑는 경우의 수
(2) 대표 2명을 뽑는 경우의 수

셀파 자격이 같은 대표를 뽑는 경우에는 중복되는 경우의 수로 나눈다.

연구 (1)
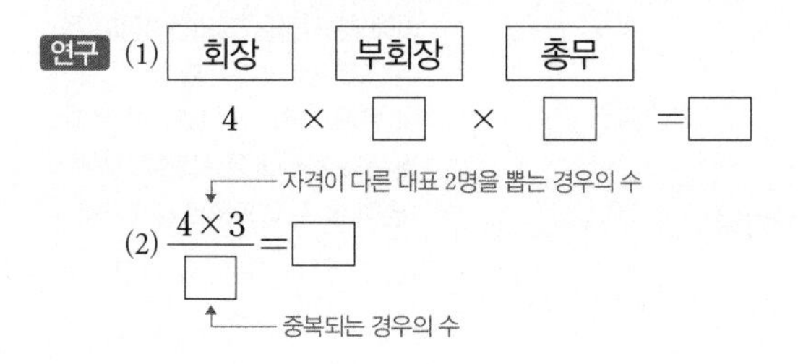

| 따라 풀기 |

3-2

다음과 같은 숫자가 각각 적힌 4장의 카드 중에서 3장을 뽑아 만들 수 있는 세 자리 자연수의 개수를 구하려고 한다. □ 안에 알맞은 수를 써넣으시오.

(1) 1, 2, 3, 4

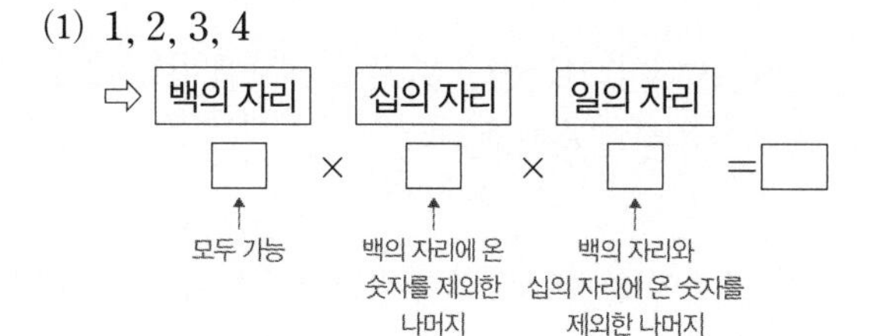

(2) 0, 1, 2, 3

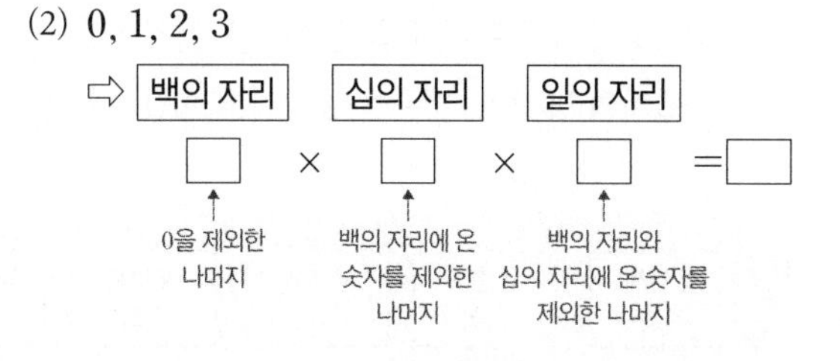

4-2

A, B, C, D, E 5명의 학생 중에서 다음과 같이 2명을 뽑는 경우의 수를 구하시오.

(1) 학급 대표 1명, 청소 당번 1명

(2) 청소 당번 2명

- n자리 자연수를 만들 때, 맨 앞자리에는 0이 올 수 없음에 주의한다.
- 자격이 다른 대표 뽑기는 한 줄로 세우는 경우와 같고, 자격이 같은 대표 뽑기는 중복되는 경우를 확인한다.

특정한 조건이 있을 때, 한 줄로 세우는 경우의 수

Q ㉠5명을 한 줄로 세우는 경우의 수는 5개의 자리를 나란히 놓고 하나씩 채우는 것으로 구할 수 있다. 그럼 특정한 조건이 주어질 때는 어떻게 구할까?

다음 문제를 함께 풀면서 이해해 보자.

> A, B, C, D, E 5명을 한 줄로 의자에 앉힐 때, A가 두 번째, B가 맨 뒤에 오는 경우의 수를 구하시오.

A 조건이 붙었다고 미리 겁낼 필요는 없다. 조건에 맞게 먼저 고정시키고 나머지를 빈자리에 배열시키면 된다. 일단 5명을 한 줄로 앉혀야 하므로 5개의 자리를 만들고, 그 자리에 조건에 맞게 사람을 앉혀 본다.

즉 5개의 자리에서 두 번째 자리에 A를, 맨 뒤(다섯 번째 자리)에 B를 고정시킨다.

그럼 A, B를 제외한 나머지 사람들은 어떻게 할까?

나머지 세 사람에 대한 조건은 없으므로 그냥 빈자리 아무 곳에 앉히면 된다.

결국 ㉡나머지 3명을 한 줄로 세우는 경우의 수와 같다.

따라서 구하는 경우의 수는 $3\times2\times1=6$

특정한 조건이 있을 때, 한 줄로 세우는 경우의 수

[1] 조건이 주어진 사람부터 자리를 고정시킨다. ⇨ [2] 빈자리에 나머지 사람을 한 줄로 세운다.

㉠ 첫 번째 자리: 5명 모두 올 수 있으므로 ⇨ 5가지
두 번째 자리: 첫 번째 자리에 온 1명을 제외해야 하므로 ⇨ 4가지
세 번째 자리: 첫 번째, 두 번째 자리에 온 2명을 제외해야 하므로 ⇨ 3가지
네 번째 자리: 앞의 세 자리에 온 3명을 제외해야 하므로 ⇨ 2가지
다섯 번째 자리: 앞의 네 자리에 온 4명을 제외해야 하므로 ⇨ 1가지
따라서 5명을 한 줄로 세우는 경우의 수는
$5\times4\times3\times2\times1=120$

㉡ 첫 번째 자리: 자리가 고정된 A, B를 제외한 3명이 올 수 있으므로 ⇨ 3가지
세 번째 자리: A, B와 첫 번째 자리에 온 사람을 제외한 2명이 올 수 있으므로 ⇨ 2가지
네 번째 자리: A, B와 첫 번째, 세 번째 자리에 온 사람을 제외한 1명이 올 수 있으므로 ⇨ 1가지
$\therefore 3\times2\times1=6$

- n명의 사람을 한 줄로 세울 때는 n개의 자리를 첫 번째 자리부터 n번째 자리까지 차례대로 채워 나간다.
- 자리에 대한 조건이 있을 때는 조건에 맞게 특정한 사람을 먼저 고정시킨다.

기본 01 한 줄로 세우는 경우의 수

희준이네 조 5명의 학생 중에서 교내 체육대회에 참가할 이어달리기 선수 4명을 뽑아 달리는 순서를 정하는 경우의 수를 구하시오.

셀파 4개의 자리를 한 줄로 배열한 후 한 자리씩 채워 나간다.

풀이 선수들이 달리는 순서를 [1] [2] [3] [4]라 하면

[1] [2] [3] [4]

↑ ↑ ↑ ↑

ⓐ $5\times4\times3\times2=\mathbf{120}$

해법코드

n명 중에서 r명을 뽑아 한 줄로 세우는 경우의 수 (단, $r\le n$)

$\Rightarrow \underbrace{n\times(n-1)\times(n-2)\times\cdots\times\{n-(r-1)\}}_{r\text{개}}$

ⓐ [1]에는 5명 그리고 [2]에는 4명 그리고 [3]에는 3명 그리고 [4]에는 2명이 올 수 있다. 이와 같이 '그리고(이고)'로 연결되면 곱의 법칙을 이용한다.

확인 01 5곡의 노래 중 3곡을 골라 CD 한 장에 담으려고 한다. 노래의 종류와 담긴 순서에 따라 만들 수 있는 CD의 종류는 모두 몇 가지인지 구하시오.

» My 셀파

abc, acb, bac, $\cdots$ 순으로 노래가 담긴 CD는 노래의 종류는 같지만 담긴순서가 다르므로 다른 종류의 CD이다.

기본 02 특정한 사람의 위치를 고정하여 한 줄로 세우는 경우의 수

부모님을 포함하여 5명의 가족이 한 줄로 서서 사진을 찍으려고 한다. 이때 부모님이 양 끝에 서는 경우의 수를 구하시오.

셀파 부, 모의 자리를 고정시켜 놓고 경우의 수를 구한다.

풀이 ⓐ 부모님이 양 끝에 서는 방법은 다음 두 가지의 경우로 나누어 생각할 수 있다.

(i) 부□□□모 (ii) 모□□□부

각각의 경우 □□□에 나머지 3명을 한 줄로 세우는 경우의 수는 $3\times2\times1=6$

따라서 구하는 경우의 수는 $6\times2=\mathbf{12}$

해법코드

특정한 사람의 위치가 정해진 경우에는 그 사람의 자리를 고정시키고 나머지 사람들을 한 줄로 세운다.

ⓐ 부, 모 중 누가 가장 왼쪽에 서고 누가 가장 오른쪽에 서는지는 언급되어 있지 않으므로 두 가지 경우를 모두 생각해야 한다.

확인 02 아버지, 어머니, 언니, 동생, 지혜 5명이 나란히 앉아서 영화를 보려고 한다. 동생이 한가운데에 앉는 경우의 수를 구하시오.

» My 셀파

동생을 한가운데에 고정시켜 놓고 나머지 사람들을 나란히 앉힌다.

기본 03 **이웃하여 한 줄로 세우는 경우의 수**

부모님을 포함하여 5명의 가족이 한 줄로 서서 사진을 찍을 때, 부모님이 이웃하여 서는 경우의 수를 구하시오.

해법코드

1 이웃하는 것을 하나로 묶어 한 줄로 세우는 경우의 수를 구한다.
2 묶음 안에서 자리를 바꾸는 경우의 수를 구한다.
3 1과 2의 경우의 수를 곱한다.

셀파 특정한 사람들을 이웃하여 한 줄로 세울 때는 이웃하는 사람들을 하나로 묶어 생각한다.

풀이 부모를 1명으로 생각하여 4명을 한 줄로 세우는 경우의 수는

$4\times3\times2\times1=24$

이때 부모가 서로 자리를 바꾸는 경우의 수는

$2\times1=2$

따라서 구하는 경우의 수는 $24\times2=\mathbf{48}$

확인 03 여학생 2명과 남학생 3명을 한 줄로 세울 때, 남학생끼리 이웃하여 서는 경우의 수를 구하시오.

» My 셀파

남학생 3명을 1명으로 생각하여 한 줄로 세운 후, 남학생끼리 자리를 서로 바꾸는 경우를 생각한다.

기본 04 **색칠하는 경우의 수**

빨간색, 노란색, 파란색, 초록색 물감을 사용하여 오른쪽 그림과 같은 A, B, C, D 4개의 면에 칠하려고 한다. 같은 색을 여러 번 사용해도 좋으나 이웃하는 영역은 서로 다른 색으로 칠하는 경우의 수를 구하시오.

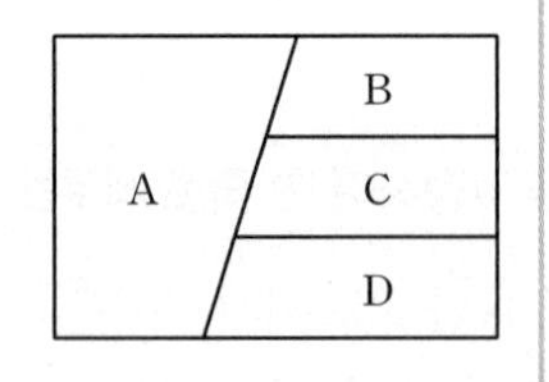

해법코드

1 먼저 한 영역에 색을 칠하는 경우의 수를 구한다.
2 1과 이웃한 영역에 색을 칠하는 경우의 수를 구한다. 이때 이웃한 영역에 칠한 색은 제외한다.
3 같은 방법으로 각 영역에 색을 칠하는 경우의 수를 구한 후 모두 곱한다.

셀파 이웃한 면이 가장 많은 부분부터 색칠한다.

풀이 A에 칠할 수 있는 색은 4가지

B에 칠할 수 있는 색은 A에 칠한 색을 제외한 3가지

C에 칠할 수 있는 색은 A와 B에 칠한 색을 제외한 2가지

D에 칠할 수 있는 색은 A와 C에 칠한 색을 제외한 2가지

따라서 구하는 경우의 수는 $4\times3\times2\times2=\mathbf{48}$

확인 04 빨간색, 파란색, 노란색 색연필을 사용하여 오른쪽 그림과 같은 A, B, C 3개의 면에 칠하려고 한다. 다음 물음에 답하시오.

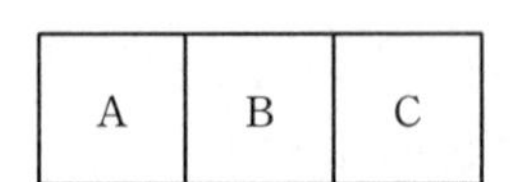

(1) 각 면에 서로 다른 색을 칠하는 경우의 수를 구하시오.

(2) 같은 색을 여러 번 사용할 수 있으나 이웃하는 면은 서로 다른 색을 칠하는 경우의 수를 구하시오.

» My 셀파

(2) 먼저 한 부분을 정하여 그 부분에 색을 칠하는 경우의 수를 구하고, 다른 부분으로 옮겨 가면서 이웃한 부분에 칠한 색을 제외하지만 중복하여 색을 칠할 수 있도록 경우의 수를 구한다.

발전 08 **대표 뽑기의 활용 (1) – 경기의 수, 악수하기**

G20은 세계 주요 20개국을 회원으로 하는 국제기구로, 주요 활동은 국제 금융 감독 체계 개편 논의이다. G20에 참가한 각 나라의 대표 1명이 서로 빠짐없이 한 번씩 악수를 하려면 모두 몇 번의 악수를 해야 하는지 구하시오.

해법코드
A, B가 악수하는 것과 B, A가 악수하는 것은 같으므로 순서를 생각하지 않고 2명을 뽑는 경우의 수를 생각하면 된다.

셀파 자격이 같은 대표 2명을 뽑는 것과 같다.

풀이 20명 중에서 자격이 같은 대표 2명을 뽑는 경우의 수와 같으므로

$\frac{20\times19}{2}=\mathbf{190}$**(번)**

확인 08 10개의 농구팀이 서로 다른 팀과 모두 한 번씩 경기를 하려면 모두 몇 번의 경기를 치러야 하는지 구하시오.

» My 셀파
A, B가 경기를 하는 것과 B, A가 경기를 하는 것은 같은 것이다.

발전 09 **대표 뽑기의 활용 (2) – 선분과 삼각형의 개수**

오른쪽 그림과 같이 원 위에 5개의 점이 있을 때, 다음을 구하시오.

(1) 두 점을 연결하여 만들 수 있는 선분의 개수

(2) 세 점을 연결하여 만들 수 있는 삼각형의 개수

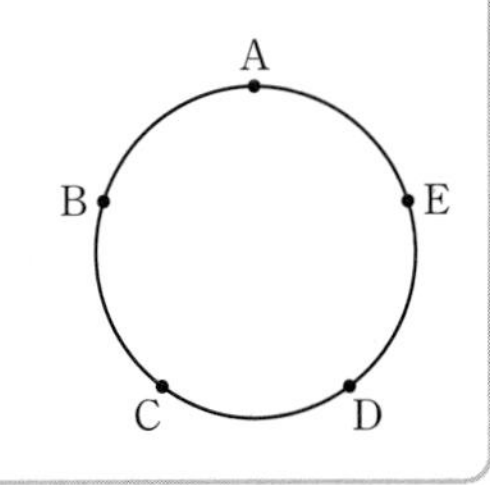

해법코드
(1) **두 점을 이어서 만든 선분의 개수** ⇨ $\overline{AB}=\overline{BA}$이므로 선분은 점을 선택하는 순서와 관계없다.
(2) **세 점을 이어서 만든 삼각형의 개수** ⇨ 삼각형은 세 점을 연결하여 만들기 때문에 순서와 관계없이 3개의 점을 선택하는 경우의 수와 같다.

셀파 점을 연결하여 만든 선분 또는 삼각형의 개수 ⇨ 자격이 같은 대표를 뽑는 경우의 수와 같다.

풀이 (1) 5개의 점 중에서 순서를 생각하지 않고 2개를 선택하는 경우의 수와 같으므로

$\frac{5\times4}{2}=\mathbf{10}$

(2) 5개의 점 중에서 순서를 생각하지 않고 3개를 선택하는 경우의 수와 같으므로

$\frac{5\times4\times3}{3\times2\times1}=\mathbf{10}$

확인 09 오른쪽 그림과 같이 원 위에 7개의 점이 있을 때, 다음을 구하시오.

(1) 두 점을 연결하여 만들 수 있는 반직선의 개수

(2) 세 점을 연결하여 만들 수 있는 삼각형의 개수

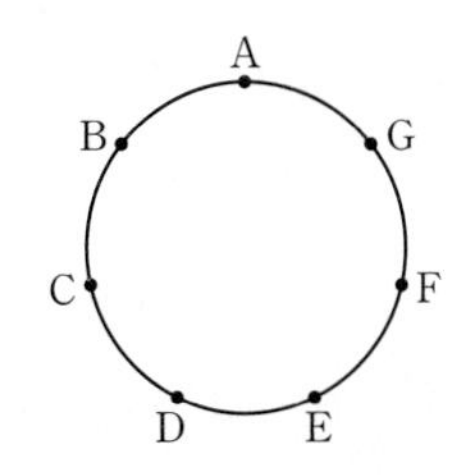

» My 셀파
(1) 반직선은 시작점이 다르면 다른 반직선이므로 두 점을 선택하는 순서에 관계가 있다.
(2) 7명 중에서 대표 3명을 뽑는 경우의 수와 같다.

실력 키우기

01 한 줄로 세우는 경우의 수

우빈이는 광수, 서연, 민석, 정희네 집을 한 번씩 방문하려고 한다. 방문하는 순서를 정하는 경우의 수를 구하시오.

02 특정한 사람의 위치를 고정하여 한 줄로 세우는 경우의 수

M, A, T, H 4개의 알파벳을 한 줄로 배열할 때, M 또는 H가 맨 앞에 오는 경우의 수를 구하시오.

03 이웃하여 한 줄로 세우는 경우의 수

학교 체육 대회에 우리 반 400 m 이어달리기 선수로 조권, 슬옹, 진운, 창민이 출전하기로 하였다. 조권이 창민에게서 배턴을 넘겨받도록 순서를 정하는 경우의 수를 구하시오.

04 이웃하여 한 줄로 세우는 경우의 수 (융합형)

유진이네 반 월요일 시간표에 국어, 영어, 수학, 과학, 역사, 체육 수업이 있다. 이 중에서 국어와 수학 사이에 반드시 역사를 넣어 월요일 시간표를 짜려고 할 때, 시간표가 나올 수 있는 경우의 수를 구하시오.

(단, 국어와 수학 사이에 역사 이외의 과목은 넣지 않는다.)

05 색칠하는 경우의 수

오른쪽 그림과 같은 A, B, C, D, E 5개의 부분에 빨간색, 주황색, 노란색, 초록색, 파란색 물감을 사용하여 칠하려고 한다. 같은 색을 여러 번 사용해도 좋으나 이웃한 부분은 서로 다른 색을 칠할 때, 칠하는 경우의 수를 구하시오.

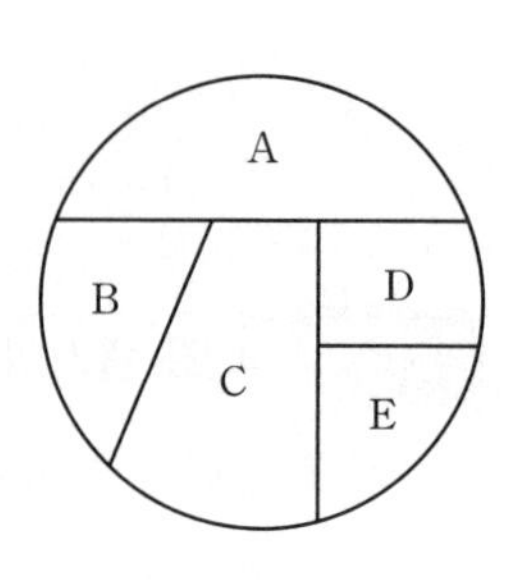

06 자연수의 개수

1, 2, 3, 4, 5의 숫자가 각각 적힌 5장의 카드 중에서 3장을 뽑아 만들 수 있는 세 자리 자연수 중 250보다 작은 수의 개수를 구하시오.

07 자연수의 개수 (서술형)

0, 1, 2, 3의 숫자가 각각 적힌 4장의 카드 중에서 3장을 뽑아 만들 수 있는 세 자리 자연수를 작은 것부터 나열할 때 17번째 수를 구하시오.

08 대표를 뽑는 경우의 수

경찰관 6명과 소방관 4명 중에서 2명을 뽑을 때, 2명의 직업이 같은 경우의 수를 구하시오.

09 대표 뽑기의 활용 (1) – 경기의 수, 악수하기

팔씨름 대회에 참가한 사람이 서로 한 번씩 빠짐없이 팔씨름을 하였더니 총 28경기를 하였다고 한다. 이 팔씨름 대회에 참가한 사람은 모두 몇 명인지 구하시오.

10 대표 뽑기의 활용 (2) – 선분과 삼각형의 개수 (서술형)

오른쪽 그림과 같이 원 위에 6개의 점이 있다. 이 점들을 이용하여 만들 수 있는 선분의 개수를 a, 삼각형의 개수를 b, 사각형의 개수를 c라 할 때, $a+b+c$의 값을 구하시오.

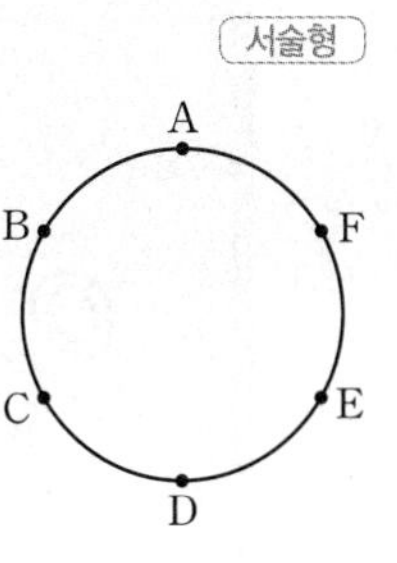

11 자연수의 개수의 활용 (창의·융합)

미소는 어느 인터넷 사이트에 회원 가입을 하려고 한다. 비밀번호를 영문과 숫자를 포함하여 8자리로 만들어야 한다고 해서 smile□□□로 결정하였다. 비어 있는 부분에는 각각 0부터 9까지의 숫자가 사용된다고 할 때, 만들 수 있는 비밀번호의 개수를 구하시오.

12 한 줄로 세우는 경우의 수의 활용

알파벳 a, b, c, d를 한 번씩 모두 사용하여 사전식으로 배열할 때, $dbac$는 몇 번째에 오는 문자열인지 구하시오.

우왓
내가 무인도에 갇히다니!!

도와줘요~
SOS

따닥
아얏

두 주사위를 동시에 던져서 같은 눈의 수가 나오면 탈출시켜주지.
기회는 단 한 번!!

단 한 번의 기회인데, 과연 내가 탈출할 수 있는 확률은 얼마나 되는 거야?

흠~
그정도는 가르쳐 줄 수 있지요?

그래? 그럼 한 번 계산해 볼까.

주사위의 눈의 수가 1부터 6까지이니까…….
휙~
연습 연습

Ⅳ | 확률

확률

1. 확률의 뜻과 성질

| 개념 1 | 확률의 뜻
| 개념 2 | 확률의 성질
| 개념 3 | 어떤 사건이 일어나지 않을 확률

2. 확률의 계산

| 개념 1 | 사건 A 또는 사건 B가 일어날 확률
| 개념 2 | 두 사건 A, B가 동시에 일어날 확률
| 개념 3 | 연속하여 꺼내는 경우의 확률
| 개념 4 | 도형에서의 확률

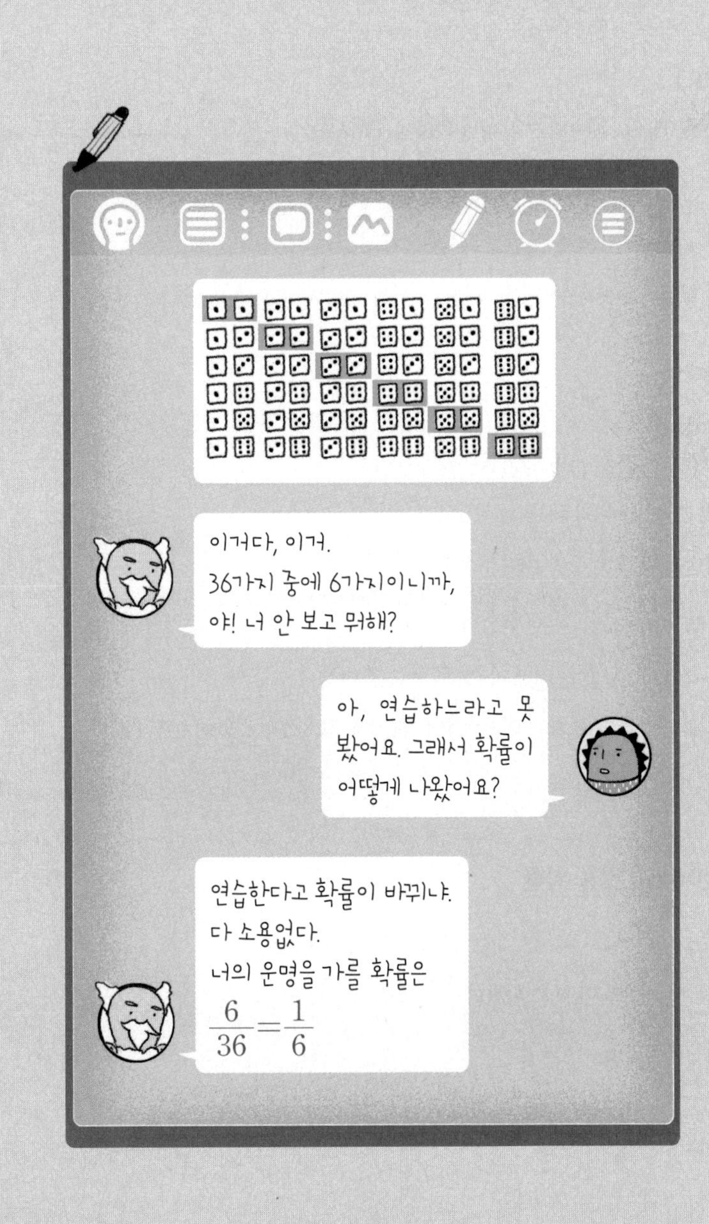

14 1. 확률의 뜻과 성질

1 확률의 뜻

(1) **확률** 같은 조건에서 실험이나 관찰을 여러 번 반복할 때, 어떤 사건이 일어나는 ☐도수가 일정한 값에 가까워지면 이 일정한 값을 그 사건이 일어날 확률이라 한다. 상대

(2) **사건 A가 일어날 확률**

어떤 실험이나 관찰에서 각각의 경우가 일어날 가능성이 같을 때, 일어나는 모든 경우의 수를 n, 사건 A가 일어나는 경우의 수를 a라 하면 사건 A가 일어날 확률 p는

$$p=\frac{(\text{사건 } A\text{가 일어나는 경우의 수})}{(\text{일어나는 모든 경우의 수})}=\frac{\square}{n}$$ a

개념 다시 보기 

- **상대도수** 전체 도수에 대한 각 계급의 도수의 비율을 말한다. 즉

$(\text{상대도수})=\frac{(\text{그 계급의 도수})}{(\text{전체 도수})}$

㉠ 한 개의 동전을 던질 때, 뒷면이 나올 확률이 $\frac{1}{2}$이라는 것은 동전을 두 번 던지면 뒷면이 꼭 한 번 나온다는 것은 아니다. 동전을 던지는 횟수가 많아지면 뒷면이 나온 횟수에 대한 상대도수가 $\frac{1}{2}$에 가까워진다는 의미이다.

보기 한 개의 주사위를 던질 때, 3의 배수의 눈이 나올 확률을 구하시오.

풀이 [1] 나올 수 있는 모든 경우는 1, 2, 3, 4, 5, 6의 6가지

[2] 3의 배수의 눈이 나오는 경우는 3, 6의 2가지

[3] (구하는 확률)$=\frac{2}{6}=\mathbf{\frac{1}{3}}$

2 확률의 성질

❶ 어떤 사건 A가 일어날 확률을 p라 하면 $0\le p\le 1$이다.

❷ 절대로 일어나지 않는 사건의 확률은 ☐이다. 0

예 한 개의 주사위를 던질 때, 7 이상의 눈이 나올 확률은 $\frac{0}{6}=0$
→ 주사위에는 7 이상의 눈이 없다.

❸ 반드시 일어나는 사건의 확률은 ☐이다. 1

예 한 개의 주사위를 던질 때, 6 이하의 눈이 나올 확률은 $\frac{6}{6}=1$
→ 1, 2, 3, 4, 5, 6의 6가지

참고 확률이 클수록 그 사건이 일어날 가능성이 크고, 확률이 작을수록 그 사건이 일어날 가능성이 작다.

㉡ 확률 p는 확률이라는 뜻의 영어 'probability'의 첫 글자로, 어떤 사건이 일어날 가능성을 수로 나타낸 것이다.

- 확률은 보통 분수, 소수, 백분율(%) 등으로 나타낸다.

㉢ 확률이 음수이거나 1보다 큰 경우는 없다.

3 어떤 사건이 일어나지 않을 확률

사건 A가 일어날 확률을 p라 하면 (사건 A가 일어나지 않을 확률)$=1\square p$ −

예 한 개의 주사위를 던질 때, 1의 눈이 나올 확률이 $\frac{1}{6}$이므로

(1의 눈이 나오지 않을 확률)$=1-\frac{1}{6}=\frac{5}{6}$

참고 사건 A가 일어날 확률을 p, 사건 A가 일어나지 않을 확률을 q라 하면 $p+q=\square$ 1

㉣ '~가 아닐 확률', '적어도 하나는 ~일 확률'과 같은 표현이 있으면 어떤 사건이 일어나지 않을 확률을 이용한다.

빠른 정답 248쪽 | 정답과 해설 71쪽

| 개념 체크 |

1-1 확률 구하기

서로 다른 동전 2개를 동시에 던질 때, 다음을 구하시오.

(1) 모두 앞면이 나올 확률

(2) 서로 다른 면이 나올 확률

셀파 (사건 A가 일어날 확률)$=\dfrac{(\text{사건 } A\text{가 일어나는 경우의 수})}{(\text{일어나는 모든 경우의 수})}$

연구 모든 경우의 수는 $2\times2=4$

(1) 모두 앞면이 나오는 경우는 (앞면, 앞면)의 1가지이므로

(모두 앞면이 나올 확률)$=\square$

(2) 서로 다른 면이 나오는 경우는

(앞면, 뒷면), (뒷면, $\square$)의 2가지이므로

(서로 다른 면이 나올 확률)$=\dfrac{\square}{4}=\square$

2-1 확률의 성질

흰 공 4개와 검은 공 5개가 들어 있는 주머니에서 한 개의 공을 꺼낼 때, 다음을 구하시오.

(1) 흰 공이 나올 확률

(2) 노란 공이 나올 확률

(3) 흰 공 또는 검은 공이 나올 확률

셀파 절대로 일어나지 않는 사건의 확률은 0이고, 반드시 일어나는 사건의 확률은 1이다.

연구 (1) (흰 공이 나올 확률)$=\dfrac{(\text{흰 공의 개수})}{(\text{전체 공의 개수})}=\dfrac{\square}{9}$

(2) (노란 공이 나올 확률)$=\dfrac{(\text{노란 공의 개수})}{(\text{전체 공의 개수})}=\dfrac{\square}{9}=\square$

(3) (흰 공 또는 검은 공이 나올 확률)

$=\dfrac{(\text{흰 공 또는 검은 공의 개수})}{(\text{전체 공의 개수})}=\dfrac{\square}{9}=\square$

| 따라 풀기 |

1-2

1부터 10까지의 자연수가 각각 적힌 10장의 카드 중에서 한 장을 뽑을 때, 다음을 구하시오.

(1) 3이 적힌 카드가 나올 확률

(2) 8 이상의 수가 적힌 카드가 나올 확률

(3) 짝수가 적힌 카드가 나올 확률

2-2

1부터 9까지의 자연수가 각각 적힌 9개의 공이 들어 있는 주머니에서 한 개의 공을 꺼낼 때, 다음을 구하시오.

(1) 소수가 적힌 공이 나올 확률

(2) 9 이하의 숫자가 적힌 공이 나올 확률

(3) 11이 적힌 공이 나올 확률

사건 A가 일어날 확률을 구하는 순서 ⇨ 1 일어나는 모든 경우의 수 구하기

2 사건 A가 일어나는 경우의 수 구하기

3 (사건 A가 일어날 확률)$=\dfrac{(\text{2의 경우의 수})}{(\text{1의 경우의 수})}$

빠른 정답 248쪽 | 정답과 해설 71쪽

기본 01 주사위 던지기에서의 확률

서로 다른 두 개의 주사위를 동시에 던질 때, 나오는 눈의 수의 차가 4일 확률을 구하시오.

해법코드

(사건 A가 일어날 확률)

$= \dfrac{(\text{사건 } A\text{가 일어나는 경우의 수})}{(\text{일어나는 모든 경우의 수})}$

셀파 두 개의 주사위를 동시에 던질 때, 어떤 사건이 일어나는 경우의 수는 순서쌍을 이용하여 구한다.

풀이 서로 다른 두 개의 주사위를 동시에 던질 때

나올 수 있는 모든 경우의 수는 ㉠ $6\times6=36$

눈의 수의 차가 4인 경우는 $(1, 5)$, $(2, 6)$, $(5, 1)$, $(6, 2)$의 4가지

따라서 구하는 확률은 $\dfrac{4}{36}=\mathbf{\dfrac{1}{9}}$

㉠ 주사위 A, B 각각에서 1부터 6까지의 6가지의 눈의 수가 나올 수 있고 두 사건이 동시에 일어나므로 곱의 법칙을 적용시킨다.

확인 01 서로 다른 두 개의 주사위를 동시에 던질 때, 다음을 구하시오.

(1) 나오는 눈의 수가 같을 확률

(2) 나오는 눈의 수의 합이 9일 확률

» My 셀파

먼저 모든 경우의 수를 구하고, 각 사건이 일어나는 경우의 수를 구한다.

기본 02 한 줄 세우기에서의 확률

A, B, C, D 4명의 학생이 이어달리기 순서를 정할 때, A가 세 번째 주자가 될 확률을 구하시오.

해법코드

n명을 한 줄로 세우는 경우의 수

⇨ $n\times(n-1)\times\cdots\times2\times1$

셀파 A를 세 번째 자리에 고정시키고 나머지 3명을 빈자리에 배열시킨다.

풀이 4명을 한 줄로 세우는 경우의 수는 $4\times3\times2\times1=24$

A를 세 번째 자리에 고정시키고 나머지 3명을 한 줄로 세우는 경우의 수는

$3\times2\times1=6$

따라서 구하는 확률은 $\dfrac{6}{24}=\mathbf{\dfrac{1}{4}}$

확인 02 남학생 3명, 여학생 2명을 한 줄로 세울 때, 다음을 구하시오.

(1) 여학생이 맨 앞에 서게 될 확률

(2) 남학생 3명이 이웃하여 서게 될 확률

» My 셀파

(1) 여학생 1명을 맨 앞에 고정시킨 후 나머지 학생을 한 줄로 세운다.

(2) 남학생 3명을 한 명으로 생각하여 한 줄로 세운 후 남학생끼리 자리를 바꾸는 경우를 생각한다.

기본 03 자연수 만들기에서의 확률

0, 1, 2, 3, 4의 숫자가 각각 적힌 5장의 카드 중에서 3장을 뽑아 세 자리 자연수를 만들 때, 그 수가 340 이상일 확률을 구하시오.

해법코드

0이 포함되어 있는 경우, n장의 카드 중에서 3장을 뽑아 만들 수 있는 세 자리 자연수의 개수
⇨ $(n-1)\times(n-1)\times(n-2)$

주의 0이 포함되어 있는 경우에는 숫자 0은 맨 앞자리에 올 수 없다.

셀파 백의 자리의 숫자가 3 또는 4인 경우로 나누어 생각한다.

풀이 만들 수 있는 세 자리 자연수의 개수는 ㉠ $4\times4\times3=48$

이때 340 이상인 자연수는

(i) 34□인 경우: 340, 341, 342의 3개

(ii) 4□□인 경우: $4\times3=12$(개)

(i), (ii)에서 340 이상인 자연수의 개수는 $3+12=15$

따라서 세 자리 자연수가 340 이상일 확률은 $\frac{15}{48}=\mathbf{\frac{5}{16}}$

㉠ 0은 맨 앞자리인 백의 자리에는 올 수 없다.

14 확률

확인 03 0, 1, 2, 3의 숫자가 각각 적힌 4장의 카드 중에서 2장을 뽑아 두 자리 자연수를 만들 때, 그 수가 홀수일 확률을 구하시오.

» My 셀파

홀수이려면 일의 자리의 숫자가 1 또는 3이어야 한다.

기본 04 대표 뽑기에서의 확률

민호, 유리, 태연, 정현, 동호 5명의 학생 중에서 대표 2명을 뽑을 때, 태연이가 뽑힐 확률을 구하시오.

해법코드

- n명 중에서 자격이 다른 대표 2명을 뽑는 경우의 수
⇨ $n\times(n-1)$
- n명 중에서 자격이 같은 대표 2명을 뽑는 경우의 수
⇨ $\frac{n\times(n-1)}{2}$

셀파 대표 2명 중 한 명은 태연이므로 나머지 4명 중에서 대표 1명을 뽑는다.

풀이 5명 중에서 대표 2명을 뽑는 경우의 수는 $\frac{5\times4}{2}=10$

태연이가 대표로 뽑히는 경우의 수는 나머지 4명 중에서 대표 1명을 뽑는 경우의 수와 같으므로 4

따라서 구하는 확률은 $\frac{4}{10}=\mathbf{\frac{2}{5}}$

확인 04 어느 학교 전교 회장 선거에 여학생 4명과 승기를 포함한 남학생 2명이 후보로 등록되었다. 다음을 구하시오.

(1) 회장 1명, 부회장 1명을 뽑을 때, 승기가 회장으로 뽑힐 확률

(2) 대의원 3명을 뽑을 때, 승기가 반드시 뽑힐 확률

» My 셀파

(1) 자격이 다른 대표를 뽑는 경우의 수를 이용한다.
(2) 자격이 같은 대표를 뽑는 경우의 수를 이용한다.

기본 05 방정식, 부등식에서의 확률

두 개의 주사위 A, B를 동시에 던져서 A 주사위에서 나온 눈의 수를 x, B 주사위에서 나온 눈의 수를 y라 할 때, $-x+2y=5$일 확률을 구하시오.

해법코드

방정식 또는 부등식을 만족할 확률은 $\dfrac{(\text{방정식 또는 부등식의 해의 개수})}{(\text{일어나는 모든 경우의 수})}$

셀파 방정식 $-x+2y=5$를 만족하는 x, y의 값을 순서쌍 (x, y)로 나타낸다.

풀이 두 개의 주사위 A, B를 던져서 나올 수 있는 모든 경우의 수는 $6\times6=36$

이 중 ㉠방정식 $-x+2y=5$를 만족하는 순서쌍 (x, y)는

$(1, 3)$, $(3, 4)$, $(5, 5)$의 3가지

따라서 구하는 확률은 $\dfrac{3}{36}=\mathbf{\dfrac{1}{12}}$

㉠ x의 값에 1, 2, 3, 4, 5, 6을 각각 대입하여 방정식을 만족하는 y의 값을 찾는다.

확인 05 한 개의 주사위를 두 번 던져서 첫 번째에 나온 눈의 수를 x, 두 번째에 나온 눈의 수를 y라 할 때, $3x+y>18$일 확률을 구하시오.

» My 셀파

부등식 $3x+y>18$을 만족하는 순서쌍 (x, y)의 개수를 구한다.

기본 06 확률의 성질

사건 A가 일어날 확률을 p, 사건 A가 일어나지 않을 확률을 q라 할 때, 다음 중 옳은 것을 모두 고르면? (정답 2개)

① $0<p<1$ ② $p+q=1$ ③ $-1\le q\le 0$

④ $p=q$이면 $p=q=\dfrac{1}{2}$ ⑤ $q=1$이면 사건 A는 반드시 일어난다.

해법코드

❶ 어떤 사건이 일어날 확률 p는 $0\le p\le 1$

❷ (절대로 일어나지 않는 사건의 확률)$=0$

❸ (반드시 일어나는 사건의 확률)$=1$

셀파 (사건 A가 일어나지 않을 확률)$=1-$(사건 A가 일어날 확률)

풀이 ① p는 확률이므로 $0\le p\le 1$

② $q=1-p$이므로 $p+q=1$

③ q도 확률이므로 $0\le q\le 1$

④ $p+q=1$에 $q=p$를 대입하면 $2p=1$ $\therefore p=\dfrac{1}{2}$

이때 $p=q$이므로 $q=\dfrac{1}{2}$

⑤ q는 사건 A가 일어나지 않을 확률이므로 $q=1$이면 사건 A는 절대로 일어나지 않는다.

따라서 옳은 것은 ②, ④이다.

확인 06 다음 중 확률이 1인 것을 모두 고르면? (정답 2개)

① 한 개의 주사위를 던질 때, 나오는 눈의 수가 2일 확률

② 한 개의 주사위를 두 번 던질 때, 나오는 눈의 수의 합이 12 이하일 확률

③ 서로 다른 두 개의 동전을 동시에 던질 때, 앞면이 1개 이상 나올 확률

④ 한 개의 주사위를 두 번 던질 때, 나오는 눈의 수의 차가 6일 확률

⑤ 1부터 15까지의 자연수가 각각 적힌 15개의 공이 들어 있는 주머니에서 임의로 한 개의 공을 꺼낼 때, 2의 배수 또는 홀수가 적힌 공이 나올 확률

» My 셀파

보기 중 반드시 일어나는 사건의 확률인 것을 찾는다.

기본 07 어떤 사건이 일어나지 않을 확률

주머니 속에 빨간 공 2개, 파란 공 4개, 노란 공 3개가 들어 있다. 이 중에서 한 개의 공을 꺼낼 때, 노란 공이 아닌 공이 나올 확률을 구하시오.

해법코드
(어떤 사건이 일어나지 않을 확률)
=1−(어떤 사건이 일어날 확률)

셀파 (노란 공이 아닌 공이 나올 확률)=1−(노란 공이 나올 확률)

풀이 9개의 공 중 노란 공이 3개 있으므로

노란 공이 나올 확률은 $\frac{3}{9}=\frac{1}{3}$

∴ (노란 공이 아닌 공이 나올 확률)=1−(노란 공이 나올 확률)$=1-\frac{1}{3}=\mathbf{\frac{2}{3}}$

다른 풀이 노란 공이 아닌 공이 나오는 경우는 빨간 공이 나오거나 파란 공이 나오는 경우이므로

(노란 공이 아닌 공이 나올 확률)$=\frac{(\text{빨간 공 또는 파란 공의 개수})}{(\text{전체 공의 개수})}=\frac{6}{9}=\frac{2}{3}$

다음과 같은 경우에는
어떤 사건이 일어나지 않을
확률을 이용하면 편리해.
① 사건의 가짓수가 다양할 때
② '적어도~', '~아닐', '~못할'
등의 표현이 있을 때

확인 07 1부터 15까지의 자연수가 각각 적힌 15장의 카드에서 한 장의 카드를 뽑을 때, 3의 배수가 아닌 수가 적힌 카드가 나올 확률을 구하시오.

» My 셀파
(3의 배수가 아닌 수가 적힌 카드가 나올 확률)
=1−(3의 배수가 적힌 카드가 나올 확률)

14 확률

발전 08 '적어도 ~'일 확률

남학생 4명, 여학생 3명 중에서 대표 2명을 뽑을 때, 여학생이 적어도 한 명 뽑힐 확률을 구하시오.

해법코드
(적어도 하나는 일어날 확률)
=1−(하나도 일어나지 않을 확률)

셀파 여학생이 한 명도 뽑히지 않을 확률을 이용한다.

풀이 7명 중에서 대표 2명을 뽑는 경우의 수는 $\frac{7\times6}{2}=21$

대표에 여학생이 한 명도 뽑히지 않는 경우, 즉 대표 2명이 모두 남학생인 경우의 수는

$\frac{4\times3}{2}=6$

∴ (여학생이 적어도 한 명 뽑힐 확률)=1−(여학생이 한 명도 뽑히지 않을 확률)

=1−(모두 남학생이 뽑힐 확률)

$=1-\frac{6}{21}=\frac{15}{21}=\mathbf{\frac{5}{7}}$

확인 08 서로 다른 동전 3개를 동시에 던질 때, 적어도 하나는 앞면이 나올 확률을 구하시오.

» My 셀파
앞면이 하나도 나오지 않을 확률을 이용한다.

14 2. 확률의 계산

1 사건 A 또는 사건 B가 일어날 확률

ㄱ두 사건 A, B가 동시에 일어나지 않을 때, 사건 A가 일어날 확률을 p, 사건 B가 일어날 확률을 q라 하면
(ㄴ사건 A 또는 사건 B가 일어날 확률)$=p$ ☐ q +

ㄱ 사건 A가 일어나면 사건 B는 일어나지 않고, 사건 B가 일어나면 사건 A는 일어나지 않는다는 뜻이다.

보기 한 개의 주사위를 던질 때, 짝수의 눈 또는 5의 눈이 나올 확률을 구하시오.

풀이 짝수의 눈이 나올 확률은 $\frac{3}{6}$
→ 2, 4, 6의 3가지

5의 눈이 나올 확률은 $\frac{1}{6}$

따라서 ㄷ짝수의 눈 또는 5의 눈이 나올 확률은 $\frac{3}{6}+\frac{1}{6}=\frac{4}{6}=\mathbf{\frac{2}{3}}$

ㄴ 동시에 일어나지 않는 두 사건에 대하여 '또는', '~이거나'와 같은 표현이 있으면 두 사건의 확률을 더한다.

주의 두 사건이 중복되어 일어나는 경우가 있을 때는 중복된 경우에 대한 확률은 빼 주어야 한다.
한 개의 주사위를 던질 때, 2의 배수 또는 3의 배수의 눈이 나올 확률을 구해 보면

2의 배수의 눈이 나올 확률: $\frac{3}{6}$, 3의 배수의 눈이 나올 확률: $\frac{2}{6}$
→ 2, 4, 6의 3가지 → 3, 6의 2가지

2의 배수이면서 3의 배수, 즉 6의 배수의 눈이 나올 확률: $\frac{1}{6}$
→ 6의 1가지

∴ (구하는 확률)$=$(2의 배수의 눈이 나올 확률)$+$(3의 배수의 눈이 나올 확률)
$-$(2의 배수이면서 3의 배수인 눈이 나올 확률)
→ 중복된 경우에 대한 확률을 빼 준다.
$=\frac{3}{6}+\frac{2}{6}-\frac{1}{6}=\frac{4}{6}=\frac{2}{3}$

ㄷ 5는 짝수가 아니므로 두 사건은 동시에 일어나지 않는다.

2 두 사건 A, B가 동시에 일어날 확률

두 사건 A, B가 서로 영향을 끼치지 않을 때, 사건 A가 일어날 확률을 p, 사건 B가 일어날 확률을 q라 하면
(ㄹ두 사건 A, B가 동시에 일어날 확률)$=p$ ☐ q ×

ㄹ 서로 영향을 끼치지 않는 두 사건에 대하여 '동시에', '그리고', '~와', '~하고 나서'와 같은 표현이 있으면 두 사건의 확률을 곱한다.

보기 동전 한 개와 주사위 한 개를 동시에 던질 때, 동전은 앞면이 나오고 주사위는 3의 배수의 눈이 나올 확률을 구하시오.

풀이 동전에서 앞면이 나올 확률은 $\frac{1}{2}$

주사위에서 3의 배수의 눈이 나올 확률은 $\frac{2}{6}=\frac{1}{3}$
→ 3, 6의 2가지

따라서 ㅁ동전은 앞면이 나오고 주사위는 3의 배수의 눈이 나올 확률은 $\frac{1}{2}\times\frac{1}{3}=\mathbf{\frac{1}{6}}$

ㅁ 동전 한 개를 던져서 앞면이 나오는 것은 주사위에서 나오는 눈의 수에 아무런 영향을 끼치지 않는다.

빠른 정답 248쪽 | 정답과 해설 73쪽

| 개념 체크 |

1-1 사건 A 또는 사건 B가 일어날 확률

1부터 10까지의 자연수가 각각 적힌 10장의 카드 중에서 한 장을 뽑을 때, 홀수 또는 4의 배수가 나올 확률을 구하시오.

셀파 홀수이면서 4의 배수인 경우는 없으므로 두 사건은 동시에 일어나지 않는다.

연구 1 카드에 적힌 수가 홀수인 경우는 1, 3, 5, 7, 9의 5가지이므로 그 확률은 $\frac{5}{10}=\frac{1}{2}$

2 카드에 적힌 수가 4의 배수인 경우는 4, □의 □가지이므로 그 확률은 $\frac{\square}{5}$

3 따라서 구하는 확률은 $\frac{1}{2}+\square=\square$

| 따라 풀기 |

1-2 흰 공 3개, 노란 공 5개, 파란 공 4개가 들어 있는 주머니에서 한 개의 공을 꺼낼 때, 다음을 구하시오.

(1) 흰 공이 나올 확률

(2) 파란 공이 나올 확률

(3) 흰 공 또는 파란 공이 나올 확률

2-1 두 사건 A, B가 동시에 일어날 확률

두 개의 주사위 A, B를 동시에 던질 때, A 주사위에서 3 이상의 눈이 나오고, B 주사위에서 소수의 눈이 나올 확률을 구하시오.

셀파 A 주사위에서 3 이상의 눈이 나오는 것은 B 주사위에서 소수의 눈이 나오는 것에 아무런 영향을 끼치지 않는다.

연구 1 A 주사위에서 3 이상의 눈이 나오는 경우는 3, 4, 5, 6의 4가지이므로 그 확률은 $\frac{4}{6}=\frac{2}{3}$

2 B 주사위에서 소수의 눈이 나오는 경우는 □, 3, 5의 3가지이므로 그 확률은 $\frac{\square}{6}=\square$

3 따라서 구하는 확률은 $\frac{2}{3}\times\square=\square$

2-2 A 주머니에는 흰 공 2개, 검은 공 1개가 들어 있고, B 주머니에는 흰 공 3개, 검은 공 3개가 들어 있다. A, B 두 주머니에서 각각 공을 한 개씩 꺼낼 때, 다음을 구하시오.

(1) A 주머니에서 흰 공이 나올 확률

(2) B 주머니에서 흰 공이 나올 확률

(3) A, B 두 주머니에서 모두 흰 공이 나올 확률

• 두 사건 A, B가 동시에 일어나지 않을 때, 사건 A 또는 사건 B가 일어날 확률은 두 사건의 확률을 각각 구하여 더한다.
• 두 사건 A, B가 서로 영향을 끼치지 않을 때, 두 사건 A, B가 동시에 일어날 확률은 두 사건의 확률을 각각 구하여 곱한다.

3 연속하여 꺼내는 경우의 확률

(1) 꺼낸 것을 다시 넣는 경우

처음에 꺼낸 것을 나중에 다시 꺼낼 수 있으므로 처음 사건이 나중 사건에 영향을 주지 않는다.

⇨ (처음 꺼낼 때의 조건) ☐ (나중에 꺼낼 때의 조건) =

(2) 꺼낸 것을 다시 넣지 않는 경우

처음에 꺼낸 것을 나중에 다시 꺼낼 수 없으므로 처음 사건이 나중 사건에 영향을 준다.

⇨ (처음 꺼낼 때의 조건) ☐ (나중에 꺼낼 때의 조건) ≠

참고 (1) 꺼낸 것을 다시 넣으면
(처음에 꺼낼 때의 전체 개수)=(나중에 꺼낼 때의 전체 개수)
(2) 꺼낸 것을 다시 넣지 않으면
(처음에 꺼낼 때의 전체 개수)≠(나중에 꺼낼 때의 전체 개수)

ㄱ 연속하여 꺼내는 경우의 확률은 두 사건이 동시에 일어나므로 두 사건의 확률을 곱한다.

ㄴ 첫 번째에 꺼낸 공을 다시 넣으므로 5개의 공 중 파란 공이 2개 있다. 따라서 두 번째에 파란 공이 나올 확률은 $\frac{2}{5}$이다.

보기 파란 공 2개, 빨간 공 3개가 들어 있는 주머니에서 연속하여 2개의 공을 꺼낼 때, 두 번 모두 파란 공이 나올 확률을 구하시오.

풀이 (i) 꺼낸 공을 다시 넣는 경우

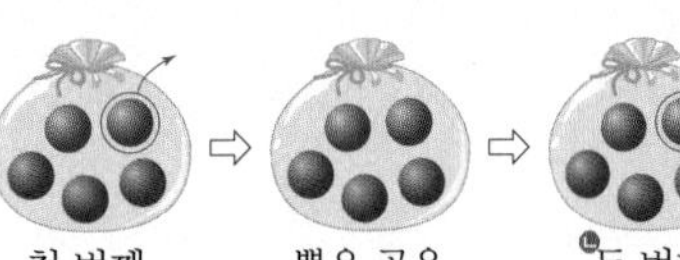

∴ (구하는 확률)$=\frac{2}{5}\times\frac{2}{5}=\mathbf{\frac{4}{25}}$

처음과 나중에 꺼낼 때, 전체 공의 개수가 같다.

(ii) 꺼낸 공을 다시 넣지 않는 경우

∴ (구하는 확률)$=\frac{2}{5}\times\frac{1}{4}=\mathbf{\frac{1}{10}}$

처음과 나중에 꺼낼 때, 전체 공의 개수가 다르다.

ㄷ 첫 번째에 꺼낸 공을 다시 넣지 않으므로 두 번째에 파란 공을 꺼낼 때는 전체 공의 개수와 파란 공의 개수가 각각 1씩 작아진다.

4 도형에서의 확률

도형에서의 확률은 모든 경우의 수를 도형 ☐ 의 넓이로, 어떤 사건이 일어나는 경우의 수를 도형에서 그 사건에 해당하는 부분의 넓이로 생각한다. 전체

⇨ (도형에서의 확률)$=\frac{\text{(사건에 ☐ 하는 부분의 넓이)}}{\text{(도형 전체의 넓이)}}$ 해당

참고 도형에서의 확률은 사건에 해당하는 부분의 넓이가 도형 전체의 넓이에서 차지하는 비율이다.

ㄹ 비율은 '$0\le$(확률)≤1'과 같이 '$0\le$(비율)≤1'을 만족한다.

보기 오른쪽 그림과 같이 8등분된 과녁에 화살을 쏘았을 때, 색칠한 부분을 맞힐 확률을 구하시오. (단, 화살이 과녁을 벗어나거나 경계선에 꽂히는 경우는 생각하지 않는다.)

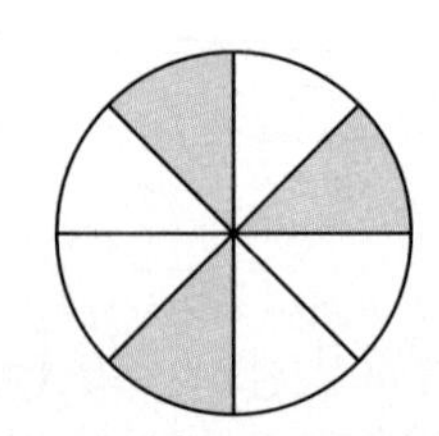

풀이 (확률)$=\frac{\text{(색칠한 부분의 넓이)}}{\text{(도형 전체의 넓이)}}=\frac{\text{(3조각)}}{\text{(8조각)}}=\mathbf{\frac{3}{8}}$

빠른 정답 248쪽 | 정답과 해설 73쪽

| 개념 체크 |

3-1 연속하여 꺼내는 경우의 확률

10개의 제비 중 당첨 제비가 3개 들어 있는 상자에서 연속하여 제비를 1개씩 두 번 뽑을 때, 다음 조건에서 두 번 모두 당첨 제비가 나올 확률을 구하시오.

(1) 처음에 뽑은 제비를 다시 넣을 때
(2) 처음에 뽑은 제비를 다시 넣지 않을 때

셀파 나중에 뽑을 때 전체 제비의 개수가 처음과 같은지 다른지 확인한다.

연구 (1) 첫 번째에 당첨 제비가 나올 확률은 $\frac{3}{10}$

두 번째에 당첨 제비가 나올 확률은 $\square$

따라서 구하는 확률은 $\frac{3}{10}\times\square=\square$

(2) 첫 번째에 당첨 제비가 나올 확률은 $\frac{3}{10}$

두 번째에 당첨 제비가 나올 확률은 $\square$

따라서 구하는 확률은 $\frac{3}{10}\times\square=\square$

| 따라 풀기 |

3-2 검은 구슬 5개와 흰 구슬 3개가 들어 있는 주머니에서 연속하여 구슬을 한 개씩 두 번 꺼낼 때, 다음 조건에서 두 번 모두 검은 구슬이 나올 확률을 구하시오.

(1) 처음에 꺼낸 구슬을 다시 넣는 경우

(2) 처음에 꺼낸 구슬을 다시 넣지 않는 경우

4-1 도형에서의 확률

오른쪽 그림과 같이 8등분된 원판에 화살을 쏘았을 때, 8의 약수가 적혀 있는 부분을 맞힐 확률을 구하시오. (단, 화살이 원판을 벗어나거나 경계선에 꽂히는 경우는 생각하지 않는다.)

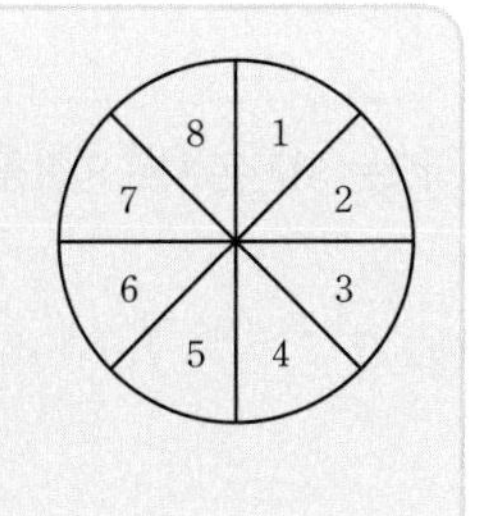

셀파 모든 경우의 수는 도형 전체의 넓이이고, 어떤 사건이 일어나는 경우의 수는 도형에서 그 사건에 해당하는 부분의 넓이이다.

연구 $(\text{확률})=\frac{(\text{8의 약수에 해당하는 부분의 넓이})}{(\text{원판 전체의 넓이})}=\frac{\square}{8}=\square$

4-2 오른쪽 그림과 같이 6등분된 원판에 1, 2, 3이 적혀 있다. 이 원판에 화살을 한 번 쏠 때, 다음을 구하시오. (단, 화살이 원판을 벗어나거나 경계선에 꽂히는 경우는 생각하지 않는다.)

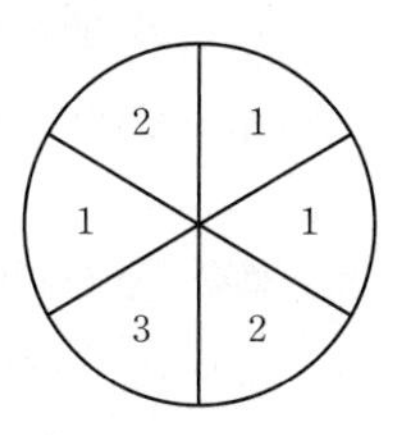

(1) 3이 적힌 부분에 꽂힐 확률

(2) 1이 적힌 부분에 꽂힐 확률

- 연속하여 꺼내는 경우의 확률은 두 사건이 동시에 일어나므로 두 사건의 확률을 곱한다.
  이때 처음에 일어난 사건이 나중에 일어나는 사건에 영향을 주는지 확인한다.
- 도형에서의 확률은 도형 전체의 넓이에서 도형에서 사건에 해당하는 부분의 넓이가 차지하는 비율이다.

빠른 정답 248쪽 | 정답과 해설 74쪽

기본 01 사건 A 또는 사건 B가 일어날 확률

두 개의 주사위 A, B를 동시에 던질 때, 나오는 눈의 수의 차가 2 또는 5일 확률을 구하시오.

셀파 눈의 수의 차가 2이면서 동시에 5인 경우는 없으므로 두 사건의 확률을 더한다.

풀이 모든 경우의 수는 $6\times6=36$

(i) ❶눈의 수의 차가 2인 경우는

$(1, 3), (3, 1), (2, 4), (4, 2), (3, 5), (5, 3), (4, 6), (6, 4)$의 8가지이므로

눈의 수의 차가 2일 확률은 $\frac{8}{36}=\frac{2}{9}$

(ii) 눈의 수의 차가 5인 경우는 $(1, 6), (6, 1)$의 2가지이므로

눈의 수의 차가 5일 확률은 $\frac{2}{36}=\frac{1}{18}$

따라서 구하는 확률은 $\frac{2}{9}+\frac{1}{18}=\mathbf{\frac{5}{18}}$

해법코드

두 사건 A, B가 동시에 일어나지 않을 때, 사건 A 또는 사건 B가 일어날 확률은
(사건 A가 일어날 확률)
+(사건 B가 일어날 확률)

❶ A 주사위에서 나온 눈의 수를 a, B 주사위에서 나온 눈의 수를 b라 하면 눈의 수의 차가 2이므로 $|a-b|=2$인 순서쌍 (a, b)를 찾으면 된다.
이때 (a, b)가 얻어지면 (b, a)도 함께 생각한다.

확인 01 각 면에 1부터 12까지의 자연수가 각각 적혀 있는 정십이면체 모양의 주사위를 던질 때, 다음을 구하시오.

(1) 바닥에 오는 면에 적힌 수가 8의 약수 또는 3의 배수일 확률

(2) 바닥에 오는 면에 적힌 수가 소수 또는 2의 배수일 확률

» My 셀파
두 사건이 동시에 일어나는 경우가 있는지를 먼저 확인한다.

기본 02 두 사건 A, B가 동시에 일어날 확률

서로 다른 동전 2개와 주사위 1개를 동시에 던질 때, 동전 2개는 모두 앞면이 나오고 주사위는 5 이상의 눈이 나올 확률을 구하시오.

셀파 동전 2개에서 모두 앞면이 나오는 사건과 주사위에서 5 이상의 눈이 나오는 사건은 서로 영향을 끼치지 않으므로 두 사건의 확률을 곱한다.

풀이 (i) 동전 2개를 동시에 던질 때 일어나는 모든 경우의 수는 $2\times2=4$

모두 앞면이 나오는 경우는 (앞면, 앞면)의 1가지이므로

동전 2개가 모두 앞면일 확률은 $\frac{1}{4}$

(ii) 주사위 1개를 던질 때 일어나는 모든 경우의 수는 6

5 이상의 눈이 나오는 경우는 5, 6의 2가지이므로

주사위의 눈의 수가 5 이상일 확률은 $\frac{2}{6}=\frac{1}{3}$

따라서 구하는 확률은 $\frac{1}{4}\times\frac{1}{3}=\mathbf{\frac{1}{12}}$

해법코드

두 사건 A, B가 서로 영향을 미치지 않을 때, 사건 A와 사건 B가 동시에 일어날 확률은
(사건 A가 일어날 확률)
×(사건 B가 일어날 확률)

다른 풀이

서로 다른 동전 2개와 주사위 1개를 동시에 던질 때, 일어나는 모든 경우의 수는 $2\times2\times6=24$
동전 2개가 모두 앞면이고 주사위의 눈의 수가 5 이상인 경우는
(앞, 앞, 5), (앞, 앞, 6)의 2가지
따라서 구하는 확률은 $\frac{2}{24}=\frac{1}{12}$

확인 02 서로 다른 두 개의 주사위를 동시에 던질 때, 나오는 눈의 수의 곱이 홀수일 확률을 구하시오.

» My 셀파
두 수의 곱이 홀수이려면 (홀수)×(홀수)이어야 한다.

기본 03 두 사건 A, B 중 적어도 하나가 일어날 확률

어느 동물원에 있는 두 종류의 앵무새 알의 인공 부화율이 각각 $\frac{1}{3}$, $\frac{1}{4}$이다. 이때 두 종류의 앵무새의 알 중 적어도 한 알은 부화할 확률을 구하시오.

해법코드
두 사건 A, B가 서로 영향을 끼치지 않을 때, 두 사건 A, B 중 적어도 하나가 일어날 확률은
$1-$(두 사건 A, B가 모두 일어나지 않을 확률)

셀파 (적어도 한 알은 부화할 확률)$=1-$(모두 부화하지 못할 확률)

풀이 ㉠두 종류의 앵무새 알이 부화하지 못할 확률은 각각 $\frac{2}{3}$, $\frac{3}{4}$이다.

따라서 두 종류의 앵무새 알이 ㉡모두 부화하지 못할 확률은 $\frac{2}{3}\times\frac{3}{4}=\frac{1}{2}$

$\therefore$ (적어도 한 알은 부화할 확률)$=1-$(모두 부화하지 못할 확률)

$=1-\frac{1}{2}=\mathbf{\frac{1}{2}}$

㉠ 두 종류의 앵무새 알이 부화하지 못할 확률은 각각
$1-\frac{1}{3}=\frac{2}{3}$, $1-\frac{1}{4}=\frac{3}{4}$

㉡ 두 종류의 앵무새 알의 부화 여부는 서로 영향을 끼치지 않으므로 확률의 곱셈을 이용한다.

확인 03 어느 시험에서 A, B, C 세 사람이 합격할 확률이 각각 $\frac{1}{2}$, $\frac{2}{3}$, $\frac{3}{4}$이다. 세 사람이 시험을 볼 때, 적어도 한 명은 합격할 확률을 구하시오.

» My 셀파
(적어도 한 명은 합격할 확률)
$=1-$(3명 모두 불합격할 확률)

기본 04 확률의 덧셈과 곱셈

A 주머니에는 흰 공 2개와 빨간 공 4개가 들어 있고, B 주머니에는 흰 공 3개와 빨간 공 1개가 들어 있다. 두 주머니에서 각각 1개의 공을 꺼낼 때, 두 개의 공의 색이 다를 확률을 구하시오.

해법코드
서로 다른 색의 공이 나오는 경우는 다음과 같다.
(i) A 주머니에서 흰 공, B 주머니에서 빨간 공을 꺼낸다.
(ii) A 주머니에서 빨간 공, B 주머니에서 흰 공을 꺼낸다.

셀파 '또는', '~이거나'이면 확률의 덧셈, '~이고', '동시에'이면 확률의 곱셈을 이용한다.

풀이 (i) A 주머니에서 흰 공, B 주머니에서 빨간 공을 꺼낼 확률은

$\frac{2}{6}\times\frac{1}{4}=\frac{1}{12}$

(ii) A 주머니에서 빨간 공, B 주머니에서 흰 공을 꺼낼 확률은

$\frac{4}{6}\times\frac{3}{4}=\frac{1}{2}$

㉠(i), (ii)에서 구하는 확률은 $\frac{1}{12}+\frac{1}{2}=\mathbf{\frac{7}{12}}$

참고
어느 주머니에서 흰 공, 빨간 공이 나오는지 주어지지 않았으므로 모든 가능성을 생각한다.

㉠ 두 경우는 동시에 일어나지 않으므로 두 사건의 확률을 더한다.

확인 04 두 주머니 A, B에는 자연수가 한 개씩 적혀 있는 공이 들어 있다. 두 주머니 A, B에서 각각 한 개씩 임의로 뽑은 공에 적혀 있는 수를 a, b라 할 때, a가 짝수일 확률은 $\frac{4}{7}$, b가 짝수일 확률은 $\frac{3}{5}$이다. 이때 $a+b$가 홀수일 확률을 구하시오.

» My 셀파
두 수의 합이 홀수인 경우는 다음과 같다.
(i) (짝수)+(홀수)=(홀수)
(ii) (홀수)+(짝수)=(홀수)

기본 05 연속하여 꺼내는 경우의 확률 (1) – 꺼낸 것을 다시 넣는 경우

주머니 속에 파란 구슬 6개와 빨간 구슬 3개가 들어 있다. 처음에 1개의 구슬을 꺼내 색을 확인하고 주머니에 다시 넣은 후 1개의 구슬을 또 꺼낼 때, 2개 모두 파란 구슬이 나올 확률을 구하시오.

해법코드
연속하여 꺼낼 때 꺼낸 것을 다시 넣는 경우, 처음에 꺼낸 것을 나중에 다시 꺼낼 수 있으므로 처음 사건이 나중 사건에 영향을 주지 않는다.

셀파 (처음에 꺼낼 때의 전체 개수)=(나중에 꺼낼 때의 전체 개수)

풀이 첫 번째에 파란 구슬이 나올 확률은 $\frac{6}{9}=\frac{2}{3}$

㉠두 번째에 파란 구슬이 나올 확률은 $\frac{6}{9}=\frac{2}{3}$

따라서 구하는 확률은 $\frac{2}{3}\times\frac{2}{3}=\mathbf{\frac{4}{9}}$

㉠ 처음에 꺼낸 구슬을 다시 넣으므로 구슬 9개 중 파란 구슬이 6개 있다.

확인 05 1부터 20까지의 자연수가 각각 적힌 20장의 카드 중에서 1장을 뽑아 숫자를 확인하고 다시 넣은 후 1장을 또 뽑을 때, 첫 번째에는 18의 약수가 적힌 카드가 나오고 두 번째에는 4의 배수가 적힌 카드가 나올 확률을 구하시오.

» My 셀파
(첫 번째에 뽑을 때의 조건)
=(두 번째에 뽑을 때의 조건)

기본 06 연속하여 꺼내는 경우의 확률 (2) – 꺼낸 것을 다시 넣지 않는 경우

상자 속에 10개의 제비 중 당첨 제비가 4개 있다. 이 상자에서 수현이가 먼저 1개를 뽑고, 성원이가 나중에 1개를 뽑을 때, 수현이만 당첨 제비를 뽑을 확률을 구하시오.

(단, 뽑은 제비는 다시 넣지 않는다.)

해법코드
연속하여 꺼낼 때 꺼낸 것을 다시 넣지 않는 경우, 처음에 꺼낸 것을 나중에 다시 꺼낼 수 없으므로 처음 사건이 나중 사건에 영향을 준다.

셀파 (처음에 꺼낼 때의 전체 개수)≠(나중에 꺼낼 때의 전체 개수)

풀이 수현이가 당첨 제비를 뽑을 확률은 $\frac{4}{10}=\frac{2}{5}$

㉠성원이가 당첨 제비를 뽑지 않을 확률은 $\frac{6}{9}=\frac{2}{3}$ (6: 당첨 제비가 아닌 제비의 개수)

따라서 구하는 확률은 $\frac{2}{5}\times\frac{2}{3}=\mathbf{\frac{4}{15}}$

㉠ 수현이가 뽑은 제비는 다시 넣지 않으므로 성원이가 뽑을 때는 전체 제비의 개수와 당첨 제비의 개수가 각각 1씩 작아진다.

확인 06 상자 속에 들어 있는 45개의 제품 중에는 불량품이 10개 섞여 있다. 이 상자에서 연속하여 제품을 1개씩 두 번 꺼낼 때, 두 번 모두 불량품이 나올 확률을 구하시오.

(단, 꺼낸 제품은 다시 넣지 않는다.)

» My 셀파
한 번 꺼낸 제품은 다시 넣지 않으므로 두 번째로 제품을 꺼낼 때는 전체 제품의 개수와 불량품의 개수가 처음보다 각각 1씩 작아진다.

기본 07 도형에서의 확률

오른쪽 그림과 같은 과녁에 화살을 쏘아서 맞힌 부분에 적힌 숫자를 점수로 받는다고 할 때, 화살을 한 번 쏘아서 8점을 얻을 확률을 구하시오. (단, 화살이 과녁을 벗어나거나 경계선에 꽂히는 경우는 생각하지 않는다.)

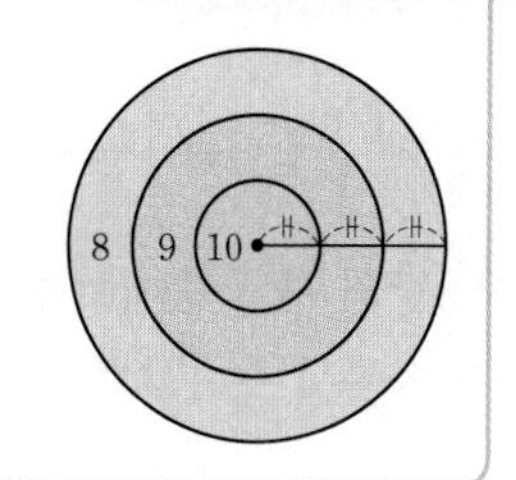

해법코드

(도형에서의 확률) $=\dfrac{(\text{사건에 해당하는 부분의 넓이})}{(\text{도형 전체의 넓이})}$

셀파 반지름의 길이가 r인 원의 넓이 ⇨ πr^2

풀이 오른쪽 그림에서 $\overline{\mathrm{OA}}=\overline{\mathrm{AB}}=\overline{\mathrm{BC}}=a$라 하면

㉠ 과녁 전체의 넓이는 $\pi\times(3a)^2=9a^2\pi$

㉡ 8점인 영역의 넓이는

$\pi\times(3a)^2-\pi\times(2a)^2=9a^2\pi-4a^2\pi=5a^2\pi$

따라서 구하는 확률은 $\dfrac{5a^2\pi}{9a^2\pi}=\mathbf{\dfrac{5}{9}}$

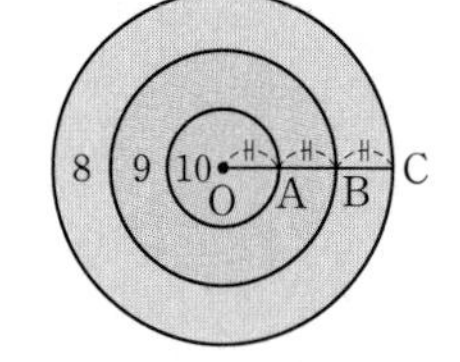

㉠ 반지름이 $\overline{\mathrm{OC}}$인 원이고 $\overline{\mathrm{OC}}=3\overline{\mathrm{OA}}=3a$

㉡ 반지름이 $\overline{\mathrm{OC}}$인 원에서 반지름이 $\overline{\mathrm{OB}}$인 원을 뺀 부분이다.

확인 07 오른쪽 그림과 같이 10등분된 원판에 화살을 한 번 쏠 때, 5의 배수 또는 6의 약수가 적힌 부분을 맞힐 확률을 구하시오. (단, 화살이 원판을 벗어나거나 경계선에 꽂히는 경우는 생각하지 않는다.)

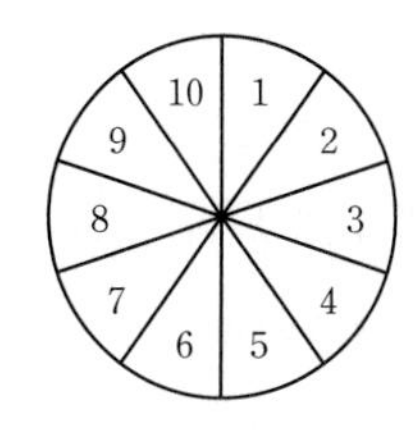

» My 셀파

5의 배수이면서 6의 약수인 수는 없다.

발전 08 사건이 3일 이상 연속해서 일어날 확률

비가 온 날의 다음 날에 비가 올 확률은 $\dfrac{1}{3}$, 비가 오지 않은 날의 다음 날에 비가 올 확률은 $\dfrac{1}{4}$이라 한다. 월요일에 비가 왔을 때, 같은 주 수요일에 비가 올 확률을 구하시오.

해법코드

- 비가 온 날의 다음 날에 비가 올 확률은 $\dfrac{1}{3}$
- 비가 온 날의 다음 날에 비가 오지 않을 확률은 $1-\dfrac{1}{3}=\dfrac{2}{3}$
- 비가 오지 않은 날의 다음 날에 비가 올 확률은 $\dfrac{1}{4}$
- 비가 오지 않은 날의 다음 날에 비가 오지 않을 확률은 $1-\dfrac{1}{4}=\dfrac{3}{4}$

셀파 비가 온 날을 ○, 비가 오지 않은 날을 ×로 표시할 때,
(월, 화, 수)의 날씨가 (○, ○, ○) 또는 (○, ×, ○)인 경우의 확률을 구한다.

풀이 (i) (월, 화, 수)의 날씨가 (○, ○, ○)인 경우

(비가 온 날의 다음 날에 비가 올 확률)×(비가 온 날의 다음 날에 비가 올 확률)

$=\dfrac{1}{3}\times\dfrac{1}{3}=\dfrac{1}{9}$

(ii) (월, 화, 수)의 날씨가 (○, ×, ○)인 경우

(비가 온 날의 다음 날에 비가 오지 않을 확률)×(비가 오지 않은 날의 다음 날에 비가 올 확률)

$=\left(1-\dfrac{1}{3}\right)\times\dfrac{1}{4}=\dfrac{2}{3}\times\dfrac{1}{4}=\dfrac{1}{6}$

㉠ (i), (ii)에서 구하는 확률은 $\dfrac{1}{9}+\dfrac{1}{6}=\mathbf{\dfrac{5}{18}}$

㉠ 두 경우는 동시에 일어나지 않으므로 두 사건의 확률을 더한다.

확인 08 맑은 날의 다음 날에 맑을 확률은 $\dfrac{2}{3}$이고, 흐린 날의 다음 날에 맑을 확률은 $\dfrac{2}{5}$라 한다. 목요일에 맑았다면 그 주 토요일에 흐릴 확률을 구하시오.

» My 셀파

맑은 날을 ○, 흐린 날을 ×라 할 때, (목, 금, 토)의 날씨가 (○, ○, ×) 또는 (○, ×, ×)인 경우의 확률을 구한다.

실력 키우기

01 확률

다음 그림과 같이 알파벳이 적힌 8장의 카드 중에서 한 장을 뽑을 때, 모음이 적힌 카드가 나올 확률을 구하시오.

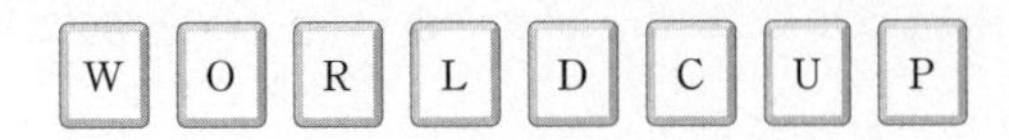

02 확률

주머니 속에 흰 구슬 5개, 노란 구슬 4개, 파란 구슬 x개가 들어 있다. 이 주머니에서 구슬 한 개를 꺼낼 때, 노란 구슬이 나올 확률은 $\frac{1}{3}$이다. 이때 x의 값을 구하시오.

03 확률의 성질

상자 속에 1부터 10까지의 자연수가 각각 적힌 10개의 공이 들어 있다. 이 상자에서 한 개의 공을 꺼낼 때, 다음 중 옳은 것은?

① 1이 적힌 공이 나올 확률은 1이다.
② 10 이하의 수가 적힌 공이 나올 확률은 10이다.
③ 10 이상의 수가 적힌 공이 나올 확률은 0이다.
④ 7의 약수가 적힌 공이 나올 확률은 $\frac{7}{10}$이다.
⑤ 0이 적힌 공이 나올 확률은 0이다.

04 여러 가지 경우의 확률

다음 중 확률이 가장 작은 것은?

① 한 개의 주사위를 던질 때, 8의 약수의 눈이 나올 확률
② A, B, C를 한 줄로 세울 때, A, B가 이웃하여 서게 될 확률
③ A, B 두 사람이 가위바위보를 할 때, A가 이길 확률
④ 서로 다른 두 개의 주사위를 던질 때, 다른 눈의 수가 나올 확률
⑤ 0, 1, 2의 숫자가 각각 적혀 있는 3장의 카드 중에서 2장을 뽑아 두 자리 자연수를 만들 때, 그 수가 짝수일 확률

05 방정식, 부등식에서의 확률 (서술형) (융합형)

두 개의 주사위 A, B를 동시에 던져 나온 눈의 수를 각각 a, b라 할 때, 직선 $ax+by=7$이 점 $(2, 1)$을 지날 확률을 구하시오.

06 '적어도 ~'일 확률

남학생 3명, 여학생 5명 중에서 회장 1명, 부회장 1명을 뽑을 때, 남학생이 적어도 1명 뽑힐 확률을 구하시오.

07 사건 A 또는 사건 B가 일어날 확률

다음 그림은 어느 해 10월의 달력이다. 이 달력에서 하루를 임의로 선택할 때, 화요일 또는 목요일을 택할 확률을 구하시오.

10월

일	월	화	수	목	금	토
	1	2	3	4	5	6
7	8	9	10	11	12	13
14	15	16	17	18	19	20
21	22	23	24	25	26	27
28	29	30	31			

08 두 사건 A, B가 동시에 일어날 확률

A 주머니에는 흰 공 4개와 파란 공 3개가 들어 있고, B 주머니에는 흰 공 5개와 파란 공 2개가 들어 있다. A 주머니에서는 흰 공이 나오고 B 주머니에서는 파란 공이 나올 확률을 구하시오.

09 두 사건 A, B 중 적어도 하나가 일어날 확률

미선이와 태웅이가 만나기로 약속을 하였다. 미선이가 약속 장소에 나갈 확률이 $\frac{3}{5}$, 태웅이가 약속 장소에 나갈 확률이 $\frac{2}{3}$일 때, 두 사람이 만나지 못할 확률을 구하시오.

10 두 사건 A, B 중 적어도 하나가 일어날 확률 (융합형)

오른쪽 그림과 같은 전기회로에서 두 스위치 A, B가 닫힐 확률이 각각 $\frac{2}{5}$, $\frac{2}{3}$일 때, 전구에 불이 들어올 확률을 구하시오.

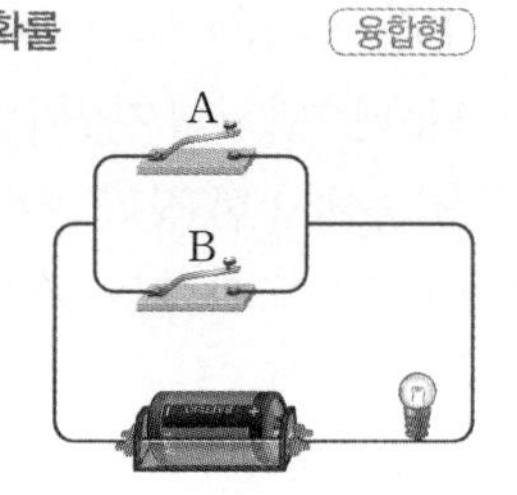

11 확률의 덧셈과 곱셈 (서술형)

두 학생 A, B가 어떤 문제를 맞힐 확률이 각각 $\frac{3}{4}$, $\frac{1}{3}$일 때, A 학생과 B 학생 중 한 학생만 이 문제를 맞힐 확률을 구하시오.

12 연속하여 꺼내는 경우의 확률

15개의 제비 중 3개의 당첨 제비가 들어 있는 상자가 있다. 이 상자에서 지수가 제비 1개를 뽑아 확인하고 다시 넣은 후 영민이가 1개를 뽑을 때, 영민이가 당첨 제비를 뽑을 확률을 구하시오.

13 연속하여 꺼내는 경우의 확률 (서술형)

1부터 7까지의 자연수가 각각 적힌 7장의 카드가 있다. 이 카드 중에서 한 장씩 연속해서 두 장을 뽑을 때, 나오는 수의 합이 짝수일 확률을 구하시오.

(단, 뽑은 카드는 다시 넣지 않는다.)

14 도형에서의 확률

아영이는 다음 그림과 같이 눈금 12개로 등분된 원판을 이용하여 여행 가고 싶은 장소와 그곳에서 먹고 싶은 음식을 써넣었다. 두 원판에 화살을 던져 여행 장소와 음식을 선택한다고 할 때, 아영이가 남해에 가서 회를 먹게 될 확률을 구하시오. (단, 화살이 원판을 벗어나거나 경계선에 꽂히는 경우는 생각하지 않는다.)

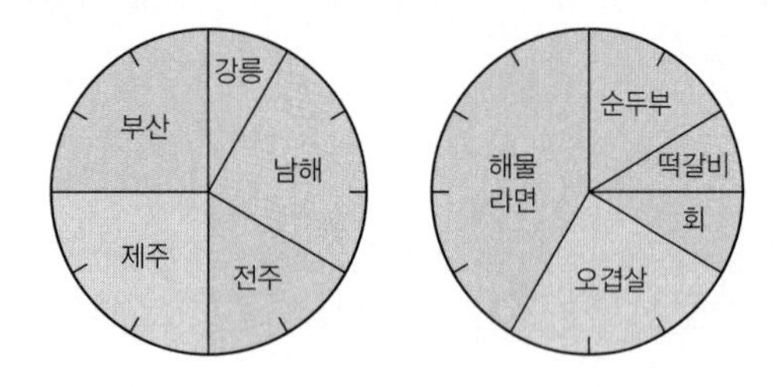

15 사건이 3일 이상 연속해서 일어날 확률

우빈이는 등교할 때, 버스나 자전거를 이용한다. 우빈이가 등교할 때, 버스를 탄 날의 다음 날에 버스를 탈 확률은 $\frac{3}{4}$이고, 자전거를 탄 날의 다음 날에 버스를 탈 확률은 $\frac{1}{2}$이다. 우빈이가 이번 주 화요일에 버스를 타고 등교하였다면 이틀 후인 목요일에 자전거를 타고 등교할 확률을 구하시오.

16 두 사건 A, B가 동시에 일어날 확률

다음 그림은 어느 테니스 대회의 대진표이다. 각 선수가 경기에서 이길 확률이 $\frac{1}{2}$일 때, B 선수와 F 선수가 결승전에서 만날 확률을 구하시오.

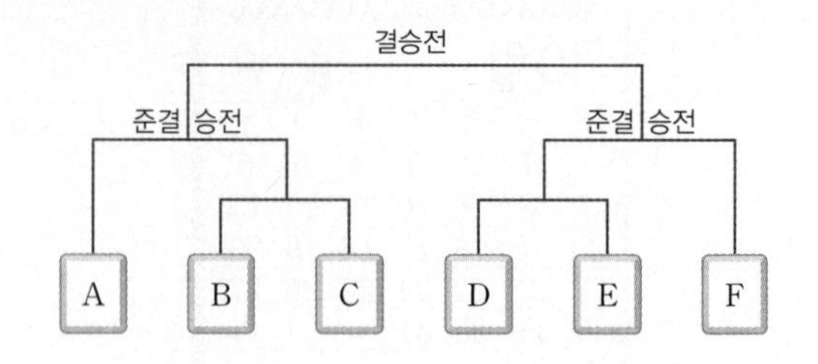

17 확률의 덧셈과 곱셈 (창의력)

어느 깊은 산골의 목장에 20 %의 확률로 늑대가 나타나고, 이 목장에는 평소 3번 중 1번 꼴로 거짓말을 하는 양치기 소년이 있다. 어느 날 이 양치기 소년이 "늑대가 나타났다!"라고 소리칠 확률을 구하시오.

18 확률 (서술형) (창의·융합)

다음 수직선 위의 원점에 점 P가 놓여 있다. 한 개의 동전을 던져서 앞면이 나오면 $+1$만큼, 뒷면이 나오면 -1만큼 움직일 때, 동전을 세 번 던져 움직인 점 P의 위치가 1일 확률을 구하시오.

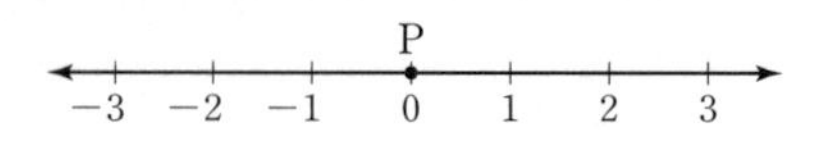

빠른 정답

1 이등변삼각형의 성질과 직각삼각형의 합동

1. 이등변삼각형의 성질

따라 풀면서 개념 익히기
본문 9, 11쪽

1-1 12

1-2 (1) $\angle B$ (2) $\overline{AC}$ (3) $\angle A$, $\angle C$

1-3 10

2-1 (1) $40°$ (2) $70°$

2-2 (1) $54°$ (2) $74°$

3-1 (1) 5 cm (2) $65°$

3-2 (1) 6 (2) 50

4-1 (1) 3 (2) 5

4-2 (1) 4 (2) 6

보고 또 보고 유형 익히기 - 확인 문제
본문 12~15쪽

01 (1) $96°$ (2) $125°$ **02** $56°$ **03** $15°$

04 $96°$ **05** ㉡ **06** 12 cm **07** $40°$

08 5 cm

2. 직각삼각형의 합동

따라 풀면서 개념 익히기
본문 17쪽

1-1 풀이 참조

1-2 $\overline{DF}$, $\overline{FE}$, $\triangle DFE$, RHS

2-1 (1) 5 (2) 20

2-2 (1) 3 (2) 8

2-3 (1) 15 (2) 55

보고 또 보고 유형 익히기 - 확인 문제
본문 18~20쪽

01 1. $\triangle ABC \equiv \triangle JKL$ (RHA 합동),
$\triangle DEF \equiv \triangle RQP$ (RHS 합동)
2. ㉠, ㉡, ㉢

02 50 cm^2 **03** $54°$ **04** ④ **05** 18 cm^2

실력 키우기
본문 21~23쪽

01 (가) $\angle C$ (나) $\overline{BC}$ (다) $\angle B$ **02** $24°$ **03** $70°$

04 (1) 9 cm (2) $\frac{36}{5}$ cm **05** $60°$ **06** $69°$

07 (1) 풀이 참조 (2) 10 m **08** 7 cm **09** $53°$

10 ㉡과 ㉤: RHA 합동, ㉣과 ㉥: RHS 합동 **11** 37 cm^2

12 70.5 **13** $40°$ **14** 4 cm

15 (1) $4\angle x$ (2) $180°-8\angle x$ (3) $20°$ **16** 8 cm

17 (1) 풀이 참조 (2) $124°$ (3) $56°$ **18** 12 cm

2 삼각형의 외심

따라 풀면서 개념 익히기
본문 27, 29쪽

1-1 (1) 8 cm (2) 10 cm

1-2 (1) $\overline{BC}$ (2) $\overline{AD}$

1-3 4 cm

2-1 $x=7$, $y=25$

2-2 (1) $x=90$, $y=4$ (2) $x=30$, $y=6$

3-1 6 cm

3-2 6 cm

4-1 (1) $40°$ (2) $104°$

4-2 (1) $25°$ (2) $100°$

보고 또 보고 유형 익히기 - 확인 문제
본문 31~34쪽

01 36 cm **02** $70°$ **03** 6 cm **04** $16°$

05 $55°$ **06** $60°$

07 $\angle BAC=60°$, $\angle ABC=80°$, $\angle BCA=40°$

풀고 또 풀고 집중 연습
본문 35쪽

1 (1) $15°$ (2) $106°$ (3) $60°$ (4) $49°$ (5) $90°$

2 (1) 4 (2) 14 (3) 59 (4) 36 (5) 16

실력 키우기

본문 36~37쪽

01 승호 **02** 5 cm **03** 148° **04** ③

05 12 cm² **06** 10° **07** 10° **08** 165°

09 26° **10** 108° **11** $\frac{16}{3}\pi$ cm²

12 (1) 90° (2) 120°

3 삼각형의 내심

따라 풀면서 **개념** 익히기

본문 41, 43쪽

1-1 30° **1-2** (1) 27° (2) 65°

2-1 $x=5$, $y=35$ **2-2** (1) 2 (2) 125

3-1 (1) 30° (2) 115° **3-2** (1) 14° (2) 131°

4-1 3 **4-2** 48, 10, 3

보고 또 보고 **유형** 익히기 – 확인 문제

본문 45~49쪽

01 ④ **02** (1) 34° (2) 58°

03 (1) 119° (2) 80° **04** 4π cm²

05 10 cm **06** 20 cm

07 **1.** 112° **2.** 15°

풀고 또 풀고 **집중** 연습

본문 50쪽

1 (1) 23° (2) 35° (3) 132° (4) 92° (5) 26°

2 (1) 10 (2) 3 (3) 17 (4) 10 (5) 4

실력 키우기

본문 51~53쪽

01 ②, ⑤ **02** (1) △AFI (2) 4 cm **03** 14°

04 146° **05** 30° **06** (1) 정삼각형 (2) 120°

07 (1) 풀이 참조 (2) 16π m² **08** 40 cm **09** 24 cm

10 ⑤ **11** ⑤ **12** 63° **13** 80°

14 $\frac{189}{4}\pi$ cm² **15** (1) 50° (2) 210°

16 2 cm **17** 축구공, 농구공, 배구공

4 평행사변형

1. 평행사변형의 성질

따라 풀면서 **개념** 익히기

본문 57쪽

1-1 $\angle x=80°$, $\angle y=23°$

1-2 (1) $\angle x=40°$, $\angle y=60°$ (2) $\angle x=40°$, $\angle y=30°$

2-1 (1) $x=8$, $y=70$ (2) $x=5$, $y=4$

2-2 (1) $x=2$, $y=55$ (2) $x=6$, $y=5$

보고 또 보고 **유형** 익히기 – 확인 문제

본문 59~61쪽

01 (1) 94° (2) 30° **02** (1) 11 cm (2) 110°

03 1 cm **04** 125°

05 72° **06** 18 cm

2. 평행사변형이 되는 조건

따라 풀면서 개념 익히기

본문 63쪽

1-1 (1) $x=10, y=16$ (2) $x=108, y=72$ (3) $x=8, y=5$ (4) $x=35, y=7$

1-2 (1) $\overline{DC}, \overline{BC}$ (2) $\overline{DC}, \overline{BC}$ (3) $\angle BCD, \angle CDA$ (4) $\overline{CO}, \overline{DO}$ (5) $\overline{BC}, \overline{BC}$ (6) $\overline{DC}, \overline{DC}$

2-1 24 cm^2

2-2 (1) 10 cm^2 (2) 20 cm^2

보고 또 보고 유형 익히기 – 확인 문제

본문 65~68쪽

01 1. (1) $x=7, y=7$ (2) $x=40, y=75$ 2. ④, ⑤

02 1. 30 cm 2. ㉠, ㉡, ㉣, ㉥

03 15 cm^2

04 7 cm^2

실력 키우기

본문 69~71쪽

01 84° **02** 12 cm **03** ④ **04** ②

05 (1) 이등변삼각형 (2) 40° **06** 4 cm **07** 12 cm

08 135° **09** 8 cm^2 **10** ㉠, ㉢ **11** ①

12 ⑤ **13** 40° **14** 27 cm^2

15 (1) △CFO, ASA 합동 (2) 16 cm^2

16 (1) 60 cm^2 (2) 12 cm^2 **17** 48 cm^2

5 여러 가지 사각형

따라 풀면서 개념 익히기

본문 75, 77쪽

1-1 (1) 55° (2) 10 cm

1-2 (1) $x=7, y=8$ (2) $x=58, y=58$

2-1 (1) 8 cm (2) 60°

2-2 (1) $x=4, y=33$ (2) $x=50, y=6$

3-1 (1) 5 cm (2) 45°

3-2 (1) $x=6, y=90$ (2) $x=4, y=45$

4-1 (1) 7 cm (2) 11 cm (3) 115°

4-2 (1) 4 cm (2) 6 cm (3) 70°

보고 또 보고 유형 익히기 – 확인 문제

본문 80~84쪽

01 (1) 7 cm (2) 64° **02** ②, ③

03 (1) 2 (2) 48° **04** ①, ⑤

05 (1) 8 cm^2 (2) 32 cm^2 **06** ㉢, ㉣

07 70° **08** 8 cm

09 70° **10** (1) 마름모 (2) 90°

실력 키우기

본문 85~87쪽

01 ③ **02** 15 **03** ㉠, ㉣ **04** 40°

05 60° **06** 7 cm **07** 25°

08 (가) ㉣, ㉤ (나) ㉠, ㉡, ㉢, ㉥ **09** 25°

10 (가) $\overline{DE}$ (나) $\angle DEC$ (다) $\angle C$ (라) $\overline{DC}$ (마) $\overline{AB}$

11 10 cm **12** 35°

13 (1) (가) ASA (나) $\overline{CF}$ (다) 마름모 (2) 5 cm

14 (1) 이등변삼각형 (2) 55° **15** (1) 30° (2) 75° (3) 15°

16 (1) 이등변삼각형 (2) 16 cm (3) 96 cm^2

6 여러 가지 사각형 사이의 관계

1. 여러 가지 사각형 사이의 관계

따라 풀면서 **개념** 익히기 본문 91쪽

1-1 (1) ㉠, ㉡, ㉢, ㉣ (2) ㉡, ㉣

1-2 (1) ㉠, ㉡, ㉢, ㉣ (2) ㉢, ㉣ (3) ㉡, ㉣ (4) ㉢, ㉣

2-1 ㉠ 직사각형 ㉡ 마름모

2-2 (1) ㉡, ㉣ (2) ㉠, ㉢

보고 또 보고 **유형** 익히기-확인 문제 본문 93~94쪽

01 1. ②, ⑤ 2. ⑤ **02** 3개 **03** ④

2. 평행선과 넓이

따라 풀면서 **개념** 익히기 본문 97쪽

1-1 25 cm^2

1-2 (1) △DBC (2) △ACD (3) △ABO

2-1 (1) $\triangle ABD=24\text{ cm}^2$, $\triangle ADC=40\text{ cm}^2$ (2) 같다.

2-2 12 cm^2

보고 또 보고 **유형** 익히기-확인 문제 본문 98~99쪽

01 (1) △ABD (2) 45 cm^2 **02** 20 cm^2

03 45 cm^2 **04** 4 cm^2

실력 키우기 본문 101~103쪽

01 ①, ⑤ **02** 준서, 고은 **03** 9 **04** 24 cm

05 ② **06** 50 cm^2 **07** 4 cm^2 **08** 12 cm^2

09 6 cm^2 **10** 8 cm^2 **11** 18 cm^2 **12** ⑤

13 정사각형 **14** (1) △AQC (2) 풀이 참조

15 (1) △AFC (2) △ADG (3) △AFG (4) 27 cm^2

7 도형의 닮음

1. 도형의 닮음

따라 풀면서 **개념** 익히기 본문 107쪽

1-1 (1) $\overline{AB}$ (2) ∠E

1-2 (1) 점 H (2) $\overline{EF}$ (3) ∠D

2-1 (1) 1 : 2 (2) 12 cm (3) 105°

2-2 (1) 3 : 4 (2) 12 cm (3) 70°

보고 또 보고 **유형** 익히기-확인 문제 본문 109~110쪽

01 ③ **02** (1) 3 : 5 (2) 6 cm (3) 110°

03 (1) 3 : 4 (2) 9 cm **04** $648\pi\text{ cm}^3$

2. 삼각형의 닮음 조건

따라 풀면서 **개념** 익히기 본문 113, 115쪽

1-1 (1) × (2) ○ (3) ○

1-2 (1) △ADE, SAS (2) △ADE, AA

1-3 (1) × (2) ○ (3) ×

2-1 (1) △ABC∽△AED (SAS 닮음) (2) 18

2-2 (1) △ABC∽△DAC (2) AA 닮음 (3) $\frac{18}{5}$

3-1 $x=\frac{32}{5}$, $y=6$

3-2 (1) 3 (2) $\frac{16}{5}$ (3) 9

보고 또 보고 **유형** 익히기-확인 문제 본문 116~119쪽

01 1. ④ 2. ③ **02** (1) 18 (2) $\frac{9}{2}$

03 (1) 8 (2) 5 **04** (1) 11 cm (2) $\frac{55}{12}$ cm

05 $\frac{32}{3}\text{ cm}^2$ **06** $\frac{25}{4}$ cm

풀고 또 풀고 **집중 연습** 본문 120쪽

1 (1) 12 (2) 12 (3) 8 (4) 10

2 (1) 12 (2) 5 (3) 3 (4) 8

3 (1) 6 (2) 15 (3) $\frac{50}{3}$ (4) 25

실력 키우기 본문 121~123쪽

01 ③, ④ **02** ⑤ **03** 33 cm **04** ③, ⑤

05 2 : 3

06 △ABC∽△LKJ (SAS 닮음), △DEF∽△IGH (AA 닮음)

07 ④ **08** $\frac{20}{3}$ cm **09** 23

10 (1) △ABE∽△FCE∽△FDA (AA 닮음) (2) 3 cm

11 ③ **12** ④ **13** 3 cm

14 (1) 25 cm (2) 20 cm (3) 16 cm

15 $\frac{64}{9}$ cm^2 **16** $\frac{15}{4}$ cm **17** 1 : 4

8 평행선 사이의 선분의 길이의 비

1. 삼각형에서 평행선과 선분의 길이의 비

따라 풀면서 **개념 익히기** 본문 127, 129쪽

1-1 (1) 8 (2) 12 (3) $\frac{9}{2}$ (4) 6

1-2 (1) 20 (2) 10 (3) 8 (4) 18

2-1 (1) 평행하다. (2) 평행하지 않다.

2-2 (1) × (2) ○

3-1 12

3-2 (1) 5 (2) 4

4-1 4

4-2 (1) 9 (2) 12

보고 또 보고 **유형 익히기 - 확인 문제** 본문 130~132쪽

01 (1) 9 (2) $\frac{15}{2}$ **02** $\frac{9}{2}$ **03** $\frac{24}{5}$ cm

04 ③ **05** 20 cm^2 **06** (1) 5 cm (2) 6 cm^2

풀고 또 풀고 **집중 연습** 본문 133쪽

1 (1) $\frac{12}{5}$ (2) 15 (3) $\frac{9}{2}$ (4) 3

2 (1) × (2) ○ (3) × (4) ○

2. 평행선 사이의 선분의 길이의 비

따라 풀면서 **개념 익히기** 본문 135쪽

1-1 (1) 9 (2) 2

1-2 (1) 4 (2) $\frac{10}{3}$

2-1 (1) $x=2, y=2$ (2) $x=\frac{10}{3}, y=\frac{2}{3}$

2-2 (1) 8 (2) 10

보고 또 보고 **유형 익히기 - 확인 문제** 본문 136~139쪽

01 $x=7, y=20$ **02** $x=6, y=\frac{8}{3}$

03 (1) 14 (2) 20 **04** $\frac{13}{2}$ cm

05 $\frac{80}{9}$ cm **06** 3

풀고 또 풀고 **집중 연습** 본문 140쪽

1 (1) 7 (2) 4 (3) 9 (4) $\frac{16}{3}$ (5) $x=6, y=3$ (6) $x=6, y=4$

2 (1) ① 5 cm ② 5 cm ③ 10 cm (2) ① 3 cm ② 4 cm ③ 7 cm

3 (1) 3 (2) $\frac{15}{2}$

본문 141~143쪽

01 20　02 24 cm　03 $\frac{27}{2}$ cm　04 ②

05 ㉢, $\frac{144}{13}$ cm　06 4 cm　07 $\frac{20}{3}$

08 $\frac{36}{7}$　09 (1) 2 cm (2) 10 cm (3) 28 cm^2

10 200 m　11 $x=\frac{28}{3}$, $y=\frac{32}{3}$　12 $\frac{27}{5}$

13 47 cm　14 4 cm　15 20 cm　16 ④

17 (1) 4 cm (2) 36 cm^2

9 삼각형의 무게중심

1. 삼각형의 두 변의 중점을 연결한 선분의 성질

따라 풀면서 개념 익히기

본문 147쪽

1-1 $x=75$, $y=6$

1-2 (1) $x=6$, $y=66$ (2) $x=10$, $y=40$

2-1 $x=4$, $y=12$

2-2 (1) 10 (2) 10

보고 또 보고 유형 익히기 - 확인 문제

본문 148~151쪽

01 4 cm　02 $\overline{AD}=7$ cm, $\overline{FC}=8$ cm

03 1. 54 cm^2 2. (1) 마름모 (2) 28 cm

04 12 cm　05 6 cm

06 15 cm　07 5 cm

2. 삼각형의 무게중심

따라 풀면서 개념 익히기

본문 153쪽

1-1 $x=8$, $y=3$

1-2 (1) 8 cm (2) 12 cm^2

1-3 (1) $x=12$, $y=7$ (2) $x=11$, $y=12$

2-1 (1) 4 cm^2 (2) 24 cm^2

2-2 (1) 5 cm^2 (2) 10 cm^2 (3) 10 cm^2 (4) 10 cm^2

보고 또 보고 유형 익히기 - 확인 문제

본문 155~158쪽

01 7 cm^2　02 9 cm　03 12 cm　04 4 cm

05 12 cm^2　06 36 cm^2　07 18 cm

실력 키우기

본문 159~161쪽

01 (1) 8 cm (2) 7 cm (3) 30 cm　02 18

03 16 cm　04 3 cm　05 15 cm　06 6 cm

07 6 cm　08 ③　09 12 cm　10 18 cm

11 14　12 (1) 15 cm (2) 풀이 참조 (3) 10 cm

13 7 cm^2　14 9 cm^2　15 5 cm^2　16 6 cm

17 8 cm　18 16 cm^2

10 닮음의 활용

따라 풀면서 개념 익히기 본문 165, 166쪽

1-1 (1) 2 : 5 (2) 2 : 5 (3) 4 : 25

1-2 (1) 2 : 3 (2) 2 : 3 (3) 4 : 9

2-1 (1) 1 : 2 (2) 1 : 4 (3) 1 : 8

2-2 (1) 3 : 5 (2) 9 : 25 (3) 27 : 125

3-1 2.5 cm

3-2 (1) 10000 (2) 300 m

보고 또 보고 유형 익히기–확인 문제 본문 167~171쪽

01 (1) 12 cm (2) 100 cm^2 **02** 60 cm^2 **03** 20 cm^2

04 80000원 **05** 6 cm **06** 400π cm^2

07 64 : 61 **08** (1) 27 : 64 (2) 74π cm^3

09 4 m **10** (1) 5 cm (2) 1 km

실력 키우기 본문 172~173쪽

01 9 : 16 **02** 60 cm^2

03 (1) 25 cm^2 (2) 10 cm^2 (3) 49 cm^2 **04** 25

05 500π cm^3 **06** 76 cm^3 **07** 27개 **08** 10 km

09 80 g **10** 19분 **11** 98 m

11 피타고라스 정리

1. 피타고라스 정리

따라 풀면서 개념 익히기 본문 177쪽

1-1 (1) 10 (2) 12 **1-2** (1) 34 (2) 40

1-3 (1) 5 (2) 9 **2-1** (1) × (2) ○

2-2 (1) ≠, 직각삼각형이 아니다 (2) =, 직각삼각형이다

보고 또 보고 유형 익히기–확인 문제 본문 180~183쪽

01 $x=15$, $y=17$ **02** $\frac{28}{5}$ **03** 20 cm

04 17 cm **05** 18 cm^2 **06** 20 cm^2 **07** 49 cm^2

08 1. 16 2. 120 cm^2

2. 피타고라스 정리를 이용한 성질

따라 풀면서 개념 익히기 본문 185, 187쪽

1-1 1. 9 2. (1) 둔각삼각형 (2) 예각삼각형 (3) 직각삼각형

1-2 16 / 130 / 12, 13, 14, 15

1-3 (1) 둔각삼각형 (2) 예각삼각형 (3) 직각삼각형

2-1 10 **2-2** 44

3-1 18 **3-2** 29

4-1 (1) $\frac{13}{2}\pi$ cm^2 (2) 6 cm^2

4-2 (1) 80π cm^2 (2) $\frac{65}{2}\pi$ cm^2 (3) 28 cm^2 (4) 60 cm^2

보고 또 보고 유형 익히기–확인 문제 본문 188~190쪽

01 (1) 8 (2) 9, 10 **02** ② **03** 84

04 40 **05** $\frac{25}{2}\pi$ **06** 13

실력 키우기

본문 191~193쪽

01 14 **02** 2 **03** 25 cm **04** $\frac{36}{5}$ cm

05 $\frac{24}{5}$ **06** 36 cm^2 **07** 12 cm **08** ⑤

09 16 cm **10** (1) 10 cm (2) 6 cm (3) 98 cm^2

11 6 **12** ③ **13** 320 **14** (1) 5 (2) 6

15 48 cm^2 **16** 119 **17** 5 cm **18** 32 cm^2

12 사건과 경우의 수

따라 풀면서 개념 익히기

본문 197, 199쪽

1-1 (1) 2 (2) 3

1-2 (1) 2 (2) 3 (3) 3

2-1 (1) 2 (2) 5 (3) 7

2-2 (1) 3 (2) 2 (3) 5

3-1 (1) 뒷면, 뒷면, 앞면 / 4 (2) 4 (3) 4

3-2 (1) ㉮, ㉡, ㉮, ㉯ / 4 (2) 4 (3) 4

3-3 (1) 2 (2) 6 (3) 12

보고 또 보고 유형 익히기 – 확인 문제

본문 200~203쪽

01 (1) 3 (2) 6 **02** 3 **03** 9

04 (1) 7 (2) 9 **05** 6 **06** 9

07 (1) 24 (2) 6 **08** 16

실력 키우기

본문 204~205쪽

01 ④ **02** 4 **03** 7 **04** 7

05 24 **06** ② **07** 30가지 **08** 9

09 36 **10** 24 **11** 32 **12** 3

13 여러 가지 경우의 수

따라 풀면서 개념 익히기

본문 209, 211쪽

1-1 (1) 24 (2) 12

1-2 (1) 120 (2) 60

2-1 12

2-2 (1) 6 (2) 6 (3) 36

3-1 (1) 12 (2) 9

3-2 (1) 4, 3, 2, 24 (2) 3, 3, 2, 18

4-1 (1) 24 (2) 6

4-2 (1) 20 (2) 10

보고 또 보고 유형 익히기 – 확인 문제

본문 213~217쪽

01 60가지 **02** 24 **03** 36 **04** (1) 6 (2) 12

05 11 **06** 36 **07** 1. 3 2. (1) 30 (2) 90

08 45번 **09** (1) 42 (2) 35

실력 키우기

본문 218~219쪽

01 24 **02** 12 **03** 6 **04** 48

05 540 **06** 21 **07** 320 **08** 21

09 8명 **10** 50 **11** 1000 **12** 21번째

14 확률

1. 확률의 뜻과 성질

따라 풀면서 **개념** 익히기 본문 223쪽

1-1 (1) $\frac{1}{4}$ (2) $\frac{1}{2}$

1-2 (1) $\frac{1}{10}$ (2) $\frac{3}{10}$ (3) $\frac{1}{2}$

2-1 (1) $\frac{4}{9}$ (2) 0 (3) 1

2-2 (1) $\frac{4}{9}$ (2) 1 (3) 0

보고 또 보고 **유형** 익히기 – 확인 문제 본문 224~227쪽

01 (1) $\frac{1}{6}$ (2) $\frac{1}{9}$ **02** (1) $\frac{2}{5}$ (2) $\frac{3}{10}$ **03** $\frac{4}{9}$

04 (1) $\frac{1}{6}$ (2) $\frac{1}{2}$ **05** $\frac{1}{4}$ **06** ②, ⑤

07 $\frac{2}{3}$ **08** $\frac{7}{8}$

2. 확률의 계산

따라 풀면서 **개념** 익히기 본문 229, 231쪽

1-1 $\frac{7}{10}$

1-2 (1) $\frac{1}{4}$ (2) $\frac{1}{3}$ (3) $\frac{7}{12}$

2-1 $\frac{1}{3}$

2-2 (1) $\frac{2}{3}$ (2) $\frac{1}{2}$ (3) $\frac{1}{3}$

3-1 (1) $\frac{9}{100}$ (2) $\frac{1}{15}$

3-2 (1) $\frac{25}{64}$ (2) $\frac{5}{14}$

4-1 $\frac{1}{2}$

4-2 (1) $\frac{1}{6}$ (2) $\frac{1}{2}$

보고 또 보고 **유형** 익히기 – 확인 문제 본문 232~235쪽

01 (1) $\frac{2}{3}$ (2) $\frac{5}{6}$ **02** $\frac{1}{4}$ **03** $\frac{23}{24}$

04 $\frac{17}{35}$ **05** $\frac{3}{40}$ **06** $\frac{1}{22}$ **07** $\frac{3}{5}$

08 $\frac{19}{45}$

실력 키우기 본문 236~238쪽

01 $\frac{1}{4}$ **02** 3 **03** ⑤ **04** ③

05 $\frac{1}{12}$ **06** $\frac{9}{14}$ **07** $\frac{9}{31}$ **08** $\frac{8}{49}$

09 $\frac{3}{5}$ **10** $\frac{4}{5}$ **11** $\frac{7}{12}$ **12** $\frac{1}{5}$

13 $\frac{3}{7}$ **14** $\frac{1}{48}$ **15** $\frac{5}{16}$ **16** $\frac{1}{8}$

17 $\frac{2}{5}$ **18** $\frac{3}{8}$

천재교육 중학 수학 교재 한눈에 보기

□ 교재 전체의 난이도
▲ 교재 전체의 수준

	어떤 책이 필요한가요?	이 책으로 공부하면 딱입니다.	난이도를 알고 싶나요?
연산 훈련서	구체적인 예시로 연산의 원리를 이해하고 **연산 연습**을 충분히 하고 싶어요.	빅터연산	하 중 상 최상
개념 기본서	자세한 개념설명으로 **자기주도학습**을 할 수 있는 교재가 필요해요.	셀파 해법수학	하 중 상 최상
	중학 수학 개념이 **쉽게 설명**된 책으로 **기초를 탄탄**히 다지고 싶어요.	개념 해결의 법칙	하 중 상 최상
문제 중심서	**교과서 수준의 문제**로 **시험 대비**를 시작하고 싶어요.	교과서 다품	하 중 상 최상
	다양한 유형의 문제를 풀어보며 **실력을 쌓고, 학교시험도 대비**하고 싶어요.	유형 해결의 법칙	하 중 상 최상
심화 학습서	난이도 높은 교재로 빠른 복습을 하거나 **응용력 향상**을 위한 교재가 필요해요.	최고수준 해법수학	하 중 상 최상
	내신 최고등급을 위해 **상위권 심화 문제**를 풀어보고 싶어요.	최강 TOT	하 중 상 최상
예비 고 기초 연산	구체적인 예시로 연산의 원리를 이해하고 **연산 연습**을 충분히 하고 싶어요.	고등 빅터연산 다항식 / 방정식과 부등식	하 중 상 최상

SHERPA

셀파

해법수학

중학 수학 2-2

SHERPA

셀파

해법수학

정답과 해설

중학수학

2-2

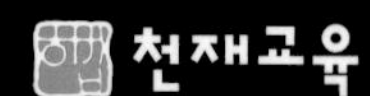

뻐근한 손목은 안녕~
손목 스트레칭

열심히 필기하다 보면 손목이 아플 때가 있어요.
처음에는 잠시 아프다 나아지지만
통증이 심해지면 손가락도 움직일 수 없을 정도라고 해요.
고생하는 손목을 스트레칭으로 충분히 풀어 주세요.

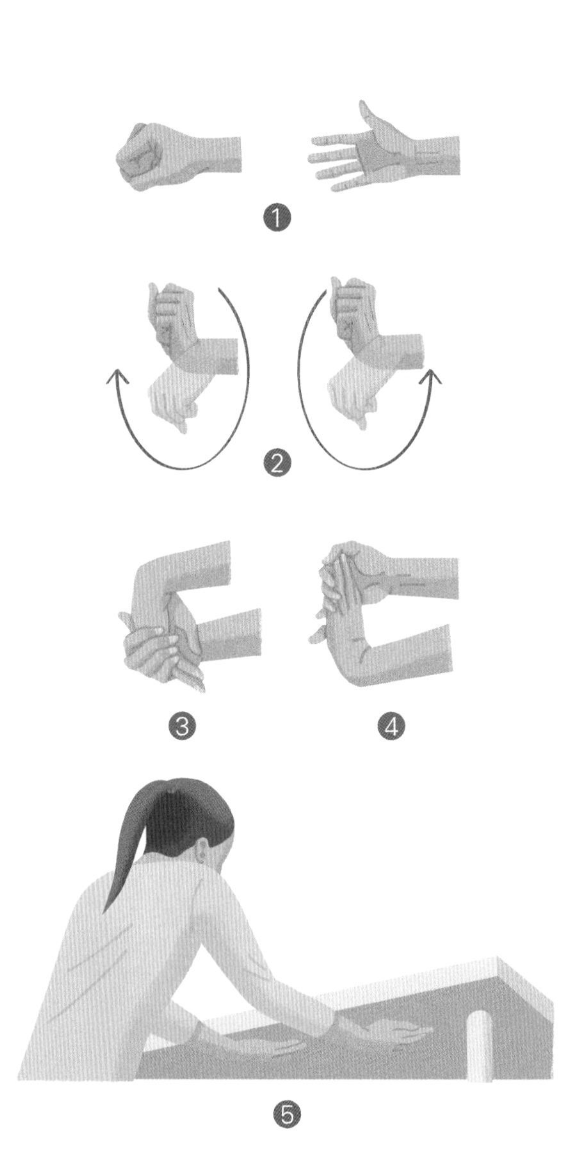

① 엄지손가락이 바깥으로 나오게 주먹을 쥔 다음 주먹을 폈다 쥐기를 5~10회 반복해 주세요.

② 손목을 시계 방향, 시계 반대 방향으로 천천히 돌려 주세요. 양손 각각 10회씩 반복합니다.

③ 팔을 쭉 뻗어 손바닥을 몸쪽으로 쭉 꺾어 줘요. 한 번에 10초씩 유지해 주시고, 5번 반복해 주세요.

④ 이번엔 반대로 손등을 몸쪽으로 당겨 줍니다. 10초간 유지해 주시고 5번 반복해 주세요.

⑤ 앉은 자세에서 손바닥과 손목으로 책상을 들어 올리듯 힘을 주어 5초간 유지해 주세요!

정답과 해설

I. 삼각형의 성질

1 이등변삼각형의 성질과 직각삼각형의 합동

1. 이등변삼각형의 성질

본문 | 9, 11 쪽

1-1 답 12

$\angle B$가 꼭지각이므로 $\overline{AB}=\boxed{\overline{BC}}=12\text{ cm}$

$\therefore x=\boxed{12}$

1-2 답 (1) $\angle B$ (2) $\overline{AC}$ (3) $\angle A$, $\angle C$

(1) $\overline{AB}=\overline{BC}$이므로
$\overline{AB}$와 $\overline{BC}$가 이루는 각인 $\angle B$가 꼭지각이다.

(2) $\angle B$의 대변인 $\overline{AC}$가 밑변이다.

(3) $\overline{AC}$의 양 끝 각인 $\angle A$, $\angle C$가 밑각이다.

1-3 답 10

$\angle C$가 꼭지각이므로 $\overline{AC}=\overline{BC}=10\text{ cm}$

$\therefore x=10$

2-1 답 (1) 40° (2) 70°

(1) $\overline{AB}=\overline{AC}$이므로 $\angle B=\angle C=\angle x$

$\therefore \angle x=\frac{1}{2}\times(\boxed{180^\circ}-100^\circ)=\boxed{40^\circ}$

(2) $\overline{AB}=\overline{AC}$이므로 $\angle B=\angle C=\boxed{55^\circ}$

$\therefore \angle x=180^\circ-2\times\boxed{55^\circ}=\boxed{70^\circ}$

2-2 답 (1) 54° (2) 74°

(1) $\overline{AB}=\overline{AC}$이므로 $\angle B=\angle C=\angle x$

$\therefore \angle x=\frac{1}{2}\times(180^\circ-72^\circ)=54^\circ$

(2) $\overline{AB}=\overline{AC}$이므로 $\angle B=\angle C=53^\circ$

$\therefore \angle x=180^\circ-2\times53^\circ=74^\circ$

3-1 답 (1) 5 cm (2) 65°

이등변삼각형에서 꼭지각의 이등분선은 밑변을 수직이등분한다.
즉 $\overline{BD}=\overline{CD}$, $\overline{AD}\perp\overline{BC}$

(1) $\overline{BD}=\overline{CD}$이므로 $\overline{BD}=\boxed{\frac{1}{2}}\overline{BC}=\frac{1}{2}\times10=\boxed{5}\text{ (cm)}$

(2) $\overline{AD}\perp\overline{BC}$이므로 $\angle ADB=\boxed{90^\circ}$

$\therefore \angle B=180^\circ-(\boxed{90^\circ}+25^\circ)=\boxed{65^\circ}$

3-2 답 (1) 6 (2) 50

(1) $\overline{BC}=2\overline{BD}=2\times3=6\text{ (cm)}$ $\therefore x=6$

(2) $\overline{AD}\perp\overline{BC}$, 즉 $\angle ADB=90^\circ$이고 $\angle BAD=\angle CAD=40^\circ$이므로 $\angle B=180^\circ-(90^\circ+40^\circ)=50^\circ$

$\therefore x=50$

4-1 답 (1) 3 (2) 5

(1) $\angle B=\angle C=30^\circ$이므로
$\triangle ABC$는 $\overline{AB}=\boxed{\overline{AC}}=3\text{ cm}$인 이등변삼각형이다.

$\therefore x=\boxed{3}$

(2) $\angle C=\boxed{180^\circ}-(80^\circ+50^\circ)=\boxed{50^\circ}$
즉 $\angle B=\angle C$이므로
$\triangle ABC$는 $\overline{AB}=\overline{AC}=5\text{ cm}$인 이등변삼각형이다.

$\therefore x=\boxed{5}$

4-2 답 (1) 4 (2) 6

(1) $\angle A=\angle B=40^\circ$이므로
$\triangle ABC$는 $\overline{CA}=\overline{CB}=4\text{ cm}$인 이등변삼각형이다.

$\therefore x=4$

(2) $\angle C=180^\circ-(75^\circ+30^\circ)=75^\circ$
즉 $\angle A=\angle C$이므로
$\triangle ABC$는 $\overline{BA}=\overline{BC}=6\text{ cm}$인 이등변삼각형이다.

$\therefore x=6$

본문 | 12~15 쪽

01 답 (1) 96° (2) 125°

셀파 이등변삼각형의 두 밑각의 크기는 같음을 이용한다.

(1) $\overline{AB}=\overline{AC}$이므로 $\angle B=\angle C=42^\circ$

$\therefore \angle x=180^\circ-2\times42^\circ=96^\circ$

(2) $\overline{AB}=\overline{AC}$이므로

$\angle ABC=\angle C=\frac{1}{2}\times(180^\circ-70^\circ)=55^\circ$

$\therefore \angle x=180^\circ-55^\circ=125^\circ$

02 답 56°

셀파 이등변삼각형에서 꼭지각의 꼭짓점과 밑변의 중점을 이은 선분은 꼭지각의 이등분선과 일치하므로 밑변을 수직이등분한다.

$\triangle ABC$에서 $\overline{AB}=\overline{AC}$이므로 $\angle C=\angle B=34°$

$\triangle ABC$는 이등변삼각형이고 점 D는 $\overline{BC}$의 중점이므로

$\angle ADC=90°$

따라서 $\triangle ADC$에서 $\angle CAD=180°-(90°+34°)=56°$

참고 $\triangle ABD$와 $\triangle ACD$에서

$\overline{AB}=\overline{AC}$, $\overline{AD}$는 공통, $\overline{BD}=\overline{CD}$

이므로 $\triangle ABD\equiv\triangle ACD$ (SSS 합동)

$\therefore \angle ADB=\angle ADC=90°$, 즉 $\overline{AD}\perp\overline{BC}$

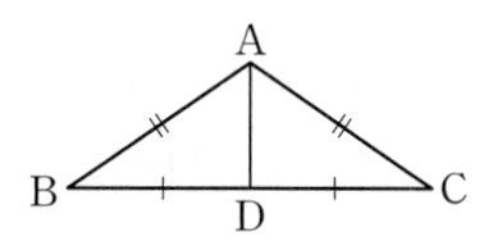

03 답 15°

셀파 $\triangle ABC$와 $\triangle ABD$가 이등변삼각형임을 이용한다.

$\triangle ABD$에서 $\overline{AD}=\overline{BD}$이므로

$\angle A=\angle ABD=\frac{1}{2}\times(180°-80°)=\frac{1}{2}\times100°=50°$

$\triangle ABC$에서 $\overline{AB}=\overline{AC}$이므로

$\angle ABC=\angle C=\frac{1}{2}\times(180°-50°)=\frac{1}{2}\times130°=65°$

$\therefore \angle DBC=\angle ABC-\angle ABD=65°-50°=15°$

04 답 96°

셀파 이등변삼각형의 두 밑각의 크기는 같고, 삼각형에서 한 외각의 크기는 그와 이웃하지 않는 두 내각의 크기의 합과 같음을 이용한다.

$\triangle ABC$에서 $\overline{AB}=\overline{AC}$이므로

$\angle ACB=\angle B=32°$

$\therefore \angle DAC=\angle B+\angle ACB$

$=32°+32°=64°$

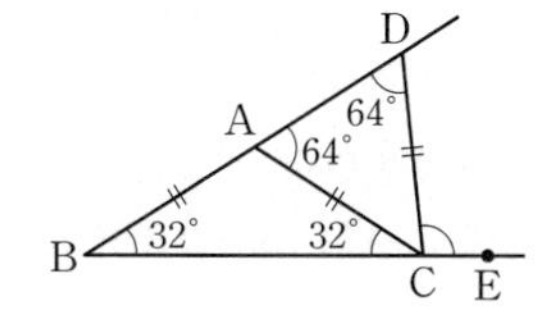

$\triangle ACD$에서 $\overline{AC}=\overline{DC}$이므로

$\angle ADC=\angle DAC=64°$

따라서 $\triangle BCD$에서 $\angle DCE=\angle B+\angle BDC=32°+64°=96°$

05 답 ㉡

셀파 두 내각의 크기가 같은 삼각형은 이등변삼각형이다.

㉠ $\angle C=180°-(75°+30°)=75°$이므로 $\angle A=\angle C$

즉 $\triangle ABC$는 $\overline{BA}=\overline{BC}$인 이등변삼각형이다.

㉡ $\angle BAC=180°-85°=95°$

$\triangle ABC$에서 $\angle C=85°-40°=45°$

세 내각 중 어떤 두 각도 같지 않으므로 $\triangle ABC$는 이등변삼각형이 아니다.

㉢ $\triangle PBC$에서 $\overline{PB}=\overline{PC}$이므로 $\angle PBC=\angle PCB$

이때 $\angle ABC=\frac{1}{2}\angle PBC$, $\angle ACB=\frac{1}{2}\angle PCB$이므로

$\angle ABC=\angle ACB$

즉 $\triangle ABC$는 $\overline{AB}=\overline{AC}$인 이등변삼각형이다.

따라서 이등변삼각형이 아닌 것은 ㉡이다.

06 답 12 cm

셀파 $\triangle ABD$가 이등변삼각형이므로 $\angle A=\angle ABD$

$\triangle ABD$에서 $\angle A=\angle ABD=\frac{1}{2}\times(180°-60°)=60°$

즉 $\triangle ABD$는 정삼각형이므로

$\overline{AD}=\overline{DB}=\overline{AB}=6$ cm, $\angle DBC=90°-60°=30°$

$\triangle ABC$에서

$\angle C=180°-(60°+90°)=30°$

즉 $\angle DBC=\angle C$이므로

$\triangle DBC$는 이등변삼각형이다.

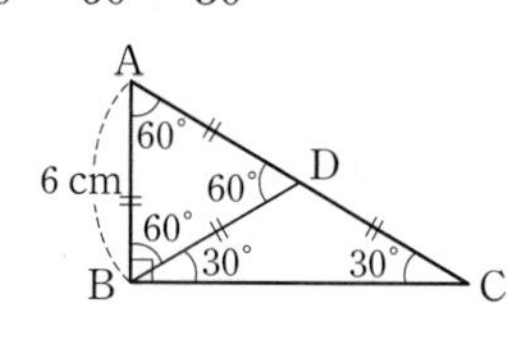

따라서 $\overline{DC}=\overline{DB}=6$ cm이므로

$\overline{AC}=\overline{AD}+\overline{DC}=6+6=12$ (cm)

07 답 40°

셀파 삼각형의 한 외각의 크기는 그와 이웃하지 않는 두 내각의 크기의 합과 같다.

$\triangle ABC$에서 $\overline{AB}=\overline{AC}$이므로

$\angle ABC=\angle ACB$

$=\frac{1}{2}\times(180°-80°)$

$=50°$

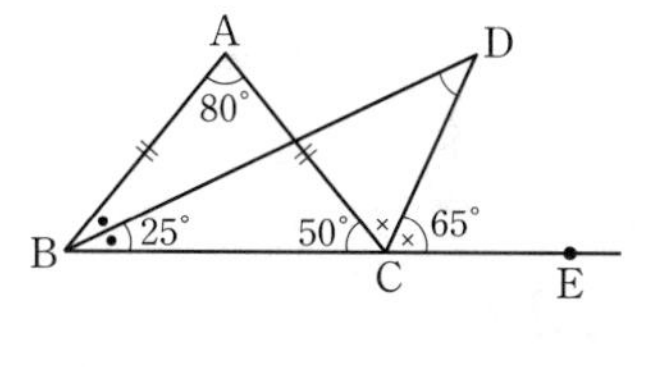

$\therefore \angle DBC=\frac{1}{2}\angle ABC=\frac{1}{2}\times50°=25°$,

$\angle DCE=\frac{1}{2}\angle ACE=\frac{1}{2}\times(180°-50°)=65°$

따라서 $\triangle BCD$에서 $\angle DCE=\angle DBC+\angle D$

$65°=25°+\angle D$ $\quad\therefore \angle D=40°$

08 답 5 cm

셀파 크기가 같은 각을 그림에 나타내어 본다.

오른쪽 그림에서

$\angle ABC=\angle CBD$ (접은 각),

$\angle ACB=\angle CBD$ (엇각)

이므로 $\angle ABC=\angle ACB$

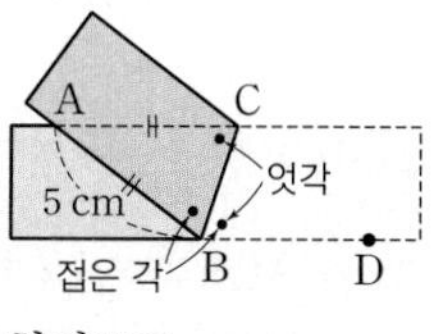

따라서 $\triangle ABC$는 $\overline{AB}=\overline{AC}$인 이등변삼각형이므로

$\overline{AB}=\overline{AC}=5$ cm

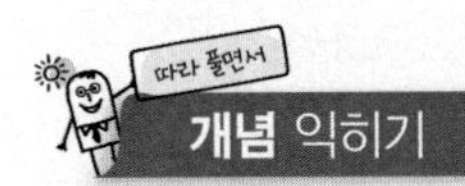

2. 직각삼각형의 합동

개념 익히기

본문 | 17쪽

1-1 답 풀이 참조

$\triangle ABC$와 $\triangle DFE$에서

$\angle C=\angle E=90°$, $\overline{AB}=\overline{DF}$, $\angle A=$ $\boxed{\angle D}$

$\therefore \triangle ABC\equiv$ $\boxed{\triangle DFE}$ ($\boxed{RHA}$ 합동)

1-2 답 $\overline{DF}$, $\overline{FE}$, $\triangle DFE$, RHS

$\triangle ABC$와 $\triangle DFE$에서

$\angle C=\angle E=90°$, $\overline{AB}=$ $\boxed{\overline{DF}}$, $\overline{BC}=$ $\boxed{\overline{FE}}$

$\therefore \triangle ABC\equiv$ $\boxed{\triangle DFE}$ ($\boxed{RHS}$ 합동)

2-1 답 (1) 5 (2) 20

(1) $\angle AOP=\angle BOP$이면 $\overline{PA}=\overline{PB}=5$ cm이므로

$x=\boxed{5}$

(2) $\overline{PA}=\overline{PB}$이면 $\angle AOP=\angle BOP=20°$이므로

$x=\boxed{20}$

2-2 답 (1) 3 (2) 8

(1) $\angle AOP=\angle BOP$이면 $\overline{PA}=\overline{PB}$이므로

$2x-3=x \quad \therefore x=3$

(2) $\triangle AOP\equiv\triangle BOP$ (RHA 합동)이므로

$\overline{AO}=\overline{BO}=8$ cm $\quad \therefore x=8$

2-3 답 (1) 15 (2) 35

(1) $\overline{PA}=\overline{PB}$이면 $\angle AOP=\angle BOP$이므로

$2x=5x-45$

$3x=45 \quad \therefore x=15$

(2) $\triangle AOP\equiv\triangle BOP$ (RHS 합동)이므로

$\angle APO=\angle BPO=55°$

$\therefore x=180-(55+90)=35$

유형 익히기 - 확인 문제

본문 | 18~20쪽

01 답 1. $\triangle ABC\equiv\triangle JKL$ (RHA 합동),
$\triangle DEF\equiv\triangle RQP$ (RHS 합동)

2. ㉠, ㉡, ㉢

셀파 삼각형의 합동 조건이나 직각삼각형의 합동 조건을 생각한다.

1. $\triangle ABC$와 $\triangle JKL$에서

$\angle C=\angle L=90°$, $\overline{AB}=\overline{JK}=5$ cm (빗변),

$\angle B=90°-40°=50°=\angle K$

이므로 $\triangle ABC\equiv\triangle JKL$ (RHA 합동)

$\triangle DEF$와 $\triangle RQP$에서

$\angle E=\angle Q=90°$, $\overline{DF}=\overline{RP}=5$ cm (빗변),

$\overline{EF}=\overline{QP}=4$ cm

이므로 $\triangle DEF\equiv\triangle RQP$ (RHS 합동)

2. ㉠ $\triangle ABC$와 $\triangle DEF$에서

$\angle C=\angle F=90°$, $\overline{AB}=\overline{DE}$ (빗변), $\overline{BC}=\overline{EF}$

이므로 $\triangle ABC\equiv\triangle DEF$ (RHS 합동)

㉡ $\triangle ABC$와 $\triangle DEF$에서

$\angle C=\angle F=90°$, $\overline{BC}=\overline{EF}$,

$\angle B=90°-\angle A=90°-\angle D=\angle E$

이므로 $\triangle ABC\equiv\triangle DEF$ (ASA 합동)

㉢ $\triangle ABC$와 $\triangle DEF$에서

$\overline{BC}=\overline{EF}$, $\angle C=\angle F=90°$, $\overline{AC}=\overline{DF}$

이므로 $\triangle ABC\equiv\triangle DEF$ (SAS 합동)

개념 다시 보기

두 삼각형이 합동임을 기호로 나타내기

두 삼각형이 합동임을 기호로 나타낼 때는 대응점끼리 순서가 같도록 적어야 한다.

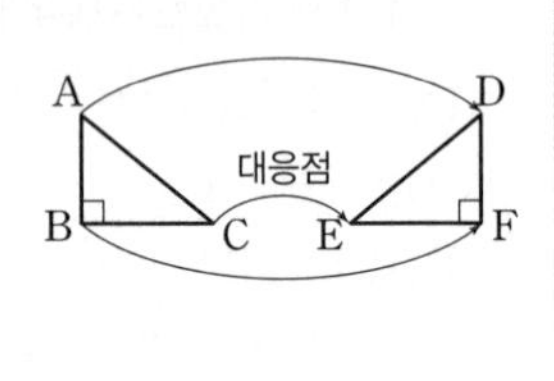

즉 $\triangle ABC\equiv\triangle DFE$

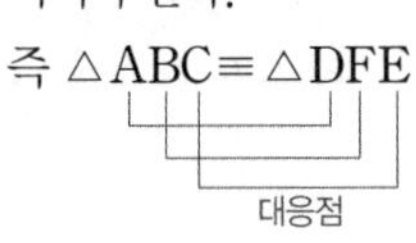

02 답 50 cm^2

셀파 (사다리꼴 ABCD의 넓이)$=\frac{1}{2}\times(\overline{AB}+\overline{CD})\times\overline{BC}$

$\triangle ABE$와 $\triangle ECD$에서

$\angle B=\angle C=90°$, $\overline{AE}=\overline{ED}$,

$\angle BAE=90°-\angle AEB=\angle CED$

이므로

$\triangle ABE\equiv\triangle ECD$ (RHA 합동)

$\therefore \overline{BE}=\overline{CD}=4$ cm, $\overline{EC}=\overline{AB}=6$ cm

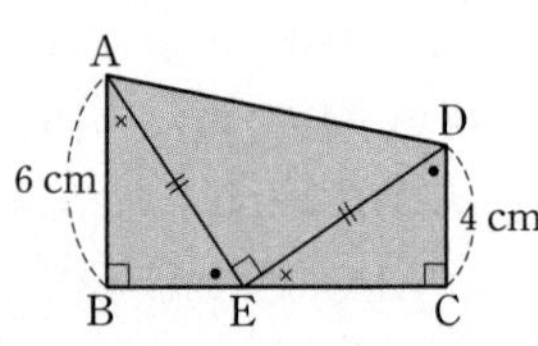

따라서 사다리꼴 ABCD의 넓이는

$\frac{1}{2}\times(\overline{AB}+\overline{CD})\times\overline{BC}=\frac{1}{2}\times(6+4)\times(4+6)$

$=50\ (cm^2)$

03 답 54°

셀파 직각삼각형의 합동을 이용하여 ∠AEB, ∠AED의 크기를 구한다.

△ABE와 △ADE에서

∠ABE=∠ADE=90°, $\overline{AE}$는 공통, $\overline{AB}=\overline{AD}$

이므로 △ABE≡△ADE (RHS 합동)

이때 △ABE에서 ∠AEB=90°−27°=63°이므로

∠AED=∠AEB=63°

∴ ∠DEC=180°−(∠AEB+∠AED)

=180°−(63°+63°)=54°

04 답 ④

셀파 △AOP≡△BOP (RHS 합동)임을 이용한다.

△AOP와 △BOP에서

∠PAO=∠PBO=90°, $\overline{OP}$는 공통, $\overline{PA}=\overline{PB}$

이므로 △AOP≡△BOP (RHS 합동) (⑤)

∴ $\overline{OA}=\overline{OB}$ (①), ∠AOP=∠BOP (②),

∠APO=∠BPO (③)

④ ∠AOP=$\frac{1}{2}$∠AOB이지만 ∠AOP=$\frac{1}{2}$∠APB인지는 알 수 없다.

05 답 18 cm²

셀파 △ADE≡△ACE (RHA 합동)임을 이용하여 $\overline{DE}$의 길이를 구한다.

△ADE와 △ACE에서

∠ADE=∠ACE=90°, $\overline{AE}$는 공통, ∠EAD=∠EAC

이므로 △ADE≡△ACE (RHA 합동)

∴ $\overline{DE}=\overline{CE}$=6 cm

한편 △ABC에서 $\overline{CA}=\overline{CB}$이므로

∠B=∠BAC=$\frac{1}{2}\times(180°-90°)=45°$

이때 △BED에서 ∠EDB=90°이므로

∠BED=180°−(90°+45°)=45°

즉 ∠B=∠BED이므로 $\overline{DB}=\overline{DE}$=6 cm

∴ △BED=$\frac{1}{2}\times6\times6=18\ (cm^2)$

실력 키우기

본문 | 21~23쪽

01 답 (가) ∠C (나) $\overline{BC}$ (다) ∠B

셀파 정삼각형은 세 변의 길이가 모두 같으므로 이등변삼각형이다.

02 답 24°

셀파 $\overline{BA}=\overline{BC}$이므로 ∠A=∠C

$\overline{BA}=\overline{BC}$이므로 ∠A=∠C=2∠x+30°

삼각형의 세 내각의 크기의 합은 180°이므로

∠x+(2∠x+30°)+(2∠x+30°)=180°

5∠x+60°=180°, 5∠x=120° ∴ ∠x=24°

03 답 70°

셀파 평행선에서 동위각의 성질과 이등변삼각형의 성질을 이용한다.

$\overline{AD}$∥$\overline{BC}$이므로 ∠B=∠EAD=55° (동위각)

△ABC에서 $\overline{AB}=\overline{AC}$이므로

∠x=180°−2×55°=70°

04 답 (1) 9 cm (2) $\frac{36}{5}$ cm

셀파 $\overline{AD}$는 이등변삼각형 ABC의 꼭지각의 이등분선이므로 $\overline{BD}=\overline{DC}$, $\overline{AD}\perp\overline{BC}$

1 $\overline{DC}$의 길이 구하기 [40 %]

(1) $\overline{AD}$는 꼭지각인 ∠A의 이등분선이므로

∠ADC=90°, $\overline{BD}=\overline{DC}$

∴ $\overline{DC}=\frac{1}{2}\overline{BC}=\frac{1}{2}\times18=9$ (cm)

2 $\overline{DE}$의 길이 구하기 [60 %]

(2) △ADC의 넓이에서

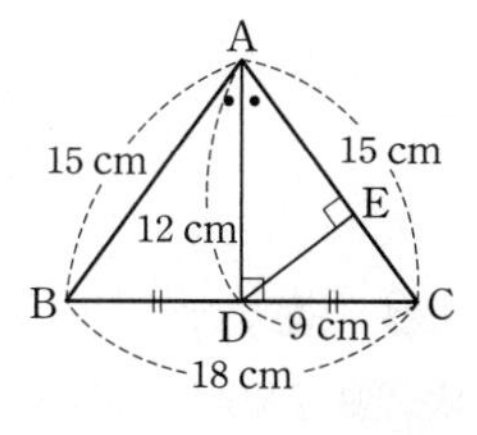

$\frac{1}{2}\times\overline{DC}\times\overline{AD}=\frac{1}{2}\times\overline{AC}\times\overline{DE}$

이므로

$\frac{1}{2}\times9\times12=\frac{1}{2}\times15\times\overline{DE}$

$\frac{15}{2}\overline{DE}=54$ ∴ $\overline{DE}=\frac{36}{5}$ (cm)

05 답 60°

셀파 △PBD≡△PCD임을 이용한다.

$\overline{AD}$는 꼭지각인 ∠A의 이등분선이므로

$\overline{BD}=\overline{CD}$, $\overline{AD}\perp\overline{BC}$

△PBD와 △PCD에서

$\overline{BD}=\overline{CD}$, ∠PDB=∠PDC=90°,

$\overline{PD}$는 공통

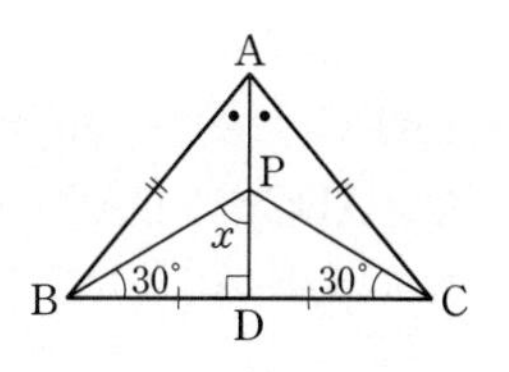

이므로 $\triangle PBD \equiv \triangle PCD$ (SAS 합동)

$\therefore \angle PBD = \angle PCD = 30^\circ$

따라서 $\triangle PBD$에서

$\angle x = 180^\circ - (90^\circ + 30^\circ) = 60^\circ$

06 답 69°

셀파 $\angle ABC = \angle C = \frac{1}{2} \times (180^\circ - \angle A)$

$\triangle ABC$에서 $\overline{AB} = \overline{AC}$이므로

$\angle ABC = \angle C = \frac{1}{2} \times (180^\circ - 32^\circ) = 74^\circ$

$\therefore \angle DBC = \frac{1}{2} \angle ABC = \frac{1}{2} \times 74^\circ = 37^\circ$

따라서 $\triangle BCD$에서

$\angle BDC = 180^\circ - (37^\circ + 74^\circ) = 69^\circ$

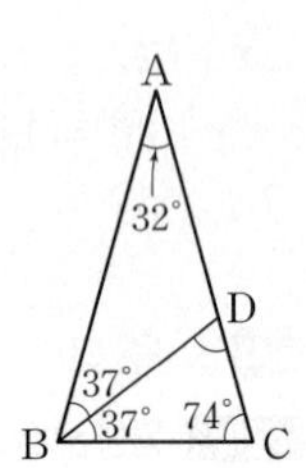

07 답 (1) 풀이 참조 (2) 10 m

셀파 두 내각의 크기가 같은 삼각형은 이등변삼각형이다.

(1) $\angle CBD$는 $\triangle ABC$의 한 외각이므로

$\angle CBD = \angle A + \angle C$

$70^\circ = \angle A + 35^\circ \qquad \therefore \angle A = 35^\circ$

즉 $\angle A = \angle C$이므로 $\triangle ABC$는 이등변삼각형이고 $\overline{AB} = \overline{BC}$이다.

(2) (1)에서 $\overline{AB} = \overline{BC}$이고 $\overline{BC} = 10$ m이므로

$\overline{AB} = \overline{BC} = 10$ m

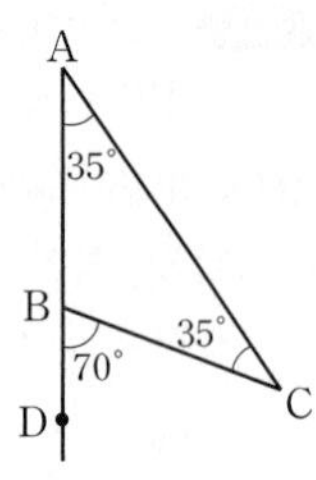

08 답 7 cm

셀파 두 밑각의 크기가 같은 삼각형은 이등변삼각형이다.

$\triangle ABC$에서 $\angle DAC = \angle B + \angle ACB$

$60^\circ = 30^\circ + \angle ACB \qquad \therefore \angle ACB = 30^\circ$

즉 $\angle B = \angle ACB = 30^\circ$이므로

$\triangle ABC$는 $\overline{AB} = \overline{AC}$인 이등변삼각형이다.

$\triangle ACD$에서

$\angle ADC = 180^\circ - 120^\circ = 60^\circ$

즉 $\angle ADC = \angle DAC = 60^\circ$이므로

$\triangle ACD$는 $\overline{AC} = \overline{DC}$인 이등변삼각형이다.

$\therefore \overline{DC} = \overline{AC} = \overline{AB} = 7$ cm

09 답 53°

셀파 크기가 같은 각을 그림에 나타내어 본다.

$\angle GEF = \angle FEC = \angle x$ (접은 각),

$\angle GFE = \angle FEC = \angle x$ (엇각)

이므로 $\angle GEF = \angle GFE = \angle x$

따라서 $\triangle GEF$에서

$\angle x = \frac{1}{2} \times (180^\circ - 74^\circ) = 53^\circ$

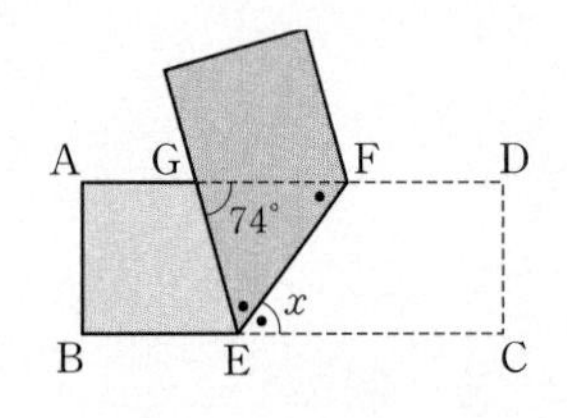

10 답 ㉡과 ㉤: RHA 합동, ㉣과 ㉥: RHS 합동

셀파 빗변의 길이가 같은지부터 확인한다.

㉡과 ㉤: ㉤에서 나머지 한 내각의 크기는

$90^\circ - 35^\circ = 55^\circ$

즉 빗변의 길이와 한 예각의 크기가 각각 같으므로 RHA 합동이다.

㉣과 ㉥: 빗변의 길이와 다른 한 변의 길이가 각각 같으므로 RHS 합동이다.

11 답 37 cm^2

셀파 $\triangle DBA \equiv \triangle EAC$임을 이용한다.

$\triangle DBA$와 $\triangle EAC$에서

$\angle ADB = \angle CEA = 90^\circ$,

$\overline{AB} = \overline{CA}$,

$\angle ABD = 90^\circ - \angle DAB = \angle CAE$

이므로

$\triangle DBA \equiv \triangle EAC$ (RHA 합동)

따라서 $\overline{EA} = \overline{DB} = 7$ cm이므로

$\overline{EC} = \overline{DA} = \overline{DE} - \overline{EA} = 12 - 7 = 5$ (cm)

$\therefore \triangle ABC =$ (사다리꼴 DBCE의 넓이) $- 2\triangle DBA$

$= \frac{1}{2} \times (7+5) \times 12 - 2 \times \frac{1}{2} \times 7 \times 5$

$= 37\ (\text{cm}^2)$

12 답 70.5

셀파 $\overline{AB} = \overline{BC}$이므로 $\angle BAC = \angle BCA$

1 $\angle BAD = \angle EAD$, $\overline{BD} = \overline{ED}$임을 보이기 [30 %]

$\triangle BAD$와 $\triangle EAD$에서

$\angle B = \angle AED = 90^\circ$, $\overline{AD}$(빗변)는 공통, $\overline{AB} = \overline{AE}$

이므로 $\triangle BAD \equiv \triangle EAD$ (RHS 합동)

$\therefore \angle BAD = \angle EAD$, $\overline{BD} = \overline{ED}$

② x의 값 구하기 [30 %]

이때 $\triangle ABC$는 $\overline{AB}=\overline{BC}$인 직각 이등변삼각형이므로

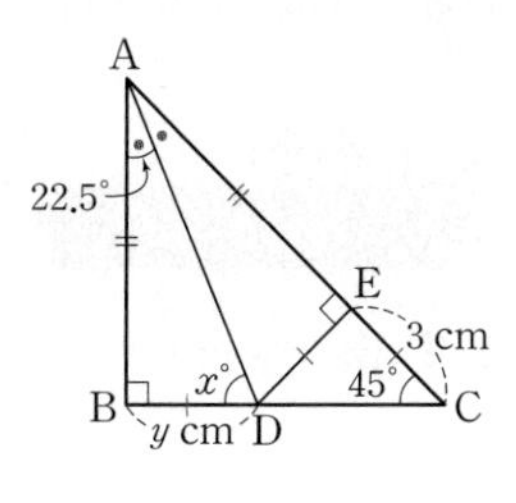

$\angle BAC=\angle C=\frac{1}{2}\times 90^\circ=45^\circ$

$\therefore \angle BAD=\frac{1}{2}\angle BAC$

$=\frac{1}{2}\times 45^\circ=22.5^\circ$

$\triangle ABD$에서

$\angle ADB=90^\circ-\angle BAD=90^\circ-22.5^\circ=67.5^\circ$

$\therefore x=67.5$

③ y의 값 구하기 [30 %]

$\triangle EDC$에서 $\angle EDC=\angle C=45^\circ$이므로 $\overline{ED}=\overline{EC}=3$ cm

$\therefore \overline{BD}=\overline{ED}=3$ cm, 즉 $y=3$

④ $x+y$의 값 구하기 [10 %]

$\therefore x+y=67.5+3=70.5$

13 답 40°

셀파 빗변의 길이가 같은 두 직각삼각형에서 다른 한 변의 길이가 같으면 RHS 합동이다.

$\triangle EBD$와 $\triangle FCD$에서

$\angle BED=\angle CFD=90^\circ$, $\overline{BD}=\overline{CD}$,

$\overline{DE}=\overline{DF}$이므로

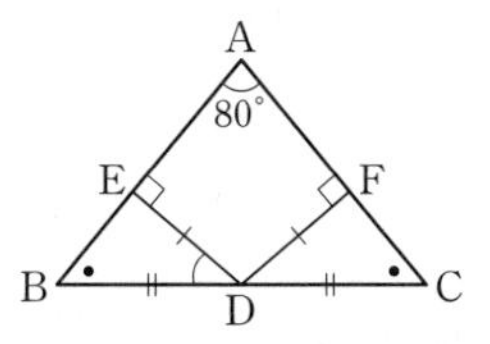

$\triangle EBD\equiv\triangle FCD$ (RHS 합동)

$\therefore \angle B=\angle C$

따라서 $\triangle ABC$에서

$\angle B=\angle C=\frac{1}{2}\times(180^\circ-80^\circ)=50^\circ$

$\therefore \angle BDE=90^\circ-\angle B=90^\circ-50^\circ=40^\circ$

14 답 4 cm

셀파 점 D에서 $\overline{AB}$에 수선의 발을 내린다.

오른쪽 그림과 같이 점 D에서 $\overline{AB}$에 내린 수선의 발을 E라 하면

$\overline{AD}$가 $\angle A$의 이등분선이므로

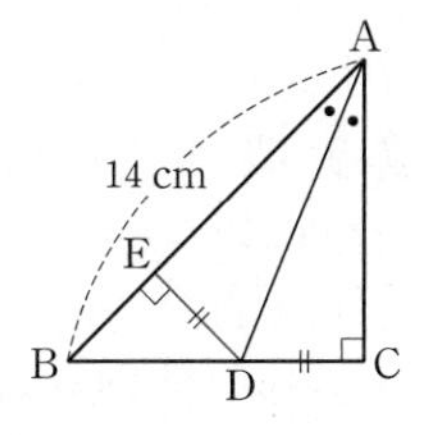

$\triangle ADE\equiv\triangle ADC$ (RHA 합동)

$\therefore \overline{DE}=\overline{DC}$

이때 $\triangle ABD$의 넓이가 28 cm^2이므로

$\frac{1}{2}\times\overline{AB}\times\overline{DE}=\frac{1}{2}\times 14\times\overline{DE}=28$

$7\overline{DE}=28 \qquad \therefore \overline{DE}=4$ (cm)

$\therefore \overline{CD}=\overline{DE}=4$ cm

15 답 (1) $4\angle x$ (2) $180^\circ-8\angle x$ (3) 20°

셀파 이등변삼각형의 성질과 삼각형의 한 외각의 크기는 그와 이웃하지 않는 두 내각의 크기의 합과 같음을 이용하여 그림에 각의 크기를 나타낸다.

① $\angle B$의 크기를 $\angle x$를 사용하여 나타내기 [50 %]

(1)

$\triangle DAE$에서 $\overline{DA}=\overline{DE}$이므로

$\angle DEA=\angle A=\angle x$

$\angle EDF$는 $\triangle DAE$의 한 외각이므로

$\angle EDF=\angle A+\angle DEA=\angle x+\angle x=2\angle x$

$\triangle DEF$에서 $\overline{DE}=\overline{FE}$이므로

$\angle DFE=\angle EDF=2\angle x$

$\angle FEC$는 $\triangle AEF$의 한 외각이므로

$\angle FEC=\angle A+\angle AFE=\angle x+2\angle x=3\angle x$

$\triangle FEC$에서 $\overline{FE}=\overline{FC}$이므로

$\angle FCE=\angle FEC=3\angle x$

$\angle BFC$는 $\triangle ACF$의 한 외각이므로

$\angle BFC=\angle A+\angle FCE=\angle x+3\angle x=4\angle x$

$\triangle FCB$에서 $\overline{FC}=\overline{BC}$이므로

$\angle B=\angle BFC=4\angle x$

② $\angle FCB$의 크기를 $\angle x$를 사용하여 나타내기 [20 %]

(2) $\angle FCB=180^\circ-\angle BFC-\angle B$

$=180^\circ-4\angle x-4\angle x$

$=180^\circ-8\angle x$

③ $\angle A$의 크기 구하기 [30 %]

(3) $\triangle ACB$는 $\overline{AB}=\overline{AC}$인 이등변삼각형이므로

$\angle B=\angle ACB$

$4\angle x=3\angle x+(180^\circ-8\angle x)$, $4\angle x=180^\circ-5\angle x$

$9\angle x=180^\circ \qquad \therefore \angle x=20^\circ$

$\therefore \angle A=20^\circ$

16 답 8 cm

셀파 $\overline{AP}$를 그으면 $\triangle ABC=\triangle ABP+\triangle ACP$

$\triangle ABC$에서 $\angle B=\angle C$이므로 $\triangle ABC$는 $\overline{AB}=\overline{AC}$인 이등변삼각형이다. $\quad \therefore \overline{AC}=\overline{AB}=10$ cm

오른쪽 그림과 같이 $\overline{AP}$를 그으면

$\triangle ABC=\triangle ABP+\triangle ACP$이므로

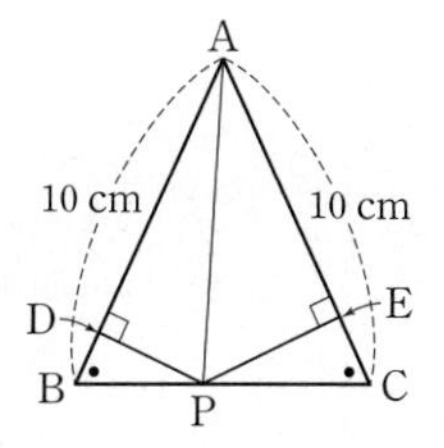

$40=\frac{1}{2}\times 10\times\overline{PD}+\frac{1}{2}\times 10\times\overline{PE}$

$40=5(\overline{PD}+\overline{PE})$

$\therefore \overline{PD}+\overline{PE}=8$ (cm)

17 답 (1) 풀이 참조 (2) 124° (3) 56°

셀파 합동인 삼각형을 찾아 그 대응각의 크기가 같음을 이용한다.

① △BDF≡△CED임을 설명하기 [40%]

(1) △ABC에서 $\overline{AB}=\overline{AC}$이므로

$\angle B=\angle C=\frac{1}{2}\times(180^\circ-68^\circ)$

$=56^\circ$

△BDF와 △CED에서

$\overline{BF}=\overline{CD}$, $\angle B=\angle C$, $\overline{BD}=\overline{CE}$

이므로 △BDF≡△CED (SAS 합동)

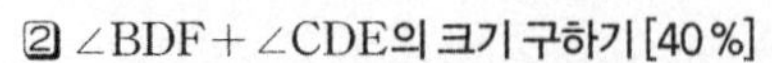

② ∠BDF+∠CDE의 크기 구하기 [40%]

(2) △BDF≡△CED이므로

$\angle BDF=\angle CED$, $\angle BFD=\angle CDE$

$\therefore \angle BDF+\angle CDE=\angle BDF+\angle BFD$

$=180^\circ-\angle B$

$=180^\circ-56^\circ=124^\circ$

③ ∠FDE의 크기 구하기 [20%]

(3) $\angle FDE=180^\circ-(\angle BDF+\angle CDE)$

$=180^\circ-124^\circ=56^\circ$

18 답 12 cm

셀파 △ADE≡△ADC임을 이용한다.

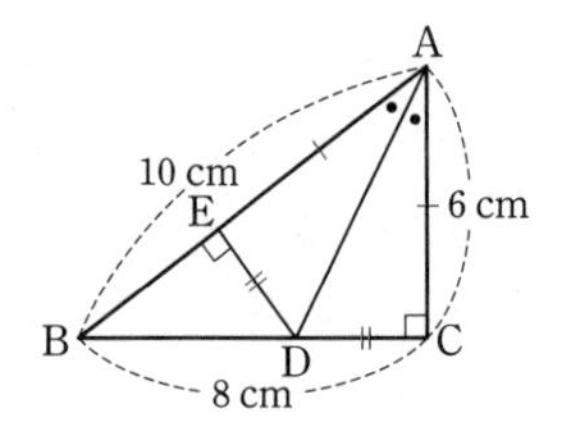

△ADE와 △ADC에서

$\angle AED=\angle C=90^\circ$,

$\overline{AD}$ (빗변)는 공통,

$\angle DAE=\angle DAC$

이므로

△ADE≡△ADC (RHA 합동)

$\therefore \overline{AE}=\overline{AC}=6$ cm, $\overline{DE}=\overline{DC}$

이때 $\overline{BE}=\overline{BA}-\overline{AE}=10-6=4$ (cm)

$\therefore$ (△BDE의 둘레의 길이)$=\overline{BD}+\overline{DE}+\overline{BE}$

$=\overline{BD}+\overline{DC}+\overline{BE}$

$=\overline{BC}+\overline{BE}$

$=8+4=12$ (cm)

2 삼각형의 외심

개념 익히기

본문 | 27, 29 쪽

1-1 답 (1) 8 cm (2) 10 cm

(1) $\overline{AM}=\overline{BM}=\boxed{\frac{1}{2}}\overline{AB}=\frac{1}{2}\times16=\boxed{8}$ (cm)

(2) 점 P는 $\overline{AB}$의 $\boxed{\text{수직}}$이등분선 위에 있으므로

$\overline{PB}=\overline{PA}=\boxed{10}$ cm

1-2 답 (1) $\overline{BC}$ (2) $\overline{AD}$

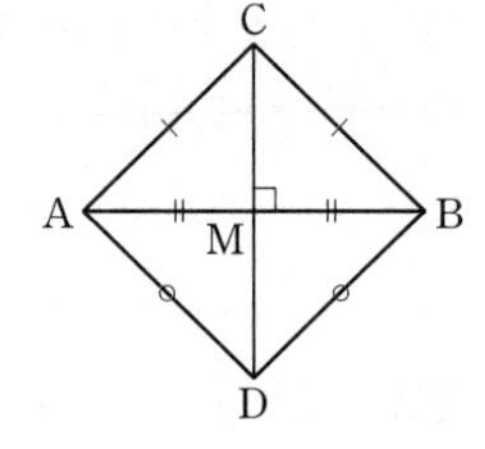

(1) 점 C는 $\overline{AB}$의 수직이등분선 위에 있으므로 점 C에서 $\overline{AB}$의 양 끝 점에 이르는 거리는 같다.

$\therefore \overline{AC}=\overline{BC}$

(2) 점 D는 $\overline{AB}$의 수직이등분선 위에 있으므로 점 D에서 $\overline{AB}$의 양 끝 점에 이르는 거리는 같다.

$\therefore \overline{BD}=\overline{AD}$

1-3 답 4 cm

△PAM과 △PBM에서

$\angle PMA=\angle PMB=90^\circ$, $\overline{PA}=\overline{PB}$(빗변), $\overline{PM}$은 공통

이므로 △PAM≡△PBM (RHS 합동)

$\therefore \overline{AM}=\overline{BM}=\frac{1}{2}\overline{AB}=\frac{1}{2}\times8=4$ (cm)

참고 점 P는 점 A와 점 B에서 같은 거리에 있으므로 점 P는 $\overline{AB}$의 수직이등분선 위에 있다.

2-1 답 $x=7$, $y=25$

삼각형의 외심은 세 변의 수직이등분선의 교점이므로

$\overline{AD}=\overline{CD}=7$ cm $\quad\therefore x=\boxed{7}$

삼각형의 외심에서 세 꼭짓점에 이르는 거리는 같으므로

$\overline{OB}=\overline{OC}$

따라서 △OBC는 이등변삼각형이다.

이때 이등변삼각형의 두 $\boxed{\text{밑각}}$의 크기는 같으므로

$\angle OBC=\angle OCB=25^\circ \quad\therefore y=\boxed{25}$

2-2 답 (1) $x=90$, $y=4$ (2) $x=30$, $y=6$

(1) 삼각형의 외심은 세 변의 수직이등분선의 교점이므로

$\angle ODB=90^\circ$ $\quad\therefore x=90$

$\overline{BE}=\overline{CE}=4$ cm $\quad\therefore y=4$

(2) 삼각형의 외심에서 세 꼭짓점에 이르는 거리는 같으므로

$\overline{OA}=\overline{OB}=\overline{OC}=6$ cm

$\therefore y=6$

$\triangle OAB$에서 $\overline{OA}=\overline{OB}$이므로 $\angle OAB=\angle OBA=x^\circ$

$\therefore x=\frac{1}{2}\times(180-120)=30$

3-1 답 6 cm

직각삼각형에서 빗변의 중점은 외심 이므로

$\overline{MC}=\overline{MA}=\overline{MB}=\frac{1}{2}\overline{AB}=\frac{1}{2}\times12=\boxed{6}$ (cm)

3-2 답 6 cm

직각삼각형에서 빗변의 중점이 외심이므로 점 M은 $\triangle ABC$의 외심이다. $\quad\therefore \overline{MA}=\overline{MB}=\overline{MC}=3$ cm

$\therefore \overline{BC}=\overline{MB}+\overline{MC}=3+3=6$ (cm)

4-1 답 (1) 40° (2) 104°

(1) $\overline{OA}=\overline{OB}$이므로

$\angle OBA=\angle OAB=\angle x$

$\overline{OB}=\overline{OC}$이므로

$\angle OCB=\angle OBC=30^\circ$

$\overline{OC}=\overline{OA}$이므로

$\angle OAC=\angle OCA=20^\circ$

$2(\angle x+30^\circ+20^\circ)=180^\circ$이므로 $\angle x+30^\circ+20^\circ=\boxed{90^\circ}$

$\therefore \angle x=\boxed{40^\circ}$

(2) $\overline{OA}=\overline{OB}$이므로 $\angle OAB=\angle OBA=22^\circ$

$\overline{OC}=\overline{OA}$이므로 $\angle OCA=\angle OAC=30^\circ$

$\overline{AO}$의 연장선과 $\overline{BC}$의 교점을 D라 하면

$\angle x=\angle BOC=\angle BOD+\angle COD$

$=2\angle OAB+2\angle OAC$

$=\boxed{2}\angle BAC$

$=2\times(22^\circ+30^\circ)=\boxed{104^\circ}$

빠른 풀이 [공식 이용]

(1) $\angle x+30^\circ+20^\circ=90^\circ$ $\quad\therefore \angle x=40^\circ$

(2) $\overline{OA}=\overline{OB}$이므로 $\angle OAB=22^\circ$

$\therefore \angle x=2\angle BAC=2\times(22^\circ+30^\circ)=104^\circ$

4-2 답 (1) 25° (2) 100°

(1) $\overline{OA}=\overline{OB}$이므로

$\angle OBA=\angle OAB=40^\circ$

$\overline{OB}=\overline{OC}$이므로

$\angle OCB=\angle OBC=25^\circ$

$\overline{OA}=\overline{OC}$이므로

$\angle OAC=\angle OCA=\angle x$

$2(40^\circ+25^\circ+\angle x)=180^\circ$이므로 $40^\circ+25^\circ+\angle x=90^\circ$

$\therefore \angle x=25^\circ$

(2) $\overline{AO}$의 연장선과 $\overline{BC}$의 교점을 D라 하면

$\overline{OA}=\overline{OB}$이므로

$\angle OAB=\angle OBA=\bullet$

$\overline{OA}=\overline{OC}$이므로

$\angle OAC=\angle OCA=\times$

$\therefore \angle x=\angle BOC=\angle BOD+\angle COD$

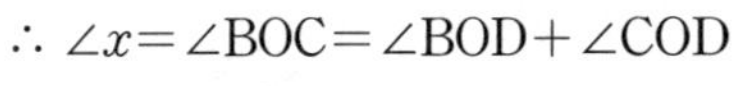

$=2\bullet+2\times=2(\bullet+\times)$

$=2\angle A=2\times50^\circ=100^\circ$

빠른 풀이 [공식 이용]

(1) $40^\circ+25^\circ+\angle x=90^\circ$ $\quad\therefore \angle x=25^\circ$

(2) $\angle BOC=2\angle A$이므로 $\angle x=2\times50^\circ=100^\circ$

본문 | 31~34쪽

01 답 36 cm

셀파 $\overline{OD}$, $\overline{OE}$, $\overline{OF}$는 각각 $\overline{AB}$, $\overline{BC}$, $\overline{CA}$의 수직이등분선이다.

점 O가 $\triangle ABC$의 외심이므로

$\overline{OD}$, $\overline{OE}$, $\overline{OF}$는 각각 $\overline{AB}$, $\overline{BC}$, $\overline{CA}$를 수직이등분한다. 따라서

$\overline{AB}=2\times5=10$ (cm)

$\overline{BC}=2\times6=12$ (cm)

$\overline{CA}=2\times7=14$ (cm)

$\therefore$ ($\triangle ABC$의 둘레의 길이)$=\overline{AB}+\overline{BC}+\overline{CA}$

$=10+12+14$

$=36$ (cm)

02 답 70°

셀파 $\overline{OC}$를 긋는다.

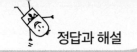

오른쪽 그림과 같이 $\overline{OC}$를 그으면

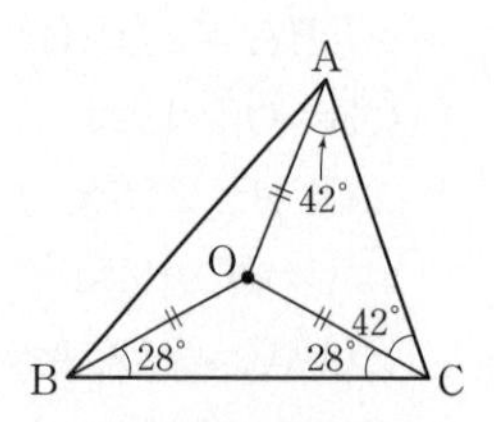

△OBC에서 $\overline{OB}=\overline{OC}$이므로

$\angle OCB=\angle OBC=28°$

△OCA에서 $\overline{OC}=\overline{OA}$이므로

$\angle OCA=\angle OAC=42°$

$\therefore \angle BCA=\angle OCB+\angle OCA$

$=28°+42°=70°$

03 답 6 cm

셀파 $\overline{OA}=\overline{OB}=\overline{OC}$임을 이용한다.

점 O가 직각삼각형 ABC의 외심이므로

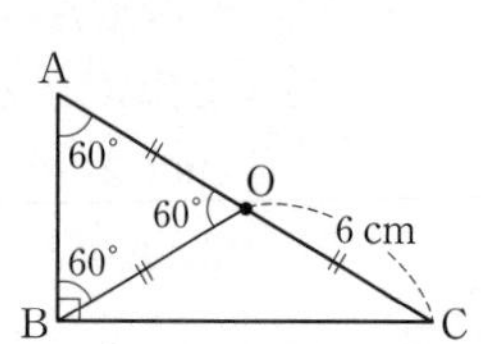

$\overline{OA}=\overline{OB}=\overline{OC}$

△OAB에서 $\overline{OA}=\overline{OB}$이므로

$\angle OBA=\angle A=60°$

$\angle AOB=180°-(60°+60°)=60°$

즉 △ABO는 정삼각형이므로

$\overline{AB}=\overline{OA}=\overline{OC}=6$ cm

04 답 16°

셀파 점 O는 △ABC의 외심이므로 $\overline{OA}=\overline{OB}=\overline{OC}$

점 O가 △ABC의 외심이므로

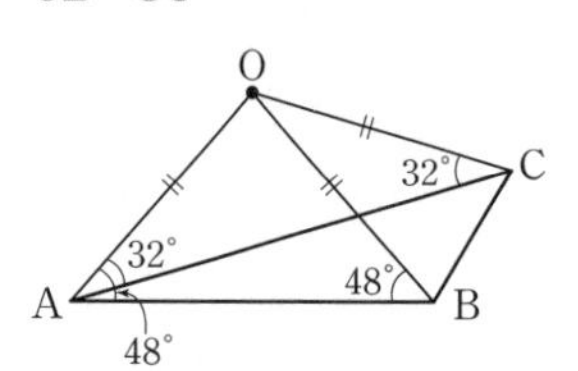

$\overline{OA}=\overline{OB}=\overline{OC}$

△OAB에서 $\overline{OA}=\overline{OB}$이므로

$\angle OAB=\angle OBA=48°$

△OAC에서 $\overline{OA}=\overline{OC}$이므로

$\angle OAC=\angle OCA=32°$

$\therefore \angle CAB=\angle OAB-\angle OAC$

$=48°-32°=16°$

05 답 55°

셀파 점 O가 △ABC의 외심이므로 $\overline{OA}=\overline{OB}=\overline{OC}$

점 O가 △ABC의 외심이므로

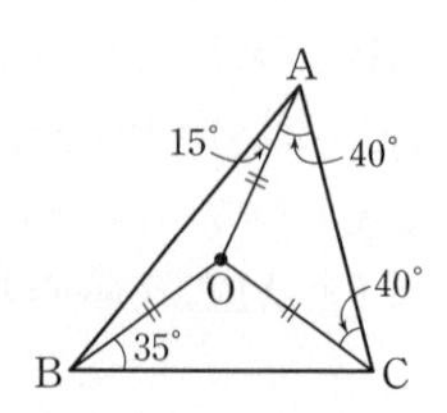

$\angle OAB+35°+40°=90°$

$\therefore \angle OAB=15°$

△OCA에서 $\overline{OA}=\overline{OC}$이므로

$\angle OAC=\angle OCA=40°$

$\therefore \angle BAC=\angle OAB+\angle OAC=15°+40°=55°$

06 답 60°

셀파 $\overline{OB}=\overline{OC}$이므로 △OBC는 이등변삼각형이다.

△OBC에서 $\overline{OB}=\overline{OC}$이므로

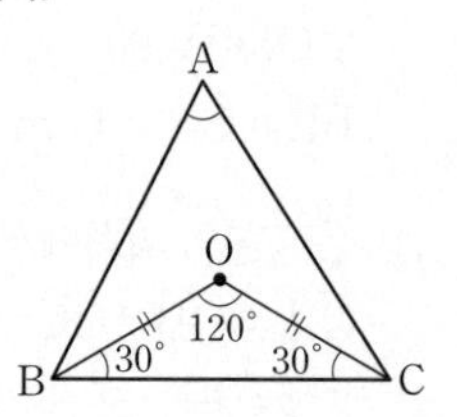

$\angle OCB=\angle OBC=30°$

$\therefore \angle BOC=180°-(30°+30°)$

$=120°$

따라서 $\angle BOC=2\angle A$이므로

$\angle A=\frac{1}{2}\angle BOC=\frac{1}{2}\times 120°=60°$

07 답 $\angle BAC=60°$, $\angle ABC=80°$, $\angle BCA=40°$

셀파 $\angle AOB+\angle BOC+\angle COA=360°$임을 이용한다.

$\angle AOB+\angle BOC+\angle COA=360°$이고

$\angle AOB:\angle BOC:\angle COA=2:3:4$이므로

$\angle AOB=360°\times\frac{2}{2+3+4}=80°$,

$\angle BOC=360°\times\frac{3}{2+3+4}=120°$,

$\angle COA=360°\times\frac{4}{2+3+4}=160°$

이때 점 O는 △ABC의 외심이므로

$\angle BAC=\frac{1}{2}\angle BOC=\frac{1}{2}\times 120°=60°$,

$\angle ABC=\frac{1}{2}\angle COA=\frac{1}{2}\times 160°=80°$,

$\angle BCA=\frac{1}{2}\angle AOB=\frac{1}{2}\times 80°=40°$

풀고 또 풀고 집중 연습 삼각형의 외심의 성질을 이용한 계산

본문 | 35 쪽

1 답 (1) 15° (2) 106° (3) 60° (4) 49° (5) 90°

(1) △OBC에서 $\overline{OB}=\overline{OC}$이므로 $\angle OBC=\angle OCB=40°$

$\angle x+40°+35°=90°$ $\therefore \angle x=15°$

(2) △OBC에서 $\overline{OB}=\overline{OC}$이므로

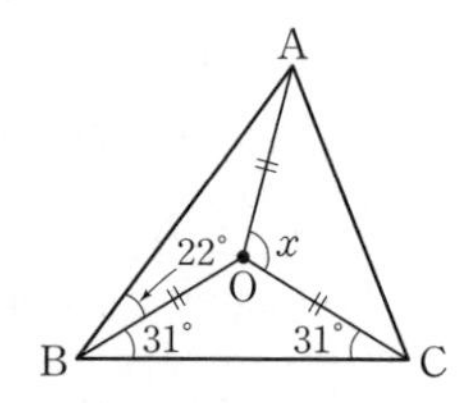

$\angle OBC=\angle OCB=31°$

$\therefore \angle ABC=22°+31°=53°$

이때 $\angle AOC=2\angle ABC$이므로

$\angle x=2\times 53°=106°$

(3) △OBC에서 $\overline{OB}=\overline{OC}$이므로 $\angle OBC=\angle OCB=30°$

$\therefore \angle BOC=180°-(30°+30°)=120°$

$\therefore \angle x=\frac{1}{2}\angle BOC=\frac{1}{2}\times 120°=60°$

(4) $\triangle$OCA에서 $\overline{OC}=\overline{OA}$이므로
$\angle OAC=\angle OCA=\angle x$
이때 $\angle BOC=2\angle BAC$이므로
$140^\circ=2(21^\circ+\angle x)$
$70^\circ=21^\circ+\angle x$ $\quad\therefore \angle x=49^\circ$

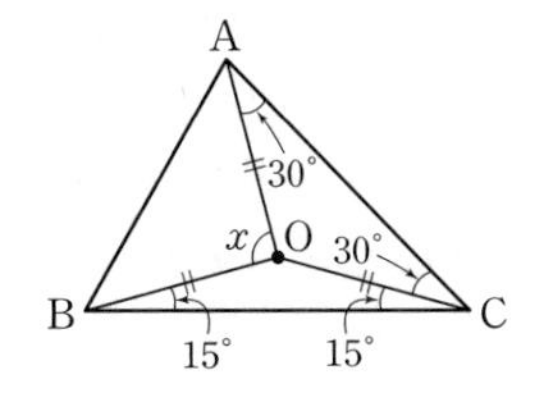

(5) $\overline{OC}$를 그으면
$\triangle$OBC에서 $\overline{OB}=\overline{OC}$이므로
$\angle OCB=\angle OBC=15^\circ$
$\triangle$OCA에서 $\overline{OC}=\overline{OA}$이므로
$\angle OCA=\angle OAC=30^\circ$
$\therefore \angle ACB=30^\circ+15^\circ=45^\circ$
이때 $\angle AOB=2\angle ACB$이므로
$\angle x=2\times 45^\circ=90^\circ$

2 답 (1) 4 (2) 14 (3) 59 (4) 36 (5) 16

(1) $\overline{OC}=\overline{OA}=\overline{OB}=\frac{1}{2}\overline{AB}=\frac{1}{2}\times 8=4$ (cm)
$\therefore x=4$

(2) $\overline{OA}=\overline{OB}=\overline{OC}$이므로 $\overline{AC}=2\overline{OB}=2\times 7=14$ (cm)
$\therefore x=14$

(3) $\triangle$OBC에서 $\overline{OB}=\overline{OC}$이므로
$\angle OBC=\angle OCB=31^\circ$
따라서 $\triangle$ABC에서
$x+31+90=180$ $\quad\therefore x=59$

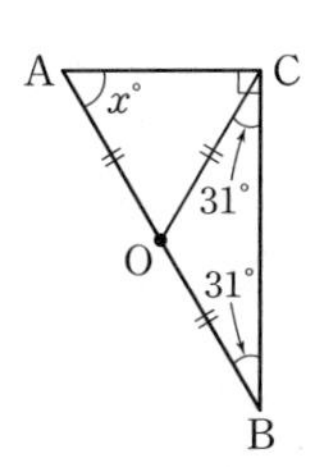

(4) $\triangle$OCA에서 $\overline{OC}=\overline{OA}$이므로
$\angle OCA=\angle OAC=x^\circ$
$\angle BOC$는 $\triangle$OCA의 한 외각이므로
$\angle BOC=x^\circ+x^\circ$, $72^\circ=2x^\circ$
$\therefore x=36$

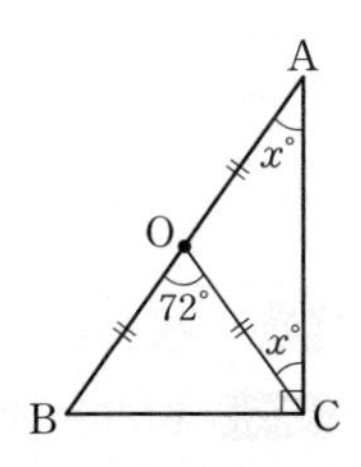

(5) $\triangle$ABC에서
$\angle A+30^\circ+90^\circ=180^\circ$
$\therefore \angle A=60^\circ$
$\triangle$OCA에서 $\overline{OC}=\overline{OA}$이므로
$\angle OCA=\angle OAC=60^\circ$
$\therefore \angle AOC=180^\circ-(60^\circ+60^\circ)=60^\circ$
따라서 $\triangle$OCA는 정삼각형이므로
$\overline{OA}=\overline{AC}=8$ cm
$\therefore \overline{AB}=2\overline{OA}=2\times 8=16$ (cm), 즉 $x=16$

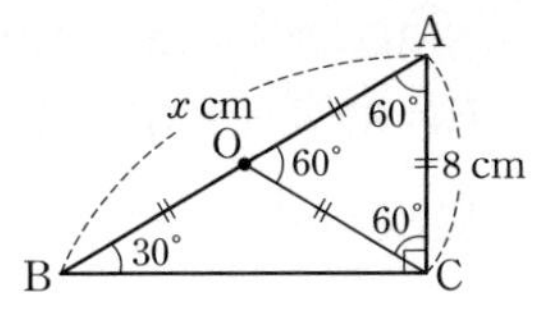

본문 | 36~37쪽

01 답 승호

셀파 삼각형의 외심은 그 삼각형의 세 변의 수직이등분선의 교점이다.

준수: 삼각형의 외접원의 중심이 외심이다.
은정: 세 변의 수직이등분선은 항상 한 점에서 만나므로 삼각형의 외심을 찾을 때는 두 변의 수직이등분선의 교점을 찾아도 된다.
승호: 예각삼각형의 외심은 삼각형의 내부에, 직각삼각형의 외심은 빗변의 중점에, 둔각삼각형의 외심은 삼각형의 외부에 있다.
미영: 외심에서 삼각형의 세 꼭짓점에 이르는 거리는 같으므로 외심에서 삼각형의 한 꼭짓점까지의 거리를 반지름으로 하는 원을 그리면 나머지 두 꼭짓점을 모두 지난다.
따라서 삼각형의 외심에 대하여 옳지 않은 것을 말한 학생은 승호이다.

02 답 5 cm

셀파 점 O는 $\triangle$ABC의 외심이므로
$\overline{OA}=\overline{OB}=\overline{OC}=$(외접원의 반지름의 길이)

$\triangle$OBC의 둘레의 길이가 18 cm이므로
$\overline{OB}+\overline{OC}+\overline{BC}=\overline{OB}+\overline{OC}+8=18$ (cm)
$\therefore \overline{OB}+\overline{OC}=10$ (cm)
이때 $\triangle$OBC에서 $\overline{OB}=\overline{OC}$이므로
$\overline{OB}=\frac{1}{2}\times 10=5$ (cm)
따라서 $\triangle$ABC의 외접원의 반지름의 길이는 5 cm이다.

03 답 148°

셀파 $\triangle$OAB에서 $\overline{OA}=\overline{OB}$임을 이용하여 $\angle AOB$의 크기를 구한다.

$\triangle$OAB에서 $\overline{OA}=\overline{OB}$이므로
$\angle OAB=\angle OBA=40^\circ$
$\therefore \angle AOB=180^\circ-2\times 40^\circ=100^\circ$
$\therefore \angle x=360^\circ-(100^\circ+112^\circ)=148^\circ$

04 답 ③

셀파 세 지점 A, B, C에서 같은 거리에 있는 점은 $\triangle$ABC의 외심임을 이용한다.

세 지점 A, B, C에서 같은 거리에 있는 지점은 $\triangle$ABC의 외심이다.
삼각형의 외심은 세 변의 수직이등분선의 교점이므로
③ $\overline{AB}$와 $\overline{BC}$의 수직이등분선이 만나는 지점에 물류 창고를 만들면 된다.

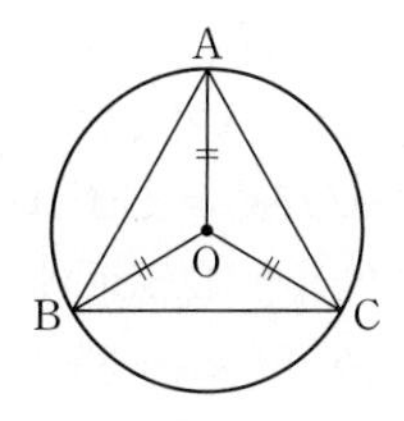

05 답 12 cm^2

셀파 밑변의 길이와 높이가 같은 삼각형의 넓이는 같다.

점 O가 $\triangle ABC$의 외심이므로

$\overline{OB}=\overline{OC}$

이때 $\triangle ABO$와 $\triangle AOC$에서 밑변의 길이는 각각 $\overline{OB}$, $\overline{OC}$이고 $\overline{OB}=\overline{OC}$이므로

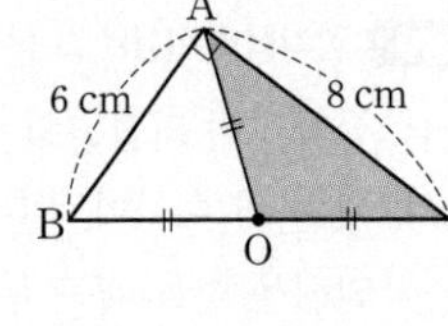

$\triangle AOC=\frac{1}{2}\triangle ABC=\frac{1}{2}\times\frac{1}{2}\times 6\times 8=12\ (\text{cm}^2)$

06 답 10°

셀파 점 M이 $\triangle ABC$의 외심임을 이용한다.

① 점 M이 $\triangle ABC$의 외심임을 알기 [20 %]

점 M은 직각삼각형 ABC의 빗변 BC의 중점이므로 $\triangle ABC$의 외심이다.

$\therefore \overline{MA}=\overline{MB}=\overline{MC}$

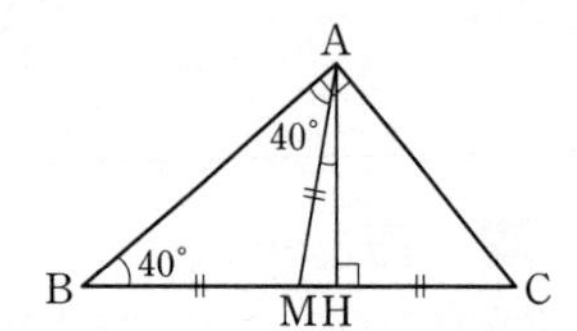

② $\angle MAB$의 크기 구하기 [30 %]

$\triangle MAB$에서 $\overline{MA}=\overline{MB}$이므로

$\angle MAB=\angle MBA=40^\circ$

③ $\angle AMH$의 크기 구하기 [30 %]

$\angle AMH$는 $\triangle ABM$의 한 외각이므로

$\angle AMH=40^\circ+40^\circ=80^\circ$

④ $\angle MAH$의 크기 구하기 [20 %]

따라서 $\triangle AMH$에서

$\angle MAH=180^\circ-(90^\circ+\angle AMH)$

$=180^\circ-(90^\circ+80^\circ)=10^\circ$

07 답 10°

셀파 $\overline{OA}=\overline{OB}=\overline{OC}$이므로 크기가 같은 각을 그림에 표시한다.

점 O가 $\triangle ABC$의 외심이므로

$\overline{OA}=\overline{OB}=\overline{OC}$

$\triangle OCB$에서 $\overline{OB}=\overline{OC}$이므로

$\angle OCB=\angle OBC=\angle x$

$\triangle OAB$에서 $\overline{OA}=\overline{OB}$이므로

$\angle OAB=\angle OBA=\angle x+35^\circ$

$\triangle OCA$에서 $\overline{OA}=\overline{OC}$이므로

$\angle OAC=\angle OCA=\angle x+45^\circ$

따라서 $\triangle ABC$에서

$35^\circ+(\angle x+35^\circ)+(\angle x+45^\circ)+45^\circ=180^\circ$

$2\angle x=20^\circ \quad \therefore \angle x=10^\circ$

08 답 165°

셀파 $\overline{OA}$를 긋고 크기가 같은 각을 그림에 표시한다.

$\overline{OA}$를 그으면

점 O가 $\triangle ABC$의 외심이므로

$\overline{OA}=\overline{OB}=\overline{OC}$

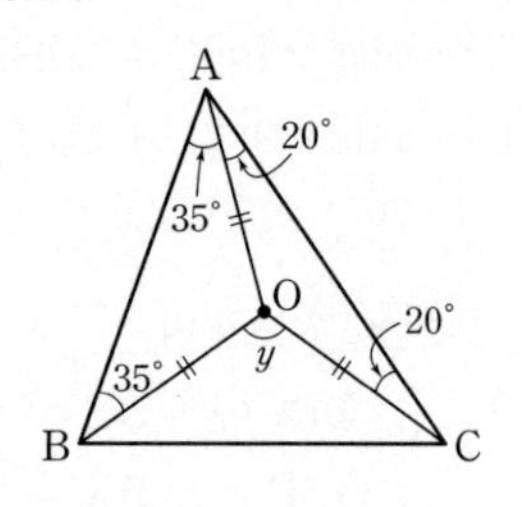

$\triangle OAB$에서 $\overline{OA}=\overline{OB}$이므로

$\angle OAB=\angle OBA=35^\circ$

$\triangle OCA$에서 $\overline{OA}=\overline{OC}$이므로

$\angle OAC=\angle OCA=20^\circ$

$\therefore \angle x=\angle OAB+\angle OAC=35^\circ+20^\circ=55^\circ$,

$\angle y=2\angle BAC=2\times 55^\circ=110^\circ$

따라서 $\angle x+\angle y=55^\circ+110^\circ=165^\circ$

09 답 26°

셀파 삼각형에서 두 변의 수직이등분선의 교점은 외심이다.

$\overline{OC}$를 그으면

점 O가 $\triangle ABC$의 외심이므로

$\angle BOC=2\angle A=2\times 64^\circ=128^\circ$

이때 $\triangle OBC$에서 $\overline{OB}=\overline{OC}$이므로

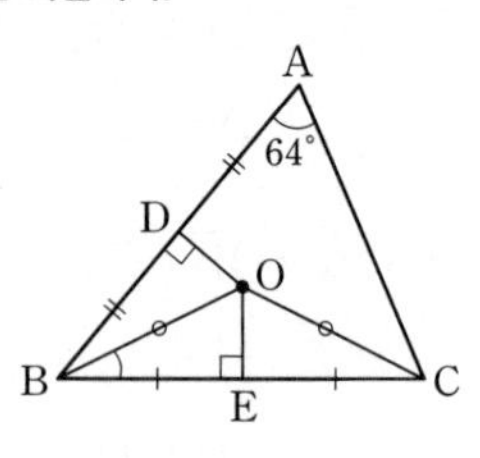

$\angle OBC=\angle OCB$

$=\frac{1}{2}\times(180^\circ-\angle BOC)$

$=\frac{1}{2}\times(180^\circ-128^\circ)$

$=26^\circ$

10 답 108°

셀파 점 M이 직각삼각형 ABC의 외심임을 이용한다.

① $\angle MBC$의 크기 구하기 [60 %]

$\angle B=90^\circ$이고 $\angle MBA : \angle MBC=3:2$이므로

$\angle MBC=90^\circ\times\frac{2}{3+2}=36^\circ$

② $\angle BMC$의 크기 구하기 [40 %]

이때 점 M은 직각삼각형 ABC의 외심이므로

$\overline{MB}=\overline{MC}$

따라서 $\triangle MBC$에서

$\angle BMC=180^\circ-2\times 36^\circ=108^\circ$

11 답 $\frac{16}{3}\pi$ cm²

셀파 원 O가 △ABC의 외접원임을 이용한다.

원 O 위에 세 점 A, B, C가 있으므로
점 O는 △ABC의 외심이다.
이때 $\overline{OB}=\overline{OC}=\overline{OA}=4$ cm
△OAB에서 $\overline{OA}=\overline{OB}$이므로
$\angle OAB=\angle OBA=25°$
△OCA에서 $\overline{OA}=\overline{OC}$이므로
$\angle OAC=\angle OCA=35°$
$\therefore \angle BAC=\angle OAB+\angle OAC$
$=25°+35°=60°$
$\therefore \angle BOC=2\angle BAC=2\times 60°=120°$
따라서 부채꼴 BOC는 반지름의 길이가 4 cm이고, 중심각의 크기가 120°이므로 그 넓이는
$\pi\times 4^2\times\frac{120}{360}=\frac{16}{3}\pi$ (cm²)

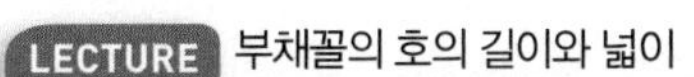
LECTURE 부채꼴의 호의 길이와 넓이

반지름의 길이가 r, 중심각의 크기가 $x°$인 부채꼴의 호의 길이를 l, 넓이를 S라 하면

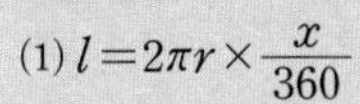
(1) $l=2\pi r\times\frac{x}{360}$

(2) $S=\pi r^2\times\frac{x}{360}=\frac{1}{2}rl$

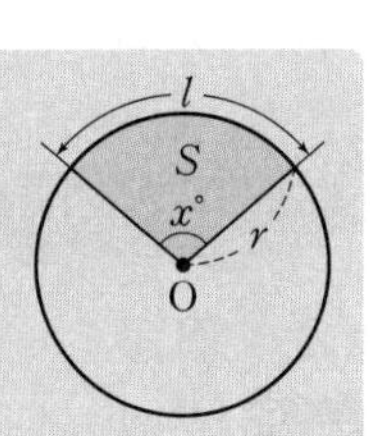

12 답 (1) 90° (2) 120°

셀파 직각삼각형의 외심은 빗변의 중점에 있다.

① ∠BAC의 크기 구하기 [30 %]

(1) △ABC의 외심 O가 $\overline{BC}$ 위에 있으므로
$\angle BAC=90°$

② ∠OAC의 크기 구하기 [40 %]

(2) △OAB에서 $\overline{OA}=\overline{OB}$이므로
$\angle OAB=\angle OBA=30°$
$\therefore \angle OAC=90°-30°=60°$

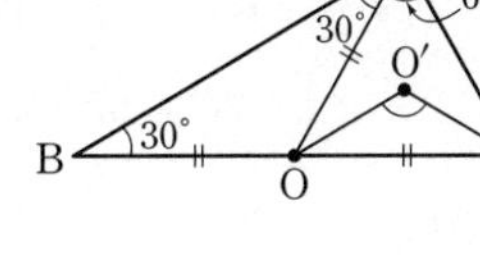

③ ∠OO′C의 크기 구하기 [30 %]

이때 점 O′이 △AOC의 외심이므로
$\angle OO'C=2\angle OAC=2\times 60°=120°$

3 삼각형의 내심

본문 | 41, 43쪽

1-1 답 30°

$\overrightarrow{PA}$는 원 O의 접선이므로 ∠PAO= 90°
△PAO에서 60°+∠x+ 90° =180°
∴ ∠x= 30°

1-2 답 (1) 27° (2) 65°

(1) ∠PAO=90°이므로 ∠x+63°+90°=180°
∴ ∠x=27°

(2) ∠PAO=90°이므로 25°+∠x+90°=180°
∴ ∠x=65°

2-1 답 $x=5$, $y=35$

삼각형의 내심 I에서 세 변에 이르는 거리는 모두 같으므로
$\overline{ID}=\overline{IE}=5$ cm ∴ $x=$ 5
삼각형의 내심 I는 세 내각의 이등분선의 교점이므로
$\angle IAC=\angle IAD=y°$
△AIC에서 $y°+120°+25°=$ 180°
∴ $y=$ 35

2-2 답 (1) 2 (2) 125

(1) 점 I는 △ABC의 내심이므로
$\overline{ID}=\overline{IE}=\overline{IF}=2$ cm ∴ $x=2$

(2) 점 I는 △ABC의 내심이므로
$\angle IBC=\angle IBA=25°$, $\angle ICB=\angle ICA=30°$
△IBC에서 $x°+25°+30°=180°$
∴ $x=125$

3-1 답 (1) 30° (2) 115°

(1) 점 I는 △ABC의 내심이므로
$\angle IAC=\angle IAB=20°$,
$\angle IBC=\angle IBA=40°$,
$\angle ICA=\angle ICB=\angle x$
△ABC에서 $2(20°+40°+\angle x)=180°$
$20°+40°+\angle x=$ 90°
∴ ∠x= 30°

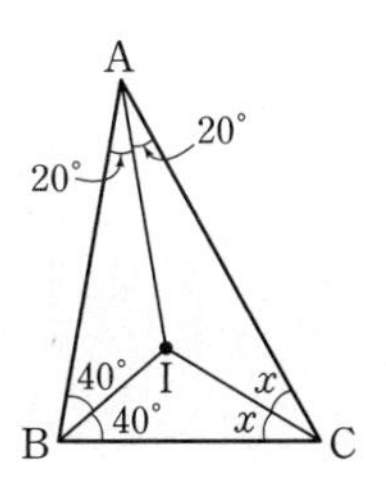

(2) $\overline{AI}$의 연장선과 $\overline{BC}$의 교점을 D라 하면

$\angle BID=25^\circ+\bullet$, $\angle CID=25^\circ+\times$

$\therefore \angle x=\angle BIC=\angle BID+\angle CID$

$=25^\circ+(\bullet+25^\circ+\times)$

$=25^\circ+\boxed{90^\circ}=\boxed{115^\circ}$

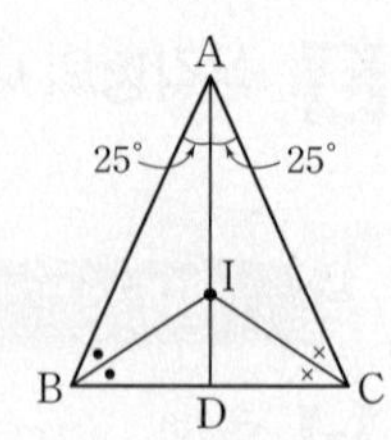

빠른 풀이 [공식 이용]

(1) $20^\circ+40^\circ+\angle x=90^\circ$이므로 $\angle x=30^\circ$

(2) $\angle x=90^\circ+\frac{1}{2}\times 50^\circ=115^\circ$

3-2 답 (1) 14° (2) 131°

(1) 점 I는 $\triangle ABC$의 내심이므로

$\angle IAB=\angle IAC=28^\circ$,

$\angle IBC=\angle IBA=\angle x$,

$\angle ICA=\angle ICB=48^\circ$

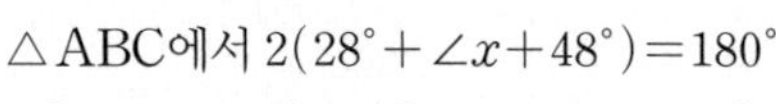

$\triangle ABC$에서 $2(28^\circ+\angle x+48^\circ)=180^\circ$

$28^\circ+\angle x+48^\circ=90^\circ \qquad \therefore \angle x=14^\circ$

(2) $\overline{BI}$의 연장선과 $\overline{AC}$의 교점을 D라 하면

점 I는 $\triangle ABC$의 내심이므로

$\angle IBA=\angle IBC=\frac{1}{2}\angle ABC$

$=\frac{1}{2}\times 82^\circ=41^\circ$

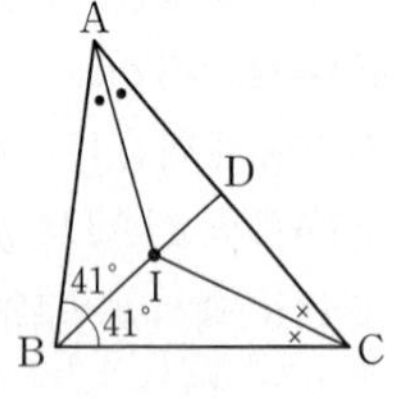

이때 $\angle AID=41^\circ+\bullet$, $\angle CID=41^\circ+\times$이므로

$\angle x=\angle AIC=\angle AID+\angle CID$

$=41^\circ+(\bullet+41^\circ+\times)$

$=41^\circ+90^\circ=131^\circ$

빠른 풀이 [공식 이용]

(1) $\angle x+48^\circ+28^\circ=90^\circ$이므로 $\angle x=14^\circ$

(2) $\angle x=90^\circ+\frac{1}{2}\times 82^\circ=131^\circ$

4-1 답 3

(1) $\triangle ABC=\triangle IAB+\triangle IBC+\triangle ICA$

$=\frac{1}{2}\times\overline{AB}\times r+\frac{1}{2}\times\overline{BC}\times r+\frac{1}{2}\times\overline{CA}\times r$

$=\frac{1}{2}r(\overline{AB}+\overline{BC}+\overline{CA})$

$=\frac{1}{2}\times r\times(9+15+12)$

$\boxed{54}=\frac{1}{2}\times r\times(9+15+12)$

$18r=54 \qquad \therefore r=\boxed{3}$

4-2 답 48, 10, 3

$\triangle ABC=\triangle IAB+\triangle IBC+\triangle ICA$

$=\frac{1}{2}\times\overline{AB}\times r+\frac{1}{2}\times\overline{BC}\times r+\frac{1}{2}\times\overline{CA}\times r$

$=\frac{1}{2}\times r\times(\overline{AB}+\overline{BC}+\overline{CA})$

$=\frac{1}{2}\times r\times(10+12+10)$

$\boxed{48}=\frac{1}{2}\times r\times(10+12+\boxed{10})$

$16r=48 \qquad \therefore r=\boxed{3}$

본문 | 45~49 쪽

01 답 ④

셀파 삼각형의 내심은 세 내각의 이등분선의 교점이고, 내심에서 세 변에 이르는 거리는 모두 같다.

④ $\triangle IEC$와 $\triangle IFC$에서

$\angle IEC=\angle IFC=90^\circ$, $\overline{IC}$는 공통, $\angle ICE=\angle ICF$

이므로 $\triangle IEC\equiv\triangle IFC$ (RHA 합동)

$\therefore \overline{CE}=\overline{CF}$

02 답 (1) 34° (2) 58°

셀파 점 I가 $\triangle ABC$의 내심이므로 $\overline{IA}$, $\overline{IB}$, $\overline{IC}$는 각각 $\angle A$, $\angle B$, $\angle C$의 이등분선이다.

(1) $\overline{IC}$는 $\angle BCA$의 이등분선이므로

$\angle ICB=\angle ICA=\frac{1}{2}\angle BCA=\frac{1}{2}\times 48^\circ=24^\circ$

$32^\circ+\angle x+24^\circ=90^\circ$이므로 $\angle x=34^\circ$

(2) $\overline{AI}$를 그으면

$\angle IAB=\angle IAC=\frac{1}{2}\angle BAC$

$=\frac{1}{2}\angle x$

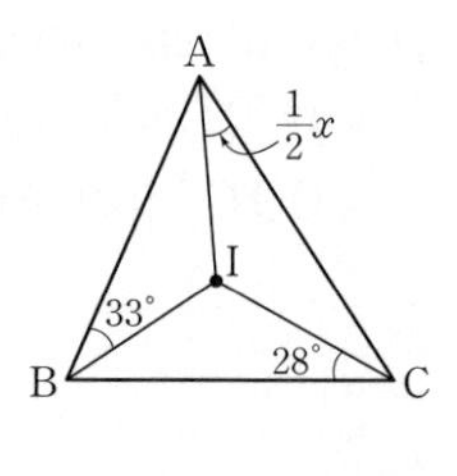

$\frac{1}{2}\angle x+33^\circ+28^\circ=90^\circ$이므로

$\frac{1}{2}\angle x=29^\circ \qquad \therefore \angle x=58^\circ$

▌다른 풀이▐ (1) 점 I가 $\triangle ABC$의 내심이므로

$\angle BAC=2\angle IAB=2\times 32^\circ=64^\circ$

$\angle ABC=2\angle IBA=2\angle x$

$\triangle ABC$의 세 내각의 크기의 합이 180°이므로

$64^\circ+2\angle x+48^\circ=180^\circ$

$2\angle x=68^\circ \qquad \therefore \angle x=34^\circ$

(2) 점 I가 $\triangle ABC$의 내심이므로

$\angle ABC=2\angle IBA=2\times 33^\circ=66^\circ$

$\angle BCA=2\angle ICB=2\times 28^\circ=56^\circ$

$\triangle ABC$의 세 내각의 크기의 합이 180°이므로

$\angle x+66^\circ+56^\circ=180^\circ \qquad \therefore \angle x=58^\circ$

03 답 (1) 119° (2) 80°

셀파 점 I가 $\triangle ABC$의 내심이므로 $\angle BIC=90^\circ+\frac{1}{2}\angle BAC$

(1) $\angle IAB=\angle IAC$이므로 $\angle BAC=2\angle IAC$

$\therefore \angle x=90^\circ+\frac{1}{2}\angle BAC$

$=90^\circ+\angle IAC$

$=90^\circ+29^\circ$

$=119^\circ$

(2) $\triangle IBC$에서 $\angle BIC=180^\circ-(20^\circ+30^\circ)=130^\circ$

$90^\circ+\frac{1}{2}\angle x=130^\circ$이므로

$\frac{1}{2}\angle x=40^\circ \qquad \therefore \angle x=80^\circ$

04 답 $4\pi\ cm^2$

셀파 $\triangle ABC$의 내접원의 반지름의 길이를 r cm로 놓고 $\triangle ABC$의 넓이를 구하는 식을 세운다.

$\triangle ABC$의 내접원의 반지름의 길이를 r cm라 하면

$\triangle ABC=\frac{1}{2}\times r\times(10+8+6)=12r\ (cm^2)$

이때 $\triangle ABC$의 넓이는 $\frac{1}{2}\times 8\times 6=24\ (cm^2)$

$12r=24 \qquad \therefore r=2$

따라서 $\triangle ABC$의 내접원의 넓이는

$\pi\times 2^2=4\pi\ (cm^2)$

05 답 10 cm

셀파 $\overline{AD}=\overline{AF}$, $\overline{BD}=\overline{BE}$, $\overline{CE}=\overline{CF}$임을 이용한다.

$\overline{CF}=\overline{CE}=5$ cm, $\overline{AD}=\overline{AF}=9-5=4$ (cm)

$\overline{BD}=\overline{BE}=11-5=6$ (cm)

$\therefore \overline{AB}=\overline{AD}+\overline{BD}=4+6=10$ (cm)

06 답 20 cm

셀파 $\overline{DE}=\overline{DI}+\overline{IE}=\overline{BD}+\overline{EC}$임을 이용한다.

점 I가 $\triangle ABC$의 내심이므로

$\angle IBD=\angle IBC$, $\angle ICE=\angle ICB$

이때 $\overline{DE}/\!/\overline{BC}$이므로

$\angle DIB=\angle IBC$ (엇각),

$\angle EIC=\angle ICB$ (엇각)

즉 $\triangle DBI$, $\triangle EIC$가 이등변삼각형이므로

$\overline{DI}=\overline{DB}$, $\overline{EI}=\overline{EC}$

$\therefore$ ($\triangle ADE$의 둘레의 길이)$=\overline{AD}+\overline{DE}+\overline{EA}$

$=\overline{AD}+\overline{DI}+\overline{IE}+\overline{EA}$

$=(\overline{AD}+\overline{DB})+(\overline{EC}+\overline{EA})$

$=\overline{AB}+\overline{AC}=12+8=20$ (cm)

07 답 1. 112° 2. 15°

셀파 1. 점 O가 $\triangle ABC$의 외심이므로 $\angle BOC=2\angle A$임을 이용하여 $\angle A$의 크기부터 구한다.

2. $\angle OCI=\angle OCB-\angle ICB$

1. 점 O는 $\triangle ABC$의 외심이므로

$\angle A=\frac{1}{2}\angle BOC=\frac{1}{2}\times 88^\circ=44^\circ$

이때 점 I는 $\triangle ABC$의 내심이므로

$\angle BIC=90^\circ+\frac{1}{2}\angle A$

$=90^\circ+\frac{1}{2}\times 44^\circ=112^\circ$

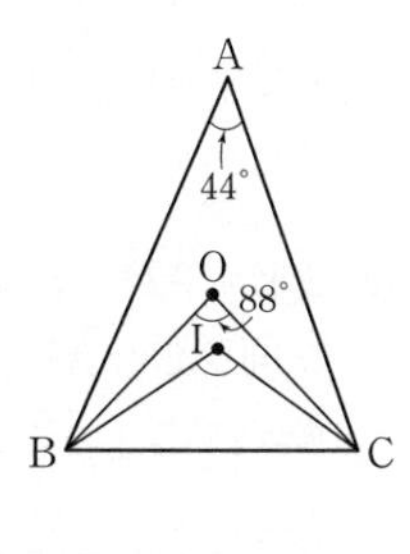

2. $\triangle ABC$는 $\overline{AB}=\overline{AC}$인 이등변삼각형이므로

$\angle ACB=\frac{1}{2}\times(180^\circ-40^\circ)=70^\circ$

이때 점 I는 $\triangle ABC$의 내심이므로

$\angle ICB=\angle ICA=\frac{1}{2}\times 70^\circ=35^\circ$

점 O는 $\triangle ABC$의 외심이므로

$\angle BOC=2\angle A=2\times 40^\circ=80^\circ$

$\triangle OBC$에서 $\overline{OB}=\overline{OC}$이므로

$\angle OCB=\frac{1}{2}\times(180^\circ-80^\circ)=50^\circ$

$\therefore \angle OCI=\angle OCB-\angle ICB=50^\circ-35^\circ=15^\circ$

집중 연습 삼각형의 내심의 성질을 이용한 계산

본문 | 50 쪽

1 답 (1) 23° (2) 35° (3) 132° (4) 92° (5) 26°

(1) $35° + \angle x + 32° = 90°$ $\quad \therefore \angle x = 23°$

(2) $\overline{AI}$를 그으면

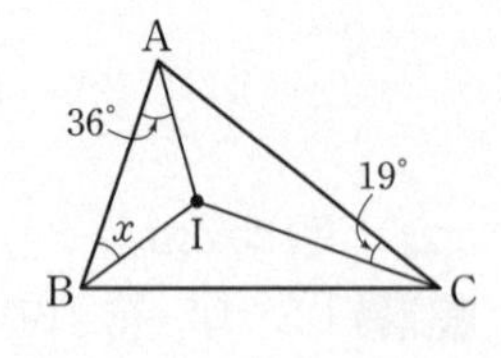

$\angle IAB = \angle IAC$

$= \frac{1}{2}\angle BAC$

$= \frac{1}{2} \times 72° = 36°$

$36° + \angle x + 19° = 90°$이므로 $\angle x = 35°$

(3) $\angle BIC = 90° + \frac{1}{2}\angle A$

$= 90° + \frac{1}{2} \times 84°$

$= 90° + 42° = 132°$

(4) $\triangle IBC$에서 $\angle BIC + 16° + 28° = 180°$

$\therefore \angle BIC = 136°$

이때 $\angle BIC = 90° + \frac{1}{2}\angle x$이므로 $136° = 90° + \frac{1}{2}\angle x$

$\frac{1}{2}\angle x = 46°$ $\quad \therefore \angle x = 92°$

(5) $\angle AIB = 90° + \frac{1}{2}\angle ACB$이므로 $116° = 90° + \angle x$

$\therefore \angle x = 26°$

2 답 (1) 10 (2) 3 (3) 17 (4) 10 (5) 4

(1) $\overline{AF} = \overline{AD} = 3$ cm, $\overline{CF} = \overline{CE} = 7$ cm이므로

$\overline{AC} = \overline{AF} + \overline{CF} = 3 + 7 = 10$ (cm)

$\therefore x = 10$

(2) $\overline{AF} = \overline{AD} = x$ cm, $\overline{CF} = \overline{CE} = 5$ cm

이때 $\overline{AC} = \overline{AF} + \overline{CF}$이므로

$8 = x + 5$ $\quad \therefore x = 3$

(3) $\overline{BE} = \overline{BD} = 9$ cm

$\overline{AF} = \overline{AD} = 5$ cm

$\overline{CE} = \overline{CF} = 13 - 5 = 8$ (cm)

$\overline{BC} = \overline{BE} + \overline{CE} = 9 + 8 = 17$ (cm)

$\therefore x = 17$

(4) $\overline{BD} = \overline{BE} = x$ cm

$\overline{AF} = \overline{AD} = (14 - x)$ cm

$\overline{CF} = \overline{CE} = (16 - x)$ cm

이때 $\overline{AC} = \overline{AF} + \overline{CF}$이므로

$10 = (14 - x) + (16 - x)$

$2x = 20$ $\quad \therefore x = 10$

(5) $\overline{IF}$를 그으면 사각형 IECF는 정사각형이므로

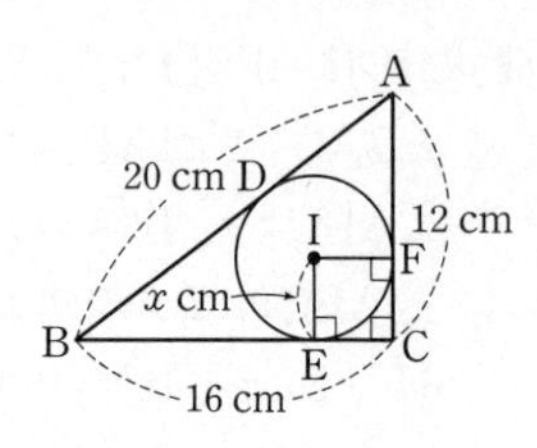

$\overline{CE} = \overline{CF} = \overline{IE} = x$ cm,

$\overline{AD} = \overline{AF} = (12 - x)$ cm,

$\overline{BD} = \overline{BE} = (16 - x)$ cm

이때 $\overline{AB} = \overline{AD} + \overline{BD}$이므로

$20 = (12 - x) + (16 - x)$

$2x = 8$ $\quad \therefore x = 4$

다른 풀이 (5) $\triangle ABC = \frac{1}{2}x(\overline{AB} + \overline{BC} + \overline{CA})$이므로

$\frac{1}{2} \times 16 \times 12 = \frac{1}{2} \times x \times (20 + 16 + 12)$

$96 = 24x$ $\quad \therefore x = 4$

실력 키우기

본문 | 51~53 쪽

01 답 ②, ⑤

셀파 삼각형의 내심은 삼각형의 세 내각의 이등분선의 교점이고, 내심에서 삼각형의 세 변에 이르는 거리는 같다.

① 점 I는 삼각형의 세 변의 수직이등분선의 교점이므로 외심이다.

② 점 I에서 삼각형의 세 변에 이르는 거리가 모두 같으므로 점 I는 내심이다.

③ 점 I에서 삼각형의 세 꼭짓점에 이르는 거리가 모두 같으므로 점 I는 외심이다.

④ 점 I는 세 꼭짓점과 각 꼭짓점의 대변의 중점을 이은 선분의 교점이다.

⑤ 점 I는 삼각형의 세 내각의 이등분선의 교점이므로 내심이다.

따라서 점 I가 $\triangle ABC$의 내심인 것은 ②, ⑤이다.

02 답 (1) $\triangle AFI$ (2) 4 cm

셀파 점 I가 $\triangle ABC$의 내심이므로 $\angle IAD = \angle IAF$

1 $\triangle ADI$와 합동인 삼각형 찾기 [50 %]

(1) $\triangle ADI$와 $\triangle AFI$에서

$\angle IDA = \angle IFA = 90°$, $\overline{AI}$는 공통, $\angle IAD = \angle IAF$

이므로 $\triangle ADI \equiv \triangle AFI$ (RHA 합동)

2 $\overline{BD}$의 길이 구하기 [50 %]

(2) $\triangle ADI \equiv \triangle AFI$ (RHA 합동)이므로 $\overline{AD} = \overline{AF} = 3$ cm

$\therefore \overline{BD} = \overline{AB} - \overline{AD} = 7 - 3 = 4$ (cm)

03 답 14°

셀파 $\overline{IC}$를 긋고 내심의 성질을 이용한다.

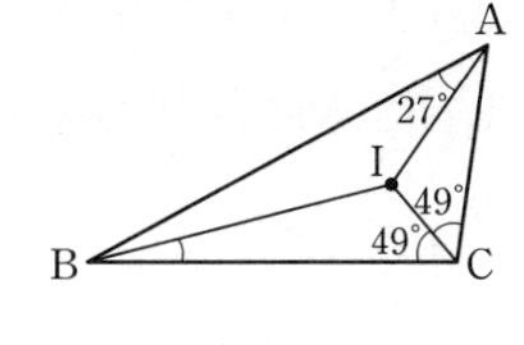

$\overline{IC}$를 그으면

점 I가 △ABC의 내심이므로

$\angle ICB=\angle ICA=\frac{1}{2}\angle ACB$

$=\frac{1}{2}\times 98°=49°$

이때 $\angle IAB+\angle IBC+\angle ICA=90°$이므로

$27°+\angle IBC+49°=90°$

$\therefore \angle IBC=14°$

04 답 146°

셀파 $\angle AIC=90°+\frac{1}{2}\angle ABC$임을 이용한다.

$\angle ICB=\angle ICA=30°$이므로

△IBC에서

$\angle IBC=180°-(122°+30°)=28°$

$\therefore \angle x=\angle IBC=28°$

$\angle ABC=2\angle x=2\times 28°=56°$이므로

$\angle y=90°+\frac{1}{2}\angle ABC=90°+\frac{1}{2}\times 56°=118°$

$\therefore \angle x+\angle y=28°+118°=146°$

05 답 30°

셀파 $\angle AIB+\angle BIC+\angle CIA=360°$임을 이용한다.

$\angle AIB=360°\times\frac{7}{7+8+9}=105°$

이때 $\angle AIB=90°+\frac{1}{2}\angle ACB$이므로

$105°=90°+\frac{1}{2}\angle ACB$

$\frac{1}{2}\angle ACB=15°$ $\therefore \angle ACB=30°$

06 답 (1) 정삼각형 (2) 120°

셀파 정삼각형은 외심과 내심이 일치한다.

(1) 외심과 내심이 일치하므로 △ABC는 정삼각형이다.

(2) $\angle BAC=60°$이므로

$\angle BIC=2\angle BAC=2\times 60°=120°$

07 답 (1) 풀이 참조 (2) 16π m^2

셀파 원 모양의 꽃밭은 △ABC의 내접원이다.

(1) 꽃밭을 가능한 한 크게 만들면 삼각형 모양의 땅 ABC의 세 변에 모두 접하므로 내접원이 된다.

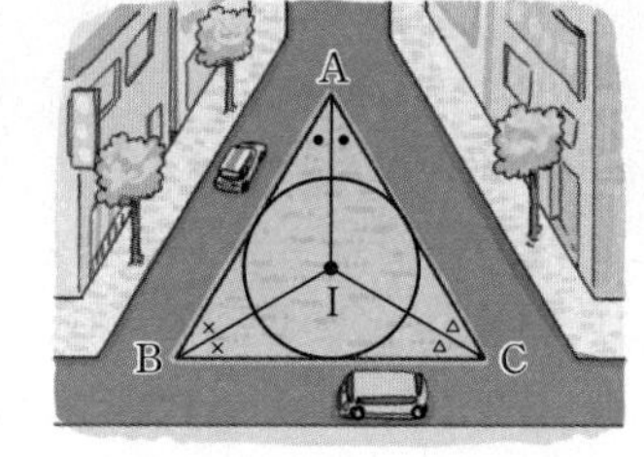

이때 꽃밭인 내접원의 중심은 삼각형의 내심과 같으므로 세 내각의 이등분선의 교점을 구하면 된다.

즉 위 그림에서 점 I가 꽃밭의 중심이다.

(2) 원 모양의 꽃밭의 반지름의 길이를 r m라 하면

△ABC

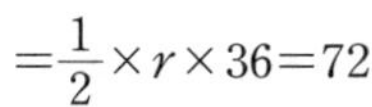

$=\frac{1}{2}\times r\times(\overline{AB}+\overline{BC}+\overline{CA})$

$=\frac{1}{2}\times r\times 36=72$

$18r=72$이므로 $r=4$

따라서 꽃밭의 넓이는 $\pi\times 4^2=16\pi$ (m^2)

08 답 40 cm

셀파 사각형 IECF는 정사각형이다.

오른쪽 그림과 같이 $\overline{IF}$를 그으면

사각형 IECF는 정사각형이므로

$\overline{CE}=\overline{CF}=\overline{IE}=3$ cm,

$\overline{AD}=\overline{AF}=8-3=5$ (cm),

$\overline{BD}=\overline{BE}=15-3=12$ (cm)

$\therefore \overline{AB}=\overline{AD}+\overline{BD}=5+12=17$ (cm)

따라서 △ABC의 둘레의 길이는

$\overline{AB}+\overline{BC}+\overline{CA}=17+15+8=40$ (cm)

09 답 24 cm

셀파 $\overline{AD}=\overline{AF}$, $\overline{BD}=\overline{BE}$, $\overline{CE}=\overline{CF}$임을 이용한다.

$\overline{AF}=\overline{AD}=2$ cm

$\overline{BD}=x$ cm라 하면

$\overline{BE}=\overline{BD}=x$ cm, $\overline{CF}=\overline{CE}=(10-x)$ cm

$\therefore$ (△ABC의 둘레의 길이)

$=\overline{AB}+\overline{BC}+\overline{CA}$

$=(\overline{AD}+\overline{BD})+\overline{BC}+(\overline{CF}+\overline{AF})$

$=(2+x)+10+(10-x)+2$

$=24$ (cm)

10 답 ⑤

셀파 삼각형의 내심과 평행선의 성질을 이용한다.

점 I가 $\triangle ABC$의 내심이므로
$\angle DBI = \angle IBC = 32°$
$\overline{DE} /\!/ \overline{BC}$이므로
$\angle DIB = \angle IBC = 32°$ (엇각)
$\therefore \angle DIB = \angle DBI = 32°$ (①)
즉 $\triangle DBI$는 $\overline{DB} = \overline{DI}$인 이등변삼각형이다. (⑤)
같은 방법으로 하면
$\angle EIC = \angle ICB = \angle ECI = 36°$ (②)
이므로 $\triangle EIC$는 $\overline{EI} = \overline{EC}$인 이등변삼각형이다.
$\therefore$ ($\triangle ADE$의 둘레의 길이)$= \overline{AB} + \overline{AC}$
$= 16 + 15$
$= 31$ (cm) (④)
따라서 옳은 것은 ⑤이다.

11 답 ⑤

셀파 삼각형의 외심과 내심의 뜻과 성질을 구분한다.

⑤ 이등변삼각형의 외심과 내심은 꼭지각의 이등분선 위에 있고, 정삼각형의 외심과 내심은 일치한다.

12 답 63°

셀파 내심과 외심의 성질을 이용하여 $\angle ICD$, $\angle ODC$의 크기를 구한다.

① $\angle ICD$의 크기 구하기 [40 %]
$\triangle ABC$는 $\overline{AB} = \overline{AC}$인 이등변삼각형이므로
$\angle ACB = \frac{1}{2} \times (180° - 72°) = 54°$
$\therefore \angle ICD = \frac{1}{2} \angle ACB = \frac{1}{2} \times 54° = 27°$

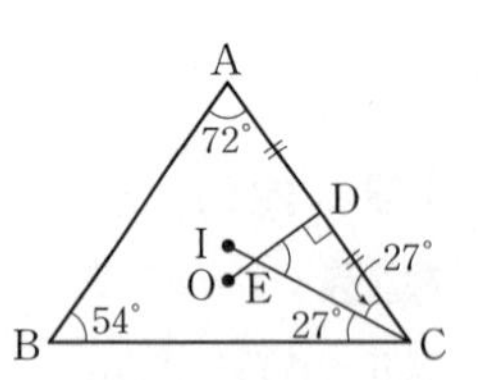

② $\angle ODC$의 크기 구하기 [30 %]
점 O가 $\triangle ABC$의 외심이므로 $\overline{OD}$는 $\overline{AC}$의 수직이등분선이다.
$\therefore \angle ODC = 90°$

③ $\angle DEC$의 크기 구하기 [30 %]
따라서 $\triangle ECD$에서
$\angle DEC = 180° - (90° + 27°) = 63°$

13 답 80°

셀파 내심을 이용하여 $\angle A$의 크기를 먼저 구한다.

점 I가 $\triangle ABC$의 내심이므로
$\angle BIC = 90° + \frac{1}{2}\angle A$이므로 $110° = 90° + \frac{1}{2}\angle A$
$\frac{1}{2}\angle A = 20°$ $\quad \therefore \angle A = 40°$
점 O가 $\triangle ABC$의 외심이므로
$\angle BOC = 2\angle A = 2 \times 40° = 80°$

14 답 $\frac{189}{4}\pi$ cm^2

셀파 직각삼각형의 외심과 내심의 성질을 이용한다.

직각삼각형의 외심은 빗변의 중점에 있으므로
(외접원 O의 반지름의 길이)
$= \frac{1}{2}\overline{BC} = \frac{1}{2} \times 15 = \frac{15}{2}$ (cm)
내접원 I의 반지름의 길이를 r cm라 하면
$\frac{1}{2} \times r \times (9 + 15 + 12) = \frac{1}{2} \times 9 \times 12$
$18r = 54$ $\quad \therefore r = 3$
$\therefore$ (색칠한 부분의 넓이)
$=$(외접원 O의 넓이)$-$(내접원 I의 넓이)
$= \pi \times \left(\frac{15}{2}\right)^2 - \pi \times 3^2$
$= \frac{189}{4}\pi$ (cm^2)

15 답 (1) 50° (2) 210°

셀파 $\angle IAB = \angle IAC = \angle a$, $\angle IBA = \angle IBC = \angle b$로 놓고 삼각형의 외각의 성질을 이용한다.

① $\angle a + \angle b$의 크기 구하기 [40 %]
(1) 점 I는 $\triangle ABC$의 내심이므로
$\angle IAB = \angle IAC = \angle a$,
$\angle IBA = \angle IBC = \angle b$
$\triangle ABC$에서
$2(\angle a + \angle b) + 80° = 180°$이므로
$\angle a + \angle b = 50°$

② $\angle x + \angle y$의 크기 구하기 [60 %]
(2) $\angle x$는 $\triangle BCE$의 한 외각이므로 $\angle x = \angle b + 80°$
$\angle y$는 $\triangle ADC$의 한 외각이므로 $\angle y = \angle a + 80°$
$\therefore \angle x + \angle y = (\angle b + 80°) + (\angle a + 80°)$
$= (\angle a + \angle b) + 160°$
$= 50° + 160° = 210°$

16 답 2 cm

셀파 $\overline{IB}$, $\overline{IC}$를 긋고 크기가 같은 각을 찾는다.

$\overline{AB} /\!/ \overline{ID}$이므로 $\angle ABC = \angle IDE = 60^\circ$

$\overline{AC} /\!/ \overline{IE}$이므로 $\angle ACB = \angle IED = 60^\circ$

따라서 $\triangle IDE$는 정삼각형이다.

이때 $\overline{IB}$, $\overline{IC}$를 그으면

점 I가 $\triangle ABC$의 내심이므로

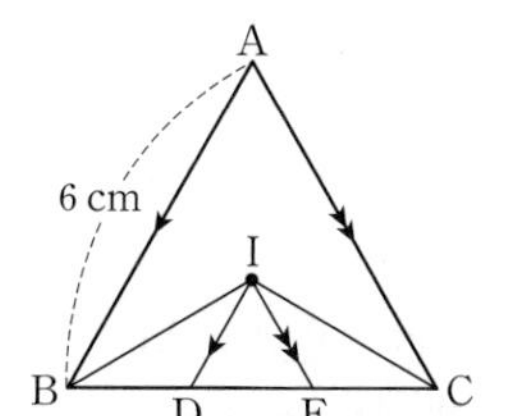

$\angle IBD = \frac{1}{2}\angle ABC = \frac{1}{2} \times 60^\circ = 30^\circ$

$\angle IDB = 180^\circ - \angle IDE$

$= 180^\circ - 60^\circ = 120^\circ$

$\therefore \angle BID = 180^\circ - (30^\circ + 120^\circ)$

$= 30^\circ$

따라서 $\triangle IBD$는 $\overline{BD} = \overline{ID}$인 이등변삼각형이다.

같은 방법으로 하면 $\triangle IEC$도 $\overline{IE} = \overline{EC}$인 이등변삼각형이다.

따라서 $\overline{BD} = \overline{ID} = \overline{DE} = \overline{IE} = \overline{EC}$이므로

$\overline{DE} = \frac{1}{3}\overline{BC} = \frac{1}{3} \times 6 = 2\ (\text{cm})$

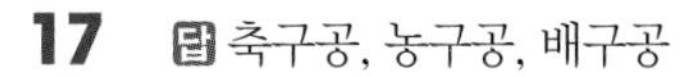

17 답 축구공, 농구공, 배구공

셀파 직각삼각형의 내접원의 반지름의 길이를 구한다.

다음 그림과 같이 $\triangle ABC$의 내접원의 중심을 I라 하고, 내접원의 반지름의 길이를 r cm라 하자.

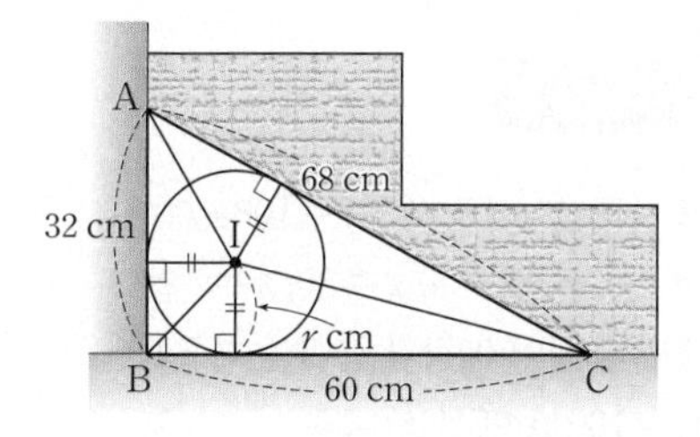

$\triangle ABC = \frac{1}{2} \times r \times (32 + 60 + 68) = 80r\ (\text{cm}^2)$

이때 $\triangle ABC$의 넓이는 $\frac{1}{2} \times 60 \times 32 = 960\ (\text{cm}^2)$이므로

$80r = 960$에서 $r = 12$

따라서 반지름의 길이가 12 cm 이하인 축구공, 농구공, 배구공을 모두 넣을 수 있다.

Ⅱ. 사각형의 성질

4 평행사변형

1. 평행사변형의 성질

본문 | 57 쪽

1-1 답 $\angle x = 80^\circ$, $\angle y = 23^\circ$

평행사변형의 두 쌍의 대변은 각각 평행하므로

$\overline{AB} /\!/ \boxed{\overline{DC}}$에서 $\angle BAC = \angle DCA$ (엇각)

$\therefore \angle x = \boxed{80^\circ}$

$\overline{AD} /\!/ \boxed{\overline{BC}}$에서 $\angle ADB = \angle DBC$ (엇각)

$\therefore \angle y = \boxed{23^\circ}$

1-2 답 (1) $\angle x = 40^\circ$, $\angle y = 60^\circ$ (2) $\angle x = 40^\circ$, $\angle y = 30^\circ$

(1) $\overline{AD} /\!/ \overline{BC}$이므로

$\angle ADB = \angle DBC$ (엇각), $\angle DAC = \angle ACB$ (엇각)

$\therefore \angle x = 40^\circ$, $\angle y = 60^\circ$

(2) $\overline{AB} /\!/ \overline{DC}$이므로 $\angle ABD = \angle CDB$ (엇각)

$\therefore \angle x = 40^\circ$

$\overline{AD} /\!/ \overline{BC}$이므로 $\angle ADB = \angle DBC$ (엇각)

$\therefore \angle y = 30^\circ$

2-1 답 (1) $x = 8$, $y = 70$ (2) $x = 5$, $y = 4$

(1) 평행사변형의 대변의 길이는 같으므로

$\overline{BC} = \overline{AD} = 8$ cm $\quad \therefore x = \boxed{8}$

평행사변형의 대각의 크기는 같으므로

$\angle D = \angle B = 70^\circ \quad \therefore y = \boxed{70}$

(2) 평행사변형의 두 대각선은 서로 다른 것을 이등분하므로

$\overline{OB} = \overline{OD} = 5$ cm에서 $x = \boxed{5}$

$\overline{OC} = \overline{OA} = 4$ cm에서 $y = \boxed{4}$

2-2 답 (1) $x = 2$, $y = 55$ (2) $x = 6$, $y = 5$

(1) $\overline{AB} = \overline{DC} = 6$ cm이므로 $3x = 6 \quad \therefore x = 2$

$\angle B = \angle D = 55^\circ$이므로 $y = 55$

(2) $\overline{OD} = \overline{OB} = 6$ cm이므로 $x = 6$

$\overline{OA} = \frac{1}{2}\overline{AC} = \frac{1}{2} \times 10 = 5\ (\text{cm})$이므로 $y = 5$

유형 익히기 – 확인 문제

본문 | 59~61쪽

01 답 (1) $94°$ (2) $30°$

셀파 평행한 두 직선과 다른 한 직선이 만날 때, 엇각의 크기는 같다.

(1) $\overline{AB}/\!/\overline{DC}$이므로 $\angle ABO=\angle CDO=32°$ (엇각)
$\triangle ABO$에서 $\angle x=\angle BAO+\angle ABO=62°+32°=94°$

(2) $\overline{AB}/\!/\overline{DC}$이므로 $\angle ABD=\angle CDB=40°$ (엇각)
$\overline{AD}/\!/\overline{BC}$이므로 $\angle A+\angle ABC=180°$에서
$110°+(40°+\angle x)=180°$ $\therefore \angle x=30°$

▌다른 풀이▌ (2) 평행사변형의 대각의 크기는 같으므로
$\angle C=\angle A=110°$
$\triangle BCD$에서 $\angle x+110°+40°=180°$ $\therefore \angle x=30°$

02 답 (1) 11 cm (2) $110°$

셀파 (1) 평행사변형에서 두 쌍의 대변의 길이는 각각 같다.
(2) 평행사변형에서 이웃하는 두 내각의 크기의 합은 $180°$이다.

(1) $\overline{AD}=\overline{BC}$이므로 $2x+9=3x+3$ $\therefore x=6$
$\therefore \overline{AB}=2x-1=2\times 6-1=11$ (cm)

(2) $\angle A+\angle B=180°$이므로 $70°+\angle B=180°$
$\therefore \angle B=110°$

03 답 1 cm

셀파 □ABCD가 평행사변형이므로 $\overline{AD}/\!/\overline{BC}$, $\overline{AD}=\overline{BC}$

$\overline{AD}/\!/\overline{BC}$이므로
$\angle AEB=\angle EAD$ (엇각)
따라서 $\triangle BEA$는 $\overline{BA}=\overline{BE}$인 이등변삼각형이므로
$\overline{BE}=\overline{BA}=2$ cm
이때 $\overline{BC}=\overline{AD}=3$ cm이므로
$\overline{CE}=\overline{BC}-\overline{BE}=3-2=1$ (cm)

04 답 $125°$

셀파 평행사변형에서 이웃하는 두 내각의 크기의 합은 $180°$임을 이용하여 $\angle BAE$의 크기를 구한다.

평행사변형 ABCD에서 $\angle BAD+\angle B=180°$이므로
$\angle BAD+70°=180°$ $\therefore \angle BAD=110°$
$\therefore \angle BAE=\frac{1}{2}\angle BAD=\frac{1}{2}\times 110°=55°$
따라서 $\triangle ABE$에서
$\angle AEC=\angle ABE+\angle BAE=70°+55°=125°$

05 답 $72°$

셀파 $\angle B+\angle C=180°$이고 $\angle B:\angle C=3:2$임을 이용하여 $\angle C$의 크기를 구한다.

$\overline{AB}/\!/\overline{DC}$이므로 $\angle B+\angle C=180°$이고
$\angle B:\angle C=3:2$이므로 $\angle C=180°\times\frac{2}{3+2}=72°$
따라서 평행사변형의 대각의 크기는 같으므로 $\angle A=\angle C=72°$

06 답 18 cm

셀파 평행사변형의 두 대각선은 서로 다른 것을 이등분함을 이용한다.

두 대각선의 길이의 합은 24 cm이므로
$\overline{AC}+\overline{BD}=24$ cm
이때 평행사변형의 두 대각선은 서로 다른 것을 이등분하므로
$\overline{AO}+\overline{BO}=\frac{1}{2}(\overline{AC}+\overline{BD})=\frac{1}{2}\times 24=12$ (cm)
$\therefore$ ($\triangle OAB$의 둘레의 길이)$=\overline{AB}+\overline{AO}+\overline{BO}$
$=6+12=18$ (cm)

2. 평행사변형이 되는 조건

개념 익히기

본문 | 63쪽

1-1 답 (1) $x=10$, $y=16$ (2) $x=108$, $y=72$ (3) $x=8$, $y=5$ (4) $x=35$, $y=7$

(1) 두 쌍의 대변의 길이가 각각 같아야 하므로
$\overline{AB}=\overline{DC}=10$ cm에서 $x=10$
$\overline{AD}=\overline{BC}=16$ cm에서 $y=16$

(2) 두 쌍의 [대각]의 크기가 각각 같아야 하므로
$\angle A=\angle C=108°$에서 $x=108$
$\angle B=\angle D=72°$에서 $y=$ [72]

(3) 두 대각선이 서로 다른 것을 [이등분]해야 하므로
$\overline{OB}=\overline{OD}=8$ cm에서 $x=$ [8]
$\overline{OC}=\overline{OA}=5$ cm에서 $y=5$

(4) 한 쌍의 대변이 평행하고 그 길이가 같아야 하므로
$\overline{AD}/\!/\overline{BC}$에서 $\angle DAC=\angle ACB=35°$ (엇각) $\therefore x=35$
$\overline{AD}=\overline{BC}=7$ cm에서 $y=$ [7]

1-2 답 풀이 참조

(1) 두 쌍의 대변이 각각 평행해야 하므로
$\overline{AB} /\!/ \boxed{\overline{DC}}$, $\overline{AD} /\!/ \boxed{\overline{BC}}$

(2) 두 쌍의 대변의 길이가 각각 같아야 하므로
$\overline{AB} = \boxed{\overline{DC}}$, $\overline{AD} = \boxed{\overline{BC}}$

(3) 두 쌍의 대각의 크기가 각각 같아야 하므로
$\angle BAD = \boxed{\angle BCD}$, $\angle ABC = \boxed{\angle CDA}$

(4) 두 대각선이 서로 다른 것을 이등분해야 하므로
$\overline{AO} = \boxed{\overline{CO}}$, $\overline{BO} = \boxed{\overline{DO}}$

(5) 한 쌍의 대변이 평행하고 그 길이가 같아야 하므로
$\overline{AD} /\!/ \boxed{\overline{BC}}$, $\overline{AD} = \boxed{\overline{BC}}$

(6) 한 쌍의 대변이 평행하고 그 길이가 같아야 하므로
$\overline{AB} /\!/ \boxed{\overline{DC}}$, $\overline{AB} = \boxed{\overline{DC}}$

2-1 답 24 cm^2

평행사변형 ABCD의 넓이는 두 대각선에 의하여 사등분되므로

$$\triangle OAB + \triangle OCD = \frac{1}{4}\square ABCD + \boxed{\frac{1}{4}}\square ABCD$$
$$= \boxed{\frac{1}{2}}\square ABCD = \frac{1}{2} \times 48 = \boxed{24}\ (\text{cm}^2)$$

2-2 답 (1) 10 cm^2 (2) 20 cm^2

(1) $\triangle ABC = \triangle ABO + \triangle BCO$ ($\triangle ABO = \triangle BCO$)
$= 2\triangle ABO$
$= 2 \times 5 = 10\ (\text{cm}^2)$

(2) $\triangle ABO = \frac{1}{4}\square ABCD$이므로
$\square ABCD = 4\triangle ABO = 4 \times 5 = 20\ (\text{cm}^2)$

유형 익히기 – 확인 문제

본문 | 65~68 쪽

01 답 1. (1) $x=7, y=7$ (2) $x=40, y=75$ 2. ④, ⑤

셀파 평행사변형이 되는 5가지 조건을 생각한다.

1. (1) 두 쌍의 대변의 길이가 각각 같아야 하므로
$\overline{AD} = \overline{BC}$에서 $x+10=3x-4$
$2x=14 \quad \therefore x=7$
$\overline{AB} = \overline{DC}$에서 $2y=3y-7 \quad \therefore y=7$

(2) 두 쌍의 대각의 크기가 각각 같아야 하므로
$\angle BAD = \angle BCD$에서 $105° = x° + 65° \quad \therefore x=40$
$\angle B = \angle D = y°$이고 $\square ABCD$의 네 내각의 크기의 합이 $360°$이므로 $105+y+105+y=360$
$2y=150 \quad \therefore y=75$

2. ① $\angle D = 360° - (125° + 55° + 125°) = 55°$
따라서 $\angle A = \angle C$, $\angle B = \angle D$
즉 두 쌍의 대각의 크기가 각각 같으므로 $\square ABCD$는 평행사변형이다.
② $\square ABCD$에서 두 쌍의 대변의 길이가 각각 같으므로 평행사변형이다.
③ $\angle ADB = \angle DBC = 26°$ (엇각)이므로 $\overline{AD} /\!/ \overline{BC}$
또 $\overline{AD} = \overline{BC} = 5\text{ cm}$
즉 한 쌍의 대변이 평행하고 그 길이가 같으므로 $\square ABCD$는 평행사변형이다.
④ $\square ABCD$에서 두 대각선이 서로 다른 것을 이등분하지 않으므로 평행사변형이 아니다.
⑤ $\angle DAC = \angle ACB = 30°$ (엇각)이므로 $\overline{AD} /\!/ \overline{BC}$
$\angle BAC \neq \angle ACD$ (엇각)이므로 $\overline{AB}$와 $\overline{DC}$는 평행하지 않다.
즉 한 쌍의 대변만 평행하므로 $\square ABCD$는 평행사변형이 아니다.
따라서 평행사변형이 아닌 것은 ④, ⑤이다.

02 답 1. 30 cm 2. ㉠, ㉡, ㉣, ㉥

셀파 $\square ABCD$가 평행사변형임을 이용하여 색칠한 사각형이 평행사변형임을 확인한다.

1. 평행사변형 ABCD에서
$\overline{OA} = \overline{OC}$, $\overline{OB} = \overline{OD}$이고 $\overline{AE} = \overline{CF}$이므로
$\overline{OE} = \overline{OA} - \overline{AE} = \overline{OC} - \overline{CF} = \overline{OF}$
즉 $\overline{OB} = \overline{OD}$, $\overline{OE} = \overline{OF}$이므로 $\square EBFD$는 평행사변형이다.
따라서 평행사변형의 두 쌍의 대변의 길이는 각각 같으므로
($\square EBFD$의 둘레의 길이)$= 2(\overline{EB} + \overline{ED})$
$= 2 \times (7+8) = 30\ (\text{cm})$

2. $\square ABCD$가 평행사변형이므로 $\overline{OA} = \overline{OC}$ (㉠), $\overline{OB} = \overline{OD}$
두 점 E, F가 각각 $\overline{OB}$, $\overline{OD}$의 중점이므로
$\overline{OE} = \frac{1}{2}\overline{OB} = \frac{1}{2}\overline{OD} = \overline{OF}$ (㉡)
즉 $\overline{OA} = \overline{OC}$, $\overline{OE} = \overline{OF}$이므로 $\square AECF$는 평행사변형이다.
$\therefore \overline{AE} /\!/ \overline{FC}$, $\overline{AF} /\!/ \overline{EC}$,
$\overline{AE} = \overline{FC}$, $\overline{AF} = \overline{EC}$,
$\angle AEC = \angle AFC$ (㉥), $\angle EAF = \angle ECF$
㉣ $\overline{AE} /\!/ \overline{FC}$이므로 $\angle AEO = \angle CFO$ (엇각)
따라서 옳은 것은 ㉠, ㉡, ㉣, ㉥이다.

03 답 15 cm^2

셀파 □ABNM과 □MNCD가 평행사변형임을 이용한다.

□ABNM에서 $\overline{AM}\,/\!/\,\overline{BN}$, $\overline{AM}=\overline{BN}$이므로 □ABNM은 평행사변형이다. $\therefore \triangle MPN=\frac{1}{4}$□ABNM

□MNCD에서 $\overline{MD}\,/\!/\,\overline{NC}$, $\overline{MD}=\overline{NC}$이므로 □MNCD는 평행사변형이다. $\therefore \triangle MNQ=\frac{1}{4}$□MNCD

∴ □MPNQ$=\triangle MPN+\triangle MNQ$

$=\frac{1}{4}$□ABNM$+\frac{1}{4}$□MNCD

$=\frac{1}{4}$(□ABNM+□MNCD)

$=\frac{1}{4}$□ABCD$=\frac{1}{4}\times 60=15\ (\text{cm}^2)$

04 답 7 cm^2

셀파 $\triangle PAB+\triangle PCD=\triangle PDA+\triangle PBC$

평행사변형 ABCD의 내부의 한 점 P에 대하여

$\triangle PAB+\triangle PCD=\triangle PDA+\triangle PBC$이므로

$12+9=\triangle PDA+14$

$\therefore \triangle PDA=7\ (\text{cm}^2)$

실력 키우기

본문 | 69~71 쪽

01 답 $84°$

셀파 평행사변형에서 이웃하는 두 내각의 크기의 합은 $180°$이다.

□ABCD가 평행사변형이므로 $\angle C+\angle D=180°$

$110°+\angle D=180°$ $\quad\therefore \angle D=70°$

$\triangle AED$에서 $26°+\angle x+70°=180°$ $\quad\therefore \angle x=84°$

▮다른 풀이▮ $\overline{AB}\,/\!/\,\overline{DC}$에서 $\angle BAE=\angle DEA=\angle x$

$\angle BAD=\angle C$에서 $\angle x+26°=110°$ $\quad\therefore \angle x=84°$

02 답 12 cm

셀파 평행사변형은 두 쌍의 대변의 길이가 각각 같다.

평행사변형 ABCD의 둘레의 길이가 60 cm이므로

$\overline{AD}+\overline{AB}=\frac{1}{2}\times 60=30\ (\text{cm})$

$\overline{AD}:\overline{AB}=3:2$이므로 $\overline{AB}=30\times\frac{2}{3+2}=12\ (\text{cm})$

$\therefore \overline{DC}=\overline{AB}=12\text{ cm}$

03 답 ④

셀파 평행사변형의 뜻과 성질을 생각한다.

④ $\overline{AB}=\overline{DC}$, $\overline{AD}=\overline{BC}$이지만 $\overline{AB}=\overline{BC}$인지 알 수 없다.

04 답 ②

셀파 □DECF가 평행사변형이므로 $\overline{DE}\,/\!/\,\overline{FC}$, $\overline{DF}\,/\!/\,\overline{EC}$

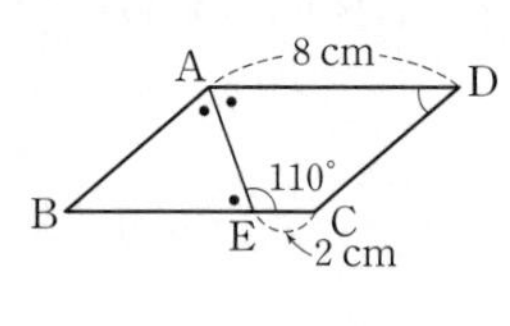

① $\overline{DF}\,/\!/\,\overline{EC}$이므로
$\angle C=\angle AFD$ (동위각)

③ $\triangle ABC$는 $\overline{AB}=\overline{AC}$인 이등변삼각형이므로 $\angle C=\angle DBE$

④ $\overline{DE}\,/\!/\,\overline{FC}$이므로
$\angle C=\angle DEB$ (동위각)

⑤ 평행사변형에서 대각의 크기는 같으므로
$\angle C=\angle FDE$

따라서 $\angle C$와 크기가 다른 각은 ② $\angle BDE$이다.

05 답 (1) 이등변삼각형 (2) $40°$

셀파 평행한 두 직선이 다른 한 직선과 만나서 생기는 엇각의 크기는 같다.

1 $\triangle ABE$가 이등변삼각형인지 알기 [40 %]

(1) $\overline{AD}\,/\!/\,\overline{BC}$이므로
$\angle DAE=\angle BEA$ (엇각)
따라서 $\angle BAE=\angle BEA$이므로
$\triangle ABE$는 $\overline{BA}=\overline{BE}$인 이등변삼각형이다.

2 $\angle ADC$의 크기 구하기 [60 %]

(2) $\angle AEB=180°-110°=70°$
$\triangle ABE$에서 $\angle B+70°+70°=180°$ $\quad\therefore \angle B=40°$
이때 평행사변형 ABCD에서 대각의 크기는 같으므로
$\angle D=\angle B=40°$

06 답 4 cm

셀파 $\triangle ABE$와 $\triangle DFC$는 이등변삼각형이다.

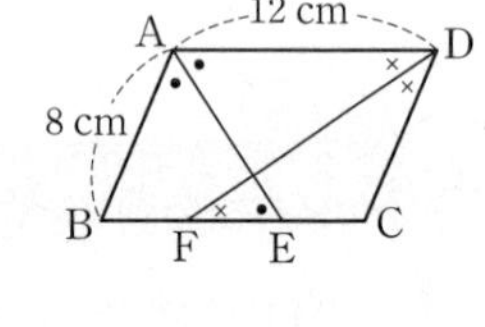

$\overline{AD}\,/\!/\,\overline{BC}$이므로
$\angle DAE=\angle BEA$ (엇각)
즉 $\angle BAE=\angle BEA$이므로
$\triangle ABE$는 $\overline{BE}=\overline{BA}=8\text{ cm}$인 이등변삼각형이다.
또 $\overline{AD}\,/\!/\,\overline{BC}$이므로 $\angle ADF=\angle CFD$ (엇각)
즉 $\angle CDF=\angle CFD$이므로 $\triangle DFC$는 $\overline{CF}=\overline{CD}=8\text{ cm}$인 이등변삼각형이다.
이때 $\overline{CE}=\overline{BC}-\overline{BE}=12-8=4\ (\text{cm})$이므로
$\overline{EF}=\overline{CF}-\overline{CE}=8-4=4\ (\text{cm})$

07 답 12 cm

셀파 $\triangle ABE \equiv \triangle FCE$임을 이용한다.

① $\triangle ABE \equiv \triangle FCE$임을 알기 [40 %]

$\triangle ABE$와 $\triangle FCE$에서

$\overline{BE}=\overline{CE}$, $\angle AEB=\angle FEC$ (맞꼭지각)

$\overline{AB} /\!/ \overline{DF}$이므로 $\angle ABE=\angle FCE$ (엇각)

$\therefore \triangle ABE \equiv \triangle FCE$ (ASA 합동)

② $\overline{CF}$의 길이 구하기 [20 %]

$\therefore \overline{CF}=\overline{BA}=6$ cm

③ $\overline{DF}$의 길이 구하기 [40 %]

또 $\overline{DC}=\overline{AB}=6$ cm이므로

$\overline{DF}=\overline{DC}+\overline{CF}=6+6=12$ (cm)

08 답 135°

셀파 $\angle A+\angle B=180°$임을 이용하여 $\angle A$의 크기를 구한다.

$\overline{AD} /\!/ \overline{BC}$이므로 $\angle A+\angle B=180°$이고

$\angle A : \angle B=3:1$이므로 $\angle A=180° \times \frac{3}{3+1}=135°$

$\therefore \angle C=\angle A=135°$

09 답 8 cm^2

셀파 $\triangle OEB \equiv \triangle OFD$임을 이용한다.

$\triangle OEB$와 $\triangle OFD$에서

$\angle OEB=\angle OFD=90°$ (엇각), $\overline{OB}=\overline{OD}$,

$\angle BOE=\angle DOF$ (맞꼭지각)

이므로 $\triangle OEB \equiv \triangle OFD$ (RHA 합동)

$\therefore \overline{OE}=\overline{OF}=4$ cm, $\overline{BE}=\overline{DF}=\overline{DC}-\overline{FC}=6-2=4$ (cm)

따라서 $\triangle OEB$의 넓이는 $\frac{1}{2} \times 4 \times 4=8$ (cm^2)

10 답 ㉠, ㉢

셀파 평행사변형이 되는 5가지 조건을 생각한다.

$\overline{AD} /\!/ \overline{BC}$일 때, ㉠ $\overline{AD}=\overline{BC}$이거나 ㉢ $\overline{AB} /\!/ \overline{DC}$이면 □ABCD는 평행사변형이 된다.

11 답 ①

셀파 각 사각형이 평행사변형이 되는 조건을 만족하는지 확인한다.

① $\angle D=360°-(40°+140°+40°)=140°$

즉 $\angle A=\angle C=40°$, $\angle B=\angle D=140°$에서 두 쌍의 대각의 크기가 각각 같으므로 □ABCD는 평행사변형이다.

② 오른쪽 그림의 □ABCD는 $\overline{AB} /\!/ \overline{DC}$, $\overline{AB}=\overline{AD}=10$ cm이지만 평행사변형이 아니다.

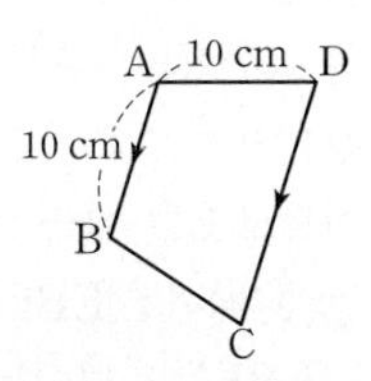

③ $\overline{OA} \neq \overline{OC}$, $\overline{OB} \neq \overline{OD}$이므로 □ABCD는 평행사변형이 아니다.

④ 오른쪽 그림의 □ABCD는 $\overline{AD} /\!/ \overline{BC}$, $\overline{AB}=\overline{DC}=3$ cm이지만 평행사변형이 아니다.

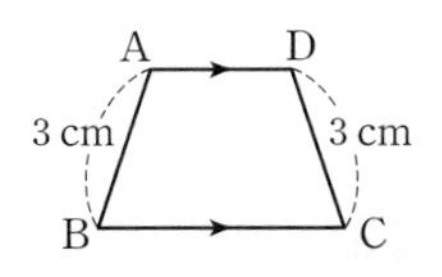

⑤ 오른쪽 그림의 □ABCD는 $\angle B=\angle C$, $\overline{AB}=\overline{BC}=6$ cm이지만 평행사변형이 아니다.

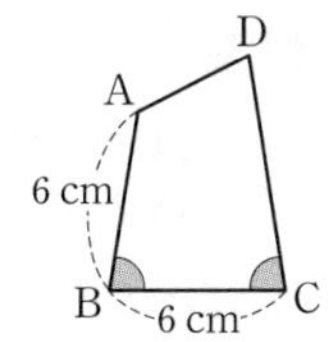

따라서 □ABCD가 평행사변형인 것은 ①이다.

12 답 ⑤

셀파 □ABCD가 평행사변형이므로 $\overline{AD} /\!/ \overline{BC}$, $\overline{AD}=\overline{BC}$임을 이용한다.

□ABCD가 평행사변형이므로 $\overline{AD} /\!/ \overline{BC}$, $\overline{AD}=\overline{BC}$

$\overline{AD} /\!/ \overline{BC}$이므로 $\overline{MD} /\!/ \overline{BN}$ …… ㉠

$\overline{AD}=\overline{BC}$이므로 $\overline{MD}=\frac{1}{2}\overline{AD}=\frac{1}{2}\overline{BC}=\overline{BN}$ …… ㉡

㉠, ㉡에서 한 쌍의 대변이 평행하고 그 길이가 같으므로 □MBND는 평행사변형이다.

13 답 40°

셀파 □AECF는 평행사변형임을 이용한다.

$\angle AEF=\angle CFE=90°$이므로 $\overline{AE} /\!/ \overline{CF}$ …… ㉠

$\triangle ABE$와 $\triangle CDF$에서

$\angle AEB=\angle CFD=90°$, $\overline{AB}=\overline{CD}$, $\angle ABE=\angle CDF$ (엇각)

이므로 $\triangle ABE \equiv \triangle CDF$ (RHA 합동)

$\therefore \overline{AE}=\overline{CF}$ …… ㉡

㉠, ㉡에서 □AECF는 평행사변형이다.

□AECF에서 $\overline{AE} /\!/ \overline{FC}$이므로 $\angle AFE=\angle CEF=50°$ (엇각)

$\triangle AEF$에서 $\angle EAF+90°+50°=180°$

$\therefore \angle EAF=40°$

14 답 27 cm^2

셀파 □EBFD는 평행사변형임을 이용한다.

$\overline{AD} /\!/ \overline{BC}$이므로 $\overline{ED} /\!/ \overline{BF}$ …… ㉠

$\angle AEB=\angle EBF$ (엇각)이고 $\angle ABE=\angle EBF$이므로

$\angle AEB=\angle ABE$

즉 $\triangle ABE$는 $\overline{AE}=\overline{AB}=9$ cm인 이등변삼각형이다.
같은 방법으로 하면 $\triangle DFC$는 $\overline{FC}=\overline{DC}=9$ cm인 이등변삼각형이므로 $\overline{ED}=\overline{BF}=12-9=3$ (cm) ⋯⋯ ㉡
㉠, ㉡에서 □EBFD는 평행사변형이므로
□EBFD의 넓이는 $3\times9=27$ (cm^2)
▮참고▮ (평행사변형의 넓이)=(밑변의 길이)×(높이)

15

답 (1) $\triangle CFO$, ASA 합동 (2) 16 cm^2

셀파 $\triangle AEO\equiv\triangle CFO$임을 이용한다.

① $\triangle AEO$와 합동인 삼각형을 찾고, 합동 조건 말하기 [40 %]

(1) $\triangle AEO$와 $\triangle CFO$에서
$\overline{AO}=\overline{CO}$,
$\angle AOE=\angle COF$ (맞꼭지각),
$\angle OAE=\angle OCF$ (엇각)
이므로 $\triangle AEO\equiv\triangle CFO$ (ASA 합동)

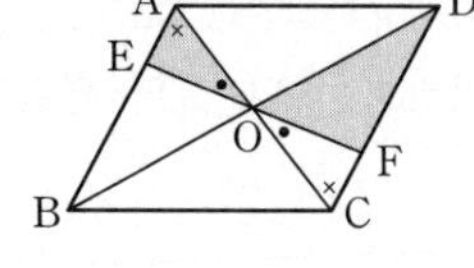

② 색칠한 부분의 넓이 구하기 [60 %]

(2) $\triangle AEO+\triangle OFD=\triangle CFO+\triangle OFD$
$=\triangle OCD=\frac{1}{4}$□ABCD
$=\frac{1}{4}\times64=16$ (cm^2)

16

답 (1) 60 cm^2 (2) 12 cm^2

셀파 (평행사변형의 넓이)=(밑변의 길이)×(높이)

① 평행사변형 ABCD의 넓이 구하기 [40 %]

(1) (평행사변형 ABCD의 넓이)$=12\times5=60$ (cm^2)

② $\triangle PDA$의 넓이 구하기 [60 %]

(2) $\triangle PDA+\triangle PBC=\frac{1}{2}$□ABCD이고
$\triangle PBC=18$ cm^{2}이므로 $\triangle PDA+18=\frac{1}{2}\times60=30$
$\therefore\ \triangle PDA=12$ (cm^2)

17

답 48 cm^2

셀파 평행사변형의 넓이는 한 대각선에 의하여 이등분되고, 두 대각선에 의하여 사등분됨을 이용한다.

□BFED에서 점 C는 두 대각선 BE, DF의 교점이고
$\overline{BC}=\overline{EC}$, $\overline{DC}=\overline{FC}$이므로 □BFED는 평행사변형이다.
□ABCD가 평행사변형이므로 $\triangle BCD=\triangle ABC=12$ cm^2
$\therefore$ □BFED$=4\triangle BCD=4\times12=48$ (cm^2)

5 여러 가지 사각형

개념 익히기

본문 | 75, 77 쪽

1-1

답 (1) 55° (2) 10 cm

(1) 직사각형의 네 내각의 크기는 모두 90°로 같으므로
$\triangle ACD$에서 $\angle ADC=\boxed{90^\circ}$
$\therefore\ \angle OCD=180^\circ-(\boxed{90^\circ}+35^\circ)=\boxed{55^\circ}$

(2) 직사각형의 두 대각선은 길이가 같고 서로 다른 것을 이등분하므로 $\overline{AC}=\overline{BD}=2\overline{DO}=2\times5=\boxed{10}$ (cm)

1-2

답 (1) $x=7$, $y=8$ (2) $x=58$, $y=58$

(1) 직사각형도 평행사변형이므로 대변의 길이가 같다.
즉 $\overline{DC}=\overline{AB}=7$ cm이므로 $x=7$
$\overline{DO}=\frac{1}{2}\overline{BD}=\frac{1}{2}\overline{AC}=\frac{1}{2}\times16=8$ (cm) $\therefore\ y=8$

(2) $\angle BAD=90^\circ$이므로 $\angle BAO=90^\circ-32^\circ=58^\circ$ $\therefore\ x=58$
$\overline{OA}=\overline{OB}$이므로 $\angle OBA=\angle OAB=58^\circ$ $\therefore\ y=58$

2-1

답 (1) 8 cm (2) 60°

(1) $\overline{BD}=2\overline{DO}=\boxed{8}$ (cm)

(2) $\overline{AC}\perp\overline{BD}$이므로 $\angle AOD=\boxed{90^\circ}$
$\triangle AOD$에서 $\angle OAD=180^\circ-(\boxed{90^\circ}+30^\circ)=\boxed{60^\circ}$

2-2

답 (1) $x=4$, $y=33$ (2) $x=50$, $y=6$

(1) 마름모의 네 변의 길이는 모두 같으므로
$\overline{CD}=\overline{BC}=4$ cm $\therefore\ x=4$
$\triangle ABD$에서 $\overline{AB}=\overline{AD}$이므로 $\angle ADB=\angle ABD=33^\circ$
$\therefore\ y=33$

(2) $\angle AOB=90^\circ$이므로 $\angle BAO=180^\circ-(90^\circ+40^\circ)=50^\circ$
$\therefore\ x=50$
$\overline{OD}=\frac{1}{2}\overline{BD}=\frac{1}{2}\times12=6$ (cm)이므로 $y=6$

3-1

답 (1) 5 cm (2) 45°

(1) $\overline{BO}=\frac{1}{2}\overline{BD}=\frac{1}{2}\overline{AC}=\frac{1}{2}\times10=\boxed{5}$ (cm)

(2) $\triangle OAB$에서 $\overline{OA}=\overline{OB}$이므로 $\angle OAB=\angle OBA$
이때 $\angle AOB=\boxed{90^\circ}$이므로
$\angle OAB=\frac{1}{2}\times(180^\circ-\boxed{90^\circ})=\boxed{45^\circ}$

3-2 답 (1) $x=6$, $y=90$ (2) $x=4$, $y=45$

(1) 정사각형의 네 변의 길이는 모두 같으므로
$\overline{AB}=\overline{AD}=6$ cm $\therefore x=6$
정사각형의 두 대각선은 서로 수직이므로
$\angle DOC=90°$ $\therefore y=90$

(2) 정사각형의 두 대각선은 길이가 같고 서로 다른 것을 수직이등분하므로
$\overline{BD}=\overline{AC}=2\overline{AO}=2\times2=4$ (cm) $\therefore x=4$
$\triangle OAB$에서 $\overline{OA}=\overline{OB}$이고 $\angle AOB=90°$이므로
$\angle OAB=\frac{1}{2}\times(180°-90°)=45°$
$\therefore y=45$

4-1 답 (1) 7 cm (2) 11 cm (3) 115°

(1) 등변사다리꼴의 평행하지 않은 한 쌍의 대변의 길이는 같으므로 $\overline{DC}=\overline{AB}=\boxed{7}$ cm

(2) 등변사다리꼴의 두 대각선의 길이는 같으므로
$\overline{AC}=\overline{DB}=\boxed{11}$ cm

(3) 등변사다리꼴의 밑변의 양 끝 각의 크기는 같으므로
$\angle ABC=\angle DCB=\boxed{65°}$
$\overline{AD}/\!/\overline{BC}$이므로 $\angle BAD+\angle ABC=180°$
$\therefore \angle BAD=180°-65°=\boxed{115°}$

4-2 답 (1) 4 cm (2) 6 cm (3) 70°

(1) $\overline{AB}=\overline{DC}=4$ cm

(2) $\overline{BD}=\overline{AC}=6$ cm

(3) $\angle BCD=\angle ABC=70°$

보고 또 보고
유형 익히기 - 확인 문제

본문 | 80~84쪽

01 답 (1) 7 cm (2) 64°

셀파 직사각형의 두 대각선은 길이가 같고 서로 다른 것을 이등분한다.

(1) $\overline{OC}=\frac{1}{2}\overline{AC}=\frac{1}{2}\overline{BD}=\frac{1}{2}\times14=7$ (cm)

(2) $\triangle OAB$에서 $\overline{OA}=\overline{OB}$이므로
$\angle OBA=\angle OAB=58°$
$\therefore \angle AOB=180°-(58°+58°)=64°$
$\therefore \angle DOC=\angle AOB=64°$ (맞꼭지각)

02 답 ②, ③

셀파 평행사변형이 직사각형이 되는 조건을 생각한다.

① $\overline{CD}=8$ cm이면 $\overline{AD}=\overline{DC}$
즉 평행사변형 ABCD의 이웃하는 두 변의 길이가 같으므로
□ABCD는 마름모이다.
② $\overline{AC}=10$ cm이면 $\overline{AC}=\overline{BD}$
즉 평행사변형 ABCD의 두 대각선의 길이가 같으므로
□ABCD는 직사각형이다.
③ $\angle ABC=90°$이면 평행사변형 ABCD의 한 내각의 크기가 90°이므로 □ABCD는 직사각형이다.
④ $\angle AOB=90°$이면 □ABCD는 마름모이다.
⑤ $\angle BAD+\angle ABC=180°$는 평행사변형 ABCD의 성질이다.
따라서 평행사변형 ABCD가 직사각형이 되는 조건은 ②, ③이다.

03 답 (1) 2 (2) 48°

셀파 마름모의 두 대각선은 서로 다른 것을 수직이등분한다.

(1) $\overline{AO}=\overline{CO}$이므로 $2x=3x-2$ $\therefore x=2$

(2) $\triangle ABO$에서 $\angle AOB=90°$이므로
$42°+\angle ABO+90°=180°$
$\therefore \angle ABO=48°$

04 답 ①, ⑤

셀파 평행사변형이 마름모가 되는 조건을 생각한다.

① $\angle ABO=50°$이면 $\angle ABC=50°+40°=90°$
즉 평행사변형 ABCD의 한 내각의 크기가 90°이므로
□ABCD는 직사각형이다.
② $\angle BDC=40°$이면 $\angle DBC=\angle BDC$이므로
$\triangle BCD$는 $\overline{BC}=\overline{DC}$인 이등변삼각형이다.
즉 평행사변형 ABCD의 이웃하는 두 변의 길이가 같으므로
□ABCD는 마름모이다.
③ $\angle DAC=50°$이면 $\angle ACB=\angle DAC=50°$ (엇각)
$\triangle OBC$에서 $\angle BOC=180°-(40°+50°)=90°$
즉 평행사변형 ABCD의 두 대각선이 서로 수직이므로
□ABCD는 마름모이다.
④ $\overline{AB}=10$ cm이면 $\overline{AB}=\overline{AD}$
즉 평행사변형 ABCD의 이웃하는 두 변의 길이가 같으므로
□ABCD는 마름모이다.
⑤ $\overline{AO}=\overline{BO}$이면 $\overline{AC}=\overline{BD}$
즉 평행사변형 ABCD의 두 대각선의 길이가 같으므로
□ABCD는 직사각형이다.
따라서 평행사변형 ABCD가 마름모가 되는 조건이 아닌 것은 ①, ⑤이다.

05 답 (1) 8 cm² (2) 32 cm²

셀파 정사각형의 두 대각선은 길이가 같고 서로 다른 것을 수직이등분한다.

(1) $\overline{CO}=\overline{DO}=\frac{1}{2}\overline{BD}=\frac{1}{2}\times8=4\ (cm)$
또 $\overline{AC}\perp\overline{BD}$이므로 $\angle DOC=90^\circ$
$\therefore \triangle OCD=\frac{1}{2}\times4\times4=8\ (cm^2)$

(2) (□ABCD의 넓이)$=4\triangle OCD=4\times8=32\ (cm^2)$

06 답 ㄷ, ㄹ

셀파 마름모가 정사각형이 되는 조건을 생각한다.

ㄱ $\overline{AB}=\overline{AD}$, ㄴ $\overline{AC}\perp\overline{BD}$는 마름모의 성질이다.
ㄷ $\overline{OB}=\overline{OC}$이면 $\overline{BD}=2\overline{OB}=2\overline{OC}=\overline{AC}$
즉 두 대각선의 길이가 같으므로 마름모 ABCD는 정사각형이 된다.
ㄹ 마름모는 평행사변형이므로 $\angle ABC+\angle BCD=180^\circ$
$\angle ABC=\angle BCD$이므로 $\angle ABC=\angle BCD=90^\circ$
즉 한 내각의 크기가 90°이므로 마름모 ABCD는 정사각형이 된다.
따라서 마름모 ABCD가 정사각형이 되는 조건은 ㄷ, ㄹ이다.

07 답 70°

셀파 등변사다리꼴에서 밑변의 양 끝 각의 크기는 같다.

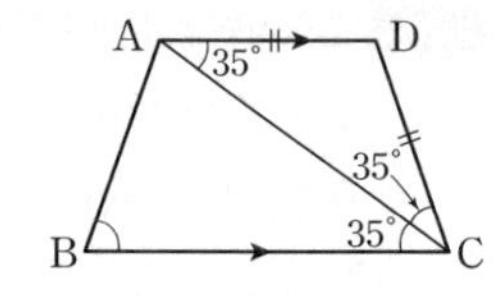

오른쪽 그림에서 $\overline{AD}/\!/\overline{BC}$이므로
$\angle DAC=\angle ACB=35^\circ$ (엇각)
이때 $\overline{AD}=\overline{CD}$이므로 △DAC는 이등변삼각형이다.
$\therefore \angle DCA=\angle DAC=35^\circ$
따라서 $\angle DCB=35^\circ+35^\circ=70^\circ$이므로 $\angle B=\angle DCB=70^\circ$

08 답 8 cm

셀파 꼭짓점 D에서 $\overline{BC}$에 수선의 발을 내려 합동인 두 삼각형을 찾는다.

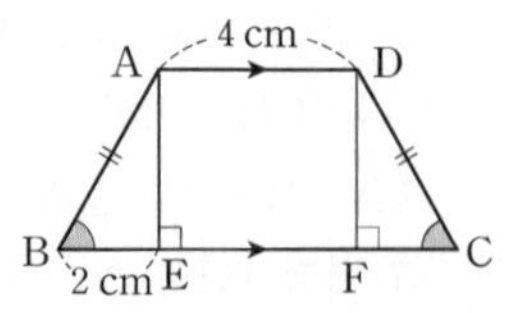

오른쪽 그림과 같이 꼭짓점 D에서 $\overline{BC}$에 내린 수선의 발을 F라 하자.
△ABE와 △DCF에서
$\angle AEB=\angle DFC=90^\circ$,
$\overline{AB}=\overline{DC}$ (등변사다리꼴의 성질),
$\angle ABE=\angle DCF$ (등변사다리꼴의 뜻)
이므로 $\triangle ABE\equiv\triangle DCF$ (RHA 합동)
$\therefore \overline{CF}=\overline{BE}=2\ cm$
또 □AEFD는 직사각형이므로 $\overline{EF}=\overline{AD}=4\ cm$
$\therefore \overline{BC}=\overline{BE}+\overline{EF}+\overline{FC}=2+4+2=8\ (cm)$

09 답 70°

셀파 $\overline{AD}=\overline{DC}=\overline{DE}$이므로 △DAE는 이등변삼각형이다.

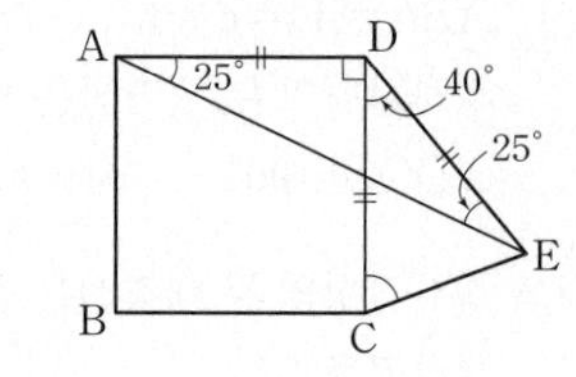

□ABCD는 정사각형이므로
$\overline{AB}=\overline{BC}=\overline{CD}=\overline{DA}$
조건에서 $\overline{DC}=\overline{DE}$이므로
$\overline{DA}=\overline{DE}$
즉 △DAE가 이등변삼각형이므로
$\angle DEA=\angle DAE=25^\circ$
$\therefore \angle ADE=180^\circ-(25^\circ+25^\circ)=130^\circ$
$\angle ADC=90^\circ$이므로
$\angle CDE=\angle ADE-\angle ADC=130^\circ-90^\circ=40^\circ$
따라서 △DCE에서 $\angle DCE=\frac{1}{2}\times(180^\circ-40^\circ)=70^\circ$

10 답 (1) 마름모 (2) 90°

셀파 $\overline{AD}/\!/\overline{BC}$임을 이용하여 크기가 같은 각을 그림에 표시한다.

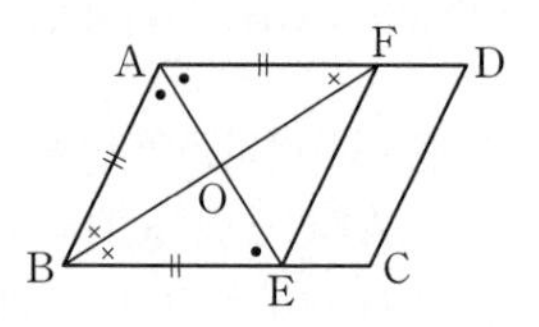

(1) $\overline{AD}/\!/\overline{BC}$이므로
$\angle AEB=\angle FAE$ (엇각),
$\angle AFB=\angle FBE$ (엇각)
따라서 △ABE와 △ABF는 이등변삼각형이다.
$\therefore \overline{AB}=\overline{BE}$, $\overline{AB}=\overline{AF}$
즉 $\overline{AF}/\!/\overline{BE}$이고 $\overline{AF}=\overline{BE}$이므로 □ABEF는 평행사변형이고, □ABEF는 이웃하는 두 변의 길이가 같으므로 마름모이다.

(2) 마름모의 두 대각선은 서로 다른 것을 수직이등분하므로
$\overline{AE}\perp\overline{BF}$ $\therefore \angle BOE=90^\circ$

실력 키우기

본문 | 85~87 쪽

01 답 ③

셀파 여러 가지 사각형의 뜻과 성질을 생각한다.

① 두 대각선의 길이가 같은 사각형은 직사각형, 정사각형, 등변사다리꼴이다. 평행사변형은 두 대각선의 길이가 같지 않은 경우도 있다.
② 한 내각의 크기가 90°인 평행사변형은 직사각형이다.
④ 이웃하는 두 내각의 크기가 같은 평행사변형은 직사각형이다.
⑤ 한 쌍의 대각의 크기의 합이 180°인 평행사변형은 직사각형이다.
따라서 옳은 것은 ③이다.

02 답 15

셀파 직사각형의 한 내각의 크기는 90°이고 두 대각선은 길이가 같고 서로 다른 것을 이등분함을 이용한다.

$\triangle BCD$에서 $\angle BCD=90^\circ$이므로

$x+35+90=180 \qquad \therefore x=55$

$\overline{OB}=\overline{OC}$이므로 $\angle OCB=\angle OBC=35^\circ$

$\triangle OBC$에서 $\angle AOB=\angle OBC+\angle OCB=35^\circ+35^\circ=70^\circ$

$\therefore y=70$

$\therefore y-x=70-55=15$

03 답 ㉠, ㉣

셀파 직사각형의 두 대각선의 길이는 같다.

2개의 막대가 직사각형의 두 대각선이 되므로 그 길이가 같아야 한다. 따라서 직사각형 모양의 집터를 그리기 위해 크펠레 족이 준비해야 하는 나무 막대 2개는 길이가 같은 ㉠, ㉣이다.

04 답 40°

셀파 마름모의 두 대각선은 서로 다른 것을 수직이등분한다.

마름모는 평행사변형이므로 $\overline{AD}/\!/\overline{BC}$

$\therefore \angle ACB=\angle DAC=50^\circ$ (엇각)

또 $\angle BOC=90^\circ$이므로 $\triangle OBC$에서

$\angle OBC=180^\circ-(90^\circ+50^\circ)=40^\circ$

$\therefore \angle DBC=40^\circ$

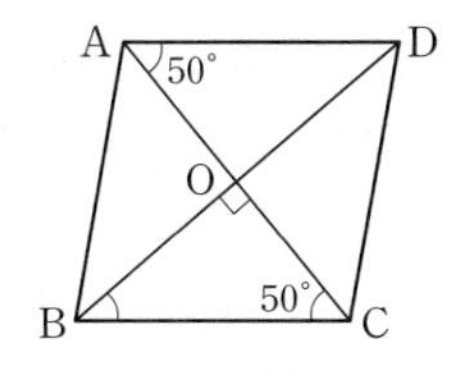

05 답 60°

셀파 $\square ABCD$가 마름모이므로 두 대각선은 서로 수직이다.

$\triangle ACE$에서

$\angle CAE+60^\circ+90^\circ=180^\circ$

$\therefore \angle CAE=30^\circ$

$\square ABCD$는 마름모이므로

$\overline{AC}\perp\overline{BD}$, 즉 $\angle AOF=90^\circ$

$\triangle AOF$에서 $30^\circ+90^\circ+\angle AFO=180^\circ$

$\therefore \angle AFO=60^\circ$

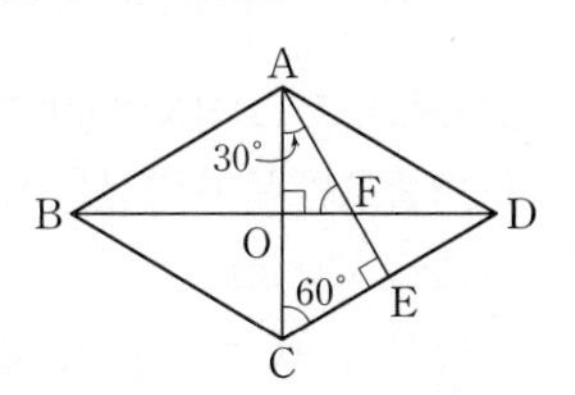

06 답 7 cm

셀파 $\overline{AB}/\!/\overline{DC}$이므로 $\angle BAO=\angle OCD$

① $\square ABCD$가 마름모임을 알기 [70 %]

$\overline{AB}/\!/\overline{DC}$이므로 $\angle OCD=\angle BAO=62^\circ$ (엇각)

$\triangle OCD$에서 $\angle COD=180^\circ-(62^\circ+28^\circ)=90^\circ$

즉 평행사변형 ABCD의 두 대각선이 서로 수직이므로 $\square ABCD$는 마름모이다.

② $\overline{BC}$의 길이 구하기 [30 %]

따라서 마름모의 네 변의 길이는 모두 같으므로

$\overline{BC}=\overline{DC}=7$ cm

07 답 25°

셀파 정사각형의 두 대각선은 내각을 이등분한다.

$\angle PAB=\frac{1}{2}\angle BAD=\frac{1}{2}\times 90^\circ=45^\circ$

$\triangle ABP$에서 $\angle PAB+\angle ABP=70^\circ$이므로

$45^\circ+\angle ABP=70^\circ \qquad \therefore \angle ABP=25^\circ$

08 답 (가) ㉣, ㉤ (나) ㉠, ㉡, ㉢, ㉥

셀파 (가)는 직사각형이고, (나)는 마름모이므로 각각 정사각형이 되기 위한 조건을 찾는다.

(가)는 직사각형이므로 정사각형이 되기 위한 조건으로 알맞은 것은

㉣ $\overline{AC}\perp\overline{BD}$ ⇨ 두 대각선이 서로 수직이다.

㉤ $\overline{BC}=\overline{CD}$ ⇨ 이웃하는 두 변의 길이가 같다.

(나)는 마름모이므로 정사각형이 되기 위한 조건으로 알맞은 것은

㉠ $\overline{AC}=\overline{BD}$ ⇨ 두 대각선의 길이가 같다.

㉡ $\overline{OA}=\overline{OB}$ ⇨ 두 대각선의 길이가 같다.

㉢ $\angle B=90^\circ$ ⇨ 한 내각이 직각이다.

㉥ $\angle BAD=\angle ABC$ ⇨ $\angle BAD+\angle ABC=180^\circ$이므로 $\angle BAD=\angle ABC=90^\circ$, 즉 한 내각이 직각이다.

09 답 25°

셀파 등변사다리꼴의 밑변의 양 끝 각의 크기는 같다.

오른쪽 그림에서 $\overline{AD}/\!/\overline{BC}$이므로

$\angle DBC=\angle ADB=40^\circ$ (엇각)

$\square ABCD$는 등변사다리꼴이므로

$\angle ABC=\angle DCB=65^\circ$

$\therefore \angle ABD=\angle ABC-\angle DBC$

$=65^\circ-40^\circ=25^\circ$

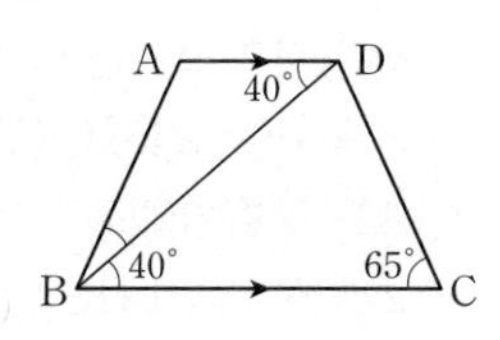

10 답 (가) $\overline{DE}$ (나) $\angle DEC$ (다) $\angle C$ (라) $\overline{DC}$ (마) $\overline{AB}$

셀파 평행선의 성질과 이등변삼각형이 되는 조건을 생각한다.

11 답 10 cm

셀파 $\overline{AB} /\!/ \overline{DE}$가 되도록 $\overline{DE}$를 긋는다.

□ABCD는 등변사다리꼴이므로

$\overline{DC}=\overline{AB}=6$ cm,

$\angle C=\angle B=180^\circ-\angle A=180^\circ-120^\circ=60^\circ$

오른쪽 그림과 같이 $\overline{AB} /\!/ \overline{DE}$가 되도록 $\overline{DE}$를 그으면

$\angle DEC=\angle ABE=60^\circ$ (동위각)

이므로 $\angle EDC=180^\circ-2\times 60^\circ=60^\circ$

즉 △DEC는 정삼각형이므로

$\overline{EC}=\overline{DC}=6$ cm

□ABED는 평행사변형이므로 $\overline{BE}=\overline{AD}=4$ cm

$\therefore \overline{BC}=\overline{BE}+\overline{EC}=4+6=10$ (cm)

12 답 35°

셀파 △ABE≡△BCF임을 이용한다.

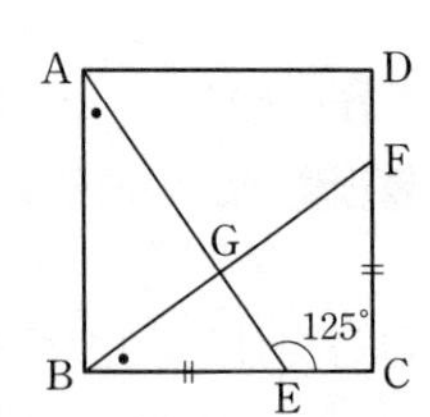

△ABE와 △BCF에서

$\overline{AB}=\overline{BC}$, $\angle ABE=\angle BCF=90^\circ$,

$\overline{BE}=\overline{CF}$

이므로 △ABE≡△BCF (SAS 합동)

$\therefore \angle BAE=\angle CBF$

이때 △ABE에서 $\angle BAE+90^\circ=125^\circ$

이므로 $\angle BAE=35^\circ$

$\therefore \angle CBF=\angle BAE=35^\circ$

13 답 (1) ㈎ ASA ㈏ $\overline{CF}$ ㈐ 마름모 (2) 5 cm

셀파 □AFCE가 어떤 사각형인지 판별한다.

(2) □AFCE는 마름모이므로

$\overline{AF}=\overline{AE}=\overline{AD}-\overline{ED}=8-3=5$ (cm)

14 답 (1) 이등변삼각형 (2) 55°

셀파 직사각형의 한 내각의 크기는 90°이다.

① △AGF가 이등변삼각형임을 알기 [50 %]

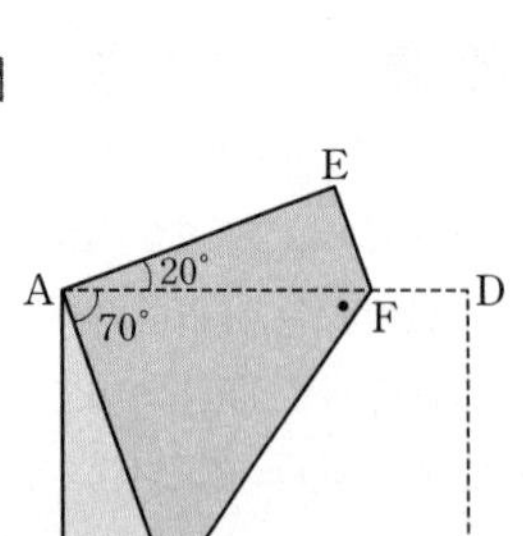
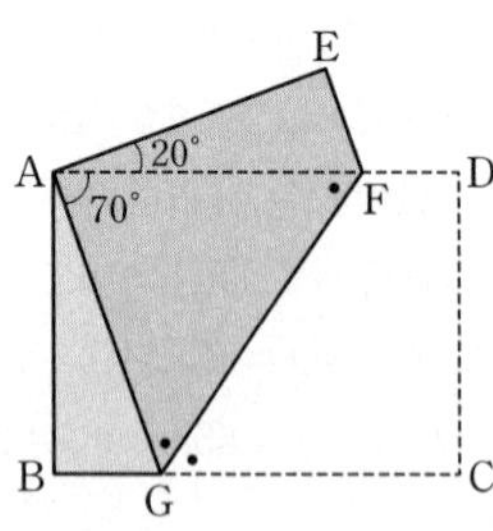

(1) 접은 각의 크기는 같으므로

$\angle AGF=\angle FGC$ (접은 각)

$\overline{AD} /\!/ \overline{BC}$이므로

$\angle AFG=\angle FGC$ (엇각)

$\therefore \angle AGF=\angle AFG$

따라서 △AGF는 이등변삼각형이다.

② ∠AGF의 크기 구하기 [50 %]

(2) $\angle EAG=90^\circ$이므로 $\angle FAG=90^\circ-20^\circ=70^\circ$

$\therefore \angle AGF=\frac{1}{2}\times(180^\circ-70^\circ)=55^\circ$

15 답 (1) 30° (2) 75° (3) 15°

셀파 정사각형의 뜻과 성질을 이용한다.

① ∠DCP의 크기 구하기 [40 %]

(1) 오른쪽 그림에서 △PBC는 정삼각형이므로 $\angle PCB=60^\circ$

$\therefore \angle DCP=90^\circ-60^\circ=30^\circ$

② ∠PDC의 크기 구하기 [30 %]

(2) △CDP에서 $\overline{CD}=\overline{CP}$이므로 이등변삼각형이다.

$\therefore \angle PDC=\frac{1}{2}\times(180^\circ-30^\circ)=75^\circ$

③ ∠ADP의 크기 구하기 [30 %]

(3) $\angle ADP=90^\circ-\angle PDC=90^\circ-75^\circ=15^\circ$

16 답 (1) 이등변삼각형 (2) 16 cm (3) 96 cm²

셀파 평행선의 성질을 이용하여 △DFC가 어떤 삼각형인지 생각해 본다.

① △DFC가 이등변삼각형임을 알기 [40 %]

(1) $\overline{BE}=\overline{BF}$이므로

$\angle BEF=\angle BFE$

$\angle BFE=\angle DFC$ (맞꼭지각)

마름모 ABCD는 평행사변형이므로 $\overline{AB} /\!/ \overline{CD}$

$\therefore \angle BEF=\angle DCF$ (엇각)

따라서 $\angle DFC=\angle DCF$이므로 △DFC는 이등변삼각형이다.

② $\overline{BD}$의 길이 구하기 [30 %]

(2) $\overline{DF}=\overline{DC}$이고 □ABCD가 마름모이므로

$\overline{DF}=\overline{DC}=\overline{BC}=10$ cm

$\therefore \overline{BD}=\overline{BF}+\overline{DF}=6+10=16$ (cm)

③ 마름모 ABCD의 넓이 구하기 [30 %]

(3) 마름모의 두 대각선은 서로 다른 것을 수직이등분하므로

$\overline{AC}=12$ cm

따라서 $\overline{AC}=12$ cm, $\overline{BD}=16$ cm이므로

$$(\text{마름모 ABCD의 넓이})=\frac{1}{2}\times\overline{AC}\times\overline{BD}=\frac{1}{2}\times 12\times 16=96\ (\text{cm}^2)$$

참고 (마름모의 넓이)

$=\frac{1}{2}\times$(한 대각선의 길이)×(다른 대각선의 길이)

6 여러 가지 사각형 사이의 관계

1. 여러 가지 사각형 사이의 관계

개념 익히기

본문 | 91 쪽

1-1 답 (1) ㉠, ㉡, ㉢, ㉣ (2) ㉡, ㉣

(1) 두 쌍의 대변의 길이가 각각 같은 것은 평행사변형의 성질이므로 [평행사변형]의 성질을 갖고 있는 것을 모두 고르면
㉠ 평행사변형, ㉡ 직사각형, ㉢ 마름모, ㉣ 정사각형

(2) 네 내각의 크기가 모두 같으면 [직사각형]이므로
[직사각형]이 될 수 있는 것을 모두 고르면
㉡ 직사각형, ㉣ 정사각형

1-2 답 (1) ㉠, ㉡, ㉢, ㉣ (2) ㉢, ㉣ (3) ㉡, ㉣ (4) ㉢, ㉣

(1) 두 쌍의 대각의 크기가 각각 같은 것은 평행사변형의 성질이므로 평행사변형의 성질을 갖고 있는 것을 모두 고르면
㉠ 평행사변형, ㉡ 직사각형, ㉢ 마름모, ㉣ 정사각형

(2) 네 변의 길이가 모두 같으면 마름모이므로
마름모가 될 수 있는 것을 모두 고르면
㉢ 마름모, ㉣ 정사각형

(3) 두 대각선의 길이가 같은 것은 직사각형의 성질이므로
직사각형의 성질을 갖고 있는 것을 모두 고르면
㉡ 직사각형, ㉣ 정사각형

(4) 두 대각선이 서로 수직인 것은 마름모의 성질이므로
마름모의 성질을 갖고 있는 것을 모두 고르면
㉢ 마름모, ㉣ 정사각형

2-1 답 ㉠ 직사각형 ㉡ 마름모

㉠ $\angle ABC=90^{\circ}$이면 네 내각의 크기가 모두 90°로 같으므로
□ABCD는 [직사각형]이다.

㉡ $\overline{AB}=\overline{BC}$이면 네 변의 길이가 모두 같으므로
□ABCD는 [마름모]이다.

2-2 답 (1) ㉡, ㉣ (2) ㉠, ㉢

(1) 평행사변형이 마름모가 되려면 이웃하는 두 변의 길이가 같거나 두 대각선이 서로 수직이어야 한다.
∴ ㉡, ㉣

(2) 마름모가 정사각형이 되려면 한 내각의 크기가 90°이거나 두 대각선의 길이가 같아야 한다.
∴ ㉠, ㉢

보고 또 보고

유형 익히기 - 확인 문제

본문 | 93~94 쪽

01 답 1. ②, ⑤ 2. ⑤

셀파 여러 가지 사각형 사이의 관계를 생각한다.

1. ② 마름모 중에는 정사각형이 아닌 것도 있다.
⑤ 등변사다리꼴은 직사각형이 아니다.

2. ⑤ $\overline{OA}=\overline{OB}=\overline{OC}=\overline{OD}$이면 $\overline{AC}=\overline{BD}$
즉 평행사변형 ABCD의 두 대각선의 길이가 같으므로
□ABCD는 직사각형이다.

02 답 3개

셀파 두 대각선의 길이가 같은 사각형은 직사각형의 성질을 갖는 사각형과 등변사다리꼴이다.

두 대각선의 길이가 같은 사각형은 ㉡ 등변사다리꼴, ㉣ 직사각형, ㉥ 정사각형의 3개이다.

03 답 ④

셀파 평행사변형의 각 변의 중점을 연결하여 만든 사각형은 평행사변형이다.

△APS와 △CRQ에서
$\overline{AS}=\overline{CQ}$, $\overline{AP}=\overline{CR}$, $\angle A=\angle C$
이므로 △APS≡△CRQ (SAS 합동)
∴ $\overline{PS}=\overline{RQ}$ (①)
같은 방법으로 하면 △BQP≡△DSR (SAS 합동)이므로
$\overline{PQ}=\overline{RS}$ (②)
즉 □PQRS는 두 쌍의 대변의 길이가 각각 같으므로 평행사변형이다.
∴ $\angle SPQ=\angle SRQ$ (③), $\angle PSR=\angle PQR$
⑤ $\overline{PS} /\!/ \overline{QR}$이므로 $\angle SPQ+\angle PQR=180^{\circ}$

2. 평행선과 넓이

개념 익히기

본문 | 97 쪽

1-1 답 25 cm^2

$l /\!/ m$이므로
△DBC=[△ABC]$=\frac{1}{2}\times 10\times$[5]$=25\ (\text{cm}^2)$

1-2 답 (1) △DBC (2) △ACD (3) △ABO

(1) $\overline{AD}/\!/\overline{BC}$이므로 △ABC와 △DBC의 밑변을 $\overline{BC}$로 잡으면 높이가 같으므로 두 삼각형의 넓이는 같다.
∴ △ABC=△DBC

(2) $\overline{AD}/\!/\overline{BC}$이므로 △ABD와 △ACD의 밑변을 $\overline{AD}$로 잡으면 높이가 같으므로 두 삼각형의 넓이는 같다.
∴ △ABD=△ACD

(3) △DOC=△DBC−△OBC
=△ABC−△OBC=△ABO

LECTURE 평행선에서 삼각형의 밑변을 잡는 방법

평행한 두 직선 중 하나와 삼각형의 변이 겹쳐지면 그 선분을 밑변으로 잡는다.
즉 (1)에서는 $\overline{AD}/\!/\overline{BC}$이고 $\overline{BC}$와 △ABC의 변이 겹쳐지므로 $\overline{BC}$를 밑변으로 잡는다.

2-1 답 (1) △ABD=24 cm², △ADC=40 cm² (2) 같다.

(1) $\triangle ABD=\frac{1}{2}\times 6\times \boxed{8}=\boxed{24}\ (cm^2)$

$\triangle ADC=\frac{1}{2}\times 10\times 8=40\ (cm^2)$

(2) △ABD : △ADC=$\boxed{24}$: 40=$\boxed{3}$: $\boxed{5}$
$\overline{BD}$: $\overline{DC}$=6 : 10=3 : 5
∴ △ABD : △ADC $\boxed{=}$ $\overline{BD}$: $\overline{DC}$

2-2 답 12 cm²

$\overline{BD}$: $\overline{DC}$=1 : 2이므로 △ABD : △ADC=1 : 2
△ABC=18 cm²이므로

$\triangle ADC=18\times\frac{2}{1+2}=12\ (cm^2)$

보고 또 보고 **유형 익히기 – 확인 문제** 본문 | 98~99 쪽

01 답 (1) △ABD (2) 45 cm²

셀파 $\overline{AE}/\!/\overline{DB}$이므로 △DEB와 △ABD의 높이는 같다.

(1) $\overline{AE}/\!/\overline{DB}$이므로 △DEB=△ABD

(2) □ABCD=△ABD+△DBC
=△DEB+△DBC
=△DEC=45 cm²

02 답 20 cm²

셀파 높이가 같은 두 삼각형의 넓이의 비는 밑변의 길이의 비와 같다.

$\overline{BE}$: $\overline{EC}$=3 : 2이므로
△DBE : △DEC=3 : 2
△DEC=16 cm²이므로
△DBE : 16=3 : 2
2△DBE=48
∴ △DBE=24 (cm²)
∴ △DBC=△DBE+△DEC=24+16=40 (cm²)
또 $\overline{AD}$: $\overline{DB}$=1 : 2이므로 △ADC : △DBC=1 : 2
△ADC : 40=1 : 2, 2△ADC=40
∴ △ADC=20 (cm²)

03 답 45 cm²

셀파 $\overline{BO}$: $\overline{DO}$=3 : 2이므로 △ABO : △AOD=3 : 2

△ABO : △AOD=3 : 2이고
△ABD=30 cm²이므로

$\triangle ABO=\triangle ABD\times\frac{3}{3+2}$

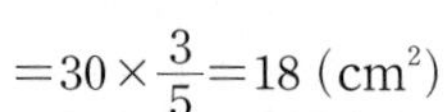

$=30\times\frac{3}{5}=18\ (cm^2)$

이때 △DOC=△ABO=18 cm²이고
△DOC : △OBC=2 : 3이므로 18 : △OBC=2 : 3
2△OBC=54 ∴ △OBC=27 (cm²)
∴ △DBC=△DOC+△OBC
=18+27=45 (cm²)

04 답 4 cm²

셀파 대각선 AC를 그으면 $\triangle ABC=\frac{1}{2}\square ABCD$

대각선 AC를 그으면

$\triangle ABC=\frac{1}{2}\square ABCD$

$=\frac{1}{2}\times 28=14\ (cm^2)$

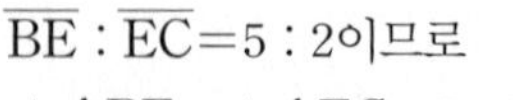

$\overline{BE}$: $\overline{EC}$=5 : 2이므로
△ABE : △AEC=5 : 2

$\therefore \triangle AEC=\triangle ABC\times\frac{2}{5+2}=14\times\frac{2}{7}=4\ (cm^2)$

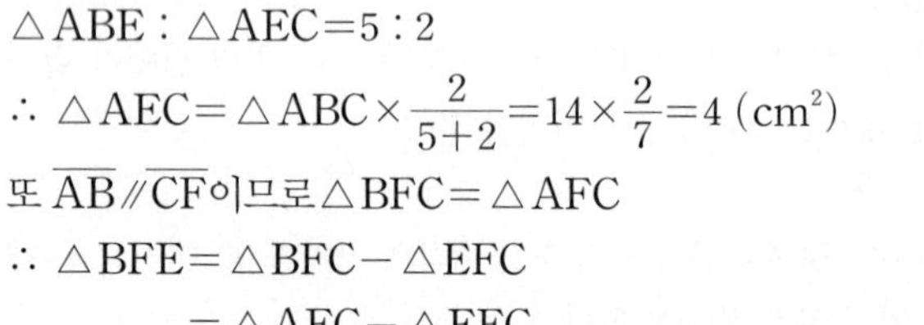

또 $\overline{AB}/\!/\overline{CF}$이므로 △BFC=△AFC
∴ △BFE=△BFC−△EFC
=△AFC−△EFC
=△AEC=4 cm²

01 답 ①, ⑤

셀파 어떤 사각형이 다른 사각형이 되기 위해 필요한 조건을 생각한다.

② $\overline{AC}\perp\overline{BD}$이면 평행사변형 ABCD는 마름모가 된다.
③ $\overline{AB}=\overline{CD}$는 평행사변형이 이미 갖고 있는 성질이다.
④ $\overline{AC}=\overline{BD}$는 직사각형이 이미 갖고 있는 성질이다.
따라서 ①~⑤에 들어갈 조건으로 옳은 것은 ①, ⑤이다.

02 답 준서, 고은

셀파 여러 가지 사각형 사이의 포함 관계를 생각한다.

민수: 직사각형 중에는 정사각형이 아닌 것도 있다.
성하: 직사각형 중에는 마름모가 아닌 것도 있다.

03 답 9

셀파 여러 가지 사각형의 대각선의 성질을 생각한다.

두 대각선이 서로 다른 것을 이등분하는 사각형은 ㉢, ㉣, ㉤, ㉥의 4개이므로 $a=4$
두 대각선의 길이가 같은 사각형은 ㉡, ㉣, ㉥의 3개이므로 $b=3$
두 대각선이 서로 수직인 사각형은 ㉤, ㉥의 2개이므로 $c=2$
$\therefore a+b+c=4+3+2=9$

04 답 24 cm

셀파 등변사다리꼴의 각 변의 중점을 연결하여 만든 사각형은 마름모이다.

등변사다리꼴의 각 변의 중점을 연결하여 만든 사각형은 마름모이므로 □EFGH는 마름모이다.
따라서 □EFGH의 둘레의 길이는
$6\times4=24$ (cm)

05 답 ②

셀파 마름모의 각 변의 중점을 연결하여 만든 사각형은 직사각형이다.

마름모의 각 변의 중점을 연결하여 만든 사각형은 직사각형이므로 □EFGH는 직사각형이다.
따라서 직사각형에 대한 설명으로 옳지 않은 것은 ②이다.

06 답 50 cm²

셀파 △ADE와 넓이가 같은 삼각형을 찾는다.

1 △ADE와 넓이가 같은 삼각형 찾기 [30 %]
$\overline{DE}/\!/\overline{AC}$이므로
△ADE=△CDE ($\overline{DE}$가 밑변)

2 □ADME와 △DMC의 넓이가 같음을 알기 [30 %]
∴ □ADME=△DME+△ADE
=△DME+△CDE
=△DMC

3 □ADME의 넓이 구하기 [40 %]
이때 △DBC에서 $\overline{BM}:\overline{MC}=1:1$이므로
△DBM=△DMC
△DBM=50 cm²이므로 △DMC=50 cm²
∴ □ADME=△DMC=50 cm²

07 답 4 cm²

셀파 $\overline{BD}:\overline{DC}=3:1$이므로 △ABD : △ADC=3 : 1

오른쪽 그림에서 $\overline{BD}:\overline{DC}=3:1$이므로 △ABD : △ADC=3 : 1
이때 △ABC=40 cm²이므로

△ADC=△ABC×$\frac{1}{3+1}$
$=40\times\frac{1}{4}=10$ (cm²)
또 △ADC에서 $\overline{AE}:\overline{EC}=3:2$이므로
△ADE : △DCE=3 : 2
∴ △DCE=△ADC×$\frac{2}{3+2}=10\times\frac{2}{5}=4$ (cm²)

08 답 12 cm²

셀파 밑변이 공통이고 높이가 같은 두 삼각형의 넓이는 같다.

$\overline{AD}/\!/\overline{BC}$이므로 △ABC=△DBC
∴ △OCD=△DBC−△OBC
=△ABC−△OBC
$=28-16=12$ (cm²)

09 답 6 cm²

셀파 $\overline{AD}/\!/\overline{BC}$이므로 △ABC=△DBC

$\overline{AD}/\!/\overline{BC}$이므로 △DBC=△ABC=24 cm²
$\overline{BO}:\overline{DO}=3:1$이므로 △OBC : △DOC=3 : 1
∴ △DOC=△DBC×$\frac{1}{3+1}=24\times\frac{1}{4}=6$ (cm²)

10 답 8 cm^2

셀파 $\overline{AC}$를 그으면 $\overline{AD} /\!/ \overline{BC}$이므로 $\triangle ABC = \triangle PBC$

① $\triangle PBC$의 넓이 구하기 [50 %]

오른쪽 그림과 같이 $\overline{AC}$를 그으면

$\overline{AD} /\!/ \overline{BC}$이므로

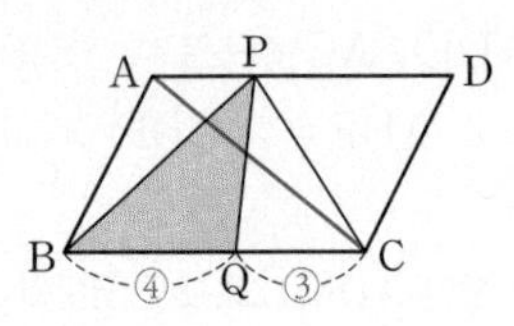

$\triangle PBC = \triangle ABC = \frac{1}{2}\square ABCD$

$= \frac{1}{2} \times 28 = 14\ (\text{cm}^2)$

② $\triangle PBQ$의 넓이 구하기 [50 %]

$\triangle PBC$에서 $\triangle PBQ : \triangle PQC = \overline{BQ} : \overline{QC} = 4 : 3$이므로

$\triangle PBQ = \triangle PBC \times \frac{4}{4+3} = 14 \times \frac{4}{7} = 8\ (\text{cm}^2)$

11 답 18 cm^2

셀파 높이가 같은 두 삼각형의 넓이의 비는 밑변의 길이의 비와 같음을 이용한다.

$\overline{PQ} = \frac{1}{3}\overline{BD}$이므로

$\triangle APQ = \frac{1}{3}\triangle ABD = \frac{1}{3} \times \frac{1}{2}\square ABCD$

$= \frac{1}{6}\square ABCD = \frac{1}{6} \times 54 = 9\ (\text{cm}^2)$

$\triangle CQP = \frac{1}{3}\triangle BCD = \frac{1}{3} \times \frac{1}{2}\square ABCD$

$= \frac{1}{6}\square ABCD = \frac{1}{6} \times 54 = 9\ (\text{cm}^2)$

$\therefore \square APCQ = \triangle APQ + \triangle CQP = 9 + 9 = 18\ (\text{cm}^2)$

12 답 ⑤

셀파 평행한 두 직선을 찾고 밑변의 길이와 높이가 같은 두 삼각형을 찾는다.

(i) $\overline{AD} /\!/ \overline{BC}$이므로

$\triangle CDF = \triangle BDF$ ($\overline{DF}$가 밑변)

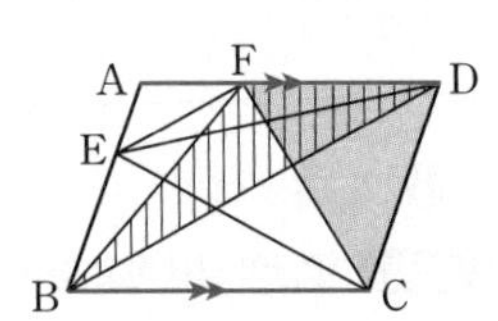

(ii) $\overline{BD} /\!/ \overline{EF}$이므로

$\triangle BDF = \triangle BDE$ ($\overline{BD}$가 밑변)

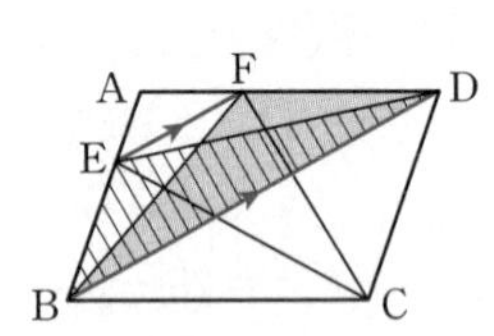

(iii) $\overline{AB} /\!/ \overline{DC}$이므로

$\triangle EBD = \triangle EBC$ ($\overline{EB}$가 밑변)

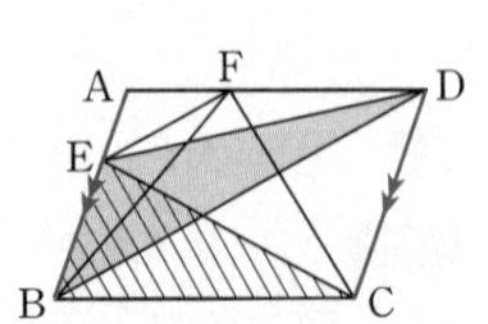

(i), (ii), (iii)에서

$\triangle BCE = \triangle BDE = \triangle BDF = \triangle CDF$

따라서 나머지 넷과 넓이가 항상 같다고 할 수 없는 것은

⑤ $\triangle EBF$이다.

13 답 정사각형

셀파 한 사각형이 다른 사각형이 되는 조건을 생각한다.

1단계: $\square ABCD$에서 $\overline{AB} = \overline{DC}$, $\overline{AD} = \overline{BC}$, 즉 두 쌍의 대변의 길이가 각각 같도록 만들면 $\square ABCD$는 평행사변형이 된다.

2단계: 평행사변형 ABCD에서 $\overline{AC} = \overline{BD}$, 즉 두 대각선의 길이가 같도록 만들면 평행사변형 ABCD는 직사각형이 된다.

3단계: 직사각형 ABCD에서 $\overline{AC} \perp \overline{BD}$, 즉 두 대각선이 서로 수직이 되도록 만들면 직사각형 ABCD는 정사각형이 된다.

14 답 (1) $\triangle AQC$ (2) 풀이 참조

셀파 $\triangle ABC$와 넓이가 같은 삼각형을 찾는다.

(1) $\overline{PQ} /\!/ \overline{AC}$이므로 $\triangle ABC = \triangle AQC$

(2) $\triangle ABC$와 $\triangle AQC$는 밑변이 $\overline{AC}$로 공통이고 $\overline{PQ} /\!/ \overline{AC}$이므로 높이가 같다.

따라서 $\triangle ABC = \triangle AQC$

15 답 (1) $\triangle AFC$ (2) $\triangle ADG$ (3) $\triangle AFG$ (4) 27 cm^2

셀파 $\overline{AF}$, $\overline{AG}$를 긋고 넓이가 같은 삼각형을 찾는다.

① $\triangle ABC$와 넓이가 같은 삼각형 찾기 [30 %]

(1) $\overline{AF}$를 그으면 $\overline{AC} /\!/ \overleftrightarrow{BF}$이므로

$\triangle ABC = \triangle AFC$

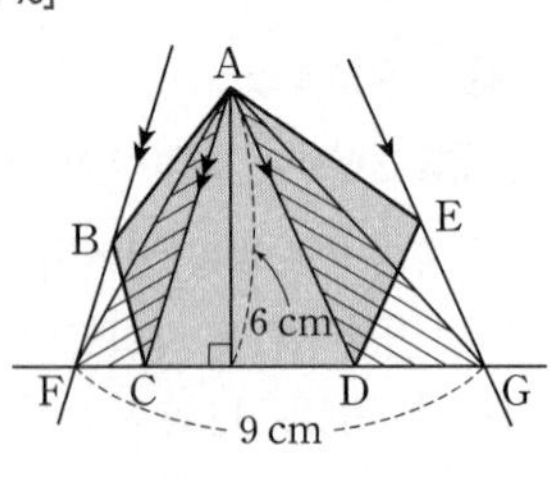

② $\triangle ADE$와 넓이가 같은 삼각형 찾기 [30 %]

(2) $\overline{AG}$를 그으면 $\overline{AD} /\!/ \overleftrightarrow{EG}$이므로

$\triangle ADE = \triangle ADG$

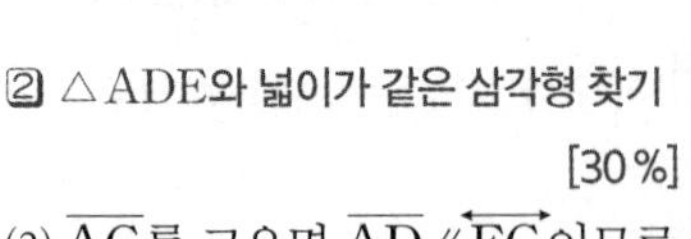

③ 오각형 ABCDE와 넓이가 같은 삼각형 찾기 [20 %]

(3) (오각형 ABCDE의 넓이)

$= \triangle ABC + \triangle ACD + \triangle ADE$

$= \triangle AFC + \triangle ACD + \triangle ADG$

$= \triangle AFG$

④ 오각형 ABCDE의 넓이 구하기 [20 %]

(4) $\triangle AFG$는 밑변의 길이가 9 cm이고 높이가 6 cm인 삼각형이므로 $\triangle AFG = \frac{1}{2} \times 9 \times 6 = 27\ (\text{cm}^2)$

III. 도형의 닮음과 피타고라스 정리

7 도형의 닮음

1. 도형의 닮음

본문 | 107 쪽

1-1 답 (1) $\overline{AB}$ (2) $\angle E$

$\triangle ABC \backsim \triangle DEF$이므로 세 꼭짓점 A, B, C의 대응점은 각각 D, E, F이다.

(1) $\overline{DE}$에 대응하는 변은 $\boxed{\overline{AB}}$이다.

(2) $\angle B$에 대응하는 각은 $\boxed{\angle E}$이다.

1-2 답 (1) 점 H (2) $\overline{EF}$ (3) $\angle D$

$\square ABCD \backsim \square GHEF$이므로 네 꼭짓점 A, B, C, D의 대응점은 각각 G, H, E, F이다.

(1) 점 B에 대응하는 점은 점 H이다.

(2) $\overline{CD}$에 대응하는 변은 $\overline{EF}$이다.

(3) $\angle F$에 대응하는 각은 $\angle D$이다.

2-1 답 (1) 1 : 2 (2) 12 cm (3) 105°

(1) $\overline{AD}$의 대응변은 $\boxed{\overline{EH}}$이므로 닮음비는

$\overline{AD} : \boxed{\overline{EH}} = 7 : 14 = 1 : \boxed{2}$

(2) $\overline{AB} : \overline{EF} = 1 : 2$이므로 $6 : \overline{EF} = 1 : 2$

$\therefore \overline{EF} = \boxed{12}$ (cm)

(3) $\angle D$의 대응각은 $\angle H$이므로 $\angle D = \angle H = \boxed{105°}$

2-2 답 (1) 3 : 4 (2) 12 cm (3) 70°

(1) $\overline{AB}$의 대응변은 $\overline{DE}$이므로 닮음비는

$\overline{AB} : \overline{DE} = 6 : 8 = 3 : 4$

(2) $\overline{BC} : \overline{EF} = 3 : 4$이므로 $9 : \overline{EF} = 3 : 4$

$3\overline{EF} = 36 \qquad \therefore \overline{EF} = 12$ (cm)

(3) $\angle B$의 대응각은 $\angle E$이므로 $\angle B = \angle E = 70°$

본문 | 109~110 쪽

01 답 ③

셀파 항상 같은 모양이 되는지 확인한다.

③ 두 마름모는 오른쪽 그림과 같이 내각의 크기가 서로 다르면 다른 모양이 된다.

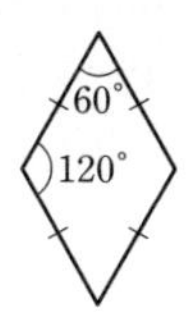

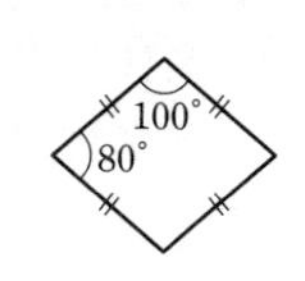

02 답 (1) 3 : 5 (2) 6 cm (3) 110°

셀파 $\triangle ABC \backsim \triangle DEF$이므로 세 꼭짓점 A, B, C의 대응점은 각각 D, E, F이다.

(1) $\overline{BC}$의 대응변은 $\overline{EF}$이므로 닮음비는

$\overline{BC} : \overline{EF} = 9 : 15 = 3 : 5$

(2) $\overline{AB} : \overline{DE} = 3 : 5$이므로 $\overline{AB} : 10 = 3 : 5$

$5\overline{AB} = 30 \qquad \therefore \overline{AB} = 6$ (cm)

(3) $\angle E$의 대응각은 $\angle B$이므로 $\angle E = \angle B = 110°$

03 답 (1) 3 : 4 (2) 9 cm

셀파 (두 사각뿔의 닮음비)$= \overline{BC} : \overline{B'C'}$

(1) $\overline{BC}$에 대응하는 모서리가 $\overline{B'C'}$이므로 두 사각뿔의 닮음비는

$\overline{BC} : \overline{B'C'} = 6 : 8 = 3 : 4$

(2) $\overline{AB} : \overline{A'B'} = 3 : 4$이므로 $\overline{AB} : 12 = 3 : 4$

$4\overline{AB} = 36 \qquad \therefore \overline{AB} = 9$ (cm)

04 답 648π cm³

셀파 닮은 두 원기둥의 닮음비는 두 원기둥의 높이의 비와 같다.

두 원기둥 A, B의 닮음비는 24 : 18 = 4 : 3

원기둥 B의 밑면의 반지름의 길이를 r cm라 하면

$8 : r = 4 : 3$

$4r = 24 \qquad \therefore r = 6$

따라서 원기둥 B의 부피는 $\pi \times 6^2 \times 18 = 648\pi$ (cm³)

2. 삼각형의 닮음 조건

개념 익히기 본문 | 113, 115쪽

1-1 답 (1) × (2) ○ (3) ○

(1) $\overline{AB}:\overline{DE}=12:8=3:2$, $\overline{BC}:\overline{EF}=9:6=3:2$
즉 $\overline{AB}:\overline{DE}=\overline{BC}:\overline{EF}$이지만 그 끼인각의 크기는 같은지 알 수 없다.

(2) $\overline{BC}:\overline{EF}=9:6=3:2$, $\overline{AC}:\overline{DF}=6:4=3:2$,
$\angle C=$ $\boxed{\angle F}$ $=60^\circ$(끼인각)이므로
$\triangle ABC \backsim \triangle DEF$ ($\boxed{SAS}$ 닮음)

(3) $\triangle ABC$에서 $\angle C=60^\circ$이므로
$\angle A=180^\circ-(50^\circ+60^\circ)=\boxed{70^\circ}$
즉 $\boxed{\angle A}=\angle D=70^\circ$, $\angle C=\angle F=60^\circ$이므로
$\triangle ABC \backsim \triangle DEF$ ($\boxed{AA}$ 닮음)

1-2 답 (1) $\triangle ADE$, SAS (2) $\triangle ADE$, AA

(1) $\triangle ABC$와 $\triangle ADE$에서
$\overline{AB}:\overline{AD}=3:6=1:2$,
$\overline{AC}:\overline{AE}=2:4=1:2$,
$\angle BAC=\angle DAE$ (맞꼭지각)
$\therefore \triangle ABC \backsim \triangle ADE$ (SAS 닮음)

(2) $\triangle ABC$와 $\triangle ADE$에서
$\angle A$는 공통, $\angle ABC=\angle ADE=46^\circ$
$\therefore \triangle ABC \backsim \triangle ADE$ (AA 닮음)

1-3 답 (1) × (2) ○ (3) ×

(1) $\overline{BC}:\overline{EF}=15:12=5:4$, $\overline{AC}:\overline{DF}=5:4$
즉 $\overline{BC}:\overline{EF}=\overline{AC}:\overline{DF}$이지만 그 끼인각인 $\angle C$와 $\angle F$의 크기는 같은지 알 수 없다.

(2) $\overline{AB}:\overline{DE}=10:8=5:4$, $\overline{BC}:\overline{EF}=15:12=5:4$,
$\angle B=\angle E=60^\circ$ (끼인각)이므로
$\triangle ABC \backsim \triangle DEF$ (SAS 닮음)

(3) $\triangle ABC$에서 $\angle A=80^\circ$이므로
$\angle C=180^\circ-(80^\circ+60^\circ)=40^\circ$
$\triangle DEF$에서 $\angle E=60^\circ$이므로
$\angle D=180^\circ-(60^\circ+45^\circ)=75^\circ$
즉 두 삼각형의 두 내각의 크기가 다르므로 닮음이 아니다.

2-1 답 (1) $\triangle ABC \backsim \triangle AED$ (SAS 닮음) (2) 18

(1)

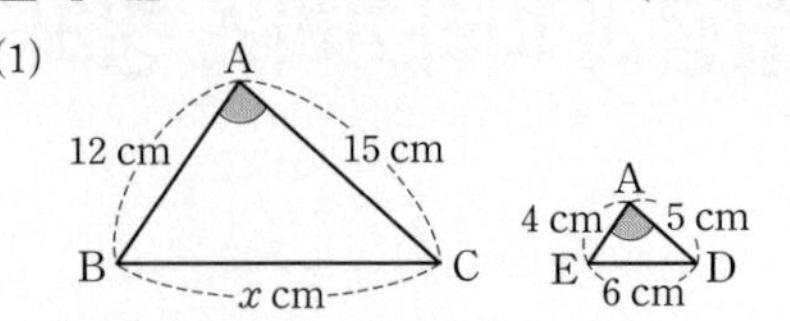

$\triangle ABC$와 $\triangle AED$에서
$\angle A$는 공통, $\overline{AB}:\overline{AE}=\boxed{\overline{AC}}:\overline{AD}=3:\boxed{1}$
$\therefore \triangle ABC \backsim \boxed{\triangle AED}$
이때 두 쌍의 대응변의 길이의 비가 같고, 그 끼인각의 크기가 같으므로 $\boxed{SAS}$ 닮음이다.

(2) $\overline{BC}:\overline{ED}=3:1$이므로 $x:6=3:\boxed{1}$ $\therefore x=\boxed{18}$

2-2 답 (1) $\triangle ABC \backsim \triangle DAC$ (2) AA 닮음 (3) $\frac{18}{5}$

(1)

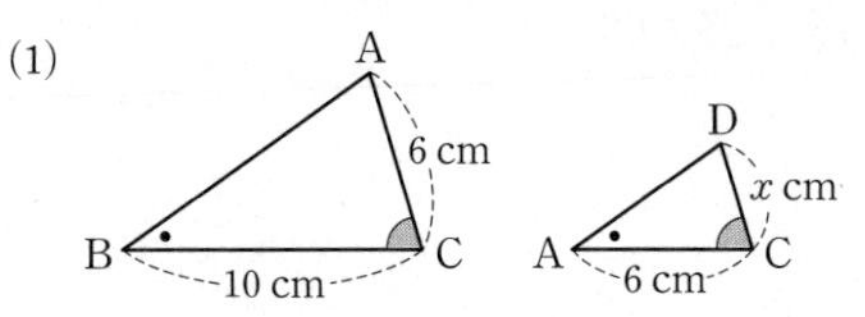

$\triangle ABC$와 $\triangle DAC$에서
$\angle C$는 공통, $\angle ABC=\angle DAC$
$\therefore \triangle ABC \backsim \triangle DAC$

(2) 두 쌍의 대응각의 크기가 각각 같으므로 AA 닮음이다.

(3) $\overline{BC}:\overline{AC}=\overline{AC}:\overline{DC}$이므로 $10:6=6:x$
$10x=36$ $\therefore x=\frac{18}{5}$

3-1 답 $x=\frac{32}{5}$, $y=6$

$\overline{AB}^2=\overline{BD}\times\overline{BC}$에서 $8^2=x\times 10$ $\therefore x=\boxed{\frac{32}{5}}$
이때 $\overline{CD}=10-\frac{32}{5}=\frac{18}{5}$ (cm)
$\overline{AC}^2=\overline{CD}\times\overline{CB}$에서 $y^2=\boxed{\frac{18}{5}}\times 10=\boxed{36}$
$y>0$이므로 $y=\boxed{6}$

3-2 답 (1) 3 (2) $\frac{16}{5}$ (3) 9

(1) $\overline{AB}^2=\overline{BD}\times\overline{BC}$에서 $6^2=x\times 12$
$12x=36$ $\therefore x=3$

(2) $\overline{AC}^2=\overline{CD}\times\overline{CB}$에서 $4^2=x\times 5$
$5x=16$ $\therefore x=\frac{16}{5}$

(3) $\overline{AD}^2=\overline{DB}\times\overline{DC}$에서 $6^2=x\times 4$
$4x=36$ $\therefore x=9$

보고 또 보고

유형 익히기 – 확인 문제

본문 | 116~119쪽

01 답 1. ④ 2. ③

셀파 변의 길이의 비 또는 각의 크기를 비교해 본다.

1. 보기의 삼각형은 두 변의 길이의 비가 $6:8=3:4$이고 그 끼인각의 크기가 60°이므로

두 변의 길이가 주어지고 그 끼인각의 크기가 60°인 삼각형을 찾으면 ④, ⑤이다.

이때 두 변의 길이의 비를 구해 보면

④ $7.2:9.6=3:4$ ⑤ $5:10=1:2$

따라서 보기의 삼각형과 닮음인 것은 ④이다.

참고 ② 두 변의 길이가 8 cm, 6 cm이지만 그 끼인각의 크기가 60°로 주어져 있지 않다.

2. ③ $\triangle ABC$와 $\triangle DEF$에서

$\overline{AB}:\overline{DE}=15:5=3:1$,

$\overline{BC}:\overline{EF}=12:4=3:1$,

$\angle B=\angle E=30^{\circ}$

이므로 $\triangle ABC \backsim \triangle DEF$ (SAS 닮음)

LECTURE 두 삼각형이 닮음이기 위해 추가해야 하는 조건

① 두 쌍의 대응변의 길이의 비가 같은 경우

⇨ 나머지 한 쌍의 대응변의 길이의 비가 같거나 (SSS 닮음) 그 끼인각의 크기가 같아야 한다. (SAS 닮음)

② 한 쌍의 대응각의 크기가 같은 경우

⇨ 다른 한 쌍의 대응각의 크기가 같거나 (AA 닮음) 그 각을 끼인각으로 하는 두 쌍의 대응변의 길이의 비가 같아야 한다. (SAS 닮음)

02 답 (1) 18 (2) $\frac{9}{2}$

셀파 닮은 두 삼각형을 찾는다.

(1) $\triangle ABC$와 $\triangle AED$에서

$\angle A$는 공통,

$\overline{AB}:\overline{AE}=9:3=3:1$,

$\overline{AC}:\overline{AD}=12:4=3:1$

이므로

$\triangle ABC \backsim \triangle AED$ (SAS 닮음)

따라서 $\overline{BC}:\overline{ED}=3:1$이므로

$x:6=3:1$ $\therefore x=18$

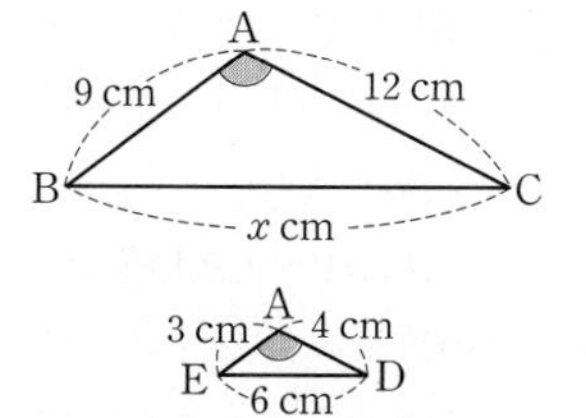

(2) $\triangle ABC$와 $\triangle DBA$에서

$\angle B$는 공통,

$\overline{AB}:\overline{DB}=6:4=3:2$,

$\overline{BC}:\overline{BA}=9:6=3:2$

이므로

$\triangle ABC \backsim \triangle DBA$ (SAS 닮음)

이때 $\overline{AC}:\overline{DA}=3:2$이므로

$x:3=3:2$

$2x=9$ $\therefore x=\frac{9}{2}$

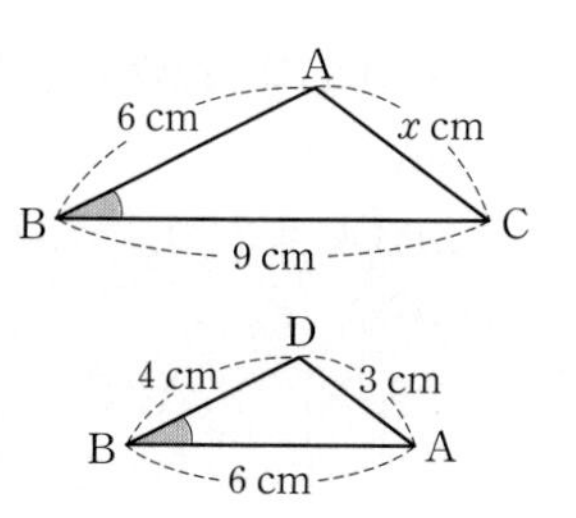

03 답 (1) 8 (2) 5

셀파 닮은 두 삼각형을 찾는다.

(1) $\triangle ABC$와 $\triangle EBD$에서

$\angle B$는 공통, $\angle ACB=\angle EDB$

이므로

$\triangle ABC \backsim \triangle EBD$ (AA 닮음)

$\overline{AB}:\overline{EB}=\overline{BC}:\overline{BD}$이므로

$8:4=(4+x):6$

$4(4+x)=48$, $4+x=12$

$\therefore x=8$

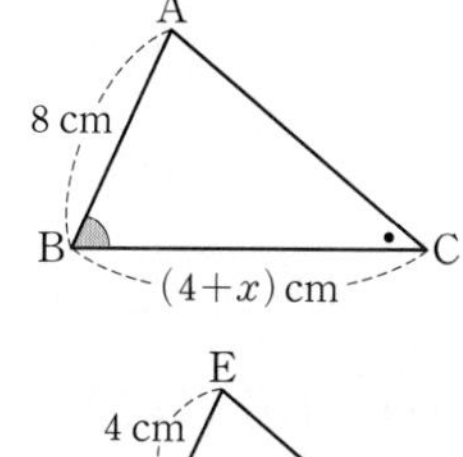

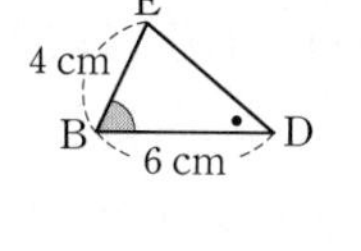

(2) $\triangle ABC$와 $\triangle EDC$에서

$\angle C$는 공통, $\angle BAC=\angle DEC$

이므로

$\triangle ABC \backsim \triangle EDC$ (AA 닮음)

$\overline{AC}:\overline{EC}=\overline{BC}:\overline{DC}$이므로

$6:3=(x+3):4$

$3(x+3)=24$, $x+3=8$

$\therefore x=5$

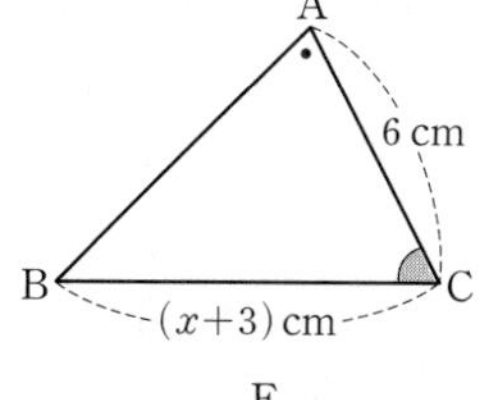

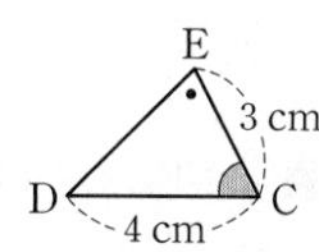

04 답 (1) 11 cm (2) $\frac{55}{12}$ cm

셀파 닮은 세 직각삼각형을 찾는다.

(1) $\triangle ADC$와 $\triangle BEC$에서

$\angle C$는 공통,

$\angle ADC=\angle BEC=90^{\circ}$

이므로

$\triangle ADC \backsim \triangle BEC$ (AA 닮음)

$\overline{DC}:\overline{EC}=\overline{AC}:\overline{BC}$이므로

$10:\overline{EC}=26:39$

$26\overline{EC}=390$ $\therefore \overline{EC}=15$ (cm)

$\therefore \overline{AE}=\overline{AC}-\overline{EC}=26-15=11$ (cm)

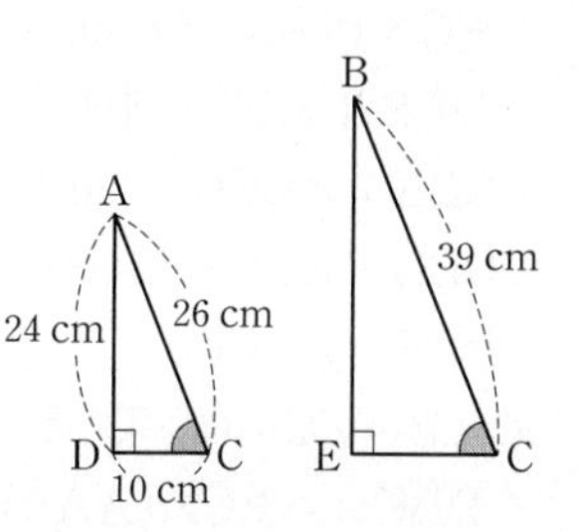

(2) △ADC와 △AEF에서

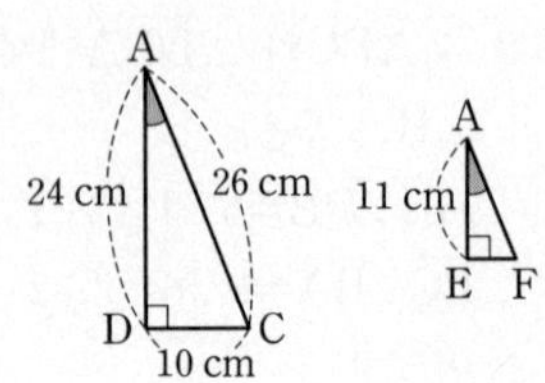

∠A는 공통,

∠ADC=∠AEF=90°

이므로

△ADC∽△AEF (AA 닮음)

$\overline{DC}:\overline{EF}=\overline{AD}:\overline{AE}$이므로

$10:\overline{EF}=24:11$

$24\overline{EF}=110$ $\therefore \overline{EF}=\frac{55}{12}$ (cm)

05 답 $\frac{32}{3}$ cm^2

셀파 삼각형의 닮음을 이용하여 $\overline{BD}$와 $\overline{AD}$의 길이를 각각 구한다.

$\overline{AC}^2=\overline{CD}\times\overline{CB}$에서 $5^2=3\times\overline{CB}$

$\therefore \overline{CB}=\frac{25}{3}$ (cm)

$\overline{BD}=\overline{BC}-\overline{DC}=\frac{25}{3}-3=\frac{16}{3}$ (cm)

$\overline{AD}^2=\overline{DB}\times\overline{DC}$에서 $\overline{AD}^2=\frac{16}{3}\times3=16$

$\therefore \overline{AD}=4$ (cm)($\because \overline{AD}>0$)

따라서 △ABD의 넓이는

$\frac{1}{2}\times\overline{BD}\times\overline{AD}=\frac{1}{2}\times\frac{16}{3}\times4=\frac{32}{3}$ (cm^2)

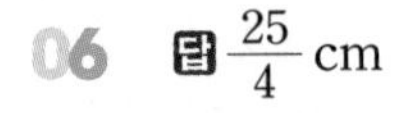

06 답 $\frac{25}{4}$ cm

셀파 △DBE∽△ECF임을 이용한다.

△ADF≡△EDF이므로

$\overline{AD}=\overline{ED}=7$ cm,

∠DEF=∠A=60°

△ABC는 정삼각형이므로

$\overline{BC}=\overline{AB}=7+8=15$ (cm)

$\therefore \overline{EC}=15-5=10$ (cm)

△DBE와 △ECF에서

∠BDE+∠BED=120°이고

∠BED+∠CEF=120°이므로

∠BDE=∠CEF

또 ∠B=∠C=60°이므로

△DBE∽△ECF (AA 닮음)

따라서 $\overline{BE}:\overline{CF}=\overline{DB}:\overline{EC}$이므로 $5:\overline{CF}=8:10$

$8\overline{CF}=50$ $\therefore \overline{CF}=\frac{25}{4}$ (cm)

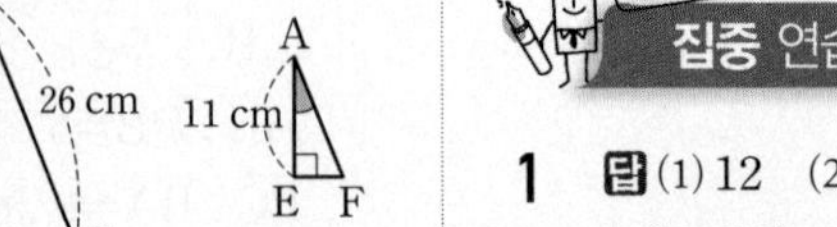

집중 연습

두 삼각형의 닮음을 이용하여 변의 길이 구하기

본문 | 120 쪽

1 답 (1) 12 (2) 12 (3) 8 (4) 10

(1) △ABC와 △AED에서

∠A는 공통,

$\overline{AB}:\overline{AE}=8:4=2:1$,

$\overline{AC}:\overline{AD}=10:5=2:1$

이므로

△ABC∽△AED (SAS 닮음)

따라서 $\overline{BC}:\overline{ED}=2:1$이므로 $x:6=2:1$

$\therefore x=12$

(2) △ADE와 △ACB에서

∠A는 공통,

$\overline{AD}:\overline{AC}=(3+3):2=3:1$,

$\overline{AE}:\overline{AB}=(2+7):3=3:1$

이므로 △ADE∽△ACB (SAS 닮음)

따라서 $\overline{DE}:\overline{CB}=3:1$이므로

$x:4=3:1$ $\therefore x=12$

(3) △ABC와 △DAC에서

∠C는 공통,

$\overline{AC}:\overline{DC}=6:4=3:2$,

$\overline{BC}:\overline{AC}=(5+4):6=3:2$

이므로 △ABC∽△DAC (SAS 닮음)

따라서 $\overline{AB}:\overline{DA}=3:2$이므로 $12:x=3:2$

$3x=24$ $\therefore x=8$

(4) △ABC와 △DAC에서

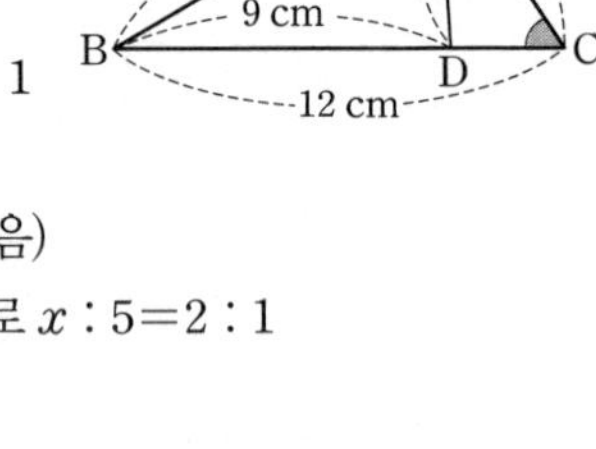

∠C는 공통,

$\overline{BC}:\overline{AC}=12:6=2:1$,

$\overline{AC}:\overline{DC}=6:(12-9)=2:1$

이므로

△ABC∽△DAC (SAS 닮음)

따라서 $\overline{AB}:\overline{DA}=2:1$이므로 $x:5=2:1$

$\therefore x=10$

2 답 (1) 12 (2) 5 (3) 3 (4) 8

(1) △ABC와 △AED에서

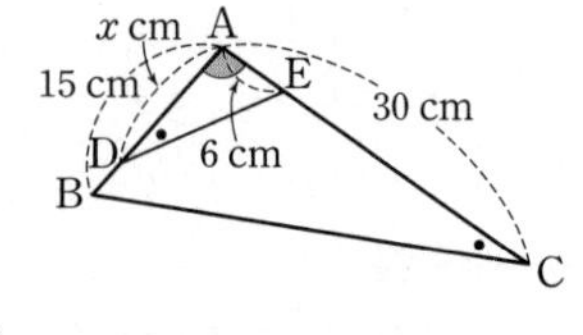

∠A는 공통,

∠ACB=∠ADE

이므로

△ABC∽△AED (AA 닮음)

따라서 $\overline{AB}:\overline{AE}=\overline{AC}:\overline{AD}$이므로 $15:6=30:x$

$15x=180$ $\therefore x=12$

(2) $\triangle$ABC와 $\triangle$ACD에서

$\angle$A는 공통,

$\angle ABC = \angle ACD$

이므로

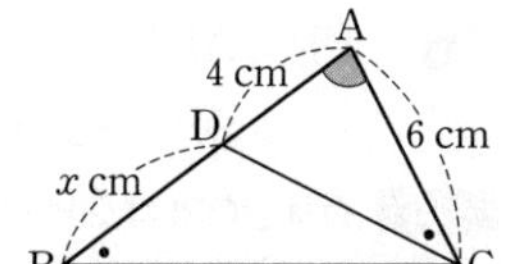
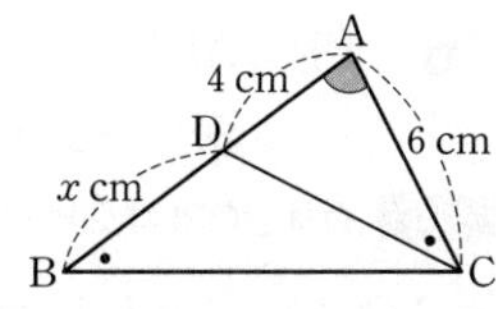

$\triangle ABC \backsim \triangle ACD$ (AA 닮음)

따라서 $\overline{AB} : \overline{AC} = \overline{AC} : \overline{AD}$이므로

$(x+4) : 6 = 6 : 4$, $4(x+4)=36$

$x+4=9$ $\therefore x=5$

(3) $\triangle$ABC와 $\triangle$EDC에서

$\angle$C는 공통,

$\angle ABC = \angle EDC = 90^\circ$

이므로

$\triangle ABC \backsim \triangle EDC$ (AA 닮음)

따라서 $\overline{AB} : \overline{ED} = \overline{AC} : \overline{EC}$이므로

$6 : x = (6+4) : 5$

$10x=30$ $\therefore x=3$

(4) $\triangle$ABC와 $\triangle$DAC에서

$\angle$C는 공통,

$\angle ABC = \angle DAC$

이므로

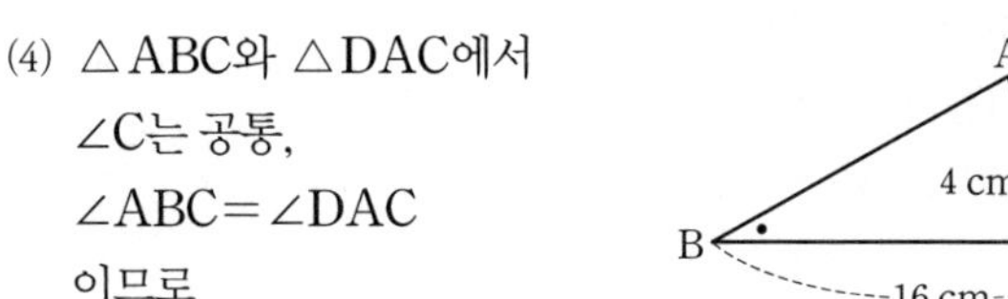

$\triangle ABC \backsim \triangle DAC$ (AA 닮음)

따라서 $\overline{BC} : \overline{AC} = \overline{AC} : \overline{DC}$이므로

$16 : x = x : 4$

$x^2=64$ $\therefore x=8\ (\because x>0)$

3 답 (1) 6 (2) 15 (3) $\frac{50}{3}$ (4) 25

(1) $\overline{AB}^2 = \overline{BD} \times \overline{BC}$이므로 $4^2 = 2 \times (2+x)$

$16=4+2x$, $2x=12$ $\therefore x=6$

(2) $\overline{AB}^2 = \overline{BD} \times \overline{BC}$이므로 $x^2 = 9 \times (9+16) = 225$

$\therefore x=15\ (\because x>0)$

(3) $\overline{AD}^2 = \overline{DB} \times \overline{DC}$이므로 $10^2 = x \times 6$

$6x=100$ $\therefore x=\frac{50}{3}$

(4) 직각삼각형 ABC의 넓이에서

$\frac{1}{2} \times \overline{BC} \times \overline{AD} = \frac{1}{2} \times \overline{AB} \times \overline{AC}$

이므로 $\overline{BC} \times \overline{AD} = \overline{AB} \times \overline{AC}$

$x \times 12 = 20 \times 15$

$12x=300$ $\therefore x=25$

실력 키우기

본문 | 121~123쪽

01 답 ③, ④

셀파 모양이 다른 예가 있는지 찾아본다.

③ 오른쪽 그림과 같은 두 직사각형은 닮은 도형이 아니다.

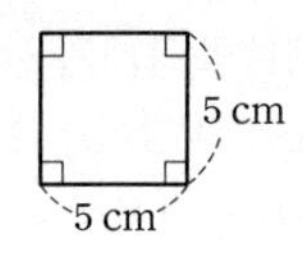

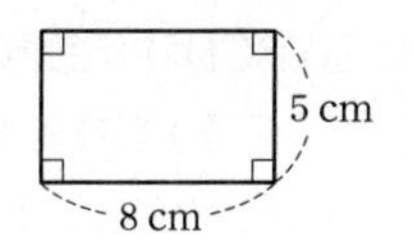

④ 오른쪽 그림과 같은 두 부채꼴은 닮은 도형이 아니다.

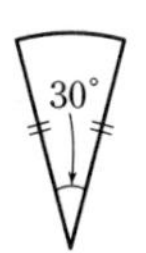

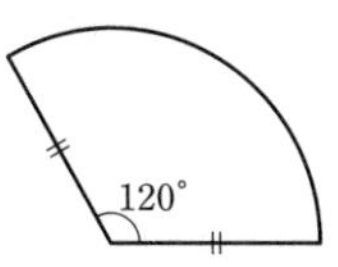

따라서 항상 닮은 도형이라고 할 수 없는 것은 ③, ④이다.

02 답 ⑤

셀파 닮은 두 평면도형의 대응각의 크기는 같고, 그 닮음비는 대응변의 길이의 비임을 이용한다.

① $\angle$A의 대응각은 $\angle$E이므로 $\angle A = \angle E = 120^\circ$

② $\angle$H의 대응각은 $\angle$D이므로 $\angle H = \angle D = 90^\circ$

③ □ABCD와 □EFGH의 닮음비는
$\overline{BC} : \overline{FG} = 9 : 12 = 3 : 4$

④ 닮음비가 $3 : 4$이므로 $\overline{AD} : \overline{EH} = 3 : 4$

⑤ $\overline{AB} : \overline{EF} = 3 : 4$이므로 $\overline{AB} : 10 = 3 : 4$

$4\overline{AB}=30$ $\therefore \overline{AB} = \frac{15}{2}$ (cm)

따라서 옳지 않은 것은 ⑤이다.

03 답 33 cm

셀파 두 사각형의 닮음비를 이용하여 $\overline{EF}$, $\overline{HG}$, $\overline{EH}$의 길이를 각각 구한다.

1 $\overline{EF}$, $\overline{HG}$, $\overline{EH}$의 길이 각각 구하기 [70 %]

□ABCD와 □EFGH의 닮음비가 $2 : 3$이므로

$\overline{AB} : \overline{EF} = 2 : 3$, 즉 $4 : \overline{EF} = 2 : 3$

$2\overline{EF}=12$ $\therefore \overline{EF}=6$ (cm)

$\overline{DC} : \overline{HG} = 2 : 3$, 즉 $7 : \overline{HG} = 2 : 3$

$2\overline{HG}=21$ $\therefore \overline{HG}=\frac{21}{2}$ (cm)

$\overline{AD} : \overline{EH} = 2 : 3$, 즉 $7 : \overline{EH} = 2 : 3$

$2\overline{EH}=21$ $\therefore \overline{EH}=\frac{21}{2}$ (cm)

2 □EFGH의 둘레의 길이 구하기 [30 %]

따라서 □EFGH의 둘레의 길이는

$6+6+\frac{21}{2}+\frac{21}{2}=33$ (cm)

다른 풀이 □ABCD와 □EFGH의 닮음비가 2 : 3이므로
$\overline{BC} : \overline{FG}=2:3$, 즉 $\overline{BC} : 6=2:3$이므로
$3\overline{BC}=12 \qquad \therefore \overline{BC}=4$ (cm)
이때 □ABCD의 둘레의 길이는 $4+4+7+7=22$ (cm)이고
□ABCD와 □EFGH의 둘레의 길이의 비가 2 : 3이므로
22 : (□EFGH의 둘레의 길이)=2 : 3
2×(□EFGH의 둘레의 길이)=66
∴ (□EFGH의 둘레의 길이)=33 (cm)

04 답 ③, ⑤

셀파 닮은 두 입체도형의 닮음비는 대응하는 모서리의 길이의 비이고, 대응하는 면은 닮은 도형임을 이용한다.

① 두 사각기둥의 닮음비는 $\overline{AD} : \overline{A'D'}=6:10=3:5$
② $\overline{BF} : \overline{B'F'}=3:5$이므로 $\overline{BF} : 15=3:5$
$5\overline{BF}=45 \qquad \therefore \overline{BF}=9$ (cm)
③ □ABCD∽□A′B′C′D′이므로
∠ABC의 대응각은 ∠A′B′C′이다.
∴ ∠ABC=∠A′B′C′=100°
따라서 ∠BAD=360°−(100°+90°+70°)=100°
④, ⑤ 닮은 두 입체도형에서 대응하는 면은 닮은 도형이므로
□ABCD∽□A′B′C′D′, □CGHD∽□C′G′H′D′
따라서 옳은 것은 ③, ⑤이다.

05 답 2 : 3

셀파 두 원기둥 A, B의 닮음비는 두 원기둥의 높이의 비와 같다.

두 원기둥 A, B의 닮음비는 4 : 6=2 : 3이므로
두 원기둥 A, B의 밑면의 반지름의 길이의 비도 2 : 3이다.
이때 두 원기둥 A, B의 밑면의 반지름의 길이를 $2x$ cm, $3x$ cm라 하면 원기둥 A의 밑면의 둘레의 길이는 $2\pi \times 2x=4\pi x$ (cm),
원기둥 B의 밑면의 둘레의 길이는 $2\pi \times 3x=6\pi x$ (cm)
따라서 두 원기둥 A, B의 밑면의 둘레의 길이의 비는
$4\pi x : 6\pi x=2:3$

다른 풀이 두 원기둥 A, B가 닮은 도형이므로 대응하는 면인 두 원기둥 A, B의 밑면도 닮은 도형이다.
이때 두 원기둥 A, B의 밑면의 닮음비는 두 원기둥 A, B의 밑면의 반지름의 길이의 비와 같으므로 2 : 3이다.
따라서 닮은 두 평면도형의 둘레의 길이의 비는 닮음비와 같으므로 두 원기둥 A, B의 밑면의 둘레의 길이의 비는 2 : 3이다.

06 답 △ABC∽△LKJ (SAS 닮음), △DEF∽△IGH (AA 닮음)

셀파 변의 길이의 비 또는 각의 크기를 비교한다.

△ABC와 △LKJ: 두 쌍의 대응변의 길이의 비가 3 : 4로 같고
그 끼인각의 크기가 30°로 같으므로
△ABC∽△LKJ (SAS 닮음)
△DEF와 △IGH: △DEF에서 나머지 한 각의 크기는
∠E=180°−(45°+60°)=75°
∴ ∠E=∠G=75°, ∠F=∠H=60°
즉 두 쌍의 대응각의 크기가 각각 같으므로
△DEF∽△IGH (AA 닮음)

07 답 ④

셀파 각 조건에서 두 삼각형의 닮음 조건 중 어떤 조건을 만족하는지 살펴본다.

ㄴ ∠B=∠E이면 △ABC∽△DEF (SAS 닮음)
ㄹ $\overline{AB} : \overline{DE}=\overline{AC} : \overline{DF}$이면
$\overline{AB} : \overline{DE}=\overline{BC} : \overline{EF}=\overline{AC} : \overline{DF}$이므로
△ABC∽△DEF (SSS 닮음)

08 답 $\frac{20}{3}$ cm

셀파 변의 길이와 공통인 각을 이용하여 닮은 두 삼각형을 찾는다.

△ABC와 △CBD에서
∠B는 공통,
$\overline{AB} : \overline{CB}=(5+4):6=3:2$,
$\overline{BC} : \overline{BD}=6:4=3:2$
이므로 △ABC∽△CBD (SAS 닮음)
따라서 $\overline{AC} : \overline{CD}=3:2$이므로 $10 : \overline{CD}=3:2$
$3\overline{CD}=20 \qquad \therefore \overline{CD}=\frac{20}{3}$ (cm)

09 답 23

셀파 두 쌍의 대응각의 크기가 각각 같은 두 삼각형을 찾는다.

△ABC와 △ACD에서
∠A는 공통, ∠ABC=∠ACD
이므로 △ABC∽△ACD (AA 닮음)
따라서 $\overline{AB} : \overline{AC}=\overline{BC} : \overline{CD}$이므로
$18:12=x:10$
$12x=180 \qquad \therefore x=15$
$\overline{AB} : \overline{AC}=\overline{AC} : \overline{AD}$이므로 $18:12=12:y$
$18y=144 \qquad \therefore y=8$
$\therefore x+y=15+8=23$

10 답 (1) $\triangle ABE \backsim \triangle FCE \backsim \triangle FDA$ (AA 닮음)
(2) 3 cm

셀파 평행선에서 엇각, 동위각의 크기가 각각 같음을 이용하여 닮은 두 삼각형을 찾는다.

① 서로 닮음인 삼각형 찾기 [60 %]

(1) $\triangle ABE$와 $\triangle FCE$에서
$\overline{AB} /\!/ \overline{CF}$이므로
$\angle BAE = \angle CFE$ (엇각),
$\angle ABE = \angle FCE$ (엇각)
$\therefore \triangle ABE \backsim \triangle FCE$ (AA 닮음) ⋯⋯ ㉠
$\triangle FCE$와 $\triangle FDA$에서
$\angle F$는 공통,
$\overline{AD} /\!/ \overline{EC}$이므로 $\angle FCE = \angle FDA$ (동위각)
$\therefore \triangle FCE \backsim \triangle FDA$ (AA 닮음) ⋯⋯ ㉡
$\triangle ABE$와 $\triangle FDA$에서
$\angle BAE = \angle DFA$ (엇각),
$\angle ABE = \angle FDA$ (평행사변형 ABCD에서 대각의 성질)
$\therefore \triangle ABE \backsim \triangle FDA$ (AA 닮음) ⋯⋯ ㉢
㉠, ㉡, ㉢에서 $\triangle ABE \backsim \triangle FCE \backsim \triangle FDA$ (AA 닮음)

② $\overline{EC}$의 길이 구하기 [40 %]

(2) $\triangle FCE \backsim \triangle FDA$이므로 $\overline{EC} : \overline{AD} = \overline{FC} : \overline{FD}$
$\overline{EC} : 9 = 2 : (2+4)$, $6\overline{EC} = 18$
$\therefore \overline{EC} = 3$ (cm)

11 답 ③

셀파 변의 길이는 주어지지 않았으므로 내각의 크기로 닮음인 삼각형을 찾는다.

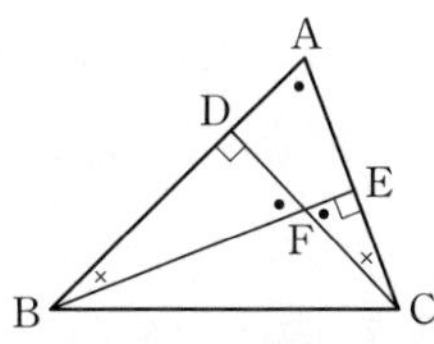

$\triangle ABE$와 $\triangle ACD$에서
$\angle A$는 공통, $\angle AEB = \angle ADC = 90^\circ$
$\therefore \triangle ABE \backsim \triangle ACD$ (AA 닮음) ⋯⋯ ㉠

$\triangle ABE$와 $\triangle FBD$에서
$\angle B$는 공통, $\angle AEB = \angle FDB = 90^\circ$
$\therefore \triangle ABE \backsim \triangle FBD$ (AA 닮음) ⋯⋯ ㉡
$\triangle FBD$와 $\triangle FCE$에서
$\angle BDF = \angle CEF = 90^\circ$, $\angle DFB = \angle EFC$ (맞꼭지각)
$\therefore \triangle FBD \backsim \triangle FCE$ (AA 닮음) ⋯⋯ ㉢
㉠, ㉡, ㉢에서 $\triangle ABE \backsim \triangle ACD \backsim \triangle FBD \backsim \triangle FCE$
따라서 나머지 넷과 닮음이 아닌 것은 ③이다.

12 답 ④

셀파 직각삼각형의 닮음의 활용을 이용한다.

④ $\overline{AB}^2 = \overline{BD} \times \overline{BC}$

13 답 3 cm

셀파 $\angle BAD = 90^\circ$이므로 직각삼각형 ABD에서 생각한다.

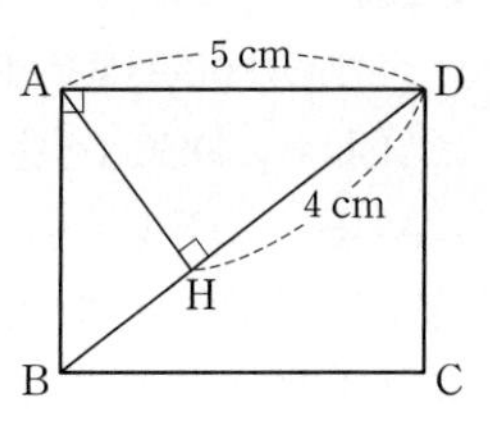

□ABCD가 직사각형이므로
$\overline{AD} = \overline{BC} = 5$ cm, $\angle BAD = 90^\circ$
$\angle BAD = 90^\circ$인 직각삼각형 ABD에서
$\overline{AD}^2 = \overline{DH} \times \overline{DB}$이므로
$5^2 = 4 \times \overline{BD}$ $\quad \therefore \overline{BD} = \frac{25}{4}$ (cm)
$\overline{BH} = \overline{BD} - \overline{DH} = \frac{25}{4} - 4 = \frac{9}{4}$ (cm)
$\overline{AH}^2 = \overline{BH} \times \overline{DH} = \frac{9}{4} \times 4 = 9$
$\therefore \overline{AH} = 3$ (cm) ($\because \overline{AH} > 0$)

14 답 (1) 25 cm (2) 20 cm (3) 16 cm

셀파 직각삼각형의 외심은 빗변의 중점임을 이용한다.

① $\overline{AM}$의 길이 구하기 [40 %]

(1) $\overline{BC} = 40 + 10 = 50$ (cm)
직각삼각형의 빗변의 중점 M은 직각삼각형 ABC의 외심이므로
$\overline{AM} = \overline{BM} = \overline{CM} = \frac{1}{2}\overline{BC} = \frac{1}{2} \times 50 = 25$ (cm)

② $\overline{AD}$의 길이 구하기 [30 %]

(2) 직각삼각형 ABC에서
$\overline{AD}^2 = \overline{DB} \times \overline{DC} = 40 \times 10 = 400$
$\therefore \overline{AD} = 20$ (cm) ($\because \overline{AD} > 0$)

③ $\overline{AE}$의 길이 구하기 [30 %]

(3) 직각삼각형 AMD에서
$\overline{AD}^2 = \overline{AE} \times \overline{AM}$이므로
$20^2 = \overline{AE} \times 25$
$\therefore \overline{AE} = 16$ (cm)

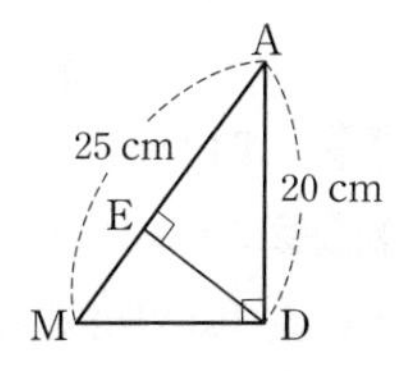

15 답 $\frac{64}{9}$ cm²

셀파 닮은 두 직각삼각형을 찾고, 정사각형의 네 변의 길이가 같음을 이용하여 정사각형의 한 변의 길이를 구한다.

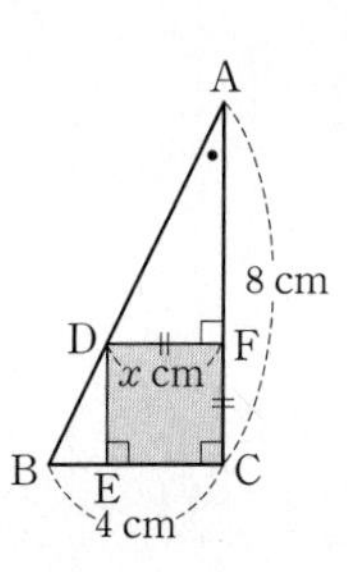

$\triangle ABC$와 $\triangle ADF$에서
$\angle C = \angle AFD = 90^\circ$, $\angle A$는 공통
이므로 $\triangle ABC \backsim \triangle ADF$ (AA 닮음)
$\overline{DF} = \overline{CF} = x$ cm라 하면
$\overline{AC} : \overline{AF} = \overline{BC} : \overline{DF}$이므로
$8 : (8-x) = 4 : x$, $8x = 32 - 4x$
$12x = 32$ $\quad \therefore x = \frac{8}{3}$
따라서 □DECF의 넓이는 $\frac{8}{3} \times \frac{8}{3} = \frac{64}{9}$ (cm²)

16 답 $\frac{15}{4}$ cm

셀파 크기가 같은 각을 그림에 표시한다.

① △PBD가 이등변삼각형임을 알기 [30 %]

$\angle$EBD$=\angle$DBC (접은 각),

$\angle$ADB$=\angle$DBC (엇각)

이므로 $\angle$PBD$=\angle$PDB

즉 △PBD는 $\overline{PB}=\overline{PD}$인 이등변삼각형이다.

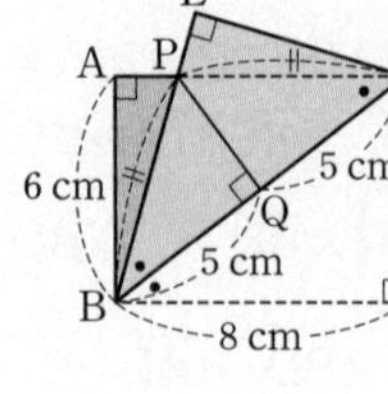

② $\overline{BQ}$의 길이 구하기 [30 %]

이때 $\angle$PQB$=\angle$PQD$=90°$이므로

△PBQ≡△PDQ (RHA 합동)

$\therefore \overline{BQ}=\overline{DQ}=5$ cm

③ $\overline{PQ}$의 길이 구하기 [40 %]

△PBQ와 △DBC에서

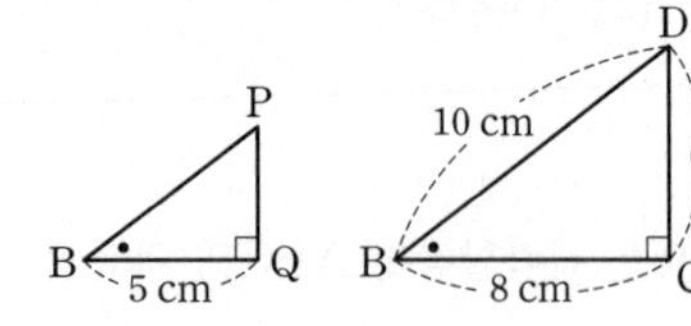

$\angle$PBQ$=\angle$DBC, $\angle$BQP$=\angle$BCD$=90°$

이므로 △PBQ∽△DBC (AA 닮음)

따라서 $\overline{PQ}:\overline{DC}=\overline{BQ}:\overline{BC}$이므로 $\overline{PQ}:6=5:8$

$8\overline{PQ}=30$ $\quad\therefore \overline{PQ}=\frac{15}{4}$ (cm)

17 답 1 : 4

셀파 A0, A1, A2, A3, A4, … 용지는 모두 닮음이다.

A0 용지의 가로의 길이를 a, 세로의 길이를 b라 하면 각 용지의 가로의 길이와 세로의 길이는 다음 그림과 같다.

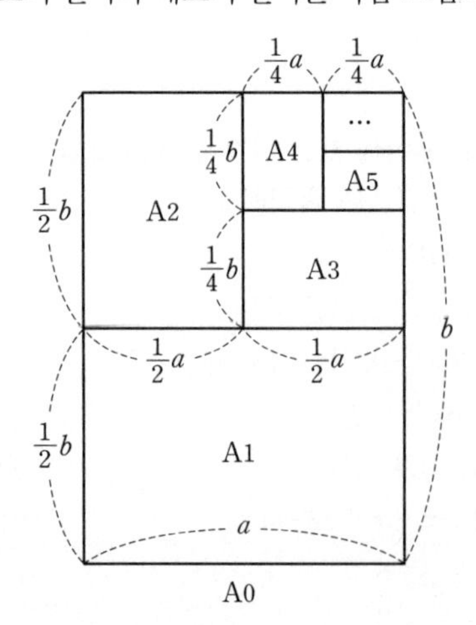

따라서 A4 용지와 A0 용지의 닮음비는 $\frac{1}{4}a : a=1:4$

8 평행선 사이의 선분의 길이의 비

1. 삼각형에서 평행선과 선분의 길이의 비

본문 | 127, 129 쪽

1-1 답 (1) 8 (2) 12 (3) $\frac{9}{2}$ (4) 6

(1) $\overline{AB}:\overline{AD}=\overline{BC}:\overline{DE}$이므로 $10:15=x:12$

$15x=120$ $\quad\therefore x=8$

(2) $\overline{AB}:\overline{AD}=\overline{AC}:\overline{AE}$이므로 $15:10=x:8$

$10x=$ 120 $\quad\therefore x=$ 12

(3) $\overline{AD}:\overline{DB}=\overline{AE}:\overline{EC}$이므로 $9:x=8:$ 4

$8x=$ 36 $\quad\therefore x=$ $\frac{9}{2}$

(4) $\overline{AD}:\overline{DB}=\overline{AE}:\overline{EC}$이므로 $10:5=x:$ 3

$5x=$ 30 $\quad\therefore x=$ 6

1-2 답 (1) 20 (2) 10 (3) 8 (4) 18

(1) $\overline{AC}:\overline{AE}=\overline{BC}:\overline{DE}$이므로 $x:8=30:12$

$12x=240$ $\quad\therefore x=20$

(2) $\overline{AC}:\overline{AE}=\overline{BC}:\overline{DE}$이므로 $6:9=x:15$

$9x=90$ $\quad\therefore x=10$

(3) $\overline{AB}:\overline{BD}=\overline{AC}:\overline{CE}$이므로 $x:4=12:6$

$6x=48$ $\quad\therefore x=8$

(4) $\overline{AD}:\overline{DB}=\overline{AE}:\overline{EC}$이므로 $6:x=5:15$

$5x=90$ $\quad\therefore x=18$

2-1 답 (1) 평행하다. (2) 평행하지 않다.

(1) $\overline{AD}:\overline{DB}=(12-8):8=1:2$

$\overline{AE}:\overline{EC}=6:12=1:2$

즉 $\overline{AD}:\overline{DB}$ = $\overline{AE}:\overline{EC}$이므로

$\overline{BC}$와 $\overline{DE}$는 평행 하다.

(2) $\overline{AB}:\overline{AD}=6:3=2:1$, $\overline{AC}:\overline{AE}=7:4$

즉 $\overline{AB}:\overline{AD}$ ≠ $\overline{AC}:\overline{AE}$이므로

$\overline{BC}$와 $\overline{DE}$는 평행 하지 않다.

2-2 답 (1) × (2) ○

(1) $\overline{AD}:\overline{DB}=8:4=2:1$, $\overline{AE}:\overline{EC}=7:3$

즉 $\overline{AD}:\overline{DB}\neq\overline{AE}:\overline{EC}$이므로 $\overline{BC}$와 $\overline{DE}$는 평행하지 않다.

(2) $\overline{AB}:\overline{AD}=6:10=3:5$

$\overline{AC}:\overline{AE}=(24-15):15=3:5$

즉 $\overline{AB}:\overline{AD}=\overline{AC}:\overline{AE}$이므로 $\overline{BC}$와 $\overline{DE}$는 평행하다.

3-1 답 12

$\overline{AB}:\overline{AC}=\overline{BD}:\overline{CD}$이므로 $x:8=(10-4):\boxed{4}$

$4x=48 \quad \therefore x=\boxed{12}$

3-2 답 (1) 5 (2) 4

(1) $\overline{AB}:\overline{AC}=\overline{BD}:\overline{CD}$이므로 $12:10=6:x$

$12x=60 \quad \therefore x=5$

(2) $\overline{AB}:\overline{AC}=\overline{BD}:\overline{CD}$이므로 $12:9=x:(7-x)$

$84-12x=9x,\ 21x=84 \quad \therefore x=4$

4-1 답 4

$\overline{AB}:\overline{AC}=\overline{BD}:\overline{CD}$이므로 $6:x=\boxed{12}:(12-4)$

$12x=48 \quad \therefore x=\boxed{4}$

4-2 답 (1) 9 (2) 12

(1) $\overline{AB}:\overline{AC}=\overline{BD}:\overline{CD}$이므로 $12:x=20:15$

$20x=180 \quad \therefore x=9$

(2) $\overline{AB}:\overline{AC}=\overline{BD}:\overline{CD}$이므로 $x:8=(6+12):12$

$12x=144 \quad \therefore x=12$

유형 익히기-확인 문제

본문 | 130~132쪽

01 답 (1) 9 (2) $\frac{15}{2}$

셀파 삼각형에서 평행선과 선분의 길이의 비에 맞게 x의 값을 구하기 위한 비례식을 각각 세운다.

(1) $\overline{AB}:\overline{AD}=\overline{AC}:\overline{AE}$이므로 $x:6=(4+2):4$

$4x=36 \quad \therefore x=9$

(2) $\overline{AC}:\overline{AE}=\overline{BC}:\overline{DE}$이므로 $5:(x-5)=8:4$

$8x-40=20,\ 8x=60 \quad \therefore x=\frac{15}{2}$

02 답 $\frac{9}{2}$

셀파 △ABQ와 △AQC에서 선분의 길이의 비를 알아본다.

△ABQ에서 $\overline{DP}/\!/\overline{BQ}$이므로

$\overline{AP}:\overline{AQ}=\overline{DP}:\overline{BQ}=4:6=2:3$

△AQC에서 $\overline{PE}/\!/\overline{QC}$이므로

$\overline{AP}:\overline{AQ}=\overline{PE}:\overline{QC}$, 즉 $2:3=3:x$

$2x=9 \quad \therefore x=\frac{9}{2}$

03 답 $\frac{24}{5}$ cm

셀파 △BCA와 △BFA에서 선분의 길이의 비를 알아본다.

△BCA에서 $\overline{AC}/\!/\overline{EF}$이므로 $\overline{BE}:\overline{EA}=\overline{BF}:\overline{FC}$

△BFA에서 $\overline{AF}/\!/\overline{ED}$이므로 $\overline{BE}:\overline{EA}=\overline{BD}:\overline{DF}$

따라서 $\overline{BF}:\overline{FC}=\overline{BD}:\overline{DF}$이므로 $(5+3):\overline{FC}=5:3$

$5\overline{FC}=24 \quad \therefore \overline{FC}=\frac{24}{5}$ (cm)

04 답 ③

셀파 선분의 길이의 비를 이용하여 평행선을 찾는다.

① $\overline{BF}:\overline{FC}=5:2$, $\overline{BD}:\overline{DA}=4.5:3=3:2$

즉 $\overline{BF}:\overline{FC}\neq\overline{BD}:\overline{DA}$이므로 $\overline{DF}$와 $\overline{AC}$는 평행하지 않다.

② $\overline{CE}:\overline{EA}=3:2$, $\overline{CF}:\overline{FB}=2:5$

즉 $\overline{CE}:\overline{EA}\neq\overline{CF}:\overline{FB}$이므로 $\overline{EF}$와 $\overline{AB}$는 평행하지 않다.

③ $\overline{AD}:\overline{DB}=3:4.5=2:3$, $\overline{AE}:\overline{EC}=2:3$

즉 $\overline{AD}:\overline{DB}=\overline{AE}:\overline{EC}$이므로 $\overline{DE}/\!/\overline{BC}$

④ $\overline{DF}$와 $\overline{AC}$가 평행하지 않으므로 동위각의 크기는 같지 않다.

$\therefore \angle BDF\neq\angle A$

⑤ $\overline{DE}:\overline{BC}=\overline{AE}:\overline{AC}=2:(2+3)=2:5$

따라서 옳은 것은 ③이다.

05 답 20 cm^2

셀파 △ABD : △ADC $=\overline{BD}:\overline{DC}$이므로 삼각형의 내각의 이등분선의 성질을 이용하여 $\overline{BD}:\overline{DC}$를 구한다.

$\overline{AD}$는 ∠A의 이등분선이므로 $\overline{AB}:\overline{AC}=\overline{BD}:\overline{DC}$

$8:10=\overline{BD}:\overline{DC} \quad \therefore \overline{BD}:\overline{DC}=4:5$

△ABD : △ADC $=\overline{BD}:\overline{DC}$이므로

16 : △ADC $=4:5$

4△ADC $=80 \quad \therefore$ △ADC $=20\ (cm^2)$

06 답 (1) 5 cm (2) 6 cm^2

셀파 $\triangle ABC : \triangle ACD = \overline{BC} : \overline{CD}$이므로 삼각형의 외각의 이등분선의 성질을 이용하여 $\overline{BC}$의 길이를 구한다.

(1) $\overline{AD}$가 $\angle A$의 외각의 이등분선이므로
$\overline{AB} : \overline{AC} = \overline{BD} : \overline{CD}$, 즉 $6 : 4 = \overline{BD} : 10$
$4\overline{BD} = 60 \quad \therefore \overline{BD} = 15\,(cm)$
$\therefore \overline{BC} = \overline{BD} - \overline{CD} = 15 - 10 = 5\,(cm)$

(2) $\triangle ABC : \triangle ACD = \overline{BC} : \overline{CD} = 5 : 10 = 1 : 2$이므로
$\triangle ABC : 12 = 1 : 2$, $2\triangle ABC = 12$
$\therefore \triangle ABC = 6\,(cm^2)$

삼각형에서 평행선과 선분의 길이의 비

본문 | 133 쪽

1 답 (1) $\frac{12}{5}$ (2) 15 (3) $\frac{9}{2}$ (4) 3

(1) $\overline{AB} : \overline{AD} = \overline{AC} : \overline{AE}$이므로 $5 : 3 = 4 : x$
$5x = 12 \quad \therefore x = \frac{12}{5}$

(2) $\overline{AB} : \overline{AD} = \overline{BC} : \overline{DE}$이므로 $(12+8) : 12 = x : 9$
$12x = 180 \quad \therefore x = 15$

(3) $\overline{AD} : \overline{DB} = \overline{AE} : \overline{EC}$이므로 $9 : x = 12 : 6$
$12x = 54 \quad \therefore x = \frac{9}{2}$

(4) $\overline{AC} : \overline{AE} = \overline{AB} : \overline{AD}$이므로 $6 : x = 8 : (12-8)$
$8x = 24 \quad \therefore x = 3$

2 답 (1) × (2) ○ (3) × (4) ○

(1) $\overline{AC} : \overline{AE} = 12 : 5$, $\overline{AB} : \overline{AD} = 10 : 4 = 5 : 2$
즉 $\overline{AC} : \overline{AE} \neq \overline{AB} : \overline{AD}$이므로 $\overline{BC}$와 $\overline{DE}$는 평행하지 않다.

(2) $\overline{AB} : \overline{BD} = 8 : 3$, $\overline{AC} : \overline{CE} = 16 : 6 = 8 : 3$
즉 $\overline{AB} : \overline{BD} = \overline{AC} : \overline{CE}$이므로 $\overline{BC} /\!/ \overline{DE}$

(3) $\overline{AD} : \overline{DB} = 15 : 5 = 3 : 1$, $\overline{AE} : \overline{EC} = 16 : 4 = 4 : 1$
즉 $\overline{AD} : \overline{DB} \neq \overline{AE} : \overline{EC}$이므로 $\overline{BC}$와 $\overline{DE}$는 평행하지 않다.

(4) $\overline{AB} : \overline{BD} = 12 : 15 = 4 : 5$, $\overline{AC} : \overline{CE} = 16 : 20 = 4 : 5$
즉 $\overline{AB} : \overline{BD} = \overline{AC} : \overline{CE}$이므로 $\overline{BC} /\!/ \overline{DE}$

2. 평행선 사이의 선분의 길이의 비

본문 | 135 쪽

1-1 답 (1) 9 (2) 2

(1) $8 : 12 = (\boxed{15-x}) : x$ 이므로 $8x = 180 - 12x$
$20x = 180 \quad \therefore x = \boxed{9}$

(2) $x : 6 = \boxed{3} : (12-3)$이므로 $9x = 18 \quad \therefore x = \boxed{2}$

1-2 답 (1) 4 (2) $\frac{10}{3}$

(1) $8 : x = 6 : 3$이므로 $6x = 24 \quad \therefore x = 4$

(2) $x : 2 = 5 : 3$이므로 $3x = 10 \quad \therefore x = \frac{10}{3}$

2-1 답 (1) $x=2$, $y=2$ (2) $x=\frac{10}{3}$, $y=\frac{2}{3}$

(1) □AGFD, □AHCD는 평행사변형이므로
$\overline{GF} = \overline{HC} = \overline{AD} = \boxed{2} \quad \therefore x = \boxed{2}$
$\triangle ABH$에서 $\overline{BH} = \overline{BC} - \overline{HC} = 5 - 2 = 3$이고
$\overline{AE} : \overline{AB} = \overline{EG} : \overline{BH}$이므로
$2 : (2+1) = y : 3$
$3y = 6 \quad \therefore y = \boxed{2}$

(2) $\triangle ABC$에서 $\overline{AE} : \overline{AB} = \overline{EG} : \overline{BC}$이므로
$2 : (2+1) = x : \boxed{5}$
$3x = 10 \quad \therefore x = \boxed{\frac{10}{3}}$
$\triangle ACD$에서 $\overline{CF} : \overline{CD} = \overline{GF} : \overline{AD}$이므로
$\boxed{1} : (1+2) = y : 2$
$3y = 2 \quad \therefore y = \boxed{\frac{2}{3}}$

2-2 답 (1) 8 (2) 10

(1) □AGFD, □AHCD는 평행사변형이므로
$\overline{GF} = \overline{HC} = \overline{AD} = 6$,
$\overline{BH} = \overline{BC} - \overline{CH} = 10 - 6 = 4$
따라서 $\triangle ABH$에서 $\overline{AE} : \overline{AB} = \overline{EG} : \overline{BH}$이므로
$2 : (2+2) = \overline{EG} : 4$, $4\overline{EG} = 8$
$\therefore \overline{EG} = 2$
따라서 $\overline{EF} = \overline{EG} + \overline{GF} = 2 + 6 = 8$

(2) △ABC에서 $\overline{AE}:\overline{AB}=\overline{EG}:\overline{BC}$이므로

$3:(3+6)=\overline{EG}:12$

$9\overline{EG}=36 \qquad \therefore \overline{EG}=4$

$\overline{AD}/\!/\overline{EF}/\!/\overline{BC}$이므로

$\overline{DF}:\overline{FC}=\overline{AE}:\overline{EB}=3:6=1:2$

△CDA에서 $\overline{CF}:\overline{CD}=\overline{GF}:\overline{AD}$이므로

$2:(2+1)=\overline{GF}:9$, $3\overline{GF}=18$ ← $\overline{CF}:(\overline{CF}+\overline{FD})=2:(2+1)$

$\therefore \overline{GF}=6$

따라서 $\overline{EF}=\overline{EG}+\overline{GF}=4+6=10$

본문 | 136~139 쪽

01 답 $x=7$, $y=20$

셀파 길이가 주어진 선분을 이용하여 길이의 비를 구한다.

$x:(28-x)=4:12$에서 $4(28-x)=12x$

$28-x=3x$, $4x=28$

$\therefore x=7$

$4:12=5:(y-5)$에서 $4(y-5)=60$

$y-5=15 \qquad \therefore y=20$

02 답 $x=6$, $y=\dfrac{8}{3}$

셀파 세 직선이 평행일 때로 나누어 푼다.

(i) $k/\!/l/\!/m$이므로

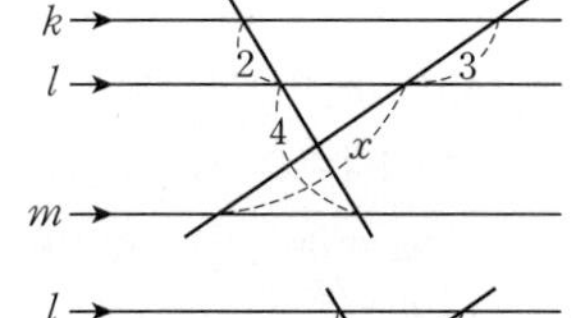

$2:4=3:x$

$2x=12 \qquad \therefore x=6$

(ii) $l/\!/m/\!/n$이므로

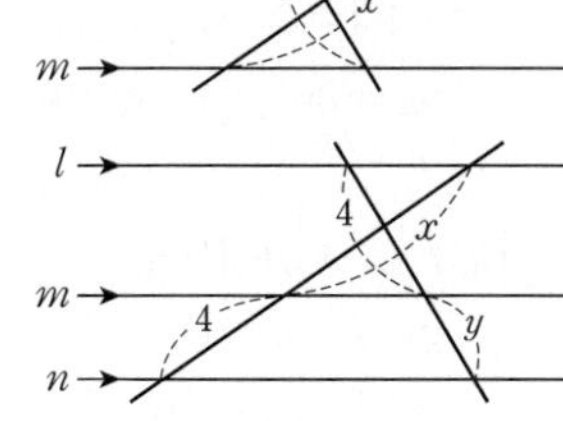

$4:y=x:4$

즉 $4:y=6:4$

$6y=16 \qquad \therefore y=\dfrac{8}{3}$

03 답 (1) 14 (2) 20

셀파 보조선을 그어 삼각형을 만든 후 삼각형에서 평행선과 선분의 길이의 비를 이용한다.

(1) 오른쪽 그림과 같이 점 A를 지나고 $\overline{DC}$와 평행한 선분이 $\overline{EF}$, $\overline{BC}$와 만나는 점을 각각 G, H라 하자.

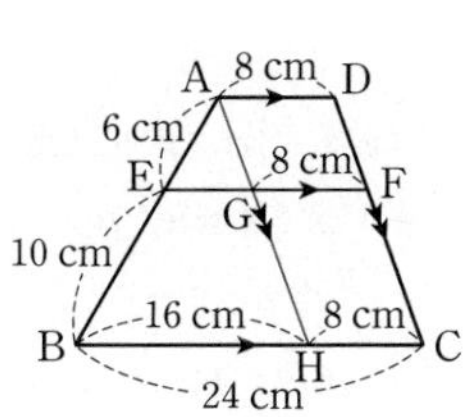

□AGFD, □AHCD는 평행사변형이므로

$\overline{GF}=\overline{HC}=\overline{AD}=8$ cm

△ABH에서 $\overline{AE}:\overline{AB}=\overline{EG}:\overline{BH}$이므로

$6:(6+10)=\overline{EG}:(24-8)$, 즉 $3:8=\overline{EG}:16$

$8\overline{EG}=48 \qquad \therefore \overline{EG}=6$ (cm)

따라서 $\overline{EF}=\overline{EG}+\overline{GF}=6+8=14$ (cm)이므로

$x=14$

(2) 오른쪽 그림과 같이 점 A를 지나고 $\overline{DC}$와 평행한 선분이 $\overline{EF}$, $\overline{BC}$와 만나는 점을 각각 G, H라 하자.

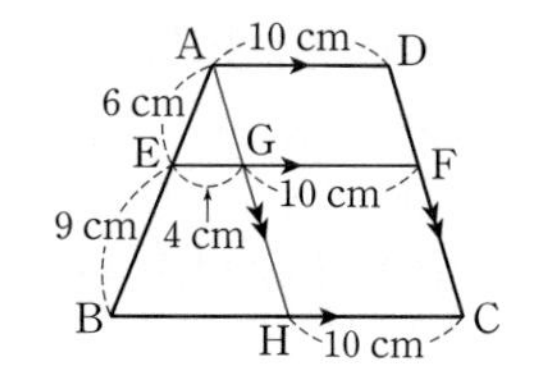

□AGFD, □AHCD는 평행사변형이므로

$\overline{GF}=\overline{HC}=\overline{AD}=10$ cm

△ABH에서 $\overline{AE}:\overline{AB}=\overline{EG}:\overline{BH}$이므로

$6:(6+9)=(14-10):\overline{BH}$, 즉 $2:5=4:\overline{BH}$

$2\overline{BH}=20 \qquad \therefore \overline{BH}=10$ (cm)

따라서 $\overline{BC}=\overline{BH}+\overline{HC}=10+10=20$ (cm)이므로

$x=20$

다른 풀이 (1) 오른쪽 그림과 같이 대각선 AC를 그어 $\overline{EF}$와 만나는 점을 G라 하자.

$\overline{AD}/\!/\overline{EF}/\!/\overline{BC}$이므로

$\overline{DF}:\overline{FC}=\overline{AE}:\overline{EB}$

$=6:10=3:5$

△ACD에서 $\overline{CF}:\overline{CD}=\overline{GF}:\overline{AD}$이므로

$5:(5+3)=\overline{GF}:8$

$8\overline{GF}=40 \qquad \therefore \overline{GF}=5$ (cm)

△ABC에서 $\overline{AE}:\overline{AB}=\overline{EG}:\overline{BC}$이므로

$3:(3+5)=\overline{EG}:24$

$8\overline{EG}=72 \qquad \therefore \overline{EG}=9$ (cm)

따라서 $\overline{EF}=\overline{EG}+\overline{GF}=9+5=14$ (cm)이므로

$x=14$

(2) 오른쪽 그림과 같이 대각선 AC를 그어 $\overline{EF}$와 만나는 점을 G라 하자.

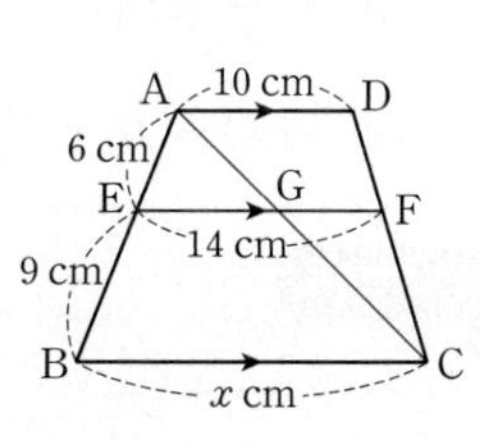

$\overline{AD}/\!/\overline{EF}/\!/\overline{BC}$이므로

$\overline{DF}:\overline{FC}=\overline{AE}:\overline{EB}$

$=6:9=2:3$

△ACD에서 $\overline{CF}:\overline{CD}=\overline{GF}:\overline{AD}$이므로

$3:(3+2)=\overline{GF}:10$

$5\overline{GF}=30 \qquad \therefore \overline{GF}=6$ (cm)

$\therefore \overline{EG}=\overline{EF}-\overline{GF}=14-6=8$ (cm)

따라서 △ABC에서 $\overline{AE}:\overline{AB}=\overline{EG}:\overline{BC}$이므로

$2:(2+3)=8:x$

$2x=40 \qquad \therefore x=20$

04 답 $\frac{13}{2}$ cm

셀파 $\overline{PQ}=\overline{EQ}-\overline{EP}$

$\triangle$ABC에서 $\overline{AE}:\overline{AB}=\overline{EQ}:\overline{BC}$이므로

$9:(9+3)=\overline{EQ}:12$

$12\overline{EQ}=108 \quad \therefore \overline{EQ}=9\ (\text{cm})$

$\triangle$ABD에서 $\overline{BE}:\overline{BA}=\overline{EP}:\overline{AD}$이므로

$3:(3+9)=\overline{EP}:10$

$12\overline{EP}=30 \quad \therefore \overline{EP}=\frac{5}{2}\ (\text{cm})$

$\therefore \overline{PQ}=\overline{EQ}-\overline{EP}=9-\frac{5}{2}=\frac{13}{2}\ (\text{cm})$

05 답 $\frac{80}{9}$ cm

셀파 $\triangle$AOD$\backsim\triangle$COB (AA 닮음)이고, 닮음비는 4 : 5이다.

$\triangle$AOD$\backsim\triangle$COB (AA 닮음)이므로

$\overline{AO}:\overline{CO}=\overline{AD}:\overline{CB}$

$=8:10=4:5$

$\triangle$ABC에서

$\overline{AO}:\overline{AC}=\overline{EO}:\overline{BC}$이므로

$4:(4+5)=\overline{EO}:10,\ 9\overline{EO}=40$

$\therefore \overline{EO}=\frac{40}{9}\ (\text{cm})$

$\triangle$ACD에서 $\overline{CO}:\overline{CA}=\overline{OF}:\overline{AD}$이므로

$5:(5+4)=\overline{OF}:8,\ 9\overline{OF}=40$

$\therefore \overline{OF}=\frac{40}{9}\ (\text{cm})$

$\therefore \overline{EF}=\overline{EO}+\overline{OF}=\frac{40}{9}+\frac{40}{9}=\frac{80}{9}\ (\text{cm})$

LECTURE

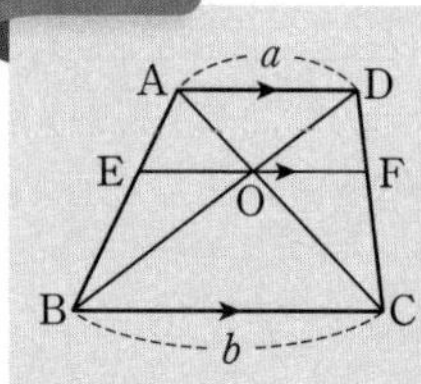

왼쪽 그림과 같이 $\overline{AD}/\!/\overline{BC}$인 사다리꼴 ABCD에서 $\overline{EF}/\!/\overline{BC}$이고 $\overline{AC}$, $\overline{BD}$, $\overline{EF}$가 한 점 O에서 만나면

$\overline{EO}=\overline{FO}=\frac{ab}{a+b}$

다른 풀이 위 공식을 이용하면 $a=8$ cm, $b=10$ cm이므로

$\overline{EO}=\overline{FO}=\frac{ab}{a+b}=\frac{8\times10}{8+10}=\frac{80}{18}=\frac{40}{9}\ (\text{cm})$

06 답 3

셀파 $\triangle$CAB에서 $\overline{CE}:\overline{CA}$를 구한다.

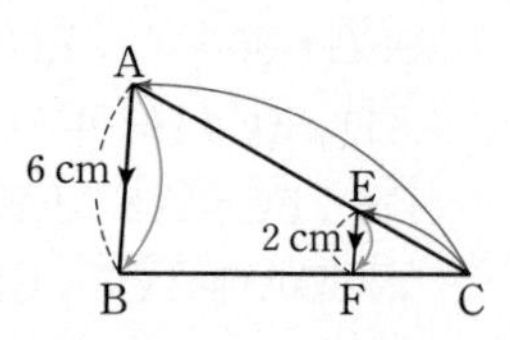

$\triangle$CAB에서 $\overline{AB}/\!/\overline{EF}$이므로

$\overline{CE}:\overline{CA}=\overline{EF}:\overline{AB}=2:6=1:3$

$\therefore \overline{CE}:\overline{AE}=1:(3-1)=1:2$

이때 $\triangle$ABE$\backsim\triangle$CDE (AA 닮음)이므로

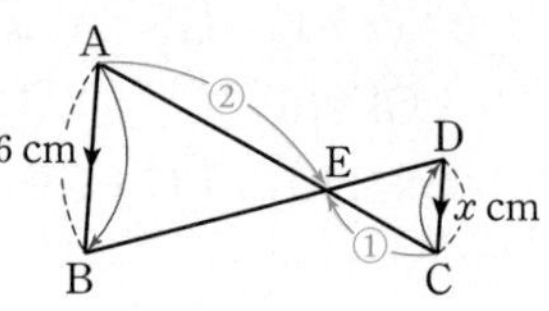

$\overline{AB}:\overline{CD}=\overline{AE}:\overline{CE}$에서

$6:x=2:1$

$2x=6 \quad \therefore x=3$

풀고 또 풀고 집중 연습 평행선 사이의 선분의 길이의 비

본문 | 140 쪽

1 답 (1) 7 (2) 4 (3) 9 (4) $\frac{16}{3}$
(5) $x=6,\ y=3$ (6) $x=6,\ y=4$

(1) $x:21=6:18$이므로 $18x=126 \quad \therefore x=7$

(2) $8:x=6:(9-6)$이므로 $6x=24 \quad \therefore x=4$

(3) $12:16=x:12$이므로 $16x=144 \quad \therefore x=9$

(4) $(x-2):2=5:3$이므로 $3(x-2)=10$

$3x=16 \quad \therefore x=\frac{16}{3}$

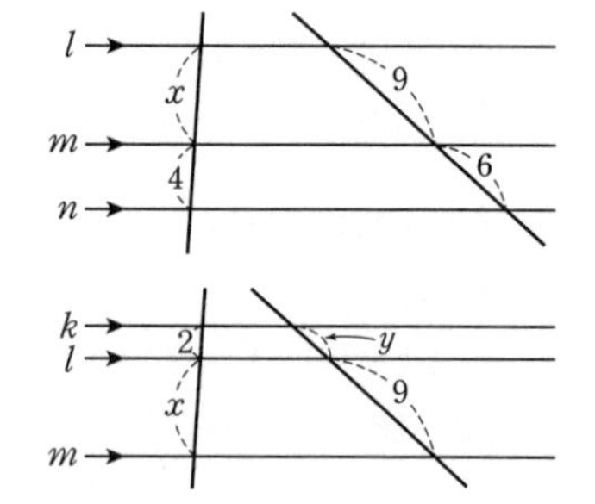

(5) (i) $l/\!/m/\!/n$이므로

$x:4=9:6$

$6x=36 \quad \therefore x=6$

(ii) $k/\!/l/\!/m$이므로

$2:x=y:9$

즉 $2:6=y:9$

$6y=18 \quad \therefore y=3$

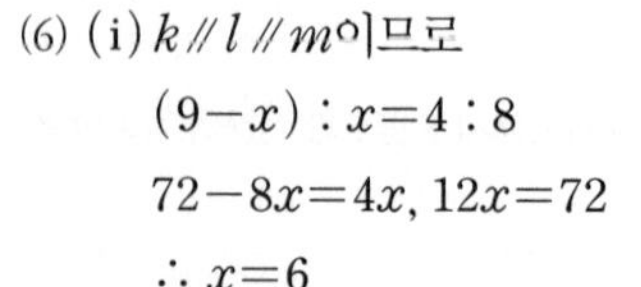

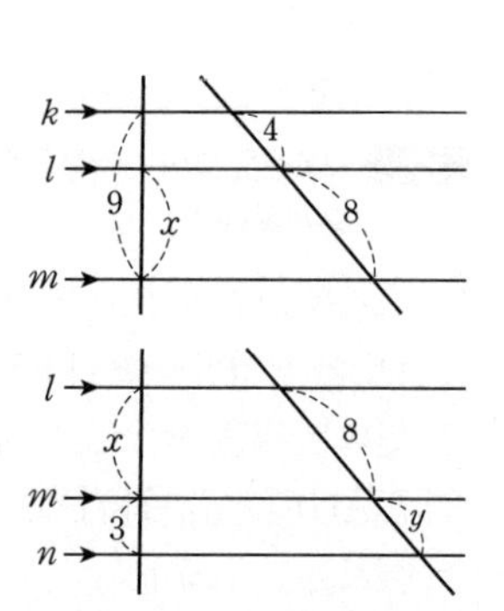

(6) (i) $k/\!/l/\!/m$이므로

$(9-x):x=4:8$

$72-8x=4x,\ 12x=72$

$\therefore x=6$

(ii) $l/\!/m/\!/n$이므로

$x:3=8:y$

즉 $6:3=8:y$

$6y=24 \quad \therefore y=4$

2 답 (1) ① 5 cm ② 5 cm ③ 10 cm
(2) ① 3 cm ② 4 cm ③ 7 cm

(1) ① □AGFD, □AHCD가 평행사변형이므로
$\overline{GF}=\overline{HC}=\overline{AD}=5$ cm
② △ABH에서 $\overline{AE}:\overline{AB}=\overline{EG}:\overline{BH}$이고
$\overline{BH}=\overline{BC}-\overline{HC}=14-5=9$ (cm)이므로
$5:(5+4)=\overline{EG}:9$
$9\overline{EG}=45$ $\therefore \overline{EG}=5$ (cm)
③ $\overline{EF}=\overline{EG}+\overline{GF}=5+5=10$ (cm)

(2) ① △ABC에서 $\overline{AE}:\overline{AB}=\overline{EG}:\overline{BC}$이므로
$2:(2+4)=\overline{EG}:9$
$6\overline{EG}=18$ $\therefore \overline{EG}=3$ (cm)
② △ACD에서 $\overline{CF}:\overline{CD}=\overline{GF}:\overline{AD}$이므로
$4:(4+2)=\overline{GF}:6$
$6\overline{GF}=24$ $\therefore \overline{GF}=4$ (cm)
③ $\overline{EF}=\overline{EG}+\overline{GF}=3+4=7$ (cm)

3 답 (1) 3 (2) $\frac{15}{2}$

(1) $\overline{AB}/\!/\overline{DC}$이므로 $\overline{BE}:\overline{DE}=\overline{AB}:\overline{CD}=12:4=3:1$
△BCD에서 $\overline{EF}/\!/\overline{DC}$이므로 $\overline{EF}:\overline{DC}=\overline{BE}:\overline{BD}$
$x:4=3:(3+1)$, $4x=12$
$\therefore x=3$

(2) $\overline{AB}/\!/\overline{EF}$이므로 $\overline{CF}:\overline{CB}=3:5$
△BCD에서 $\overline{EF}/\!/\overline{DC}$이므로 $\overline{EF}:\overline{DC}=\overline{BF}:\overline{BC}$
$3:x=(5-3):5$, $2x=15$
$\therefore x=\frac{15}{2}$

실력 키우기

본문 | 141~143 쪽

01 답 20
셀파 삼각형에서 평행선과 선분의 길이의 비를 이용한다.
$\overline{AD}:\overline{DB}=\overline{AE}:\overline{EC}$에서 $4:6=8:x$
$4x=48$ $\therefore x=12$
$\overline{AD}:\overline{AB}=\overline{DE}:\overline{BC}$에서 $4:(4+6)=y:20$
$10y=80$ $\therefore y=8$
$\therefore x+y=12+8=20$

02 답 24 cm
셀파 $\overline{BC}/\!/\overline{DE}$이므로 $\overline{AB}:\overline{AD}=\overline{AC}:\overline{AE}=\overline{BC}:\overline{DE}$
$\overline{AB}:\overline{AD}=\overline{AC}:\overline{AE}$에서 $\overline{AB}:4=6:3$
$3\overline{AB}=24$ $\therefore \overline{AB}=8$ (cm)
$\overline{AC}:\overline{AE}=\overline{BC}:\overline{DE}$에서 $6:3=\overline{BC}:5$
$3\overline{BC}=30$ $\therefore \overline{BC}=10$ (cm)
따라서 △ABC의 둘레의 길이는
$\overline{AB}+\overline{BC}+\overline{CA}=8+10+6=24$ (cm)

03 답 $\frac{27}{2}$ cm
셀파 □DFCE는 평행사변형이므로 $\overline{DE}=\overline{FC}$
① $\overline{FC}$의 길이 구하기 [30 %]
$\overline{DE}/\!/\overline{FC}$, $\overline{DF}/\!/\overline{EC}$이므로 □DFCE는 평행사변형이다.
$\therefore \overline{FC}=\overline{DE}=9$ cm
② $\overline{BF}$의 길이 구하기 [70 %]
△ABC에서 $\overline{DE}/\!/\overline{BC}$이므로 $\overline{AE}:\overline{AC}=\overline{DE}:\overline{BC}$
$10:(10+15)=9:(\overline{BF}+9)$
$10(\overline{BF}+9)=225$, $10\overline{BF}=135$ $\therefore \overline{BF}=\frac{27}{2}$ (cm)

04 답 ②
셀파 선분의 길이의 비가 일정한 것을 찾는다.
① $5:10\neq6:11$ ② $6:4=9:6$
③ $9:20\neq10:18$ ④ $6:4\neq5:3$
⑤ $8:22\neq7:16$
따라서 $\overline{BC}/\!/\overline{DE}$인 것은 ②이다.

05 답 ㉢, $\frac{144}{13}$ cm
셀파 $\overline{AD}:\overline{DB}\neq\overline{DE}:\overline{BC}$
㉢ $\overline{AD}:\overline{AB}=\overline{DE}:\overline{BC}$이므로
$8:(8+5)=\overline{DE}:18$
$13\overline{DE}=144$ $\therefore \overline{DE}=\frac{144}{13}$ (cm)

06 답 4 cm
셀파 △AFC와 △ABF에서 선분의 길이의 비를 알아본다.
△AFC에서 $\overline{GE}/\!/\overline{FC}$이므로
$\overline{AG}:\overline{AF}=\overline{GE}:\overline{FC}=6:12=1:2$
△ABF에서 $\overline{DG}/\!/\overline{BF}$이므로 $\overline{AG}:\overline{AF}=\overline{DG}:\overline{BF}$
$1:2=2:\overline{BF}$ $\therefore \overline{BF}=4$ (cm)

07 답 $\frac{20}{3}$

셀파 $\triangle$ABE와 $\triangle$ABC에서 선분의 길이의 비를 알아본다.

$\triangle$ABE에서 $\overline{BE} /\!/ \overline{DF}$이므로

$\overline{AD} : \overline{DB} = \overline{AF} : \overline{FE} = 6 : 4 = 3 : 2$

$\triangle$ABC에서 $\overline{BC} /\!/ \overline{DE}$이므로 $\overline{AD} : \overline{DB} = \overline{AE} : \overline{EC}$

$3 : 2 = (6+4) : x$

$3x = 20 \qquad \therefore x = \frac{20}{3}$

08 답 $\frac{36}{7}$

셀파 삼각형의 내각의 이등분선의 성질을 이용하여 $\overline{BD} : \overline{DC}$를 구한다.

$\overline{AD}$는 $\angle$A의 이등분선이므로

$\overline{BD} : \overline{DC} = \overline{AB} : \overline{AC} = 9 : 12 = 3 : 4$

$\overline{AB} /\!/ \overline{ED}$이므로 $\overline{CD} : \overline{CB} = \overline{ED} : \overline{AB}$

$4 : (4+3) = x : 9$

$7x = 36 \qquad \therefore x = \frac{36}{7}$

09 답 (1) 2 cm (2) 10 cm (3) 28 cm^2

셀파 $\triangle ABD : \triangle ADE = \overline{BD} : \overline{DE}$이고 $\overline{DE} = \overline{DC} + \overline{CE}$

① $\overline{DC}$의 길이 구하기 [30 %]

(1) $\overline{AD}$가 $\angle$A의 이등분선이므로

$\overline{AB} : \overline{AC} = \overline{BD} : \overline{DC}$

$6 : 4 = 3 : \overline{DC}$, $6\overline{DC} = 12$

$\therefore \overline{DC} = 2$ (cm)

② $\overline{CE}$의 길이 구하기 [40 %]

(2) $\overline{AE}$가 $\angle$A의 외각의 이등분선이므로

$\overline{AB} : \overline{AC} = \overline{BE} : \overline{CE}$

이때 $\overline{BE} = \overline{BD} + \overline{DC} + \overline{CE} = (3+2) + \overline{CE} = 5 + \overline{CE}$이므로

$6 : 4 = (5 + \overline{CE}) : \overline{CE}$

$6\overline{CE} = 4(5 + \overline{CE})$, $6\overline{CE} = 20 + 4\overline{CE}$

$2\overline{CE} = 20 \qquad \therefore \overline{CE} = 10$ (cm)

③ $\triangle$ADE의 넓이 구하기 [30 %]

(3) $\triangle ABD : \triangle ADE = \overline{BD} : \overline{DE} = \overline{BD} : (\overline{DC} + \overline{CE})$

$7 : \triangle ADE = 3 : (2+10)$

$3\triangle ADE = 84 \qquad \therefore \triangle ADE = 28$ (cm^2)

10 답 200 m

셀파 평행선 사이의 선분의 길이의 비를 이용한다.

오른쪽 그림과 같이 각 지점을 A, B, C, D, E, F라 하면

$l /\!/ m /\!/ n$이므로

$\overline{AB} : \overline{BC} = \overline{DE} : \overline{EF}$

$\overline{AB} : 500 = 120 : 300$

$300\overline{AB} = 500 \times 120$

$\therefore \overline{AB} = 200$ (m)

따라서 민수네 집에서 도서관까지의 거리는 200 m이다.

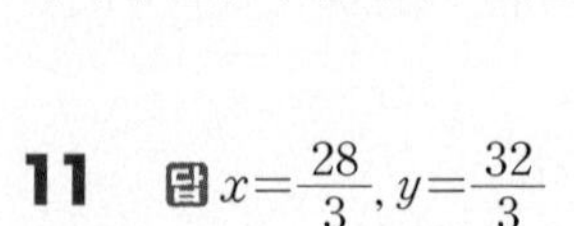

11 답 $x = \frac{28}{3}$, $y = \frac{32}{3}$

셀파 두 직선 a, b의 교점을 지나고 세 직선 l, m, n과 평행한 직선을 긋는다.

오른쪽 그림과 같이 두 직선 a, b의 교점을 지나고 세 직선 l, m, n과 평행한 직선 k를 그으면

$l /\!/ k /\!/ m$이므로

$14 : 6 = x : 4$, $6x = 56$

$\therefore x = \frac{28}{3}$

$k /\!/ m /\!/ n$이므로 $4 : y = 6 : 16$

$6y = 64 \qquad \therefore y = \frac{32}{3}$

12 답 $\frac{27}{5}$

셀파 사다리꼴에서 평행선 사이의 선분의 길이의 비를 이용한다.

오른쪽 그림과 같이 직선 k를 그으면

$4 : (4+6) = (x-3) : (9-3)$

$10(x-3) = 24$, $10x = 54$

$\therefore x = \frac{27}{5}$

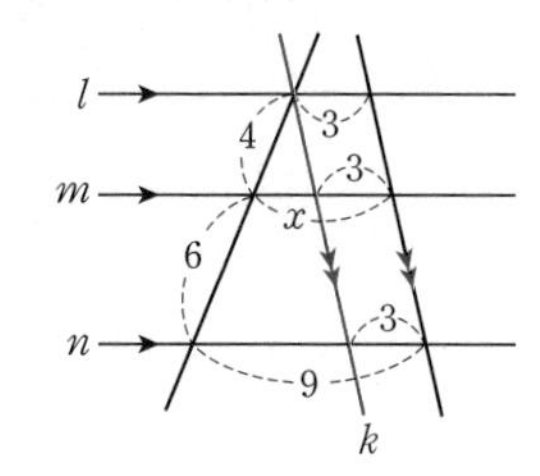

13 답 47 cm

셀파 사다리꼴에서 평행선 사이의 선분의 길이의 비를 이용한다.

오른쪽 그림과 같이 점 A, B, C, D, E, F를 정하고 점 A를 지나고 $\overline{DF}$와 평행한 직선이 $\overline{BE}$, $\overline{CF}$와 만나는 점을 각각 G, H라 하면 □AGED, □AHFD는 평행사변형이다.

$\therefore \overline{GE} = \overline{HF} = \overline{AD} = 41$ cm,

$\overline{CH} = \overline{CF} - \overline{HF}$

$= 53 - 41 = 12$ (cm)

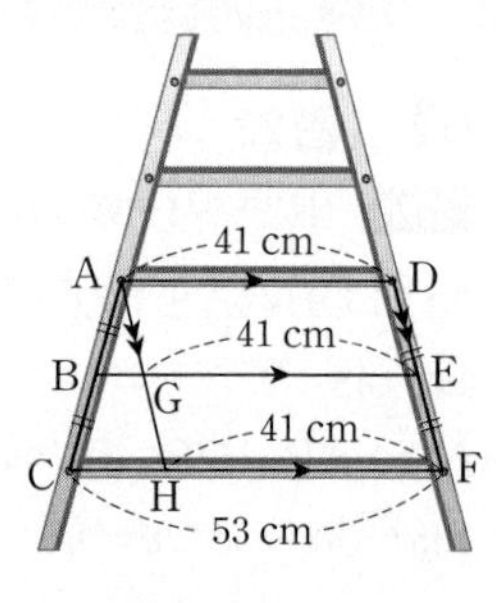

$\triangle$ACH에서 $\overline{BG} /\!/ \overline{CH}$이므로 $\overline{AB} : \overline{AC} = \overline{BG} : \overline{CH}$
$1 : (1+1) = \overline{BG} : 12$, $2\overline{BG} = 12$ $\quad\therefore \overline{BG} = 6$ (cm)
$\therefore \overline{BE} = \overline{BG} + \overline{GE} = 6 + 41 = 47$ (cm)

14 답 4 cm

셀파 $\overline{PQ} = \overline{MQ} - \overline{MP}$

① $\overline{MQ}$의 길이 구하기 [40 %]
$\triangle$ABC에서 $\overline{AM} : \overline{AB} = \overline{MQ} : \overline{BC}$
이므로 $1 : (1+1) = \overline{MQ} : 16$
$2\overline{MQ} = 16$ $\quad\therefore \overline{MQ} = 8$ (cm)

② $\overline{MP}$의 길이 구하기 [40 %]
$\triangle$ABD에서 $\overline{BM} : \overline{BA} = \overline{MP} : \overline{AD}$
이므로 $1 : (1+1) = \overline{MP} : 8$
$2\overline{MP} = 8$ $\quad\therefore \overline{MP} = 4$ (cm)

③ $\overline{PQ}$의 길이 구하기 [20 %]
$\therefore \overline{PQ} = \overline{MQ} - \overline{MP} = 8 - 4 = 4$ (cm)

15 답 20 cm

셀파 $\triangle$ABC에서 $\overline{EO} /\!/ \overline{BC}$이므로 $\overline{AE} : \overline{AB} = \overline{EO} : \overline{BC}$

$\triangle$ABC에서 $\overline{EO} /\!/ \overline{BC}$이므로
$\overline{AE} : \overline{AB} = \overline{EO} : \overline{BC} = 12 : 30 = 2 : 5$
$\triangle$ABD에서 $\overline{AD} /\!/ \overline{EO}$이므로
$\overline{BE} : \overline{BA} = \overline{EO} : \overline{AD}$
$(5-2) : 5 = 12 : \overline{AD}$
$3\overline{AD} = 60$ $\quad\therefore \overline{AD} = 20$ (cm)

16 답 ④

셀파 $\triangle ABE \backsim \triangle CDE$ (AA 닮음)을 이용하여 선분의 길이의 비를 구한다.

① $\triangle$ABE와 $\triangle$CDE에서
$\overline{AB} /\!/ \overline{DC}$이므로 $\angle ABE = \angle CDE$ (엇각),
$\angle AEB = \angle CED$ (맞꼭지각)
$\therefore \triangle ABE \backsim \triangle CDE$ (AA 닮음)
② $\overline{AB} /\!/ \overline{DC}$이므로 $\overline{AE} : \overline{CE} = \overline{AB} : \overline{CD} = 4 : 6 = 2 : 3$
③ $\triangle$ABC에서 $\overline{AB} /\!/ \overline{EF}$이므로
$\overline{CF} : \overline{BF} = \overline{CE} : \overline{AE}$, 즉 $(8 - \overline{BF}) : \overline{BF} = 3 : 2$
$2(8 - \overline{BF}) = 3\overline{BF}$, $16 - 2\overline{BF} = 3\overline{BF}$
$5\overline{BF} = 16$ $\quad\therefore \overline{BF} = \frac{16}{5}$ (cm)
④ $\triangle$ABC에서 $\overline{AB} /\!/ \overline{EF}$이므로
$\overline{EF} : \overline{AB} = \overline{CE} : \overline{CA} = 3 : (3+2) = 3 : 5$
⑤ $\triangle$ABC에서 $\overline{EF} : \overline{AB} = \overline{CE} : \overline{CA}$이므로
$\overline{EF} : 4 = 3 : 5$
$5\overline{EF} = 12$ $\quad\therefore \overline{EF} = \frac{12}{5}$ (cm)
따라서 옳지 않은 것은 ④이다.

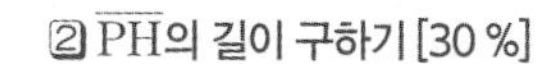

17 답 (1) 4 cm (2) 36 cm^2

셀파 동위각의 크기가 90°이므로 $\overline{AB} /\!/ \overline{PH} /\!/ \overline{DC}$

① $\overline{CP} : \overline{CA}$ 구하기 [40 %]
(1) $\overline{AB}$, $\overline{PH}$, $\overline{DC}$ 모두 $\overline{BC}$에
수직이므로
$\overline{AB} /\!/ \overline{PH} /\!/ \overline{DC}$
$\overline{AB} /\!/ \overline{DC}$이므로
$\overline{PA} : \overline{PC} = \overline{AB} : \overline{CD}$
$= 6 : 12 = 1 : 2$
$\therefore \overline{CP} : \overline{CA} = 2 : (2+1) = 2 : 3$

② $\overline{PH}$의 길이 구하기 [30 %]
$\triangle$CAB에서 $\overline{AB} /\!/ \overline{PH}$이므로
$\overline{CP} : \overline{CA} = \overline{PH} : \overline{AB}$
$2 : 3 = \overline{PH} : 6$
$3\overline{PH} = 12$ $\quad\therefore \overline{PH} = 4$ (cm)

③ $\triangle$PBC의 넓이 구하기 [30 %]
(2) ($\triangle$PBC의 넓이) $= \frac{1}{2} \times \overline{BC} \times \overline{PH}$
$= \frac{1}{2} \times 18 \times 4$
$= 36$ (cm^2)

9 삼각형의 무게중심

1. 삼각형의 두 변의 중점을 연결한 선분의 성질

본문 | 147 쪽

1-1 답 $x=75$, $y=6$

$\overline{AM}=\overline{MB}$, $\overline{AN}=\overline{NC}$이므로 $\overline{MN}\,/\!/\,\overline{BC}$, $\overline{MN}=\frac{1}{2}\overline{BC}$

$\overline{MN}\,/\!/\,\overline{BC}$이므로 $\angle C=\angle ANM=75°$ (동위 각)

$\therefore x=75$

$\overline{MN}=\frac{1}{2}\overline{BC}$이므로 $\overline{BC}=$ 2 $\overline{MN}=2\times3=$ 6 (cm)

$\therefore y=$ 6

1-2 답 (1) $x=6$, $y=66$ (2) $x=10$, $y=40$

$\overline{AM}=\overline{MB}$, $\overline{AN}=\overline{NC}$이므로 $\overline{MN}\,/\!/\,\overline{BC}$, $\overline{MN}=\frac{1}{2}\overline{BC}$

(1) $\overline{MN}\,/\!/\,\overline{BC}$이므로 $\angle C=\angle ANM=66°$ (동위각)

$\therefore y=66$

$\overline{MN}=\frac{1}{2}\overline{BC}=\frac{1}{2}\times12=6$ (cm)

$\therefore x=6$

(2) $\overline{MN}\,/\!/\,\overline{BC}$이므로 $\angle AMN=\angle B=40°$ (동위각)

$\therefore y=40$

$\overline{MN}=\frac{1}{2}\overline{BC}$이므로 $\overline{BC}=2\overline{MN}=2\times5=10$ (cm)

$\therefore x=10$

2-1 답 $x=4$, $y=12$

$\overline{AM}=\overline{MB}$, $\overline{MN}\,/\!/\,\overline{BC}$이므로

$\overline{AN}=$ $\overline{NC}$ $=4$ cm $\quad\therefore x=$ 4

또 $\overline{BC}=$ 2 $\overline{MN}=2\times6=12$ (cm) $\quad\therefore y=12$

2-2 답 (1) 10 (2) 10

$\overline{AM}=\overline{MB}$, $\overline{MN}\,/\!/\,\overline{BC}$이므로 $\overline{AN}=\overline{NC}$

(1) $\overline{AN}=\overline{NC}=\frac{1}{2}\overline{AC}=\frac{1}{2}\times20=10$ (cm) $\quad\therefore x=10$

(2) $\overline{AM}=\overline{MB}$, $\overline{AN}=\overline{NC}$이므로

$\overline{BC}=2\overline{MN}=2\times5=10$ (cm) $\quad\therefore x=10$

보고 또 보고 **유형 익히기 - 확인 문제**

본문 | 148~151 쪽

01 답 4 cm

셀파 $\triangle ABC$, $\triangle DBC$에서 각각 삼각형의 두 변의 중점을 연결한 선분의 성질을 이용한다.

$\triangle ABC$에서 $\overline{AM}=\overline{MB}$, $\overline{AN}=\overline{NC}$이므로

$\overline{BC}=2\overline{MN}=2\times4=8$ (cm)

$\triangle DBC$에서 $\overline{DP}=\overline{PB}$, $\overline{DQ}=\overline{QC}$이므로

$\overline{PQ}=\frac{1}{2}\overline{BC}=\frac{1}{2}\times8=4$ (cm)

참고 $\overline{BC}$를 한 변으로 하는 모든 삼각형에서 다른 두 변의 중점을 연결한 선분의 길이는 모두 같다.

02 답 $\overline{AD}=7$ cm, $\overline{FC}=8$ cm

셀파 삼각형의 한 변의 중점을 지나고, 다른 한 변과 평행한 직선의 성질을 이용한다.

$\overline{AE}=\overline{EC}$, $\overline{DE}\,/\!/\,\overline{BC}$이므로

$\overline{AD}=\overline{DB}=\frac{1}{2}\overline{AB}=\frac{1}{2}\times14=7$ (cm)

$\overline{AE}=\overline{EC}$, $\overline{AB}\,/\!/\,\overline{EF}$이므로

$\overline{BF}=\overline{FC}\quad\therefore \overline{FC}=8$ cm

03 답 1. 54 cm^2 2. (1) 마름모 (2) 28 cm

셀파 □EFGH가 어떤 사각형인지 알아본다.

1. $\triangle ABC$와 $\triangle ACD$에서 $\overline{EF}\,/\!/\,\overline{AC}\,/\!/\,\overline{HG}$

$\triangle ABD$와 $\triangle BCD$에서 $\overline{EH}\,/\!/\,\overline{BD}\,/\!/\,\overline{FG}$

즉 □EFGH는 두 쌍의 대변이 각각 평행하므로 평행사변형이다.

이때 $\angle FGH=90°$, 즉 평행사변형 EFGH의 한 내각이 직각이므로 □EFGH는 직사각형이다.

$\triangle ABC$에서 $\overline{EF}=\frac{1}{2}\overline{AC}=\frac{1}{2}\times12=6$ (cm)

$\triangle DBC$에서 $\overline{FG}=\frac{1}{2}\overline{BD}=\frac{1}{2}\times18=9$ (cm)

$\therefore$ □EFGH $=\overline{FG}\times\overline{EF}=9\times6=54$ (cm^2)

2. (1) 오른쪽 그림과 같이 $\overline{BD}$를 그으면

$\triangle ABC$와 $\triangle ACD$에서

$\overline{EF}=\overline{HG}=\frac{1}{2}\overline{AC}$

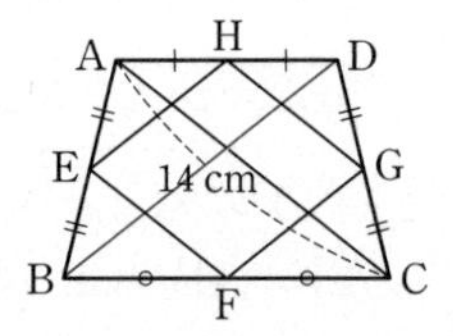

$\triangle ABD$와 $\triangle BCD$에서 $\overline{EH}=\overline{FG}=\frac{1}{2}\overline{BD}$

이때 $\square ABCD$가 등변사다리꼴이므로 $\overline{BD}=\overline{AC}$

$\therefore \overline{EF}=\overline{FG}=\overline{HG}=\overline{EH}$

즉 $\square EFGH$는 네 변의 길이가 모두 같으므로 마름모이다.

(2) $\overline{EF}=\frac{1}{2}\overline{AC}=\frac{1}{2}\times 14=7\ (\text{cm})$이고 $\square EFGH$는 마름모이므로

($\square EFGH$의 둘레의 길이)$=4\overline{EF}=4\times 7=28\ (\text{cm})$

참고 등변사다리꼴의 네 변의 중점을 연결하여 만든 사각형이 마름모임을 다음과 같이 보일 수도 있다.

$\triangle ABC$와 $\triangle ACD$에서 $\overline{EF}\,/\!/\,\overline{AC}\,/\!/\,\overline{HG}$

$\triangle ABD$와 $\triangle BCD$에서 $\overline{EH}\,/\!/\,\overline{BD}\,/\!/\,\overline{FG}$

즉 $\square EFGH$는 두 쌍의 대변이 평행하므로 평행사변형이다.

이때 $\triangle EBF$와 $\triangle GCF$에서

$\overline{EB}=\overline{GC}$, $\angle B=\angle C$, $\overline{BF}=\overline{CF}$

이므로 $\triangle EBF\equiv\triangle GCF$ (SAS 합동)

$\therefore \overline{EF}=\overline{GF}$

즉 평행사변형 EFGH의 이웃하는 두 변의 길이가 같으므로 $\square EFGH$는 마름모이다.

04 답 12 cm

셀파 $\overline{AC}$를 그어 삼각형의 한 변의 중점을 지나고, 다른 한 변과 평행한 직선의 성질을 이용한다.

$\overline{AM}=\overline{MB}$, $\overline{DN}=\overline{NC}$이므로 $\overline{AD}\,/\!/\,\overline{MN}\,/\!/\,\overline{BC}$

오른쪽 그림과 같이 $\overline{AC}$를 긋고 $\overline{AC}$와 $\overline{MN}$의 교점을 P라 하면

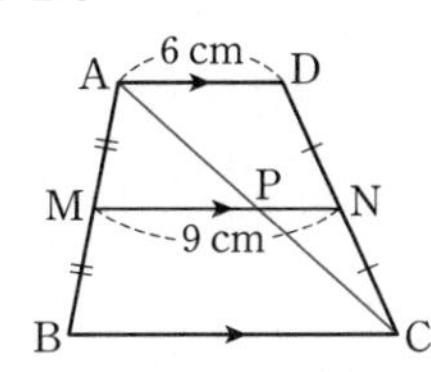

$\triangle ACD$에서 $\overline{CN}=\overline{ND}$, $\overline{PN}\,/\!/\,\overline{AD}$이므로

$\overline{PN}=\frac{1}{2}\overline{AD}=\frac{1}{2}\times 6=3\ (\text{cm})$

$\therefore \overline{MP}=\overline{MN}-\overline{PN}=9-3=6\ (\text{cm})$

$\triangle ABC$에서 $\overline{AM}=\overline{MB}$, $\overline{MP}\,/\!/\,\overline{BC}$이므로

$\overline{BC}=2\overline{MP}=2\times 6=12\ (\text{cm})$

05 답 6 cm

셀파 $\triangle ABC$에서 $\overline{MQ}$의 길이, $\triangle ABD$에서 $\overline{AD}$의 길이를 구한다.

$\overline{AM}=\overline{MB}$, $\overline{DN}=\overline{NC}$이므로 $\overline{AD}\,/\!/\,\overline{MN}\,/\!/\,\overline{BC}$

$\triangle ABC$에서 $\overline{AM}=\overline{MB}$, $\overline{MQ}\,/\!/\,\overline{BC}$이므로

$\overline{MQ}=\frac{1}{2}\overline{BC}=\frac{1}{2}\times 10=5\ (\text{cm})$

$\therefore \overline{MP}=\overline{MQ}-\overline{PQ}=5-2=3\ (\text{cm})$

$\triangle ABD$에서 $\overline{AM}=\overline{MB}$, $\overline{AD}\,/\!/\,\overline{MP}$이므로

$\overline{AD}=2\overline{MP}=2\times 3=6\ (\text{cm})$

06 답 15 cm

셀파 $\overline{BP}=\overline{BF}-\overline{PF}$

$\triangle ABF$에서 $\overline{AD}=\overline{DB}$, $\overline{AE}=\overline{EF}$이므로

$\overline{DE}\,/\!/\,\overline{BF}$, $\overline{BF}=2\overline{DE}=2\times 10=20\ (\text{cm})$

$\triangle DCE$에서 $\overline{EF}=\overline{FC}$, $\overline{DE}\,/\!/\,\overline{PF}$이므로

$\overline{PF}=\frac{1}{2}\overline{DE}=\frac{1}{2}\times 10=5\ (\text{cm})$

$\therefore \overline{BP}=\overline{BF}-\overline{PF}=20-5=15\ (\text{cm})$

07 답 5 cm

셀파 점 D를 지나고 $\overline{BE}$에 평행한 보조선을 그어 합동인 삼각형을 찾는다.

오른쪽 그림과 같이 점 D를 지나고 $\overline{BE}$에 평행한 직선과 $\overline{AC}$의 교점을 G라 하면 $\triangle ABC$에서 $\overline{AD}=\overline{DB}$, $\overline{DG}\,/\!/\,\overline{BC}$이므로

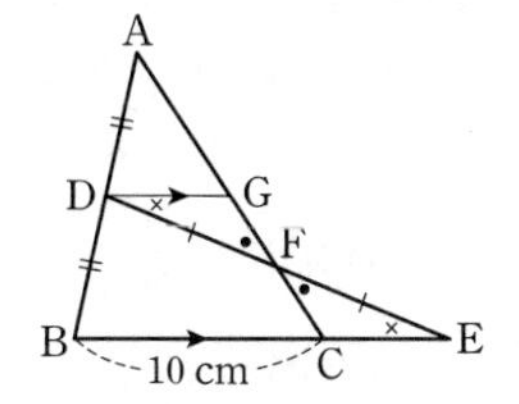

$\overline{DG}=\frac{1}{2}\overline{BC}=\frac{1}{2}\times 10=5\ (\text{cm})$

$\triangle DFG$와 $\triangle EFC$에서

$\overline{DF}=\overline{EF}$, $\angle GDF=\angle E$ (엇각), $\angle DFG=\angle EFC$ (맞꼭지각)

이므로 $\triangle DFG\equiv\triangle EFC$ (ASA 합동)

$\therefore \overline{CE}=\overline{GD}=5\ \text{cm}$

2. 삼각형의 무게중심

본문 | 153쪽

1-1 답 $x=8$, $y=3$

점 G가 $\triangle ABC$의 무게중심이므로 $\overline{CD}$는 $\triangle ABC$의 중선이고 점 D는 $\overline{AB}$의 [중점]이다.

$\therefore x=\overline{AB}=\boxed{2}\overline{AD}=2\times 4=\boxed{8}$

$\overline{CD}:\overline{GD}=\boxed{3}:1$이므로 $9:y=\boxed{3}:1$

$3y=9 \qquad \therefore y=\boxed{3}$

1-2 답 (1) 8 cm (2) 12 cm^2

(1) $\overline{AD}$가 $\triangle ABC$의 중선이므로 점 D는 $\overline{BC}$의 중점이다.

$\therefore \overline{BD}=\overline{CD}=\frac{1}{2}\overline{BC}=\frac{1}{2}\times 16=8\ (\text{cm})$

(2) $\overline{BD}=\overline{CD}$이므로 $\triangle ABD=\triangle ADC$

$\therefore \triangle ADC=\frac{1}{2}\triangle ABC=\frac{1}{2}\times 24=12\ (\text{cm}^2)$

1-3 답 (1) $x=12$, $y=7$ (2) $x=11$, $y=12$

(1) $\overline{AD}$가 $\triangle ABC$의 중선이므로 $\overline{BD}=\overline{DC}$

$\therefore x=\frac{1}{2}\overline{BC}=\frac{1}{2}\times24=12$

$\overline{BG}:\overline{GE}=2:1$이므로 $14:y=2:1$

$2y=14$ $\therefore y=7$

(2) $\overline{AD}$가 $\triangle ABC$의 중선이므로 $\overline{BD}=\overline{DC}$

$\therefore x=\overline{BD}=11$

$\overline{AG}:\overline{AD}=2:3$이므로 $8:y=2:3$

$2y=24$ $\therefore y=12$

2-1 답 (1) 4 cm^2 (2) 24 cm^2

(1) 삼각형의 세 중선에 의하여 나누어진 6개의 삼각형의 넓이는 모두 같으므로 $\triangle GAF=\triangle GDC=4\text{ cm}^2$

(2) $\triangle GDC=\boxed{\frac{1}{6}}\triangle ABC$이므로

$\triangle ABC=\boxed{6}\triangle GDC=6\times4=\boxed{24}\ (\text{cm}^2)$

2-2 답 (1) 5 cm^2 (2) 10 cm^2 (3) 10 cm^2 (4) 10 cm^2

세 중선에 의하여 삼각형의 넓이는 6등분된다.

(1) $\triangle GBF=\frac{1}{6}\triangle ABC=\frac{1}{6}\times30=5\ (\text{cm}^2)$

(2) $\triangle GBD+\triangle GEA=\frac{1}{6}\triangle ABC+\frac{1}{6}\triangle ABC$

$=\frac{1}{3}\triangle ABC=\frac{1}{3}\times30=10\ (\text{cm}^2)$

(3) $\triangle GAF+\triangle GAE=\frac{1}{6}\triangle ABC+\frac{1}{6}\triangle ABC$

$=\frac{1}{3}\triangle ABC=\frac{1}{3}\times30=10\ (\text{cm}^2)$

(4) $\triangle GCA=\frac{1}{3}\triangle ABC=\frac{1}{3}\times30=10\ (\text{cm}^2)$

보고 또 보고 유형 익히기 - 확인 문제

본문 | 155~158쪽

01 답 7 cm^2

셀파 밑변의 길이와 높이가 같은 삼각형의 넓이는 같음을 이용한다.

$\overline{AD}$는 $\triangle ABC$의 중선이므로 $\overline{BD}=\overline{DC}$

$\therefore \triangle ABD=\frac{1}{2}\triangle ABC=\frac{1}{2}\times42=21\ (\text{cm}^2)$

$\triangle ABD$에서 $\overline{AE}=\overline{EF}=\overline{FD}$이므로

$\triangle BFE=\frac{1}{3}\triangle ABD=\frac{1}{3}\times21=7\ (\text{cm}^2)$

02 답 9 cm

셀파 $\triangle GBC$에서 $\overline{GD}$의 길이를 구한 후 $\triangle ABC$에서 $\overline{AD}$의 길이를 구한다.

점 G′이 $\triangle GBC$의 무게중심이므로 $\overline{GG'}:\overline{GD}=2:3$

$\therefore \overline{GD}=\frac{3}{2}\overline{GG'}=\frac{3}{2}\times2=3\ (\text{cm})$

또 점 G가 $\triangle ABC$의 무게중심이므로 $\overline{AD}:\overline{GD}=3:1$

$\therefore \overline{AD}=3\overline{GD}=3\times3=9\ (\text{cm})$

03 답 12 cm

셀파 삼각형의 무게중심의 성질과 삼각형의 한 변의 중점을 지나고, 다른 한 변에 평행한 직선의 성질을 이용한다.

점 G가 $\triangle ABC$의 무게중심이므로 $\overline{AG}:\overline{AD}=2:3$

$\therefore \overline{AD}=\frac{3}{2}\overline{AG}=\frac{3}{2}\times16=24\ (\text{cm})$

$\triangle ADC$에서 $\overline{DF}=\overline{FC}$, $\overline{AD}\,/\!/\,\overline{EF}$이므로

$\overline{EF}=\frac{1}{2}\overline{AD}=\frac{1}{2}\times24=12\ (\text{cm})$

04 답 4 cm

셀파 $\overline{FG}:\overline{DG}=\overline{EG}:\overline{CG}=1:2$임을 이용한다.

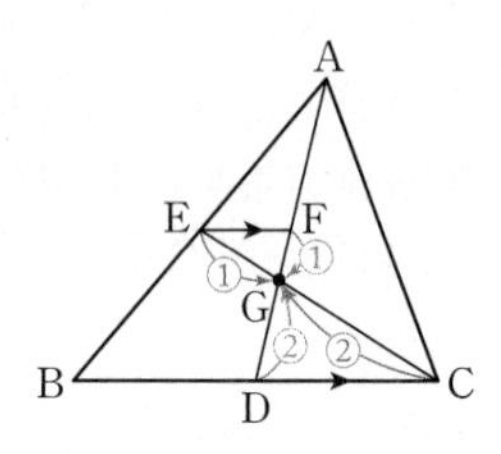

점 G가 $\triangle ABC$의 무게중심이므로

$\overline{AD}:\overline{GD}=3:1$

$\therefore \overline{GD}=\frac{1}{3}\overline{AD}=\frac{1}{3}\times24=8\ (\text{cm})$

이때 $\triangle EGF\backsim\triangle CGD$ (AA 닮음)

이고 $\overline{CG}:\overline{GE}=2:1$이므로

$\overline{FG}:\overline{DG}=\overline{EG}:\overline{CG}=1:2$

$\overline{FG}:8=1:2$, $2\overline{FG}=8$

$\therefore \overline{FG}=4\ (\text{cm})$

05 답 12 cm^2

셀파 $\triangle ABC$의 세 중선은 $\triangle ABC$의 넓이를 6등분한다.

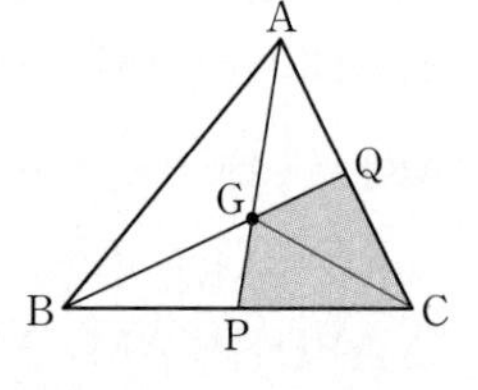

오른쪽 그림과 같이 $\overline{GC}$를 그으면

$\triangle GPC=\triangle GCQ=\frac{1}{6}\triangle ABC$

$=\frac{1}{6}\times36=6\ (\text{cm}^2)$

$\therefore \square GPCQ=\triangle GPC+\triangle GCQ$

$=6+6=12\ (\text{cm}^2)$

06 답 36 cm^2

셀파 $\triangle DBG : \triangle DGE = \overline{BG} : \overline{GE}$이고 $\triangle ABC = 6\triangle DBG$임을 이용한다.

점 G가 $\triangle ABC$의 무게중심이므로 $\overline{BG} : \overline{GE} = 2 : 1$

$\triangle DBG : \triangle DGE = \overline{BG} : \overline{GE}$이므로 $\triangle DBG : 3 = 2 : 1$

$\therefore \triangle DBG = 6\ (cm^2)$

$\therefore \triangle ABC = 6\triangle DBG = 36\ (cm^2)$

07 답 18 cm

셀파 대각선 AC를 그으면 두 점 P, Q는 각각 $\triangle ABC$, $\triangle ACD$의 무게중심이다.

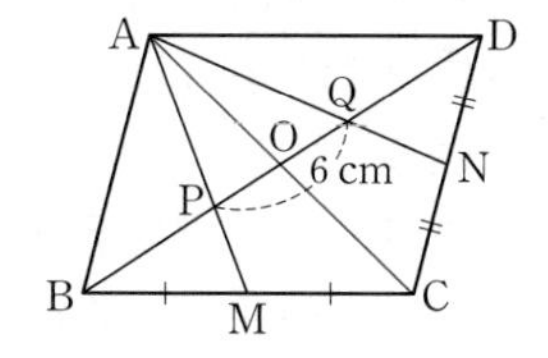

오른쪽 그림과 같이 대각선 AC를 그어 $\overline{BD}$와 만나는 점을 O라 하면 $\overline{AO} = \overline{CO}$, $\overline{BM} = \overline{MC}$, $\overline{CN} = \overline{ND}$이므로 두 점 P, Q는 각각 $\triangle ABC$, $\triangle ACD$의 무게중심이다.

따라서 $\overline{BP} = 2\overline{PO}$, $\overline{DQ} = 2\overline{QO}$이므로

$\overline{BD} = \overline{BP} + \overline{PO} + \overline{QO} + \overline{DQ}$

$= 2\overline{PO} + \overline{PO} + \overline{QO} + 2\overline{QO}$

$= 3\overline{PO} + 3\overline{QO}$

$= 3(\overline{PO} + \overline{QO})$

$= 3\overline{PQ}$

$= 3 \times 6 = 18\ (cm)$

실력 키우기

본문 | 159~161 쪽

01 답 (1) 8 cm (2) 7 cm (3) 30 cm

셀파 삼각형의 두 변의 중점을 연결한 선분의 성질을 이용한다.

(1) $\overline{AD} = \overline{DB}$, $\overline{AF} = \overline{FC}$이므로

$\overline{DF} /\!/ \overline{BC}$, $\overline{DF} = \frac{1}{2}\overline{BC} = \frac{1}{2} \times 16 = 8\ (cm)$

(2) $\overline{CF} = \overline{FA}$, $\overline{CE} = \overline{EB}$이므로

$\overline{FE} /\!/ \overline{AB}$, $\overline{FE} = \frac{1}{2}\overline{AB} = \frac{1}{2} \times 14 = 7\ (cm)$

(3) □DBEF에서 $\overline{DF} /\!/ \overline{BE}$, $\overline{DB} /\!/ \overline{FE}$이므로 □DBEF는 평행사변형이다.

$\therefore$ (□DBEF의 둘레의 길이) $= 2(\overline{DF} + \overline{FE})$

$= 2 \times (8 + 7)$

$= 30\ (cm)$

02 답 18

셀파 $\triangle ADB$, $\triangle BCD$에서 각각 삼각형의 한 변의 중점을 지나고, 다른 한 변과 평행한 직선의 성질을 이용한다.

$\triangle ADB$에서 $\overline{DG} = \overline{GB}$, $\overline{FG} /\!/ \overline{AB}$이므로

$\overline{FG} = \frac{1}{2}\overline{AB} = \frac{1}{2} \times 6 = 3\ (cm)$

$\triangle BCD$에서 $\overline{BG} = \overline{GD}$, $\overline{EG} /\!/ \overline{CD}$이므로

$\overline{CD} = 2\overline{EG} = 2(\overline{EF} + \overline{FG})$

$= 2 \times (6 + 3) = 18\ (cm)$

$\therefore x = 18$

03 답 16 cm

셀파 직사각형은 두 대각선의 길이가 같음을 이용한다.

오른쪽 그림과 같이 대각선 AC를 그으면 □ABCD는 직사각형이므로

$\overline{AC} = \overline{BD} = 8\ cm$

$\overline{EH} = \overline{FG} = \frac{1}{2}\overline{BD}$

$= \frac{1}{2} \times 8 = 4\ (cm)$

$\overline{EF} = \overline{HG} = \frac{1}{2}\overline{AC} = \frac{1}{2} \times 8 = 4\ (cm)$

따라서 □EFGH의 둘레의 길이는

$4 + 4 + 4 + 4 = 16\ (cm)$

참고 직사각형의 각 변의 중점을 연결하여 만든 사각형은 마름모이다.

04 답 3 cm

셀파 $\overline{AD} /\!/ \overline{MN} /\!/ \overline{BC}$이므로 $\triangle ABC$, $\triangle ABD$에서 각각 삼각형의 한 변의 중점을 지나고, 다른 한 변과 평행한 직선의 성질을 이용한다.

① $\overline{AD} /\!/ \overline{MN} /\!/ \overline{BC}$임을 알기 [20 %]

$\overline{AD} /\!/ \overline{BC}$인 사다리꼴 ABCD에서 $\overline{AM} = \overline{MB}$, $\overline{DN} = \overline{NC}$이므로 $\overline{AD} /\!/ \overline{MN} /\!/ \overline{BC}$

② $\overline{MQ}$의 길이 구하기 [30 %]

$\triangle ABC$에서 $\overline{AM} = \overline{MB}$, $\overline{MQ} /\!/ \overline{BC}$이므로

$\overline{MQ} = \frac{1}{2}\overline{BC} = \frac{1}{2} \times 10 = 5\ (cm)$

③ $\overline{MP}$의 길이 구하기 [30 %]

$\triangle ABD$에서 $\overline{AM} = \overline{MB}$, $\overline{AD} /\!/ \overline{MP}$이므로

$\overline{MP} = \frac{1}{2}\overline{AD} = \frac{1}{2} \times 4 = 2\ (cm)$

④ $\overline{PQ}$의 길이 구하기 [20 %]

$\therefore \overline{PQ} = \overline{MQ} - \overline{MP} = 5 - 2 = 3\ (cm)$

05 답 15 cm

셀파 △ADG, △BCF에서 각각 삼각형의 한 변의 중점을 지나고, 다른 한 변과 평행한 직선의 성질을 이용한다.

△ADG에서 $\overline{AE}=\overline{ED}$, $\overline{EF}\,/\!/\,\overline{DG}$이므로

$\overline{DG}=2\overline{EF}=2\times5=10$ (cm)

△BCF에서 $\overline{BD}=\overline{DC}$, $\overline{BF}\,/\!/\,\overline{DG}$이므로

$\overline{BF}=2\overline{DG}=2\times10=20$ (cm)

$\therefore\ \overline{BE}=\overline{BF}-\overline{EF}=20-5=15$ (cm)

06 답 6 cm

셀파 보조선을 그어 서로 합동인 두 삼각형을 찾는다.

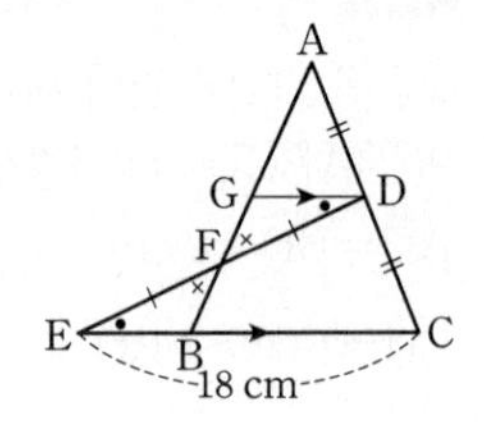

오른쪽 그림과 같이 점 D를 지나고 $\overline{EC}$에 평행한 직선이 $\overline{AB}$와 만나는 점을 G라 하면

△GFD와 △BFE에서

∠FDG=∠E (엇각), $\overline{FD}=\overline{FE}$,

∠GFD=∠BFE (맞꼭지각)

이므로 △GFD≡△BFE (ASA 합동)

$\therefore\ \overline{EB}=\overline{DG}$

△ABC에서 $\overline{BC}=2\overline{GD}=2\overline{EB}$이므로

$\overline{EC}=\overline{EB}+\overline{BC}=\overline{EB}+2\overline{EB}=3\overline{EB}$

$18=3\overline{EB}$　　$\therefore\ \overline{EB}=6$ (cm)

07 답 6 cm

셀파 $\overline{AD}$는 △ABC의 중선이므로 점 D는 $\overline{BC}$의 중점이다.

$\overline{AD}$는 △ABC의 중선이므로 $\overline{BD}=\overline{DC}$

따라서 △ABD=△ADC$=\frac{1}{2}$△ABC이므로

△ABC=2△ABD$=2\times12=24$ (cm^2)

또 △ABC$=\frac{1}{2}\times\overline{BC}\times\overline{AH}$이므로

$24=\frac{1}{2}\times8\times\overline{AH}$

$4\overline{AH}=24$　　$\therefore\ \overline{AH}=6$ (cm)

08 답 ③

셀파 삼각형의 무게중심의 뜻과 성질을 생각한다.

③ △ABD=3△GDC

09 답 12 cm

셀파 삼각형의 무게중심의 성질을 이용한다.

점 G′이 △GBC의 무게중심이므로 $\overline{GD}:\overline{G'D}=3:1$

$\therefore\ \overline{GD}=3\overline{G'D}=3\times2=6$ (cm)

또 점 G가 △ABC의 무게중심이므로 $\overline{AG}:\overline{GD}=2:1$

$\therefore\ \overline{AG}=2\overline{GD}=2\times6=12$ (cm)

10 답 18 cm

셀파 점 D가 직각삼각형 ABC의 빗변의 중점이므로 점 D는 △ABC의 외심이다.

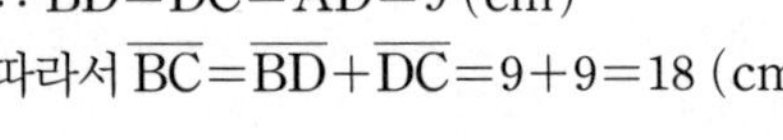

점 G가 △ABC의 무게중심이므로

$\overline{AD}:\overline{GD}=3:1$

$\therefore\ \overline{AD}=3\overline{GD}=3\times3=9$ (cm)

또 점 D는 직각삼각형 ABC의 빗변의 중점이므로 △ABC의 외심이다.

$\therefore\ \overline{BD}=\overline{DC}=\overline{AD}=9$ (cm)

따라서 $\overline{BC}=\overline{BD}+\overline{DC}=9+9=18$ (cm)

11 답 14

셀파 삼각형의 무게중심의 성질과 삼각형의 한 변의 중점을 지나고, 다른 한 변과 평행한 직선의 성질을 이용한다.

점 G가 △ABC의 무게중심이므로 $\overline{BG}:\overline{GE}=2:1$

$\therefore\ \overline{BG}=2\overline{GE}=2\times4=8$ (cm)

$\therefore\ x=8$

△BCE에서 $\overline{BD}=\overline{DC}$, $\overline{BE}\,/\!/\,\overline{DF}$이므로

$\overline{DF}=\frac{1}{2}\overline{BE}=\frac{1}{2}(\overline{BG}+\overline{GE})=\frac{1}{2}\times(8+4)=6$ (cm)

$\therefore\ y=6$

$\therefore\ x+y=14$

12 답 (1) 15 cm (2) 풀이 참조 (3) 10 cm

셀파 $\overline{AE}$는 △ABD의 중선이고, $\overline{AF}$는 △ADC의 중선이다.

① $\overline{EF}$의 길이 구하기 [40 %]

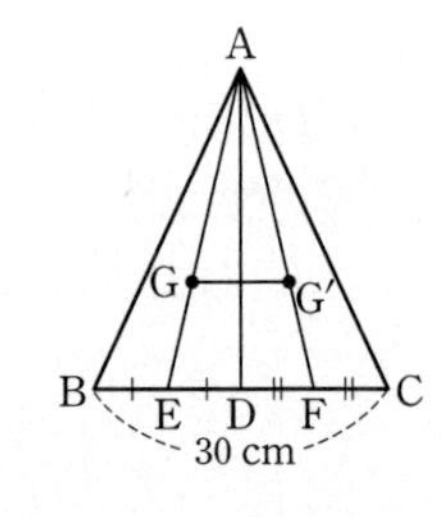

(1) $\overline{AE}$는 △ABD의 중선이므로

$\overline{BE}=\overline{ED}=\frac{1}{2}\overline{BD}$

$\overline{AF}$는 △ADC의 중선이므로

$\overline{DF}=\overline{FC}=\frac{1}{2}\overline{CD}$

$\therefore \overline{EF}=\overline{ED}+\overline{DF}=\frac{1}{2}\overline{BD}+\frac{1}{2}\overline{CD}$

$=\frac{1}{2}(\overline{BD}+\overline{CD})=\frac{1}{2}\overline{BC}$

이때 $\overline{BC}=30$ cm이므로 $\overline{EF}=\frac{1}{2}\times 30=15$ (cm)

② $\overline{GG'}\,/\!/\,\overline{EF}$임을 설명하기 [30 %]

(2) 두 점 G, G′은 각각 △ABD, △ADC의 무게중심이므로
△AEF에서 $\overline{AG}:\overline{GE}=\overline{AG'}:\overline{G'F}=2:1$
따라서 삼각형에서 평행선과 선분의 길이의 비에 의하여
$\overline{GG'}\,/\!/\,\overline{EF}$

③ $\overline{GG'}$의 길이 구하기 [30 %]

(3) $\overline{GG'}\,/\!/\,\overline{EF}$이므로 $\overline{AG}:\overline{AE}=\overline{GG'}:\overline{EF}$
$2:3=\overline{GG'}:15$, $3\overline{GG'}=30$
$\therefore \overline{GG'}=10$ (cm)

13 답 7 cm^2

셀파 삼각형의 무게중심과 세 꼭짓점을 이어서 생기는 삼각형의 넓이는 같음을 이용한다.

① △GBC의 넓이 구하기 [50 %]

△ABC의 넓이가 63 cm^{2}이고
점 G가 △ABC의 무게중심이므로
$\triangle GBC=\frac{1}{3}\triangle ABC=\frac{1}{3}\times 63=21$ (cm^2)

② △GG′C의 넓이 구하기 [50 %]

점 G′이 △GBC의 무게중심이므로
$\triangle GG'C=\frac{1}{3}\triangle GBC=\frac{1}{3}\times 21=7$ (cm^2)

14 답 9 cm^2

셀파 삼각형의 무게중심과 세 꼭짓점을 이어서 생기는 삼각형의 넓이는 같음을 이용한다.

오른쪽 그림과 같이 $\overline{AG}$를 그으면
점 G가 △ABC의 무게중심이므로
$\triangle ABG=\triangle AGC$
$=\frac{1}{3}\triangle ABC$
$=\frac{1}{3}\times 27=9$ (cm^2)
△ABG에서 $\overline{BD}=\overline{DG}$이므로
$\triangle ADG=\frac{1}{2}\triangle ABG=\frac{9}{2}$ (cm^2)
△AGC에서 $\overline{GE}=\overline{EC}$이므로
$\triangle AGE=\frac{1}{2}\triangle AGC=\frac{9}{2}$ (cm^2)

$\therefore$ (색칠한 부분의 넓이) $=\triangle ADG+\triangle AGE$
$=\frac{9}{2}+\frac{9}{2}$
$=9$ (cm^2)

15 답 5 cm^2

셀파 △ABD에서 $\overline{EG}\,/\!/\,\overline{BD}$이므로 $\overline{AE}:\overline{EB}=\overline{AG}:\overline{GD}=2:1$

점 G는 △ABC의 무게중심이므로
$\overline{AG}:\overline{GD}=2:1$
△ABD에서 $\overline{EG}\,/\!/\,\overline{BD}$이므로
$\overline{AE}:\overline{EB}=\overline{AG}:\overline{GD}=2:1$
따라서 $\overline{AE}:\overline{EB}=2:1$이므로
$\triangle AED=\frac{2}{3}\triangle ABD$
$=\frac{2}{3}\times\left(\frac{1}{2}\triangle ABC\right)$
$=\frac{1}{3}\triangle ABC$
$=\frac{1}{3}\times 45=15$ (cm^2)
$\therefore \triangle EDG=\frac{1}{3}\triangle AED=\frac{1}{3}\times 15=5$ (cm^2)

16 답 6 cm

셀파 대각선 BD를 그으면 두 점 P, Q는 각각 △ABD, △BCD의 무게중심이다.

① 두 점 P, Q가 각각 △ABD, △BCD의 무게중심임을 알기 [50 %]

오른쪽 그림과 같이 대각선 BD를 그어 $\overline{AC}$와 만나는 점을 O라 하면 △ABD,

△BCD에서
$\overline{BO}=\overline{DO}$, $\overline{AM}=\overline{MD}$, $\overline{BN}=\overline{NC}$
이므로 두 점 P, Q는 각각 △ABD,
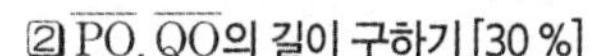
△BCD의 무게중심이다.

② $\overline{PO}$, $\overline{QO}$의 길이 구하기 [30 %]

따라서 $\overline{PO}=\frac{1}{2}\overline{AP}$, $\overline{QO}=\frac{1}{2}\overline{QC}$이고 $\overline{AO}=\overline{CO}$이므로
$\overline{PO}=\overline{QO}=\frac{1}{2}\overline{AP}=\frac{1}{2}\times 6=3$ (cm)

③ $\overline{PQ}$의 길이 구하기 [20 %]

$\therefore \overline{PQ}=\overline{PO}+\overline{QO}=3+3=6$ (cm)

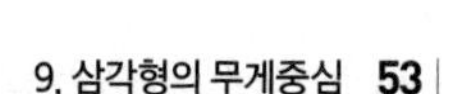

17 답 8 cm

셀파 $\triangle BCD$에서 $\overline{MN}=\frac{1}{2}\overline{BD}$

$\triangle BCD$에서 $\overline{BM}=\overline{MC}$, $\overline{DN}=\overline{NC}$이므로 $\overline{MN}=\frac{1}{2}\overline{BD}$

$\therefore \overline{BD}=2\overline{MN}=2\times12=24\ (cm)$

오른쪽 그림과 같이 대각선 AC를 그어 $\overline{BD}$와 만나는 점을 O라 하면

$\overline{BO}=\overline{DO}=\frac{1}{2}\overline{BD}$

$=\frac{1}{2}\times24=12\ (cm)$

이때 두 점 P, Q는 각각 $\triangle ABC$, $\triangle ACD$의 무게중심이므로

$\overline{PO}=\frac{1}{3}\overline{BO}$, $\overline{QO}=\frac{1}{3}\overline{DO}$이고 $\overline{BO}=\overline{DO}$이므로

$\overline{PO}=\overline{QO}=\frac{1}{3}\overline{BO}=\frac{1}{3}\times12=4\ (cm)$

$\therefore \overline{PQ}=\overline{PO}+\overline{QO}=4+4=8\ (cm)$

18 답 16 cm^2

셀파 대각선 AC를 그으면 두 점 P, Q는 각각 $\triangle ABC$, $\triangle ACD$의 무게중심이다.

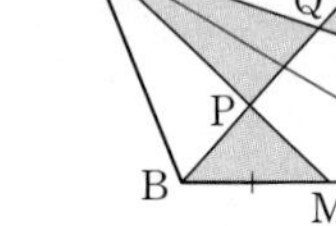

오른쪽 그림과 같이 대각선 AC를 그으면 두 점 P, Q는 각각 $\triangle ABC$, $\triangle ACD$의 무게중심이다.

따라서 $\overline{BP}=\overline{PQ}=\overline{QD}$이므로

$\triangle APQ=\frac{1}{3}\triangle ABD=\frac{1}{3}\times\left(\frac{1}{2}\square ABCD\right)$ (→ 48 cm^2)

$=\frac{1}{6}\times48=8\ (cm^2)$

$\triangle PBM=\frac{1}{6}\triangle ABC=\frac{1}{6}\times\left(\frac{1}{2}\square ABCD\right)$

$=\frac{1}{12}\times48=4\ (cm^2)$

$\triangle QND=\frac{1}{6}\triangle ACD=\frac{1}{6}\times\left(\frac{1}{2}\square ABCD\right)$

$=\frac{1}{12}\times48=4\ (cm^2)$

$\therefore$ (색칠한 부분의 넓이)$=\triangle APQ+\triangle PBM+\triangle QND$

$=8+4+4=16\ (cm^2)$

10 닮음의 활용

개념 익히기

본문 | 165, 166 쪽

1-1 답 (1) 2 : 5 (2) 2 : 5 (3) 4 : 25

(1) (닮음비)$=\overline{AB}:\overline{DE}=6:15=2:5$

(2) 닮은 두 평면도형에서 둘레의 길이의 비는 [닮음비]와 같으므로 2 : [5]

(3) $\triangle ABC$와 $\triangle DEF$의 닮음비가 2 : 5이므로 넓이의 비는 $2^2:5^{\boxed{2}}=4:\boxed{25}$

1-2 답 (1) 2 : 3 (2) 2 : 3 (3) 4 : 9

(1) (닮음비)$=\overline{AD}:\overline{EH}=4:6=2:3$

(2) 닮은 두 평면도형에서 둘레의 길이의 비는 닮음비와 같으므로 2 : 3

(3) $\square ABCD$와 $\square EFGH$의 닮음비가 2 : 3이므로 넓이의 비는 $2^2:3^2=4:9$

2-1 답 (1) 1 : 2 (2) 1 : 4 (3) 1 : 8

(1) (닮음비)=(한 모서리의 길이의 비)=8 : 16=1 : 2

(2) 두 정사면체 A, B의 닮음비가 1 : 2이므로 겉넓이의 비는 $1^2:2^{\boxed{2}}=1:\boxed{4}$

(3) 두 정사면체 A, B의 닮음비가 1 : 2이므로 부피의 비는 $1^3:2^{\boxed{3}}=1:\boxed{8}$

2-2 답 (1) 3 : 5 (2) 9 : 25 (3) 27 : 125

(1) (두 원기둥 A, B의 닮음비)

=(두 원기둥 A, B의 밑면의 반지름의 길이의 비)

=3 : 5

(2) 두 원기둥 A, B의 닮음비가 3 : 5이므로 겉넓이의 비는 $3^2:5^2=9:25$

(3) 두 원기둥 A, B의 닮음비가 3 : 5이므로 부피의 비는 $3^3:5^3=27:125$

3-1 답 2.5 cm

(축도에서의 길이)=(실제 길이)×(축척)이므로

$125\ m\times\frac{1}{5000}=\boxed{12500}\ cm\times\frac{1}{5000}=\boxed{2.5}\ cm$

다른 풀이 125 m=12500 cm이고 축척이 $\frac{1}{5000}$이므로

(지도에서의 거리) : (실제 거리)=1 : 5000

(지도에서의 거리) : 12500=1 : 5000

$\therefore$ (지도에서의 거리)$=12500\times\frac{1}{5000}=2.5$ cm

3-2 답 (1) 10000 (2) 300 m

(1) 축척이 $\frac{1}{10000}$이므로

(지도에서의 거리) : (실제 거리)$=1$: $\boxed{10000}$

(2) 실제 거리를 x cm라 하면

$3 : x=1 : 10000$

$\therefore x=30000$

따라서 두 지점 사이의 실제 거리는 30000 cm, 즉 300 m이다.

다른 풀이 (2) (실제 길이)$=\frac{(\text{축도에서의 길이})}{(\text{축척})}$이므로

$3\text{ cm}\div\frac{1}{10000}=3\text{ cm}\times10000=30000\text{ cm}=300\text{ m}$

유형 익히기 – 확인 문제

본문 | 167~171쪽

01 답 (1) 12 cm (2) 100 cm^2

셀파 두 사각형 A, B의 닮음비를 이용하여 둘레의 길이의 비와 넓이의 비를 구한다.

(1) 두 사각형 A, B의 닮음비가 $5 : 2$이므로 둘레의 길이의 비는 $5 : 2$

30 : (사각형 B의 둘레의 길이)$=5 : 2$이므로

$5\times$(사각형 B의 둘레의 길이)$=60$

$\therefore$ (사각형 B의 둘레의 길이)$=12$ (cm)

(2) 두 사각형 A, B의 닮음비가 $5 : 2$이므로 넓이의 비는

$5^2 : 2^2=25 : 4$

(사각형 A의 넓이) : $16=25 : 4$이므로

$4\times$(사각형 A의 넓이)$=400$

$\therefore$ (사각형 A의 넓이)$=100$ (cm^2)

02 답 60 cm^2

셀파 $\triangle ADB \backsim \triangle ABC$ (AA 닮음)

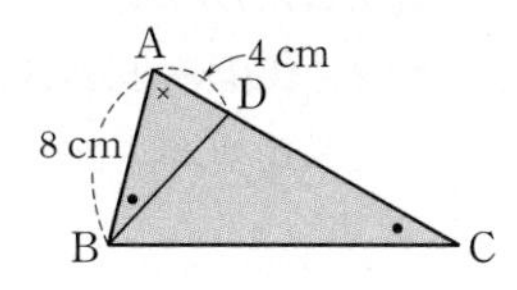

$\triangle ADB$와 $\triangle ABC$에서

$\angle A$는 공통, $\angle ABD=\angle C$

$\therefore \triangle ADB \backsim \triangle ABC$ (AA 닮음)

따라서 닮음비는

$\overline{AD} : \overline{AB}=4 : 8=1 : 2$

이므로 넓이의 비는

$\triangle ADB : \triangle ABC=1^2 : 2^2=1 : 4$

$15 : \triangle ABC=1 : 4$

$\therefore \triangle ABC=15\times4=60$ (cm^2)

03 답 20 cm^2

셀파 $\triangle ODA \backsim \triangle OBC$ (AA 닮음)

$\triangle ODA \backsim \triangle OBC$ (AA 닮음)이고 닮음비는

$\overline{DA} : \overline{BC}=8 : 12=2 : 3$

$\triangle ODA$와 $\triangle OBC$의 닮음비가 $2 : 3$이므로

$\triangle ODA : \triangle OBC=2^2 : 3^2=4 : 9$

$\triangle ODA : 45=4 : 9$

$9\triangle ODA=180 \quad \therefore \triangle ODA=20$ (cm^2)

04 답 80000원

셀파 이불 가격은 이불 넓이에 정비례하므로
(이불 가격의 비)$=$(이불 넓이의 비)

이불 A와 이불 B의 가로의 길이의 비는 $2.1 : 2.8=3 : 4$,

세로의 길이의 비는 $1.8 : 2.4=3 : 4$이므로 직사각형 모양의 두 이불 A, B는 서로 닮음이다.

이때 두 이불 A, B의 닮음비가 $3 : 4$이므로

(이불 A의 넓이) : (이불 B의 넓이)$=3^2 : 4^2=9 : 16$

이불 가격은 이불 넓이에 정비례하고 이불 A의 가격이 45000원이므로

45000 : (이불 B의 가격)$=9 : 16$

$\therefore$ (이불 B의 가격)$=\frac{\overset{5000}{\cancel{45000}}\times16}{\cancel{9}}=80000$(원)

05 답 6 cm

셀파 두 삼각기둥의 겉넓이의 비를 이용하여 두 삼각기둥의 닮음비를 구한다.

두 삼각기둥의 겉넓이가 각각 160 cm^2, 360 cm^{2}이므로

겉넓이의 비는 $160 : 360=4 : 9=2^2 : 3^2$

따라서 두 삼각기둥의 닮음비는 $2 : 3$이므로

$\overline{AB} : \overline{A'B'}=2 : 3$

$\overline{AB} : 9=2 : 3$, $3\overline{AB}=18$

$\therefore \overline{AB}=6$ (cm)

06 답 400π cm^2

셀파 두 구의 부피의 비를 이용하여 두 구의 닮음비를 구한다.

두 구는 항상 닮은 도형이고 두 구 A, B의 부피의 비가

$8 : 125=2^3 : 5^3$이므로 닮음비는 $2 : 5$

따라서 두 구 A, B의 겉넓이의 비는 $2^2 : 5^2=4 : 25$

64π : (구 B의 겉넓이)$=4 : 25$이므로

(구 B의 겉넓이)$=\frac{\overset{16}{\cancel{64}}\pi\times25}{\cancel{4}}=400\pi$ (cm^2)

07 답 64 : 61

셀파 두 원뿔 P, (P+Q)는 닮은 도형이고 닮음비는 모선의 길이의 비와 같다.

두 원뿔 P, (P+Q)는 닮은 도형이고 닮음비는 $4 : (4+1)=4 : 5$
이므로 부피의 비는 $4^3 : 5^3=64 : 125$
따라서 두 입체도형 P, Q의 부피의 비는
$64 : (125-64)=64 : 61$

08 답 (1) 27 : 64 (2) 74π cm³

셀파 물이 담긴 부분과 전체 그릇은 닮은 도형이다.

(1) 물이 담긴 부분과 전체 그릇은 닮은 도형이고 닮음비는
$6 : 8=3 : 4$이므로
부피의 비는 $3^3 : 4^3=27 : 64$

(2) 54π : (그릇의 부피)$=27 : 64$이므로
(그릇의 부피)$=\dfrac{\overset{2}{\cancel{54}}\pi \times 64}{\cancel{27}}=128\pi$ (cm³)
따라서 그릇의 빈 공간의 부피는
$128\pi-54\pi=74\pi$ (cm³)

09 답 4 m

셀파 서로 닮음인 두 도형을 찾아 대응하는 변의 길이의 비가 같음을 이용한다.

$\triangle ABC \backsim \triangle EDC$ (AA 닮음)이므로 $\overline{AB} : \overline{ED}=\overline{BC} : \overline{DC}$
$\overline{AB} : 1.6=3 : 1.2$
$1.2\overline{AB}=4.8 \quad \therefore \overline{AB}=4$ (m)
따라서 나무의 높이는 4 m이다.

10 답 (1) 5 cm (2) 1 km

셀파 축도에서 $\overline{AB}$의 길이부터 구한다.

(1) $\overline{BC} /\!/ \overline{DE}$이므로
$\overline{AB} : \overline{AD}=\overline{BC} : \overline{DE}$
$\overline{AB} : (\overline{AB}+3)=5 : 8$
$5(\overline{AB}+3)=8\overline{AB}$
$3\overline{AB}=15 \quad \therefore \overline{AB}=5$ (cm)

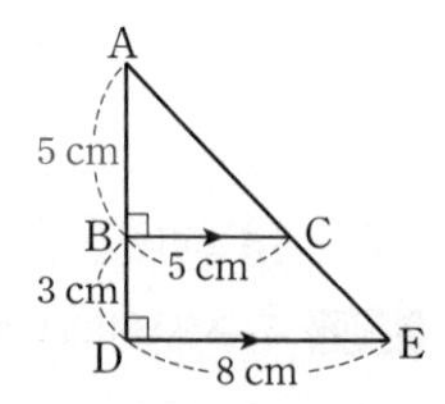

(2) 축척이 $\dfrac{1}{20000}$인 축도이므로
(실제 강의 폭)$=5\text{ cm} \div \dfrac{1}{20000}$
$=5\text{ cm} \times 20000$
$=100000\text{ cm}=1\text{ km}$

실력 키우기

본문 | 172~173쪽

01 답 9 : 16

셀파 $\triangle ABD \backsim \triangle CAD$ (AA 닮음)

$\triangle ABD \backsim \triangle CAD$ (AA 닮음)
이므로 닮음비는
$\overline{AB} : \overline{CA}=3 : 4$
따라서 $\triangle ABD$와 $\triangle CAD$의 넓이의 비는
$3^2 : 4^2=9 : 16$

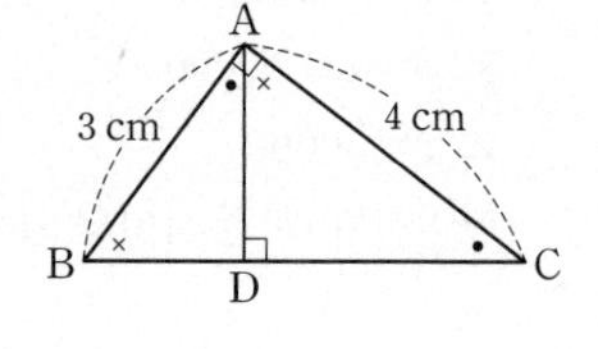

02 답 60 cm²

셀파 $\triangle ADE \backsim \triangle ABC$ (AA 닮음)

$\triangle ADE \backsim \triangle ABC$ (AA 닮음)이므로 닮음비는
$\overline{AD} : \overline{AB}=1 : 2$
$\triangle ADE : \triangle ABC=1^2 : 2^2=1 : 4$이므로
$20 : \triangle ABC=1 : 4 \quad \therefore \triangle ABC=80$ (cm²)
$\therefore$ (□DBCE의 넓이)$=\triangle ABC-\triangle ADE$
$=80-20=60$ (cm²)

03 답 (1) 25 cm² (2) 10 cm² (3) 49 cm²

셀파 $\triangle AOD \backsim \triangle COB$ (AA 닮음)

① $\triangle BOC$의 넓이 구하기 [30 %]
(1) $\triangle AOD \backsim \triangle COB$ (AA 닮음)이고 닮음비는
$\overline{AD} : \overline{CB}=4 : 10=2 : 5$
$\triangle AOD : \triangle COB=2^2 : 5^2=4 : 25$이므로
$4 : \triangle COB=4 : 25 \quad \therefore \triangle COB=25$ (cm²)

② $\triangle ABO$의 넓이 구하기 [30 %]
(2) $\overline{BO} : \overline{DO}=5 : 2$이므로 $\triangle ABO : \triangle AOD=5 : 2$
$\triangle ABO : 4=5 : 2,\ 2\triangle ABO=20$
$\therefore \triangle ABO=10$ (cm²)

③ □ABCD의 넓이 구하기 [40 %]
(3) $\triangle DOC=\triangle ABO=10$ cm²이므로
(□ABCD의 넓이)
$=\triangle AOD+\triangle ABO+\triangle OBC+\triangle DOC$
$=4+10+25+10=49$ (cm²)

04 답 25

셀파 벽면과 타일은 서로 닮음이므로 닮음비를 이용하여 넓이의 비를 구한다.

1.2 m$=$120 cm이고 벽면과 타일의 닮음비는 $120 : 24=5 : 1$
이므로 넓이의 비는 $5^2 : 1^2=25 : 1$
따라서 25장의 타일이 필요하다.

05 답 $500\pi \text{ cm}^3$

셀파 닮은 두 원기둥 A, B의 겉넓이의 비를 이용하여 닮음비를 구한다.

두 원기둥 A, B의 겉넓이의 비가 $9:25=3^2:5^2$이므로
닮음비는 $3:5$
따라서 두 원기둥 A, B의 부피의 비가 $3^3:5^3=27:125$이므로
108π : (원기둥 B의 부피)$=27:125$

$\therefore$ (원기둥 B의 부피)$=\dfrac{108\pi \times 125}{27}=500\pi\ (\text{cm}^3)$

06 답 76 cm^3

셀파 세 원뿔 P, (P+Q), (P+Q+R)는 닮은 도형이다.

세 원뿔 P, (P+Q), (P+Q+R)는 닮은 도형이고 닮음비는
$1:(1+1):(1+1+1)=1:2:3$
이므로 부피의 비는 $1^3:2^3:3^3=1:8:27$
따라서 세 입체도형 P, Q, R의 부피의 비는
$1:(8-1):(27-8)=1:7:19$
즉 두 입체도형 Q, R의 부피의 비가 $7:19$이므로
28 : (입체도형 R의 부피)$=7:19$

$\therefore$ (입체도형 R의 부피)$=\dfrac{28\times 19}{7}=76\ (\text{cm}^3)$

07 답 27개

셀파 구 모양의 두 쇠구슬의 부피의 비를 생각한다.

지름의 길이가 12 cm인 쇠구슬과 지름의 길이가 4 cm인 쇠구슬의 닮음비가 $12:4=3:1$이므로 부피의 비는 $3^3:1^3=27:1$
따라서 지름의 길이가 4 cm인 쇠구슬을 27개 만들 수 있다.

08 답 10 km

셀파 (실제 거리)$=\dfrac{\text{(지도에서의 거리)}}{\text{(축척)}}$

$$2\text{ cm}\div\frac{1}{500000}=2\text{ cm}\times 500000=1000000\text{ cm}=10\text{ km}$$

▌다른 풀이▐ 축척이 $\dfrac{1}{500000}$이므로
(지도에서의 거리) : (실제 거리)$=1:500000$
성산일출봉과 혜림사 사이의 실제 거리를 x cm라 하면
$2:x=1:500000$
$\therefore x=1000000$
따라서 성산일출봉과 혜림사 사이의 실제 거리는 10 km이다.

09 답 80 g

셀파 (필요한 페인트의 양의 비)=(두 구의 겉넓이의 비)

두 구의 닮음비가 $12:18=2:3$이므로 겉넓이의 비는
$2^2:3^2=4:9$
작은 구의 겉면을 칠하는 데 필요한 페인트의 양을 x g이라 하면
$x:180=4:9$
$9x=720 \qquad \therefore x=80\ (\text{g})$
따라서 작은 구의 겉면을 칠하는 데 필요한 페인트의 양은 80 g이다.

10 답 19분

셀파 채워진 물의 높이와 전체 그릇의 높이의 비를 이용하여 닮음비를 구한다.

① 물이 채워진 부분과 전체 그릇의 닮음비 구하기 [30 %]
물이 채워진 부분과 전체 그릇은 닮은 도형이고 높이의 비가
$\dfrac{2}{3}:1=2:3$이므로 닮음비는 $2:3$이다.

② 물이 채워진 부분과 물이 채워지지 않은 부분의 부피의 비 구하기 [30 %]
이때 부피의 비는 $2^3:3^3=8:27$이므로
물이 채워진 부분과 물이 채워지지 않은 부분의 부피의 비는
$8:(27-8)=8:19$

③ 나머지 부분을 채우는 데 걸리는 시간 구하기 [40 %]
물을 일정한 속도로 채우므로 물을 채우는 데 걸리는 시간과 채워지는 물의 부피는 정비례한다.
물을 그릇에 가득 채울 때까지 더 걸린 시간을 x분이라 하면
$8:x=8:19 \qquad \therefore x=19$
따라서 물을 그릇에 가득 채울 때까지 더 걸린 시간은 19분이다.

11 답 98 m

셀파 닮은 두 도형의 대응하는 변의 길이의 비는 일정함을 이용한다.

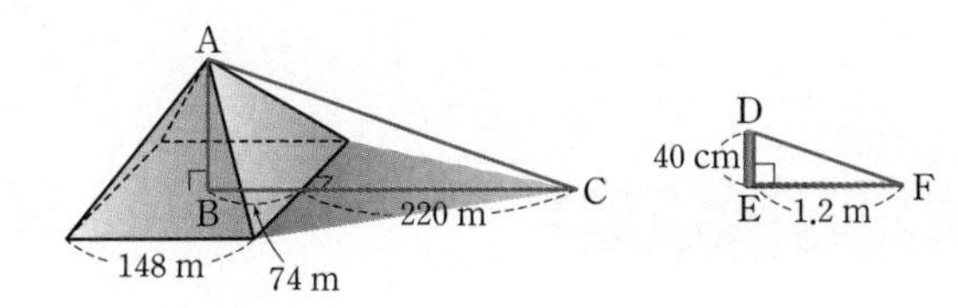

위 그림에서 $\triangle ABC \backsim \triangle DEF$ (AA 닮음)이므로
$\overline{AB}:\overline{DE}=\overline{BC}:\overline{EF}$
$\overline{AB}:0.4=(74+220):1.2$

$\therefore \overline{AB}=\dfrac{0.4\times 294}{1.2}=98\ (\text{m})$

따라서 피라미드의 높이는 98 m이다.

11 피타고라스 정리

1. 피타고라스 정리

본문 | 177쪽

1-1 답 (1) 10 (2) 12

(1) $x^2=8^2+6^2=100$ $\therefore x=\boxed{10}$ ($\because x>0$)

(2) $\boxed{13}^2=x^2+5^2$이므로 $x^2=13^2-5^2=\boxed{144}$

$\therefore x=\boxed{12}$ ($\because x>0$)

1-2 답 (1) 34 (2) 40

(1) $x^2=3^2+5^2=34$

(2) $7^2=x^2+3^2$이므로 $x^2=7^2-3^2=40$

1-3 답 (1) 5 (2) 9

(1) $x^2=4^2+3^2=25$ $\therefore x=5$ ($\because x>0$)

(2) $15^2=12^2+x^2$이므로 $x^2=15^2-12^2=81$

$\therefore x=9$ ($\because x>0$)

2-1 답 (1) × (2) ○

(1) $9^2\boxed{\neq}4^2+8^2$이므로 직각삼각형 $\boxed{\text{이 아니다}}$.

(2) $13^2\boxed{=}5^2+12^2$이므로 직각삼각형 $\boxed{\text{이다}}$.

2-2 답 (1) ≠, 직각삼각형이 아니다

(2) =, 직각삼각형이다

(1) $5^2\neq2^2+4^2$이므로 직각삼각형이 아니다.

(2) $17^2=8^2+15^2$이므로 직각삼각형이다.

본문 | 180~183쪽

01 답 $x=15$, $y=17$

셀파 두 직각삼각형 ABC, ABD에서 각각 피타고라스 정리를 이용한다.

$\triangle ABC$에서 $25^2=x^2+(8+12)^2$이므로

$x^2=25^2-20^2=225$ $\therefore x=15$ ($\because x>0$)

$\triangle ABD$에서 $y^2=x^2+8^2=15^2+8^2=289$이므로

$y=17$ ($\because y>0$)

02 답 $\frac{28}{5}$

셀파 피타고라스 정리를 이용하여 $\overline{BC}$의 길이를 구한 후 직각삼각형에서 닮음을 이용한다.

$\triangle ABC$에서 $\overline{BC}^2=4^2+3^2=25$

$\therefore \overline{BC}=5$ (cm) ($\because \overline{BC}>0$)

$\triangle ABC$의 넓이에서 $\frac{1}{2}\times\overline{AB}\times\overline{AC}=\frac{1}{2}\times\overline{BC}\times\overline{AD}$

$\frac{1}{2}\times4\times3=\frac{1}{2}\times5\times x$ $\therefore x=\frac{12}{5}$

$\overline{AB}^2=\overline{BD}\times\overline{BC}$에서 $4^2=y\times5$ $\therefore y=\frac{16}{5}$

$\therefore x+y=\frac{12}{5}+\frac{16}{5}=\frac{28}{5}$

03 답 20 cm

셀파 대각선 BD를 그어 생긴 두 직각삼각형에서 각각 피타고라스 정리를 이용한다.

오른쪽 그림과 같이 대각선 BD를 그으면

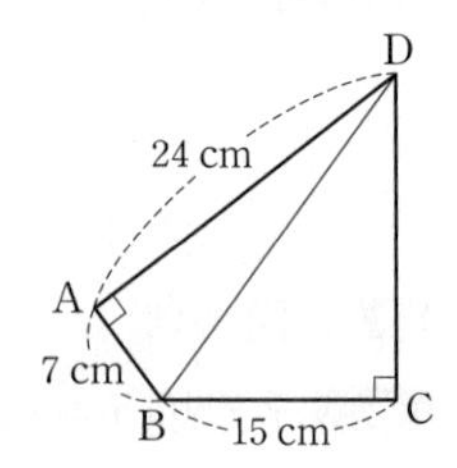

$\triangle ABD$에서

$\overline{BD}^2=7^2+24^2=625$

$\triangle BCD$에서

$\overline{DC}^2=\overline{DB}^2-15^2=625-15^2=400$

$\therefore \overline{DC}=20$ (cm) ($\because \overline{DC}>0$)

04 답 17 cm

셀파 꼭짓점 A에서 $\overline{BC}$에 수선의 발을 내려 직각삼각형을 만든다.

오른쪽 그림과 같이 꼭짓점 A에서 $\overline{BC}$에 내린 수선의 발을 H라 하면

$\overline{HC}=\overline{AD}=9$ cm

$\therefore \overline{BH}=\overline{BC}-\overline{HC}$

$=15-9=6$ (cm)

$\triangle ABH$에서 $\overline{AH}^2=10^2-\overline{BH}^2=10^2-6^2=64$

$\therefore \overline{AH}=8$ (cm) ($\because \overline{AH}>0$)

$\therefore \overline{DC}=\overline{AH}=8$ cm

따라서 $\triangle BCD$에서 $\overline{BD}^2=15^2+\overline{DC}^2=15^2+8^2=289$

$\therefore \overline{BD}=17$ (cm) ($\because \overline{BD}>0$)

05 답 $18\ cm^2$

셀파 $\triangle$BCH와 넓이가 같은 삼각형을 찾는다.

$\triangle$ABC에서 $\overline{AC}^2=10^2-8^2=36$

$\therefore\ \overline{AC}=6\ (cm)\ (\because\ \overline{AC}>0)$

따라서 $\overline{BI}\,/\!/\,\overline{CH}$이므로

$\triangle BCH=\triangle ACH=\frac{1}{2}\square ACHI$

$=\frac{1}{2}\times 6^2=18\ (cm^2)$

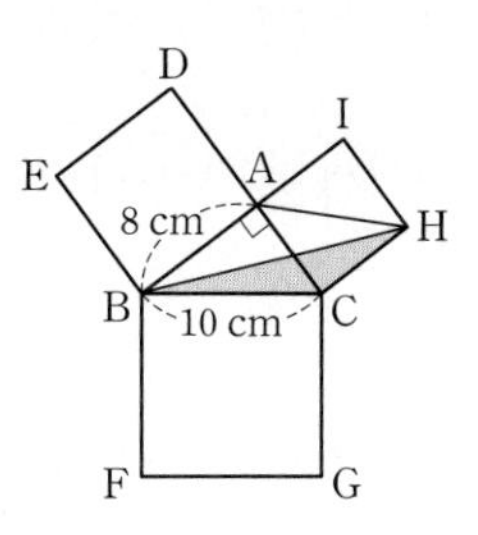

06 답 $20\ cm^2$

셀파 $\triangle AEH\equiv\triangle BFE\equiv\triangle CGF\equiv\triangle DHG$임을 이용한다.

$\triangle AEH\equiv\triangle BFE\equiv\triangle CGF$

$\equiv\triangle DHG$ (SAS 합동)

$\therefore\ \overline{HE}=\overline{EF}=\overline{FG}=\overline{GH}$,

$\angle AEH=\angle BFE=\angle CGF$

$=\angle DHG=\bullet$,

$\angle AHE=\angle BEF=\angle CFG$

$=\angle DGH=\times$

이때 $\angle HEF=\angle EFG=\angle FGH=\angle GHE$

$=180^\circ-(\bullet+\times)=180^\circ-90^\circ=90^\circ$

이므로 $\square$EFGH는 정사각형이다.

$\triangle$AEH에서 $\overline{EH}^2=4^2+2^2=20$

$\therefore\ \square EFGH=\overline{EH}^2=20\ cm^2$

07 답 $49\ cm^2$

셀파 $\square$ABCD, $\square$PQRS는 정사각형이다.

$\triangle ABQ\equiv\triangle BCR\equiv\triangle CDS\equiv\triangle DAP$이므로

$\square$ABCD, $\square$PQRS는 정사각형이다.

$\therefore\ \overline{BQ}=\overline{CR}=8\ cm$

$\triangle$ABQ에서 $\overline{AQ}^2=17^2-8^2=225$

$\therefore\ \overline{AQ}=15\ (cm)\ (\because\ \overline{AQ}>0)$

$\overline{AP}=\overline{CR}=8\ cm$이므로 $\overline{PQ}=15-8=7\ (cm)$

$\therefore\ \square PQRS=\overline{PQ}^2=7^2=49\ (cm^2)$

08 답 **1.** 16 **2.** $120\ cm^2$

셀파 세 변의 길이가 각각 a, b, c인 삼각형에서 $a^2+b^2=c^2$이면 주어진 삼각형은 빗변의 길이가 c인 직각삼각형이다.

1. $x<20$이므로 20이 가장 긴 변의 길이이다.

$20^2=12^2+x^2$이므로 $x^2=20^2-12^2=256$

$\therefore\ x=16\ (\because\ x>0)$

2. $26^2=10^2+24^2$이므로 $\triangle$ABC는 $\overline{BC}$가 빗변, 즉 $\angle A=90^\circ$인 직각삼각형이다.

$\therefore\ \triangle ABC=\frac{1}{2}\times\overline{AB}\times\overline{AC}=\frac{1}{2}\times 10\times 24=120\ (cm^2)$

2. 피타고라스 정리를 이용한 성질

본문 | 185, 187 쪽

1-1 답 **1.** 9

2. (1) 둔각삼각형 (2) 예각삼각형 (3) 직각삼각형

1. $x>8$이므로 x가 가장 긴 변의 길이이다.

삼각형이 되기 위한 조건에 의하여

$8<x<6+8$, 즉 $8<x<\boxed{14}$ ······ ㉠

$\angle C<90^\circ$이므로 $x^2<\boxed{6}^2+8^2$

$\therefore\ x^2<\boxed{100}$ ······ ㉡

㉠, ㉡을 모두 만족하는 자연수 x의 값은 $\boxed{9}$이다.

2. (1) 7이 가장 긴 변의 길이이고 $7^2>4^2+5^2$이므로 $\boxed{둔각}$삼각형이다.

(2) 12가 가장 긴 변의 길이이고 $12^2<7^2+10^2$이므로 $\boxed{예각}$삼각형이다.

(3) 13이 가장 긴 변의 길이이고 $13^2=5^2+12^2$이므로 $\boxed{직각}$삼각형이다.

LECTURE 삼각형이 되기 위한 조건

삼각형의 세 변의 길이 중 미지수가 있을 때는 삼각형이 되기 위한 조건도 생각해야 한다.

다음 중 어느 하나를 만족하면 삼각형이 될 수 있다.

① (가장 긴 변의 길이)<(나머지 두 변의 길이의 합)

② (나머지 두 변의 길이의 차)<(한 변의 길이)

<(나머지 두 변의 길이의 합)

1-2 답 16 / 130 / 12, 13, 14, 15

$x>9$이므로 x가 가장 긴 변의 길이이다.

삼각형이 되기 위한 조건에 의하여

$9<x<7+9$, 즉 $9<x<\boxed{16}$ ······ ㉠

$\angle C>90^\circ$이므로 $x^2>7^2+9^2$

$\therefore\ x^2>\boxed{130}$ ······ ㉡

㉠, ㉡을 모두 만족하는 자연수 x의 값은 $\boxed{12, 13, 14, 15}$이다.

1-3 답 (1) 둔각삼각형 (2) 예각삼각형 (3) 직각삼각형

(1) 4가 가장 긴 변의 길이이고 $4^2>2^2+3^2$이므로 둔각삼각형이다.

(2) 7이 가장 긴 변의 길이이고 $7^2<5^2+6^2$이므로 예각삼각형이다.

(3) 25가 가장 긴 변의 길이이고 $25^2=7^2+24^2$이므로 직각삼각형이다.

2-1 답 10

$\overline{DE}^2+\overline{BC}^2=\overline{BE}^2+\overline{CD}^2$이므로 $x^2+8^2=7^2+\boxed{5}^2$

$\therefore x^2=\boxed{10}$

2-2 답 44

$\overline{DE}^2+\overline{BC}^2=\overline{BE}^2+\overline{CD}^2$이므로 $4^2+8^2=6^2+x^2$

$\therefore x^2=44$

3-1 답 18

□ABCD에서 두 대각선이 직교하므로

$\overline{AB}^2+\overline{CD}^2=\overline{AD}^2+\overline{BC}^2$

$5^2+\boxed{3}^2=x^2+4^2$ $\quad\therefore x^2=\boxed{18}$

3-2 답 29

□ABCD에서 두 대각선이 직교하므로

$3^2+6^2=x^2+4^2$ $\quad\therefore x^2=29$

4-1 답 (1) $\frac{13}{2}\pi\ \text{cm}^2$ (2) $6\ \text{cm}^2$

(1) (색칠한 부분의 넓이) $=\frac{1}{2}\times\pi\times3^2+\frac{1}{2}\times\pi\times\boxed{2}^2$

$=\frac{9}{2}\pi+\boxed{2\pi}=\boxed{\frac{13}{2}\pi}\ (\text{cm}^2)$

(2) (색칠한 부분의 넓이) $=\boxed{\triangle ABC}$

$=\frac{1}{2}\times3\times\boxed{4}=\boxed{6}\ (\text{cm}^2)$

참고 지름의 길이가 a인 반원의 넓이는

$\frac{1}{2}\times\pi\times\left(\frac{a}{2}\right)^2$

4-2 답 (1) $80\pi\ \text{cm}^2$ (2) $\frac{65}{2}\pi\ \text{cm}^2$ (3) $28\ \text{cm}^2$ (4) $60\ \text{cm}^2$

(1) (색칠한 부분의 넓이) $=56\pi+24\pi=80\pi\ (\text{cm}^2)$

(2) (색칠한 부분의 넓이) $=\frac{1}{2}\times\pi\times7^2+\frac{1}{2}\times\pi\times4^2$

$=\frac{49}{2}\pi+8\pi=\frac{65}{2}\pi\ (\text{cm}^2)$

(3) (색칠한 부분의 넓이) $=12+16=28\ (\text{cm}^2)$

(4) (색칠한 부분의 넓이) $=\triangle ABC=\frac{1}{2}\times12\times10=60\ (\text{cm}^2)$

보고 또 보고 유형 익히기 – 확인 문제

본문 | 188~190 쪽

01 답 (1) 8 (2) 9, 10

셀파 $x>7$이므로 x가 가장 긴 변의 길이이다.

x가 가장 긴 변의 길이이므로 삼각형이 되기 위한 조건에 의하여

$7<x<4+7$, 즉 $7<x<11$ ······ ㉠

(1) 예각삼각형이 되려면 $x^2<4^2+7^2$, 즉 $x^2<65$ ······ ㉡

㉠, ㉡을 모두 만족하는 자연수 x의 값은 8이다.

(2) 둔각삼각형이 되려면 $x^2>4^2+7^2$, 즉 $x^2>65$ ······ ㉢

㉠, ㉢을 모두 만족하는 자연수 x의 값은 9, 10이다.

02 답 ②

셀파 (가장 긴 변의 길이의 제곱)>(나머지 두 변의 길이의 제곱의 합)인 것을 찾는다.

① $5^2=3^2+4^2$이므로 직각삼각형이다.
② $7^2>4^2+4^2$이므로 둔각삼각형이다.
③ $8^2<6^2+7^2$이므로 예각삼각형이다.
④ $11^2<8^2+10^2$이므로 예각삼각형이다.
⑤ $15^2=9^2+12^2$이므로 직각삼각형이다.

따라서 둔각삼각형인 것은 ②이다.

03 답 84

셀파 두 직각삼각형 ADE, ABE에서 각각 피타고라스 정리를 이용한다.

△ADE에서 $\overline{DE}^2=4^2+3^2=25$

△ABE에서 $\overline{BE}^2=(4+6)^2+3^2=109$

이때 $\overline{DE}^2+\overline{BC}^2=\overline{BE}^2+\overline{CD}^2$이므로

$25+\overline{BC}^2=109+\overline{CD}^2$

$\therefore \overline{BC}^2-\overline{CD}^2=109-25=84$

04 답 40

셀파 등변사다리꼴에서 평행하지 않은 한 쌍의 대변의 길이는 같다.

등변사다리꼴의 성질에서 $\overline{AB}=\overline{DC}$

$\overline{AC}\perp\overline{BD}$이므로 $\overline{AB}^2+\overline{DC}^2=\overline{AD}^2+\overline{BC}^2$

$\overline{AB}^2+\overline{DC}^2=4^2+8^2=80$

이때 $\overline{AB}=\overline{DC}$이므로 $2\overline{AB}^2=80$

$\therefore \overline{AB}^2=40$

05 답 $\frac{25}{2}\pi$

셀파 $\overline{AB}$, $\overline{AC}$를 지름으로 하는 두 반원의 넓이의 합은 $\overline{BC}$를 지름으로 하는 반원의 넓이와 같다.

오른쪽 그림과 같이 $\overline{BC}$를 지름으로 하는 반원을 그리면

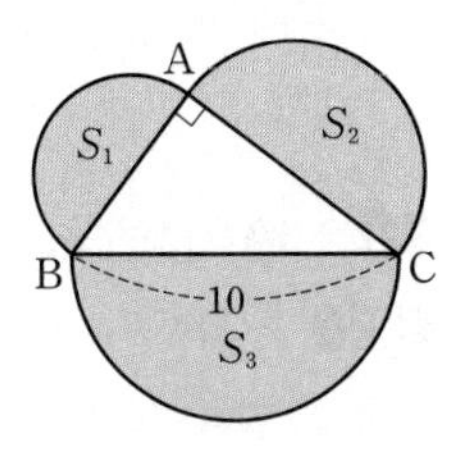

$S_1+S_2=S_3$

따라서 문제에서 색칠한 부분의 넓이, 즉 (S_1+S_2)는

$\frac{1}{2}\times\pi\times5^2=\frac{25}{2}\pi$

06 답 13

셀파 (색칠한 부분의 넓이)$=\triangle ABC$임을 이용한다.

(색칠한 부분의 넓이)$=\triangle ABC=30$이므로

$\frac{1}{2}\times\overline{AB}\times12=30 \qquad \therefore \overline{AB}=5$

따라서 $\triangle ABC$에서 $\overline{BC}^2=\overline{AB}^2+12^2=5^2+12^2=169$

$\therefore \overline{BC}=13\ (\because \overline{BC}>0)$

실력 키우기

본문 | 191~193쪽

01 답 14

셀파 직각삼각형 ABD에서 x의 값을, 직각삼각형 ADC에서 y의 값을 구한다.

$\triangle ABD$에서 $x^2=17^2-15^2=64 \qquad \therefore x=8\ (\because x>0)$

$\triangle ADC$에서 $y^2=10^2-x^2=10^2-8^2=36 \qquad \therefore y=6\ (\because y>0)$

$\therefore x+y=8+6=14$

02 답 2

셀파 $\triangle ABC$, $\triangle BCD$, $\triangle BDE$에서 차례대로 피타고라스 정리를 이용한다.

$\triangle ABC$에서 $\overline{BC}^2=1^2+1^2=2$

$\triangle BCD$에서 $\overline{BD}^2=1^2+\overline{BC}^2=1^2+2=3$

$\triangle BDE$에서 $\overline{BE}^2=1^2+\overline{BD}^2=1^2+3=4$

$\therefore \overline{BE}=2\ (\because \overline{BE}>0)$

03 답 25 cm

셀파 두 정사각형의 한 변의 길이를 각각 구한 후 $\triangle BEF$에서 피타고라스 정리를 이용한다.

정사각형 ABCD의 넓이가 25 cm²이므로 $\overline{BC}^2=25$

$\therefore \overline{BC}=5\ (\text{cm})\ (\because \overline{BC}>0)$

정사각형 GCEF의 넓이가 225 cm²이므로 $\overline{CE}^2=225$

$\therefore \overline{CE}=15\ (\text{cm})\ (\because \overline{CE}>0)$

$\triangle BEF$에서 $\overline{BF}^2=(\overline{BC}+\overline{CE})^2+\overline{EF}^2=(5+15)^2+15^2=625$

이므로 $\overline{BF}=25\ (\text{cm})\ (\because \overline{BF}>0)$

04 답 $\frac{36}{5}$ cm

셀파 피타고라스 정리와 직각삼각형의 닮음을 이용한다.

① $\overline{BD}$의 길이 구하기 [50 %]

$\overline{AD}=\overline{BC}=16$ cm이므로

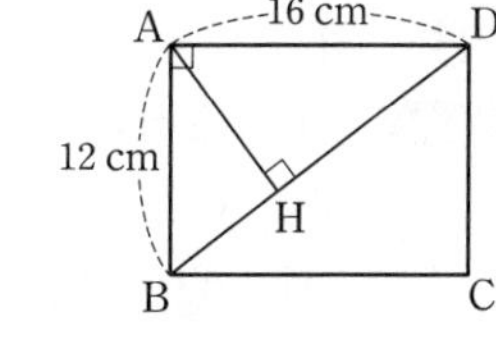

$\triangle ABD$에서 $\overline{BD}^2=12^2+16^2=400$

$\therefore \overline{BD}=20\ (\text{cm})\ (\because \overline{BD}>0)$

② $\overline{BH}$의 길이 구하기 [50 %]

$\overline{AB}^2=\overline{BH}\times\overline{BD}$이므로 $12^2=\overline{BH}\times20$

$\therefore \overline{BH}=\frac{36}{5}\ (\text{cm})$

05 답 $\frac{24}{5}$

셀파 두 점 A, B의 좌표를 이용하여 $\overline{OA}$, $\overline{OB}$의 길이를 구한 후 직각삼각형 OAB의 넓이를 이용한다.

$y=-\frac{4}{3}x+8$에 $y=0$을 대입하면

$x=6 \qquad \therefore A(6, 0)$

$y=-\frac{4}{3}x+8$에 $x=0$을 대입하면

$y=8 \qquad \therefore B(0, 8)$

따라서 $\overline{OA}=6$, $\overline{OB}=8$이므로

$\overline{AB}^2=6^2+8^2=100 \qquad \therefore \overline{AB}=10\ (\because \overline{AB}>0)$

직각삼각형 OAB의 넓이에서 $\overline{OA}\times\overline{OB}=\overline{AB}\times\overline{OH}$이므로

$6\times8=10\times\overline{OH} \qquad \therefore \overline{OH}=\frac{24}{5}$

06 답 $36\ cm^2$

셀파 꼭짓점 A, D에서 $\overline{BC}$에 수선을 그어 직각삼각형을 만든다.

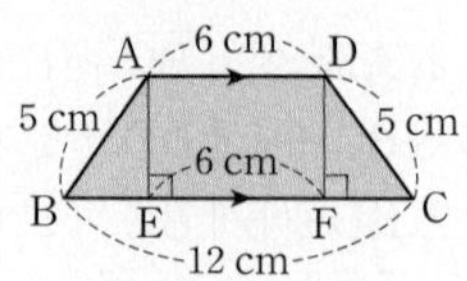

오른쪽 그림과 같이 꼭짓점 A, D에서 $\overline{BC}$에 내린 수선의 발을 각각 E, F라 하면 □AEFD는 직사각형이므로

$\overline{EF}=\overline{AD}=6$ cm

△ABE와 △DCF에서

$\angle AEB=\angle DFC=90°$, $\overline{AB}=\overline{DC}$,

$\angle B=\angle C$ (등변사다리꼴의 뜻)

이므로 △ABE≡△DCF (RHA 합동)

$\therefore \overline{BE}=\overline{CF}=\frac{1}{2}\times(12-6)=3$ (cm)

△ABE에서 $\overline{AE}^2=5^2-\overline{BE}^2=5^2-3^2=16$

$\therefore \overline{AE}=4$ (cm) ($\because \overline{AE}>0$)

$\therefore$ □ABCD$=\frac{1}{2}\times(6+12)\times4=36$ (cm^2)

07 답 12 cm

셀파 (가장 큰 정사각형의 넓이)=(다른 두 정사각형의 넓이의 합)

□ADEB=□BFGC+□ACHI이므로

225=□BFGC+81　　$\therefore$ □BFGC=144 (cm^2)

따라서 □BFGC의 한 변의 길이는 12 cm이다.

08 답 ⑤

셀파 넓이가 같은 삼각형과 합동인 삼각형을 찾는다.

① △IAB와 △CAD에서

$\overline{AI}=\overline{AC}$, $\overline{AB}=\overline{AD}$, $\angle IAB=90°+\angle CAB=\angle CAD$

$\therefore$ △IAB≡△CAD (SAS 합동)

② △HIC=△IAC$=\frac{1}{2}$□IACH

$\overline{IA}/\!/\overline{HB}$이므로 △IAC=△IAB

△IAB≡△CAD이므로 △IAB=△CAD

$\overline{AD}/\!/\overline{CK}$이므로 △CAD=△ADJ

$\therefore$ △HIC=△ADJ

③ ②에서 △HIC=△ADJ이므로

□IACH=2△HIC=2△ADJ=□ADKJ

④ $\overline{AG}/\!/\overline{BF}$이므로 △CBF=△ABF

△ABF와 △EBC에서

$\overline{AB}=\overline{EB}$, $\overline{BF}=\overline{BC}$,

$\angle ABF=90°+\angle ABC=\angle EBC$

$\therefore$ △ABF≡△EBC (SAS 합동)

$\overline{CK}/\!/\overline{BE}$이므로 △EBC=△JEB

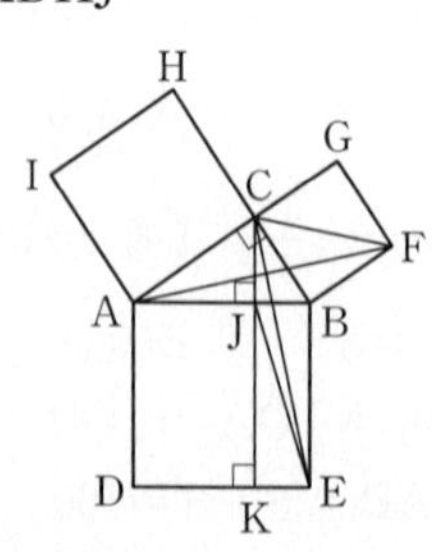

즉

△CBF=△ABF=△EBC=△JEB이므로

□CBFG=2△CBF=2△JEB=□JKEB

⑤ △IAC와 넓이가 같은 삼각형은 △HIC, △IAB, △CAD, △ADJ, △JDK이다.

따라서 옳지 않은 것은 ⑤이다.

09 답 16 cm

셀파 □ABCD, □EFGH는 모두 정사각형이다.

4개의 직각삼각형이 모두 합동이므로 □ABCD는 정사각형이다.

□ABCD$=\overline{AD}^2=400$ cm^2이므로

$\overline{AD}=20$ (cm) ($\because \overline{AD}>0$)

△AED에서 $\overline{DE}^2=20^2-12^2=256$

$\therefore \overline{DE}=16$ (cm) ($\because \overline{DE}>0$)

따라서 $\overline{EH}=16-12=4$ (cm)이고 □EFGH가 정사각형이므로 □EFGH의 둘레의 길이는 $4\times4=16$ (cm)

10 답 (1) 10 cm　(2) 6 cm　(3) 98 cm^2

셀파 △ABC≡△CDE이므로 △ACE는 직각이등변삼각형이다.

① $\overline{CE}$의 길이 구하기 [40 %]

(1) △ABC≡△CDE이므로

$\overline{AC}=\overline{CE}$,

$\angle BAC=\angle DCE=\bullet$,

$\angle BCA=\angle DEC=\times$

이때 $\angle ACE=180°-(\times+\bullet)$

$=180°-90°=90°$

이므로 △ACE는 직각이등변삼각형이다.

△ACE$=\frac{1}{2}\overline{CE}^2$이므로 $50=\frac{1}{2}\overline{CE}^2$

$\overline{CE}^2=100$　　$\therefore \overline{CE}=10$ (cm) ($\because \overline{CE}>0$)

② $\overline{ED}$의 길이 구하기 [30 %]

(2) △CDE에서 $\overline{ED}^2=\overline{CE}^2-8^2=10^2-8^2=36$

$\therefore \overline{ED}=6$ (cm) ($\because \overline{ED}>0$)

③ 사다리꼴 ABDE의 넓이 구하기 [30 %]

(3) (사다리꼴 ABDE의 넓이)$=\frac{1}{2}\times(\overline{AB}+\overline{ED})\times\overline{BD}$

$=\frac{1}{2}\times(8+6)\times14$

$=98$ (cm^2)

11 답 6

셀파 $x>5$이므로 x가 가장 긴 변의 길이이다.

x가 가장 긴 변의 길이이므로 삼각형이 되기 위한 조건에 의하여

$5<x<4+5$, 즉 $5<x<9$　　…… ㉠

$\angle B<90°$이므로 $x^2<4^2+5^2$, 즉 $x^2<41$　　…… ㉡

㉠, ㉡을 모두 만족하는 자연수 x의 값은 6이다.

12 답 ③

셀파 먼저 피타고라스 정리를 이용하여 $\overline{AC}$의 길이를 구한다.

$\triangle ABC$에서 $\overline{AC}^2=20^2-16^2=144$

$\therefore \overline{AC}=12\ (\because \overline{AC}>0)$

$\triangle ACD$에서 12가 가장 긴 변의 길이이고

$12^2>6^2+10^2$이므로 $\triangle ACD$는 둔각삼각형이다.

13 답 320

셀파 먼저 삼각형의 중점을 연결한 선분의 성질을 이용하여 $\overline{AB}$의 길이를 구한다.

$\overline{AE}=\overline{EC}$, $\overline{BD}=\overline{DC}$이므로 $\overline{DE}=\frac{1}{2}\overline{AB}$

$\therefore \overline{AB}=2\overline{DE}=2\times8=16$

$\overline{AB}^2+\overline{DE}^2=\overline{AD}^2+\overline{BE}^2$이므로

$\overline{AD}^2+\overline{BE}^2=16^2+8^2=320$

14 답 (1) 5 (2) 6

셀파 $\overline{AD}^2+\overline{BC}^2=\overline{AB}^2+\overline{CD}^2$임을 이용한다.

① $\overline{AD}$의 길이 구하기 [50 %]

(1) $\overline{AD}^2+\overline{BC}^2=\overline{AB}^2+\overline{CD}^2$이므로

$\overline{AD}^2+15^2=9^2+13^2$, $\overline{AD}^2=25$

$\therefore \overline{AD}=5\ (\because \overline{AD}>0)$

② $\triangle AOD$의 넓이 구하기 [50 %]

(2) $\triangle AOD$에서 $\overline{DO}^2=\overline{AD}^2-3^2=5^2-3^2=16$

$\therefore \overline{DO}=4\ (\because \overline{DO}>0)$

따라서 $\triangle AOD$의 넓이는 $\frac{1}{2}\times3\times4=6$

15 답 48 cm²

셀파 이등변삼각형의 성질을 이용한다.

① $\triangle ABC$의 높이 구하기 [70 %]

오른쪽 그림과 같이 꼭짓점 A에서 $\overline{BC}$에 내린 수선의 발을 H라 하면 $\triangle ABC$가 이등변삼각형이므로

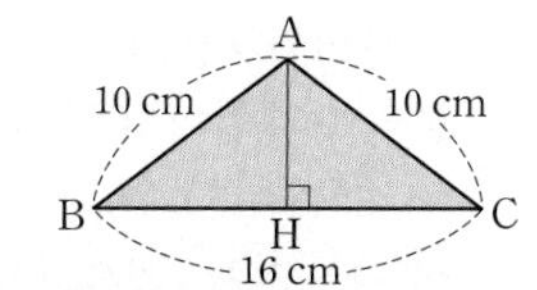

$\overline{BH}=\overline{CH}=\frac{1}{2}\overline{BC}$

$=\frac{1}{2}\times16=8\ (cm)$

$\triangle ABH$에서 $\overline{AH}^2=10^2-\overline{BH}^2=10^2-8^2=36$

$\therefore \overline{AH}=6\ (cm)\ (\because \overline{AH}>0)$

② $\triangle ABC$의 넓이 구하기 [30 %]

따라서 $\triangle ABC$의 넓이는

$\frac{1}{2}\times\overline{BC}\times\overline{AH}=\frac{1}{2}\times16\times6=48\ (cm^2)$

16 답 119

셀파 점 G가 $\triangle ABC$의 무게중심이므로 $\overline{AG}:\overline{GD}=2:1$, $\overline{BD}=\overline{CD}$임을 이용한다.

점 G가 $\triangle ABC$의 무게중심이므로

$\overline{AD}=3\overline{GD}=3\times2=6$

또 $\overline{BD}=\overline{CD}$이므로 점 D는 직각삼각형 ABC의 빗변의 중점이고 외심이다.

$\therefore \overline{BD}=\overline{CD}=\overline{AD}=6$

따라서 $\triangle ABC$에서 $\overline{AC}^2=\overline{BC}^2-5^2=(6+6)^2-5^2=119$

17 답 5 cm

셀파 서로 닮음인 두 삼각형을 찾아 대응변의 길이의 비가 같음을 이용한다.

$\overline{AE}=\overline{AD}=10$ cm이므로

$\triangle ABE$에서 $\overline{BE}^2=10^2-8^2=36$

$\therefore \overline{BE}=6\ (cm)\ (\because \overline{BE}>0)$

$\therefore \overline{EC}=10-6=4\ (cm)$

$\triangle ABE$와 $\triangle ECF$에서

$\angle B=\angle C=90^\circ$, $\angle BAE=90^\circ-\angle AEB=\angle CEF$

$\therefore \triangle ABE \backsim \triangle ECF$ (AA 닮음)

따라서 $\overline{AB}:\overline{EC}=\overline{AE}:\overline{EF}$이므로 $8:4=10:\overline{EF}$

$8\overline{EF}=40 \quad \therefore \overline{EF}=5\ (cm)$

18 답 32 cm²

셀파 보조선을 긋고 색칠한 부분과 넓이가 같은 도형을 찾는다.

오른쪽 그림과 같이 색칠한 부분의 넓이를 각각 S_1, S_2, S_3, S_4라 하고 직사각형 ABCD의 대각선 AC를 긋자.

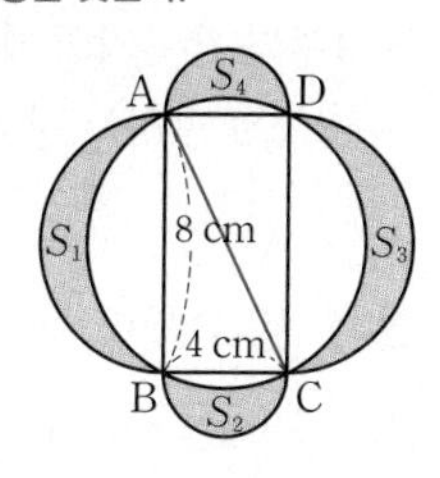

이때 $S_1+S_2=\triangle ABC$,

$S_3+S_4=\triangle ACD$이므로

(색칠한 부분의 넓이)$=S_1+S_2+S_3+S_4$

$=\triangle ABC+\triangle ACD$

$=\square ABCD$

$=4\times8=32\ (cm^2)$

IV. 확률

12 사건과 경우의 수

본문 | 197, 199 쪽

1-1 답 (1) 2 (2) 3

(1) 1부터 4까지의 자연수 중 소수는 [2], 3이므로 구하는 경우의 수는 2

(2) 1부터 4까지의 자연수 중 4의 약수는 [1, 2, 4]이므로 구하는 경우의 수는 [3]

1-2 답 (1) 2 (2) 3 (3) 3

(1) 4보다 큰 수의 눈이 나오는 경우는 5, 6이므로 구하는 경우의 수는 2

(2) 2의 배수의 눈이 나오는 경우는 2, 4, 6이므로 구하는 경우의 수는 3

(3) 소수의 눈이 나오는 경우는 2, 3, 5이므로 구하는 경우의 수는 3

2-1 답 (1) 2 (2) 5 (3) 7

(1) 3보다 작은 수가 적힌 공이 나오는 경우는 1, [2]이므로 구하는 경우의 수는 [2]

(2) 5 이상의 수가 적힌 공이 나오는 경우는 5, 6, [7, 8, 9]이므로 구하는 경우의 수는 [5]

(3) 3보다 작으면서 5 이상인 수는 없으므로 구하는 경우의 수는 [2]+[5]=[7]

2-2 답 (1) 3 (2) 2 (3) 5

(1) 3의 배수가 적힌 카드가 나오는 경우는 3, 6, 9이므로 구하는 경우의 수는 3

(2) 5의 배수가 적힌 카드가 나오는 경우는 5, 10이므로 구하는 경우의 수는 2

(3) 1부터 10까지의 자연수 중 3의 배수이면서 5의 배수인 수는 없으므로 구하는 경우의 수는 3+2=5

3-1 답 (1) 뒷면, 뒷면, 앞면 / 4 (2) 4 (3) 4

(1)

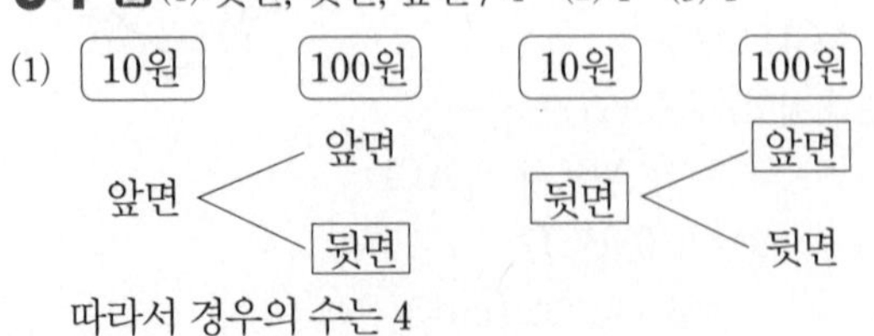

따라서 경우의 수는 4

(2) (10원, 100원) ⇨ (앞면, 앞면), (앞면, [뒷면]), (뒷면, [앞면]), (뒷면, 뒷면)

따라서 경우의 수는 4

(3) 10원짜리 동전을 던졌을 때, 나오는 면의 경우는 앞면, 뒷면의 2가지이고, 그 각각에 대하여 100원짜리 동전의 면이 나오는 경우는 앞면, 뒷면의 2가지이다.

따라서 구하는 경우의 수는 2[×]2=4

3-2 답 (1) ㉮, ㉡, ㉮, ㉯ / 4 (2) 4 (3) 4

(1)

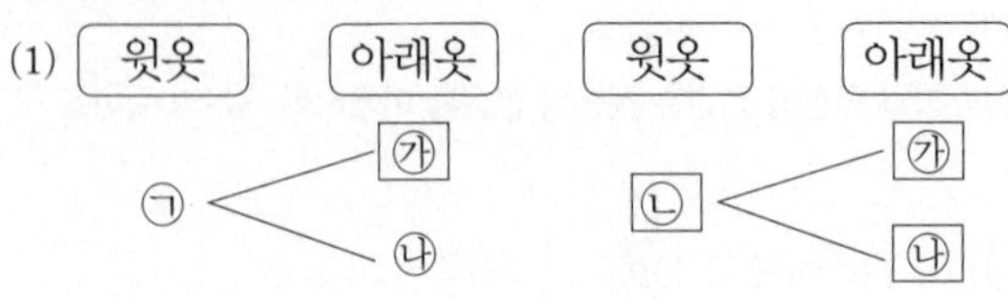

따라서 경우의 수는 4

(2) (윗옷, 아래옷) ⇨ (㉠, ㉮), (㉠, ㉯), (㉡, ㉮), (㉡, ㉯)

따라서 경우의 수는 4

(3) 윗옷을 고르는 경우는 ㉠, ㉡의 2가지이고, 그 각각에 대하여 아래옷을 고르는 경우는 ㉮, ㉯의 2가지이다.

따라서 구하는 경우의 수는 2×2=4

3-3 답 (1) 2 (2) 6 (3) 12

(1) 동전 한 개를 던질 때, 일어나는 모든 경우는 앞면, 뒷면이므로 경우의 수는 2

(2) 주사위 한 개를 던질 때, 일어나는 모든 경우는 1, 2, 3, 4, 5, 6이므로 경우의 수는 6

(3) 동전 한 개와 주사위 한 개를 동시에 던질 때, 일어나는 모든 경우의 수는 2×6=12

본문 | 200~203 쪽

01 답 (1) 3 (2) 6

셀파 순서쌍을 이용하여 모든 경우를 빠짐없이 중복되지 않게 구한다.

(1) 두 주사위에서 나오는 눈의 수를 순서쌍으로 나타내면 눈의 수의 합이 10인 경우는

(4, 6), (5, 5), (6, 4)

이므로 구하는 경우의 수는 3

(2) 두 주사위에서 나오는 눈의 수를 순서쌍으로 나타내면 눈의 수의 차가 0인 경우는

(1, 1), (2, 2), (3, 3), (4, 4), (5, 5), (6, 6)

이므로 구하는 경우의 수는 6

02 답 3

셀파 갖고 있는 동전으로 400원을 지불하는 경우를 표로 나타낸다.

400원을 지불할 때 사용할 동전의 개수를 표로 나타내면 다음과 같다.

100원	3	2	1
50원	2	4	6

따라서 구하는 방법의 수는 3

03 답 9

셀파 각 경우의 수를 구한 후 더한다.

주사위 한 개를 두 번 던질 때, 나오는 눈의 수를 순서쌍으로 나타내면

눈의 수의 합이 5인 경우는

$(1, 4)$, $(2, 3)$, $(3, 2)$, $(4, 1)$의 4가지

눈의 수의 합이 8인 경우는

$(2, 6)$, $(3, 5)$, $(4, 4)$, $(5, 3)$, $(6, 2)$의 5가지

따라서 구하는 경우의 수는 $4+5=9$

04 답 (1) 7 (2) 9

셀파 두 사건의 경우의 수를 모두 구하여 중복으로 세어지는 것이 있는지 확인한다.

(1) 4의 배수가 적힌 카드가 나오는 경우는
4, 8, 12, 16, 20의 5가지
7의 배수가 적힌 카드가 나오는 경우는
7, 14의 2가지
따라서 구하는 경우의 수는 $5+2=7$

(2) 3의 배수가 적힌 카드가 나오는 경우는
3, 6, 9, 12, 15, 18의 6가지
5의 배수가 적힌 카드가 나오는 경우는
5, 10, 15, 20의 4가지
이때 15는 3의 배수이면서 5의 배수이므로
구하는 경우의 수는 $6+4-1=9$

05 답 6

셀파 초성, 중성에 각각 올 수 있는 카드의 경우의 수를 생각한다.

초성에 올 수 있는 자음의 경우는 ㄱ, ㄴ, ㄷ의 3가지

중성에 올 수 있는 모음의 경우는 ㅏ, ㅓ의 2가지

따라서 만들 수 있는 글자의 개수는 $3\times2=6$

▮다른 풀이▮ 나뭇가지 모양의 그림으로 나타내면 다음과 같다.

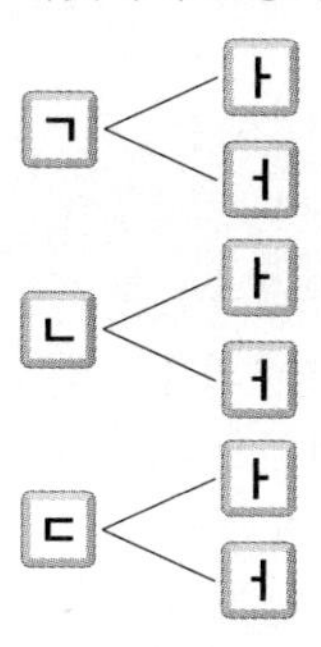

∴ (만들 수 있는 글자의 개수)$=6$

06 답 9

셀파 공원을 지나는 경우와 공원을 지나지 않는 경우를 나누어 생각한다.

(i) 집 → 공원 → 학교로 가는 경우의 수: $2\times4=8$

(ii) 집→ 학교로 직접 가는 경우의 수: 1

(i), (ii)에서 구하는 경우의 수는 $8+1=9$

07 답 (1) 24 (2) 6

셀파 각 경우의 수를 구한 후 곱한다.

(1) 서로 다른 동전 2개를 동시에 던질 때, 일어나는 모든 경우의 수는 $2\times2=4$
주사위 1개를 던질 때, 일어나는 모든 경우의 수는 6
따라서 구하는 경우의 수는 $4\times6=24$

(2) 서로 다른 동전 2개를 동시에 던질 때, 서로 다른 면이 나오는 경우는 (앞, 뒤), (뒤, 앞)의 2가지
주사위 1개를 던질 때, 홀수의 눈이 나오는 경우는 1, 3, 5의 3가지
따라서 구하는 경우의 수는 $2\times3=6$

08 답 16

셀파 각각의 칸에 0 또는 1이 오는 2가지의 경우가 있다.

각각의 칸에서 0을 쓰는 경우와 1을 쓰는 경우의 2가지가 있으므로 만들 수 있는 암호의 개수는

$2\times2\times2\times2=16$

실력 키우기

본문 | 204~205쪽

01 답 ④

셀파 각 사건의 경우의 수를 구한다.

① 소수는 2, 3, 5, 7이므로 구하는 경우의 수는 4
② 홀수는 1, 3, 5, 7, 9이므로 구하는 경우의 수는 5
③ 9의 약수는 1, 3, 9이므로 구하는 경우의 수는 3
④ 4의 배수는 4, 8이므로 구하는 경우의 수는 2
⑤ 3 이하의 수는 1, 2, 3이므로 구하는 경우의 수는 3
따라서 경우의 수가 가장 작은 사건은 ④이다.

02 답 4

셀파 갖고 있는 동전으로 150원을 지불하는 경우를 표로 나타낸다.

150원을 지불할 때 사용할 동전의 개수를 표로 나타내면 다음과 같다.

100원	1	1	0	0
50원	1	0	3	2
10원	0	5	0	5

따라서 구하는 방법의 수는 4

03 답 7

셀파 수학 문제집 또는 영어 문제집 중 1종류를 선택하는 것은 동시에 일어날 수 없으므로 각 경우의 수를 더한다.

수학 문제집을 선택하는 경우는 4가지, 영어 문제집을 선택하는 경우는 3가지이므로 수학 문제집 또는 영어 문제집 중 1종류를 선택할 수 있는 경우의 수는 $4+3=7$

04 답 7

셀파 눈의 수의 합이 5의 배수인 경우는 눈의 수의 합이 5 또는 10인 경우이다.

눈의 수의 합이 5의 배수인 경우는 눈의 수의 합이 5 또는 10인 경우이다.
이때 주사위 한 개를 두 번 던질 때, 나오는 눈의 수를 순서쌍으로 나타내면
눈의 수의 합이 5인 경우는
(1, 4), (2, 3), (3, 2), (4, 1)의 4가지
눈의 수의 합이 10인 경우는
(4, 6), (5, 5), (6, 4)의 3가지
따라서 구하는 경우의 수는 $4+3=7$

05 답 24

셀파 두 사건이 동시에 일어나는 경우가 있는지 확인한다.

① 3의 배수가 적힌 카드가 나오는 경우의 수 구하기 [30 %]
3의 배수가 적힌 카드는 3, 6, 9, 12, 15, 18, 21, 24, 27, 30, 33, 36, 39, 42, 45, 48의 16가지

② 4의 배수가 적힌 카드가 나오는 경우의 수 구하기 [30 %]
4의 배수가 적힌 카드는 4, 8, 12, 16, 20, 24, 28, 32, 36, 40, 44, 48의 12가지

③ 3의 배수 또는 4의 배수가 적힌 카드가 나오는 경우의 수 구하기 [40 %]
이때 3의 배수이면서 4의 배수, 즉 12의 배수는 12, 24, 36, 48의 4가지이므로 3의 배수 또는 4의 배수가 적힌 카드가 나오는 경우의 수는 $16+12-4=24$

06 답 ②

셀파 가위바위보에서 한 사람이 낼 수 있는 경우는 가위, 바위, 보의 3가지이다.

명수와 준하가 가위바위보를 내는 경우를 순서쌍 (명수, 준하)로 나타내자.
① 두 사람이 각각 낼 수 있는 경우는 가위, 바위, 보의 3가지이므로 일어나는 모든 경우의 수는 $3\times3=9$
② 준하가 이기는 경우는
(가위, 바위), (바위, 보), (보, 가위)의 3가지
③ 명수가 이기는 경우는
(가위, 보), (바위, 가위), (보, 바위)의 3가지
이므로 명수가 준하를 이기는 경우가 있다.
④ 서로 비기는 경우는
(가위, 가위), (바위, 바위), (보, 보)의 3가지
⑤ 승부가 결정되는 경우의 수는 준하가 이기거나 명수가 이기는 경우의 수이므로 $3+3=6$
따라서 옳은 것은 ②이다.

07 답 30가지

셀파 올라가는 길은 6가지이고 내려오는 길은 5가지이다.

올라가는 길을 선택하는 경우는 6가지이고, 그 각각에 대하여 내려오는 길을 선택하는 경우는 올라갈 때 선택한 길을 제외한 5가지이다. 따라서 등산을 하는 코스는 $6\times5=30$(가지)

08 답 9

셀파 각 경우의 수를 구한 후 곱한다.

서로 다른 동전 3개를 동시에 던질 때, 뒷면이 1개 나오는 경우는
(뒤, 앞, 앞), (앞, 뒤, 앞), (앞, 앞, 뒤)의 3가지
주사위 1개를 던질 때, 짝수의 눈이 나오는 경우는 2, 4, 6의 3가지
따라서 구하는 경우의 수는 $3\times3=9$

09 답 36

셀파 두 수의 곱이 홀수이려면 곱하는 두 수가 모두 홀수이어야 한다.

두 수를 곱해서 홀수가 되는 경우는 (홀수)×(홀수)일 때뿐이다.
이때 1부터 12까지의 자연수 중 홀수인 경우는
1, 3, 5, 7, 9, 11의 6가지
따라서 구하는 경우의 수는 $6\times6=36$

10 답 24

셀파 A → C → B → D → A와 A → D → B → C → A로 나누어 생각한다.

① A → B → A로 가는 방법 구하기 [20 %]
A 지점을 출발하여 B 지점을 지나 다시 A 지점으로 돌아오는 경우는
A → C → B → D → A,
A → D → B → C → A
로 가는 2가지 방법이 있다.

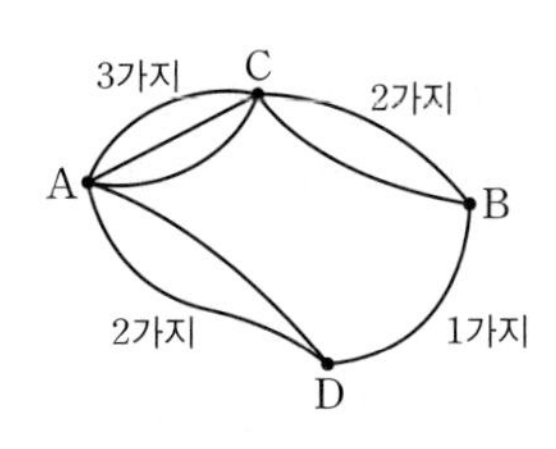

② A → C → B → D → A로 가는 경우의 수 구하기 [30 %]
(i) A → C → B → D → A로 가는 경우의 수는
$3\times2\times1\times2=12$

③ A → D → B → C → A로 가는 경우의 수 구하기 [30 %]
(ii) A → D → B → C → A로 가는 경우의 수는
$2\times1\times2\times3=12$

④ 답 구하기 [20 %]
(i), (ii)에서 구하는 경우의 수는 $12+12=24$

11 답 32

셀파 학생 5명이 동시에 깃발을 들거나 내리므로 각 경우의 수를 곱한다.

각 학생마다 깃발을 들거나 내리는 경우의 2가지가 있으므로
5명의 학생이 만들 수 있는 신호의 개수는
$2\times2\times2\times2\times2=32$

12 답 3

셀파 $2a-b=0$, 즉 $2a=b$가 되는 조건에 맞게 꼼꼼히 따져 가면서 세어 본다.

$x=2$를 방정식 $ax-b=0$에 대입하면
$2a-b=0$, 즉 $2a=b$
$2a=b$인 경우를 순서쌍 (a, b)로 나타내면
$(1, 2)$, $(2, 4)$, $(3, 6)$이므로 구하는 경우의 수는 3

13 여러 가지 경우의 수

1-1 답 (1) 24 (2) 12

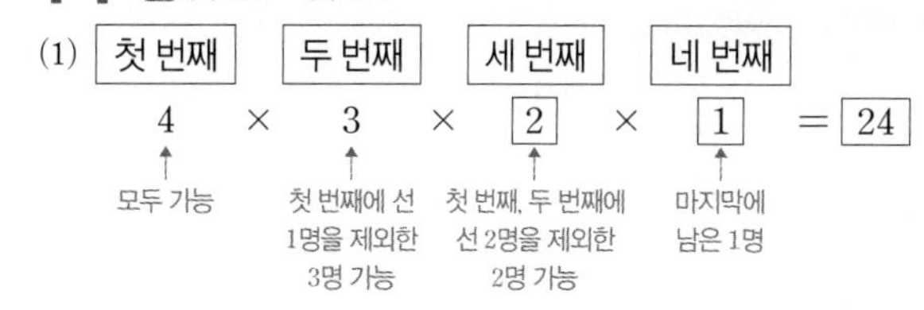

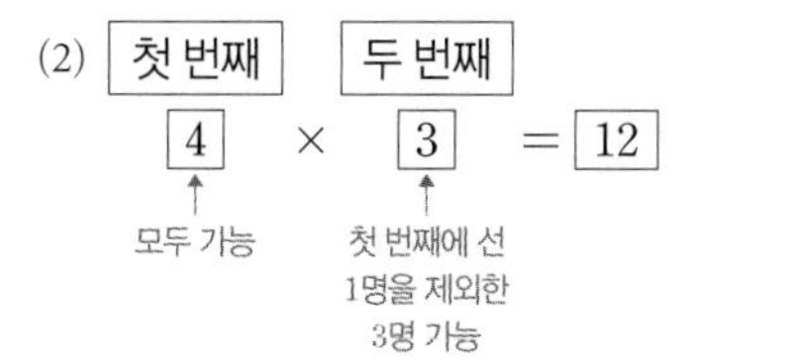

1-2 답 (1) 120 (2) 60

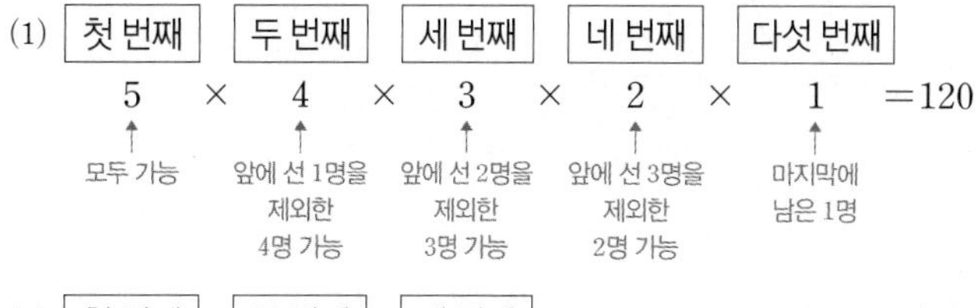

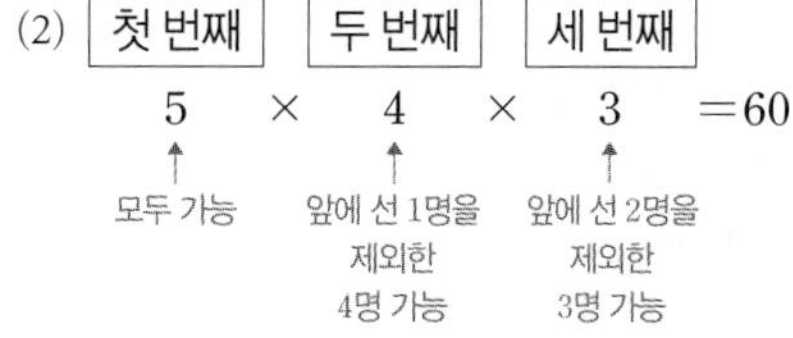

2-1 답 12

B, C를 하나로 묶어 A와 (B, C)와 D 3명을 한 줄로 세우는 경우의 수는 $3\times2\times1=$ 6
이때 묶음 안에서 B, C가 자리를 바꾸는 경우의 수는
$2\times1=$ 2
따라서 구하는 경우의 수는 6 × 2 = 12

2-2 답 (1) 6 (2) 6 (3) 36

(1) (A, C, D)와 B와 E 3명을 한 줄로 세우는 경우의 수는
$3\times2\times1=6$
(2) A, C, D가 서로 자리를 바꾸는 경우의 수는 A, C, D를 한 줄로 세우는 경우의 수와 같으므로
$3\times2\times1=6$
(3) (1), (2)에 의하여 구하는 경우의 수는 $6\times6=36$

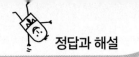

3-1 답 (1) 12 (2) 9

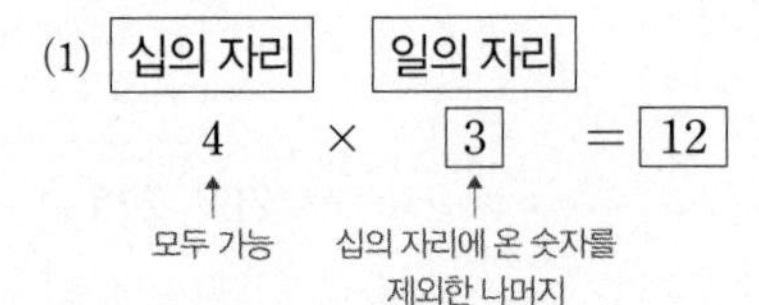

(2) 십의 자리 | 일의 자리

3 × 3 = 9

↑ 0을 제외한 나머지　↑ 십의 자리에 온 숫자를 제외한 나머지

3-2 답 (1) 4, 3, 2, 24 (2) 3, 3, 2, 18

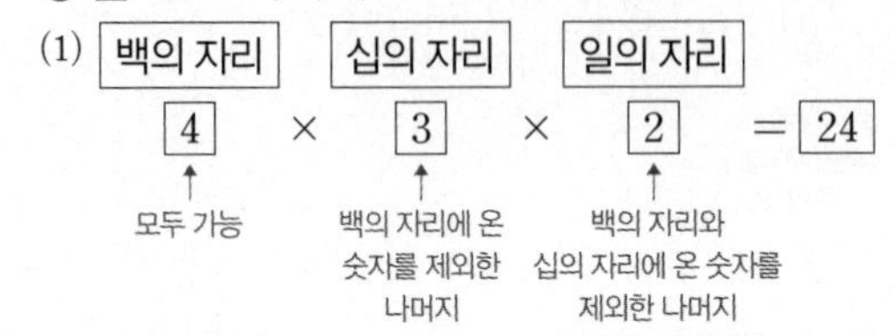

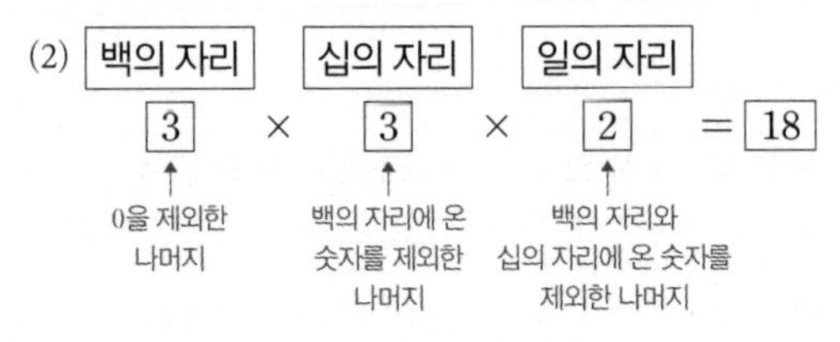

4-1 답 (1) 24 (2) 6

(1) 회장 | 부회장 | 총무

4 × 3 × 2 = 24

(2) $\frac{4\times3}{2}=6$

자격이 다른 대표 2명을 뽑는 경우의 수 / 중복되는 경우의 수

4-2 답 (1) 20 (2) 10

(1) 학급 대표 | 청소 당번

5 × 4 = 20

(2) $\frac{5\times4}{2}=10$

본문 | 213~217쪽

01 답 60가지

셀파 5명 중에서 3명을 뽑아 한 줄로 세우는 경우의 수와 같다.

1번 곡 | 2번 곡 | 3번 곡

5 × 4 × 3 = 60(가지)

02 답 24

셀파 동생의 자리를 고정시켜 놓고 경우의 수를 구한다.

□ □ 동생 □ □

동생이 한가운데에 고정되었으므로 아버지, 어머니, 언니, 지혜 4명을 한 줄로 세우는 경우를 생각하면 된다.
따라서 구하는 경우의 수는 $4\times3\times2\times1=24$

03 답 36

셀파 남학생 3명을 1명으로 생각하여 한 줄로 세운 후, 남학생끼리 자리를 서로 바꾸는 경우를 생각한다.

남학생 3명을 1명으로 생각하여 3명을 한 줄로 세우는 경우의 수는 $3\times2\times1=6$
이때 남학생끼리 자리를 서로 바꾸는 경우의 수는 $3\times2\times1=6$
따라서 구하는 경우의 수는 $6\times6=36$

04 답 (1) 6 (2) 12

셀파 한 부분을 먼저 정하여 색을 칠한다.

(1) A에 칠할 수 있는 색은 3가지
B에 칠할 수 있는 색은 A에 칠한 색을 제외한 2가지
C에 칠할 수 있는 색은 A, B에 칠한 색을 제외한 1가지
따라서 구하는 경우의 수는 $3\times2\times1=6$

(2) A에 칠할 수 있는 색은 3가지
B에 칠할 수 있는 색은 A에 칠한 색을 제외한 2가지
C에 칠할 수 있는 색은 B에 칠한 색을 제외한 2가지
따라서 구하는 경우의 수는 $3\times2\times2=12$

05 답 11

셀파 십의 자리에 올 수 있는 숫자는 1, 2, 3이다.

(i) 십의 자리의 숫자가 1인 경우: 12, 13, 14, 15의 4개
(ii) 십의 자리의 숫자가 2인 경우: 21, 23, 24, 25의 4개
(iii) 십의 자리의 숫자가 3인 경우: 31, 32, 34의 3개
(i), (ii), (iii)에서 35보다 작은 자연수의 개수는
$4+4+3=11$

06 답 36

셀파 어떤 자연수가 5의 배수이려면 일의 자리의 숫자가 0 또는 5이어야 한다.

5의 배수이려면 일의 자리의 숫자가 0 또는 5이어야 한다.
(i) □□0인 경우: $5\times4=20$(개)
(ii) □□5인 경우: $4\times4=16$(개)
(i), (ii)에서 5의 배수의 개수는 $20+16=36$

LECTURE

① 어떤 자연수가 홀수이려면 일의 자리의 숫자가 홀수이어야 한다.
② 어떤 자연수가 짝수이려면 일의 자리의 숫자가 0 또는 짝수이어야 한다.
③ 어떤 자연수가 5의 배수이려면 일의 자리의 숫자가 0 또는 5이어야 한다.

07 답 1. 3 2. (1) 30 (2) 90

셀파 먼저 자격이 다른 대표를 뽑는 것인지, 자격이 같은 대표를 뽑는 것인지를 판단하여 경우의 수를 구한다.

1. 대표 3명에 B가 반드시 포함되어야 하므로 B를 제외한 나머지 3명 중에서 대표 2명을 뽑으면 된다. 즉 구하는 경우의 수는 3명 중에서 대표 2명을 뽑는 경우의 수와 같으므로
$\frac{3\times2}{2}=3$

2. (1) 여학생 3명 중에서 1명의 대표를 뽑는 경우의 수는 3
남학생 5명 중에서 2명의 대표를 뽑는 경우의 수는
$\frac{5\times4}{2}=10$
따라서 구하는 경우의 수는 $3\times10=30$

(2) (i) 회장이 여학생인 경우
여자 회장, 여자 부회장, 남자 부회장을 각각 1명씩 뽑는 경우의 수는 $3\times2\times5=30$
(ii) 회장이 남학생인 경우
남자 회장, 여자 부회장, 남자 부회장을 각각 1명씩 뽑는 경우의 수는 $5\times3\times4=60$
(i), (ii)에서 구하는 경우의 수는 $30+60=90$

| 다른 풀이 | 2. (2) 여자 부회장 1명을 뽑는 경우의 수는 3, 남자 부회장 1명을 뽑는 경우의 수는 5이므로 여자 부회장 1명, 남자 부회장 1명을 뽑는 경우의 수는 $3\times5=15$
부회장 2명을 제외한 6명 중에서 회장 1명을 뽑는 경우의 수는 6
따라서 구하는 경우의 수는 $15\times6=90$

08 답 45번

셀파 10명 중에서 자격이 같은 대표 2명을 뽑는 경우의 수와 같다.

$\frac{10\times9}{2}=45$(번)

09 답 (1) 42 (2) 35

셀파 반직선은 시작점이 다르면 다른 반직선이다.

(1) 반직선의 개수는 자격이 다른 대표 2명을 뽑는 경우의 수와 같으므로 $7\times6=42$
(2) 7개의 점 중에서 순서와 관계없이 3개의 점을 선택하는 경우의 수와 같으므로 $\frac{7\times6\times5}{3\times2\times1}=35$

실력 키우기

본문 | 218~219쪽

01 답 24

셀파 4명을 한 줄로 세우는 경우의 수와 같다.

구하는 경우의 수는 4명을 한 줄로 세우는 경우의 수와 같으므로
$4\times3\times2\times1=24$

02 답 12

셀파 M, H가 동시에 맨 앞에 올 수는 없으므로 M이 맨 앞에 오는 경우와 H가 맨 앞에 오는 경우를 나누어 생각한다.

(i) M이 맨 앞에 오는 경우
나머지 A, T, H 3개의 알파벳을 한 줄로 배열하는 경우의 수는 $3\times2\times1=6$
(ii) H가 맨 앞에 오는 경우
나머지 M, A, T 3개의 알파벳을 한 줄로 배열하는 경우의 수는 $3\times2\times1=6$
(i), (ii)에서 구하는 경우의 수는 $6+6=12$

03 답 6

셀파 창민 → 조권 순으로 이웃하여 3명이 한 줄로 서는 경우의 수를 생각한다.

이어달리기 순서를 정할 때 반드시 창민 → 조권 순이어야 하므로 창민과 조권을 묶어서 (창민, 조권), 슬옹, 진운으로 생각하면 구하는 경우의 수는 3명을 한 줄로 세우는 경우의 수와 같다.
따라서 순서를 정하는 경우의 수는 $3\times2\times1=6$

04 답 48

셀파 국어, 역사, 수학을 1과목으로 생각한다.

국어, 역사, 수학을 1과목으로 생각하여 4과목을 한 줄로 나열하는 경우의 수는 $4\times3\times2\times1=24$
이때 국어와 수학의 순서를 바꾸는 경우의 수는 $2\times1=2$
따라서 구하는 경우의 수는 $24\times2=48$

05 답 540

셀파 먼저 색칠할 영역의 순서를 정하고 각각의 영역에 칠할 수 있는 색의 가짓수를 구해 본다.

A에 칠할 수 있는 색은 5가지
B에 칠할 수 있는 색은 A에 칠한 색을 제외한 4가지
C에 칠할 수 있는 색은 A, B에 칠한 색을 제외한 3가지
D에 칠할 수 있는 색은 A, C에 칠한 색을 제외한 3가지
E에 칠할 수 있는 색은 C, D에 칠한 색을 제외한 3가지
따라서 구하는 경우의 수는 $5\times4\times3\times3\times3=540$

06 답 21

셀파 백의 자리의 숫자가 1, 2인 경우를 생각한다.

(i) 1□□인 경우: $4\times3=12$(개)
(ii) 21□인 경우: 213, 214, 215의 3개
23□인 경우: 231, 234, 235의 3개
24□인 경우: 241, 243, 245의 3개
(i), (ii)에서 250보다 작은 자연수의 개수는 $12+3+3+3=21$

07 답 320

셀파 백의 자리에 올 수 있는 숫자는 1, 2, 3이다.

① 백의 자리의 숫자가 1인 세 자리 자연수의 개수 구하기 [25 %]
(i) 백의 자리의 숫자가 1인 세 자리 자연수는
1□□ ⇨ $3\times2=6$(개)

② 백의 자리의 숫자가 2인 세 자리 자연수의 개수 구하기 [25 %]
(ii) 백의 자리의 숫자가 2인 세 자리 자연수는
2□□ ⇨ $3\times2=6$(개)

③ 백의 자리의 숫자가 3인 세 자리 자연수의 개수 구하기 [25 %]
(iii) 백의 자리의 숫자가 3인 세 자리 자연수는
3□□ ⇨ $3\times2=6$(개)

④ 작은 것부터 나열할 때 17번째 수 구하기 [25 %]
(i), (ii), (iii)에서 세 자리 자연수의 개수는 $6+6+6=18$
이때 가장 큰 세 자리 자연수는 321로 작은 것부터 나열하면 18번째 수이다. 따라서 작은 것부터 나열할 때 17번째 수는 320이다.

08 답 21

셀파 경찰관 중에서 2명을 뽑는 경우와 소방관 중에서 2명을 뽑는 경우를 생각한다.

2명의 직업이 같은 경우는 경찰관 중에서 2명을 뽑는 경우와 소방관 중에서 2명을 뽑는 경우이다.
(i) 경찰관 6명 중에서 2명을 뽑는 경우의 수는 $\frac{6\times5}{2}=15$
(ii) 소방관 4명 중에서 2명을 뽑는 경우의 수는 $\frac{4\times3}{2}=6$
(i), (ii)에서 구하는 경우의 수는 $15+6=21$

09 답 8명

셀파 n명 중에서 자격이 같은 대표 2명을 뽑는 경우의 수를 생각한다.

팔씨름 대회에 참가한 사람을 n명이라 하면
$\frac{n\times(n-1)}{2}=28$에서 $n\times(n-1)=56=8\times7$ $\therefore n=8$
따라서 대회에 참가한 사람은 8명이다.

10 답 50

셀파 자격이 같은 대표를 뽑는 경우의 수를 생각한다.

① 두 점을 이어 만들 수 있는 선분의 개수 구하기 [20 %]
(i) 두 점을 이어 만들 수 있는 선분의 개수는 6명 중에서 대표 2명을 뽑는 경우의 수와 같으므로
$a=\frac{6\times5}{2}=15$

② 세 점을 이어 만들 수 있는 삼각형의 개수 구하기 [30 %]
(ii) 세 점을 이어 만들 수 있는 삼각형의 개수는 6명 중에서 대표 3명을 뽑는 경우의 수와 같으므로
$b=\frac{6\times5\times4}{3\times2\times1}=20$

③ 네 점을 이어 만들 수 있는 사각형의 개수 구하기 [30 %]
(iii) 네 점을 이어 만들 수 있는 사각형의 개수는 6명 중에서 대표 4명을 뽑는 경우의 수와 같으므로
$c=\frac{6\times5\times4\times3}{4\times3\times2\times1}=15$

④ $a+b+c$의 값 구하기 [20 %]
(i), (ii), (iii)에서 $a+b+c=15+20+15=50$

11 답 1000

셀파 숫자를 중복하여 사용할 수 있음에 유의하여 경우의 수를 구한다.

첫 번째 □에 올 수 있는 숫자는 0부터 9까지의 10가지
두 번째 □에 올 수 있는 숫자는 0부터 9까지의 10가지
세 번째 □에 올 수 있는 숫자는 0부터 9까지의 10가지
따라서 만들 수 있는 비밀번호의 개수는
$10\times10\times10=1000$

12 답 21번째

셀파 먼저 시작되는 첫 문자를 정하고 각각의 꼴에서 문자열의 개수를 구한다.

(i) a□□□인 경우: $3\times2\times1=6$(개)
(ii) b□□□인 경우: $3\times2\times1=6$(개)
(iii) c□□□인 경우: $3\times2\times1=6$(개)
(iv) da□□인 경우: $2\times1=2$(개)
즉 $dbac$ 앞에 $6+6+6+2=20$(개)가 있으므로 $dbac$는 21번째에 오는 문자열이다.

14 확률

1. 확률의 뜻과 성질

본문 | 223 쪽

1-1 답 (1) $\frac{1}{4}$ (2) $\frac{1}{2}$

모든 경우의 수는 $2\times2=4$

(1) 모두 앞면이 나오는 경우는 (앞면, 앞면)의 1가지이므로

(모두 앞면이 나올 확률)$=\boxed{\frac{1}{4}}$

(2) 서로 다른 면이 나오는 경우는

(앞면, 뒷면), (뒷면, 앞면)의 2가지이므로

(서로 다른 면이 나올 확률)$=\frac{\boxed{2}}{4}=\boxed{\frac{1}{2}}$

1-2 답 (1) $\frac{1}{10}$ (2) $\frac{3}{10}$ (3) $\frac{1}{2}$

모든 경우의 수는 10

(1) 카드에 적힌 수가 3인 경우는 3의 1가지이므로

그 확률은 $\frac{1}{10}$

(2) 카드에 적힌 수가 8 이상인 경우는 8, 9, 10의 3가지이므로

그 확률은 $\frac{3}{10}$

(3) 카드에 적힌 수가 짝수인 경우는 2, 4, 6, 8, 10의 5가지이므로

그 확률은 $\frac{5}{10}=\frac{1}{2}$

2-1 답 (1) $\frac{4}{9}$ (2) 0 (3) 1

(1) (흰 공이 나올 확률)$=\frac{(\text{흰 공의 개수})}{(\text{전체 공의 개수})}=\frac{\boxed{4}}{9}$

(2) (노란 공이 나올 확률)$=\frac{(\text{노란 공의 개수})}{(\text{전체 공의 개수})}=\frac{\boxed{0}}{9}=\boxed{0}$

(3) (흰 공 또는 검은 공이 나올 확률)

$=\frac{(\text{흰 공 또는 검은 공의 개수})}{(\text{전체 공의 개수})}=\frac{\boxed{9}}{9}=\boxed{1}$

참고 주머니 속에는 흰 공 또는 검은 공만 있으므로 노란 공은 나올 수 없다.

2-2 답 (1) $\frac{4}{9}$ (2) 1 (3) 0

(1) 공에 적힌 숫자가 소수인 경우는 2, 3, 5, 7의 4가지이므로

그 확률은 $\frac{4}{9}$

(2) 공에 적힌 숫자는 모두 9 이하이므로 구하는 확률은 $\frac{9}{9}=1$

(3) 11이 적힌 공은 없으므로 구하는 확률은 $\frac{0}{9}=0$

참고 상자 속에는 1부터 9까지의 자연수가 적힌 공만 들어 있으므로 어떤 공을 뽑든 반드시 9 이하의 자연수가 적힌 공만 나온다.

보고 또 보고 **유형 익히기 – 확인 문제**

본문 | 224~227 쪽

01 답 (1) $\frac{1}{6}$ (2) $\frac{1}{9}$

셀파 (사건 A가 일어날 확률)$=\frac{(\text{사건 }A\text{가 일어나는 경우의 수})}{(\text{일어나는 모든 경우의 수})}$

모든 경우의 수는 $6\times6=36$

(1) 두 주사위에서 나오는 눈의 수를 순서쌍으로 나타내면

눈의 수가 같은 경우는

(1, 1), (2, 2), (3, 3), (4, 4), (5, 5), (6, 6)의 6가지

따라서 구하는 확률은 $\frac{6}{36}=\frac{1}{6}$

(2) 두 주사위에서 나오는 눈의 수를 순서쌍으로 나타내면

눈의 수의 합이 9인 경우는

(3, 6), (4, 5), (5, 4), (6, 3)의 4가지

따라서 구하는 확률은 $\frac{4}{36}=\frac{1}{9}$

02 답 (1) $\frac{2}{5}$ (2) $\frac{3}{10}$

셀파 n명을 한 줄로 세우는 경우의 수는 $n\times(n-1)\times\cdots\times2\times1$

5명을 한 줄로 세우는 경우의 수는 $5\times4\times3\times2\times1=120$

(1) 여 □ □ □ □

여학생 2명이 모두 가능 / 4명을 한 줄로 세우는 경우의 수

여학생을 맨 앞에 고정시키고 나머지 4명을 한 줄로 세우는 경우의 수는 $4\times3\times2\times1=24$

이때 여학생이 2명이므로 여학생이 맨 앞에 서는 경우의 수는 $24\times2=48$

따라서 구하는 확률은 $\frac{48}{120}=\frac{2}{5}$

(2) 남학생 3명을 한 명으로 생각하여 3명을 한 줄로 세우는 경우의 수는 $3\times2\times1=6$
이때 남학생 3명끼리 자리를 바꾸는 경우의 수는
$3\times2\times1=6$
따라서 남학생 3명이 이웃하여 서는 경우의 수는
$6\times6=36$
그러므로 구하는 확률은 $\frac{36}{120}=\frac{3}{10}$

03 답 $\frac{4}{9}$

셀파 홀수이려면 일의 자리의 숫자가 1 또는 3이어야 한다.

만들 수 있는 두 자리 자연수의 개수는 $3\times3=9$
홀수이려면 일의 자리의 숫자가 1 또는 3이어야 한다.
(i) □1인 경우: 21, 31의 2개
(ii) □3인 경우: 13, 23의 2개
(i), (ii)에서 홀수인 두 자리 자연수의 개수는 $2+2=4$
따라서 구하는 확률은 $\frac{4}{9}$

04 답 (1) $\frac{1}{6}$ (2) $\frac{1}{2}$

셀파 n명 중에서 2명을 뽑을 때
(1) 자격이 다른 경우: $n\times(n-1)$ (2) 자격이 같은 경우: $\frac{n\times(n-1)}{2}$

(1) 6명 중에서 회장 1명, 부회장 1명을 뽑는 경우의 수는
$6\times5=30$
승기가 회장으로 뽑히는 경우의 수는 나머지 5명 중에서 부회장 1명을 뽑는 경우의 수와 같으므로 5
따라서 구하는 확률은 $\frac{5}{30}=\frac{1}{6}$

(2) 6명 중에서 대의원 3명을 뽑는 경우의 수는 $\frac{6\times5\times4}{3\times2\times1}=20$
대의원 3명에 승기가 반드시 뽑히는 경우의 수는 나머지 5명 중에서 대의원 2명을 뽑는 경우의 수와 같으므로 $\frac{5\times4}{2}=10$
따라서 구하는 확률은 $\frac{10}{20}=\frac{1}{2}$

05 답 $\frac{1}{4}$

셀파 부등식 $3x+y>18$을 만족하는 순서쌍 (x, y)의 개수를 구한다.

한 개의 주사위를 두 번 던졌을 때 나올 수 있는 모든 경우의 수는
$6\times6=36$
부등식 $3x+y>18$을 만족하는 순서쌍 (x, y)는
$(5, 4)$, $(5, 5)$, $(5, 6)$, $(6, 1)$, $(6, 2)$, $(6, 3)$, $(6, 4)$, $(6, 5)$, $(6, 6)$의 9가지
따라서 구하는 확률은 $\frac{9}{36}=\frac{1}{4}$

06 답 ②, ⑤

셀파 반드시 일어나는 사건의 확률이 1이다.

① 모든 경우의 수가 6이므로 나오는 눈의 수가 2일 확률은 $\frac{1}{6}$
② 나오는 눈의 수의 합의 범위는 2 이상 12 이하이므로 반드시 일어나는 사건이다. 즉 확률은 1이다.
③ 모든 경우의 수는 $2\times2=4$
앞면이 1개 이상 나오는 경우는 (앞, 앞), (앞, 뒤), (뒤, 앞)의 3가지이므로 구하는 확률은 $\frac{3}{4}$
④ 나오는 눈의 수의 차가 6인 경우는 없다. 즉 확률은 0이다.
⑤ 모든 자연수는 짝수 또는 홀수이고 짝수는 2의 배수이므로 반드시 2의 배수 또는 홀수가 적힌 공이 나온다. 즉 확률은 1이다.
따라서 확률이 1인 것은 ②, ⑤이다.

07 답 $\frac{2}{3}$

셀파 (사건 A가 일어나지 않을 확률)$=1-$(사건 A가 일어날 확률)

모두 15장의 카드가 있으므로 한 장의 카드를 뽑는 경우의 수는 15
3의 배수가 나오는 경우는 3, 6, 9, 12, 15의 5가지
따라서 (3의 배수가 적힌 카드가 나올 확률)$=\frac{5}{15}=\frac{1}{3}$이므로
(3의 배수가 아닌 수가 적힌 카드가 나올 확률)
$=1-$(3의 배수가 적힌 카드가 나올 확률)
$=1-\frac{1}{3}=\frac{2}{3}$

08 답 $\frac{7}{8}$

셀파 (적어도 하나는 앞면이 나올 확률)$=1-$(모두 뒷면이 나올 확률)

모든 경우의 수는 $2\times2\times2=8$
서로 다른 동전 3개에서 모두 뒷면이 나오는 경우는
(뒤, 뒤, 뒤)의 1가지
∴ (적어도 하나는 앞면이 나올 확률)
$=1-$(앞면이 하나도 나오지 않을 확률)
$=1-$(모두 뒷면이 나올 확률)
$=1-\frac{1}{8}=\frac{7}{8}$

2. 확률의 계산

본문 | 229, 231 쪽

1-1 답 $\frac{7}{10}$

1 카드에 적힌 수가 홀수인 경우는 1, 3, 5, 7, 9의 5가지이므로 그 확률은 $\frac{5}{10}=\frac{1}{2}$

2 카드에 적힌 수가 4의 배수인 경우는 4, $\boxed{8}$의 $\boxed{2}$가지이므로 그 확률은 $\frac{2}{10}=\boxed{\frac{1}{5}}$

3 따라서 구하는 확률은 $\frac{1}{2}+\boxed{\frac{1}{5}}=\boxed{\frac{7}{10}}$

1-2 답 (1) $\frac{1}{4}$ (2) $\frac{1}{3}$ (3) $\frac{7}{12}$

전체 공의 개수는 $3+5+4=12$

(1) $(\text{흰 공이 나올 확률})=\frac{(\text{흰 공의 개수})}{(\text{전체 공의 개수})}=\frac{3}{12}=\frac{1}{4}$

(2) $(\text{파란 공이 나올 확률})=\frac{(\text{파란 공의 개수})}{(\text{전체 공의 개수})}=\frac{4}{12}=\frac{1}{3}$

(3) (흰 공 또는 파란 공이 나올 확률)
=(흰 공이 나올 확률)+(파란 공이 나올 확률)
$=\frac{1}{4}+\frac{1}{3}=\frac{3}{12}+\frac{4}{12}=\frac{7}{12}$

2-1 답 $\frac{1}{3}$

1 A 주사위에서 3 이상의 눈이 나오는 경우는 3, 4, 5, 6의 4가지이므로 그 확률은 $\frac{4}{6}=\frac{2}{3}$

2 B 주사위에서 소수의 눈이 나오는 경우는 $\boxed{2}$, 3, 5의 3가지이므로 그 확률은 $\frac{\boxed{3}}{6}=\boxed{\frac{1}{2}}$

3 따라서 구하는 확률은 $\frac{2}{3}\times\boxed{\frac{1}{2}}=\boxed{\frac{1}{3}}$

2-2 답 (1) $\frac{2}{3}$ (2) $\frac{1}{2}$ (3) $\frac{1}{3}$

(1) A 주머니에 들어 있는 전체 공의 개수는 $2+1=3$
이 중 흰 공이 2개이므로 구하는 확률은 $\frac{2}{3}$

(2) B 주머니에 들어 있는 전체 공의 개수는 $3+3=6$
이 중 흰 공이 3개이므로 구하는 확률은 $\frac{3}{6}=\frac{1}{2}$

(3) (A, B 두 주머니에서 모두 흰 공이 나올 확률)
=(A 주머니에서 흰 공이 나올 확률)
×(B 주머니에서 흰 공이 나올 확률)
$=\frac{2}{3}\times\frac{1}{2}=\frac{1}{3}$

3-1 답 (1) $\frac{9}{100}$ (2) $\frac{1}{15}$

(1) 첫 번째에 당첨 제비가 나올 확률은 $\frac{3}{10}$
뽑은 제비를 다시 넣으므로
두 번째에 당첨 제비가 나올 확률은 $\boxed{\frac{3}{10}}$
따라서 구하는 확률은 $\frac{3}{10}\times\boxed{\frac{3}{10}}=\boxed{\frac{9}{100}}$

(2) 첫 번째에 당첨 제비가 나올 확률은 $\frac{3}{10}$
뽑은 제비를 다시 넣지 않으므로
두 번째에 당첨 제비가 나올 확률은 $\boxed{\frac{2}{9}}$
따라서 구하는 확률은 $\frac{3}{10}\times\boxed{\frac{2}{9}}=\boxed{\frac{1}{15}}$

3-2 답 (1) $\frac{25}{64}$ (2) $\frac{5}{14}$

(1) 첫 번째에 검은 구슬이 나올 확률은 $\frac{5}{8}$
꺼낸 구슬을 다시 넣으므로
두 번째에 검은 구슬이 나올 확률은 $\frac{5}{8}$
따라서 구하는 확률은 $\frac{5}{8}\times\frac{5}{8}=\frac{25}{64}$

(2) 첫 번째에 검은 구슬이 나올 확률은 $\frac{5}{8}$
꺼낸 구슬을 다시 넣지 않으므로
두 번째에 검은 구슬이 나올 확률은 $\frac{4}{7}$
따라서 구하는 확률은 $\frac{5}{8}\times\frac{4}{7}=\frac{5}{14}$

4-1 답 $\frac{1}{2}$

8등분된 부분 1개의 넓이를 1이라 하면 원판 전체의 넓이는 8이고, 8의 약수가 적힌 부분은 1, 2, 4, 8의 네 부분이므로 그 넓이는 4이다.

$\therefore (\text{확률})=\frac{(\text{8의 약수에 해당하는 부분의 넓이})}{(\text{원판 전체의 넓이})}=\frac{\boxed{4}}{8}=\boxed{\frac{1}{2}}$

4-2 답 (1) $\frac{1}{6}$ (2) $\frac{1}{2}$

6등분된 부분 1개의 넓이를 1이라 하면 원판 전체의 넓이는 6이다.

(1) 3이 적힌 부분은 한 부분이므로 그 넓이는 1이다.

$\therefore$ (확률)$=\frac{(\text{3이 적힌 부분의 넓이})}{(\text{원판 전체의 넓이})}=\frac{1}{6}$

(2) 1이 적힌 부분은 세 부분이므로 그 넓이는 3이다.

$\therefore$ (확률)$=\frac{(\text{1이 적힌 부분의 넓이})}{(\text{원판 전체의 넓이})}=\frac{3}{6}=\frac{1}{2}$

보고 또 보고

유형 익히기-확인 문제

본문 | 232~235 쪽

01 답 (1) $\frac{2}{3}$ (2) $\frac{5}{6}$

셀파 (1) 8의 약수이면서 3의 배수인 수는 없다.
(2) 2는 소수이면서 2의 배수이다.

일어나는 모든 경우의 수는 12

(1) (i) 8의 약수가 나오는 경우는 1, 2, 4, 8의 4가지이므로

8의 약수가 나올 확률은 $\frac{4}{12}=\frac{1}{3}$

(ii) 3의 배수가 나오는 경우는 3, 6, 9, 12의 4가지이므로

3의 배수가 나올 확률은 $\frac{4}{12}=\frac{1}{3}$

(i), (ii)는 동시에 일어나지 않으므로 구하는 확률은

$\frac{1}{3}+\frac{1}{3}=\frac{2}{3}$

(2) (i) 소수가 나오는 경우는 2, 3, 5, 7, 11의 5가지이므로

소수가 나올 확률은 $\frac{5}{12}$

(ii) 2의 배수가 나오는 경우는 2, 4, 6, 8, 10, 12의 6가지이므로

2의 배수가 나올 확률은 $\frac{6}{12}=\frac{1}{2}$

이때 2는 소수이면서 2의 배수이므로 소수 또는 2의 배수가 나올 확률은 $\frac{5}{12}+\frac{1}{2}-\frac{1}{12}=\frac{10}{12}=\frac{5}{6}$

02 답 $\frac{1}{4}$

셀파 두 수의 곱이 홀수이려면 (홀수)×(홀수)이어야 한다.

한 개의 주사위를 던졌을 때 나올 수 있는 모든 경우의 수는 6

주사위의 눈의 수가 홀수인 경우는 1, 3, 5의 3가지이므로

주사위 한 개를 던졌을 때 홀수가 나올 확률은

$\frac{3}{6}=\frac{1}{2}$

이때 (홀수)×(홀수)=(홀수)이므로 구하는 확률은

$\frac{1}{2}\times\frac{1}{2}=\frac{1}{4}$

▮참고▮ • (짝수)×(홀수)=(짝수) • (홀수)×(짝수)=(짝수)
• (짝수)×(짝수)=(짝수) • (홀수)×(홀수)=(홀수)

03 답 $\frac{23}{24}$

셀파 (적어도 한 명은 합격할 확률)$=1-$(3명 모두 불합격할 확률)

A, B, C 세 사람이 합격할 확률은 각각 $\frac{1}{2}$, $\frac{2}{3}$, $\frac{3}{4}$이므로

A, B, C 세 사람이 불합격할 확률은 각각

$1-\frac{1}{2}=\frac{1}{2}$, $1-\frac{2}{3}=\frac{1}{3}$, $1-\frac{3}{4}=\frac{1}{4}$

따라서 세 사람이 모두 불합격할 확률은 $\frac{1}{2}\times\frac{1}{3}\times\frac{1}{4}=\frac{1}{24}$

$\therefore$ (적어도 한 명은 합격할 확률)$=1-$(3명 모두 불합격할 확률)

$=1-\frac{1}{24}=\frac{23}{24}$

04 답 $\frac{17}{35}$

셀파 (짝수)+(홀수)=(홀수), (홀수)+(짝수)=(홀수)

a가 짝수일 확률이 $\frac{4}{7}$이므로 a가 홀수일 확률은 $1-\frac{4}{7}=\frac{3}{7}$

b가 짝수일 확률이 $\frac{3}{5}$이므로 b가 홀수일 확률은 $1-\frac{3}{5}=\frac{2}{5}$

이때 두 자연수 a, b의 합, 즉 $a+b$가 홀수인 경우는 다음과 같이 2가지 경우로 나눌 수 있다.

(i) a가 짝수이고 b가 홀수일 때의 확률 ⇨ $\frac{4}{7}\times\frac{2}{5}=\frac{8}{35}$

(ii) a가 홀수이고 b가 짝수일 때의 확률 ⇨ $\frac{3}{7}\times\frac{3}{5}=\frac{9}{35}$

(i), (ii)에서 구하는 확률은 $\frac{8}{35}+\frac{9}{35}=\frac{17}{35}$

05 답 $\frac{3}{40}$

셀파 (첫 번째 뽑을 때의 조건)=(두 번째 뽑을 때의 조건)

1부터 20까지의 자연수 중 18의 약수는 1, 2, 3, 6, 9, 18의 6가지이므로 첫 번째에 18의 약수가 적힌 카드가 나올 확률은

$\frac{6}{20}=\frac{3}{10}$

1부터 20까지의 자연수 중 4의 배수는 4, 8, 12, 16, 20의 5가지이므로 두 번째에 4의 배수가 적힌 카드가 나올 확률은

$\frac{5}{20}=\frac{1}{4}$

따라서 구하는 확률은 $\frac{3}{10}\times\frac{1}{4}=\frac{3}{40}$

06 답 $\frac{1}{22}$

셀파 (첫 번째 꺼낼 때의 조건)≠(두 번째 꺼낼 때의 조건)

첫 번째에 불량품이 나올 확률은 $\frac{10}{45}=\frac{2}{9}$

꺼낸 제품을 다시 넣지 않으므로

두 번째에 불량품이 나올 확률은 $\frac{9}{44}$

따라서 두 번 모두 불량품이 나올 확률은 $\frac{2}{9}\times\frac{9}{44}=\frac{1}{22}$

07 답 $\frac{3}{5}$

셀파 5의 배수이면서 6의 약수인 수는 없다.

1부터 10까지의 자연수 중 5의 배수는 5, 10의 2가지이므로

5의 배수가 적힌 부분을 맞힐 확률은 $\frac{2}{10}=\frac{1}{5}$

1부터 10까지의 자연수 중 6의 약수는 1, 2, 3, 6의 4가지이므로

6의 약수가 적힌 부분을 맞힐 확률은 $\frac{4}{10}=\frac{2}{5}$

따라서 구하는 확률은 $\frac{1}{5}+\frac{2}{5}=\frac{3}{5}$

08 답 $\frac{19}{45}$

셀파 맑은 날을 ○, 흐린 날을 ×라 하고 (목, 금, 토)로 날씨를 나타낸다.

맑은 날의 다음 날에 맑을 확률은 $\frac{2}{3}$

맑은 날의 다음 날에 흐릴 확률은 $1-\frac{2}{3}=\frac{1}{3}$

흐린 날의 다음 날에 맑을 확률은 $\frac{2}{5}$

흐린 날의 다음 날에 흐릴 확률은 $1-\frac{2}{5}=\frac{3}{5}$

맑은 날을 ○, 흐린 날을 ×라 하고 (목, 금, 토)로 날씨를 나타낼 때, 목요일에 맑고 토요일에 흐린 경우는 다음과 같다.

(i) (○, ○, ×)인 경우
(맑은 날의 다음 날에 맑을 확률)×(맑은 날의 다음 날에 흐릴 확률)
$=\frac{2}{3}\times\frac{1}{3}=\frac{2}{9}$

(ii) (○, ×, ×)인 경우
(맑은 날의 다음 날에 흐릴 확률)×(흐린 날의 다음 날에 흐릴 확률)
$=\frac{1}{3}\times\frac{3}{5}=\frac{1}{5}$

(i), (ii)에서 구하는 확률은 $\frac{2}{9}+\frac{1}{5}=\frac{19}{45}$

실력 키우기

본문 | 236~238 쪽

01 답 $\frac{1}{4}$

셀파 주어진 알파벳 중 모음은 O, U의 2개이다.

주어진 8개의 알파벳 중 모음은 O, U의 2개이므로

모음이 적힌 카드가 나올 확률은 $\frac{2}{8}=\frac{1}{4}$

02 답 3

셀파 (노란 구슬이 나올 확률) $=\frac{(\text{노란 구슬의 개수})}{(\text{전체 구슬의 개수})}=\frac{1}{3}$

(전체 구슬의 개수)
=(흰 구슬의 개수)+(노란 구슬의 개수)+(파란 구슬의 개수)
$=5+4+x=9+x$

노란 구슬이 나올 확률은 $\frac{4}{9+x}$이므로

$\frac{4}{9+x}=\frac{1}{3}$에서 $9+x=12$ $\therefore x=3$

03 답 ⑤

셀파 확률의 기본 성질을 이용한다.

1부터 10까지의 자연수가 적힌 공 중에서

① 1이 적힌 공이 나올 확률은 $\frac{1}{10}$

② 10 이하의 수가 적힌 공이 나올 확률은 $\frac{10}{10}=1$

③ 10 이상의 자연수는 10의 1개이므로 그 확률은 $\frac{1}{10}$

④ 7의 약수는 1, 7의 2개이므로 그 확률은 $\frac{2}{10}=\frac{1}{5}$

⑤ 0이 적힌 공은 없으므로 그 확률은 0이다.

04 답 ③

셀파 (확률) $=\frac{(\text{사건 } A\text{가 일어나는 경우의 수})}{(\text{일어나는 모든 경우의 수})}$

① 한 개의 주사위를 던질 때, 8의 약수의 눈이 나오는 경우는 1, 2, 4의 3가지 ⇨ 구하는 확률은 $\frac{3}{6}=\frac{1}{2}$

② 3명을 한 줄로 세우는 경우의 수는 $3\times2\times1=6$
A, B를 이웃하여 세우는 경우의 수는 $(2\times1)\times(2\times1)=4$
⇨ 구하는 확률은 $\frac{4}{6}=\frac{2}{3}$

③ A, B 두 사람이 가위바위보를 할 때, 일어나는 모든 경우의 수는 $3\times3=9$
A가 이기는 경우의 수는 3
⇨ 구하는 확률은 $\frac{3}{9}=\frac{1}{3}$

④ 서로 다른 두 개의 주사위를 던질 때, 나올 수 있는 모든 경우의 수는 $6\times6=36$
같은 눈의 수가 나오는 경우의 수는 6
⇨ (다른 눈의 수가 나올 확률)
$=1-$(같은 눈의 수가 나올 확률)
$=1-\frac{6}{36}=1-\frac{1}{6}=\frac{5}{6}$

⑤ 0, 1, 2의 숫자로 만들 수 있는 두 자리 자연수의 개수는 십의 자리에 0이 올 수 없으므로 $2\times2=4$
만든 두 자리 자연수가 짝수인 경우는 10, 12, 20의 3개
⇨ 구하는 확률은 $\frac{3}{4}$

따라서 $\frac{1}{3}<\frac{1}{2}<\frac{2}{3}<\frac{3}{4}<\frac{5}{6}$이므로 확률이 가장 작은 것은 ③이다.

05 답 $\frac{1}{12}$

셀파 직선 $ax+by=c$가 점 (x_1, y_1)을 지나면 $ax_1+by_1=c$가 성립함을 이용한다.

① 모든 경우의 수 구하기 [30 %]
모든 경우의 수는 $6\times6=36$

② 직선 $ax+by=7$이 점 $(2, 1)$을 지나는 경우의 수 구하기 [50 %]
직선 $ax+by=7$이 점 $(2, 1)$을 지나므로 $2a+b=7$을 만족하는 순서쌍 (a, b)는
$(1, 5)$, $(2, 3)$, $(3, 1)$의 3가지

③ 답 구하기 [20 %]
따라서 구하는 확률은 $\frac{3}{36}=\frac{1}{12}$

06 답 $\frac{9}{14}$

셀파 남학생이 한 명도 뽑히지 않을 확률을 이용한다.

모든 경우의 수는 $8\times7=56$
회장 1명, 부회장 1명에 남학생이 한 명도 뽑히지 않는 경우, 즉 여학생 5명 중에서 회장 1명, 부회장 1명을 뽑는 경우의 수는
$5\times4=20$이므로 그 확률은 $\frac{20}{56}=\frac{5}{14}$
∴ (남학생이 적어도 1명 뽑힐 확률)
$=1-$(남학생이 한 명도 뽑히지 않을 확률)
$=1-$(회장 1명, 부회장 1명이 모두 여학생일 확률)
$=1-\frac{5}{14}=\frac{9}{14}$

07 답 $\frac{9}{31}$

셀파 두 사건이 동시에 일어나지 않을 때 '또는', '~이거나' ⇨ 두 사건의 확률을 더한다.

모든 경우의 수는 31
화요일인 경우는 2일, 9일, 16일, 23일, 30일의 5가지이므로
그 확률은 $\frac{5}{31}$
목요일인 경우는 4일, 11일, 18일, 25일의 4가지이므로
그 확률은 $\frac{4}{31}$
따라서 화요일 또는 목요일을 택할 확률은
$\frac{5}{31}+\frac{4}{31}=\frac{9}{31}$

08 답 $\frac{8}{49}$

셀파 두 사건이 서로 영향을 끼치지 않을 때 '동시에', '그리고' ⇨ 두 사건의 확률을 곱한다.

A 주머니에서 흰 공이 나올 확률은 $\frac{4}{7}$
B 주머니에서 파란 공이 나올 확률은 $\frac{2}{7}$
따라서 구하는 확률은 $\frac{4}{7}\times\frac{2}{7}=\frac{8}{49}$

09 답 $\frac{3}{5}$

셀파 두 사람이 만나지 못하려면 적어도 한 명이 약속 장소에 나가지 않아야 한다.

두 사람 중 적어도 한 명이 약속 장소에 나가지 않아야 하므로
(두 사람이 만나지 못할 확률)
$=1-$(두 사람이 만날 확률)
$=1-$(두 사람이 모두 약속 장소에 나갈 확률)
$=1-\frac{3}{5}\times\frac{2}{3}=1-\frac{2}{5}=\frac{3}{5}$

10 답 $\frac{4}{5}$

셀파 병렬연결이므로 적어도 한 개의 스위치만 닫혀도 전구에 불이 들어온다.

병렬연결 전기회로에서 전구에 불이 들어오려면 두 스위치 A, B 중 적어도 한 개의 스위치가 닫혀야 한다.
두 스위치 A, B가 닫힐 확률은 각각 $\frac{2}{5}$, $\frac{2}{3}$이므로
두 스위치 A, B가 열려 있을 확률은 각각 $1-\frac{2}{5}=\frac{3}{5}$, $1-\frac{2}{3}=\frac{1}{3}$
∴ (전구에 불이 들어올 확률)
$=1-$(A, B 두 스위치가 모두 열려 있을 확률)
$=1-\frac{3}{5}\times\frac{1}{3}=1-\frac{1}{5}=\frac{4}{5}$

11 답 $\frac{7}{12}$

셀파 A 학생이 문제를 맞히고 B 학생이 문제를 맞히지 못하는 경우와 A 학생이 문제를 맞히지 못하고 B 학생이 문제를 맞히는 경우로 나누어 생각한다.

① A 학생만 문제를 맞힐 확률 구하기 [40 %]

(i) A 학생이 문제를 맞히고 B 학생이 문제를 맞히지 못할 확률은

$\frac{3}{4}\times\left(1-\frac{1}{3}\right)=\frac{3}{4}\times\frac{2}{3}=\frac{1}{2}$

② B 학생만 문제를 맞힐 확률 구하기 [40 %]

(ii) A 학생이 문제를 맞히지 못하고 B 학생이 문제를 맞힐 확률은

$\left(1-\frac{3}{4}\right)\times\frac{1}{3}=\frac{1}{4}\times\frac{1}{3}=\frac{1}{12}$

③ 한 학생만 문제를 맞힐 확률 구하기 [20 %]

(i), (ii)에서 구하는 확률은 $\frac{1}{2}+\frac{1}{12}=\frac{7}{12}$

12 답 $\frac{1}{5}$

셀파 뽑은 제비를 다시 넣으므로 지수가 뽑을 때와 영민이가 뽑을 때의 조건이 같다.

(i) 지수가 당첨 제비를 뽑고, 영민이도 당첨 제비를 뽑을 확률은

$\frac{3}{15}\times\frac{3}{15}=\frac{1}{25}$

(ii) 지수가 당첨 제비를 뽑지 않고, 영민이가 당첨 제비를 뽑을 확률은

$\frac{12}{15}\times\frac{3}{15}=\frac{4}{25}$

(i), (ii)에서 구하는 확률은 $\frac{1}{25}+\frac{4}{25}=\frac{1}{5}$

13 답 $\frac{3}{7}$

셀파 두 수의 합이 짝수인 경우는
(홀수)+(홀수)=(짝수), (짝수)+(짝수)=(짝수)
인 2가지 경우가 있다.

① 두 수의 합이 짝수가 될 조건 알기 [20 %]

두 수의 합이 짝수이려면 두 수 모두 홀수이거나 모두 짝수이어야 한다.

이때 7장의 카드 중 홀수는 1, 3, 5, 7의 4장,
짝수는 2, 4, 6의 3장이다.

② 모두 홀수가 적힌 카드를 뽑을 확률 구하기 [30 %]

(i) (홀수)+(홀수)=(짝수)인 경우

첫 번째와 두 번째에 모두 홀수가 뽑힐 확률은

$\frac{4}{7}\times\frac{3}{6}=\frac{2}{7}$

→ 뽑은 카드는 다시 넣지 않으므로 두 번째로 카드를 뽑을 때는 전체 카드의 장수와 홀수가 적힌 카드의 장수가 각각 1씩 작아진다.

③ 모두 짝수가 적힌 카드를 뽑을 확률 구하기 [30 %]

(ii) (짝수)+(짝수)=(짝수)인 경우

첫 번째와 두 번째에 모두 짝수가 뽑힐 확률은

$\frac{3}{7}\times\frac{2}{6}=\frac{1}{7}$

④ 답 구하기 [20 %]

(i), (ii)에서 구하는 확률은 $\frac{2}{7}+\frac{1}{7}=\frac{3}{7}$

14 답 $\frac{1}{48}$

셀파 한 눈금에 해당하는 확률은 $\frac{1}{12}$이다.

남해에 갈 확률은 $\frac{3}{12}=\frac{1}{4}$이고, 회를 먹을 확률은 $\frac{1}{12}$이다.

따라서 남해에 가서 회를 먹게 될 확률은

$\frac{1}{4}\times\frac{1}{12}=\frac{1}{48}$

15 답 $\frac{5}{16}$

셀파 수요일에 버스를 타는 경우와 자전거를 타는 경우로 나누어 생각한다.

우빈이가 버스를 탄 날의 다음 날에

⇨ 버스를 탈 확률은 $\frac{3}{4}$, 자전거를 탈 확률은 $1-\frac{3}{4}=\frac{1}{4}$

우빈이가 자전거를 탄 날의 다음 날에

⇨ 버스를 탈 확률은 $\frac{1}{2}$, 자전거를 탈 확률은 $1-\frac{1}{2}=\frac{1}{2}$

버스로 등교하는 것을 '버', 자전거로 등교하는 것을 '자'라 하고 (화, 수, 목)으로 나타내면 화요일에 버스로 등교하였을 때 목요일에 자전거로 등교하는 경우는 (버, 버, 자), (버, 자, 자)의 두 가지가 있다.

각 경우의 확률을 표로 정리하면 다음과 같다.

화	수	목	확률
버스	버스	자전거	$\frac{3}{4}\times\frac{1}{4}=\frac{3}{16}$
	자전거		$\frac{1}{4}\times\frac{1}{2}=\frac{1}{8}$

따라서 구하는 확률은 $\frac{3}{16}+\frac{1}{8}=\frac{5}{16}$

16 답 $\frac{1}{8}$

셀파 B 선수와 F 선수가 결승전에 올라갈 확률을 각각 구하여 곱한다.

B 선수는 C 선수를 이기고, 준결승전에서 A 선수를 이겨야 결승전에 진출하므로 B 선수가 결승전에 진출할 확률은 $\frac{1}{2}\times\frac{1}{2}=\frac{1}{4}$

F 선수는 준결승전에 올라온 한 선수만 이기면 결승전에 진출하므로 F 선수가 결승전에 진출할 확률은 $\frac{1}{2}$

따라서 B 선수와 F 선수가 결승전에서 만날 확률은

$\frac{1}{4}\times\frac{1}{2}=\frac{1}{8}$

17 답 $\frac{2}{5}$

셀파 양치기 소년이 늑대가 나타났을 때 소리치는 경우와 늑대가 나타나지 않았을 때 소리치는 경우로 나누어 생각한다.

20 %의 확률로 늑대가 나타나므로

늑대가 나타날 확률은 $\frac{20}{100}=\frac{1}{5}$,

늑대가 나타나지 않을 확률은 $1-\frac{1}{5}=\frac{4}{5}$

소년이 거짓말을 할 확률이 $\frac{1}{3}$이므로 소년이 참말을 할 확률은

$1-\frac{1}{3}=\frac{2}{3}$

(i) 늑대가 나타났을 때 소년이 소리칠 확률

$\frac{1}{5}\times\frac{2}{3}=\frac{2}{15}$

→ 늑대가 나타났을 때 소리치면 참말이므로 소년이 참말을 할 확률을 곱한다.

(ii) 늑대가 나타나지 않았을 때 소년이 소리칠 확률

$\frac{4}{5}\times\frac{1}{3}=\frac{4}{15}$

→ 늑대가 나타나지 않았을 때 소리치면 거짓말이므로 소년이 거짓말을 할 확률을 곱한다.

(i), (ii)에서 구하는 확률은 $\frac{2}{15}+\frac{4}{15}=\frac{6}{15}=\frac{2}{5}$

18 답 $\frac{3}{8}$

셀파 앞면이 2번 나오고 뒷면이 1번 나왔다면 점 P의 위치는
$2\times(+1)+1\times(-1)=1$

1 모든 경우의 수 구하기 [20 %]

모든 경우의 수는 $2\times2\times2=8$

2 연립방정식 세우고 풀기 [50 %]

한 개의 동전을 세 번 던져 앞면이 a번, 뒷면이 b번 나왔을 때,

점 P의 위치가 1이어야 하므로

P
−3 −2 −1 0 1 2 3

$a\times(+1)+b\times(-1)=a-b=1$ ...... ㉠

동전을 3번 던졌으므로 $a+b=3$ ...... ㉡

㉠+㉡을 하면 $2a=4$ $\therefore a=2$

$a=2$를 ㉡에 대입하면 $b=1$

3 확률 구하기 [30 %]

즉 앞면이 두 번, 뒷면이 한 번 나오는 경우이므로

(앞, 앞, 뒤), (앞, 뒤, 앞), (뒤, 앞, 앞)의 3가지

따라서 구하는 확률은 $\frac{3}{8}$